CB016738

O PINTASSILGO

DONNA TARTT

O pintassilgo

Tradução
Sara Grünhagen

9ª reimpressão

COMPANHIA DAS LETRAS

Copyright © 2013 by Tay, Ltd.
Proibida a venda em Portugal

Grafia atualizada segundo o Acordo Ortográfico da Língua Portuguesa de 1990, que entrou em vigor no Brasil em 2009.

Os trechos da música "Ach, śpij kochanie", nas páginas 253-4 foram reproduzidos com a gentil permissão de Allan Starski. Copyright © Ludwik Starski e Henryk Wars, 1938.

Título original
The Goldfinch

Capa
Keith Hayes

Foto de capa
The Goldfinch, 1654 (óleo sobre tela), Carel Fabritius (1622-54), Mauritshuis, Haia, Holanda, The Bridgeman Art Library

Preparação
Lígia Azevedo

Revisão
Luciane Helena Gomide
Huendel Viana

Dados Internacionais de Catalogação na Publicação (CIP)
(Câmara Brasileira do Livro, SP, Brasil)

Tartt, Donna
O pintassilgo / Donna Tartt ; tradução Sara Grünhagen.
— 1ª ed. — São Paulo : Companhia das Letras, 2014.

Título original: The Goldfinch.
ISBN 978-85-359-2468-8

1. Ficção norte-americana I. Título.

14-05941 CDD-813

Índice para catálogo sistemático:
1. Ficção : Literatura norte-americana 813

Todos os direitos desta edição reservados à
EDITORA SCHWARCZ S.A.
Rua Bandeira Paulista, 702, cj. 32
04532-002 — São Paulo — SP
Telefone: (11) 3707-3500
www.companhiadasletras.com.br
www.blogdacompanhia.com.br
facebook.com/companhiadasletras
instagram.com/companhiadasletras
twitter.com/cialetras

Para minha mãe,
para Claude

I

O absurdo não liberta; amarra.
Albert Camus

1. Garoto com um crânio

I

Enquanto ainda estava em Amsterdam, sonhei com minha mãe pela primeira vez depois de anos. Já estava trancado no hotel havia mais de uma semana, com medo de ligar para quem quer que fosse ou de sair; meu coração disparava e vacilava com os ruídos mais inocentes: a campainha do elevador, o arrastar metálico do carrinho de minibar, até os sinos de igreja dando as horas, De Westertoren, Krijtberg, as badaladas um tanto sombrias, uma sensação intrincada de morte saída de um conto de fadas. De dia eu ficava sentado aos pés da cama me esforçando para tirar algum sentido das notícias em holandês na televisão (o que era inútil, já que eu não sabia uma palavra em holandês) e, quando desistia, sentava perto da janela e ficava olhando o canal com meu casaco de pelo de camelo por cima das roupas — pois eu tinha saído às pressas de Nova York e as roupas que levara não eram quentes o suficiente, mesmo num ambiente fechado.

Lá fora, tudo estava agitado e alegre. Era Natal, luzes piscavam nas pontes do canal à noite; *dames en heren* corados, os cachecóis balançando no vento gelado, desciam sacolejando pelas calçadas de pedras com árvores de Natal presas na traseira das bicicletas. À tarde, uma banda amadora tocava canções natalinas que ficavam suspensas no ar do inverno, metálicas e frágeis.

Bandejas de serviço de quarto caóticas; cigarros demais; vodca morna de free shop. Durante aqueles dias agitados de confinamento, fiquei conhecendo cada centímetro do quarto como um prisioneiro vem a conhecer sua cela. Era minha primeira vez em Amsterdam; não tinha visto quase nada da cidade, mas o quarto em si, com sua beleza sombria, açoitado pelo vento e esbranquiçado pelo sol, dava uma ideia fiel do norte da Europa, um modelo em miniatura dos Países Baixos: probidade caiada e protestante, misturada com um luxo exótico trazido do Oriente por navios mercantes. Passei uma quantidade absurda de tempo examinando cuidadosamente dois minúsculos óleos com molduras douradas pendurados sobre a cômoda, um de camponeses patinando num lago congelado perto de uma igreja, outro de um barco à vela balançando num mar agitado de inverno: cópias decorativas, nada especial, embora eu as tenha estudado como se tivessem, criptografada, alguma chave para o misterioso segredo dos velhos mestres flamengos. Lá fora, chuva e neve batiam contra as vidraças e caíam suavemente sobre o canal; e embora os brocados fossem finos e o carpete fosse macio, ainda assim a luz do inverno tinha um tom frio de 1943, privação e austeridade, chá fraco sem açúcar, ir dormir de estômago vazio.

Cedo pela manhã, enquanto as luzes ainda estavam apagadas, antes que os outros funcionários chegassem para trabalhar e o saguão começasse a encher, eu descia para pegar os jornais. Os funcionários do hotel moviam-se falando baixinho e com passos silenciosos, os olhares me atravessando friamente como se não estivessem me vendo de fato, o americano no 27 que nunca saía do quarto durante o dia; e eu tentava me tranquilizar pensando que o gerente da noite (terno escuro, cabelo bem curto, óculos de armação de tartaruga) provavelmente faria o possível para evitar problemas ou um escândalo.

O *Herald Tribune* não trazia nada sobre minha situação, mas a história estava em todos os jornais holandeses, densas colunas de texto estrangeiro que se mostravam, cruelmente, fora do alcance da minha mente. *Onopgeloste moord. Onbekende.* Subi e voltei para a cama (totalmente vestido, pois o quarto era gelado demais) e espalhei os jornais sobre a colcha: fotos de viaturas, fitas de isolamento de cena de crime, até as legendas eram impossíveis de decifrar, e, embora não parecessem citar meu nome, não havia como saber se traziam uma descrição minha ou se ocultavam informações do público.

O quarto. O aquecedor. *Een Amerikaan met een strafblad.* A água verde-oliva do canal.

Como estava com frio e doente, na maior parte do tempo sem saber o que fazer (eu tinha me esquecido de trazer um livro, assim como roupas quentes), ficava na cama quase o dia todo. A noite parecia chegar no meio da tarde. Com frequência — em meio aos ruídos dos jornais espalhados —, eu ficava oscilando entre dormir e acordar, e meus sonhos, em sua maioria, ficavam turvados por aquela mesma ansiedade indeterminada que escorria para as horas de vigília: processos judiciais, malas abertas na pista com minhas roupas espalhadas por toda a parte e corredores de aeroporto intermináveis por onde passava correndo para pegar aviões que sabia que jamais ia alcançar.

Graças à minha febre, tive um monte de sonhos estranhos e muito intensos, suando e me debatendo sem saber se era dia ou noite, mas na última e pior dessas noites sonhei com minha mãe: um sonho rápido e misterioso que pareceu mais uma visita. Eu estava na loja de Hobie — ou, mais precisamente, em algum espaço onírico e assombrado projetado como uma versão grosseira da loja — quando ela apareceu de repente atrás de mim, de modo que vi seu reflexo num espelho. Ao vê-la, fiquei paralisado de felicidade; era ela, em cada detalhe, o exato padrão de sardas, e sorria para mim, mais bonita e nem um pouco mais velha, o cabelo preto e o trejeito engraçado da boca, não um sonho, e sim uma presença que enchia completamente o ambiente: uma força toda dela, uma alteridade viva. E, por mais que eu quisesse, sabia que não podia me virar, que olhar diretamente para ela era violar as leis do seu mundo e do meu; tinha vindo até mim da única forma que podia, e nossos olhos se mantiveram fixos um no outro através do espelho por um bom tempo ainda; mas quando ela estava prestes a falar — com o que parecia ser uma combinação de deleite, carinho, exasperação — uma névoa se formou entre nós e eu despertei.

II

As coisas teriam sido melhores se ela estivesse viva. Mas minha mãe morreu quando eu era criança; e, embora tudo o que aconteceu comigo desde então seja exclusivamente culpa minha, quando a perdi também perdi de vista qualquer farol que poderia ter me conduzido a algum lugar mais feliz, a uma vida mais plena e agradável.

Sua morte foi o marco divisório: Antes e Depois. E, embora seja uma coisa triste de admitir depois de todos esses anos, nunca encontrei ninguém que fizesse eu me sentir amado como ela fazia. Tudo ganhava vida ao lado dela; minha mãe projetava uma luz teatral e encantada sobre tudo, de modo que ver através de seus olhos era ver cores mais vivas — lembro a forma com que, algumas semanas antes de morrer, jantando tarde num restaurante italiano no Village, ela agarrou a manga da minha camisa diante da súbita e quase dolorosa beleza de um bolo de aniversário com velas acesas sendo trazido em procissão da cozinha, o fraco círculo de luz tremulando pelo teto escuro, depois o bolo sendo colocado para brilhar no centro da família, beatificando o rosto de uma velha senhora, todos os sorrisos em volta, garçons se afastando com as mãos nas costas — apenas um bolo de aniversário, comum, que se vê em qualquer restaurante barato de Downtown, e tenho certeza de que nem lembraria se ela não tivesse morrido logo depois, mas pensei naquilo de novo e de novo depois de sua morte e provavelmente vou continuar pensando a vida toda: aquele círculo de velas acesas, um retrato vivo da felicidade diária e ordinária perdida quando a perdi.

Ela era linda também. Isso é algo quase secundário; mas, ainda assim, ela era. Quando chegou a Nova York direto do Kansas, trabalhou meio período como modelo, embora ficasse desconfortável demais diante da câmera para ser realmente boa naquilo; o que quer que tivesse, não se traduzia no filme.

E, no entanto, era toda ela: uma raridade. Não me lembro de alguma vez ter visto outra pessoa que realmente se parecesse com minha mãe. Ela tinha cabelo preto, pele clara que se enchia de sardas no verão, olhos azuis chineses muito iluminados; e na curva das maçãs do rosto havia uma mistura tão excêntrica do tribal com a Renascença céltica que às vezes achavam que ela era islandesa. Na verdade, ela era metade irlandesa, metade cheroqui, de uma cidade do Kansas perto da fronteira com Oklahoma; e gostava de me fazer rir dizendo que era uma Okie, embora fosse tão cheia de brilho, nervosa e elegante quanto um cavalo de corrida. Infelizmente essa figura exótica saía um pouco severa e implacável demais nas fotos — as sardas cobertas por maquiagem, o cabelo puxado para trás num rabo de cavalo como um fidalgo em *O conto de Genji* — e o que não aparecia de forma alguma era sua simpatia, o jeito alegre e imprevisível, que era o que eu mais amava nela. Fica claro, pela imobilidade que emanava das fotos, que não confiava na câmera; ela transmitia um ar atento e feroz de estar se preparando para o ataque. Mas na vida real não era assim. Minha mãe se movia com uma rapidez arrebatadora, gestos súbitos e delicados, sempre empoleirada na ponta da cadeira como um elegante chupim-do-brejo prestes a se sobressaltar e sair voando. Eu adorava o perfume de sândalo que ela usava, forte e inesperado, e adorava o farfalhar de sua camisa engomada quando se abaixava para me dar um beijo na testa. E a risada dela era suficiente para fazer qualquer um querer largar o que estava fazendo e segui-la pela rua. Aonde quer que fosse, homens a olhavam de canto de olho, às vezes de um jeito que me deixava um pouco incomodado.

Ela morreu por minha culpa. As pessoas sempre foram um pouco rápidas demais no sentido de me garantir que não foi; *você era só uma criança, quem poderia imaginar, um acidente terrível, falta de sorte, poderia ter acontecido com qualquer um*; é tudo verdade e não acredito numa palavra.

Aconteceu em Nova York, 10 de abril, catorze anos atrás. (Até minha mão empaca diante da data; tive de me forçar a escrevê-la, a manter a caneta se movendo sobre o papel. Costumava ser um dia perfeitamente comum, mas agora salta no calendário como um prego enferrujado.)

Se o dia tivesse saído conforme planejado, ele teria desaparecido céu adentro despercebido, engolido sem deixar rastro junto ao resto do meu oitavo ano. Do que eu lembraria agora? Pouco ou nada. Mas é claro que a textura daquela manhã está mais clara que o presente, até a sensação úmida e encharcada do ar. Chovera durante a noite, uma tempestade horrível, lojas foram inundadas e umas duas estações do metrô fecharam; nós dois estávamos parados no tapete molhado do lado de fora do nosso prédio enquanto o porteiro favorito dela, Goldie, que a adorava, andava de costas pela rua 57 com o braço erguido, assobiando para chamar um táxi. Carros passavam a toda espirrando lençóis de água suja; nuvens inchadas de chuva rolavam bem acima dos arranha-céus, levadas pelo vento e revelando pedaços de um céu azul-claro, e lá embaixo, na rua, sob os gases de escape, o ar estava úmido e ameno como na primavera.

"Ah, está ocupado, senhora", disse Goldie acima do barulho da rua, saindo do caminho enquanto um táxi virava a esquina espirrando água e desligando o letreiro. Goldie era o menor dos porteiros: um homenzinho pequeno, magro e agitado, um porto-riquenho moreno, ex-lutador de boxe peso-pena. Apesar de ter o rosto meio inchado pela bebida (às vezes ele chegava para o turno da noite cheirando a J&B), era robusto, musculoso e ágil — sempre brincando, sempre fazendo uma pausa para um cigarro na esquina, transferindo o peso do corpo de um pé para o outro e soprando as mãos com luvas brancas quando estava frio, contando piadas em espanhol e arrancando risadas dos outros porteiros.

"A senhora está com muita pressa esta manhã?", ele perguntou à minha mãe. Seu crachá dizia BURT D., mas todos o chamavam de Goldie por causa do dente de ouro e do sobrenome, De Oro.

"Não, tudo bem, temos tempo de sobra." Mas ela parecia exausta e suas mãos estavam trêmulas enquanto refaziam o nó do cachecol, que voava e tremulava com o vento.

O próprio Goldie deve ter percebido isso, pois olhou de esguelha para mim (escorado de forma evasiva no canteiro de cimento na frente do prédio, olhando para todos os lados menos para ela) com um ar de leve reprovação.

"Não vai de metrô hoje?", disse ele para mim.

"Ah, temos de resolver umas coisas na rua", disse minha mãe, sem muita convicção, quando percebeu que eu não sabia o que dizer. Eu geralmente não prestava muita atenção na roupa dela, mas o que vestia naquela manhã (gabardina branca, cachecol rosa sino, mocassim preto e branco) ficou tão firmemente gravado na minha memória que agora é difícil me lembrar dela de outra forma.

Eu tinha treze anos. Odeio lembrar quão desconfortáveis estávamos na presença um do outro naquela última manhã, calados o suficiente para o porteiro reparar; em qualquer outra ocasião estaríamos conversando amistosamente, mas naquela manhã não tínhamos muito o que dizer um para o outro, porque eu havia sido suspenso da escola. Tinham ligado para o escritório dela no dia anterior; minha mãe tinha voltado para casa em silêncio e furiosa; e o mais terrível era que eu nem sabia por que tinha sido suspenso, embora tivesse setenta e cinco por cento de certeza de que o sr. Beeman (saindo do seu gabinete rumo à sala dos professores) tinha olhado pela janela do patamar do segundo andar bem na hora errada e me visto fumando nas dependências da escola. (Ou, então, me visto de bobeira com Tom Cable enquanto *ele* fumava, o que na minha escola era considerado praticamente o mesmo delito.) Minha mãe odiava cigarro. Os pais dela — de quem eu adorava ouvir histórias e que injustamente morreram antes que eu tivesse a chance de conhecê-los — tinham sido gentis treinadores que viajavam pelo oeste e ganhavam a vida criando cavalos Morgan: alegres bebedores de coquetéis e jogadores de canastra que todo ano iam ao Kentucky Derby e que guardavam cigarros em estojos de prata espalhados pela casa. Até que um dia minha avó curvou-se num espasmo e começou a tossir sangue quando voltou do estábulo; e pelo resto da adolescência da minha mãe houve cilindros de oxigênio na varanda e persianas sempre fechadas.

Mas — conforme eu temia, e não sem razão — o cigarro de Tom era só a ponta do iceberg. Eu andava já havia um tempo encrencado na escola. Tudo tinha começado, ou melhor, se agravado, quando alguns meses antes meu pai se mandou, abandonando minha mãe e eu; não gostávamos muito dele, e de modo geral minha mãe e eu estávamos muito mais felizes sozinhos, mas outras pessoas pareciam chocadas e abaladas pela forma abrupta com que ele tinha nos deixado (sem dinheiro, pensão ou endereço para contato), e os professores da minha escola no Upper West Side tinham ficado com tanta pena de mim, estavam tão ansiosos para oferecer seu apoio e sua compreensão, que fizeram a mim, um aluno bolsista, todo tipo de concessão, com prazos maiores e segundas e terceiras chances: estendendo a corda até eu me enfiar num buraco bem fundo, em questão de meses.

Assim, nós dois — minha mãe e eu — tínhamos sido chamados para uma reunião na escola. Seria só às onze e meia, mas como minha mãe tinha sido obrigada a tirar a manhã de folga, estávamos indo cedo para o West Side — para tomar café (e, eu imaginava, ter uma conversa séria) e para que ela pudesse comprar um presente de aniversário para uma colega de trabalho. Ela tinha ficado acordada até duas e meia da manhã na noite anterior, o rosto tenso ao brilho do computador, escrevendo e-mails e tentando deixar tudo em ordem para a manhã fora do escritório.

"Não sei quanto a você", Goldie estava dizendo à minha mãe, bastante enfático, "mas pra mim já deu essa primavera e essa umidade toda. Chuva e mais chuva..." Ele estremeceu, puxando teatralmente a gola olhando para o céu.

"Acho que vai dar uma melhorada esta tarde."

"É, eu sei, mas estou pronto pro *verão*." Esfregou as mãos. "As pessoas saem da cidade, odeiam, reclamam do calor, mas eu — eu sou uma ave tropical. Quanto mais quente melhor. Pode vir!" Bateu palmas, andou pra trás sobre os calcanhares. "E te digo do que eu mais gosto: é o quanto isso aqui fica silencioso, tipo em julho. O prédio vazio, vazio, tranquilo, todo mundo fora, sabe?" Estralou os dedos, táxi passando direto a toda. "São as *minhas* férias."

"Mas você não morre de calor aqui fora?" Meu antipático pai odiava isso nela — sua tendência a conversar com garçonetes, porteiros, velhos atendentes ofegantes de lavanderias. "No inverno, pelo menos, você pode pôr um casaco a mais..."

"Você já cuidou da porta no inverno? Estou te dizendo que fica *frio*. Não importa quantos casacos e gorros coloca. Quando você fica parado aqui fora, em janeiro, fevereiro, e o vento sopra do rio? *Brrr.*"

Agitado, roendo a unha do polegar, fiquei olhando para os táxis que passavam voando pelo braço erguido de Goldie. Sabia que seria uma espera excruciante até a reunião das onze e meia; e só o que eu podia fazer era ficar parado e não deixar escapar perguntas incriminadoras. Não fazia ideia do que eles fariam surgir diante da minha mãe e eu uma vez que estivéssemos na sala; a própria palavra "reunião" sugeria uma convocação de autoridades, acusações e encaradas, uma possível expulsão. Se eu perdesse minha bolsa seria catastrófico; estávamos falidos desde que meu pai nos deixara; mal tínhamos dinheiro pro aluguel. Acima de tudo: eu estava morrendo de preocupação que o sr. Beeman tivesse, de alguma forma, descoberto que Tom Cable e eu tínhamos invadido casas de veraneio vazias quando fiquei com ele nos Hamptons. Falo "invadir", mas não forçamos a porta ou fizemos qualquer estrago (a mãe de Tom era corretora de imóveis; entrávamos sem cerimônia com chaves surrupiadas do escritório dela). Na maioria das vezes bisbilhotávamos closets e cômodas, mas também tínhamos pegado algumas coisas: cerveja, jogos de Xbox e um DVD (Jet Li, *Cão de briga*) e dinheiro, cerca de noventa e dois dólares no total: notas de cinco e de dez amassadas de um pote da cozinha, pilhas de moedinhas de troco da lavanderia.

Toda vez que eu pensava nisso ficava enjoado. Fazia meses que tinha estado na casa de Tom e, apesar de dizer a mim mesmo que não havia como o sr. Beeman saber das nossas visitas àquelas casas — como poderia? —, minha imaginação ficava dando voltas em disparada e ziguezagueando em pânico. Eu estava decidido a não delatar Tom (embora não estivesse tão seguro quanto a ele ter me delatado), mas isso me deixava numa situação complicada. Como pude ter sido tão burro? Arrombar e invadir era crime; as pessoas iam pra cadeia por causa disso. Durante horas na noite anterior fiquei acordado atormentado, debatendo-me e vendo a chuva cair em rajadas irregulares contra o vidro da janela, imaginando o que dizer se confrontado. Mas como poderia me defender se nem ao menos sabia o que eles sabiam?

Goldie soltou um longo suspiro, abaixou a mão e voltou andando de costas até onde minha mãe estava.

"Incrível", disse a ela, com um olho cansado na rua. "Teve aquela enchente lá em SoHo, você ficou sabendo, né, e Carlos disse que algumas ruas foram bloqueadas pela ONU."

Abatido, fiquei olhando a multidão de trabalhadores descendo do ônibus que atravessa a cidade, tão alegres quanto um enxame de vespas. Talvez tivéssemos mais sorte se andássemos uma ou duas quadras para oeste, mas minha mãe e eu conhecíamos Goldie o suficiente pra saber que ele ficaria ofendido se saíssemos por conta própria. Foi aí que — tão subitamente que todos pulamos — um táxi com o letreiro aceso veio derrapando pela pista até nós, levantando um leque de água que cheirava a esgoto.

"Cuidado!", disse Goldie, pulando pro lado enquanto o táxi freava com tudo — e então reparando que minha mãe estava sem guarda-chuva. "Espere", disse ele, indo na direção do saguão, até a coleção de guarda-chuvas perdidos e esquecidos que ele guardava num latão perto da lareira e redistribuía em dias de chuva.

"Não", gritou minha mãe para ele, pescando na bolsa sua minúscula sombrinha listrada dobrável, "não se preocupe, Goldie, não precisa..."

Ele reapareceu no meio-fio e fechou a porta do táxi para ela. Então se inclinou e deu uma batidinha na janela.

"Vão com Deus", disse.

III

Gosto de pensar em mim mesmo como uma pessoa perceptiva (como acredito que todos gostamos), e ao pôr tudo isso no papel é tentador esboçar uma sombra pairando lá no alto. Mas eu estava cego e surdo para o futuro;

minha única e esmagadora preocupação era a reunião na escola. Quando liguei para Tom para contar que tinha sido suspenso (sussurrando no telefone; minha mãe tinha confiscado meu celular), ele não pareceu muito surpreso com a notícia. "Olha", disse, cortando-me, "não seja besta, Theo, ninguém sabe de nada, apenas mantenha a porra do bico calado"; e, antes que eu pudesse falar qualquer outra coisa, ele concluiu: "Desculpe, tenho que ir", e desligou.

No táxi, tentei abrir um pouquinho a janela para pegar um ar: não era meu dia de sorte. O cheiro era como se alguém tivesse trocado uma fralda suja ou simplesmente cagado ali atrás, e depois tentado disfarçar o fedor com um banho de bom ar com aquele cheirinho de coco de protetor solar. Os bancos estavam engordurados e tinham sido remendados com fita adesiva, e os amortecedores praticamente já eram. Toda vez que passávamos por uma lombada meus dentes batiam, assim como o badulaque religioso pendurado no espelho retrovisor: medalhinhas, uma espada curva em miniatura dançando numa corrente de plástico e um guru barbudo de turbante encarando o banco de trás com olhos penetrantes, a palma da mão levantada num gesto de bênção.

Ao longo da Park Avenue, fileiras de tulipas vermelhas mostravam-se em posição de sentido enquanto passávamos. Pop de Bollywood — tocando num lamento baixo, quase subliminar — espiralava e brilhava hipnoticamente no liminar da minha audição. As folhas começavam a cair das árvores. Entregadores do D'Agostino's e do Gristede's empurravam carrinhos carregados de mantimentos; executivas angustiadas de salto alto precipitavam-se pela calçada, arrastando criancinhas relutantes atrás de si; um funcionário uniformizado varria os detritos da sarjeta para uma pá de lixo com cabo; advogados e corretores da bolsa estendiam a palma da mão e franziam a testa olhando para o céu. Enquanto sacolejávamos pela avenida (minha mãe com uma expressão miserável, agarrando-se ao apoio de braço para se manter no lugar), olhei pela janela para os rostos vulgares e dispépticos (pessoas com capa de chuva parecendo preocupadas, arrastando-se na multidão sombria pela faixa de pedestre, tomando café em copos de papel e falando ao celular e olhando furtivamente para os lados) e fiz o possível para tentar não pensar em todos os destinos desagradáveis que poderiam estar prestes a me atingir: alguns deles incluindo juizado de menores ou prisão.

O táxi fez subitamente uma curva fechada, entrando na rua 86. Minha mãe escorregou até mim e agarrou meu braço; vi que ela estava pegajosa e pálida como um peixe.

"Você está enjoada?", perguntei, esquecendo momentaneamente meus próprios problemas. Ela tinha uma lamentável expressão fixa que eu conhecia bem demais: os lábios franzidos, a testa brilhando e os olhos vidrados e enormes.

Minha mãe começou a falar alguma coisa — e então pôs a mão na boca enquanto o táxi freava com tudo no sinal, jogando-nos com força para a frente e para trás no banco.

"Calma", falei para ela, e então me inclinei e dei uma batidinha no acrílico gorduroso para chamar a atenção do motorista (um sique de turbante). "Ei", disse pela grade, "já tá bom, vamos descer aqui, tá?"

O sique — refletido no espelho enfeitado — me olhou fixamente. "Você quer parar aqui."

"Sim, por favor."

"Mas este não é o endereço que me deu."

"Eu sei. Mas aqui já tá bom", falei, olhando de relance para minha mãe — manchada de rímel, o olhar murcho, remexendo na bolsa à procura da carteira.

"Ela tá bem?", perguntou o taxista, inseguro.

"Sim, sim, ela tá bem. Só precisamos sair, obrigado."

Com as mãos trêmulas, minha mãe pegou uns dólares amassados e meio úmidos e os empurrou pela grade. Enquanto o sique agarrava as notas (resignado, desviando o olhar), saí do carro e segurei a porta aberta para ela.

Minha mãe saiu com um passo meio trôpego para o meio-fio, e eu a segurei pelo braço. "Você tá bem?", perguntei timidamente enquanto o táxi se afastava. Estávamos na Quinta Avenida, mais ao norte, perto das mansões com vista para o parque.

Ela respirou fundo, depois secou a testa e apertou meu braço. "Nossa", disse, abanando o rosto com a mão. Sua testa brilhava e seus olhos ainda pareciam um pouco desfocados; tinha o aspecto ligeiramente arrepiado de uma ave marinha arrastada pelo vento. "Desculpe, ainda estou meio tonta. Graças a Deus saímos daquele táxi. Vou ficar bem, só preciso de um ar."

Pessoas passavam à nossa volta na esquina, onde ventava muito: garotas de uniforme, rindo, correndo e desviando de nós; babás empurrando carrinhos elaborados com bebês sentados em pares ou trios. Um pai angustiado com cara de advogado passou roçando por nós, arrastando o filho pequeno pelo pulso. "Não, Braden", escutei-o dizer para o garoto, que ia correndinho para acompanhar o passo dele, "você não deveria pensar assim, é mais importante ter um emprego do qual você *gosta*..."

Demos um passo pro lado pra fugir da água ensaboada que um zelador estava jogando com um balde na calçada em frente ao prédio.

"Escuta", falou minha mãe, a ponta dos dedos nas têmporas, "foi só comigo ou aquele táxi estava *incrivelmente*..."

"Nojento? Protetor solar e cocô de bebê?"

"Francamente...", ela disse, abanando o rosto. "Não haveria problema se não fosse por todas aquelas freadas e arrancadas. Eu estava perfeitamente bem, mas de repente aquilo me atingiu em cheio."

"Por que você nunca pede pra sentar no banco da frente?"

"Parece seu pai falando."

Desviei o olhar, envergonhado — pois tinha escutado aquilo também, o toque do tom sabichão irritante dele. "Vamos andando até a Madison e achamos um lugar pra você sentar", falei. Estava morrendo de fome e havia uma lanchonete lá de que eu gostava.

Com um princípio de tremor, uma visível onda de náusea, ela balançou a cabeça. "Ar." Limpou as manchas de rímel debaixo dos olhos. "O ar está gostoso."

"Claro", respondi, um pouco rápido demais, ansioso para me mostrar prestativo. "Tudo bem."

Eu estava me esforçando para ser agradável, mas minha mãe — instável e tonta — captou algo no meu tom; ela me olhou atenta, tentando adivinhar em que eu estava pensando. (Esse era outro péssimo hábito que tínhamos adquirido graças a anos de convivência com meu pai: tentar ler a mente um do outro.)

"Que foi?", disse ela. "Quer ir a algum lugar?"

"Hum, não, não quero", respondi, dando um passo pra trás e olhando em volta consternado; apesar de estar com fome, não achava que estava na posição de insistir sobre o que quer que fosse.

"Vou ficar bem. Me dê só um minuto."

"Talvez..." Pisquei agitado enquanto pensava o que ela queria, o que poderia agradá-la. "Que tal sentar no parque?"

Para meu alívio, ela assentiu. "Tá bem", disse, no que para mim era sua voz de Mary Poppins, "mas só até eu recuperar o fôlego", e começamos a ir na direção da faixa na rua 79, passando por topiárias em canteiros barrocos e portas pesadas de ferro forjado. A luz esmaecera num cinza industrial, e a brisa estava tão forte quanto vapor de chaleira. Do outro lado da rua, perto do parque, artistas montavam suas barracas, desenrolavam suas telas, fixando as reproduções em aquarela da Catedral de São Patrício e da Ponte do Brooklyn.

Fomos andando em silêncio. Minha mente zumbia, ocupada com meus próprios problemas (será que tinham ligado pros pais do Tom? Por que não perguntei a ele?) e também com o que eu ia pedir pro café da manhã assim que conseguisse levá-la à lanchonete (omelete Denver com batatas salteadas e uma fatia de bacon; ela ia pedir o de sempre, torrada de centeio com ovo pochê e uma xícara de café) e eu mal estava prestando atenção no caminho quando percebi que minha mãe tinha acabado de falar alguma coisa. Ela não estava olhando para mim, e sim para o parque; e sua expressão me fez lembrar de um filme francês famoso cujo nome eu não sabia, no qual pessoas distraídas andavam por ruas e eram açoitadas pelo vento e conversavam um monte, mas não pareciam estar realmente falando umas com as outras.

"O que foi que você disse?", perguntei, depois de alguns segundos de confusão, apressando o passo para alcançá-la. "Que contratempo?"

Ela pareceu surpresa, como se tivesse esquecido que eu estava ali. A gabardina branca — balançando ao vento — reforçava sua semelhança com uma íbis de pernas longas, como se estivesse prestes a bater asas e sair voando sobre o parque.

"Que contratempo?", repeti.

"Ah." Sua expressão se esvaziou, então ela balançou a cabeça e soltou uma risada curta no tom agudo e infantil com que costumava rir. "Não. Eu disse *túnel do tempo*."

Apesar de ser uma coisa estranha de se falar eu sabia o que ela queria dizer, ou achei que sabia — aquele calafrio de desconexão, os segundos perdidos na calçada como um soluço de tempo perdido, ou como quadros cortados de um filme.

"É o lugar, filhote." Bagunçou meu cabelo, arrancando-me um sorriso torto e meio constrangido: *filhote* era meu apelido de bebê, e eu não gostava mais dele nem de que bagunçassem meu cabelo, mas por mais encabulado que estivesse fiquei feliz por vê-la mais bem-humorada. "Acontece sempre aqui. Toda vez que venho pra cá é como se tivesse dezoito anos de novo, recém-saída do ônibus."

"Aqui?", perguntei, duvidando, deixando que ela pegasse minha mão, algo que eu normalmente não faria. "Estranho." Eu sabia tudo sobre os primeiros dias da minha mãe em Manhattan, a uma boa distância da Quinta Avenida — na Avenida B, num estúdio em cima de um bar, onde vagabundos dormiam na soleira da porta, brigas de bar prosseguiam rua afora e uma velhinha doida chamada Mo mantinha dez ou doze gatos ilegalmente numa escada bloqueada no último andar.

Ela deu de ombros. "É, mas esse lugar continua o mesmo desde o primeiro dia em que o vi. Túnel do tempo. No Lower East Side — ah, você sabe como é lá, tem sempre alguma coisa nova, mas pra mim é mais aquela sensação de Rip van Winkle, mais e mais distante. Tem dias que acordo e é como se tivessem mudado as fachadas da noite pro dia. Antigos restaurantes fechados, um novo bar da moda onde costumava ficar a lavanderia…"

Mantive um silêncio respeitoso. A passagem do tempo tinha sido uma constante na mente dela ultimamente, talvez porque seu aniversário estivesse próximo. *Estou velha demais pra isso*, ela tinha dito alguns dias antes enquanto revirávamos o apartamento juntos, vasculhando debaixo das almofadas do sofá e os bolsos de casacos e jaquetas à procura de dinheiro para pagar o entregador da mercearia.

Minha mãe enfiou as mãos nos bolsos do casaco. "Aqui em cima é mais estável", disse. Embora sua voz estivesse branda, dava para ver a névoa nos seus olhos; estava claro que ela não tinha dormido bem, graças a mim. "Upper Park é um dos poucos lugares onde você ainda consegue ver como a cidade era na década de 1890. Gramercy Park também, e o Village, uma parte dele. Na primeira vez em que vim pra Nova York achei que este bairro era Edith Wharton e *Franny e Zooey* e *Bonequinha de luxo* se passavam todos num mesmo lugar."

"*Franny e Zooey* é no West Side."

"Sim, mas eu era boba demais pra saber isso. Só o que eu posso dizer é que era bem diferente de Lower East, com mendigos tacando fogo em latas de lixo. Aqui em cima era mágico nos fins de semana, vagando pelo museu, zanzando sozinha pelo Central Park..."

"Zanzando?" Muitas coisas que ela dizia soavam exóticas aos meus ouvidos, e *zanzar* parecia um daqueles termos de cavalo da infância dela: um galope preguiçoso, talvez, algum tipo de marcha equina entre o galope e o trote.

"Ah, você sabe, ficar caminhando e perambulando por aí como costumo fazer. Sem dinheiro, meias esburacadas, vivendo à base de aveia. Acredite ou não, eu costumava vir *a pé* até aqui alguns fins de semana. Economizava a passagem da volta pra casa. Isso foi quando eles ainda usavam fichas em vez de cartões. E apesar de você supostamente precisar pagar pra entrar no museu... O preço sugerido, sabe? Bem, eu devia ter muito mais coragem naquela época, ou talvez eles simplesmente ficassem com pena de mim porque... Ah não", disse ela, mudando de tom, parando de repente, de modo que ainda dei alguns passos antes de perceber.

"Que foi?" Virei para trás. "Que aconteceu?"

"Senti alguma coisa." Ela estendeu a palma da mão e olhou para o céu. "Você sentiu?"

E, assim que ela disse isso, a luz pareceu falhar. O céu escureceu rapidamente, ficando mais escuro a cada segundo; o vento balançava as árvores do parque, e as folhas novas subiam macias e amarelas contra nuvens pretas.

"Deus do céu, mas que azar", disse minha mãe. "Está prestes a cair um pé-d'água." Inclinou-se na direção da rua, olhou para o norte: nenhum táxi.

Peguei sua mão de novo. "Venha", disse, "vamos ter mais sorte do outro lado."

Esperamos impacientes as últimas piscadas do sinal. Pedaços de papel giravam no ar e caíam pela rua. "Epa, tem um táxi ali", falei, olhando para a Quinta Avenida; assim que disse isso um homem de terno correu até o meio-fio com a mão erguida, e a luz do letreiro apagou.

Do outro lado da rua, artistas corriam para cobrir as pinturas com plástico. O vendedor de café estava fechando o carrinho. Atravessamos rápido, e assim que chegamos ao outro lado senti uma gota grossa de chuva cair no meu rosto. Círculos marrons esporádicos — bem espaçados, grandes como moedas — começaram a aparecer no asfalto.

"Ah, *droga*!", gritou minha mãe. Ela abriu a bolsa procurando a sombrinha — que mal servia pra uma pessoa, quanto mais pra duas.

E então vieram, vassouradas geladas de chuva caindo de lado, enormes rajadas de vento tombando sobre as copas das árvores e agitando os toldos ao longo da rua. Minha mãe estava lutando para manter a débil e pequena sombrinha no alto, sem muito sucesso. Pessoas na rua e no parque seguravam jornais e pastas sobre a cabeça, subindo correndo a escada até o pórtico do museu, que era o único lugar por ali onde dava pra se esconder da chuva. E havia algo de festivo e alegre em nós dois, saltando os degraus sob a fraca sombrinha listrada, rápido, rápido, rápido, como se estivéssemos escapando de uma coisa terrível, e não correndo bem na direção dela.

IV

Três coisas importantes tinham acontecido com minha mãe desde que ela chegara a Nova York no ônibus do Kansas, sem amigos e praticamente sem um tostão. A primeira foi quando um agente de talentos chamado Davy Jo Pickering a viu trabalhando como garçonete numa cafeteria do Village: uma adolescente desnutrida de botas Doc Martens e roupas de brechó, com uma trança tão comprida nas costas que podia sentar sobre ela. Minha mãe levou um café para ele, que ofereceu setecentos dólares e depois mil pra que substituísse uma garota que não tinha ido trabalhar na sessão de um catálogo do outro lado da rua. O homem apontou para a van de filmagem, para o equipamento sendo montado na Sheridan Square; ele contou as notas, colocou-as no balcão. "Me dê dez minutos", ela disse; serviu o restante dos pedidos, pendurou o avental e saiu.

"Eu era só uma modelo de catálogo", ela sempre tinha que explicar às pessoas — e com isso queria dizer que nunca tinha feito revistas de moda ou de alta-costura, apenas folhetos para redes de lojas, roupas informais e baratas para adolescentes do Missouri e de Montana. Às vezes era divertido, dizia, mas na maior parte do tempo não: roupa de banho em janeiro, tremendo, gripada; tweed e lã no verão, sufocando por horas em meio a folhas falsas de outono enquanto um ventilador de estúdio soprava ar quente e um cara da maquiagem vinha correndo entre as tomadas para empoar seu rosto suado.

Mas durante aqueles anos de ficar parada e fingir que estava na faculdade — posando em um campus cênico com um ou dois alunos afetados, livros abraçados contra o peito — ela conseguiu juntar dinheiro suficiente para entrar numa faculdade de verdade: história da arte na NYU. Minha mãe nunca tinha visto uma grande pintura pessoalmente antes de fazer dezoito anos e se mudar para Nova York, e estava ansiosa para compensar o tempo perdido — "felicidade pura, o Céu na Terra", ela tinha dito —, metida até o pescoço em livros de arte e se debruçando sobre os mesmos velhos slides (Manet, Vuillard) até sua visão começar a embaçar. ("É loucura", dissera, "mas eu seria muito feliz se pudesse ficar sentada olhando a mesma meia dúzia de pinturas o resto da vida. Não consigo imaginar uma forma melhor de enlouquecer.")

A faculdade foi a segunda coisa importante que tinha acontecido a minha mãe em Nova York — para ela, provavelmente a mais importante. E se não fosse pela terceira coisa (conhecer e se casar com meu pai, em que não deu tanta sorte como nas duas primeiras), ela muito provavelmente teria terminado o mestrado e entrado no doutorado. Toda vez que tinha algumas horas para si ela ia direto até a Frick, ou ao MoMA, ou ao Met — e é por isso que, enquanto esperávamos debaixo do pórtico gotejante do museu, olhando para a nebulosa Quinta Avenida e para as gotas de chuva caindo brancas na rua, não me surpreendi quando ela chacoalhou a sombrinha e disse: "Talvez a gente devesse entrar e matar o tempo até a chuva passar".

"Hum..." O que eu queria era tomar café da manhã. "Claro."

Minha mãe olhou para o relógio. "É uma boa. Não vamos conseguir um táxi do jeito que está."

Ela tinha razão. Ainda assim, eu estava morrendo de fome. *Quando é que vamos comer?*, pensei mal-humorado, seguindo-a degraus acima. Até onde eu sabia, minha mãe ia estar tão brava depois da reunião que de jeito nenhum me levaria para almoçar, e eu teria de ir pra casa e comer uma barrinha de cereal ou algo do tipo.

Mas o museu sempre me dava uma sensação de feriado; uma vez dentro, com o agradável barulho de turistas à nossa volta, senti-me estranhamente isolado do que quer que o dia ainda tivesse reservado. O salão principal estava barulhento e fedia a casaco molhado. Um grupo encharcado de idosos asiáticos passou rápido por nós, atrás de uma guia impecável que parecia uma aeromoça; escoteiras enlameadas sussurravam amontoadas perto do guarda-volumes; ao lado do balcão de informações havia uma fila de cadetes de escola militar com uniforme de gala cinza, sem chapéu, as mãos cruzadas nas costas.

Para mim — um garoto da cidade, sempre confinado entre paredes de apartamento —, o museu era interessante principalmente por seu tamanho, um palácio onde as salas não acabavam nunca e iam ficando cada vez mais desertas conforme se avançava. Algumas das salas isoladas com corda, negligenciadas nas profundezas das artes decorativas europeias, pareciam envolvidas por um encanto profundo, como se há um século ninguém botasse o pé ali. Desde que eu tinha começado a pegar o metrô sozinho, adorava ir lá e ficar perambulando até me perder, entrando mais e mais no labirinto de galerias até me encontrar algumas vezes em salas esquecidas de armaduras e porcelanas que nunca tinha visto antes (e que, não raro, era incapaz de encontrar de novo).

Enquanto esperava atrás da minha mãe na fila de entrada, virei a cabeça para trás e olhei fixamente para a cúpula cavernosa do teto, dois andares acima: se forçasse bastante a vista, às vezes conseguia provocar a sensação de estar flutuando lá no alto como uma pena, um truque da infância que estava perdendo o efeito à medida que eu crescia.

Enquanto isso minha mãe — de nariz vermelho e sem fôlego por causa da corrida da chuva — estava lutando para encontrar a carteira. "Talvez, depois que terminarmos, eu dê uma escapada até a lojinha", ela estava dizendo. "Tenho certeza de que a última coisa que Mathilde quer é um livro de arte, mas não vai poder reclamar sem parecer horrorosa."

"Putz", falei. "O presente é pra Mathilde?" Mathilde era a diretora de arte da agência de publicidade onde minha mãe trabalhava; ela era filha de um magnata francês que importava tecidos, mais nova que minha mãe e notoriamente exigente, sujeita a acessos de raiva se os serviços de transporte particular e de bufê não agradassem.

"Uhum." Sem dizer nada, ela me ofereceu um chiclete, que aceitei, e depois jogou o papel de volta na bolsa. "Com Mathilde é aquela coisa, o presente nem precisa ser caro, mas ela quer o peso de papel perfeito do mercado de pulgas. O que seria algo fantástico, acho, se alguém tivesse tempo de ir até Downtown e revirar o lugar. Ano passado, quando foi a vez de Pru, ela entrou em pânico e foi até a Saks no horário de almoço, acabou tirando mais cinquenta paus do próprio bolso e comprou óculos escuros Tom Ford, acho, e Mathilde ainda veio com aquele papo dos americanos e sua cultura de consumo. Pru nem é americana. É australiana."

"Você conversou com Sergio sobre isso?", perguntei. Sergio — que raras vezes aparece no escritório, mas está frequentemente nas colunas sociais com pessoas como Donatella Versace — era o dono multimilionário da empresa da minha mãe. "Conversar com Sergio" era o mesmo que se aconselhar com Deus.

"A ideia dele de um livro de arte é Helmut Newton ou aquele livro de sala de espera que a Madonna fez há um tempo."

Eu ia perguntar quem era Helmut Newton, mas então tive uma ideia melhor. "Por que não dá um Metro Card pra ela?"

Minha mãe revirou os olhos. "Acredite, eu deveria." Recentemente houve um rebuliço no trabalho quando o carro que buscaria Mathilde ficou parado no trânsito, e ela ficou presa em Williamsburg, no estúdio de um joalheiro.

"Tipo, de forma anônima. Deixe na mesa dela, um cartão antigo sem crédito. Só pra ver o que ela faria."

"Eu sei o que ela faria", disse minha mãe, estendendo seu cartão de associada pelo guichê. "Despediria a assistente dela e provavelmente metade da produção."

A agência de publicidade da minha mãe era especializada em acessórios femininos. O dia todo, sob o olhar inquieto e ligeiramente maldoso de Mathilde, ela supervisionava sessões de fotos em que brincos de cristal reluziam sobre montes de neve artificial e bolsas de couro de crocodilo — abandonadas no banco de trás de limusines vazias — brilhavam com uma aura de luz celestial. Ela era boa no que fazia; preferia trabalhar atrás da câmera a na frente dela; e eu sabia que ficava radiante ao ver seu trabalho em cartazes no metrô ou em outdoors na Times Square. Mas, apesar do glamour e da badalação do trabalho (café da manhã com champanhe, presentinhos da Bergdorf), a jornada era longa e havia um vazio lá no fundo — eu sabia — que a deixava triste. O que minha mãe realmente queria era voltar a estudar, mas é claro que nós dois sabíamos que não havia muita chance de isso acontecer agora que meu pai nos deixara.

"Certo", disse ela, virando do guichê e estendendo minha entrada, "me ajude a ficar de olho no horário, tá? É uma exposição enorme..." Ela indicou um pôster: RETRATO E NATUREZA-MORTA: OBRAS-PRIMAS DA IDADE DE OURO NO NORTE DA EUROPA. "Não vai dar pra ver tudo nesta visita, mas há algumas coisas que..."

Sua voz foi sumindo enquanto eu ia me arrastando atrás dela pela escadaria principal — dividido entre a necessidade prudente de me manter perto dela e o impulso de me deixar ficar alguns passos para trás e tentar fingir que não estávamos juntos.

"Odeio ter de correr desse jeito", ela estava dizendo quando a alcancei no topo da escada, "mas, também, é o tipo de exposição a que você precisa vir duas ou três vezes. Tem *A lição de anatomia*, e a gente precisa ver esse, mas o que realmente quero ver é uma obra minúscula e rara de um pintor que foi professor de Vermeer. O maior Velho Mestre de quem se ouviu falar.

As pinturas de Frans Hals também são uma coisa e tanto. Você conhece Hals, né? O *alegre beberrão*? E os regentes do asilo?"

"Sim", falei hesitante. Das pinturas que ela tinha mencionado, *A lição de anatomia* era a única que eu conhecia. Um detalhe dela aparecia no pôster da exposição: carne viva, múltiplos tons de preto, cirurgiões com cara de alcoólatra, olhos injetados e nariz vermelho.

"Coisa de curso de introdução à arte", disse minha mãe. "Aqui, vire à esquerda."

No andar de cima fazia muito frio, e meu cabelo ainda estava molhado da chuva. "Não, não, por aqui", disse minha mãe, agarrando a manga da minha camisa. A exposição era difícil de achar, e, à medida que passávamos pelas galerias movimentadas (entrando e saindo de grupos, virando à direita, virando à esquerda, voltando por labirintos de sinalização e formato confusos), grandes reproduções deprimentes de *A lição de anatomia* iam aparecendo de forma irregular e em locais inesperados, sinais funestos, o mesmo velho cadáver com o braço esfolado, setas vermelhas embaixo: SALA DE CIRURGIA, POR AQUI.

Eu não estava muito animado com a perspectiva de um monte de pinturas de holandeses parados com roupas escuras e, quando passamos pelas portas de vidro — saindo de salões ressonantes para um silêncio acarpetado —, a princípio achei que tínhamos entrado na sala errada. As paredes reluziam com uma bruma quente e opaca de opulência, uma suavidade genérica de antiguidade; mas de repente tudo se diluía em claridade, cor e luz pura do norte, retratos, interiores, naturezas-mortas, algumas minúsculas, outras grandiosas: mulheres com o marido, mulheres com cãezinhos de colo, beldades sós em vestidos bordados, mercadores solitários com joias e peles. Mesas de banquetes arruinadas repletas de maçãs descascadas e cascas de nozes; tapeçarias penduradas e prataria; *trompe-l'oeils* com insetos rastejando e flores. E, quanto mais entrávamos na exposição, mais estranhas e lindas as pinturas ficavam. Limões descascados, a casca ligeiramente endurecida na borda, no ponto do corte da faca, o sombreado esverdeado de uma mancha de mofo. Luz refletindo contra a borda de uma taça de vinho pela metade.

"Também gosto deste", sussurrou minha mãe, chegando do meu lado diante de uma natureza-morta menorzinha e particularmente marcante: uma borboleta branca contra um fundo escuro, voando sobre uma fruta vermelha. O fundo — um rico chocolate — tinha um calor complexo que sugeria despensas lotadas e história, a passagem do tempo.

"Eles realmente sabiam trabalhar esse limite, os holandeses — da maturação para a podridão. A fruta está perfeita, mas não vai durar, está prestes a se perder. E repare nisso aqui especialmente", disse ela, chegando por cima do meu ombro para fazer um traçado no ar com o dedo, "essa passagem — a borboleta." A asa posterior era tão frágil e delicada que parecia que a cor mancharia se a tocássemos. "Como joga com ela lindamente. Imobilidade com um tremor de movimento."

"Quanto tempo ele levou pra pintar isso?"

Minha mãe, que até então estava um pouco perto demais da pintura, deu um passo para trás para avaliá-la — alheia ao segurança mascando chiclete cuja atenção ela tinha despertado, olhando fixamente para sua bunda.

"Bem, os holandeses inventaram o microscópio", disse ela. "Eram joalheiros, fabricantes de lentes. Querem tudo o mais detalhado possível, porque até as coisas mais ínfimas significam algo. Toda vez que vir moscas ou insetos numa natureza-morta — uma pétala murcha, um ponto preto na maçã —, é uma mensagem secreta que o pintor está te passando. Ele está te dizendo que as coisas vivas não duram — tudo é temporário. A morte na vida. É por isso que se diz natureza-morta. Talvez você não perceba de cara, com toda a beleza e a exuberância, a manchinha de podridão. Mas se olhar melhor — ali está."

Inclinei-me para ler a legenda, impressa em letras discretas na parede, que dizia que o pintor — Adriaen Coorte, data de nascimento e morte incertas — permanecera desconhecido em vida e que seu trabalho só foi notado depois da década de 1950. "Ei", disse, "mãe, você viu isso?"

Mas ela já tinha seguido adiante. As salas eram frias e silenciosas, com teto rebaixado e sem nada do ressoar palaciano e do eco do salão principal. Embora a exposição estivesse relativamente cheia, ainda assim tinha aquele jeito sereno e vagaroso de um remanso, uma calmaria de algo embalado a vácuo: suspiros profundos e exaladas extravagantes como numa sala cheia de alunos fazendo prova. Fui me arrastando atrás da minha mãe enquanto ela ziguezagueava de retrato em retrato, muito mais rápida do que de costume numa exposição, de flores a mesas de jogos a frutas, ignorando um bom tanto de pinturas (nossa quarta jarra de prata ou faisão morto) e desviando para outras sem hesitar ("Agora, Hals. Ele é tão piegas às vezes com todos esses beberrões e prostitutas, mas, quando está inspirado, aí é pra *valer*. Nada dessa frescurada e precisão, ele trabalha *alla prima*, pincelada pra cá, pincelada pra lá, tudo é tão *rápido*. Os rostos e as mãos, que resultam incrivelmente belos, ele sabe o que atrai o olhar, mas veja essas roupas — tão soltas, quase um esboço. Veja como a pincelada dele é aberta e moderna!"). Passamos algum tempo diante de um retrato de Hals de um garoto segurando um crânio ("Não fique chateado, Theo, mas com quem você acha que ele se parece? Com alguém" — deu puxõezinhos no meu cabelo — "que bem que precisava de um corte de cabelo...") — e, também, diante de dois grandes retratos de Hals de oficiais num banquete, que ela me disse serem muito, muito famosos, e uma influência gigantesca sobre Rembrandt. ("Van Gogh também adorava Hals. Em algum lugar, ele escreveu sobre Hals e disse: *Frans Hals tinha nada menos que vinte e nove tons de preto!* Ou será que eram vinte e sete?") Fui seguindo-a com certa sensação aturdida de tempo perdido, encantado com sua concentração, com quão alheia ela parecia estar aos minutos que voavam. Nossa meia hora já devia estar quase acabando; mas ainda assim eu queria ficar enrolando e distraí-la, na esperança infantil de que o tempo passasse despercebido e perdêssemos de vez a reunião.

"Agora, Rembrandt", disse minha mãe. "Todo mundo sempre diz que essa pintura trata de razão e saber, os primórdios da investigação científica, aquilo tudo, mas me dão arrepios a polidez e a formalidade deles, circulando em volta da mesa como se fosse uma mesa de comida. Embora...", ela apontou. "Está vendo aqueles dois caras intrigados ali no fundo? Eles não estão olhando pro cadáver — estão olhando pra *nós*. Você e eu. Como se nos vissem parados aqui diante deles, duas pessoas do futuro. Espantados. 'O que *vocês* estão fazendo aqui?' Bem naturalista. Mas daí também..." — ela traça o corpo com o dedo no ar. "O cadáver definitivamente não está pintado de uma forma muito natural, se for ver. Tem um brilho esquisito saindo dele, tá vendo? Uma autópsia de alienígena, quase. Está vendo como ilumina o rosto dos homens olhando pra ele? Como se tivesse sua própria fonte de luz. Ele dá esse toque radioativo porque quer atrair nosso olhar pra isso, fazer saltar da tela na nossa direção. E aqui...", ela apontou para a mão esfolada. "Está vendo como chama a atenção para ela pintando-a bem grande, toda desproporcional ao restante do corpo? Ele inclusive virou a mão de modo que o dedo ficasse do lado errado, percebe? Bem, não fez isso por engano. A mão está sem pele — vemos isso de imediato, algo muito errado —, mas ao colocar o dedo ao contrário ele faz com que pareça *ainda mais* errado, isso é registrado de forma subliminar mesmo que não saibamos exatamente qual é o problema, algo está realmente fora de ordem, incorreto. Um truque bem esperto." Estávamos atrás de uma multidão de turistas asiáticos, tantas cabeças que eu mal conseguia enxergar a pintura, mas não me importava muito, porque tinha visto uma garota.

Ela também tinha me visto. Vínhamos nos olhando conforme avançávamos pelas galerias. Eu nem sabia ao certo o que havia de tão interessante nela, já que era mais nova que eu e parecia meio esquisita — totalmente diferente das garotas por quem eu costumava ter uma queda, beldades sérias e populares que lançavam olhares de desdém pelo corredor e saíam com caras grandalhões. Essa garota tinha um cabelo vermelho-vivo; seus movimentos eram ágeis, seu rosto era anguloso, malicioso e estranho, e seus olhos tinham uma cor peculiar, um marrom dourado, mel. E, embora ela fosse magra demais, só cotovelos, e de um jeito quase reto, ainda assim havia alguma coisa nela que me dava um frio na barriga. A garota carregava um estojo de flauta gasto, balançando-o e batendo-o. Seria da cidade? Estaria a caminho da aula de música? Talvez não, pensei, rodeando-a por trás enquanto seguia minha mãe até a próxima galeria; suas roupas eram um pouco insossas e suburbanas demais; ela provavelmente era uma turista. Mas se movia com mais confiança do que a maioria das garotas que eu conhecia; e o olhar furtivo e seguro que lançava na minha direção enquanto passava roçando por mim me deixava maluco.

Eu estava me arrastando atrás da minha mãe, só com metade da atenção voltada ao que estava dizendo, quando ela parou tão de repente diante de uma pintura que quase esbarrei nela.

"Ah, desculpe!", disse ela, sem olhar para mim, dando um passo para trás para abrir espaço. Seu rosto brilhava como se alguém tivesse virado uma luz na sua direção.

"Era *desta* pintura que eu estava falando", continuou. "Não é maravilhosa?"

Inclinei a cabeça na direção da minha mãe, numa atitude de escuta atenta, enquanto meus olhos vagavam de volta para a garota. Ela estava acompanhada por um homem engraçado, velhinho e de cabelos brancos, que pelo jeito anguloso do rosto achei ser parente dela, seu avô talvez: casaco xadrez *pied-de-poule*, sapatos compridos de cadarço que brilhavam feito vidro. Seus olhos eram muito próximos um do outro, e ele tinha um nariz adunco de passarinho; andava meio mancando — na verdade, todo o corpo era inclinado para um lado, um ombro mais alto que o outro; e se essa inclinação fosse um pouco mais acentuada daria pra pensar que era corcunda. Mas ao mesmo tempo havia algo de elegante nele. E claramente adorava a garota, pelo jeito divertido e amistoso com que ia mancando ao lado dela, tendo muito cuidado com onde punha os pés, a cabeça inclinada na direção dela.

"Esta é a primeira pintura que eu realmente amei", minha mãe estava dizendo. "Você não vai acreditar, mas estava num livro que eu costumava pegar emprestado da biblioteca quando era criança. Sentava no chão do meu quarto e ficava olhando para ela por horas, completamente fascinada — aquele carinha! E, bem, de fato é incrível o quanto você pode aprender sobre uma pintura passando um bom tempo com uma reprodução, ainda que não muito boa. Comecei me apaixonando pelo pássaro, do jeito que se ama um animal de estimação ou algo do tipo, e terminei me apaixonando pela forma como foi pintado." Ela riu. "Na verdade, *A lição de anatomia* estava no mesmo livro, mas me apavorava. Tinha que fechar o livro rápido quando abria sem querer naquela página."

A garota e o velhinho tinham se aproximado, ficando do nosso lado. Pouco à vontade, inclinei-me para a frente e olhei para a pintura. Era um quadro pequeno, o menor da exposição, e o mais simples: um pintassilgo amarelo, contra um fundo liso e claro, preso a um poleiro por um tornozelo que estava mais para um graveto.

"Ele foi discípulo de Rembrandt, professor de Vermeer", disse minha mãe. "E esta pequena pintura aqui é de fato o elo perdido entre os dois — aquela luz do dia, clara e pura, dá pra ver de onde Vermeer tirou sua marca. Claro, eu não sabia ou ligava pra nada disso quando era criança, o significado histórico. Mas está lá."

Dei um passo para trás, para olhar melhor. Era uma criaturinha descomplicada e prosaica, não havendo nada de dramático a seu respeito; e algo naquele jeito elegante e compacto com que se escondia dentro de si mesmo — seu brilho, sua expressão alerta e observadora — me fez lembrar de fotos que eu tinha visto da minha mãe quando era pequena: um pintassilgo de cabeça negra e olhos fixos.

"Foi uma tragédia famosa na história holandesa", minha mãe estava dizendo. "Uma boa parte da cidade foi destruída."

"Como?"

"O desastre em Delft. Foi isso que matou Fabritius. Você ouviu lá atrás a professora falando sobre isso às crianças?"

Eu tinha ouvido. Havia um trio de paisagens horripilantes de um pintor chamado Egbert van der Poel, perspectivas diferentes de uma mesma devastação: casas destruídas pelo fogo, um moinho despedaçado, corvos voando em círculos por céus fumacentos. Uma mulher com cara de funcionária explicara bem alto para um grupo de crianças do ensino fundamental que uma fábrica de pólvora explodiu em Delft em mil, seiscentos e alguma coisa, e que o pintor ficou tão atormentado e obcecado com a destruição de sua cidade que a pintou de novo e de novo.

"Bem, Egbert era vizinho de Fabritius, ele meio que perdeu o juízo depois da explosão de pólvora, pelo menos é assim que eu vejo, mas Fabritius foi morto e seu estúdio, destruído. Junto com quase todas as suas pinturas, com exceção desta." Parecia que ela estava esperando eu dizer alguma coisa, mas, como não o fiz, continuou: "Ele era um dos maiores pintores da sua época, uma das mais marcantes da pintura. Muito, muito famoso em seu tempo. Mas é triste, porque talvez tenham restado apenas cinco ou seis pinturas de toda a sua obra. O resto se perdeu — tudo o que ele fez".

A garota e o avô se demoravam silenciosos do nosso lado, ouvindo minha mãe falar, o que foi um pouco constrangedor. Desviei o olhar deles, mas depois — incapaz de resistir — olhei de volta. Eles estavam muito perto, tão perto que eu poderia ter estendido a mão e tocá-los. Ela balançava e puxava a manga do velhinho, pegando o braço dele para sussurrar alguma coisa em seu ouvido.

"De qualquer forma, pra mim", minha mãe estava dizendo, "este é o quadro mais extraordinário de toda a exposição. Fabritius está destacando algo que descobriu totalmente sozinho, que nenhum pintor do mundo sabia antes dele — nem mesmo Rembrandt."

Num tom bem baixo — tão baixo que mal consegui ouvi-la —, escutei a garota sussurrar: "Ele teve de viver a vida toda assim?".

Eu estava me perguntando a mesma coisa; o pé acorrentado, a corrente era terrível; o avô da garota murmurou algo em resposta, mas minha mãe (que parecia ignorá-los por completo, apesar de estarem bem do nosso lado) deu um passo para trás e disse: "Que quadro misterioso, tão simples. De uma delicadeza que convida você a chegar mais perto, sabe? Todos aqueles faisões mortos lá atrás e então esta pequena criatura viva".

Permiti-me outra olhada furtiva na direção da garota. Ela estava com o peso do corpo apoiado numa perna, o quadril de lado. Foi aí que — bem do nada — ela virou e me olhou nos olhos; e, numa confusão de fazer saltar o coração, desviei o olhar.

Qual era o nome dela? Por que não estava na escola? Eu tentava decifrar o nome rabiscado no estojo de flauta, mas, mesmo quando me inclinava com o máximo de atrevimento possível sem ser óbvio, não conseguia ler os traços pontudos e fortes de marcador, mais desenhados do que escritos, como algo pichado num vagão de metrô. O último nome era curto, apenas quatro ou cinco letras; a primeira parecendo um R, ou será que era um P?

"As pessoas morrem, claro", minha mãe estava dizendo. "Mas é deprimente como perdemos *coisas* sem necessidade. Por puro descuido. Incêndios, guerras. O Partenon, usado como depósito de munição. Acho que o que quer que conseguimos salvar da história é um milagre."

O avô tinha se afastado e estava algumas pinturas adiante; mas a garota estava se deixando ficar alguns passos para trás, e não parava de olhar de relance para mim e minha mãe. Uma pele linda: branco-leite, braços como mármore esculpido. Ela definitivamente parecia atlética, embora pálida demais para ser jogadora de tênis; talvez fosse bailarina ou ginasta, talvez até saltadora ornamental, praticando tarde da noite em piscinas cobertas e sombrias, ecos e refrações, azulejos escuros. Mergulhando com o peito arqueado e os pés em ponta até o fundo da piscina, um silencioso *tchibum*, maiô preto e brilhante, bolhas subindo e saindo de seu corpo pequeno e tenso.

Por que eu ficava assim tão obcecado pelas pessoas? Será que era normal se fixar em estranhos dessa forma particularmente intensa, febril? Eu achava que não. Era impossível imaginar um transeunte qualquer na rua desenvolvendo tal interesse por *mim*. E no entanto essa era a principal razão que me levou a entrar naquelas casas com Tom: eu era fascinado por estranhos, queria saber o que comiam e em que tipo de prato, que filmes viam e que música ouviam, queria olhar debaixo da cama deles, em suas gavetas secretas, em seus criados-mudos, dentro do bolso de seus casacos. Com frequência via pessoas interessantes na rua e ficava pensando incansavelmente nelas durante dias, imaginando sua vida, inventando histórias sobre elas no metrô ou no ônibus que atravessa a cidade. Anos se passaram, e eu ainda pensava nas crianças de cabelo escuro com uniforme de escola católica — irmão e irmã — que eu tinha visto na Grand Central, literalmente tentando arrastar o pai pra fora de um bar decadente pelas mangas do paletó. Assim como não tinha esquecido a menina frágil e meio cigana numa cadeira de rodas em frente ao Carlyle Hotel, falando sem parar em italiano com o cachorrinho peludo no colo, enquanto um sujeito severo de óculos de sol (pai? guarda-costas?) estava parado atrás da cadeira dela, aparentemente realizando algum tipo de negócio por celular. Por anos pensei constantemente nesses estranhos, perguntando-me quem eles eram e como viviam a vida, da mesma forma que eu sabia que ia voltar pra casa e ficar me perguntando quem eram aquela garota e seu avô. O velhinho tinha dinheiro; dava pra ver pela forma como se vestia. Por que estavam só os dois? De onde eram? Talvez fossem de alguma grande família nova-iorquina, antiga e complicada — músicos, acadêmicos, uma daquelas famílias meio artísticas do West Side que você vê lá pras bandas de Columbia ou na matinê do Lincoln Center. Talvez uma criatura civilizada e bondosa como ele não fosse o avô dela. Talvez fosse professor de música, e ela fosse o prodígio na flauta que tinha descoberto em alguma cidadezinha e trazido para tocar no Carnegie Hall...

"Theo?", disse minha mãe subitamente. "Você me ouviu?"

Sua voz me trouxe de volta à realidade. Estávamos na última sala da exposição. Logo adiante estava a lojinha da exposição — cartões-postais, caixa registradora, pilhas brilhantes de livros de arte —, e minha mãe, infelizmente, não tinha perdido a noção do tempo.

"Melhor ver se continua chovendo", ela estava dizendo. "Ainda temos um tempinho...", verificou o relógio e olhou através de mim para a placa de saída, "mas acho que é melhor eu descer se ainda for comprar alguma coisa pra Mathilde."

Percebi que a garota observava minha mãe enquanto ela falava — os olhos percorrendo curiosos o rabo de cavalo liso e preto dela, sua gabardina de cetim branca amarrada na cintura — e fiquei arrepiado ao vê-la por um momento como a garota a via, como uma estranha. Será que reparou no minúsculo inchaço no topo do nariz da minha mãe, onde ela o quebrara caindo de uma árvore quando criança? Ou teria visto como os anéis pretos em torno da íris azul-clara dos olhos dela lhe davam um quê de selvagem, como uma criatura de olhar fixo caçando sozinha num campo?

"Sabe de uma coisa?" Minha mãe olhou por cima do ombro. "Se você não se importa, eu estava pensando em voltar correndo e dar outra olhada rápida em *A lição de anatomia* antes de ir embora. Não consegui vê-lo de perto e receio não poder fazer isso antes que o tirem." Ela começou a se afastar, os sapatos batendo na pressa, e então olhou de volta para mim como se para perguntar: *você vem?*

Isso foi tão inesperado que por uma fração de segundo fiquei sem saber o que dizer. "Hum", disse, recuperando-me, "te encontro na loja."

"Tá bom", disse ela. "Você compra dois cartões pra mim, por favor? Volto num segundo."

E sem mais saiu apressada, antes que eu tivesse a chance de dizer mais uma palavra. O coração acelerado, incapaz de acreditar na minha sorte, fiquei vendo-a se afastar rapidamente de mim com a gabardina de cetim branca. Aí estava, a minha chance de falar com a garota; *mas o que poderia dizer a ela*, pensei com raiva, *o que poderia dizer?* Enfiei as mãos nos bolsos, respirei fundo uma, duas vezes, para me recompor, e — com o estômago embrulhado da agitação — virei-me para ela.

Mas, para meu desespero, a garota se fora. Não tinha ido embora; vi seu cabelo vermelho movendo-se relutante (ou assim parecia) até o outro lado da sala. Seu avô tinha enganchado o braço no dela e — sussurrando-lhe com grande entusiasmo — a estava puxando para longe para ver algum quadro na parede oposta.

Eu poderia tê-lo matado. Nervoso, olhei para a porta vazia. Então enfiei as mãos mais fundo nos bolsos e — o rosto queimando — comecei a atravessar a galeria procurando me fazer notar. O tempo corria; minha mãe estaria de volta a qualquer momento; e, embora soubesse que não tinha coragem de chegar do nada e realmente dizer alguma coisa, poderia ao menos dar uma última boa olhada nela. Não fazia muito tempo eu tinha ficado até tarde com minha mãe vendo *Cidadão Kane*, e gostei muito da ideia de uma pessoa poder reparar, casualmente, numa desconhecida fascinante e lembrar-se dela o resto da vida. Algum dia eu também poderia ser como o velhinho do filme, recostando-me na minha cadeira com um olhar distante e dizendo: "Isso foi há sessenta anos, e eu nunca vi aquela garota de cabelo vermelho de novo, mas sabe de uma coisa? Em todo esse tempo não houve um mês em que não pensasse nela".

Eu já tinha passado da metade do caminho quando algo estranho aconteceu. Um guarda do museu passou correndo pela porta aberta da lojinha adiante. Carregava alguma coisa nos braços.

A garota também o viu. Seus olhos castanho-dourados encontraram os meus: um olhar espantado, interrogativo.

De repente, outro guarda saiu correndo da lojinha. Ele tinha os braços erguidos e estava gritando.

Cabeças se ergueram. Alguém atrás de mim disse, numa estranha voz inexpressiva: "Ah!". No instante seguinte, uma enorme explosão ensurdecedora abalou a sala.

O velhinho — com um olhar vazio no rosto — tropeçou. Seu braço estendido — os dedos nodosos abertos — é a última coisa que me lembro de ter visto. Quase na mesma hora houve um flash escuro, escombros precipitando-se e girando à minha volta, e um estrondo de vento quente me atingiu e me jogou do outro lado da sala. E essa é a última coisa de que me lembro.

V

Não sei por quanto tempo fiquei apagado. Quando voltei a mim, parecia que estava deitado de bruços numa caixa de areia em um parquinho escuro — algum lugar que eu não conhecia, um bairro abandonado. Um bando de valentões e alguns garotos baixinhos estava amontoado à minha volta, chutando-me nas costelas e na nuca. Meu pescoço estava contorcido e eu estava sem ar, mas essa não era a pior parte; havia areia na minha boca. Eu estava respirando areia.

Os garotos resmungaram. *Levanta, seu trouxa.*

Olha pra ele, olha pra ele.

Tá perdidão.

Virei-me e joguei os braços sobre a cabeça. Então — com um choque surreal e aéreo — vi que não havia ninguém ali.

Por um momento fiquei deitado, atordoado demais para me mover. Sirenes soavam numa distância abafada. Por mais estranho que parecesse, fiquei com a impressão de estar no pátio murado de um conjunto habitacional.

Alguém tinha me dado uma bela surra: tudo em mim doía, minhas costelas estavam sensíveis e parecia que tinham batido na minha cabeça com um cano de chumbo. Eu movia a mandíbula pra frente e pra trás e colocava a mão nos bolsos pra ver se tinha dinheiro suficiente pra ir de metrô pra casa quando me ocorreu de repente que não fazia ideia de onde estava. Fiquei deitado ali, rígido, com a consciência cada vez maior de que alguma coisa estava terrivelmente fora do lugar. A luz estava toda errada, assim como o ar: acre e cortante, uma fumaça química que queimava na minha garganta. O chiclete na minha boca estava feito pedra e, quando rolei pro lado pra cuspi-lo — a cabeça latejando —, vi-me piscando por camadas de fumaça para algo tão estranho que tive que encarar por alguns momentos.

Eu estava numa caverna branca caindo aos pedaços. Trapos e farrapos pendiam do teto. O chão estava inclinado e acidentado, com pilhas de uma substância cinza feito rocha lunar, todo coberto por vidro quebrado, cascalho e um furacão de lixo aleatório, tijolos, entulho e papel, cobertas por uma cinza fina como geada. No alto, duas lâmpadas brilhavam através da poeira como faróis falhando na neblina, vesgas, uma virada pra cima e a outra pro lado, projetando sombras distorcidas.

Meus ouvidos zumbiam, assim como meu corpo, uma sensação extremamente perturbadora: ossos, cérebro, coração, tudo vibrando como um sino a tocar. Baixinho, em algum lugar distante, o silvo agudo e mecânico das sirenes soava de forma contínua e impessoal. Eu mal conseguia discernir se o som vinha de dentro ou de fora de mim. Havia um forte sentimento de estar sozinho, numa morte invernal. Nada fazia sentido em nenhuma direção.

Com uma cascata de areia, minha mão numa superfície não muito horizontal, coloquei-me de pé, estremecendo com a dor na cabeça. A inclinação do espaço onde eu estava era de uma imperfeição profunda e inata. De um lado, fumaça e poeira pairavam numa camada inerte e fechada. Do outro, uma massa de materiais em pedaços pendia confusamente no lugar onde deveria ter sido o telhado ou o teto.

Minha mandíbula doía; eu tinha cortes no rosto e nos joelhos; minha língua parecia uma lixa. Piscando pelo caos em volta, vi um tênis; montes de material farelento, com manchas escuras; uma bengala de alumínio retorcida. Estava cambaleando ali, sufocando e tonto, sem saber aonde ir ou o que fazer, quando achei ter escutado um celular tocar.

Por um momento fiquei na dúvida; escutei, atento; e então tocou de novo: um som fraco e monótono, um pouco estranho. Atrapalhado, saí revirando os destroços — virando bolsas de criança e mochilas empoeiradas, recuando a mão ao pegar em coisas quentes e cacos de vidro, mais e mais incomodado com a forma como o entulho cedia ao contato com meus pés em alguns pontos e com a massa informe, mole e inerte que eu via pelo canto do olho.

Mesmo quando me convenci de que não chegara a escutar o celular, de que o zumbido nos meus ouvidos tinha pregado uma peça em mim, continuei procurando, preso aos gestos mecânicos de busca com uma intensidade impensada de robô. Junto com canetas, bolsas, carteiras, óculos quebrados, cartões de hotel, pó compacto, frasco de perfume e medicamentos prescritos (Roitman, Andrea, alprazolam 0,25 mg), encontrei uma lanterna de chaveiro e um celular que não estava funcionando (tinha metade da bateria, mas nada de sinal). Joguei-o numa sacola de náilon dobrável que encontrei na bolsa de alguma mulher.

Tinha dificuldade de respirar, meio engasgado com o pó, e minha cabeça doía tanto que eu mal conseguia enxergar. Queria sentar, mas não havia onde.

Foi então que vi uma garrafa de água. Meus olhos voltaram, rápido, e vagaram a esmo pelos estragos até eu vê-la de novo, a uns quatro metros e meio de distância, parcialmente enterrada por uma pilha de lixo: apenas a ponta de um rótulo, o familiar tom azul da embalagem.

Sentindo um peso entorpecente como o de andar pela neve, fui me arrastando e desviando dos escombros, lixo quebrando sob meus pés com estalidos altos e glaciais. Mas não tinha avançado muito quando, pelo canto do olho, vi uma movimentação no chão, perceptível naquela quietude, uma leve agitação de branco sobre branco.

Parei. Então forçosamente dei alguns passos naquela direção. Era um homem, deitado de costas e branco de pó da cabeça aos pés. Ele estava tão bem camuflado entre os destroços que demorou um pouco pra tomar forma na minha mente: giz sobre giz, lutando para sentar como uma estátua derrubada do pedestal. Conforme fui me aproximando, vi que ele era velho e muito frágil, com um quê de corcunda; seu cabelo — o pouco que ele tinha — estava todo erguido; um dos lados do rosto estava pontilhado por uma série de queimaduras feias, e sua cabeça, no ponto acima de uma orelha, era uma coisa horrivelmente pegajosa e escura.

Eu já tinha conseguido chegar aonde ele estava quando, com uma rapidez inesperada, ele estendeu o braço branco de pó e agarrou minha mão. Comecei a recuar em pânico, mas ele me agarrou com mais força, tossindo sem parar com uma umidade doentia.

“Onde?”, ele parecia estar dizendo. “Onde?” Tentava erguer os olhos para mim, mas sua cabeça pendia pesadamente e seu queixo estava caído sobre o peito, de forma que foi obrigado a me espreitar por sob as sobrancelhas feito um abutre. Seus olhos, naquele rosto destruído, mostravam-se alertas e desesperados.

“Ah, meu Deus”, eu disse, curvando-me para ajudá-lo, calma, calma, e então parei, sem saber o que fazer. A metade inferior do seu corpo jazia retorcida no chão como uma pilha de roupas sujas.

Ele se apoiou nos braços, corajosamente, os lábios se movendo, ainda lutando para se levantar. Fedia a cabelo queimado, a lã queimada. Mas a metade inferior do corpo parecia desconectada da metade superior, e ele tossiu e caiu pesadamente de volta.

Olhei ao redor, tentando me orientar, afetado pelo golpe na cabeça, sem nenhuma noção de tempo, sem saber se era dia ou noite. A grandiosidade e a desolação do espaço me deixaram desnorteado — a cobertura alta, incomum, com camadas gradativas de fumaça balançando confusamente como uma barraca no ponto onde o teto (ou o céu) deveria estar. Apesar de não ter a menor ideia de onde estava, ou de por que estava ali, ainda assim havia como que uma quase lembrança nos destroços, uma carga cinematográfica no brilho das luzes de emergência. Na internet eu tinha visto cenas de um hotel explodindo no deserto; o formigueiro de quartos, no momento do desabamento, ficou congelado nessa mesma explosão de luz.

Então me lembrei da água. Dei um passo pra trás, olhando para todos os lados, até que, o coração aos saltos, avistei o flash empoeirado do azul.

"Olha", falei, afastando-me de lado. "Vou só..."

O velho me observava com um olhar ao mesmo tempo esperançoso e desesperançado, como um cachorro faminto cansado demais para andar.

"Não, calma. Já volto."

Como um bêbado, fui cambaleando através do lixo — desviando e abrindo caminho, erguendo bem os joelhos pra passar por cima de objetos, confundindo-me com tijolos, concreto, sapatos e bolsas e um monte de pedacinhos carbonizados que não queria ver muito de perto.

A garrafa tinha três quartos de água e estava quente quando a toquei. Mas no primeiro gole minha garganta assumiu o controle e tomei de uma só vez mais que a metade — gosto de plástico, quente — antes de perceber o que estava fazendo e me forçar a tampá-la e colocá-la na sacola pra levar pra ele.

Ajoelhei-me a seu lado, pedras furando minha pele. O homem tremia, a respiração rasgada e irregular; seus olhos não encontraram os meus, mas desviaram pra cima, fixos em alguma coisa que não vi.

Eu estava remexendo à procura da garrafa quando ele levou a mão ao meu rosto. Cuidadosamente, com seus velhos dedos ossudos e planos, ele afastou o cabelo dos meus olhos e arrancou um caco de vidro da minha sobrancelha, fazendo então um leve afago na minha cabeça.

"Pronto, pronto." Sua voz era muito fraca, muito áspera, muito cordial, com um silvo pulmonar medonho. Ficamos olhando um para o outro por um longo e estranho momento que de fato nunca esqueci, como dois animais encontrando-se no crepúsculo. Uma faísca clara e bela pareceu sair voando dos olhos dele, e eu vi quem realmente era — e ele, acredito, viu o mesmo em mim. Por um instante ficamos ligados zunindo, como dois motores num mesmo circuito.

Então ele caiu pra trás de novo, tão frouxamente que achei que estivesse morto. "Aqui", eu disse, desajeitado, colocando a mão atrás do ombro dele.

"Muito bem." Ergui sua cabeça o melhor que pude e ajudei-o a beber da garrafa. Ele só conseguiu tomar um golinho. A maior parte escorreu pelo queixo.

Outra vez caindo pra trás. Esforço demais.

"Pippa", disse ele, com um fio de voz.

Olhei para o rosto vermelho e queimado do homem, despertado por algo familiar em seus olhos claros. Eu já o vira antes. E tinha visto a garota também, o breve instantâneo, uma lucidez de folha de outono: sobrancelhas marrom-avermelhadas, olhos cor de mel. O rosto dela refletia no dele. Onde estava?

O velho estava tentando dizer alguma coisa. Lábios rachados trabalhando. Ele queria saber onde Pippa estava.

Chiando e arquejando. "Calma", eu disse, agitado, "tente ficar parado."

"Ela devia pegar o metrô, é tão mais rápido. A não ser que a tragam de carro."

"Não se preocupe", falei, reclinando-me. Eu não estava preocupado. Logo alguém viria nos buscar, tinha certeza disso. "Vou esperar até eles chegarem."

"Você é tão gentil." Sua mão (fria, seca como pó) apertava a minha. "Não via você desde que era um garotinho. Está todo crescido desde a última vez que nos falamos."

"Eu sou o Theo", respondi, depois de uma pausa ligeiramente confusa.

"Claro que é." Seu olhar, como seu aperto de mão, era firme e gentil. "E fez a melhor escolha possível, tenho certeza. O de Mozart é tão mais bonito que o de Gluck, não acha?"

Eu não sabia o que dizer.

"Vai ser fácil pra vocês dois. São tão duros com vocês crianças nas audições..." Tossiu. Lábios úmidos de sangue, grossos e vermelhos. "Sem segunda chance."

"Olha..." Parecia errado deixá-lo achar que eu era outra pessoa.

"Ah, mas você toca tão bem, meu querido, vocês dois. O sol maior. Não sai da minha cabeça. Tão, tão suave, vai e volta..."

Cantarolou algumas notas sem forma. Uma música. Era uma música.

"... e já devo ter te contado como eu ia pras aulas de piano na casa daquela senhora armênia? Havia um lagarto verde que vivia na palmeira, e eu adorava ficar olhando pra ele... piscando no peitoril da janela... luzinhas no jardim... *du pays saint*... vinte minutos de caminhada, mas pareciam quilômetros..."

Ele murchou por um momento; eu podia sentir sua razão se afastando de mim, girando para longe como uma folha num riacho. Então ela voltou com a correnteza e ali estava o homem de novo.

"E você! Com quantos anos está agora?"

"Treze."

"No Lycée Français?"

"Não, minha escola fica no West Side."

"E é tão boa quanto, imagino. Todas essas aulas de francês! É muito vocabulário pra uma criança. *Nom et pronom*, espécies e filos. É só uma forma de colecionar insetos."

"Como?"

"Eles sempre falavam francês no Groppi's. Você se lembra do Groppi's? Com a sombrinha listrada e o sorvete de pistache?"

Sombrinha listrada. Era difícil pensar com aquela dor de cabeça. Meu olhar vagou até a ferida comprida, coagulada e escura, no couro cabeludo dele, como uma machadada. Cada vez mais eu estava tomando consciência das formas assustadoras que lembravam corpos caídas entre os escombros, troços escuros difíceis de distinguir claramente, impondo-se silenciosamente à nossa volta, escuridão por toda parte e mais os corpos-bonecos, mas era uma escuridão da qual você conseguia se afastar, algo de sonolento nela, um sulco espumoso que agita a água e depois desaparece no oceano escuro e frio.

De repente, havia algo muito errado. Ele estava desperto, sacudindo-me. As mãos balançando. Queria alguma coisa. Tentou pegar impulso pra se erguer inspirando com um sibilo.

"O que foi?", perguntei, forçando-me a ficar alerta. Ele arfava, agitado, puxando meu braço. Temeroso, sentei e olhei em volta, esperando ver algum novo perigo se aproximando: fios soltos, um incêndio, o teto prestes a cair.

Agarrou minha mão. Apertou-a com força. "Ali não", ele conseguiu dizer.

"Como?"

"Não o deixe. Não." Ele olhava para além de mim, tentando apontar para alguma coisa. "Tire-o dali."

"Por favor, fique deitado..."

"Não! Eles não devem vê-lo." Estava frenético, agarrando meu braço agora, tentando se levantar. "Roubaram os tapetes, vão levá-lo pro depósito..."

Eu vi que o homem apontava para um quadro retangular empoeirado, praticamente invisível em meio às vigas quebradas e ao lixo, menor do que o laptop da minha casa.

"Aquilo?", perguntei, olhando mais de perto. O quadro estava salpicado por gotas de cera, e havia uma miscelânea irregular de etiquetas coladas se esfarelando. "É isso que você quer?"

"Eu imploro." Apertou os olhos. Ele estava aborrecido, tossindo com tanta força que mal conseguia falar.

Abaixei-me e peguei o quadro pelas bordas. Era surpreendentemente pesado para algo tão pequeno. Uma lasca comprida de moldura quebrada agarrou-se a um canto.

Passei a manga da camisa pela superfície empoeirada. Um minúsculo passarinho amarelo, escondido atrás de um véu de pó branco. *Na verdade,* A lição de anatomia *estava no mesmo livro, mas me apavorava.*

"Certo", respondi, meio grogue. Virei-me, a pintura na mão, para mostrá-la, e então percebi que ela não estava ali.

Ou ela estava e não estava. Parte dela estava, mas era invisível. A parte invisível era a parte importante. Era algo que eu nunca tinha entendido antes. Mas quando tentei dizer em voz alta as palavras saíram confusas, e com um balde de água fria percebi que estava errado. Ambas as partes tinham que ficar juntas. Não era possível ter uma sem a outra.

Esfreguei o braço na testa e pisquei, tentando afastar a areia dos olhos. Com um esforço gigantesco, como o de erguer uma coisa pesada demais para mim, tentei desviar os pensamentos para onde sabia que precisavam estar. Onde estava minha mãe? Por um momento éramos três, e uma dessas pessoas — eu tinha certeza — era ela. Mas agora havia apenas dois.

Atrás de mim, o velho começou a tossir e tremer de novo, com uma urgência incontrolável, tentando falar. Voltando, tentei entregar a pintura a ele. "Aqui", falei, e então, para minha mãe, no local onde ela parecia ter estado: "Volto num minuto".

Mas a pintura não era o que ele queria. Aflito, o homem a empurrou de volta para mim, balbuciando alguma coisa. O lado direito da cabeça dele estava tão ensopado e pegajoso de sangue que eu mal conseguia ver sua orelha.

"Quê?", perguntei, a mente ainda na minha mãe. Onde ela estava? "Como?"

"Pegue-o."

"Olha, vou voltar. Preciso..." Não conseguia expressar, não direito, mas minha mãe queria que eu fosse pra casa, imediatamente. Eu deveria encontrá-la lá, foi a única coisa que tinha deixado bem claro.

"Leve com você!" Empurrou-o para mim. "Vá!" Ele estava tentando sentar. Seus olhos brilhavam ferozes; sua agitação me assustou. "Levaram todas as lâmpadas, destruíram metade das casas da rua..."

Uma gota de sangue escorreu pelo queixo dele.

"Por favor", eu disse, as mãos tremendo, com medo de tocá-lo. "Por favor, fique deitado..."

Ele balançou a cabeça e tentou dizer alguma coisa, mas o esforço derrubou-o com uma tosse forte, um som molhado e horrível. Quando limpou a boca, vi uma faixa brilhante de sangue no dorso da sua mão.

"Alguém vai vir." Não tinha certeza se acreditava, não sabia o que mais poderia dizer.

O homem olhou bem nos meus olhos, procurando algum lampejo de compreensão, e não o tendo encontrado fez um esforço colossal para sentar de novo.

"Incêndio", disse ele, com uma voz gorgolejante. "O casarão em Ma'adi. *On a tout perdu.*"

Outro acesso de tosse. Espuma tingida de vermelho borbulhando nas suas narinas. Em meio a toda aquela irrealidade, moledros e monólitos quebrados, tive uma sensação onírica de ter falhado com ele, como se tivesse fracassado por inépcia e ignorância em alguma tarefa vital de conto de fadas. Embora não houvesse nenhum incêndio visível naquela confusão de pedras, arrastei-me e guardei a pintura dentro da sacola de náilon, apenas para tirá-la do seu campo de visão, deixando-o tão chateado.

"Não se preocupe", disse. "Eu vou..."

Ele tinha se acalmado. Pôs a mão no meu pulso, o olhar firme e vivo, e um vento frio de irracionalidade me envolveu. Eu tinha feito o que deveria fazer. Ia ficar tudo bem.

Enquanto desfrutava do conforto dessa impressão, o homem apertou minha mão tranquilizadoramente, como se eu tivesse pensado em voz alta. "Vamos sair daqui", ele disse.

"Eu sei."

"Cubra-o com jornais e guarde-o bem no fundo do baú, meu querido. Com as outras raridades."

Aliviado por ele ter se acalmado, exausto pela dor de cabeça, toda a lembrança da minha mãe reduzida a um adejar de mariposa, acomodei-me ao lado dele e fechei os olhos, sentindo-me estranhamente confortável e seguro. Ausente, distraído. Ele divagava um pouco, bem baixinho: nomes estrangeiros, somas e números, algumas palavras em francês, mas a maioria em inglês. Um homem viria dar uma olhada na mobília. Abdou estava encrencado por ter atirado pedras. E no entanto de alguma forma tudo fazia sentido, e eu vi o jardim cheio de palmeiras e o piano e o lagarto verde no tronco da árvore como se fossem páginas num álbum de fotografias.

Lembro-me de ele ter perguntado em dado momento: "Você vai ficar bem voltando pra casa sozinho, meu querido?".

"Claro." Eu estava deitado no chão ao lado dele, minha cabeça na altura do seu peito frágil e velho, de modo que conseguia ouvir cada arfada e cada chiado de sua respiração. "Ando de metrô sozinho todo dia."

"E onde mesmo você disse que estão morando agora?" A mão dele na minha cabeça, bem de leve, como alguém apoia a mão na cabeça de um cachorro de que gosta.

"Rua 57 Leste."

"Ah, sim! Perto do Le Veau d'Or?"

"A algumas quadras dali." Le Veau d'Or era um restaurante aonde minha mãe gostava de ir, na época em que tínhamos dinheiro. Comi meu primeiro escargot lá, e tomei meu primeiro gole de Marc de Bourgogne do copo dela.

"Na direção do parque, então?"

"Não, mais perto do rio."

"Perto o suficiente, meu querido. Merengues e caviar. Como gostei desta cidade na primeira vez em que a vi! Ainda assim, não é a mesma coisa, é? Sinto muita falta daquilo tudo, você não sente? A varanda e o..."

"Jardim." Virei-me para olhá-lo. Perfumes e melodias. No meu pântano de confusão, ficou parecendo que ele era um amigo íntimo ou membro da família do qual eu tinha esquecido, algum parente perdido da minha mãe e...

"Ah, sua mãe! Querida! Nunca vou esquecer a primeira vez que veio tocar. Ela era a menininha mais linda que eu já tinha visto."

Como ele sabia que eu estava pensando nela? Fiz menção de lhe perguntar, mas ele tinha pegado no sono. Seus olhos estavam fechados, porém respirava rápido e roucamente, como se estivesse fugindo de alguma coisa.

Eu estava me entregando a um torpor — os ouvidos zumbindo, um som vazio e um gosto metálico na boca, como se estivesse no dentista —, e poderia ter caído inconsciente outra vez e ficado assim se em dado momento o homem não tivesse me sacudido, forte, de modo que acordei num salto, em pânico. Ele tinha tirado o anel, um anel pesado de ouro com uma pedra entalhada; estava tentando dá-lo a mim.

"Não, não quero isso", falei, esquivando-me. "Por que está fazendo isso?"

Mas ele o pressionou contra a palma da minha mão. Sua respiração estava borbulhante e feia. "Hobart e Blackwell", disse ele, com uma voz como se estivesse se afogando de dentro pra fora. "Toque a campainha verde."

"Campainha verde", repeti, inseguro.

Sua cabeça tombou pra frente e pra trás, tonta, os lábios trêmulos. Seus olhos estavam desfocados. Quando passaram por mim sem me ver, senti um calafrio.

"Diga pra Hobie sair da loja", disse ele, a voz entrecortada.

Incrédulo, fiquei vendo o sangue escorrer brilhante pelo canto de sua boca. O homem afrouxou a gravata, puxando-a bruscamente. "Aqui", eu disse, procurando ajudá-lo, mas ele afastou minhas mãos com um gesto.

"Hobie precisa fechar o caixa e sair de lá!", grasnou. "Seu pai mandou uns caras darem uma surra nele..."

Arregalou os olhos; suas pálpebras tremeram. Nisso, afundou sobre si mesmo, estendido e parecendo desmaiado como se todo o ar tivesse saído dele, trinta, quarenta segundos, feito uma pilha de roupas velhas, mas então — tão asperamente que recuei — seu peito inchou com um chiado de fole e ele cuspiu num átimo um bolo de sangue que caiu em cima de mim. O melhor que podia, ergueu-se nos cotovelos, e durante trinta segundos mais ou menos ficou arfando feito um cão, o peito subindo e descendo freneticamente, pra cima e pra baixo, pra cima e pra baixo, os olhos fixos em alguma coisa que eu não conseguia ver, o tempo todo agarrando minha mão como se apertando-a forte o bastante ele fosse ficar bem.

"Você está bem?", perguntei, desesperado, à beira das lágrimas. "Consegue me ouvir?"

Enquanto ele lutava e se debatia — um peixe fora d'água —, ergui sua cabeça, ou tentei, sem saber como, com medo de machucá-lo, pois o tempo todo agarrou minha mão como se estivesse pendurado no alto de um prédio e prestes a cair. Cada respiração era um puxão isolado, gargarejante, uma pedra pesada erguida com um esforço colossal e derrubada de novo e de novo no chão. A certa altura ele me olhou diretamente nos olhos, sangue jorrando de sua boca, e pareceu dizer alguma coisa, mas as palavras eram só um burburinho escorrendo por seu queixo.

Até que — para meu supremo alívio — ele foi ficando mais calmo, mais quieto, seu aperto na minha mão afrouxando, desvanecendo, uma sensação de afundar e girar como se estivesse boiando de costas na água pra longe de mim. "Está melhor?", perguntei, e então...

Cuidadosamente, derramei um tantinho de água na boca dele — seus lábios despertaram, eu os vi se mexendo; e então, de joelhos, como um criado numa história, limpei um pouco do sangue do seu rosto com o lenço de caxemira do bolso dele. Enquanto o homem afundava — brutalmente, em grau e latitude — na imobilidade, apoiei-me de volta nos calcanhares e olhei fixamente para seu rosto destruído.

"Ei", chamei.

Uma pálpebra fina e seca, semicerrada, tremeu, um tique azul de veia.

"Se está me ouvindo, aperte minha mão."

Mas sua mão na minha estava frouxa. Fiquei sentado ali olhando pra ele, sem saber o que fazer. Estava na hora de ir, já tinha passado da hora — minha mãe tinha deixado isso bem claro —, e no entanto eu não conseguia ver saída do espaço onde estava e, de fato, era difícil imaginar que estava em qualquer outro lugar no mundo — difícil imaginar que havia outro mundo, fora aquele. Era como se eu jamais tivesse tido outra vida além daquela.

"Consegue me ouvir?", perguntei-lhe, uma última vez, inclinando-me e aproximando o ouvido de sua boca ensanguentada. Mas não havia nada.

VI

Não querendo incomodá-lo, caso estivesse apenas descansando, levantei o mais silenciosamente possível. Eu estava todo machucado. Por alguns momentos fiquei parado de pé olhando para o homem, limpando as mãos na minha jaqueta — o sangue dele estava por todo o meu corpo, minhas mãos melecadas dele — e então olhei para a paisagem lunar de entulho, tentando me orientar e descobrir qual era a melhor forma de sair dali.

Quando — com dificuldade — consegui chegar ao centro do espaço, ou ao que pareceu ser o centro do espaço, vi que uma porta estava escondida por escombros, então virei-me e fui na outra direção. Ali, a verga da porta tinha caído, derrubando uma pilha de tijolos quase tão alta quanto eu e deixando um espaço esfumaçado no topo grande o suficiente pra passar um carro. Arduamente, comecei a escalar e me arrastar para ultrapassá-la — por cima e em volta dos grandes pedaços de concreto —, mas eu não tinha avançado muito quando percebi que teria de ir pelo outro lado. Havia um indício de fogo nas paredes adiante, onde ficava a lojinha da mostra, crepitando e brilhando em meio à escuridão, algumas chamas bem abaixo do nível onde outrora estava o piso.

Não gostei da aparência da outra porta (revestimento de espuma manchado de vermelho, a ponta de um sapato de homem aparecendo numa pilha de cascalho), mas pelo menos a maior parte do entulho que a bloqueava não era muito sólida. Cambaleando de volta, desviando de alguns fios que faiscavam pendurados no teto, pendurei a sacola no ombro, respirei fundo e mergulhei de cabeça nos destroços.

Na hora comecei a sufocar com a poeira e um forte cheiro químico. Tossindo, rezando pra que não houvesse mais fios eletrizados pendendo soltos, fui apalpando e tateando no escuro enquanto todo tipo de detrito solto começou a bater e cair nos meus olhos: cascalho, fragmentos de gesso, partículas e pedaços grandes de sei lá o quê.

Parte do material de construção era leve, parte não. Quanto mais avançava, mais escuro ficava, e mais quente. De vez em quando o caminho estreitava ou se fechava inesperadamente e em meus ouvidos havia um ruído estrondoso de multidão que eu não sabia de onde vinha. Eu tinha de me espremer em torno das coisas; às vezes andava, às vezes me arrastava, corpos nos destroços mais sentidos do que vistos, uma pressão suave e perturbadora que cedia ao meu peso, mas, pior do que isso, o cheiro: roupa, cabelo e carne queimados, e o odor penetrante de sangue fresco, cobre, estanho e sal.

Eu tinha cortes tanto nas mãos quanto nos joelhos. Passava por baixo e em torno das coisas, prosseguindo às apalpadelas, roçando com o quadril a lateral de uma espécie de torno comprido, ou viga, até que me vi bloqueado por alguma massa sólida que parecia ser uma parede. Com dificuldade — o local era estreito —, dei a volta pra conseguir pôr a mão na sacola.

Eu queria a lanterna de chaveiro — no fundo, embaixo da pintura —, mas meus dedos toparam com o celular. Eu o liguei e quase imediatamente o deixei cair, pois no clarão avistei a mão de um homem sobressaindo entre dois blocos de concreto. Mesmo apavorado, lembro que me senti grato por ser só uma mão, embora os dedos tivessem uma aparência inchada e escura de carne que nunca mais consegui esquecer; ora ou outra ainda recuo com medo quando um mendigo na rua me estende uma mão assim, inchada e com as unhas pretas.

Ainda havia a lanterna — mas agora eu queria o celular. Ele projetava uma luz fraca no buraco onde estava, mas assim que me recobrei o suficiente para procurá-lo a tela apagou. Uma mancha de luz verde-ácida flutuava acima de mim na escuridão. Ajoelhei-me e fui rastejando no escuro, agarrando pedras e cacos de vidro com as duas mãos, determinado a encontrá-lo.

Achei que sabia onde estava, ou que tinha pelo menos uma ideia, e continuei procurando por ele provavelmente mais do que deveria; foi quando eu já tinha desistido e tentei me erguer de novo que percebi que me arrastara até um ponto baixo onde era impossível ficar de pé, com uma superfície sólida a uns dez centímetros da minha cabeça. Dar a volta não funcionou; andar pra trás não funcionou; então decidi rastejar para a frente, na esperança de que tudo se abriria, e logo me vi avançando a duras penas com um sentimento esmagador de desespero e a cabeça bruscamente virada para um lado.

Quando tinha uns quatro anos, fiquei parcialmente preso dentro de uma cama embutida no nosso velho apartamento na Sétima Avenida, o que pode parecer engraçado, mas na verdade não foi; acho que eu teria sufocado se Alameda, nossa empregada na época, não tivesse ouvido meus gritos abafados e me tirado de lá. Tentar manobrar naquele espaço sufocante era parecido, só que pior: com vidro, metal quente, o fedor de roupas queimadas e algo macio ocasionalmente pressionando contra mim no qual não queria pensar. Detritos se soltavam, caindo pesadamente sobre mim; eu estava ficando com a garganta cheia de pó e tossindo muito, e comecei a entrar em pânico quando percebi que podia ver, só um pouquinho, a textura áspera dos tijolos que me cercavam. Luz — o lampejo mais fraco que se pode imaginar — penetrava sutilmente à esquerda, a uns quinze centímetros do nível do chão.

Abaixei mais, e de repente vi o piso apagado da galeria seguinte. Uma pilha desordenada do que parecia ser equipamento de resgate (cordas, machados, pés de cabra, um cilindro de oxigênio com a inscrição FDNY) jazia abandonada no chão.

"Olá?", chamei, sem esperar resposta, abaixando-me para me enfiar no buraco o mais rápido que podia.

O espaço era estreito; se fosse alguns anos mais velho ou alguns quilos mais gordo talvez não tivesse passado. No meio do caminho, minha sacola ficou presa em alguma coisa, e por um momento pensei que teria de me livrar dela, com ou sem pintura, como uma lagartixa que deixa o rabo para trás, mas quando dei um último puxão ela finalmente cedeu com uma chuva de gesso esmigalhado. Acima de mim havia algum tipo de viga, que parecia sustentar um monte de material de construção pesado, e enquanto me virava e me contorcia debaixo dela fiquei tonto de medo de que fosse escapar e me cortar em dois, até que vi que alguém a estabilizara com um macaco.

Uma vez fora, pus-me de pé, as pernas bambas e atordoado de alívio. "Olá?", chamei de novo, perguntando-me por que havia tanto equipamento ali e nenhum bombeiro à vista. A galeria estava escura, mas na maior parte não tinha sido danificada, com camadas finas de fumaça que iam ficando mais espessas conforme subiam, mas dava pra ver que algum tipo de força tremenda passara pela sala só pelas luzes e câmeras de segurança, que estavam derrubadas, tortas ou viradas para o teto. Eu tinha ficado tão feliz por estar num espaço aberto de novo que demorei um pouco pra me dar conta da estranheza de ser o único de pé numa sala cheia de pessoas. Todos os outros estavam deitados, menos eu.

Havia pelo menos uma dúzia de pessoas ali — nem todas intactas. Tinham a aparência de quem caiu de uma grande altura. Três ou quatro corpos estavam parcialmente cobertos por casacos de bombeiros, os pés pra fora. Outros estavam estatelados totalmente à mostra, em meio a marcas de explosivos. As manchas transmitiam a violência de grandes espirros de sangue, uma sensação histérica de movimento na imobilidade. Lembro-me em especial de uma mulher de meia-idade com uma blusa respingada de sangue num padrão de ovos Fabergé, como se a tivesse comprado na lojinha do museu. Seus olhos — com maquiagem preta — encaravam o teto inexpressivos; seu bronzeado era claramente artificial, pois sua pele tinha um rubor cor de damasco saudável, apesar de o topo da sua cabeça estar faltando.

Óleos sombrios, dourados apagados. Com passos miúdos, fui andando até o meio da sala, oscilando, ligeiramente desequilibrado. Podia ouvir minha própria respiração, o ar entrando e saindo áspero, e havia uma superficialidade estranha no som, uma leveza de pesadelo. Eu não queria olhar, mas precisava. Um homem asiático pequeno, patético no seu blusão marrom-claro, encolhido numa poça de sangue a se alastrar. Um guarda (seu uniforme sendo a coisa mais reconhecível nele, o rosto terrivelmente queimado) com um braço torcido atrás das costas e algo perverso borrifado onde deveria estar a perna.

Mas o principal, o mais importante: nenhuma das pessoas deitadas ali era ela. Obriguei-me a olhar todas, separadamente, uma por uma — mesmo quando não conseguia me forçar a olhar para seus rostos, eu reconheceria os pés da minha mãe, suas roupas, seu sapato branco e preto — e muito tempo depois de já ter certeza disso obriguei-me a ficar no meio delas, voltado pra dentro de mim mesmo, como um pombo doente de olhos fechados.

Na galeria seguinte, mais mortos. Três. Um homem gordo de colete *argyle*; uma velhinha gangrenada; uma menininha com nenhuma marca além de um esfolado na têmpora. Depois, não havia mais nada. Atravessei várias galerias entulhadas de equipamento, mas, tirando as manchas de sangue no chão, não havia nenhum morto. Quando entrei na galeria aparentemente distante onde ela estivera, aonde ela tinha ido, a galeria com *A lição de anatomia* — de olhos bem fechados, torcendo com todas as minhas forças —, só havia macas e equipamentos. Ali, enquanto eu percorria a sala, no silêncio estranhamente gritante, os únicos observadores eram os mesmos dois holandeses intrigados que ficaram olhando minha mãe e eu da parede: O que *você* está fazendo aqui?

Então algo estalou dentro de mim. Não lembro como aconteceu; eu simplesmente estava em um lugar diferente e correndo, por salas que estavam vazias a não ser por uma névoa que fazia aquela grandiosidade parecer inconsistente e irreal. Antes, as galerias pareciam bastante simples, uma sequência sinuosa mas lógica na qual todos os afluentes desaguavam na lojinha. Mas, ao voltar por elas rapidamente e na direção oposta, percebi que o caminho não era nem um pouco direto; e repetidas vezes topei com paredes vazias e fui parar em salas sem saída. Portas e entradas não estavam onde eu imaginava que estariam; pedestais isolados surgiam do nada. Fazendo uma curva um pouco rápido demais, quase dei de cara com um bando de guardas de Frans Hals: sujeitos de bochechas coradas grandes e grosseiros, a visão embaçada pelo excesso de cerveja, como pessoas fantasiadas de policiais em uma festa. Friamente eles me olharam, severos, debochados, enquanto eu me recuperava, dava meia-volta e recomeçava a correr.

Mesmo num dia bom, às vezes acontecia de eu me perder no museu (vagando sem rumo nas galerias de arte oceânica, entre totens e canoas), e às vezes eu tinha de pedir para um guarda me indicar a saída. As galerias de pinturas se mostravam especialmente confusas, já que eram alteradas com tanta frequência; enquanto eu corria pelas salas vazias, na meia-luz fantasmagórica, fui ficando cada vez mais assustado. Achava que sabia o caminho pra escadaria principal, mas assim que saí das galerias de exposições especiais as coisas começaram a parecer estranhas, e depois de um minuto ou dois correndo tonto por curvas eu já não tinha mais certeza de nada, e percebi que estava completamente perdido. De alguma forma tinha me metido bem no meio das pinturas italianas (Cristos crucificados e santos atônitos, serpentes, anjos em combate), passando pela Inglaterra do século XVIII, uma parte do museu a que eu raramente ia e da qual não conhecia nada. Longas e elegantes linhas de visão se estendiam à minha frente, salas labirínticas que tinham um quê de mansão mal-assombrada: lordes de peruca, beldades frias de Gainsborough, olhando altivamente para minha aflição. As perspectivas baroniais eram irritantes, já que pareciam não levar à escadaria ou a qualquer um dos corredores principais, apenas a outras galerias de barões imponentes exatamente como eles; e eu estava à beira das lágrimas quando de repente vi uma porta discreta.

Seria preciso olhar duas vezes pra ver essa porta; ela fora pintada com as mesmas cores das paredes, o tipo de porta que, em circunstâncias normais, seria mantida trancada. Só tinha chamado minha atenção porque não estava completamente fechada — o lado esquerdo não estava alinhado à parede, ou porque não tinha travado corretamente, ou porque a tranca não estava funcionando sem energia elétrica. Ainda assim, não era fácil abri-la — era pesada, de aço, e tive de puxá-la com todas as minhas forças. De repente — com um sopro pneumático —, cedeu tão sem aviso que me fez tropeçar.

Espremendo-me por ela, fui parar num corredor escuro de escritórios sob um teto bastante rebaixado. As luzes de emergência estavam bem mais fracas que na galeria principal, e meus olhos demoraram um pouco pra se acostumar.

O corredor parecia se estender por quilômetros. Temeroso, fui andando devagar, espiando o interior dos escritórios cujas portas por acaso estivessem entreabertas. CAMERON GEISLER, ARQUIVISTA. MIYAKO FUJITA, ASSISTENTE. Gavetas estavam abertas e cadeiras tinham sido afastadas da mesa. Na soleira da porta de um escritório, um sapato de salto alto de mulher jazia caído de lado.

O ar de abandono era indescritivelmente assustador. Parecia que ao longe eu podia ouvir sirenes de polícia, talvez até walkie-talkies e cães, mas meus ouvidos zumbiam tão alto por causa da explosão que achei que poderia muito bem estar ouvindo coisas. Estava ficando cada vez mais nervoso por não ter visto nenhum bombeiro, nenhum policial, nenhum segurança — nenhuma alma viva.

Não estava escuro o bastante para a lanterna de chaveiro na área restrita a funcionários, mas também não havia ali luz suficiente pra que eu enxergasse bem. Eu me encontrava numa espécie de área de registros ou armazenamento. Os escritórios estavam cheios de arquivos que iam do teto ao chão, estantes de metal com separadores de plástico para correspondência e caixas de papelão. O corredor estreito me deixou angustiado, com a sensação de estar encurralado, e meus passos ecoavam tão absurdamente que vez ou outra eu parava e me voltava pra ver se alguém estava vindo atrás de mim pelo corredor.

"Olá?", falei, hesitante, olhando para dentro de algumas salas enquanto passava. Alguns escritórios eram modernos e espaçosos; outros, entulhados e meio sujos, com pilhas desarrumadas de papéis e livros.

FLORENS KLAUNER, DEPARTAMENTO DE INSTRUMENTOS MUSICAIS. MAURICE ORABI-ROUSSEL, ARTE ISLÂMICA. VITTORIA GABETTI, TÊXTEIS. Passei por uma sala escura e cavernosa com uma longa mesa de oficina em que pedaços aleatórios de tecido estavam espalhados como peças de um quebra-cabeça. Nos fundos da sala havia um aglomerado de araras giratórias para roupas com um monte de capas de plástico penduradas, como as araras perto dos elevadores de serviço na Bendel ou na Bergdorf.

Na bifurcação, olhei de um lado e de outro, sem saber pra onde virar. Senti cheiro de cera de piso, terebintina e produtos químicos, um odor de fumaça. Escritórios e oficinas se estendiam infinitamente em todas as direções: uma rede geométrica contida, fixa e inexpressiva.

À minha esquerda, uma luz piscava numa luminária do teto. Zunia e brilhava, em surtos de estática, e sob a luz vacilante avistei um bebedouro mais à frente no corredor.

Corri até ele — tão rápido que meus pés quase ficaram pra trás — e bebi, a boca pressionada contra a torneira, tanta água gelada, tão rápido, que senti uma pontada de dor envolvendo minha têmpora. Soluçando, lavei o sangue das mãos e joguei água nos olhos doloridos. Estilhaços minúsculos de vidro — quase invisíveis — tilintaram na bacia do bebedouro, brilhando sobre o aço como cristais de gelo.

Recostei-me contra a parede. As lâmpadas fluorescentes acima — vibrando, piscando intermitentes — me deixaram enjoado. Forçosamente, pus-me de pé de novo; prossegui, cambaleando um pouco sob a luz bruxuleante e instável. As coisas definitivamente pareciam mais industriais nessa direção: estrados de madeira, um carrinho de transporte aberto, uma sensação de objetos encaixotados sendo transportados e armazenados. Passei por outra bifurcação, onde um corredor sombrio e escorregadio desaparecia escuridão adentro, e estava prestes a passar direto e seguir em frente quando vi um brilho vermelho no final que dizia SAÍDA.

Tropecei; caí sobre meus pés; ergui-me de novo, soluçando, e saí correndo por aquele corredor sem fim. Lá no final havia uma porta com uma barra de metal, como as portas de segurança da escola.

Puxei-a com um urro. Desci correndo por uma escada escura, doze degraus, uma curva no patamar, depois mais doze degraus até o fim, a ponta dos meus dedos deslizando pelo corrimão de metal, os sapatos batendo e ecoando num estardalhaço tão grande que parecia que meia dúzia de pessoas estava correndo comigo. Ao pé da escada havia um corredor cinza com outra porta com barra. Atirei-me contra ela, empurrei-a com as duas mãos — e fui atingido em cheio no rosto pela chuva e pelo gemido ensurdecedor de sirenes.

Acho que devo ter gritado bem alto, de tão feliz por estar do lado de fora, embora ninguém poderia ter me ouvido com todo aquele barulho: seria o mesmo que tentar gritar mais alto que motores a jato na pista do LaGuardia durante uma tempestade. Parecia que cada caminhão de bombeiro, cada viatura, cada ambulância e cada veículo de emergência dos cinco distritos mais New Jersey estavam ali na Quinta Avenida, um som delirantemente alegre: como se os fogos do Ano-Novo, do Natal e do Quatro de Julho tivessem sido reunidos num único dia.

A saída tinha me lançado no Central Park, numa porta lateral abandonada entre as docas e o estacionamento coberto. Trilhas se apresentavam vazias na distância verde-acinzentada; copas de árvores moviam-se, balançando e espumando ao vento. Mais adiante, a Quinta Avenida, assolada pela chuva, estava bloqueada. Pelo aguaceiro, de onde eu estava podia ver apenas o grande e brilhante bombardeio de atividade: guindastes e equipamento pesado, policiais empurrando a multidão pra trás, luzes vermelhas, amarelas e azuis, fachos que golpeavam, giravam e piscavam numa confusão imprevisível.

Ergui o braço para proteger o rosto da chuva e saí correndo pelo parque vazio. Água caía nos meus olhos e escorria pela minha testa, transformando as luzes da avenida num borrão que pulsava ao longe.

Polícia de Nova York, corpo de bombeiros, carros da prefeitura estacionados com os limpadores de para-brisas ligados: K-9, Batalhão de Operações de Resgate, Produtos Perigosos NYC. Capas de chuva pretas esvoaçavam ao vento. Uma faixa amarela de fita de isolamento de cena de crime atravessava a saída do parque, no Miners' Gate. Sem hesitar, eu a ergui e passei por baixo dela, então fui correndo para a multidão.

Naquele caos todo, ninguém reparou em mim. Por um instante ou mais, fiquei correndo inutilmente pra frente e pra trás na rua, a chuva surrando meu rosto. Para todos os lados que eu olhava, via passarem imagens do meu próprio pânico. Pessoas circulavam e corriam cegamente ao meu redor: policiais, bombeiros, sujeitos com capacete de proteção, um senhor idoso segurando um cotovelo quebrado e uma mulher com um nariz ensanguentado sendo enxotada na direção da rua 79 por um policial distraído.

Nunca eu tinha visto tantos carros de bombeiro num só lugar: Esquadrão 18, Combate 44, 7ª Escada de Nova York, 1º Regaste, 4º Caminhão: Orgulho de Midtown. Abrindo caminho pelo mar de veículos e capas de chuva pretas oficiais, avistei uma ambulância da Hatzolá: letras hebraicas na traseira, um pequeno e iluminado quarto de hospital visível pelas portas abertas. Atendentes estavam curvados sobre uma mulher, tentando mantê-la deitada enquanto lutava para sentar. Uma mão enrugada com unhas vermelhas surgiu rasgando o ar.

Bati na porta com o punho. "Vocês precisam voltar pra dentro", gritei. "Ainda tem gente lá..."

"Há outra bomba", gritou o atendente, sem olhar para mim. "Tivemos que evacuar."

Antes que eu tivesse tempo de registrar isso, um policial gigantesco arremeteu-se contra mim feito um trovão: um cara grosso do tipo buldogue, com braços bombados de halterofilista. Ele me agarrou bruscamente pelo braço e começou a me empurrar e arrastar para o outro lado da rua.

"Mas que porra você está fazendo aqui?", berrou, abafando meus protestos enquanto eu tentava me soltar.

"Senhor..." Uma mulher de rosto ensanguentado se aproximou, tentando chamar sua atenção. "Senhor, acho que minha mão está quebrada..."

"Afaste-se do prédio", ele gritou para ela, empurrando seu braço. Então, virou-se para mim: "Vai!".

"Mas..."

Com as duas mãos, ele me empurrou com tanta força que cambaleei e quase caí. "AFASTE-SE DO PRÉDIO!", gritou ele, jogando os braços pra cima com um safanão na capa de chuva. "JÁ!" Ele não estava nem olhando pra mim; seus olhos pequenos estavam fixos em alguma coisa acontecendo acima da minha cabeça, rua acima, e a expressão no seu rosto me deixou apavorado.

Apressado, fui me esquivando pela multidão de socorristas até a calçada oposta, logo depois da rua 79 — de olho pra ver se achava minha mãe. Ambulâncias e veículos médicos se multiplicavam: Beth Israel, Lenox Hill, NY Presbyterian, Cabrini EMS. Um homem ensanguentado de terno estava estirado de costas no chão atrás de uma sebe de teixo ornamental, no jardim minúsculo e cercado de uma mansão da Quinta Avenida. Uma faixa de segurança amarela estava pendurada, balançando e estalando ao vento — mas os policiais, bombeiros e homens de capacete de segurança encharcados de chuva a erguiam e passavam por baixo dela o tempo todo como se nem estivesse ali.

Todos os olhos estavam voltados para o norte, e só mais tarde fui saber por quê; na rua 84 (longe demais para que eu conseguisse ver), o esquadrão antibombas estava no processo de inutilizar uma bomba não detonada disparando um canhão de água nela. Querendo falar com alguém, tentando descobrir o que tinha acontecido, procurei abrir caminho até um caminhão de bombeiros, mas os policiais estavam gritando em meio à multidão, balançando os braços, batendo palmas, forçando as pessoas pra trás.

Agarrei o casaco de um bombeiro — um sujeito jovem, mascando chiclete e com uma cara simpática. "Ainda tem uma pessoa lá!", gritei.

"É, a gente sabe", gritou o bombeiro, sem olhar pra mim. "Mandaram a gente sair. Pediram cinco minutos, aí deixam a gente entrar de volta."

Um rápido empurrão atrás. "Circulando, circulando!", ouvi alguém gritar.

Uma voz rouca, com um sotaque carregado: "Tire as mãos de cima de mim!".

"JÁ! Todo mundo pra trás!"

Alguém me empurrou pelas costas. Bombeiros acionaram a escada dos caminhões, olhando na direção do Templo de Dendur; policiais estavam parados tensos um do lado do outro, inabaláveis sob a chuva. Passando aos tropeções por eles, arrastado pela correnteza, vi olhos vidrados, cabeças assentindo, os pés batendo inconscientemente no ritmo da contagem regressiva.

Quando ouvi o estalo da bomba inutilizada e a ovação rouca de estádio de futebol vindo da Quinta Avenida, eu já tinha sido arrastado um bom tanto na direção da Madison. Policiais — guardas de trânsito — giravam os braços, empurrando o fluxo de pessoas atônitas de volta. "Vamos lá, gente, circulando, circulando." Eles iam de encontro à multidão, batendo palmas. "Todo mundo pro outro lado. Todo mundo pro outro lado." Um policial — um cara grande de cavanhaque e brinco, com tipo de lutador profissional — aproximou-se e empurrou um entregador vestindo um moletom que estava tentando tirar uma foto com o celular. Ele tropeçou em mim e quase me derrubou.

"Cuidado!", gritou, com uma voz aguda e feia; o policial o empurrou de novo, dessa vez com tanta força que o entregador caiu de costas na sarjeta.

"Você é surdo ou o quê, camarada?", gritou ele. "Andando!"

"Não encosta em mim!"

"Quer apanhar?"

Entre a Quinta e a Madison, estava um caos. Barulho de rotores de helicóptero acima; uma voz indistinta num megafone. Apesar de o trânsito estar bloqueado na rua 79, ela estava cheia de viaturas, caminhões de bombeiro, barricadas de cimento e agrupamentos de pessoas aos gritos, em pânico, encharcadas da cabeça aos pés. Algumas estavam fugindo da Quinta Avenida; outras tentavam abrir caminho à força de volta na direção do museu; muitos seguravam o celular no alto, tentando tirar fotos; outros ficavam imóveis, de queixo caído, enquanto a multidão passava em volta delas, olhando para a fumaça preta no céu chuvoso acima da Quinta Avenida, como se os marcianos estivessem chegando.

Sirenes; fumaça branca saindo dos respiradouros do metrô. Um mendigo enrolado num cobertor sujo perambulava de um lado para o outro, parecendo ansioso e confuso. Olhei em volta com a esperança de encontrar minha mãe, contando com vê-la; por um curto período de tempo tentei nadar contra a corrente conduzida por guardas (ficando na ponta dos pés, esticando o pescoço para ver), até perceber que era inútil me impelir de volta e tentar procurá-la naquela chuva torrencial, naquela turba. *Só vou vê-la em casa*, pensei. Deveríamos nos encontrar em casa; lá era o ponto de encontro; ela devia ter percebido a inutilidade daquilo, de tentar me encontrar naquela aglomeração toda. Mas ainda assim senti uma leve pontada irracional de decepção — e, enquanto ia pra casa (uma dor de cabeça de rachar o crânio, praticamente vendo dobrado), continuei a procurá-la, esperando vê-la, esquadrinhando os rostos anônimos e preocupados à minha volta. Minha mãe tinha escapado; era isso que importava. Estava a várias salas da pior parte da explosão. Nenhum dos corpos era dela. Mas, independente do que tínhamos combinado de antemão, independente do quanto aquilo fazia sentido, de certa forma eu ainda não conseguia acreditar que ela tinha saído do museu sem mim.

2. A lição de anatomia

Quando eu era pequeno, quatro ou cinco anos, meu maior medo era de que algum dia minha mãe não voltasse pra casa do trabalho. Adição e subtração eram especialmente úteis na medida em que me ajudavam a acompanhar seus movimentos (quantos minutos desde que ela tinha deixado o escritório? Quantos minutos caminhando de lá até o metrô?), e mesmo antes de ter aprendido a contar fiquei obcecado com a ideia de aprender a ver as horas: estudando desesperadamente o círculo oculto que, uma vez dominado a fundo, ia revelar o padrão de suas idas e vindas. Geralmente ela chegava em casa no exato horário em que dizia que chegaria; assim, se atrasava dez minutos, eu começava a me preocupar; qualquer tempo a mais e eu sentava no chão diante da porta da frente do apartamento feito um cachorrinho deixado sozinho por tempo demais, esforçando-me para ouvir o barulho do elevador chegando ao nosso andar.

Quase todos os dias na escola eu ouvia notícias no Channel 7 que me deixavam preocupado. E se algum vagabundo com uma jaqueta militar suja empurrasse minha mãe sobre os trilhos enquanto esperava a linha 6 do metrô? Ou se ele a esfaqueasse num canto escuro para roubar sua carteira? E se ela deixasse cair o secador de cabelo na banheira, ou fosse derrubada na frente de um carro por uma bicicleta, ou recebesse a injeção errada no dentista e morresse, como aconteceu com a mãe de um colega meu?

Imaginar algo acontecendo com minha mãe era particularmente assustador, porque meu pai não era muito confiável. Acho que *não confiável* é a forma diplomática de dizer. Mesmo quando estava de bom humor ele fazia coisas como perder o dinheiro do salário e pegar no sono com a porta da frente aberta, porque ele bebia. E quando estava de mau humor — que era a maior parte do tempo — tinha os olhos vermelhos e um aspecto pegajoso, o terno tão amassado que parecia ter rolado no chão com ele, um ar de serenidade anormal emanando como se algum objeto pressurizado estivesse prestes a explodir.

Embora não entendesse por que meu pai era tão infeliz, estava claro para mim que sua infelicidade era culpa nossa. Minha mãe e eu dávamos nos nervos dele. Era por nossa causa que tinha um emprego que não suportava. Tudo o que fazíamos era irritante. Meu pai não gostava em especial de ficar perto de mim, não que isso acontecesse com frequência: de manhã, enquanto eu me aprontava para ir à escola, ele ficava sentado de olhos inchados, silencioso, com o *Wall Street Journal* à frente, o roupão aberto e o cabelo despenteado, e às vezes tremia tanto que derrubava café quando levava a xícara à boca. Ele me olhava desconfiado quando eu chegava, as narinas dilatadas se eu fizesse muito barulho com os talheres ou a tigela de cereal.

Para além desse constrangimento diário, eu não o via muito. Ele não jantava conosco nem se envolvia em atividades escolares; não brincava comigo ou conversava quando estava em casa; na verdade, quase nunca estava em casa antes de eu me deitar, e alguns dias — no dia de pagamento, especialmente, sexta sim, sexta não — não chegava antes das três ou quatro da manhã, fazendo então o maior estardalhaço: batendo a porta, deixando cair a pasta, derrubando e esbarrando nas coisas de forma tão desastrada que às vezes eu acordava sobressaltado e apavorado, olhando para as estrelas coladas no teto e imaginando que um assassino tinha invadido o apartamento. Por sorte, quando ele estava bêbado, seus passos desaceleravam numa cadência dissonante e inconfundível — passos de Frankenstein, eu imaginava, caindo deliberada e pesadamente no chão, com uma pausa absurda entre as pisadas —, e logo que eu percebia que era apenas ele martelando o chão pela casa no escuro, e não um serial killer ou psicopata, voltava a um cochilo inquieto. No dia seguinte, sábado, minha mãe e eu dávamos um jeito de sair do apartamento antes que ele acordasse de seu sono suado e caótico no sofá. Do contrário, passaríamos o dia todo andando na ponta dos pés, com medo de bater a porta forte demais ou perturbá-lo de qualquer forma que fosse, enquanto ele ficava sentado na frente da televisão com uma expressão pétrea no rosto, uma cerveja na mão e um olhar gélido, vendo jornal ou jogos no mudo.

Consequentemente, nem minha mãe nem eu ficamos muito incomodados quando acordamos num sábado e vimos que nem voltado pra casa ele tinha. Já era domingo quando começamos a nos preocupar, e mesmo então não ficamos incomodados do jeito que normalmente se ficaria; era o início da temporada de futebol americano universitário; era praticamente certeza que ele apostaria em alguns jogos, e achamos que tinha pegado um ônibus e ido pra Atlantic City sem nos avisar. Foi só no dia seguinte, quando a secretária do meu pai, Loretta, ligou porque ele não tinha ido trabalhar, que começamos a ficar com a impressão de que algo estava realmente errado. Minha mãe, temendo que tivesse sido roubado ou morto saindo bêbado de um bar, ligou pra polícia; passamos vários dias tensos à espera de uma ligação ou de uma batida na porta. Nisso, já quase no final da semana, chegou um esboço de bilhete dele (enviado de Newark, New Jersey) nos informando, num rabisco exaltado, que saíra para "começar uma vida nova" num local desconhecido. Lembro-me de ficar pensando na expressão "vida nova" como se pudesse revelar alguma pista de pra onde tinha ido; depois de eu ter atormentado minha mãe, exigido e a importunado por cerca de uma semana, ela finalmente consentiu em me deixar ver a carta por conta própria ("Está bem", ela disse, resignada, enquanto abria a gaveta da escrivaninha e a pescava, "mas não sei o que posso te dizer, então é melhor ouvir dele mesmo"). Estava escrito em papel timbrado de um Doubletree Inn perto do aeroporto. Eu acreditava que o bilhete trazia pistas valiosas do seu paradeiro, mas em vez disso fui surpreendido por sua extrema brevidade (quatro ou cinco linhas) e por seu jeito insolente, rápido, desleixado e do tipo "tanto faz", como algo que ele rabiscou às pressas antes de correr até a mercearia.

Em muitos aspectos era um alívio ter meu pai fora de cena. Eu certamente não sentia a falta dele, e minha mãe também não parecia sentir, embora tenha sido triste quando foi obrigada a despedir nossa empregada, Cinzia, porque não tínhamos mais como pagá-la (Cinzia chorou e ofereceu-se para ficar e trabalhar de graça; mas minha mãe tinha arranjado um emprego de meio período para ela no prédio, trabalhando para um casal com um bebê; uma ou duas vezes por semana, ela dava uma passada para visitar minha mãe e tomar um café, ainda com o avental que usava sobre as roupas quando limpava). Sem alarde, a foto de um pai mais jovem e bronzeado no topo de uma pista de esqui foi retirada da parede e substituída por uma da minha mãe e eu na pista de patinação do Central Park. À noite minha mãe ficava até tarde com uma calculadora, refazendo as contas. Apesar de o aluguel ser fixo, viver sem o salário do meu pai era uma aventura, já que qualquer que fosse a vida nova que ele tinha idealizado pra si não incluía enviar o dinheiro da pensão. Basicamente nos contentamos em lavar nossa roupa no porão do prédio, ir a matinês em vez de pagar a inteira no cinema, comer pão amanhecido e comida chinesa barata (talharim, ovo *foo yung*) e contar as moedas para a passagem de ônibus. Mas, enquanto eu me arrastava do museu até minha casa naquele dia — tremendo de frio, molhado, com uma dor de cabeça de ranger os dentes —, ocorreu-me que, sem meu pai, ninguém no mundo estaria preocupado com minha mãe e comigo; ninguém estava esperando sentado imaginando onde tínhamos passado a manhã toda ou por que não tinha recebido notícias nossas. Onde quer que ele estivesse, lá na sua Vida Nova (trópicos ou pradaria, cidadezinha com estação de esqui ou cidade grande), certamente estaria com os olhos cravados na televisão; e era fácil imaginar que talvez ficasse até um pouco agitado e preocupado, como às vezes ficava diante de grandes notícias que não tinham absolutamente nada a ver com ele, furacões e desabamentos de pontes em países distantes. Mas será que ficaria preocupado o bastante para ligar e ver como estávamos? Provavelmente não — da mesma maneira que não ligaria pro seu antigo escritório pra saber o que estava acontecendo, embora certamente estivesse pensando nos seus ex-colegas no centro e se perguntando como todos os contadores mão de vaca e apontadores de lápis (conforme ele se referia aos colegas de trabalho) estavam se virando no 101 Park. Será que as secretárias tinham ficado com medo, tirando os porta-retratos da escrivaninha e ido pra casa? Ou será que aquilo tinha virado um tipo de festa moderada no décimo quarto andar, pessoas pedindo sanduíches e se juntando em volta da televisão na sala de reuniões?

Embora a caminhada até minha casa tenha demorado uma eternidade, não me lembro de muita coisa dela senão por certo clima cinza, frio e chuvoso na Madison Avenue — guarda-chuvas balançando, a multidão na calçada andando silenciosamente na direção sul, uma sensação de anonimato conjunto como em velhas fotos em preto e branco que eu tinha visto de quebras de bancos e filas de sopa da década de 1930. Minha dor de cabeça e a chuva comprimiam o mundo num círculo tão doentio e apertado que eu via pouco mais do que as costas curvadas das pessoas à minha frente na calçada. De fato, minha cabeça doía tanto que eu mal enxergava o caminho; e umas duas vezes quase fui atropelado quando ia atravessar estabanado a faixa de pedestre sem prestar atenção no sinal. Ninguém parecia saber exatamente o que tinha acontecido, apesar de eu ter ouvido bradarem "Coreia do Norte" no rádio de um táxi estacionado e uma série de transeuntes resmungando "Irã" e "Al-Qaeda". Um sujeito negro e magricela de *dreads* — ensopado — andava pra lá e pra cá na frente do museu Whitney, esmurrando o ar com o punho e gritando pra ninguém em particular: "Aperte os cintos, Manhattan! Osama bin Laden está *mandando ver* de novo!".

Embora eu me sentisse fraco e quisesse sentar, de alguma forma continuei mancando com um arrastar no passo feito um brinquedo meio quebrado. Guardas gesticulavam, assobiavam e sinalizavam. Água pingava da ponta do meu nariz. De novo e de novo, enquanto piscava para afastar a chuva dos olhos, o pensamento atravessava minha mente: eu tinha de chegar em casa e encontrar minha mãe o quanto antes. Ela estaria desesperada me esperando no apartamento; estaria arrancando os cabelos de tão preocupada, amaldiçoando-se por ter confiscado meu celular. Todo mundo estava tendo problemas pra fazer ligações e havia filas de dez ou vinte pedestres diante dos poucos orelhões. *Mãe*, pensei, *mãe*, tentando lhe mandar uma mensagem telepática dizendo que estava vivo. Queria que ela soubesse que eu estava bem, e repetia para mim mesmo que não havia problema no fato de eu estar andando em vez de correndo; não queria desmaiar no caminho de casa. Que sorte que eu tinha me afastado apenas alguns instantes antes! Mamãe me deixara no coração da explosão; com certeza achava que eu estava morto.

Pensar na garota que tinha salvado minha vida fez meus olhos arderem. Pippa! Um nome seco e estranho pra uma ruivinha mordaz: combinava com ela. Toda vez que eu pensava em seus olhos nos meus, sentia uma tontura diante da ideia de que ela — uma perfeita estranha — tinha me salvado de sair da exposição rumo ao flash preto na loja de cartões-postais, o nada, o fim de tudo. Será que algum dia eu poderia lhe dizer que ela salvara minha vida? E quanto ao velhinho? Os bombeiros e o pessoal do resgate entraram no prédio questão de minutos depois de eu ter saído, e ainda tinha esperanças de que alguém conseguira alcançá-lo e resgatá-lo — a porta estava içada, eles sabiam que ele estava lá. Será que ficaria bem? Algum dia eu os veria novamente?

Quando finalmente cheguei em casa, estava gelado, tonto e cambaleando. Água escorria das minhas roupas encharcadas e serpenteava atrás de mim num rastro irregular pelo piso do saguão.

Depois da multidão na rua, o ar de abandono dava nos nervos. Embora a televisão estivesse ligada na sala de correspondência e eu ouvisse walkie-talkies em algum lugar, não havia nem sinal de Goldie, Carlos ou José.

Mais atrás, o elevador estava iluminado, vazio e à espera, feito uma cabine num número de mágica. As engrenagens despertaram e estremeceram; um por um, os velhos números déco passaram piscando enquanto o elevador subia rangendo até o sétimo andar. Ao entrar no meu próprio corredor insosso, senti um profundo alívio — tinta marrom, cheiro sufocante de produto pra carpete e tudo o mais.

A chave virou ruidosamente na fechadura. "Olá?", chamei, entrando na penumbra do apartamento. Cortinas fechadas, tudo quieto.

No silêncio, a geladeira zunia. *Meu Deus*, pensei, chocado, *ela ainda não chegou em casa?*

"Mãe?", chamei de novo. Com o coração afundando velozmente no peito, atravessei rápido o hall, e então parei confuso na sala.

Suas chaves não estavam no gancho perto da porta; sua bolsa não estava na mesa. Com os sapatos molhados chapinhando em meio àquela quietude, fui até a cozinha — que não era bem uma cozinha, apenas uma alcova com um fogão de duas bocas, de frente pra uma saída de ar. Lá estava sua xícara de café, de vidro verde, do mercado de pulgas, com uma marca de batom na borda.

Fiquei ali olhando para a xícara por lavar com um tantinho de café no fundo, perguntando-me o que deveria fazer. Meus ouvidos zumbiam e assobiavam e minha cabeça doía tanto que eu mal conseguia pensar. Ondas escuras assomavam pelo canto dos meus olhos. Eu tinha ficado tão obcecado por como ela estaria preocupada, com chegar em casa pra lhe dizer que estava bem, que em nenhum momento me ocorreu que ela mesma poderia não estar em casa.

Estremecendo a cada passo, atravessei o corredor até o quarto dela, praticamente inalterado desde que meu pai fora embora, só mais entulhado e com um ar mais feminino agora. A luz da secretária eletrônica, na mesa ao lado da cama desarrumada, estava apagada: nenhuma mensagem.

Parado na soleira da porta, meio vacilante de dor, tentei me concentrar. Uma sensação excruciante da agitação do dia abalou meu corpo, como se eu tivesse andado de carro por tempo demais.

Antes de mais nada: encontrar meu celular, verificar as mensagens. O problema é que eu não sabia onde estava. Minha mãe o tinha tirado de mim depois da suspensão; na noite anterior, enquanto ela tomava banho, tentei encontrá-lo ligando pra ele, mas aparentemente ela o desligara.

Lembro-me de enfiar a mão na primeira gaveta de sua cômoda e vasculhar em meio a uma confusão de lenços — sedas e veludos, bordados indianos.

Então, com um esforço colossal (embora não fosse muito pesado), arrastei um banquinho que ficava na ponta da cama e subi nele pra poder olhar a prateleira de cima do armário. Depois, fiquei sentado no carpete num semiestupor, o rosto encostado contra o banco e um horrível estrondo nos ouvidos.

Alguma coisa estava errada. Lembro-me de erguer a cabeça com uma súbita convicção de que gás vazava na cozinha, de que eu estava sendo envenenado. Mas não sentia cheiro de gás.

Devo ter ido ao banheiro perto do quarto dela e olhado o armário de remédios à procura de uma aspirina, algo pra cabeça, não sei. Em algum momento fui parar no meu quarto, sem ideia de como tinha chegado lá, apoiando-me com uma mão na parede perto da cama, com a sensação de que ia vomitar. E então tudo ficou tão confuso que eu não conseguiria fazer qualquer relato claro de nada, até o momento em que sentei desorientado no sofá da sala ao som de algo como uma porta se abrindo.

Mas não era a porta da frente, apenas alguém no corredor. A sala estava escura e eu podia ouvir o tráfego da tarde na rua, a hora do rush. Na penumbra, fiquei imóvel por um ou dois segundos e suspendi a respiração enquanto os barulhos se sucediam e as formas conhecidas da luminária e da cadeira iam ficando mais visíveis contra a janela crepuscular. "Mãe?", chamei, o tremor de pânico claramente audível em minha voz.

Tinha pegado no sono com minhas roupas sujas e molhadas; o sofá também ficou encharcado, com uma depressão úmida em forma de corpo no ponto onde eu tinha deitado. Uma brisa fria agitava a persiana da janela que minha mãe tinha deixado entreaberta naquela manhã.

O relógio marcava 18h47. Com um medo crescente, fui andando com dificuldade pelo apartamento, acendendo todas as luzes — até as que ficavam no teto da sala, que geralmente não usávamos porque eram fortes e brilhantes demais.

Parado na soleira da porta do quarto da minha mãe, vi uma luz vermelha piscando no escuro. Fui invadido por uma onda deliciosa de alívio: dei a volta correndo na cama, tateando à procura do botão da secretária eletrônica, e foram vários segundos até eu perceber que a voz não era dela, mas de uma mulher com quem trabalhava, num tom inexplicavelmente alegre. "Oi, Audrey, é a Pru, só pra ver como você está. Que dia doido, né? Escuta, as primeiras provas já estão aqui pra Pareja e precisamos conversar a respeito, mas o prazo foi adiado, então não se preocupe, pelo menos por enquanto. Espero que esteja tudo bem, ligue quando puder."

Fiquei ali parado por um longo tempo, olhando para o aparelho depois de ouvir a mensagem. Então levantei a borda da persiana e espiei o trânsito lá fora.

Era aquela hora: todos voltando para casa. Buzinas soavam debilmente na rua. Eu ainda estava com uma dor de cabeça violenta e com a sensação (nova pra mim na época, mas infelizmente conhecida demais agora) de acordar com uma ressaca desagradável, de coisas importantes esquecidas e deixadas por fazer.

Voltei para o quarto dela e, com as mãos trêmulas, fui esmurrando os números do celular, tão rápido que liguei errado e tive de discar de novo. Mas ela não respondeu; caiu na caixa postal. Deixei uma mensagem (*Mãe, sou eu, estou preocupado, onde você está?*) e sentei ao lado da cama com a cabeça entre as mãos.

Um cheiro de comida estava começando a subir dos andares de baixo. Vozes indistintas chegavam dos apartamentos vizinhos: baques abstratos, alguém abrindo e fechando armários. Era tarde: pessoas chegavam em casa do trabalho, deixando cair a maleta perto da porta, saudando gatos, cachorros e filhos, ligando a TV no jornal, arrumando-se pra sair pra jantar. Onde ela estava? Tentei pensar em todos os motivos que poderiam tê-la retido e não consegui acreditar em nenhum — embora talvez houvesse uma rua fechada em algum lugar e ela não conseguisse chegar em casa. Mas por que não teria ligado?

Talvez tenha derrubado o celular, pensei. Talvez ele tenha quebrado. Talvez o tenha dado para alguém que precisava mais dele.

O silêncio do apartamento estava me dando nos nervos. A água cantava nos canos, e a brisa batia traiçoeiramente na persiana. Por estar apenas sentado ao lado da cama dela, sentindo que precisava fazer alguma coisa, liguei de volta e deixei outra mensagem, dessa vez incapaz de esconder o nervosismo na voz. *Mãe, esqueci de dizer, estou em casa. Por favor me ligue assim que puder, tá?* Depois liguei e deixei uma mensagem na caixa postal do escritório dela, só pra garantir.

Com um frio mortal se espalhando no centro do meu peito, voltei para a sala. Depois de ficar parado ali por alguns momentos, fui até o mural da cozinha pra ver se ela tinha deixado um bilhete pra mim, embora soubesse muito bem que não tinha. De volta à sala, olhei pela janela para a rua movimentada. Será que tinha dado uma fugida até a farmácia ou a mercearia, não querendo me acordar? Parte de mim queria sair pra rua e procurá-la, mas era loucura achar que ia vê-la na multidão da hora do rush e, além disso, se eu saísse do apartamento, temia perder sua ligação.

Já tinha passado da hora da troca de turno dos porteiros. Quando liguei lá pra baixo, esperava encontrar Carlos (o mais antigo e respeitável deles), ou, ainda melhor, José, um dominicano grande e alegre, meu favorito. Mas o interfone chamou e chamou e ninguém atendeu, até que finalmente uma voz fina, vacilante e estrangeira disse: "Alô?".

"José está aí?"

"Não", disse a voz. "Não. Você ligar de volta."

Era, percebi, o asiático meio assustado com óculos de segurança e luvas de borracha que cuidava da enceradeira, tirava o lixo e fazia outros trabalhos ocasionais pelo prédio. Os porteiros (que não pareciam ter mais conhecimento do nome dele que eu) o chamavam de "o cara novo" e reclamavam do fato de a gerência pegar um funcionário que não falava nem inglês nem espanhol. Punham a culpa nele de tudo que dava errado no prédio: o cara novo não tirou a neve da calçada ontem à noite, o cara novo não pôs a correspondência onde deveria, o cara novo não limpou o pátio.

"Você ligar de volta depois", o cara novo estava dizendo, esperançoso.

"Não, espera!", eu disse, quando ele estava prestes a desligar. "Preciso falar com alguém."

Pausa confusa.

"Por favor, tem mais alguém aí?", disse. "É uma emergência."

"Certo", disse a voz, cautelosa, num tom aberto que me deu esperança. Podia ouvi-lo respirando forte no silêncio.

"Sou Theo Decker. Do 7C. Sempre te vejo no térreo. Minha mãe não chegou em casa ainda e não sei o que fazer."

Pausa longa, desconcertante. "Sete", repetiu ele, como se fosse a única parte da frase que tinha entendido.

"Minha mãe", repeti. "Onde está o Carlos? Não tem ninguém aí?"

"Desculpe, obrigado", disse ele, num tom apavorado, e desligou.

Desliguei também, num estado de grande agitação, e depois de alguns momentos paralisado no meio da sala liguei a televisão. A cidade estava um caos; as pontes para os outros distritos estavam fechadas, o que explicava por que Carlos e José não tinham conseguido vir para o trabalho, mas não vi absolutamente nada que me fizesse entender o que poderia estar retendo minha mãe. Havia um número pra ligar, eu vi, no caso de alguém desaparecido. Copiei-o num pedaço de jornal e combinei comigo mesmo que, se ela não chegasse em casa dali a exatos trinta minutos, eu ligaria.

Anotar o número fez eu me sentir melhor. Por algum motivo tive a certeza de que aquele ato magicamente faria com que ela entrasse pela porta. Mas depois de se passarem quarenta e cinco minutos, e então uma hora, e ela ainda não ter aparecido, finalmente me rendi e liguei (andando de um lado pro outro, mantendo-me nervosamente de olho na televisão o tempo todo enquanto esperava alguém atender, vendo comerciais de colchão, de som, entrega rápida e gratuita, sem necessidade de crédito). Finalmente uma mulher enérgica atendeu, toda profissional. Ela anotou o nome da minha mãe, meu número de telefone, disse que ela ainda não estava "na sua lista" mas que iam me ligar de volta caso o nome aparecesse. Só depois que desliguei o telefone me ocorreu perguntar de que lista estava falando; depois de um período indefinido de dúvida, andando atormentado em círculos por todos os quatro cômodos, abrindo gavetas, pegando livros e guardando-os de novo, ligando o computador e vendo o que eu podia descobrir procurando no Google (nada), liguei de volta para perguntar.

"Ela não está na lista dos mortos", disse a segunda mulher com quem falei, soando estranhamente descontraída. "Ou dos feridos."

Meu coração pulou. "Ela está bem, então?"

"Só quer dizer que não temos nenhuma informação. Você deixou seu número antes pra que possamos ligar de volta?"

"Sim", respondi. "Disseram que ligariam de volta."

"Entrega e montagem grátis", a televisão estava dizendo. "Não se esqueça de perguntar sobre as seis vezes sem juros."

"Boa sorte, então", disse a mulher, e desligou.

A quietude do apartamento não era normal; nem mesmo o som alto da televisão a afastava. Vinte e uma pessoas estavam mortas, e "dezenas de outras", feridas. Em vão, tentei me tranquilizar com esse número: vinte e uma pessoas não era tão ruim, era? Vinte e um era um público fraco num cinema ou mesmo num ônibus. Eram três pessoas a menos que na minha turma de inglês. Mas logo novas dúvidas e temores começaram a se amontoar ao meu redor, e era só isso que eu podia fazer pra não sair correndo do apartamento gritando o nome dela.

Por mais que eu quisesse sair pra rua e procurá-la, sabia que deveria ficar ali. Deveríamos nos encontrar no apartamento; era esse o trato, o combinado imutável desde os primeiros anos escolares, quando mandaram da escola o Livro de Prevenção de Desastres, com desenhos de formigas com máscara de proteção reunindo suprimentos e se preparando para alguma emergência não nomeada. Fiz as palavras cruzadas e respondi aos questionários bobos ("Qual é a melhor roupa para se colocar num Kit de Provisões para Desastre? a) roupa de banho; b) peças resistentes; c) saia havaiana; d) papel-alumínio") e — junto com minha mãe — elaborei um Plano Familiar de Desastre. O nosso era simples: nos encontraríamos em casa. E, se um de nós não aparecesse em casa, ligaríamos. Mas como o tempo se arrastava, o telefone não tocava e o número de mortos no jornal aumentou para vinte e dois e depois para vinte e cinco, liguei novamente para o número de emergência.

"Sim?", disse a mulher que atendeu, com uma voz furiosamente calma. "Estou vendo aqui que você já ligou antes, anotamos o nome dela na nossa lista."

"Mas... talvez ela esteja no hospital ou algo assim?"

"Pode ser. Mas receio que não tenho como confirmar isso. Qual é seu nome mesmo? Gostaria de falar com um dos nossos conselheiros?"

"Pra que hospital estão levando as pessoas?"

"Sinto muito, realmente não posso..."

"Beth Israel? Lenox Hill?"

"Olha, depende do tipo de ferimento. Tem pessoas com lesão ocular, queimaduras, todo tipo de coisa. Cirurgias estão sendo feitas por toda a cidade..."

"E quanto àquelas pessoas que foram dadas como mortas alguns minutos atrás?"

"Olha, eu entendo, gostaria de ajudar, mas receio não haver nenhuma Audrey Decker na minha lista."

Meus olhos dispararam nervosamente pela sala. O livro da minha mãe (*Jane e Prudence*, de Barbara Pym) estava virado pra baixo no sofá; um dos seus cardigãs finos de caxemira estava sobre o braço de uma cadeira. Ela tinha um de cada cor, e aquele era azul-claro.

"Talvez você deva ir até o Armory. Montaram uma estrutura lá pras famílias — tem comida, café e pessoas com quem conversar."

"Mas e o que te perguntei? Há algum corpo que ainda não foi identificado? Ou alguma pessoa ferida?"

"Escuta, entendo sua preocupação. Eu realmente, de verdade, queria poder te ajudar, mas não posso. Você vai receber uma ligação de volta assim que tivermos alguma informação."

"Preciso encontrar minha mãe! Por favor! Ela provavelmente está num hospital em algum lugar. Não pode me dar uma dica de onde procurar?"

"Quantos anos você tem?", perguntou a mulher, desconfiada.

Depois de um silêncio chocado, desliguei. Por alguns momentos confusos fiquei encarando o telefone, sentindo-me aliviado e culpado ao mesmo tempo, como se tivesse derrubado alguma coisa e quebrado. Quando olhei pras minhas mãos e vi que tremiam, ocorreu-me de um jeito totalmente impessoal, como se reparasse que a bateria do meu iPod tinha acabado, que já fazia um bom tempo que não comia. Nunca na vida, exceto quando tive uma virose, tinha ficado tanto tempo sem comer. Então fui até a geladeira e encontrei as sobras de macarrão chinês da noite anterior e as devorei no balcão, de pé, vulnerável e exposto sob o brilho da lâmpada no teto. Embora houvesse também ovo *foo yung* e arroz, deixei, caso minha mãe estivesse com fome quando chegasse. Já era quase meia-noite. Logo ficaria tarde demais pra pedir comida. Depois que terminei, lavei meu garfo e as coisas do café daquela manhã e limpei o balcão pra que não tivesse de fazer nada quando chegasse em casa: ela ficaria feliz, disse a mim mesmo com firmeza, ao ver que eu tinha limpado a cozinha. Ficaria feliz também (pelo menos foi o que eu achei) quando visse que eu tinha salvado a pintura. Talvez ficasse brava. Mas eu podia explicar.

De acordo com a televisão, eles agora sabiam quem era o responsável pela explosão: grupos que os jornais estavam chamando alternadamente de "extremistas de direita" e "terroristas domésticos". Tinham trabalhado com uma empresa de transporte e armazenamento; com a ajuda de cúmplices desconhecidos dentro do museu, tinham escondido os explosivos dentro das plataformas de exposição ocas das lojinhas onde os cartões-postais e livros de arte ficavam empilhados. Alguns dos criminosos estavam mortos; outros estavam sob custódia; outros ainda permaneciam à solta. Estavam entrando nas particularidades do plano, mas aquilo tudo era demais para mim.

Eu estava trabalhando agora na gaveta problemática da cozinha, que já estava emperrada desde muito antes de meu pai ir embora; não havia nada nela além de cortadores de biscoito e alguns espetos de fondue e raspadores de limão velhos que a gente não usava nunca. Havia mais de um ano minha mãe vinha tentando convencer alguém do prédio a consertá-la (junto com uma maçaneta quebrada, uma torneira vazando e meia dúzia de outras coisinhas chatas). Peguei uma faca, enfiei-a nas bordas da gaveta, com cuidado pra não lascar a pintura mais do que já estava lascada. A força da explosão ainda ressoava dentro de mim, um eco interior do zumbido nos meus ouvidos; mas, pior do que isso, eu ainda sentia o cheiro de sangue, o gosto de sal e estanho na boca. (E continuaria sentindo esse cheiro por dias, embora não soubesse disso na ocasião.)

Enquanto trabalhava e me ocupava da gaveta, fiquei me perguntando se deveria ligar para alguém, e, se sim, para quem. Minha mãe era filha única. E embora, tecnicamente, eu tivesse dois avós vivos — o pai e a madrasta do meu pai, em Maryland —, não sabia como entrar em contato com eles. As relações mal chegavam a ser educadas entre meu pai e a madrasta, Dorothy, uma imigrante da Alemanha Oriental que vivia de limpar prédios comerciais antes de casar com meu avô. (Um eterno e habilidoso imitador, meu pai fazia uma Dorothy cruel e engraçada: uma espécie de *hausfrau* movida a pilha, toda lábios comprimidos e movimentos bruscos, com o sotaque de Curd Jürgens em *A batalha da Grã-Bretanha*.) Mas, embora meu pai desgostasse bastante de Dorothy, sua principal inimizade era com vovô Decker: um homem alto, gordo e assustador, com bochechas coradas e cabelo preto (tingido, acho), que usava um monte de coletes extravagantes e que acreditava em surras de cinto em crianças. *Não é brincadeira* era a primeira expressão que eu associava a vovô Decker — como quando meu pai dizia "Morar com aquele filho da mãe não era brincadeira" e "Acredite, a hora do jantar nunca foi brincadeira na nossa casa". Eu só tinha encontrado vovô Decker e Dorothy duas vezes na vida, ocasiões tensas e carregadas em que minha mãe ficava inclinada pra frente no sofá, de casaco e com a bolsa no colo, todos os seus esforços valorosos de puxar conversa afundando em areia movediça. A principal lembrança que tinha era dos sorrisos forçados, do cheiro forte de tabaco de cereja e do aviso não muito amigável de vovô Decker pra eu manter minhas mãozinhas pegajosas longe de seu trem em miniatura (um vilarejo alpino que ocupava um quarto inteiro da casa deles e que, de acordo com vovô Decker, valia dezenas de milhares de dólares).

Eu tinha conseguido entortar a lâmina da faca enfiando-a com força demais na lateral da gaveta emperrada — uma das poucas facas boas da minha mãe, de prata, que pertencera à mãe dela. Corajosamente, tentei desentortá-la, mordendo o lábio e concentrando todas as minhas energias na tarefa, enquanto o tempo todo flashes desagradáveis do dia me atingiam em cheio no rosto. Tentar não pensar nisso era como tentar não pensar numa vaca roxa. Era tudo o que vinha à sua mente.

Inesperadamente, a gaveta abriu. Olhei para a bagunça: pilhas enferrujadas, um ralador de queijo quebrado, cortadores de biscoito em forma de floco de neve que minha mãe não usava desde quando eu estava na primeira série, amontoados com cardápios de delivery velhos e amassados do Viand, do Shun Lee Palace e do Delmonico's. Deixei a gaveta escancarada — pra que fosse a primeira coisa que ela visse quando entrasse —, fui até o sofá e me enrolei num cobertor, apoiando-me de modo a ficar de olho na porta da frente.

Minha mente girava. Por um bom tempo fiquei sentado tremendo e com os olhos vermelhos sob o brilho da televisão, enquanto as sombras azuis piscavam intermitentes e incômodas. Não havia nenhuma notícia, na verdade; a imagem ficava voltando para tomadas noturnas do museu (parecendo perfeitamente normal agora, a não ser pela faixa policial amarela ainda esticada na calçada, pelos guardas armados e pelos jatos de fumaça subindo esporadicamente do telhado para o céu iluminado por refletores).

Onde minha mãe estava? Por que ainda não tinha chegado em casa? Ela teria uma boa explicação, e então eu pareceria um bobo por ter ficado tão preocupado.

Para tirá-la da mente, concentrei-me o máximo que podia numa entrevista que estavam reprisando, transmitida antes naquela noite. Um curador de óculos com paletó de tweed e gravata-borboleta — visivelmente abalado — estava falando sobre a desgraça que era o fato de não deixarem especialistas entrar no museu para cuidar das obras de arte. "Sim", ele estava dizendo, "entendo que é uma cena de crime, mas as pinturas são muito sensíveis a mudanças no ar e na temperatura. Podem ter sido danificadas por água, substâncias químicas ou fumaça. Podem estar se deteriorando enquanto conversamos. É essencial que restauradores e curadores tenham permissão de entrar nas áreas cruciais para avaliar os danos o mais rápido possível..."

De repente, o telefone tocou — extraordinariamente alto, como um despertador me acordando do pior sonho da minha vida. Senti uma onda de alívio indescritível. Tropecei e quase caí de cara no chão quando me precipitei para agarrá-lo. Eu tinha certeza de que era minha mãe, mas o identificador de chamadas me deu um banho de água fria: DNYOSCF.

Departamento de Nova York de quê? Depois de meio segundo de confusão, apanhei o telefone. "Alô?"

"Olá, querido", disse uma voz suave e de uma gentileza quase horripilante. "Com quem estou falando?"

"Theodore Decker", respondi, surpreso. "Quem é?"

"Olá, Theodore. Meu nome é Marjorie Beth Weinberg e sou assistente social do Departamento de Serviços às Crianças e à Família."

"O que aconteceu? Está ligando por causa da minha mãe?"

"Você é filho de Audrey Decker?"

"Minha mãe! Onde ela está? Está bem?"

Uma pausa longa — terrível.

"Qual é o problema?", gritei. "Onde ela está?"

"Seu pai está? Eu poderia falar com ele?"

"Ele não pode atender. Qual é o problema?"

"Sinto muito, mas é uma emergência. Sinto dizer, mas é realmente muito importante que eu fale com seu pai agora mesmo."

"O que você sabe sobre minha mãe?", falei, erguendo-me. "Por favor! Só me diga onde ela está! O que aconteceu?"

"Você não está sozinho, está, Theodore? Há algum adulto com você?"

"Não, eles saíram pra tomar café", falei, correndo os olhos freneticamente pela sala. Sapatilhas de balé, viradas embaixo de uma cadeira. Jacintos roxos num vaso.

"Seu pai também?"

"Não, ele está dormindo. Cadê minha mãe? Ela está machucada? O que aconteceu?"

"Receio que tenha que pedir para você acordar seu pai, Theodore."

"Não! Eu não posso!"

"É muito importante."

"Ele não pode vir ao telefone! Por que não me diz qual é o problema?"

"Bem, nesse caso, se seu pai não está disponível, talvez seja melhor eu deixar meus números com você." A voz, ao mesmo tempo que era gentil e complacente, me fazia lembrar do computador em *2001: Uma odisseia no espaço*. "Por favor, diga para ele entrar em contato comigo assim que possível. É realmente importante que retorne minha ligação."

Depois de desligar o telefone, fiquei sentado imóvel por um longo tempo. De acordo com o relógio no fogão, que eu podia ver de onde estava, eram duas e quarenta e cinco da manhã. Nunca tinha ficado sozinho e acordado até uma hora dessas. A sala — normalmente tão arejada e aberta, cheia de vida com a presença da minha mãe — reduzira-se a um lugarzinho desconfortável, frio e pálido, como uma casa de veraneio no inverno: tecidos frágeis, tapete de sisal áspero, abajures de papel de Chinatown e cadeiras pequenas e leves demais. Toda a mobília parecia esquálida, equilibrada nervosamente na ponta dos pés. Podia sentir meu coração batendo, ouvir os cliques, tiques e chiados do prédio grande e velho adormecendo à minha volta. Todo mundo dormia. Mesmo as buzinadas ao longe e o ocasional estrépito de caminhões lá fora na rua 57 pareciam fracos e incertos, tão solitários quanto um barulho de outro planeta.

Logo, eu sabia, o céu noturno ficaria azul-escuro; o primeiro brilho suave e frio da luz de abril se esgueiraria sala adentro. Caminhões de lixo passariam aos roncos e resmungos pela rua; pássaros da primavera começariam a cantar no parque; despertadores estariam soando em quartos por toda a cidade. Sujeitos pendurados na traseira de caminhões jogariam pacotes gordos do *Times* e do *Daily News* nas calçadas perto de bancas de jornais. Mães e pais por toda a cidade estariam se arrastando de cabelo bagunçado com a roupa de baixo e um roupão, servindo café, ligando a torradeira, acordando os filhos para ir à escola.

E o que eu faria? Parte de mim estava imóvel, atordoada pelo desespero, como aqueles ratos que perdem a esperança em experimentos de laboratório e deitam no labirinto para morrer de fome.

Tentei organizar meus pensamentos. Por um tempo, quase pareceu que, se eu ficasse sentado quieto o suficiente e esperasse, as coisas poderiam se ajustar de alguma forma. Objetos do apartamento balançavam naquele meu cansaço: halos brilhavam em volta da luminária; a faixa do papel de parede parecia vibrar.

Peguei a agenda telefônica; deixei-a de lado. A ideia de ligar pra polícia me apavorava. E, de todo modo, o que poderiam fazer? Eu já sabia bem demais, por causa da televisão, que uma pessoa precisava estar desaparecida há pelo menos vinte e quatro horas pra eles se preocuparem. Tinha acabado de me convencer de que devia ir pra Uptown procurá-la, sendo meio da noite ou não, e pro inferno com o Plano Familiar de Desastre, quando um zumbido ensurdecedor (a campainha) quebrou o silêncio e fez meu coração pular de alegria.

Precipitando-me, escorregando atrapalhado até a porta, tateei a fechadura. "Mãe?", chamei, puxando o ferrolho de cima, escancarando a porta com estrépito — e então meu coração afundou, uma queda de seis andares. Paradas sobre o capacho havia duas pessoas que eu nunca tinha visto na vida: uma coreana gordinha com um corte de cabelo curto e pontudo e um sujeito hispânico de camisa e gravata que se parecia muito com o Luis de *Vila Sésamo*. Não havia absolutamente nada de assustador neles, muito pelo contrário; eram baixinhos e de meia-idade, de um jeito tranquilizador, vestidos como professores substitutos. Mas, embora ambos tivessem uma expressão amável no rosto, entendi no momento em que os vi que minha vida, como a conhecia, tinha acabado.

3. Park Avenue

I

Os assistentes sociais me botaram no banco de trás do carro compacto e me levaram até um restaurante em Downtown, perto do trabalho deles, um lugar que se fazia de suntuoso, decorado com espelhos chanfrados e lustres baratos de Chinatown. Uma vez no reservado (ambos num lado, eu na frente deles), tiraram pranchetas e canetas de suas pastas e tentaram me fazer comer alguma coisa enquanto tomavam café e faziam perguntas. Ainda estava escuro lá fora; a cidade estava acordando. Não me lembro de chorar, nem de comer, embora, depois de todos esses anos, ainda consiga sentir o cheiro dos ovos mexidos que pediram pra mim; a lembrança daquele prato cheio, com vapor saindo, ainda deixa meu estômago embrulhado.

O restaurante estava quase vazio. Cumins sonolentos desempacotavam bagels e muffins atrás do balcão. Uma turma lânguida de festeiros voltando da noitada com delineador borrado estava amontoada numa mesa ali perto. Lembro-me de olhar pra eles com a atenção desesperada de quem tenta se agarrar a algo — um garoto suado com jaqueta de gola mandarim, uma garota desarrumada com listras rosa no cabelo, e também uma velhinha toda maquiada e com um casaco de pele quente demais para aquele clima que estava sentada sozinha no balcão, comendo uma fatia de torta de maçã.

Os assistentes sociais — que fizeram de tudo menos me chacoalhar e estalar os dedos na minha frente pra me forçar a olhar pra eles — pareciam entender que eu não estava disposto a absorver o que tentavam me dizer. Revezando-se, eles se inclinavam sobre a mesa e repetiam o que eu não queria ouvir. Minha mãe estava morta. Ela tinha sido atingida na cabeça por estilhaços. Morreu na hora. Sentiam muito por terem que dar a notícia, era a pior parte do trabalho, mas eles realmente, de verdade, precisavam que eu entendesse o que tinha acontecido. Minha mãe estava morta e seu corpo estava no New York Hospital. Eu entendia?

"Sim", respondi, na longa pausa em que percebi que esperavam que eu dissesse alguma coisa. Era impossível conciliar o uso brusco e insistente das palavras *morte* e *morta* com as vozes sensatas, as roupas profissionais de poliéster, a música pop latina tocando no rádio e as plaquinhas alegres atrás do balcão (SMOOTHIE DE FRUTAS, SANDUÍCHE VEGETARIANO LIGHT, EXPERIMENTE NOSSO HAMBÚRGUER DE PERU!).

"*Patatas?*", disse o garçom, surgindo na nossa mesa, segurando no alto um grande prato de batatas fritas.

Os dois assistentes sociais pareceram espantados; o homem da dupla (Enrique — só tinham dito o primeiro nome) disse algo em espanhol e apontou para algumas mesas adiante, onde a turma de festeiros gesticulava para ele.

Naquele estado de choque, sentado com os olhos vermelhos diante do meu prato de ovos mexidos esfriando rapidamente, eu mal conseguia entender os aspectos mais práticos da situação. À luz do que tinha acontecido, as perguntas sobre meu pai pareciam tão fora de propósito que tive sérias dificuldades de entender por que não paravam de insistir nisso.

"Então, quando foi a última vez que você o viu?", perguntou a mulher, que tinha me pedido várias vezes para chamá-la pelo primeiro nome (já tentei e tentei recordá-lo, mas não consigo). Ainda posso ver suas mãos cheinhas sobre a mesa e o tom perturbador do esmalte: uma cor metálica, meio cinzenta, algo entre lavanda e azul.

"Algum palpite?", encorajou o tal Enrique. "Sobre seu pai?"

"Uma ideia aproximada já serve", disse a mulher. "Quando acha que foi a última vez que o viu?"

"Hum", murmurei. Pensar era um esforço. "Em algum momento do outono passado?" A morte da minha mãe ainda parecia uma espécie de erro que poderia ser corrigido se eu me recompusesse e cooperasse.

"Outubro? Setembro?", disse ela, suavemente, quando não disse mais nada.

Minha cabeça doía tanto que eu sentia vontade de chorar toda vez que a virava, embora essa dor fosse o menor dos meus problemas. "Não sei", respondi. "Depois do início das aulas."

"Setembro então?", perguntou Enrique, erguendo os olhos pra mim enquanto fazia uma anotação na prancheta. Tinha a aparência de um cara durão — destoando do terno e gravata, feito um técnico que engordou —, mas seu tom transmitia uma sensação reconfortante do mundo trabalhista: sistemas de arquivos, carpete, a rotina empresarial do distrito de Manhattan. "Nenhum contato ou comunicação desde então?"

"Que amigo poderia saber como entrar em contato com ele?", perguntou a mulher, inclinando-se pra frente de um jeito maternal.

A pergunta me pegou de surpresa. A própria sugestão de que meu pai tinha amigos estava tão distante de sua personalidade que eu não soube como responder.

Foi só depois que tiraram os pratos, no período de calmaria nervosa entre a refeição ter terminado e alguém fazer menção de sair, que caiu a ficha de pra onde todas aquelas perguntas aparentemente irrelevantes deles sobre meu pai, meu avô Decker (que morava em Maryland, mas eu não conseguia lembrar em que cidade, alguma subdivisão rural atrás de uma Home Depot) e minhas tias e tios não existentes estavam claramente levando. Eu seria retirado de imediato da minha casa (ou do "ambiente", como eles falavam). Até que entrassem em contato com os parentes do meu pai, estaria nas mãos da prefeitura.

"Mas o que vão fazer comigo?", perguntei pela segunda vez, recuando na cadeira, um tremor de pânico crescendo na minha voz. Tudo parecera bem informal quando desliguei a televisão e saí do apartamento com eles, para comer uma coisinha, conforme tinham dito. Ninguém dissera nada sobre me tirar da minha casa.

Enrique deu uma olhada na prancheta. "Bem, Theo..." — ele pronunciava o nome de um jeito esquisito, ela também —, "você é um menor de idade que necessita de cuidado imediato. Vamos precisar colocá-lo em algum tipo de custódia de emergência."

"Custódia?" A palavra fez meu estômago revirar; sugeria tribunais, dormitórios trancados, quadras de basquete com cerca de arame farpado.

"Bem, digamos que é uma *assistência*, então. E só até o seu vovô e a sua vovó..."

"Espera", falei, atordoado com quão rapidamente as coisas estavam saindo do controle, com a falsa suposição de aconchego e familiaridade na forma com que ele havia dito as palavras *vovô* e *vovó*.

"Só vamos precisar fazer alguns arranjos provisórios até entrar em contato com eles", disse a mulher, inclinando-se. Seu hálito cheirava a menta, mas também tinha um levíssimo traço de alho. "Sabemos que está triste, mas não precisa se preocupar com nada. Nosso trabalho é mantê-lo em segurança até entrarmos em contato com pessoas que te amam e que se importam com você, está bem?"

Era horrível demais pra ser verdade. Fiquei olhando para os dois rostos estranhos do outro lado da mesa, amarelados sob as luzes artificiais. A própria ideia de que vovô Decker e Dorothy eram pessoas que se importavam comigo era absurda.

"Mas o que vai acontecer comigo?", perguntei.

"A questão principal", disse Enrique, "é que você está numa situação suscetível de adoção no momento. Por alguém que vai trabalhar lado a lado com a Assistência Social."

Seus esforços conjuntos para me acalmar — a voz tranquilizadora e empática, a expressão sensata — foram me deixando cada vez mais desesperado. "Parem com isso!", falei, afastando-me bruscamente da mulher, que tinha se inclinado sobre a mesa e estava tentando pegar minha mão de um jeito afetuoso.

"Olha, Theo. Deixa eu explicar uma coisa. Ninguém está falando em detenção ou num centro juvenil..."

"Então do que estão falando?"

"De custódia temporária. Isso só quer dizer que levaremos você a um lugar seguro com pessoas que vão atuar como guardiãs para o Estado..."

"E se eu não quiser ir?", falei, tão alto que as pessoas se viraram para me encarar.

"Escuta", disse Enrique, reclinando-se para trás e sinalizando para pedir mais café. "A prefeitura tem lares certificados para jovens carentes. Bons locais. E, por ora, esta é só uma opção que estamos considerando. Porque em muitos casos como o seu..."

"Não quero ir pra um lar adotivo!"

"É isso aí, garoto", disse alto a menina de cabelo rosa na outra mesa. Recentemente, o *New York Post* só falava em Johntay e Keshawn Divens, as gêmeas de onze anos que foram estupradas pelo pai adotivo e quase morreram de fome em Morningside Heights.

Enrique fingiu não ter escutado. "Olha, estamos aqui pra ajudar", disse, rearranjando as mãos sobre a mesa. "E também vamos considerar outras alternativas caso mantenham você em segurança e atendam às necessidades."

"Em nenhum momento vocês me disseram que eu não poderia voltar pro apartamento!"

"Bem, as agências da prefeitura estão sobrecarregadas — *sí, gracias*", disse ele ao garçom que chegava com mais café. "Mas às vezes é possível fazer outros arranjos se conseguirmos uma autorização provisória, especialmente numa situação como a sua."

"O que ele quer dizer..." A mulher deu uma batidinha com a unha na fórmica para chamar minha atenção. "É que você não precisa entrar no sistema se houver alguém que possa ficar com você por um tempo, ou vice-versa."

"Por um tempo?", repeti. Era a única parte da sentença que fizera sentido.

"Talvez haja alguém pra quem possamos ligar, com quem você se sinta confortável por um dia ou dois. Um professor, talvez? Ou um amigo da família?"

Sem pensar muito, passei o número do meu amigo Andy Barbour pra eles — o primeiro que me veio à mente, talvez porque tenha sido o primeiro além do meu que eu tinha decorado. Embora Andy e eu tenhamos sido bons amigos nos primeiros anos do ensino fundamental (filmes, festas do pijama, cursos de verão no Central Park sobre o uso de mapa e bússola), ainda não tenho muita certeza de por que seu nome foi o primeiro a sair da minha boca, já que não éramos mais amigos tão próximos. Tínhamos nos afastado no início do sétimo ano; eu mal o via havia meses.

"Barbour com u?", disse Enrique enquanto escrevia o nome. "Quem são essas pessoas? Amigos?"

Respondi que sim, que eu os conhecia desde sempre. Os Barbour viviam na Park Avenue. Andy fora meu melhor amigo desde o terceiro ano. "O pai dele tem um superemprego em Wall Street", falei, e então calei a boca. Tinha acabado de lembrar que o pai de Andy passara um tempo num hospital psiquiátrico de Connecticut por "exaustão".

"E a mãe dele?"

"É amiga da minha mãe." (Quase verdade, mas não totalmente; embora fossem cordiais uma com a outra, minha mãe nem de longe era rica ou tinha ligações o suficiente para uma mulher das colunas sociais como a sra. Barbour.)

"Não, quero dizer, o que ela faz da vida?"

"Trabalho beneficente", respondi, depois de uma pausa confusa. "Como o bazar de antiguidades no Armory."

"Então ela é dona de casa?"

Assenti, grato por ela ter fornecido a frase com tanta presteza, pois embora estivesse tecnicamente correta sem dúvida não era como qualquer pessoa que conhecia a sra. Barbour pensaria em descrevê-la.

Enrique assinou seu nome com um floreio. "Vamos verificar isso. Não posso prometer nada", disse ele, apertando a caneta com um clique e enfiando-a de volta no bolso. "Mas certamente podemos te deixar com esse pessoal durante as próximas horas, pouco tempo, se é com eles que você quer ficar."

Enrique deslizou para fora da mesa e saiu do restaurante. Pela janela da frente, eu podia vê-lo andando de um lado pro outro na calçada, falando no telefone com um dedo num ouvido. Então ele discou outro número e fez uma ligação bem mais curta. Houve uma rápida parada no apartamento — menos de cinco minutos, só o suficiente pra eu pegar minha mochila escolar e umas poucas peças de roupa escolhidas por impulso, sem pensar — e então, novamente no carro ("Pôs o cinto aí atrás?"), recostei-me contra o vidro frio e fiquei vendo as luzes ficarem verdes por todo o cânion vazio da alvorada que era a Park Avenue.

Andy morava perto do parque, em um dos prédios enormes, antigos e com funcionários de luva branca, com vestíbulos saídos de um filme de Dick Powell e porteiros que em sua maioria ainda eram irlandeses. Todos estavam ali desde sempre, de modo que me lembrei do sujeito que nos recebeu na porta: Kenneth, o homem da meia-noite. Ele era mais novo que a maior parte dos outros porteiros: uma palidez mortal e a barba malfeita, geralmente um pouco lento no turno da noite. Embora fosse um sujeito agradável — tinha remendado algumas bolas de futebol pra nós e dava sem demora conselhos amigáveis sobre como lidar com valentões na escola —, era conhecido no prédio por ter um probleminha com bebida; e enquanto abria espaço pra nos introduzir às portas grandiosas e me lançava o primeiro dos muitos olhares de *Meu Deus, garoto, sinto muito* que eu ia receber ao longo dos próximos meses, senti o cheiro de cerveja e sono nele.

"Eles estão esperando vocês", disse para os assistentes sociais. "Podem subir."

II

Foi o sr. Barbour quem abriu a porta: primeiro uma fresta, depois ela toda. "Bom dia, bom dia", disse ele, dando um passo pra trás. Tinha uma aparência ligeiramente estranha, com um quê de pálido e prateado, como se o tratamento no pinel de Connecticut (como ele dizia) o tivesse deixado incandescente; seus olhos eram de um cinza estranho e instável, e seu cabelo era totalmente branco, o que o fazia parecer mais velho do que era até você reparar em seu rosto jovem e rosado — infantil, até. Suas bochechas coradas e seu nariz comprido e antiquado, combinados com o cabelo precocemente branco, lhe davam um aspecto amigável de um fundador da nação secundário, algum membro menos importante do Congresso Continental teletransportado para o século XXI. Ele estava usando o que pareciam ser suas roupas de trabalho do dia anterior: uma camisa amarrotada e uma calça de terno com aspecto de cara que pareciam ter sido recém-apanhadas do chão do quarto.

"Entrem", disse ele, enérgico, esfregando os olhos com o punho. "Olá, querido", ele disse para mim, um *querido* surpreendente, vindo dele, mesmo no meu estado desorientado.

Descalço, o sr. Barbour foi andando silenciosamente diante de nós pelo hall de mármore. Mais à frente, na sala ricamente decorada (só tecidos brilhantes e jarros chineses), o ambiente estava mais pra meia-noite que pra manhã: luminárias de seda brilhando fracamente, pinturas grandes e escuras de batalhas navais e cortinas fechadas contra o sol. Ali — perto do piano de cauda pequeno e de um arranjo de flores grande — estava a sra. Barbour com um robe comprido, servindo café nas xícaras em uma bandeja de prata.

Enquanto virava para nos cumprimentar, pude sentir os assistentes sociais admirando o apartamento, e ela. A sra. Barbour era de uma família da alta sociedade com um nome holandês antigo, tão fria, loira e monótona que às vezes parecia que tinham drenado um pouco de seu sangue. Ela era mestre da compostura; nada nunca a abalava ou chateava, e, embora não fosse bonita, sua calma tinha a mesma atração magnética da beleza — uma serenidade tão poderosa que as moléculas se realinhavam à sua volta quando ela entrava num ambiente. Como uma ilustração de moda que ganhou vida, ela fazia cabeças virarem aonde quer que fosse, deslizando absorta sem parecer se dar conta da turbulência que criava atrás de si; seus olhos eram bem afastados, suas orelhas, pequenas, no alto e bem próximas da cabeça, e seu corpo era magro e comprido, feito uma doninha elegante. (Andy também tinha essas características, mas em proporções desarmoniosas, sem a graça furtiva de mamífero dela.)

No passado, sua reserva (ou frieza, dependendo de como se via) tinha me deixado desconfortável algumas vezes, mas, naquela manhã, senti-me grato por seu sangue-frio. "Olá, olá. Vamos colocar você no quarto com Andy", disse para mim, sem rodeios. "Mas receio que ele ainda não tenha acordado. Se quiser deitar um pouco, pode ficar no quarto de Platt." Platt era o irmão mais velho de Andy, que estudava em outra cidade. "Você lembra onde fica, não?"

Fiz que sim.

"Está com fome?"

"Não."

"Certo, então. Diga se precisar de alguma coisa."

Eu estava ciente de que todos olhavam para mim. Minha dor de cabeça era maior do que qualquer outra coisa na sala. No espelho redondo acima da cabeça da sra. Barbour, eu podia ver a cena toda reproduzida numa miniatura bizarra: vasos chineses, bandeja de prata, assistentes sociais meio constrangidos e tudo o mais.

No fim das contas, foi o sr. Barbour quem quebrou o encanto. "Venha, então, vamos acomodar você", disse ele, batendo a mão no meu ombro e me conduzindo com firmeza para fora da sala. "Não, pra trás, por aqui. Voltando, voltando. Logo ali atrás."

A única vez que eu tinha botado os pés naquele quarto, vários anos antes, Platt — campeão de lacrosse levemente psicopata — tinha ameaçado dar uma surra tão forte em Andy e em mim que arrancaria nossa alma. Quando morava em casa, ele ficava ali o tempo todo com a porta trancada (fumando maconha, Andy me disse). Agora todos os pôsteres tinham sumido e o quarto estava muito limpo e com cara de vazio, já que ele morava em Groton. Havia pesos, pilhas de revistas *National Geographic* velhas e um aquário vazio. O sr. Barbour tagarelava enquanto abria e fechava gavetas. "Vamos ver o que temos aqui, hein? Lençóis. E... mais lençóis. Sinto dizer que nunca venho aqui, espero que me perdoe. Ah. Calções de banho. Não vamos precisar disso esta manhã, não é mesmo?" Tateando uma terceira gaveta, ele finalmente encontrou um pijama novo ainda com a etiqueta, horrível, renas num tecido de flanela azul, o que explicava por que nunca tinha sido usado.

"Certo", disse ele, passando a mão pelo cabelo e olhando nervosamente de relance para a porta. "Vou deixar você aqui, então. Que coisa mais terrível que aconteceu, Deus do céu. Deve estar se sentindo mal pra caramba. Um bom sono vai ser a melhor coisa do mundo pra você. Está cansado?", disse ele, olhando-me atentamente.

Eu estava? Estava bem acordado, e no entanto parte de mim estava tão fora de órbita e paralisada que era como se eu estivesse em coma.

"Quer companhia? Quer que eu acenda a lareira? É só dizer."

Diante desse comentário, senti um desespero súbito e agudo — pois, por pior que me sentisse, não havia nada que ele pudesse fazer por mim e, olhando para seu rosto, percebi que ele também sabia disso.

"Estamos logo ali na sala ao lado se precisar da gente. Bem, eu logo vou sair pro trabalho, mas *alguém* vai estar sempre lá..." Seu olhar pálido correu pelo quarto, e então voltou para mim. "Talvez não seja certo da minha parte, mas nas atuais circunstâncias eu não veria mal em te servir o que meu pai costumava chamar de uma dosezinha de nada. *Se* por acaso quiser. Mas não quer, claro", ele acrescentou apressado, percebendo minha confusão. "Bem impróprio. Deixa pra lá."

O sr. Barbour se aproximou, e por um momento desconfortável achei que ia me tocar ou me abraçar. Mas em vez disso bateu palmas e esfregou as mãos. "Em todo caso, estamos muito contentes em ter você aqui, e esperamos que fique totalmente à vontade. Vai nos dizer se precisar de algo, não vai?"

Ele mal tinha saído quando escutei sussurros do lado de fora. Depois uma batida. "Tem alguém aqui pra ver você", disse a sra. Barbour, retirando-se.

E então Andy entrou a passos lentos: piscando, segurando os óculos, atrapalhado. Estava claro que o tinham acordado e arrastado pra fora da cama. Com um rangido alto de molas, ele sentou ao meu lado na beira da cama de Platt, olhando não para mim, mas para a parede oposta.

Andy pigarreou, arrumou os óculos no nariz. Seguiu-se um longo silêncio. O aquecedor chiou e assobiou com urgência. Seus pais tinham saído tão rápido dali que era como se tivessem ouvido o alarme de incêndio.

"Nossa", disse ele, depois de alguns momentos, com seu tom de voz monótono e lúgubre. "Que coisa."

"Pois é", falei. E juntos ficamos sentados em silêncio, lado a lado, encarando as paredes escuras do quarto de Platt e os quadrados de fita onde antes ficavam os pôsteres. O que mais se poderia dizer?

III

Ainda hoje, lembrar daquele tempo me enche de uma sensação sufocante e deprimente. Tudo era terrível. As pessoas me ofereciam refrescos, suéteres extras, comida que eu era incapaz de comer: banana, cupcake, sanduíche, sorvete. Eu respondia com sim e não quando falavam comigo, e passava um bom tempo encarando o tapete pra que as pessoas não vissem que estivera chorando.

Embora o apartamento dos Barbour fosse enorme pros padrões de Nova York, ficava num andar baixo e praticamente não recebia luz. Nunca era totalmente noite ali, ou dia, mas o brilho da lâmpada contra o carvalho polido transmitia um ar de hospitalidade e segurança feito um clube exclusivo. Os amigos de Platt o chamavam de "o assombratório", e meu pai, que tinha ido me buscar uma ou duas vezes depois de passar a noite ali, se referira ao lugar como a "Frank E. Campbell", por causa da funerária. Mas encontrei certo conforto naquela penumbra maciça e opulenta pré-guerra, na qual era fácil se refugiar se você não estava no clima pra conversar ou ser cuidadosamente observado.

Pessoas passavam pra me ver — os assistentes sociais, claro, e um psiquiatra voluntário enviado pela prefeitura, mas também pessoas do trabalho da minha mãe (algumas das quais, como Mathilde, eu tinha ficado expert em imitar para fazê-la rir), e um monte de amigos da NYU e dos tempos da moda. Um ator quase famoso chamado Jed, que às vezes passava o Dia de Ação de Graças conosco ("Até onde sei, sua mãe era a Rainha do Universo"), e uma mulher com um quê de punk de casaco laranja, chamada Kika, que me contou que ela e minha mãe — completamente falidas em East Village — tinham dado um jantar pra doze pessoas que foi um enorme sucesso gastando menos de vinte dólares (usando, entre outras coisas, sachês de creme e açúcar pegos num café e ervas disfarçadamente arrancadas da floreira da janela de um vizinho). Annette — a viúva de um bombeiro, com setenta e poucos anos, antiga vizinha da minha mãe no Lower East Side — foi me visitar com uma caixa de biscoitos da padaria italiana perto de onde ela e minha mãe costumavam morar, os mesmos biscoitos amanteigados com pinhão que sempre levava quando nos visitava em Sutton Place. E Cinzia, nossa antiga empregada, que caiu no choro quando me viu e me pediu uma foto da minha mãe pra guardar na carteira.

A sra. Barbour interrompia as visitas caso se estendessem demais, partindo do pressuposto de que eu me cansava fácil, mas também — suspeito — porque ela mesma não conseguia lidar com pessoas como Cinzia e Kika monopolizando a sala por tempo indeterminado. Depois de quarenta e cinco minutos mais ou menos ela vinha e se postava silenciosamente na porta. E, se as pessoas não pegavam a deixa, a sra. Barbour agradecia pela visita — totalmente educada, mas de tal forma que deixava claro que o tempo estava passando e fazia com que se colocassem de pé. (Sua voz, como a de Andy, soava surda e infinitamente distante; mesmo quando ela estava bem do seu lado parecia que estava fazendo uma transmissão de Alpha Centauri.)

À minha volta, a vida doméstica continuava. Todos os dias, a campainha tocava muitas vezes: empregadas, babás, fornecedores, professores particulares, o professor de piano, mulheres das colunas sociais e homens de negócios com mocassins ligados às ações beneficentes da sra. Barbour. Os irmãos mais novos de Andy, Toddy e Kitsey, corriam pelos corredores escuros com os amigos da escola. Muitas vezes, à tarde, mulheres perfumadas com sacolas de compras vinham tomar café e chá; à noite, casais vestidos pra jantar se reuniam em torno de vinho e água com gás na sala, onde os arranjos de flores eram entregues toda semana por uma floricultura chique da Madison Avenue, e as últimas edições da *Architectural Digest* e da *New Yorker* ficavam perfeitamente espalhadas na mesinha de centro.

Se o sr. e a sra. Barbour se sentiam terrivelmente incomodados por lhes terem empurrado uma criança extra, quase sem aviso, foram delicados o suficiente pra não demonstrar isso. A mãe de Andy, com suas joias discretas e seu sorriso de não-estou-muito-interessada — o tipo de mulher que conseguiria entrar em contato com o prefeito se precisasse de um favor —, parecia de alguma maneira trabalhar acima das restrições burocráticas de Nova York. Mesmo em meio à minha confusão e dor, tinha a impressão de que ela estava cuidando de tudo nos bastidores, tornando aquilo mais fácil para mim, protegendo-me dos aspectos mais desagradáveis da máquina da Assistência Social — e, agora tenho quase certeza, da imprensa. As ligações insistentes eram encaminhadas do telefone direto para o celular dela. Havia conversas em voz baixa, instruções aos porteiros. Depois de chegar durante um dos muitos e incansáveis interrogatórios de Enrique sobre o paradeiro do meu pai — interrogatórios que com frequência me deixavam à beira das lágrimas, porque ele poderia igualmente estar tentando arrancar informações de mim sobre a localização de bases de mísseis no Paquistão —, ela me pediu pra sair da sala e então, com um tom monótono e controlado, pôs um ponto final naquilo ("Bem, quero dizer, é óbvio que o garoto não sabe onde ele está, e a mãe também não sabia... Sim, eu sei que você gostaria de encontrá-lo, mas o homem claramente não *quer* ser encontrado, ele tomou *providências* pra que não fosse encontrado... Ele não pagava pensão, deixou um monte de dívidas, praticamente fugiu da cidade sem dizer uma palavra, então francamente não tenho muita certeza do que pretende conseguir entrando em contato com esse excelente pai e ótimo cidadão... Sim, sim, tudo muito bom, mas se os credores do homem não conseguem encontrá-lo, nem sua agência, não sei por que continuar atormentando o garoto. Podemos pôr um ponto final nisso?").

Certos elementos da lei marcial imposta desde a minha chegada tinham causado inconvenientes na casa: as empregadas, por exemplo, não tinham mais permissão de escutar 1010WINS, a estação de notícias, enquanto trabalhavam ("Não, não", disse Etta, a cozinheira, com um olhar de aviso voltado para mim, quando uma das faxineiras fez menção de ligar o rádio), e, de manhã, o *Times* era imediatamente levado para o sr. Barbour, em vez de ser deixado à disposição para o resto da família ler. Este claramente não era o costume normal — "Alguém sumiu com o jornal *de novo*", resmungara Kitsey, a irmãzinha mais nova de Andy, antes de cair num silêncio culpado após uma olhada de sua mãe —, e logo deduzi que o jornal tinha começado a sumir pro escritório do sr. Barbour porque havia coisas nele que se supunha ser melhor que eu não visse.

Felizmente, Andy, que tinha sido meu companheiro na adversidade antes, entendeu que a última coisa que eu queria era conversar. Naqueles primeiros dias, eles o deixaram faltar na escola pra ficar em casa comigo. No seu quarto bolorento com beliche, onde eu tinha passado muitas noites de sábado nos primeiros anos do ensino fundamental, sentávamos sobre o tabuleiro de xadrez, Andy jogando por nós dois, já que naquela minha confusão mental eu mal lembrava como mexer as peças. "Tudo bem", disse ele, empurrando os óculos no nariz. "Certo. Você tem certeza absoluta de que quer fazer isso?"

"Fazer o quê?"

"Entendo", disse Andy, no tom de voz agudo e irritante que fizera tantos valentões empurrá-lo na calçada em frente à nossa escola ao longo dos anos. "Sua torre está em perigo, isso está correto, mas sugiro que dê uma olhada mais atenta na rainha — não, não, na *sua* rainha, D5."

Ele precisava falar meu nome pra chamar minha atenção. De novo e de novo, eu ficava revivendo o momento em que minha mãe e eu subimos correndo os degraus do museu. A sombrinha listrada. Chuva caindo no nosso rosto. O que tinha acontecido, eu sabia, era irrevogável, e ao mesmo tempo parecia que tinha que haver algum jeito de voltar para a rua chuvosa e fazer tudo acontecer de forma diferente.

"Outro dia", disse Andy, "alguém — acho que foi Malcolm não-sei-o-quê ou algum outro escritor respeitado — enfim, outro dia ele fez a maior onda no *Science Times* dizendo que existem mais partidas potenciais de xadrez do que grãos de areia no mundo todo. É ridículo que um cara que escreve sobre ciência para um grande jornal sinta necessidade de insistir num fato tão óbvio."

"Certo", falei, voltando com esforço dos meus pensamentos.

"Tipo, quem não sabe que os grãos de areia do planeta, embora numerosos, são finitos? É absurdo que alguém chegue a comentar sobre uma questão tola dessas, sabe, tipo, grande novidade! Ele simplesmente jogou isso lá, sabe, como se fosse uma grande revelação."

No ensino fundamental, Andy e eu tínhamos nos tornado amigos sob circunstâncias relativamente traumáticas: pulamos um ano por causa de nossas notas altas. Todo mundo agora parecia concordar que isso fora ruim para nós dois, embora por motivos diferentes. Naquele ano — andando desajeitados entre garotos que eram mais velhos e maiores que nós, que nos davam rasteiras e nos empurravam e fechavam portas de armário na nossa mão, que rasgavam nossa lição de casa e cuspiam no nosso leite, que nos chamavam de *verme*, *bichinha* e *débil mental* (que infelizmente usavam muito nos trocadilhos dirigidos a mim, graças a meu sobrenome Decker) —, durante aquele ano todo (nosso Cativeiro Babilônico, como Andy o chamava, com sua voz fraca e taciturna), lutamos lado a lado como duas formigas sob uma lupa: levando chutes na canela e golpes baixos, sendo excluídos, almoçando encolhidos no canto mais escondido que conseguíamos encontrar pra evitar que jogassem saquinhos de ketchup e nuggets em nós. Durante quase dois anos ele foi meu único amigo, e vice-versa. Lembrar aquela época me dava depressão e vergonha: nossas guerras de Autobots e naves espaciais de Lego, as identidades secretas que assumimos com base em *Star Trek* (eu era Kirk, ele era Spock), num esforço de fazer dos nossos tormentos uma brincadeira.

Capitão, parece que esses alienígenas estão nos mantendo presos numa espécie de simulacro das suas escolas para crianças humanas na Terra.

Antes de me jogarem com uma placa de GÊNIO pendurada no pescoço no meio de um bando de garotos mais velhos e competitivos, eu nunca tinha sido particularmente insultado ou humilhado na escola. Mas o pobre Andy — mesmo antes de ter pulado um ano — sempre fora um garoto cronicamente hostilizado: esquelético, cheio de tiques, intolerante à lactose, com uma pele tão clara que era quase transparente, propenso a soltar palavras como "pernicioso" e "crônico" em conversas casuais. Por mais inteligente que fosse, ele era esquisito; seu tom de voz monótono, seu hábito de respirar pela boca por causa de um problema crônico de nariz faziam-no parecer ligeiramente bobo em vez de extremamente esperto. Ao lado de seus irmãos ágeis, com dentes pontudos e atléticos — correndo entre amigos, equipes esportivas e suas gratificantes programações depois da escola —, ele se destacava como um palerma qualquer que tinha entrado por engano no campo de lacrosse.

Enquanto eu, de certa forma, conseguira me recuperar da catástrofe do quinto ano, Andy não tinha conseguido. Ele ficava em casa sexta e sábado à noite; nunca era convidado para festas ou para ir ao parque. Até onde eu sabia, eu ainda era seu único amigo. E, embora graças à sua mãe ele tivesse todas as roupas certas e se vestisse como os garotos populares — até usava lentes de contato às vezes —, ninguém se enganava: atletas hostis que se lembravam dele daquela época ruim ainda o empurravam e o chamavam de "C-3PO" pelo erro de ter usado uma camiseta de *Star Wars* na escola, muito tempo antes.

Andy nunca foi muito conversador, mesmo na infância, exceto em ocasionais explosões sob pressão (muito da nossa amizade consistira em ficar passando silenciosamente histórias em quadrinhos um para o outro). Anos de assédio o deixaram ainda mais calado e reservado — menos apto a empregar palavras de vocabulário lovecraftiano, mais propenso a enterrar-se em matemática e ciência avançada. Nunca me interessei muito por matemática — eu tinha o que eles chamavam de inteligência linguística —, mas, enquanto eu ficara aquém do meu futuro acadêmico promissor e precoce, em todas as áreas, e não tinha nenhum interesse em tirar boas notas se precisasse trabalhar para obtê-las, Andy estava na turma avançada de todas as matérias e era o melhor da nossa turma. (Certamente teria sido mandado pra Groton, como Platt — uma perspectiva que o apavorava, já desde o terceiro ano — se seus pais não tivessem, com alguma razão, ficado preocupados com a possibilidade de mandar pra estudar longe um filho tão perseguido por seus colegas a ponto de uma vez ter quase sufocado no intervalo por causa de uma sacola de plástico enfiada na cabeça. E também havia outras preocupações; o motivo pelo qual eu sabia da temporada do sr. Barbour no "pinel" era que Andy me dissera, com seu jeito todo prático, que seus pais receavam que ele tivesse herdado algo dessa mesma vulnerabilidade, conforme ele dizia.)

Durante seu tempo longe da escola e em casa comigo, Andy desculpou-se por ter de estudar, "mas infelizmente é necessário", dizia, fungando e limpando o nariz na manga da camiseta. Sua carga horária era incrivelmente exigente ("o Inferno avançado na Terra"), e ele não podia se dar ao luxo de ficar um só dia pra trás. Enquanto dava duro no que parecia uma quantidade infinita de lição de casa (química, cálculo, história, inglês, astronomia, japonês), eu ficava sentado no chão com as costas apoiadas na cômoda dele, contando silenciosamente para mim mesmo: há apenas três dias ela estava viva, há quatro dias, há uma semana. Na minha mente, ficava repassando todas as refeições que tínhamos feito nos dias que antecederam sua morte: nossa última ida ao restaurante grego, nossa última ida ao Shun Lee Palace, a última vez que cozinhou (espaguete à carbonara) e a penúltima (frango indiano, um prato que tinha aprendido com sua mãe ainda no Kansas). Às vezes, para parecer ocupado, eu folheava velhas edições de *Fullmetal Alchemist* ou um H. G. Wells ilustrado que ele tinha no quarto, mas até as imagens eram mais do que eu conseguia absorver. Na maior parte do tempo, ficava olhando os pombos batendo as asas no parapeito da janela enquanto Andy preenchia quadradinhos intermináveis no seu livro de hiragana, o joelho pulando sob a mesa enquanto trabalhava.

O quarto de Andy — originalmente um quarto grande que os Barbour dividiram ao meio — dava para a Park Avenue. Buzinas berravam para a faixa de pedestre na hora do rush e a luz brilhava dourada nas janelas em frente, esmaecendo mais ou menos na mesma hora que o trânsito começava a diminuir. Conforme a noite avançava (fosforescente nas luzes dos postes, tons urbanos de uma noite violeta que nunca ficava realmente preta), eu virava de um lado para o outro, o teto baixo sobre o beliche fazendo tanta pressão sobre mim que às vezes acordava convencido de que estava deitado debaixo da cama, e não em cima dela.

Como alguém podia sentir tanta saudade de uma pessoa como eu sentia da minha mãe? Sentia tanto a falta dela que queria morrer: um anseio forte e físico, como uma falta de ar debaixo d'água. Deitado desperto, eu tentava recuperar minhas melhores lembranças dela — para congelá-la na minha mente de forma que nunca esquecesse —, mas em vez de aniversários e momentos felizes eu ficava lembrando de coisas como o instante alguns dias antes de ela ter sido morta, quando tinha me parado no meio do caminho até a porta para arrancar um fio solto da minha jaqueta da escola. Por algum motivo, essa era uma das lembranças mais claras que eu tinha dela: suas sobrancelhas franzidas, o gesto preciso de estender a mão até mim, tudo. Várias vezes também — oscilando inquieto entre o sonho e o sono — eu sentava de repente na cama ao som de sua voz falando claramente na minha cabeça, comentários que ela poderia muito bem ter feito em algum momento, mas que eu não lembrava especificamente, coisas como *Me passa uma maçã, por favor?* ou *Será que esses botões ficam na frente ou atrás?* e *Este sofá está em péssimo estado.*

A luz da rua batia no chão. Angustiado, eu pensava no meu quarto vazio a apenas algumas quadras dali: minha própria cama estreita com a colcha vermelha e gasta. As estrelas no teto, um cartão-postal do *Frankenstein* de James Whale. Os pássaros estavam de novo no parque, os narcisos virados para cima; nessa época do ano, quando o tempo ficava bom, às vezes acordávamos bem mais cedo de manhã e atravessávamos juntos o parque em vez de pegar o ônibus para o West Side. Se ao menos eu pudesse voltar atrás e mudar o que tinha acontecido, impedir de alguma maneira aquilo. Por que não insisti em tomar café em vez de ir ao museu? Por que o sr. Beeman não pediu pra irmos na terça, ou na quinta?

Na segunda ou terceira noite após a morte da minha mãe — em todo caso, algum momento depois de a sra. Barbour ter me levado ao médico pra que analisassem minha dor de cabeça —, a família ia dar uma grande festa no apartamento que estava muito em cima da hora pra cancelarem. Houve cochichos, uma intensa atividade que mal consegui perceber. "Acho", disse a sra. Barbour quando veio ao quarto de Andy, "que você e Theo talvez prefiram ficar aqui." Apesar do tom suave, claramente não era uma sugestão, mas uma ordem. "Vai ser tão entediante, e eu definitivamente não acho que vão se divertir. Vou pedir para Etta trazer comida pra vocês."

Andy e eu ficamos sentados lado a lado na cama debaixo do beliche, comendo coquetel de camarão e canapés de alcachofra em pratos de papelão — ou melhor, ele comeu, enquanto eu deixei o prato sobre os joelhos, intacto. Ele tinha colocado um DVD, algum filme de ação com robôs explodindo, chuva de metal e fogo. Da sala vinha o som de taças tinindo e o cheiro de vela e perfume, de vez em quando uma voz se elevando esplendidamente num riso. O arranjo animado e acelerado de "It's All Over Now, Baby Blue" do pianista parecia vir de um universo alternativo. Tudo estava perdido, eu tinha saído do mapa: a desorientação de estar no apartamento errado, com a família errada, estava acabando comigo, e eu me sentia tonto e aturdido, quase a ponto de chorar, feito um prisioneiro interrogado impedido de dormir por dias. De novo e de novo, eu pensava: *Preciso ir pra casa*. E, então, pela milionésima vez: *Não posso*.

IV

Passados quatro dias, talvez cinco, Andy colocou os livros na mochila e voltou pra escola. Durante aquele dia todo, e no dia seguinte, fiquei sentado no quarto dele com a televisão ligada no Turner Classic Movies, que era o que minha mãe via quando não ia trabalhar. Estavam transmitindo adaptações dos livros de Graham Greene: *Quando desceram as trevas*, *O fator humano*, *O ídolo caído*, *Alma torturada*. Naquela segunda tarde, enquanto esperava passar *O terceiro homem*, a sra. Barbour (toda de Valentino, a caminho da porta para um evento na Frick) parou no quarto de Andy e anunciou que eu ia voltar para a escola no dia seguinte. "Qualquer um ficaria indisposto", disse ela, "aqui sozinho. Não é bom pra você."

Eu não sabia o que dizer. Ficar sentado vendo filmes era a única coisa que tinha feito desde a morte da minha mãe que parecera vagamente normal.

"Já passou da hora de voltar a algum tipo de rotina. Amanhã. Sei que não parece, Theo", disse ela quando não respondi, "mas se manter ocupado é a única coisa no mundo que vai fazer você se sentir melhor."

Resoluto, mantive os olhos fixos na televisão. Eu não ia pra escola desde o dia anterior à morte da minha mãe, e enquanto ficasse longe dela de alguma forma sua morte não pareceria oficial. Uma vez de volta, o fato se tornaria público. Pior: a ideia de retomar qualquer tipo de rotina parecia desleal, errada. Continuava sendo um choque toda vez que eu lembrava que ela se fora, um novo tapa na cara. Cada novo evento — tudo o que fizesse pelo resto da minha vida — ia apenas nos separar mais e mais: dias dos quais ela não fizera parte, uma distância cada vez maior entre nós. A cada novo dia, pelo resto da minha vida, minha mãe ficaria mais longe.

"Theo."

Alarmado, ergui os olhos para ela.

"Um passo de cada vez. Não há outra forma de passar por isso."

No dia seguinte, haveria uma maratona de espionagem da Segunda Guerra Mundial (*Cairo*, *The Hidden Enemy*, *Operação Esmeralda*) que eu realmente queria ver. Em vez disso, arrastei-me para fora da cama quando o sr. Barbour enfiou a cabeça pela porta para nos acordar ("Todos a postos, soldados!") e fui com Andy até o ponto de ônibus. Era um dia chuvoso, frio o suficiente pra sra. Barbour me obrigar a vestir uma japona velha e constrangedora de Platt sobre as roupas. A irmã mais nova de Andy, Kitsey, foi dançando à nossa frente com sua capa de chuva rosa, saltando sobre poças e fingindo que não nos conhecia.

Eu sabia que ia ser horrível e foi mesmo, desde o instante em que botei o pé no saguão luminoso e senti o cheiro familiar da escola: desinfetante e algo parecido com meias velhas. Cartazes escritos à mão no corredor, fichas de inscrição pra treinos de tênis e aulas de culinária, testes para *Um estranho casal*, viagem para a ilha Ellis e ingressos ainda à venda para o concerto de primavera. Era difícil acreditar que o mundo tinha acabado, mas, de alguma forma, essas atividades ridículas continuavam acontecendo.

O mais estranho: no último dia em que eu estivera no prédio, ela estava viva. Eu não parava de pensar nisso, e sempre era algo novo: a última vez que abri este armário, a última vez que toquei este livro idiota de biologia, a última vez que vi Lindy Maisel passar gloss. Parecia difícil acreditar que eu não podia repassar esses momentos de volta até um mundo onde ela não estava morta.

"Sinto muito." Pessoas que eu conhecia diziam isso, e pessoas com quem eu nunca tinha falado na vida. Outros — que riam e conversavam nos corredores — se calavam quando eu passava, lançando olhares graves ou intrigados na minha direção. Outros ainda me ignoravam completamente, como cachorros brincalhões que ignoram um cachorro doente ou machucado, recusando-se a olhar para mim, brincando e fazendo farra à minha volta nos corredores como se eu não estivesse ali.

Tom Cable, em especial, me evitou com tanto empenho como se eu fosse uma garota em quem ele tinha dado um fora. No almoço, não o vi em lugar algum. Na aula de espanhol (ele chegou sem a menor pressa bem depois de a aula começar, perdendo a cena constrangedora em que todo mundo se reuniu melancolicamente em volta da minha mesa pra dizer que sentia muito), não sentou perto de mim como de costume, e sim na frente, largado, com as pernas abertas pro lado. A chuva tamborilava nas vidraças enquanto íamos traduzindo uma série de sentenças bizarras, frases que teriam deixado Salvador Dalí orgulhoso: sobre lagostas e guarda-sóis, Marisol de cílios longos pegando o táxi verde-limão para ir à escola.

Depois da aula, a caminho da saída, fiz questão de ir dar um oi enquanto ele pegava os livros.

"Ah, e aí, como vai?", perguntou, distante, inclinando-se pra trás, erguendo a sobrancelha com uma cara de espertinho. "Fiquei sabendo e tal."

"Pois é." Esse era nosso estilo: maneiros demais para as outras pessoas, sempre por dentro da mesma piada.

"Que azar. Difícil mesmo."

"Valeu."

"Ei, eu devia ter fingido que estava mal também. Minha mãe também explodiu por causa dessa merda toda. Ficou uma fera! Bem...", disse ele, dando os ombros no momento de choque que se seguiu a isso, olhando pra cima, pra baixo, pros lados, com um olhar de *quem, eu?*, como se tivesse atirado uma bola de neve com uma pedra dentro.

"Enfim. Então", disse ele, com um tom de quem mudava de assunto. "Qual é a da fantasia?"

"Como?"

"Bem..." Um irônico passinho pra trás, olhando pra japona xadrez. "*Definitivamente* primeiro lugar no concurso de sósia de Platt Barbour."

E, apesar de tudo — foi um choque, depois de dias de horror e inércia, um espasmo violento de Tourette —, eu ri.

"Ótima escolha, Cable", respondi, adotando a fala arrastada e odiosa de Platt. Éramos bons nas imitações, nós dois, e às vezes tínhamos conversas inteiras com a voz de outras pessoas: apresentadores bobalhões, garotas choronas, professores bajuladores e ridículos. "Amanhã venho vestido de você."

Mas Tom não respondeu na mesma moeda ou tentou continuar a conversa. Ele tinha perdido o interesse. "Errr... Acho que não", disse ele, dando de ombros, com um sorrisinho zombeteiro. "Até mais."

"Tá, até." Fiquei irritado — que porra ele achava que estava fazendo? E no entanto era parte da nossa eterna comédia de humor negro, divertida apenas para nós, provocar e insultar um ao outro; e eu tinha certeza de que ele viria me encontrar depois da aula de inglês ou que ele ia me alcançar no caminho pra casa, correndo atrás de mim e batendo na minha cabeça com o livro de álgebra. Mas Tom não fez isso. Na manhã seguinte, antes da primeira aula, nem me olhou quando dei oi, e sua expressão vazia enquanto ele passava por mim me assustou. Lindy Maisel e Mandy Quaife voltaram-se uma para a outra diante dos seus armários, soltando risadinhas de um jeito falsamente chocado: *Ah, meu Deus!* Ao meu lado, meu parceiro de laboratório, Sam Weingarten, estava balançando a cabeça. "Que babaca", disse ele, alto, tão alto que todo mundo no corredor se virou. "Você é um grande babaca, Cable, sabia?"

Mas não me importei — ou, pelo menos, não fiquei magoado ou deprimido. Só fiquei furioso. Minha amizade com Tom sempre teve um quê de maníaco, de selvagem, algo de desequilibrado, agitado e um pouco perigoso, e embora toda aquela alta-tensão ainda estivesse presente, a corrente se invertera, a voltagem zunindo na direção oposta, de modo que agora, em vez de ficar aprontando com ele na sala de estudos, eu queria enfiar sua cabeça no mictório, puxar seu braço a ponto de deslocá-lo, bater seu rosto na calçada até deixá-lo todo ensanguentado, fazê-lo comer merda de cachorro e lixo do meio-fio. Quanto mais pensava nisso, mais furioso ficava, tão furioso que às vezes me pegava andando freneticamente no banheiro, resmungando comigo mesmo. Se Cable não tivesse me dedurado pro sr. Beeman ("Agora eu sei, Theo, que aqueles cigarros não eram seus")... se eu não tivesse sido suspenso por causa dele... se minha mãe não tivesse tirado o dia de folga...

se não estivéssemos no museu bem na hora errada... Até o sr. Beeman tinha se desculpado por isso, mais ou menos. Porque, claro, havia alguns problemas relacionados às minhas notas (e várias outras coisas que ele não sabia), mas o incidente causador, aquilo que fez me chamarem, o lance todo com os cigarros no pátio — de quem era a culpa? De Cable. A questão não é que eu esperava que se desculpasse. Na verdade, nem é que eu teria dito alguma coisa pra ele, algum dia. Só que de repente eu era um pária. Persona non grata. Ele não ia nem falar comigo. Eu era menor que ele, mas só um pouco, e toda vez que dava uma de engraçadinho na sala, como se não conseguisse evitar, ou passava correndo por mim no corredor com seus novos melhores amigos, Billy Wagner e Thad Randolph (como costumávamos correr juntos, sempre a mil por hora, aquele anseio por perigo e loucura), eu só conseguia pensar no quanto queria esfolar sua pele, garotas rindo enquanto ele se encolhia às lágrimas. *Oooh, Tom! Buá-buá!* Tá chorando? (Fazendo o melhor que podia pra provocar uma briga, bati no nariz dele abrindo acidentalmente de propósito a porta do banheiro, e empurrei-o contra a máquina de bebidas fazendo-o derrubar as batatas fritas com queijo no chão, mas em vez de saltar pra cima de mim — como eu queria que fizesse —, ele apenas sorriu maliciosamente e se afastou sem dizer uma palavra.)

Nem todo mundo me evitava, é claro. Muita gente deixou bilhetes e presentes no meu armário (incluindo Isabella Cushing e Martina Lichtblau, as garotas mais populares do meu ano), e meu velho inimigo do quinto ano, Win Temple, me surpreendeu vindo até mim e me dando um abraço. Mas a maioria das pessoas respondia com uma polidez cautelosa, meio apavorada. Não era como se eu ficasse chorando pelos cantos ou mesmo agindo como se estivesse perturbado, mas ainda assim elas paravam no meio da conversa se eu sentava com elas pra almoçar.

Adultos, por outro lado, me davam uma atenção desconfortavelmente excessiva. Eu era aconselhado a manter um diário, a conversar com meus amigos, a fazer um "mural de recordações" (um conselho absurdo, na minha opinião; as outras crianças já ficavam incomodadas perto de mim por mais que eu me comportasse normalmente, e a última coisa que eu queria era chamar a atenção pra mim compartilhando meus sentimentos com as pessoas ou fazendo artesanato terapêutico). Parecia que eu passava uma enorme quantidade de tempo em salas de aula vazias e gabinetes (olhando para o chão, assentindo inconscientemente) com professores preocupados que me pediam pra ficar depois da aula ou me puxavam de lado pra conversar. Meu professor de inglês, o sr. Neuspeil, depois de sentar à sua mesa e me fazer um tenso relato da horrível morte de sua mãe nas mãos de um cirurgião incompetente, deu um tapinha nas minhas costas e me entregou um caderno em branco pra que eu escrevesse nele; a sra. Swanson, conselheira da escola, me mostrou uns dois exercícios de respiração e disse que talvez ajudasse a descarregar a minha dor se eu saísse e jogasse cubos de gelo numa árvore; e até o sr. Borowski (que ensinava matemática e era consideravelmente menos atento que a maioria dos outros professores) me pegou no corredor e — falando bem baixinho, com o rosto a uns cinco centímetros do meu — me contou sobre quão culpado se sentiu depois que seu irmão morreu num acidente de carro. (Culpa era um tema que aparecia muito nessas conversas. Será que meus professores também acreditavam que eu era o culpado pela morte da minha mãe? Aparentemente sim.) O sr. Borowski tinha se sentido tão culpado por deixar seu irmão voltar dirigindo pra casa bêbado da festa naquela noite que até pensou por um breve período em se matar. Talvez eu também tenha pensado em suicídio. Mas essa não era a resposta.

Eu aceitava todos esses conselhos educadamente, com um sorriso apagado e uma sensação gritante de irrealidade. Muitos adultos pareciam interpretar o estupor como um bom sinal; lembro-me particularmente do sr. Beeman (um britânico de fala excessivamente abrupta com uma boina de tweed ridícula, que apesar de solícito eu vim a odiar, de modo irracional, como um agente da morte da minha mãe) elogiando minha maturidade e me informando que parecia que eu estava "enfrentando tudo muitíssimo bem". E talvez eu *estivesse* enfrentando muitíssimo bem, não sei. Com certeza não estava gemendo pelos cantos, quebrando janelas com o punho ou fazendo qualquer uma das coisas que eu imaginava que as pessoas fariam caso se sentissem como eu. Mas às vezes, inesperadamente, a dor me atingia em ondas que me deixavam sem ar; e, quando as ondas recuavam, eu me via olhando para os destroços repulsivos de um naufrágio, iluminados por uma luz tão lúcida, tão deprimente e tão vazia que eu mal conseguia lembrar que o mundo algum dia chegara a ser algo que não morte.

V

Sinceramente, meus avós Decker eram a última coisa em que eu andava pensando, e isso era bom, já que a Assistência Social não tinha conseguido encontrá-los de imediato com base nas parcas informações que lhes forneci. Até que a sra. Barbour bateu na porta do quarto de Andy e disse: "Theo, podemos trocar uma palavrinha, por favor?".

Algo no jeito dela sugeria claramente más notícias, embora na minha situação fosse difícil imaginar como as coisas poderiam piorar. Depois de nos sentarmos na sala — perto de um arranjo de salgueiro e galhos de maçã florescendo com um metro de altura, recém-chegado da floricultura —, ela cruzou as pernas e disse: "Recebi uma ligação da Assistência Social. Conseguiram falar com seus avós. Infelizmente parece que sua avó não está bem".

Por um momento fiquei confuso. "Dorothy?"

"Se é assim que você a chama..."

"Ela não é minha avó de verdade."

"Entendo", disse a sra. Barbour, como se não entendesse nem quisesse entender. "Bom, parece que ela não está bem — um problema nas costas —, e seu avô está cuidando dela. Então a questão é, veja bem, tenho certeza de que eles sentem muito, mas disseram que não seria prático você ficar lá neste exato momento. Na casa deles, digo", ela acrescentou quando eu não disse nada. "Eles se ofereceram pra pagar pra você ficar num Holiday Inn lá perto, por ora, mas isso parece um pouco impraticável, não é mesmo?"

Havia um zumbido desagradável nos meus ouvidos. Sentado ali sob o olhar inexpressivo e frio dela, por algum motivo me senti terrivelmente envergonhado. A perspectiva de ficar com vovô Decker e Dorothy tinha me apavorado tanto que os bloqueei quase completamente da minha mente, mas era uma coisa bem diferente saber que não me queriam.

Um lampejo de compaixão atravessou o rosto dela. "Não se sinta mal por isso. E não precisa se preocupar. Já está decidido que vai ficar conosco pelas próximas semanas e, pelo menos, até terminar o ano escolar. Todos concordam que é o melhor. A propósito", disse ela, inclinando-se pra perto, "que lindo anel. É de família?"

"Hum, sim", falei. Por motivos que teria achado difíceis de explicar, eu tinha pegado o hábito de carregar o anel do velhinho comigo pra quase todo lugar que eu ia. Na maior parte do tempo eu ficava brincando com ele enquanto o deixava no bolso da jaqueta, mas de vez em quando eu o colocava no dedo médio e o usava, apesar de ser grande demais e escorregar.

"Interessante. Da família da sua mãe ou do seu pai?"

"Da minha mãe", falei, depois de uma breve pausa, não gostando do rumo que a conversa estava tomando.

"Posso ver?"

Tirei-o e o deixei cair na palma da mão dela. A sra. Barbour o segurou contra a luz da lâmpada. "Lindo", disse. "Cornalina. E este entalhe? Greco-romano? Ou um brasão de família?"

"Hum, um brasão. Acho."

A sra. Barbour examinou o animal mitológico com garras. "Parece um grifo. Ou talvez um leão alado." Ela o virou de lado contra a luz e olhou dentro do anel. "E esta gravação?"

Minha expressão de perplexidade a fez franzir o cenho. "Não me diga que nunca reparou nela. Espere um pouco." Ergueu-se e foi até a escrivaninha, que tinha um monte de gavetas e compartimentos intrincados, e voltou com uma lupa.

"Vai funcionar melhor que meus óculos de leitura", disse ela, olhando através da lupa. "Ainda assim é difícil enxergar essa letra antiga." Ela aproximou a lupa, depois a afastou. "Blackwell. Isso te lembra alguma coisa?"

"Ah..." De fato lembrava, algo além das palavras, mas o pensamento tinha sido arrastado pra longe e desaparecido antes de se materializar totalmente.

"Vejo algumas letras gregas também. Muito interessante." Ela deixou cair o anel de volta na minha mão. "É um anel antigo", disse ela. "Dá pra ver pela pátina na pedra e pelo desgaste — está vendo aqui? Os americanos costumavam escolher esses entalhes clássicos na Europa, na época de Henry James, e mandavam colocar em anéis. Lembranças do Grand Tour."

"Se eles não me querem, pra onde é que eu vou?"

Por um instante, a sra. Barbour pareceu desconcertada. Quase de imediato ela se recuperou e disse: "Bem, eu não me preocuparia com isso agora. De toda forma, provavelmente é melhor que você fique aqui um pouco mais e termine o ano escolar, não acha? Bem", ela assentiu, "tome cuidado com esse anel e preste atenção para não perdê-lo. Dá pra ver que está largo. Talvez queira guardá-lo num lugar seguro em vez de ficar usando por aí desse jeito".

VI

Mas eu não deixei de usá-lo. Ou melhor, ignorei o conselho dela de guardá-lo num lugar seguro e continuei carregando-o no bolso. Quando o segurava na palma da mão, sentia-o bem pesado; se fechava os dedos sobre ele, o ouro ficava quente com o calor da minha mão, mas a pedra esculpida permanecia fria. Seu ar imponente e antiquado, sua mistura de sobriedade e esplendor, eram estranhamente reconfortantes; se eu me concentrasse com intensidade o suficiente nele, tinha o estranho poder de me segurar no meu estado à deriva e de me isolar do mundo à minha volta, mas, apesar de tudo, eu realmente não queria pensar em sua origem.

Assim como não queria pensar no meu futuro — pois, embora não ansiasse por uma nova vida no interior de Maryland, à fria mercê dos meus avós Decker, tinha começado a me preocupar seriamente com o que ia acontecer comigo. Todo mundo pareceu profundamente chocado com a ideia do Holiday Inn, como se vovô Decker e Dorothy tivessem sugerido que eu me mudasse pra um galpão no quintal dos fundos, mas pra mim não pareceu uma coisa tão ruim assim. Eu sempre quis morar num hotel, e mesmo se o Holiday Inn não fosse o tipo de hotel que eu tinha imaginado certamente eu podia me virar: pedir hambúrgueres ao serviço de quarto, pay-per-view, uma piscina no verão, quão ruim podia ser?

Todo mundo (os assistentes sociais, Dave, o psiquiatra, a sra. Barbour) ficava me dizendo de novo e de novo que eu definitivamente não poderia viver sozinho num Holiday Inn no interior de Maryland, que não importava o que acontecesse, jamais chegaria a esse ponto — sem parecer perceber que suas palavras supostamente reconfortantes só estavam aumentando, e muito, a minha ansiedade. "O importante", disse Dave, o psiquiatra que a prefeitura tinha designado, "é que haverá quem cuide de você não importa o que aconteça." Ele era um sujeito na casa dos trinta anos, com roupas escuras e óculos da moda, que sempre dava a impressão de ter acabado de voltar de uma sessão de leitura de poesia no porão de uma igreja. "Porque tem um monte de gente tomando conta de você e que só quer o melhor pra você."

Eu tinha passado a desconfiar de estranhos me dizendo o que era melhor pra mim, já que era exatamente isso que os assistentes sociais tinham dito antes de surgir o tema do lar adotivo. "Mas não acho que meus avós estejam tão errados", respondi.

"Em relação a quê?"

"Em relação ao Holiday Inn. Talvez seja um bom lugar pra eu ficar."

"Você está dizendo que não gostaria de ficar na casa dos seus avós?", disse Dave, sem titubear.

"Não!" Eu odiava isso nele. Como ficava sempre colocando palavras na minha boca.

"Tudo bem, então. Talvez possamos colocar de outra forma." Ele cruzou as mãos, pensando. "Por que você ia preferir morar num hotel a morar com seus avós?"

"Eu não disse isso."

Dave virou a cabeça. "Não, mas pela forma como fica trazendo o assunto do Holiday Inn à tona, como se fosse uma escolha viável, entendo que é isso que prefere fazer."

"Parece muito melhor do que ir para um lar adotivo."

"Sim." Ele se inclinou pra frente. "Mas por favor preste atenção no que vou dizer. Você tem apenas treze anos. E acabou de perder a mãe. Neste momento, viver sozinho realmente não é uma opção pra você. O que estou tentando dizer é que é uma pena que os seus avós estejam lidando com essas questões de saúde, mas, acredite, tenho certeza de que podemos conseguir algo muito melhor uma vez que sua avó esteja bem e recuperada."

Eu não disse nada. Claramente ele nunca conheceu vovô Decker e Dorothy. Embora eu mesmo não tenha ficado muito com eles, o principal que lembrava era a completa ausência de sentimento de família entre nós, o jeito opaco como me olhavam como se eu fosse um garoto qualquer que tinham encontrado perdido numa loja. A perspectiva de ir morar com eles era quase que literalmente inimaginável, e eu fiquei quebrando a cabeça tentando lembrar o que podia da minha última visita à casa deles — e não era muita coisa, já que eu tinha só sete ou oito anos. Havia dizeres bordados à mão emoldurados e pendurados nas paredes, uma bancada feita de plástico que Dorothy usava pra desidratar alimentos. Em dado momento — depois de vovô Decker ter gritado comigo pra manter minhas mãozinhas pegajosas longe do trem em miniatura — meu pai saiu pra fumar um cigarro (era inverno) e não voltou mais. "Jesus amado", minha mãe tinha dito, quando estávamos no carro (tinha sido ideia dela me levar para conhecer a família do meu pai), e depois disso nunca mais voltamos.

Vários dias depois da oferta do Holiday Inn, chegou um cartão pra mim na casa dos Barbour. (Um parêntesis: é errado achar que Bob e Dorothy, já que foram eles próprios que assinaram, deveriam ter pegado o telefone e me ligado? Ou entrado no carro e dirigido até a cidade pra verem como eu estava? Mas não fizeram nada disso — não que eu tivesse grandes esperanças de que viessem correndo até mim com gritinhos de preocupação, mas ainda assim teria sido bom se tivessem me surpreendido com um pequeno, mesmo que atípico, gesto de afeição.)

Na verdade, o cartão era de Dorothy (o "Bob", claramente na letra dela, aparecia espremido ao lado de sua assinatura como um adendo). O envelope, curiosamente, dava a impressão de ter sido aberto no vapor e fechado de novo — pela sra. Barbour? Pela Assistência Social? —, embora o cartão em si definitivamente trouxesse a letra europeia rígida e acidentada de Dorothy, que aparecia exatamente uma vez por ano no nosso cartão de Natal, uma letra que — conforme meu pai comentara certa vez — tinha tudo para estar no quadro do La Goulue listando os pratos do dia. Na frente do cartão havia uma tulipa caída e, embaixo, um slogan impresso: NUNCA É O FIM.

Dorothy, do pouquíssimo que eu me lembrava dela, não era de desperdiçar palavras, e o cartão não foi uma exceção. Após uma abertura perfeitamente cordial — sentia muito por minha trágica perda, estava comigo em pensamento nesse momento de tristeza —, ela se ofereceu pra me mandar uma passagem de ônibus pra Woodbriar, ao mesmo tempo que fazia alusão a vagas condições médicas que dificultavam que ela e vovô Decker satisfizessem "as exigências" para cuidar de mim.

"Exigências?", disse Andy. "Ela faz parecer que você está pedindo dez milhões em notas não marcadas."

Fiquei em silêncio. Estranhamente, era a imagem no cartão que tinha me incomodado. Era o tipo de coisa que se via num estande de cartão de farmácia, perfeitamente normal, mas ainda assim a foto de uma flor murcha — por mais artística que fosse — não parecia ser bem a coisa certa a se mandar pra alguém cuja mãe tinha acabado de morrer.

"Achei que ela estava superdoente. Por que foi ela que escreveu?"

"Não me pergunte." Eu estava pensando a mesma coisa; parecia realmente estranho que o meu avô não tivesse acrescentado uma mensagem ou sequer se dado o trabalho de assinar o próprio nome.

"Talvez", disse Andy, num tom melancólico, "seu avô tenha Alzheimer e ela o esteja mantendo como prisioneiro em sua própria casa. Pra ficar com o dinheiro dele. Isso acontece com bastante frequência com esposas mais jovens, sabia?"

"Não acho que ele tenha tanto dinheiro assim."

"É provável que não", disse Andy, pigarreando ostensivamente. "Mas nunca se pode descartar a sede de poder. 'A natureza vermelha nos dentes e nas garras.' Talvez ela não queira que você se meta na disputa pela herança."

"Amigão", disse o pai de Andy, erguendo um tanto subitamente os olhos do *Financial Times*, "não acho que essa conversa seja lá muito produtiva."

"Bem, sinceramente, não entendo por que Theo não pode ficar com a gente", disse Andy, dando voz aos meus próprios pensamentos. "Eu gosto de companhia e tem espaço no meu quarto."

"Bem, todos nós gostaríamos de ficar com Theo só pra gente", disse o sr. Barbour, com um entusiasmo não tão grande ou convincente quanto eu gostaria. "Mas o que a família dele ia pensar? Até onde eu sei, ainda é contra a lei sequestrar."

"Olha, pai, esse dificilmente parece ser o caso aqui", disse Andy, com seu irritante tom distraído.

Nisso o sr. Barbour se ergueu de supetão, segurando sua água tônica. Ele não podia beber por causa do remédio que tomava. "Theo, esqueci. Você sabe velejar?"

Levei um momento para perceber o que ele tinha me perguntado. "Não."

"Ah, que pena. Andy passou um tempo *maravilhoso* no acampamento de vela no Maine no ano passado, não é verdade?"

Andy ficou em silêncio. Ele tinha me dito, muitas vezes, que aquelas foram as piores duas semanas da sua vida.

"Você sabe ler bandeiras náuticas?", perguntou o sr. Barbour.

"Como?", falei.

“Há um quadro excelente no meu escritório que eu ficaria feliz em mostrar. Não faça essa cara, Andy. É uma habilidade bastante útil pra qualquer garoto.”

“Certamente é, se ele precisar chamar um rebocador.”

“Esses seus comentários engraçadinhos são muito cansativos”, disse o sr. Barbour, embora parecesse mais distraído que irritado. “Além disso”, disse, voltando-se para mim, “acho que você ficaria surpreso com a frequência com que bandeiras náuticas aparecem em desfiles, filmes e no palco.”

Andy fez uma careta. “*No palco*”, repetiu, zombeteiro.

O sr. Barbour virou-se para olhá-lo. “Sim, *no palco*. Você acha o termo engraçado?”

“Pomposo seria melhor.”

“Bem, receio que não consiga ver o que acha de tão pomposo nele. Certamente é essa a expressão que sua bisavó teria usado.” (O avô do sr. Barbour tinha descido na escala social por casar com Olga Osgood, uma atriz menor de cinema.)

“Justamente.”

“Então o que você queria que eu dissesse?”

“Na verdade, pai, o que eu realmente gostaria de saber é quando foi a última vez que você viu bandeiras náuticas em *qualquer* produção teatral.”

“*Ao sul do Pacífico*”, disse o sr. Barbour prontamente.

“Além de *Ao sul do Pacífico*.”

“Encerro o meu caso.”

“Não acho nem que você e minha mãe tenham visto *Ao sul do Pacífico*.”

“Pelo amor de Deus, Andy.”

“Bem, ainda assim. Um exemplo não é o suficiente pra você estabelecer seu caso.”

“Me recuso a continuar esta conversa absurda. Venha, Theo.”

VII

Desse ponto em diante, passei a me esforçar com especial afinco para ser um bom hóspede: arrumando minha cama de manhã; sempre dizendo obrigado e por favor, e fazendo tudo o que sabia que minha mãe ia querer que eu fizesse. Infelizmente os Barbour não eram bem o tipo de família em que você podia demonstrar sua gratidão tomando conta dos irmãos mais novos ou ajudando na louça. Entre a mulher que vinha cuidar das plantas — um trabalho deprimente, já que havia tão pouca luz no apartamento que a maioria delas morria — e a assistente da sra. Barbour, cujo principal trabalho parecia ser reorganizar os closets e a coleção de porcelana chinesa, tinham algo em torno de oito pessoas trabalhando pra eles. (Quando perguntei à sra. Barbour onde ficava a máquina de lavar, ela me olhou como se eu tivesse pedido soda cáustica e gordura pra fazer sabão.)

Mas, embora não se exigisse nada de mim, ainda assim o esforço para me adaptar ao estilo de vida refinado e complicado deles era muito extenuante. Eu ficava desesperado pra sumir de vista — deslizar invisível entre os padrões chinoiserie como um peixe num recife de corais —, e no entanto parecia que chamava uma atenção indesejada centenas de vezes por dia: ao ter que pedir cada coisinha, uma toalha, um band-aid, ou o apontador; ao não ter uma chave, precisando tocar a campanha quando ia e vinha; e até nos meus esforços bem-intencionados de arrumar minha própria cama de manhã (era melhor simplesmente deixar Irenka ou Esperenza fazerem isso, a sra. Barbour explicou, pois estavam acostumadas e eram mais caprichosas nos cantos). Arranquei um remate de um cabideiro antigo ao abrir uma porta; por duas vezes consegui disparar o alarme por engano; e ainda fiz a besteira de entrar uma noite no quarto do sr. e da sra. Barbour quando estava procurando o banheiro.

Felizmente, os pais de Andy ficavam em casa tão pouco que minha presença não parecia incomodá-los muito. A não ser que a sra. Barbour estivesse recebendo gente, ela ficava fora do apartamento a partir das onze da manhã, dando uma passada rápida por umas duas horas antes do jantar, pra um gim com limão e pro que ela chamava de "um minuto de banheira", e depois só voltava pra casa de novo quando já estávamos na cama. O sr. Barbour eu via menos ainda, a não ser nos fins de semana e quando ele ficava sentado pela casa depois do trabalho com seu copo de água tônica enrolado num guardanapo, esperando a sra. Barbour se vestir pra saírem.

De longe, o maior problema que enfrentava eram os irmãos de Andy. Embora Platt, felizmente, estivesse fora aterrorizando garotos mais novos em Groton, ainda assim Kitsey e o irmão mais novo, Toddy, que tinha apenas sete anos, claramente se ressentiam por eu estar ali usurpando qualquer atençãozinha que recebiam dos pais. Havia muitos acessos de birra e beicinhos, um monte de revirar de olhos e risadinhas hostis da parte de Kitsey, assim como uma história mal contada e desconcertante (pra mim) — nunca totalmente resolvida — em que ela reclamou pras amigas e empregadas e pra quem quisesse ouvir que eu andava indo no quarto dela e mexendo na coleção de cofrinhos na prateleira acima da mesa. Quanto a Toddy, foi ficando cada vez mais incomodado conforme as semanas se passavam e eu continuava ali; no café da manhã, ele me olhava francamente pasmo e com frequência soltava perguntas que faziam sua mãe meter a mão debaixo da mesa e beliscá-lo. Onde é que eu morava? Quanto tempo ainda ia ficar com eles? Eu tinha um pai? Então onde é que ele estava?

"Boa pergunta", respondi, arrancando uma risada horrorizada de Kitsey, que era popular na escola e — aos nove anos — tão bonita em sua loirice quanto Andy era sem graça.

VIII

Profissionais de uma transportadora viriam, em algum momento, embalar as coisas da minha mãe e deixá-las num depósito. Antes que viessem, eu deveria ir até o apartamento pegar tudo o que quisesse ou de que precisasse. Tinha consciência da pintura de um jeito incômodo mas vago que era totalmente desproporcional à sua real importância, como se fosse um projeto escolar que eu havia deixado por terminar. Em algum momento precisaria devolvê-la ao museu, mas ainda não tinha arranjado uma maneira de fazer isso sem causar um escândalo gigantesco.

Eu já havia perdido uma chance de devolvê-la — quando a sra. Barbour dispensou alguns investigadores que tinham vindo ao apartamento procurando por mim. Isto é, supus que eram investigadores ou até policiais comuns, com base no que Kellyn, a garota galesa que cuidava das crianças menores, me disse. Ela estava trazendo Toddy de volta da creche quando os estranhos chegaram perguntando por mim. "Caras de terno, sabe?", disse, erguendo uma sobrancelha para enfatizar o que dizia. Kellyn era uma garota pesadona de fala rápida, com bochechas tão coradas que sempre parecia que tinha acabado de sair de perto do fogo. "Eles tinham aquele olhar."

Eu estava com medo demais pra perguntar o que ela queria dizer com *aquele olhar*; quando entrei, cauteloso, pra ver o que a sra. Barbour tinha a dizer, ela estava ocupada. "Desculpe", disse, sem me olhar realmente, "mas, por favor, podemos conversar sobre isso depois?" Convidados chegariam em meia hora, entre eles um arquiteto bem conhecido e uma dançarina famosa do New York City Ballet; ela estava surtando por causa do fecho solto do seu colar e chateada porque o ar-condicionado não estava funcionando direito.

"Estou encrencado?"

Saiu antes que eu me desse conta do que estava dizendo. A sra. Barbour parou. "Theo, não seja ridículo", disse ela. "Eles foram perfeitamente gentis, muito atenciosos, é só que não tenho como recebê-los neste exato momento. Aparecendo do nada, sem telefonar. De qualquer forma, disse que não era o melhor momento, o que é claro que eles mesmos puderam observar." Ela apontou na direção dos fornecedores indo e voltando apressados, do engenheiro civil numa escada, examinando a saída do ar-condicionado com uma lanterna. "Agora vá. Onde está Andy?"

"Ele chega daqui uma hora. A turma de astronomia dele foi ao planetário."

"Bem, tem comida na cozinha. Tenho poucas tortinhas, mas podem pegar quantos sanduichinhos quiserem. E, depois que cortarmos o bolo, vocês também podem comer um pouco."

Ela agira de modo tão despreocupado que me esqueci dos visitantes até aparecerem na escola três dias depois, durante a minha aula de geometria, um jovem, outro mais velho, um tanto desalinhados, batendo educadamente na porta aberta. "Podemos falar com Theodore Decker?", o sujeito mais novo, com cara de italiano, pediu ao sr. Borowski enquanto o mais velho olhava amigavelmente para a turma.

"Só queremos conversar com você, tudo bem?", disse o cara mais velho enquanto caminhávamos pelo corredor até a temida sala de reuniões onde deveria ter acontecido o encontro com o sr. Beeman e minha mãe no dia em que ela morreu. "Não tenha medo." Ele era um sujeito negro de cavanhaque grisalho — com cara de durão, mas também de simpático, como um policial legal numa série de televisão. "Estamos apenas tentando juntar as peças de uma porção de coisas que aconteceu naquele dia e esperamos que você possa nos ajudar."

Eu tinha ficado assustado de início, mas, quando ele disse para não ter medo, achei que podia acreditar — até ele abrir a porta da sala de reuniões. Ali estava meu inimigo de boina de tweed, o sr. Beeman, mais pomposo que nunca com seu colete e seu relógio de bolso; Enrique, o assistente social; a sra. Swanson, a conselheira da escola (a mesma pessoa que me disse que eu poderia me sentir melhor se jogasse cubos de gelo numa árvore); Dave, o psiquiatra, com sua habitual calça preta da Levi's e pulôver de gola rulê; e a sra. Barbour, de salto alto e com um terninho cinza que parecia ter custado mais dinheiro do que o que todas as outras pessoas da sala ganhavam num mês.

Meu pânico devia estar explícito no rosto. Talvez eu não tivesse ficado tão alarmado se entendesse um pouco melhor o que na época não estava claro pra mim: que eu era menor de idade, e que meu pai ou um responsável tinha que estar presente numa entrevista oficial — e que era por esse motivo que qualquer pessoa vagamente considerada meu defensor tinha sido chamada. Quando vi todos aqueles rostos e um gravador no meio da mesa, só pensei que as partes oficiais tinham sido convocadas para decidir meu destino e fazer de mim o que bem quisessem.

Sentei rigidamente e suportei suas perguntas pra descontrair (Eu tinha algum hobby? Praticava algum esporte?), até que ficou claro pra todo mundo que a conversa fiada preliminar não estava me soltando muito.

O sinal tocou, anunciando o final da aula. Barulho de armários, murmúrio de vozes no corredor. "Você já *era*, Thalheim", algum garoto gritou alegremente.

O sujeito italiano — Ray era seu nome — puxou uma cadeira pra perto de mim. Era jovem, mas grandalhão, com um ar de motorista de limusine bem-humorado, e seus olhos caídos tinham um aspecto úmido e sonolento, como se bebesse.

"Só queremos saber o que você lembra", disse ele. "Dê uma sondada na memória, tenha uma visão geral daquela manhã, pode ser? Porque talvez ao lembrar alguns detalhes você possa nos ajudar."

Ele estava sentado tão perto que eu podia sentir o cheiro do seu desodorante. "Tipo o quê?"

"Tipo o que você comeu no café da manhã naquele dia. É um bom lugar pra começar, não é?"

"Hum..." Olhei para a pulseira de identificação dourada no pulso dele. Não era esse tipo de pergunta que eu estava esperando. A verdade era: não tínhamos tomado café naquela manhã porque eu estava encrencado na escola e minha mãe estava brava comigo, mas eu me sentia constrangido demais pra dizer isso.

"Você não lembra?"

"Panquecas", disparei, desesperado.

"Ah, é?" Ray me dirigiu um olhar astuto. "Sua mãe que fez?"

"Sim."

"O que foi que ela colocou nelas? Mirtilos, chocolate?"

Assenti com a cabeça.

"Os dois?"

Eu podia sentir que todos olhavam pra mim. Nisso o sr. Beeman disse, tão altivamente quanto se estivesse diante de sua turma de moral na sociedade: "Não há nenhum motivo para inventar uma resposta, se você não lembra".

O sujeito negro — no canto, com um bloco de notas — lançou um olhar fulminante de aviso para o sr. Beeman.

"Na verdade, parece que houve certa perda de memória", interferiu a sra. Swanson, num tom baixo, brincando com os óculos que pendiam de uma corrente no seu pescoço. Ela era uma avó que usava camisetas brancas largas e tinha uma longa trança grisalha caindo nas costas. As crianças que eram mandadas pra sala dela pra receber orientação a chamavam de "Swami". Nas sessões de aconselhamento que tive na escola, além do conselho sobre os cubos de gelo, ela tinha me ensinado um exercício de respiração de três partes para ajudar a liberar minhas emoções e me fez desenhar uma mandala representando meu coração ferido. "Ele bateu a cabeça. Não foi, Theo?"

"Isso é verdade?", disse Ray, olhando-me com franqueza.

"Sim."
"Você foi ao médico?"
"Não de imediato", disse a sra. Swanson.
A sra. Barbour cruzou os tornozelos. "Eu o levei ao pronto-socorro do New York Presbyterian", disse ela friamente. "Quando chegou na minha casa, estava reclamando de dor de cabeça. Demorou um dia ou dois até fazermos a consulta. Parece que ninguém se lembrou de perguntar se ele estava ou não machucado."
Enrique, o assistente social, fez menção de falar diante disso, mas depois de um olhar do policial negro mais velho (cujo nome acabei de me lembrar: Morris) ficou em silêncio.
"Olhe, Theo", disse o tal Ray, dando um tapinha no meu joelho. "Sei que você quer nos ajudar aqui. Não quer?"
Assenti com a cabeça.
"Isso é ótimo. Mas se te perguntarmos alguma coisa e você não lembrar não tem problema dizer que não sabe."
"Só queremos lançar um montão de perguntas e ver se você consegue vasculhar sua memória e se lembrar de alguma coisa", disse Morris. "Tudo bem?"
"Você precisa de alguma coisa?", disse Ray, olhando-me atentamente. "Um copo de água, talvez? Um refrigerante?"
Fiz que não com a cabeça — não eram permitidos refrigerantes nas dependências da escola — no exato momento em que o sr. Beeman disse: "Desculpe, não permitimos refrigerantes nas dependências da escola".
Ray fez uma cara de *dá um tempo* que eu não tenho certeza se o sr. Beeman viu ou não. "Foi mal, garoto. Eu tentei", disse ele, voltando-se para mim. "Depois eu dou uma corrida e compro um refrigerante na mercearia pra você se estiver a fim, pode ser? Agora." Ele bateu as mãos uma vez. "Quanto tempo acredita que você e sua mãe passaram no prédio antes da primeira explosão?"
"Cerca de uma hora, acho."
"Você acha ou sabe?"
"Eu acho."
"Mais que uma hora? Menos que uma hora?"
"Não acho que tenha sido mais do que uma hora", falei, depois de uma longa pausa.
"Descreva o que se lembra do incidente."
"Não vi o que aconteceu", falei. "Estava tudo bem e então houve um flash alto e um barulho..."
"Um flash alto?"
"Não foi isso que eu quis dizer. O barulho foi alto."

"Quanto a esse barulho", disse o tal Morris, dando um passo à frente. "Acha que consegue descrevê-lo pra nós com um pouquinho mais de detalhes?"

"Não sei. Foi só... alto", acrescentei, quando eles continuaram me olhando como se esperassem algo mais.

No silêncio que se seguiu, ouvi um clique-clique furtivo. A sra. Barbour, com a cabeça baixa, discretamente conferia se havia novas mensagens no seu BlackBerry.

Morris pigarreou. "E quanto a um cheiro?"

"Como?"

"Você sentiu algum cheiro específico momentos antes?"

"Acho que não."

"Nada mesmo? Tem certeza?"

Conforme o interrogatório avançava — a mesma coisa várias vezes, torcida um pouquinho pra me confundir, com algo novo lançado de vez em quando —, fui me armando de coragem e fiquei esperando desolado até chegarem na pintura. Eu simplesmente teria de admitir e enfrentar as consequências, quaisquer que fossem (provavelmente bem terríveis, já que eu estava a caminho de ficar sob a tutela do Estado). Umas duas vezes estive a ponto de contar tudo, de tão apavorado que fiquei. Mas, quanto mais perguntas eles faziam (Onde eu estava quando bati a cabeça? Quem eu tinha visto ou com quem tinha falado enquanto saía?), mais eu me dava conta de que não tinham ideia do que acontecera comigo — em que sala eu estava quando a bomba explodiu, ou até que saída eu tinha pegado para fora do prédio.

Eles mostraram uma planta baixa; as salas tinham números em vez de nomes, Galeria 19A e Galeria 19B, números e letras numa disposição labiríntica que ia até o 27. "Você estava aqui quando ocorreu a explosão inicial?", perguntou Ray. "Ou aqui?"

"Eu não sei."

"Olhe com calma."

"Não sei", repeti, num tom de desespero. O diagrama das salas era confuso, parecia computadorizado, como um video game ou uma reconstrução do bunker de Hitler que eu tinha visto no History Channel, que na verdade não fazia nenhum sentido nem parecia representar o espaço como eu lembrava.

Ele apontou para outro local. "Este quadrado?", disse ele. "É um pedestal expositor, com pinturas. Sei que todas essas salas parecem iguais, mas talvez você consiga lembrar onde estava em relação a isso."

Fiquei olhando inutilmente para o diagrama e não respondi. (Parte do motivo pelo qual tudo parecia tão estranho é que eles estavam me mostrando a área onde o corpo da minha mãe tinha sido encontrado — a várias salas de onde eu estava quando a bomba explodiu —, mas só fui me dar conta disso mais tarde.)

"Você não viu ninguém enquanto saía", encorajou Morris, repetindo o que eu já tinha dito a eles.

Fiz que não com a cabeça.

"Não se lembra de nada?"

"Bem, quer dizer... de corpos cobertos. Equipamento espalhado pelo chão."

"Ninguém entrando ou saindo da área da explosão."

"Não vi ninguém", repeti, obstinadamente. Já tínhamos passado por isso.

"Então não viu bombeiros ou o pessoal do resgate."

"Não."

"Acredito que podemos estabelecer, então, que tinham sido mandados pra fora do prédio no momento em que você chegou. Nesse caso estamos falando de um lapso de tempo entre quarenta minutos e uma hora e meia depois da explosão inicial. Essa suposição confere?"

Dei de ombros, debilmente.

"Isso é um sim ou um não?"

"Não sei", eu disse, olhando para o chão.

"O que você não sabe?"

"Eu não sei", falei de novo, e o silêncio que se seguiu foi tão longo e desconfortável que achei que poderia acabar caindo no choro.

"Você se lembra de ter ouvido a segunda explosão?"

"Perdoe-me por perguntar", disse o sr. Beeman, "mas isso é realmente necessário?"

Ray, meu interrogador, virou-se. "Como?"

"Não tenho certeza se entendo qual é o propósito de fazê-lo passar por isso."

Com uma neutralidade cautelosa, Morris disse: "Estamos investigando uma cena de crime. É nosso trabalho descobrir o que aconteceu lá dentro".

"Sim, mas com certeza deve haver outros meios de fazer isso. Acredito que devem ter todo tipo de câmera de segurança lá."

"Claro que sim", disse Ray, um tanto grosseiramente. "Só que as câmeras não veem através de poeira e fumaça. Ou se estavam viradas pro teto. Agora", disse ele, recostando-se na cadeira com um suspiro. "Você falou em fumaça. Sentiu o cheiro de fumaça ou viu de fato?"

Assenti com a cabeça.

"Qual dos dois? Viu ou sentiu o cheiro?"

"Os dois."

"De qual direção você acha que estava vindo?"

Eu estava prestes a dizer de novo que não sabia, mas o sr. Beeman não tinha terminado de falar. "Perdoe-me, mas eu definitivamente não entendo qual é o propósito de câmeras de segurança se elas não funcionam numa emergência", disse ele, dirigindo-se à sala como um todo. "Com a tecnologia de hoje, e todas aquelas obras de arte..."

Ray virou a cabeça como se fosse dizer algo com raiva, mas Morris, parado no canto, ergueu a mão e falou.

"O garoto é uma testemunha importante. O sistema de segurança não foi projetado para resistir a um evento desses. Agora, sinto muito, mas se não puder parar com os comentários vamos ter que pedir para o senhor se retirar."

"Estou aqui como defensor do garoto. Tenho o direito de fazer perguntas."

"Não se elas não estiverem diretamente relacionadas ao bem-estar dele."

"Por incrível que pareça, fiquei com a impressão de que estavam."

Diante disso, Ray, na cadeira à minha frente, virou-se. "Senhor, se continuar obstruindo o processo vai ter que se retirar da sala", disse ele.

"Não tenho nenhuma intenção de obstruir nada", disse o sr. Beeman no silêncio tenso que se seguiu. "Isso jamais passaria pela minha cabeça, posso garantir. Prossigam, por favor, continuem", disse ele, com um gesto irritado de mão. "Longe de mim deter vocês."

E assim prosseguiu o interrogatório. De qual direção a fumaça vinha? Que cor tinha o flash? Quem entrou e saiu da área momentos antes? Eu tinha percebido alguma coisa estranha, qualquer coisa, antes ou depois? Olhei para as fotos que me mostraram — rostos inocentes de férias, ninguém que eu reconhecia. Passaportes de turistas asiáticos e de idosos, mães e adolescentes cheios de espinhas sorrindo contra fundos azuis — rostos comuns, nenhum destaque, mas todos de alguma forma cheiravam a tragédia. Depois voltamos ao diagrama. Eu poderia tentar, só mais uma vez, indicar minha localização no mapa? Aqui ou aqui? E que tal aqui?

"Eu não lembro." Continuei dizendo isso, em parte porque realmente não tinha certeza, em parte porque estava com medo e ansioso pra que a entrevista acabasse, mas também porque havia um ar de inquietação e clara impaciência na sala; os outros adultos pareciam já ter entrado num consenso silencioso de que eu não sabia nada e deveria ser deixado em paz.

E, então, antes que eu me desse conta, tinha acabado. "Theo", disse Ray, erguendo-se e pondo uma mão grandalhona no meu ombro, "quero te agradecer, cara, por fazer o que podia por nós."

"Tudo bem", respondi, aturdido com o modo abrupto como aquilo tudo acabara.

"Sei muito bem como foi difícil pra você. Ninguém, mas ninguém mesmo quer recordar esse tipo de coisa. É como se" — ele fez o formato de uma moldura com as mãos — "estivéssemos juntando as peças de um quebra-cabeça, tentando descobrir o que aconteceu lá dentro, e talvez você tenha algumas peças que ninguém mais tem. Você realmente nos ajudou muito aceitando conversar com a gente."

"Se você se lembrar de alguma outra coisa", disse Morris, inclinando-se para me dar um cartão (que a sra. Barbour rapidamente interceptou e enfiou na bolsa), "ligue pra gente, tá? Você vai lembrá-lo, não vai, senhorita?", disse ele à sra. Barbour. "De ligar pra gente caso tenha mais alguma coisa a dizer? O número do escritório está logo ali no cartão, mas" — ele tirou uma caneta do bolso — "se você não se importa poderia devolvê-lo um segundinho, por favor?"

Sem dizer uma palavra, a sra. Barbour abriu a bolsa e estendeu o cartão de volta para ele.

"Certo, certo." Ele apertou a caneta e rabiscou um número no verso. "Este aqui é o meu celular. Pode tranquilamente deixar uma mensagem no meu escritório, mas, se não conseguir me encontrar lá, ligue no meu celular, tá bem?"

Enquanto todos se amontoavam perto da entrada, a sra. Swanson aproximou-se silenciosamente e passou um braço em volta de mim, com aquele jeito acolhedor dela. "Oi", disse ela, num tom confidencial, como se fosse minha melhor amiga no mundo. "Como você está?"

Desviei o olhar e fiz uma cara de *Bem, acho*.

Ela afagou meu braço como se eu fosse seu gato favorito. "Que bom. Sei que deve ter sido difícil. Você gostaria de ir à minha sala por alguns minutos?"

Desanimado, vi Dave, o psiquiatra, esperando no fundo, e atrás dele Enrique, as mãos no quadril, com um meio sorriso no rosto.

"Por favor", respondi, e meu desespero devia transparecer na minha voz, "quero voltar pra aula."

Ela apertou meu braço, e — percebi — olhou de relance para Dave e Enrique. "Claro", disse. "Que aula você tem agora? Eu acompanho você."

IX

Nisso já era a aula de inglês — a última do dia. Estávamos estudando a poesia de Walt Whitman:

Júpiter há de surgir, tenha paciência, observe novamente por mais uma noite,
[as Plêiades hão de surgir,

Elas são imortais, todas aquelas estrelas prateadas e douradas hão de brilhar [novamente.

Olhares distraídos. A sala estava abafada e sonolenta no fim de tarde, as janelas abertas, sons de trânsito subindo da West End Avenue. Alunos se apoiavam nos cotovelos e desenhavam na margem do caderno espiralado.

Olhei para fora, para a caixa-d'água suja no telhado em frente. O interrogatório (conforme eu via o que ocorrera) tinha me abalado muito, levantando um muro com as sensações desconexas que às vezes me atingiam em momentos inesperados: um calor asfixiante de químicos e fumaça, faíscas e fios, o calafrio pálido das luzes de emergência, fortes o bastante para me fazerem apagar. Acontecia de modo aleatório, na escola ou na rua — paralisado no meio do caminho enquanto era novamente arrastado para longe, os olhos da garota fixos nos meus no instante estranho e distorcido antes de o mundo explodir. Às vezes eu voltava, sem saber ao certo o que tinham acabado de me dizer, e encontrava meu parceiro de laboratório na aula de biologia me encarando, ou o sujeito cujo caminho para as bebidas eu estava bloqueando no mercado coreano dizendo: *Ei, garoto, sai da frente, não tenho o dia todo.*

Então choras apenas por Júpiter, filho querido?
Pensas apenas no enterro das estrelas?

Eles não tinham me mostrado nenhuma foto que reconheci como sendo da garota — ou do velhinho. Silenciosamente, pus a mão no bolso da jaqueta e tateei à procura do anel. Alguns dias antes tínhamos aprendido a palavra *consanguinidade*: laço de sangue. O rosto do velhinho ficara tão destruído e arruinado que eu nem saberia dizer ao certo como ele era, e no entanto me lembrava perfeitamente da sensação quente e pegajosa do seu sangue nas minhas mãos — principalmente porque, de alguma forma, o sangue ainda estava ali, eu podia sentir seu cheiro e seu gosto, e isso me fez entender por que as pessoas falavam em irmãos de sangue e em como o sangue unia as pessoas. Minha turma de inglês tinha lido *Macbeth* no outono, mas só agora estava começando a fazer sentido que Lady Macbeth nunca conseguisse limpar o sangue em suas mãos. Continuava lá mesmo depois que ela lavava.

x

Como eu às vezes acordava Andy quando me debatia e gritava durante o sono, a sra. Barbour começou e me dar uma pequena pílula verde chamada Elavil, que me ajudaria a não ficar com medo à noite, ela explicou. Era constrangedor, principalmente porque eu nem tinha pesadelos propriamente ditos, apenas interlúdios conturbados em que minha mãe ficava trabalhando até tarde e acabava presa, sem ter como voltar pra casa — às vezes no interior, em alguma região desolada com carros caindo aos pedaços e cachorros presos por correntes latindo no quintal. Apreensivo, eu a procurava em elevadores de serviço e prédios abandonados, esperava-a em meio à escuridão em estranhos pontos de ônibus, avistava mulheres que se pareciam com ela nas janelas de trens passando e não conseguia atender o telefone a tempo quando ela me ligava na casa dos Barbour — decepções e desencontros que me deixavam agitado e me faziam acordar com um suspiro doloroso, nauseado e suado sob a luz da manhã. A pior parte não era tentar encontrá-la, mas acordar e lembrar que ela estava morta.

Com as pílulas verdes, até esses sonhos desapareciam na escuridão abafada. (Ocorre-me agora, embora não na época, que a sra. Barbour estava saindo da linha ao me dar um remédio sem prescrição médica, que se somava às cápsulas amarelas e aos minúsculos comprimidos laranja em forma de bola de futebol americano que Dave, o psiquiatra, tinha prescrito.) O sono, quando vinha, era como a queda em um fosso, e muitas vezes eu tinha sérias dificuldades pra acordar de manhã.

"Chá preto, é disso que você precisa", disse o sr. Barbour certa vez, enquanto eu cochilava no café da manhã, servindo-me uma xícara. "Assam Supreme. Forte que só vendo. Vai tirar o remédio do seu organismo na hora. Judy Garland? Antes dos shows? Bem, minha avó me disse que Sid Luft ligava pro restaurante chinês pedindo um grande bule de chá pra tirar todos os barbitúricos do organismo dela, isso em Londres, acho, no Palladium. Chá forte era a única coisa que resolvia, às vezes eles tinham sérias dificuldades pra conseguir acordá-la, sabe, só pra tirá-la da cama e vesti-la..."

"Ele não pode beber assim, é forte demais", disse a sra. Barbour, colocando dois cubos de açúcar e bastante leite antes de me passar a xícara. "Theo, odeio ficar insistindo nisso, mas você realmente precisa comer alguma coisa."

"Tá bem", falei, sonolento, mas sem fazer menção de dar uma mordida no meu muffin de mirtilo. Pra mim, a comida tinha gosto de papelão; havia semanas não sentia fome.

"Prefere uma torrada com canela? Ou com aveia?"

"É absolutamente ridículo você não nos deixar tomar café", disse Andy, que tinha o hábito de comprar um enorme no Starbucks a caminho da escola e depois outro na volta pra casa, sem o conhecimento dos pais. "Você está muito desatualizada nesse ponto."

"Talvez", disse a sra. Barbour, com frieza.

"Meia xícara já ajudaria. É absurdo esperarem que eu tenha química avançada às quinze para as nove da manhã sem nenhuma cafeína no sangue."

"Coitadinho", disse o sr. Barbour, sem tirar os olhos do jornal.

"Sua atitude não ajuda em nada. Todo mundo na escola toma café."

"Acontece que eu sei que isso não é verdade", disse a sra. Barbour. "Betsy Ingersoll me disse..."

"Talvez a sra. Ingersoll não deixe a *Sabine* tomar café, mas seria preciso bem mais que uma xícara pra aquela menina entrar em qualquer turma avançada."

"Isso foi desnecessário, Andy, e muito indelicado."

"Bem, só estou falando a verdade", ele disse friamente. "Sabine é burra feito uma porta. Suponho que deva mesmo cuidar da saúde, já que não pode fazer nada em relação à cabeça."

"Cérebro não é tudo, querido. Você comeria um ovo pochê se Etta fizesse pra você?", perguntou a sra. Barbour, voltando-se para mim. "Ou frito? Ou mexido? O que você quiser."

"Gosto de ovos mexidos!", disse Toddy. "Posso comer quatro!"

"Não, você não pode, amigão", disse o sr. Barbour.

"Sim, eu posso! Posso comer seis! Posso comer a caixa inteira!"

"Não é como se eu estivesse pedindo Dexedrina", disse Andy. "Apesar de que até poderia conseguir na escola se quisesse."

"Theo?", disse a sra. Barbour. Percebi que Etta, a cozinheira, estava parada na porta. "E quanto àquele ovo?"

"Ninguém nunca pergunta o que *a gente* quer pro café da manhã", disse Kitsey; e embora ela tenha falado bem alto todo mundo fingiu que não ouviu.

XI

Certa manhã de domingo, subi na direção da luz despertando de um sonho pesado e complicado, nada tendo restado dele além de um tinido no ouvido e da dor de algo que escapou da minha mão e caiu numa fenda onde eu não mais o veria. Mas de alguma forma — em meio à queda profunda, fios arrancados, fragmentos perdidos e irrecuperáveis — uma frase se destacou, atravessando a escuridão como um anúncio na parte de baixo da tela da televisão: *Hobart e Blackwell. Toque a campainha verde.*

Fiquei deitado olhando pro teto, sem querer me mexer. As palavras estavam tão claras e nítidas como se alguém tivesse me dado um pedaço de papel com elas impressas. E no entanto — o mais incrível de tudo — uma extensão de memória esquecida se abrira e flutuava na superfície com elas, como aqueles pedacinhos de papel de Chinatown que se transformam em flores quando colocados num copo d'água.

À deriva nessa atmosfera carregada, fui tomado pela dúvida: será que era uma lembrança real? Ele realmente tinha falado aquelas palavras pra mim, ou eu estava sonhando? Pouco antes de a minha mãe morrer, eu acordara um dia convencido de que uma professora (inexistente) chamada sra. Malt tinha colocado caquinhos de vidro na minha comida porque eu era terrível — no mundo do meu sonho, uma série de eventos perfeitamente lógica —, e fiquei num estado confuso de preocupação por uns dois ou três minutos antes de cair em mim.

"Andy?", chamei, e então me inclinei e olhei para a cama de baixo, que estava vazia.

Depois de ficar deitado de olhos bem abertos por vários minutos, observando o teto, desci do beliche e peguei o anel do bolso da minha jaqueta e o segurei contra a luz para ver a inscrição. Então, rapidamente, guardei-o e me vesti. Andy já estava acordado com o resto dos Barbour, tomando café — o café da manhã de domingo era superimportante para eles, podia ouvi-los conversando na sala de jantar, o sr. Barbour divagando aleatoriamente, como fazia às vezes, estendendo-se um pouco demais. Depois de parar no corredor, andei na direção contrária, até a sala, e peguei a lista telefônica no armário sob o telefone.

Hobart e Blackwell. Ali estava — claramente uma empresa, embora a lista não dissesse de que tipo. Me senti um pouco tonto. Ver o nome preto no branco provocou um estranho calafrio em mim, como se peças invisíveis estivessem se encaixando.

Ficava no Village, rua 10 Oeste. Depois de um momento de hesitação, e com uma enorme ansiedade, disquei o número.

Enquanto o telefone chamava, fiquei brincando com um relógio carriage em bronze em cima da mesa da sala, mordendo o lábio inferior, olhando para as pinturas emolduradas de aves marinhas sobre a mesa do telefone: andorinha-do-mar, corvo-marinho de Townsend, águia-pescadora, frango-d'água. Eu não tinha muita certeza de como ia explicar quem eu era ou perguntar o que eu precisava saber.

"Theo?"

Dei um salto, culpado. A sra. Barbour — de caxemira cinza e delicada — estava lá, a xícara de café na mão.

"O que está fazendo?"

O telefone ainda estava chamando do outro lado da linha. "Nada", falei.

"Bem, se apresse. Seu café está esfriando. Etta fez rabanada."

"Obrigado", respondi, "já estou indo", no exato momento em que uma gravação da companhia telefônica entrou na linha e disse para eu tentar ligar novamente mais tarde.

Fui me juntar aos Barbour, preocupado — tinha a esperança de que ao menos uma secretária eletrônica atenderia —, e fiquei surpreso ao ver ninguém menos que Platt Barbour (muito maior e com o rosto mais vermelho do que na última vez em que o vira) no lugar onde eu costumava sentar.

"Ah", disse o sr. Barbour, parando no meio de uma frase, limpando a boca com o guardanapo e levantando num salto, "aqui está ele, aqui está ele. Bom dia. Você se lembra de Platt, né? Platt, este é Theodore Decker, amigo do Andy, lembra?" Enquanto falava, ele saiu rapidamente e retornou com uma cadeira extra, que colocou pra mim meio sem jeito na quina da mesa.

Enquanto eu sentava à margem do grupo — uns oito ou dez centímetros mais baixo que todos, numa cadeira bamba que destoava das outras —, Platt me encarou sem muito interesse e desviou o olhar. Ele tinha vindo da escola para uma festa, e parecia estar de ressaca.

O sr. Barbour já tinha sentado novamente e voltado a falar sobre seu tema favorito: velejar. "Como eu estava dizendo. Tudo se resume à falta de confiança. Você não se sente seguro num veleiro, Andy", disse ele, "mas não há nenhum motivo para ficar assim, é só que você tem pouca experiência em velejar sozinho."

"Não", disse Andy, no seu tom distraído. "O problema é que eu desprezo barcos."

"Besteira", disse o sr. Barbour, piscando pra mim como se eu estivesse por dentro da piada, mas não era o caso. "Essa atitude de tédio não me convence! Olhe praquela foto na parede ali, em Sanibel, há duas primaveras! Aquele garoto não estava entediado perto do mar, do céu e das estrelas, não, senhor."

Andy ficou sentado contemplando a cena natalina estampada no frasco de xarope de bordo enquanto o pai discorria animado com seu jeito confuso e difícil de acompanhar sobre como velejar trabalhava a disciplina e a agilidade nos garotos, e a força de caráter, como acontecia com os marinheiros de antigamente. Em outros anos, Andy me dissera, ele não se importara tanto assim em viajar de barco porque podia ficar embaixo na cabine, lendo e jogando cartas com seus irmãos mais novos. Mas agora já tinha idade suficiente pra ajudar — o que significava dias longos, estressantes e ofuscantes de sol labutando no convés ao lado de Platt e suas provocações, esquivando-se da retranca, completamente desorientado, fazendo o melhor possível pra não ficar preso nos cabos ou cair no mar enquanto o pai berrava ordens e exultava sob os espirros de água salgada.

"Meu Deus, lembram a luz naquela viagem por Sanibel?" O pai de Andy recostou-se na cadeira e revirou os olhos para o teto. "Não era *esplêndida*? Aquele pôr do sol vermelho e laranja? Fogo e brasa? Atômico, quase? Chama pura simplesmente *rasgando* o céu, *se derramando* nele? E lembram aquela lua gorda e brilhante com a névoa azul em volta, lá em Hatteras — é Maxfield Parrish o nome dele, Samantha?"

"Como?"

"Maxfield Parrish? O artista que eu gosto? Aquele dos céus grandiosos, sabe?" — ele estendeu os braços — "Com as nuvens altíssimas? Desculpe, Theo, não foi minha intenção bater no seu nariz."

"Constable retrata nuvens."

"Não, não, não é dele que estou falando. As obras desse outro pintor são muito mais agradáveis. Enfim, sem brincadeira, *que* céu tivemos no mar aquela noite. Mágico. *Idílico*."

"Que noite foi essa?"

"Não me diga que não lembra! Com certeza foi o ponto alto da viagem."

Platt — largado na cadeira — disse maliciosamente: "O ponto alto da viagem pra Andy foi quando a gente parou pra almoçar na lanchonete".

Andy disse, com uma voz fina: "A mãe também não liga pra essas coisas".

"Não é muito a minha, não", disse a sra. Barbour, pegando outro morango. "Theo, eu realmente queria que você comesse pelo menos um pouquinho. Não pode continuar passando fome desse jeito. Está começando a ficar com cara de doente."

Apesar das lições improvisadas do sr. Barbour com base no quadro de bandeiras do seu escritório, eu também não tinha conseguido me engajar muito no tema. "O maior presente que meu pai me deu", o sr. Barbour estava dizendo, bastante enérgico, "foi o mar. O amor por ele — o *gosto*. Papai *me deu o oceano*. E é uma perda trágica pra você, Andy — Andy, olhe pra mim, estou falando com você —, é uma perda terrível se você se convenceu a dar as costas justamente para aquilo que trouxe minha *liberdade*, minha..."

"Eu tentei gostar. Mas tenho um ódio natural por isso."

"*Ódio?*" Assombro; estupefação. "Ódio de quê? Das estrelas e do vento? Do céu e do sol? Da *liberdade*?"

"Na medida em que qualquer uma dessas coisas tem a ver com velejar, sim."

"Bem..." O sr. Barbour olhou em volta na mesa, incluindo-me no apelo. "Agora ele só está sendo teimoso. O mar...", disse para Andy, "pode negar tudo, mas é seu *patrimônio*, está no seu sangue, remontando aos fenícios, aos antigos *gregos*..."

Mas, enquanto o sr. Barbour continuava discursando sobre Magalhães, navegação astronômica e *Billy Budd* ("Lembro do galês Taff quando ele afundou/ E seu rosto era o de um cravo florescendo"), vi meus próprios pensamentos sendo levados de volta a Hobart e Blackwell: perguntava-me quem eram e o que exatamente faziam. Os nomes soavam como de uma dupla de advogados muito velhos, ou até de mágicos, parceiros arrastando os pés pela escuridão à luz de velas.

Parecia um bom sinal o fato de o número de telefone ainda estar ativo. Meu próprio telefone fixo tinha sido desligado. Assim que consegui escapar educadamente do café da manhã e do meu prato intacto, voltei ao telefone na sala, com Irenka movendo-se freneticamente, passando o aspirador de pó e espanando todo o bricabraque à minha volta, e Kitsey do outro lado da sala no computador, determinada a nem mesmo olhar para mim.

"Pra quem está ligando?", perguntou Andy, que, bem ao estilo da família, tinha chegado por trás de mim tão silenciosamente que não o ouvi.

Eu poderia não ter contado nada a ele, mas sabia que podia confiar que ficaria de bico calado. Andy nunca conversava com ninguém, e certamente não com os pais.

"Sei que pode parecer estranho", disse em voz baixa, recuando um pouquinho pra sair do campo de visão da porta. "Mas sabe aquele anel que eu tenho?"

Expliquei sobre o velhinho, e estava pensando numa maneira de falar sobre a garota também, a ligação que eu tinha sentido com ela e o quanto queria vê-la de novo. Mas Andy — previsivelmente — já estava um passo à frente, longe das questões pessoais e focado na logística da situação. Ele olhou para as páginas amarelas, abertas sobre a mesa do telefone. "Fica na cidade?"

"Rua 10 Oeste."

Andy espirrou e assoou o nariz; as alergias da primavera tinham chegado pra valer. "Se não consegue falar com eles por telefone", disse, dobrando o lenço e metendo-o no bolso, "por que não vai até lá?"

"Sério?", falei. Parecia estranho não ligar antes, só dar as caras. "Você acha?"

"Eu faria isso."

"Não sei", disse. "Talvez não se lembrem de mim."

"Se virem você pessoalmente, é bem mais provável que lembrem", argumentou Andy, não sem razão. "Do contrário você poderia ser qualquer esquisitão ligando e fingindo. Não se preocupe", disse ele, olhando por cima do ombro, "não vou contar pra ninguém se você não quiser."

"Um esquisitão?", perguntei. "Fingindo o quê?"

"Bem, tipo, tem um monte de gente estranha que liga pra você aqui", disse Andy categoricamente.

Fiquei em silêncio, sem saber como absorver isso.

"Além disso, se não estão atendendo, o que mais você pode fazer? Não vai conseguir ir até lá de novo antes do fim de semana que vem. E, também, é uma conversa que você quer ter ou...?" Ele olhou na direção do corredor, onde Toddy estava pulando sem parar com algum tipo de sapato com mola e a sra. Barbour estava interrogando Platt sobre a festa na casa de Molly Walterbeek.

Ele tinha razão. "Certo", falei.

Andy empurrou os óculos no nariz. "Vou com você, se quiser."

"Não, tudo bem", respondi. Andy, eu sabia, teria aula de japonês aquela tarde, para ganhar créditos extra — um grupo de estudos na casa de chá Toraya, seguindo depois para o Lincoln Center para ver o novo Miyazaki; não que Andy precisasse de crédito extra, mas saídas com a turma eram tudo o que ele tinha de vida social.

"Olha", disse ele, mexendo no bolso e pegando o celular. "Leve com você. Só pra garantir. Aqui..." Ele estava apertando coisas na tela. "Tirei o código de segurança pra você. É só usar."

"Não precisa", falei, olhando para o celular pequeno e moderno com uma imagem de animê da Aki (nua, com botas que iam até a coxa) na tela de bloqueio.

"Bem, você pode precisar. Nunca se sabe. Vamos", disse ele, quando hesitei. "Pegue."

XII

E foi assim que por volta de onze e meia me vi pegando o ônibus na Quinta Avenida para ir ao Village, com o endereço da Hobart e Blackwell no bolso, escrito na folha de um dos blocos de notas com monograma que a sra. Barbour deixava ao lado do telefone.

Depois que desci na Washington Square, perambulei por cerca de quarenta e cinto minutos procurando o endereço. No Village, com seu formato irregular (quadras triangulares, ruas sem saída curvando-se pra cá e pra lá), era fácil se perder, e eu tive de parar pra pedir informações três vezes: numa banca de jornal cheia de *bongs* e revistas pornográficas gays, numa padaria lotada tocando ópera, e pra uma garota de camiseta branca e macacão que estava do lado de fora de uma livraria lavando as janelas com um rodo e um balde.

Quando finalmente encontrei a rua 10 Oeste, que estava deserta, percorri-a acompanhando os números. Eu estava numa parte um tanto mal cuidada da rua que era predominantemente residencial. Um grupinho de pombos desfilava à minha frente na calçada molhada, três emparelhados, como pequenos pedestres altivos. Muitos números não estavam bem visíveis, e assim que comecei a me perguntar se tinha passado direto e devia voltar vi-me subitamente olhando para as palavras *Hobart e Blackwell* pintadas num arco bonito e antiquado sobre a janela de uma loja. Pelas janelas empoeiradas vi cachorros de cerâmica Staffordshire e gatos de maiólica, cristais empoeirados, prata fosca, cadeiras antigas e canapés estofados com brocados velhos e desbotados, uma gaiola elaborada de faiança, obeliscos em miniatura de mármore sobre uma mesa com tampo também de mármore e um par de cacatuas de alabastro. Era bem o tipo de loja de que minha mãe teria gostado — cheia de coisas entulhadas, um pouco detonada, com pilhas de livros velhos no chão. Mas os portões estavam abaixados e o lugar estava fechado.

A maioria das lojas só abria depois do meio-dia, ou à uma. Para matar o tempo fui andando até a Greenwich Street, na direção do Elephant and Castle, um restaurante onde minha mãe e eu às vezes comíamos quando vínhamos pra Downtown. Mas no instante em que botei o pé nele, percebi meu erro. Os elefantes chineses que não combinavam, até a garçonete de rabo de cavalo e camiseta preta que se aproximou de mim, sorrindo — aquilo era demais pra mim. Eu podia ver a mesa de canto onde minha mãe e eu almoçamos na última vez em que fomos ali, então tive de balbuciar um pedido de desculpas e recuar até a porta.

Fiquei na calçada, o coração batendo forte. Pombos voavam baixo no céu coberto de fuligem. A Greenwich Avenue estava quase vazia: havia um casal de homens exaustos que pareciam ter brigado a noite toda; uma mulher de cabelo bagunçado com um suéter de gola alta grande demais, passeando com um bassê na direção da Sexta Avenida. Era um pouco estranho estar no Village sozinho, porque não era um lugar onde se viam muitas crianças na rua numa manhã de domingo; o bairro tinha um ar adulto, sofisticado, ligeiramente alcoólico. Todo mundo parecia estar de ressaca, como se tivesse acabado de se arrastar pra fora da cama.

Como não havia muita coisa aberta e eu me sentia um pouco perdido e sem saber o que fazer, peguei o caminho de volta na direção da Hobart e Blackwell. Para mim, vindo de Uptown, tudo no Village parecia muito pequeno e antigo, com heras e trepadeiras crescendo nos prédios, ervas e tomateiros em latas nas ruas. Até os bares tinham placas pintadas à mão como tavernas rurais: cavalos, gatos, galos, gansos e porcos. Mas a intimidade, a pequenez do lugar, também fez com que eu me sentisse excluído; e me vi passando rapidamente e de cabeça baixa pelas entradinhas convidativas, bem ciente de todo o convívio harmonioso da manhã de domingo à minha volta.

Os portões da Hobart e Blackwell continuavam abaixados. Eu tinha a impressão de que a loja não abria já havia algum tempo; parecia fria demais, escura demais; não havia a sensação de vitalidade ou de vida interior como no resto da rua.

Eu estava olhando pela janela e tentando descobrir o que deveria fazer em seguida quando de repente captei um movimento, uma grande figura deslizando nos fundos da loja. Parei, petrificado. Ela se movia suavemente, da forma como dizem que os fantasmas se movem, sem olhar pros lados, passando rápido diante de uma porta escuridão adentro.

E então desapareceu. Com a mão na testa, espiei as profundezas sombrias e entulhadas da loja, e então bati no vidro.

Hobart e Blackwell. Toque a campainha verde.

Uma campainha? Não havia nenhuma campainha; a entrada da loja estava fechada por um portão de ferro. Fui até a porta seguinte — número 12, um prédio modesto — e depois voltei para o número 8, uma construção de arenito. Havia uma sacada, que ia até o primeiro andar, mas dessa vez reparei em algo que não tinha visto antes: uma estreita passagem, entre os números 8 e 10, parcialmente escondida por latas de lixo de estanho antigas. Quatro ou cinco degraus davam para uma porta com cara de anônima a mais ou menos um metro abaixo do nível da calçada. Não havia nenhuma indicação, nenhuma placa — mas o que chamou a minha atenção foi um flash de verde: um retângulo de fita isolante, colado embaixo de um botão na parede.

Desci os degraus; toquei e toquei a campainha, estremecendo ao som do zumbido histérico (que me deu vontade de sair correndo) e respirando fundo pra tomar coragem. Então — tão subitamente que me fez recuar — a porta abriu, e me vi olhando para uma pessoa grande e inesperada.

Ele tinha pelo menos um metro e noventa ou um metro e noventa e cinco. Olhar abatido, queixo nobre, grandalhão, algo nele lembrando as fotos antigas de poetas e pugilistas irlandeses que ficavam penduradas no bar do centro onde meu pai gostava de beber. Seu cabelo era quase todo grisalho, e estava precisando de um corte, e sua pele tinha um tom branco doentio, com sulcos roxos tão profundos ao redor dos olhos que era quase como se ele tivesse quebrado o nariz. Sobre as roupas, um robe refinado, com padrão de caxemira e lapelas de cetim, descia quase até os tornozelos e caía massivamente à sua volta, como algo que um galã usaria num filme da década de 1930: surrado, mas ainda assim impressionante.

Fiquei tão surpreso que me faltaram as palavras. Não havia nada de impaciente no seu jeito, muito pelo contrário. Inexpressivo, ele apenas me olhava, esperando eu falar.

"Desculpe..." Engoli, a garganta seca. "Não queria incomodar o senhor..."

Ele piscou, ligeiramente, no silêncio que se seguiu, como se entendesse isso perfeitamente e jamais sonharia em sugerir tal coisa.

Meti a mão no bolso; estendi o anel para ele, na palma da minha mão aberta. Suas feições, naquele rosto grande e pálido, suavizaram-se. Ele olhou para o anel, depois para mim.

"Onde conseguiu isso?", perguntou.

"Ele me deu", falei. "E disse pra trazer aqui."

Ele ficou parado, olhando-me fixamente. Por um momento, achei que ia dizer que não sabia do que eu estava falando. Então, sem uma palavra, deu um passo para trás e abriu a porta.

"Meu nome é Hobie", disse ele, quando hesitei. "Entre."

4. Pirulito de morfina

I

Uma selva dourada, brilhando sob a inclinação das janelas forradas de pó: cupidos, cômodas e luminárias torchieres douradas, e — atrás do cheiro de madeira velha — o fedor de terebintina, tinta a óleo e verniz. Segui-o pela oficina ao longo de uma trilha varrida na serragem, passando por painéis organizadores e ferramentas, cadeiras desmontadas e mesas viradas de pernas pro ar. Apesar de ser um homem grande, ele era elegante, "um flutuador", diria minha mãe, algo de leve e gracioso na forma como se movia. Com os olhos fixos nos calcanhares dele, que usava chinelos, segui-o por uma escada estreita e depois até uma sala escura, ricamente acarpetada, com urnas pretas sobre pedestais e cortinas com borlas puxadas contra o sol.

Naquele silêncio, meu coração gelou. Flores mortas apodreciam nos enormes vasos chineses e uma atmosfera carregada e fechada enchia a sala: o ar quase viciado demais pra respirar, a mesma sensação asfixiante que experimentei no nosso apartamento quando a sra. Barbour me levou de volta a Sutton Place pra pegar algumas coisas. Era uma imobilidade que eu conhecia; era assim que uma casa se fechava em si mesma quando alguém morria.

Subitamente desejei não ter vindo. Mas o homem — Hobie — pareceu sentir minha hesitação, pois se virou um tanto repentinamente. Embora não fosse um jovem, ainda tinha um quê de garoto no rosto; seus olhos, de um azul infantil, eram claros e assustadiços.

"O que foi?", disse ele, e então: "Você está bem?"

Sua preocupação me deixou constrangido. Desconfortável, fiquei parado na penumbra estagnada e lotada de antiguidades, sem saber o que dizer.

Ele também parecia não saber o que dizer; abriu a boca e fechou; depois balançou a cabeça como se para arejá-la. Parecia ter cinquenta ou sessenta anos, a barba malfeita, um rosto tímido, agradável e de grandes feições que não era nem bonito nem comum — um homem que sempre seria maior que os outros, embora também parecesse um tanto adoentado de um jeito pegajoso e indefinido, com olheiras profundas e uma palidez que me fez lembrar dos mártires jesuítas retratados nos murais da igreja que fui ver durante uma viagem escolar a Montreal: europeus grandes, competentes e terrivelmente pálidos amarrados e presos a estacas nos acampamentos dos hurões.

"Desculpe, estou arrumando umas coisas..." Ele olhava em volta com uma urgência vaga e sem foco, como minha mãe fazia quando perdia alguma coisa. Sua voz era áspera mas educada, como a do sr. O'Shea, meu professor de história, que tinha crescido num bairro ruim de Boston e ido parar em Harvard.

"Posso voltar depois. Se for melhor."

Diante disso ele me olhou de relance, ligeiramente alarmado. "Não, não", disse. Os botões no punho do robe estavam abertos, e a manga caía solta e suja no pulso. "Só preciso de um momento pra me recompor, desculpe. Aqui", disse ele distraído, tirando um monte de cabelo grisalho e desalinhado do rosto, "por aqui."

Ele estava me levando na direção de um sofá estreito e com cara de duro, com braços curvos e encosto entalhado. Estava cheio de travesseiros e cobertores, mas ambos parecemos notar ao mesmo tempo que aquela cama bagunçada não era o melhor lugar para sentar.

"Ah, desculpe", murmurou ele, recuando tão rápido que quase esbarramos um no outro, "estou meio acampado aqui. Como você pode ver, não é o melhor arranjo do mundo mas não tive outra opção, já que não consigo escutar direito com tudo o que anda..."

Virando-se (de modo que não consegui ouvir o resto da frase), ele desviou de um livro virado pra baixo no carpete e de uma xícara de chá com um círculo marrom no interior e me conduziu a uma poltrona estofada ornada, pregueada e franzida, com uma franja e um assento complicado e forrado de botões — uma poltrona turca, como vim a saber mais tarde; ele era uma das poucas pessoas em Nova York que ainda sabia estofá-las.

Peças aladas de bronze, berloques de prata. Plumas cinzas e empoeiradas de avestruz num vaso prateado. Hesitante, sentei na ponta da poltrona e olhei em volta. Teria preferido ficar de pé; seria mais fácil ir embora.

Ele se inclinou para a frente, fechando as mãos entre os joelhos. Mas em vez de dizer alguma coisa apenas me olhou e esperou.

"Meu nome é Theo", falei, precipitado, depois de um silêncio longo demais. Meu rosto estava tão quente que parecia prestes a pegar fogo. "Theodore Decker. Todo mundo me chama de Theo. Moro em Uptown", acrescentei, inseguro.

"Bem, meu nome é James Hobart, mas todos me chamam de Hobie." Seu olhar era triste e tranquilizador. "Moro em Downtown."

Desorientado, desviei o olhar, sem saber se estava tirando sarro de mim.

"Desculpe." Ele fechou os olhos por um instante, depois abriu-os novamente. "Não ligue pra mim. Welty..." — ele olhou para o anel na palma da sua palma — "era meu sócio."

Era? O relógio lunar — chiando adulterado, preso por uma corrente, com peso extra, uma geringonça com cara de Capitão Nemo — sibilou alto no silêncio antes de marcar com um gongo o quarto de hora.

"Ah", falei. "Eu só... Eu achei..."

"Não. Sinto muito. Você não sabia?", acrescentou ele, olhando-me atentamente.

Desviei o olhar. Não tinha percebido o quanto contava com encontrar o velhinho novamente. Apesar do que tinha visto — do que sabia —, de alguma forma ainda alimentava uma esperança infantil de que ele tinha sobrevivido, milagrosamente, como uma vítima de assassinato na TV que depois do intervalo comercial revela-se viva e se recuperando tranquilamente no hospital.

"E como isso foi parar na sua mão?"

"O quê?", falei, sobressaltado. O relógio, percebi, estava bem errado: dez da manhã ou dez da noite, não chegando nem perto da hora certa.

"Ele te deu?"

Mexi-me na poltrona, desconfortável. "Sim. Eu..." O choque por sua morte parecia uma sensação nova, como se eu tivesse falhado com ele uma segunda vez e tudo estivesse acontecendo de novo de um ângulo completamente diferente.

"Ele estava consciente? Falou com você?"

"Sim", comecei, e então fiquei em silêncio. Sentia-me arrasado. Estar no mundo do velhinho, em meio às suas coisas, trouxera de volta sua presença muito fortemente: a atmosfera onírica e subaquática da sala, seu veludo desbotado, sua riqueza e sua quietude.

"Fico feliz em saber que ele não estava sozinho", disse Hobie. "Ele teria odiado isso." O anel estava escondido entre os dedos de Hobie, que levou o punho à boca e me olhou.

"Minha nossa. Você é só um garotinho, né?", disse ele.

Sorri, constrangido, sem saber ao certo como deveria responder.

"Desculpe", disse Hobie, num tom mais profissional que dava pra ver que era pra me tranquilizar. "É só que... eu sei como foi ruim. Eu vi. O corpo dele..." Ele parecia estar lutando para encontrar as palavras. "Antes de te levarem, eles limpam o melhor que podem e avisam que não vai ser agradável, coisa que você sabe bem. Não tem como se preparar pra uma coisa dessas. Recebemos na loja uma coleção de fotografias de Mathew Brady alguns anos atrás — coisa da Guerra Civil, tão macabra que tivemos sérias dificuldades pra vender."

Não falei nada. Não tinha o hábito de contribuir em conversas adultas senão com "sim" ou "não" quando pressionado, e estava paralisado. O amigo da minha mãe, Mark, que era médico, identificou o corpo dela e ninguém tinha me dito muito sobre aquilo.

"Lembro-me de uma história que li uma vez, um soldado, será que foi em Shiloh?" Ele estava conversando comigo, mas só parcialmente atento a mim. "Gettysburg? Um soldado num estado de choque tão grande que começou a enterrar pássaros e esquilos no campo de batalha. Acontecia de um monte de outras coisinhas morrerem, no fogo cruzado, animaizinhos. Várias sepulturas minúsculas."

"Vinte e quatro mil homens morreram em Shiloh em dois dias", disparei.

Seus olhos voltaram-se para mim, alarmados.

"Cinquenta mil em Gettysburg. Foi a nova artilharia. Balas de Minié e rifles de repetição. Por isso que o número foi tão alto. Tivemos guerra de trincheiras na América muito antes da Primeira Guerra Mundial. A maioria das pessoas não sabe disso."

Eu podia ver que ele não fazia ideia do que fazer com aquela informação.

"Você se interessa pela Guerra Civil?", perguntou, depois de uma pausa cuidadosa.

"Er... sim", falei bruscamente. "Mais ou menos." Eu sabia um monte de coisas sobre a artilharia de campo da União, pois tinha escrito um ensaio tão técnico e recheado de fatos a respeito que o professor me mandou reescrevê-lo. Também sabia das fotografias dos mortos em Antietam tiradas por Brady: eu tinha visto na internet rapazes de olhos pequenos com o nariz e a boca pretos de sangue. "Nossa turma passou seis semanas no Lincoln."

"Brady tinha um estúdio não muito longe daqui. Você já foi lá?"

"Não." Um pensamento preso estivera prestes a emergir, algo essencial e indizível, solto pela menção àqueles soldados de expressão vazia. Agora tudo sumira com exceção da imagem: rapazes mortos com pernas e braços dobrados, olhando para o céu.

O silêncio que se seguiu foi excruciante. Nenhum de nós parecia saber como prosseguir. Por fim Hobie descruzou e cruzou as pernas novamente. "Bem, desculpe. Por te pressionar", disse ele, hesitante.

Contorci-me. Ao ir pra lá, eu estivera tão cheio de curiosidade que não previ que talvez se esperasse que eu respondesse a algumas perguntas.

"Sei que deve ser difícil falar sobre isso. É só que... eu nunca imaginei..."

Meus sapatos. Era interessante como nunca tinha realmente olhado para meus sapatos. O desgaste na ponta. O tecido puído. *No sábado a gente vai até a Bloomingdale's e compra um novo pra você.* Mas isso nunca chegou a acontecer.

"Não quero forçar a barra. Mas... ele sabia?"

"Sim. Mais ou menos. Quer dizer..." Seu rosto alerta e ansioso fez alguma parte remota de mim querer sumir com tudo o que ele não precisava saber e que não seria certo contar, como vísceras espalhadas, flashes horríveis e repetitivos que invadiam minha mente mesmo quando eu estava desperto.

Retratos embaçados, cães chineses de porcelana sobre a lareira, um pêndulo dourado balançado. Tique-taque, tique-taque.

"Ouvi ele chamando." Esfreguei o olho. "Quando acordei." Era como tentar explicar um sonho. Não tinha como. "Fui até lá e fiquei com ele e... não estava tão ruim. Pelo menos não como você deve estar pensando", acrescentei, já que aquilo tinha soado uma mentira tão grande quanto de fato era.

"Ele falou com você?"

Engolindo em seco, assenti. Mogno escuro; palmeiras em vasos.

"Estava consciente?"

Novamente assenti. Gosto ruim na boca. Não era algo que dava para resumir, coisas que não faziam sentido e que não tinham uma história, a poeira, os alarmes, como ele tinha segurado minha mão, uma vida inteira lá só nós dois, frases embaralhadas e nomes de cidades e de pessoas de que eu nunca tinha ouvido falar. Fios partidos faiscando.

Seus olhos continuavam nos meus. Minha garganta estava seca e eu me sentia um pouco enjoado. O momento não passava como deveria, e eu continuei esperando Hobie fazer mais perguntas, qualquer coisa, mas ele não fez.

Por fim, balançou a cabeça como se para arejá-la. "Isso é..." Ele parecia tão confuso quanto eu; o robe, o cabelo grisalho solto, lhe davam o aspecto de um rei sem coroa numa peça infantil.

"Desculpe", disse ele, balançando a cabeça novamente. "Isso tudo é muito novo."

"Como assim?"

"Bem, veja, é só que..." Ele se inclinou para a frente e piscou, rápido e agitado. "É tudo muito diferente da informação que recebi, sabe? Eles disseram que ele morreu na hora. Foram bem enfáticos nesse ponto."

"Mas..." Olhei, assombrado. Será que ele achava que eu estava inventando aquilo?

"Não, não", ele acrescentou logo, erguendo uma mão para me tranquilizar. "É só que... tenho certeza de que dizem isso pra todo mundo. *Morreu na hora*", disse ele com tristeza, quando continuei a encará-lo. "*Não sentiu dor. Nem soube o que aconteceu.*"

Então — subitamente — eu vi, as implicações escorrendo geladas dentro de mim. Minha mãe também tinha *morrido na hora*. Também *não tinha sentido dor*. Os assistentes sociais tinham insistido tanto que em nenhum momento parei pra me perguntar como podiam ter tanta certeza disso.

"Embora, devo dizer, fosse difícil imaginá-lo indo daquela forma", disse Hobie, no silêncio abrupto que se abatera. "O clarão de relâmpago. Caindo inesperadamente. A impressão de que não era bem como eles tinham dito, sabe?"

"Como?", falei, erguendo os olhos, desorientado pela possibilidade nova e terrível com que tinha deparado.

"Um adeus no portão", disse Hobie. Ele parecia estar parcialmente falando consigo mesmo. "É isso que ele ia querer. O vislumbre da despedida, o haicai da morte. Ele não teria gostado de partir sem parar pra falar com alguém no caminho. 'Uma casa de chá em meio às flores de cerejeira, a caminho da morte.'"

Ele tinha me perdido. Um único raio de sol penetrava pela cortina e atingia a sala escura, onde resplandecia numa bandeja com decantadores de vidro trabalhado, formando prismas que tremeluziam e moviam-se de um lado pro outro, oscilando nas paredes como paramécios sob a lente de um microscópio. Embora houvesse um cheiro forte de fumaça, a lareira estava apagada, e a grelha estava obstruída de cinzas, como se já há algum tempo não houvesse fogo ali.

"A garota", falei timidamente.

Seu olhar voltou a focar em mim.

"Havia uma garota também."

Por um momento, ele pareceu não entender. Então se endireitou na cadeira e piscou rapidamente como se tivessem jogado água na sua cara.

"O que foi?", eu disse, sobressaltado. "Onde ela está? Ela está bem?"

"Não..." Esfregou o nariz. "Não."

"Mas ela está viva?" Eu mal podia acreditar.

Ele ergueu as sobrancelhas de um jeito que eu entendi que era um sim. "Ela teve sorte." Mas sua voz, e suas maneiras, pareciam dizer o oposto.

"Ela está aqui?"

"Bem..."

"Onde ela está? Posso vê-la?"

Ele suspirou, com algo que parecia exasperação. "Ela precisa descansar e não deve receber visitas", disse, procurando algo nos bolsos. "Não está normal. É difícil saber como vai reagir."

"Mas ela vai ficar bem?"

"Espero que sim. Mas ainda não está fora de perigo. Como dizem os médicos." Ele tinha pegado cigarros no bolso do robe. Com mãos inseguras, acendeu um e depois, com um gesto de mão, jogou o maço na mesa japonesa pintada entre nós.

"Que foi?", disse ele, afastando a fumaça do rosto, quando me viu olhando para o maço, francês, como o que as pessoas fumavam em filmes antigos. "Não me diga que também quer um."

"Não, obrigado", falei, depois de um silêncio incômodo. Ele estava brincando, embora eu não estivesse cem por cento seguro disso.

Hobie me encarava fixamente pela névoa de tabaco com uma espécie de olhar preocupado, como se tivesse acabado de se dar conta de um fato crucial a meu respeito.

"É você, não é?", disse ele inesperadamente.

"Como assim?"

"Você é aquele garoto, não é? Que perdeu a mãe lá?"

Por um momento fiquei chocado demais para dizer alguma coisa.

"O quê?", falei, querendo dizer *Como você sabe?*, mas não consegui articular direito.

Desconfortável, ele esfregou um olho e recostou-se de súbito, com o nervosismo de um homem que derrama uma bebida na mesa. "Desculpe. Eu não... quer dizer... não me expressei bem. Meu Deus. Estou..." Ele fez um gesto vago como se para dizer que estava exausto, que não raciocinava claramente.

De forma não muito educada, desviei o olhar, tomado por uma onda de emoção nauseante, indesejável. Desde a morte da minha mãe, eu mal tinha chorado, e certamente não na frente dos outros — nem mesmo no velório dela, onde pessoas que mal a conheciam (e uma ou duas que tinham feito da sua vida um inferno, como Mathilde) soluçavam e assoavam o nariz à minha volta.

Ele viu que eu estava triste; começou a dizer algo; reconsiderou.

"Você já comeu?", disse, inesperadamente.

Eu estava surpreso demais para responder. A última coisa em que estava pensando era comida.

"Imaginei que não", disse ele, colocando-se ruidosamente sobre seus grandes pés. "Vamos lá preparar alguma coisa."

"Não estou com fome", disparei, com tanta grosseria que me arrependi. Desde a morte da minha mãe, parecia que as pessoas só conseguiam pensar em me empurrar comida garganta abaixo.

"Não, não, claro que não." Com a mão livre ele afastou uma nuvem de fumaça. "Mas me acompanhe, por favor. Me dê esse prazer. Você não é vegetariano, é?"

"Não!", respondi, ofendido. "Por que acharia isso?"

Ele riu — um riso curto, cortante. "Calma! Ela e vários amigos são vegetarianos."

"Ah", falei baixinho, e ele me olhou com uma espécie de divertimento alegre e descontraído.

"Bem, só pra você saber, não sou vegetariano", disse ele. "Como qualquer coisa velha e absurda que houver. Então acredito que vamos nos virar bem."

Ele empurrou uma porta, e eu o segui por um corredor abarrotado de espelhos manchados e fotos antigas. Apesar de ele estar andando rápido à minha frente, eu ansiava por me demorar e olhar: fotos de família, colunas brancas, varandas e palmeiras. Uma quadra de tênis; um tapete persa estendido sobre um gramado. Funcionários homens de pijama branco, solenemente emparelhados. Meus olhos pousaram no sr. Blackwell — narigudo e bem-apessoado, vestido de branco com apuro, as costas curvadas desde quando era jovem. Estava recostado contra um muro de contenção à beira-mar em algum lugar cheio de palmeiras; ao lado dele, em cima do muro, a mão no seu ombro e um palmo mais alta, uma pequenina Pippa sorria. Àquela altura, a semelhança se fazia notar: sua cor, seus olhos, a cabeça inclinada no mesmo ângulo e o cabelo tão vermelho quanto o dele.

"É ela, não é?", perguntei, no mesmo instante em que percebi que não poderia ser ela. Aquela foto, desbotada e com roupas fora de moda, tinha sido tirada muito antes de eu nascer.

Hobie virou-se e voltou para olhar. "Não", disse ele baixinho, as mãos às costas. "Esta é Juliet. A mãe de Pippa."

"Onde ela está?"

"Juliet? Morta. Câncer. Fez seis anos em maio." E então, parecendo perceber que tinha falado muito secamente: "Welty era o irmão mais velho de Juliet. Ou melhor, meio-irmão. O mesmo pai, mas esposas distintas. Trinta anos de diferença. Ele a criou como se fosse sua filha".

Aproximei-me para olhar melhor. Ela estava apoiada nele, o rosto inclinado docemente contra a manga do casaco.

Hobie pigarreou. "Ela nasceu quando o pai deles tinha sessenta e poucos anos", disse baixinho. "Velho demais para se interessar por uma criança pequena, principalmente considerando que nunca gostou de crianças."

Do outro lado do corredor havia uma porta entreaberta; ele a empurrou e ficou parado olhando para a escuridão. Na ponta dos pés, estiquei o pescoço, mas quase na mesma hora ele recuou e fechou a porta.

"É ela?" Embora estivesse escuro demais para enxergar muita coisa, eu tinha vislumbrado o brilho ferino dos olhos de um animal, um clarão esverdeado e inquietante do outro lado do quarto.

"Agora não." Ele falava tão baixo que eu mal podia ouvi-lo.

"O que é que está lá dentro com ela?", sussurrei, demorando-me perto da porta, relutante em me mover. "Um gato?"

"Cachorro. A enfermeira não aprova, mas Pippa quer que ele fique com ela na cama e, sinceramente, não consigo deixá-lo pra fora. Ele arranha a porta e uiva. Aqui, por aqui."

Movendo-se lenta e ruidosamente, com o corpo inclinado para a frente, como um velho, ele abriu a porta para uma cozinha abarrotada com uma claraboia no teto e um fogão velho e curvilíneo: vermelho-tomate, com linhas elegantes feito uma nave espacial da década de 1950. Livros empilhados no chão — de culinária, dicionários, romances antigos, enciclopédias; prateleiras lotadas de porcelana antiga em meia dúzia de padrões. Perto da janela, junto à saída de emergência, um santo de madeira desbotado erguia a mão num gesto de bênção; no aparador, ao lado de um jogo de chá de prata, animais pintados dirigiam-se de dois em dois para a Arca de Noé. Mas a pia estava entulhada de louça, e sobre as bancadas e os parapeitos das janelas havia frascos de remédio, xícaras sujas, pilhas alarmantes de correspondência fechada e plantas secas e marrons.

Ele me fez sentar à mesa, afastando contas e edições antigas da revista *Antiques*. "Chá", disse, como se estivesse se lembrando de um item da lista de compras.

Enquanto se ocupava no fogão, fiquei olhando para as marcas de café na toalha da mesa. Inquieto, recostei-me na cadeira e olhei em volta.

"Er...", falei.

"Sim?"

"Posso vê-la depois?"

"Talvez", disse ele, de costas para mim. Barulho do batedor de ovos contra uma tigela de porcelana azul. *Tap-tap-tap*. "Se ela estiver acordada. Está com muita dor, e os remédios dão sono."

"O que aconteceu com ela?"

"Bem..." Seu tom era ao mesmo tempo rápido e brando e na hora eu o reconheci, já que era praticamente o mesmo que eu usava quando as pessoas me perguntavam sobre minha mãe. "Ela sofreu uma batida feia na cabeça, uma fratura no crânio. Ficou em coma por um tempo. A perna esquerda quebrou-se em tantos pedaços que por pouco não teve que ser amputada. 'Bolinhas de gude numa meia'", disse ele, com um riso triste. "Foi o que o médico disse quando olhou o raio X. Doze fraturas. Cinco cirurgias. Semana passada", continuou, virando-se de lado, "tiraram os pinos, e ela implorou tanto pra vir pra casa que eles deixaram. Desde que uma enfermeira ficasse meio período com ela."

"Ela já está andando?"

"Minha nossa, não", disse ele, erguendo o cigarro para dar uma tragada; de alguma forma conseguia cozinhar com uma mão e fumar com a outra, feito um capitão de rebocador ou cozinheiro de acampamento de lenhadores num filme antigo. "Ela mal consegue ficar sentada mais que meia hora."

"Mas vai ficar bem."

"Bem, é o que esperamos", disse ele, num tom que não parecia tão esperançoso assim. "Sabe", disse, olhando pra mim, "se você também estava lá, é incrível que esteja bem."

"É." Eu nunca sabia como responder quando as pessoas comentavam, como acontecia com frequência, sobre o fato de eu estar "bem".

Hobie tossiu e apagou o cigarro. Dava pra ver, pela sua expressão, que ele sabia que tinha me deixado incomodado, e lamentava. "Suponho que eles também tenham falado com você. Os investigadores."

Olhei para a toalha da mesa. "Sim." Quanto menos falássemos nisso, melhor.

"Bem, não sei quanto a você, mas achei que eram muito gente fina, muito informados. Tinha um sujeito irlandês — ele já tinha visto muito esse tipo de coisa, estava me contando sobre malas-bomba na Inglaterra e no aeroporto de Paris, algo num café de rua em Tânger, sabe, dezenas de mortos e a pessoa que estava bem do lado da bomba não sofreu nem um arranhão. Ele disse que veem alguns efeitos bem estranhos, sabe, principalmente em construções mais antigas. Espaços fechados, superfícies irregulares, materiais refletivos — bem imprevisível. Como na acústica, ele falou. As ondas de explosão são como as ondas de som: elas batem e desviam. Às vezes você tem vitrines de lojas quebradas a quilômetros de distância. Ou..." — ele afastou o cabelo dos olhos com o pulso — "às vezes, bem do lado, acontece o que ele chamou de efeito de blindagem. Coisas muito próximas da detonação permanecem intactas — a xícara de chá ilesa na casa explodida pelo IRA ou coisa do tipo. Vidro e os estilhaços é que matam a maior parte das pessoas, geralmente a uma distância bem grande. Uma pedrinha ou um caco de vidro naquela velocidade é tão potente quanto uma bala."

Passei o dedo ao longo do padrão floral da toalha da mesa. "Eu..."

"Desculpe. Talvez não seja um bom assunto."

"Não, não", apressei-me em dizer; na verdade era um grande alívio ouvir alguém falar diretamente, de um jeito esclarecido, sobre o que a maioria das pessoas procurava a todo custo evitar. "Não é isso. É só que..."

"Sim?"

"Eu estava pensando... como ela escapou?"

"Bem, foi um golpe de sorte. Ela ficou presa debaixo de um monte de entulho. Os bombeiros não a teriam encontrado se um dos cachorros não tivesse alertado. Eles entraram parcialmente, levantaram a viga com um macaco — bem, o incrível, também, é que ela estava acordada, conversou com eles o tempo todo, embora não se lembre de nada. O milagre foi que eles a tiraram antes da ordem de evacuar. Quanto tempo você ficou apagado?"

"Não lembro."

"Bem, você teve sorte. Se tivessem de sair enquanto ainda estava presa, coisa que me parece que aconteceu *sim* com outras pessoas... Ah, pronto", disse ele quando a chaleira começou a assobiar.

Quando ele colocou o prato de comida na minha frente, não parecia grande coisa — um troço amarelo e fofo sobre uma torrada. Mas tinha um cheiro bom. Cauteloso, experimentei. Era queijo derretido, com tomate picado, pimenta-caiena e outras coisas que não consegui identificar. Estava delicioso.

"Desculpe, mas o que é isso?", perguntei, dando outra garfada cuidadosa.

Ele pareceu um pouco constrangido. "Bem, na verdade não tem um nome."

"Está gostoso", falei, um tanto impressionado com a fome que eu estava de fato. Minha mãe fazia uma torrada com queijo muito parecida em algumas noites de domingo no inverno.

"Você gosta de queijo? Eu devia ter perguntado."

Assenti, a boca cheia demais para responder. Apesar de a sra. Barbour estar sempre empurrando sorvete e doces pra cima de mim, de certo modo parecia que eu mal tinha feito uma refeição normal desde que minha mãe tinha morrido — pelo menos não o tipo de refeição que pra nós era normal, carne refogada, ovos mexidos ou macarrão, que ela fazia enquanto eu ficava sentado na escadinha da cozinha contando o que eu tinha feito no dia.

Enquanto eu comia, ele ficou sentado do outro lado da mesa com o queixo apoiado nas mãos grandes e brancas. "No que você é bom?", perguntou ele, um tanto subitamente. "Esportes?"

"Como?"

"Do que você gosta? Jogos e essas coisas?"

"Bem, gosto de video games. Tipo *Age of Conquest*? *Yakuza Freakout*?"

Ele pareceu perdido. “E na escola, então? Quais são suas matérias favoritas?”

“História, acho. Inglês também”, acrescentei, quando ele não disse nada. “Mas o inglês vai ser bem chato nas próximas seis semanas. Paramos de ver literatura e voltamos pro livro de gramática. Agora estamos fazendo análise sintática.”

“Literatura? Inglesa ou americana?”

“Americana. Agora. Ou até agora. História americana também, este ano. Ultimamente tem sido bem chato. Ainda estamos no começo da Depressão, mas vai ficar bom de novo quando entrarmos na Segunda Guerra Mundial.”

Era a conversa mais agradável que eu tinha havia um bom tempo. Ele me fez todo tipo de pergunta interessante, como o que eu gostava de ler e o que mudava do início pro final do ensino fundamental; qual era a disciplina mais difícil pra mim (espanhol) e qual era meu período histórico favorito (eu não tinha certeza, qualquer coisa menos Eugene Debs e a história do trabalho, com que perdemos tempo demais) e o que eu queria ser quando crescesse (nenhuma ideia) — coisas normais, mas ainda assim era bom conversar com um adulto que parecia interessado em mim para além da desgraça, sem ficar tentando arrancar informações ou seguindo uma lista de Coisas a se Dizer a Crianças Traumatizadas.

A conversa ia de vento em popa no tema escritores — de T. H. White e Tolkien a Edgar Allan Poe. “Meu pai diz que Poe é um escritor de segunda categoria”, falei. “Que ele é o Vincent Price das letras americanas. Mas não acho.”

“Não, não é”, disse Hobie, sério, servindo-se de uma xícara de chá. “Mesmo se você não gosta de Poe... ele inventou o gênero policial. E a ficção científica. Basicamente, ele inventou uma grande parte do século XX. Quer dizer, sinceramente, já não sou tão fã assim dele como quando era garoto, mas mesmo sem gostar dele não dá pra menosprezá-lo como um cara qualquer.”

“Meu pai fazia isso. Ele costumava ficar recitando ‘Annabel Lee’ com uma vozinha boba, pra me irritar. Porque sabia que eu gostava dele.”

“Seu pai é escritor?”

“Não.” Eu não sabia de onde ele tinha tirado isso. “Ator. Ou era.” Antes de eu nascer, ele tinha atuado como convidado em várias séries de TV, nunca o personagem principal, mas o amigo playboy mimado ou o sócio corrupto que acaba morto.

“Será que já ouvi falar dele?”

“Não. Agora ele trabalha num escritório. Ou trabalhava.”

“E o que ele faz, então?”, perguntou Hobie. Ele tinha colocado o anel no dedo mindinho, e de tempos em tempos o girava entre o polegar e o indicador da outra mão, como se para se certificar de que ainda estava ali.

"Não sei. Ele largou a gente."

Para minha surpresa, ele riu. "Já foi tarde?"

"Bem..." Dei de ombros. "Não sei. Às vezes ele era legal. Víamos jogos e séries policiais, e ele me dizia como faziam os efeitos especiais com o sangue e tudo o mais. Mas, é que... não sei. Tipo, às vezes ele estava bêbado quando ia me pegar na escola." Eu não tinha conversado sobre aquilo com Dave, o psiquiatra, ou com a sra. Swanson. Com ninguém, na verdade. "Eu tinha medo de contar pra minha mãe, mas aí uma das outras mães contou pra ela. E então..." Era uma longa história, e eu estava me sentindo constrangido. Queria acabar logo. "Ele quebrou a mão num bar, estava brigando com alguém num bar, tinha um bar lá aonde ele ia todo dia, mas a gente não sabia que era lá que ele estava, porque ele dizia que estava trabalhando até tarde, e ele tinha um grupo de amigos que a gente nem sabia que existia, e eles mandavam cartões-postais quando saíam de férias pra lugares como as Ilhas Virgens. Pra nossa casa. E foi assim que a gente descobriu, e minha mãe tentou fazer com que ele fosse ao AA, mas ele se recusou. Os porteiros às vezes subiam e ficavam no corredor do lado de fora do nosso apartamento, fazendo barulho, pra que ele ouvisse — pra que soubesse que estavam ali fora, sabe? E não se descontrolasse demais."

"Se descontrolasse demais?"

"Havia muita gritaria e tal. A maior parte vinha dele. Mas...", continuei, desconfortável por saber que tinha dito mais do que pretendia, "era principalmente ele que fazia barulho. Tipo... ah, não sei, tipo quando ele tinha que ficar comigo, quando minha mãe tinha que trabalhar. Ele sempre estava de mau humor. Eu não podia falar quando ele estava vendo o jornal ou o jogo, essa era a regra. Tipo..." Fiz uma pausa, abatido, sentindo que tinha me colocado contra a parede. "Enfim. Isso já faz muito tempo."

Hobie recostou-se na cadeira e olhou para mim: um homem grande, autossuficiente e cauteloso, embora seus olhos tivessem o azul preocupado da meninice.

"E agora?", disse ele. "Você gosta das pessoas com quem está morando?"

"Hum..." Fiz uma pausa, com a boca cheia, sem saber realmente como explicar os Barbour. "Eles são legais, acho."

"Fico feliz. Mas não posso dizer que sou íntimo de Samantha Barbour, embora tenha feito alguns trabalhos pra família dela no passado. Ela tem um bom olho."

Diante disso, parei de comer. "Você conhece os Barbour?"

"Não ele. Ela. Embora a mãe dele fosse uma colecionadora e tanto... mas deve ter ficado tudo pro irmão, em alguma disputa familiar. Welty poderia falar mais sobre isso. Não que ele fosse fofoqueiro", apressou-se a acrescentar. “Welty era muito discreto, mas as pessoas confiavam nele. Era esse tipo de gente, sabe? Estranhos se abriam com ele — clientes, gente que mal conhecia. Welty era o tipo de homem pra quem as pessoas gostavam de confidenciar suas tristezas.

“Mas sim.” Ele cruzou as mãos. “Qualquer marchand ou antiquário de Nova York conhece Samantha Barbour. Ela era uma Van der Pleyn antes de se casar. Não é uma grande compradora, embora Welty a visse em alguns leilões às vezes, e certamente tenha umas coisas bem bonitas.”

“Quem te disse que eu estou com os Barbour?”

Ele piscou, rápido. “Estava no jornal. Você não viu?”

“No jornal?”

“No *Times*. Você não leu?”

“Havia alguma coisa no jornal sobre mim?”

“Não, não”, disse ele, de imediato. “Não sobre *você*. Sobre crianças que perderam membros da família no museu. A maioria era turista. Havia uma garotinha... um bebê, na verdade... filha de um diplomata da América do Sul...”

“O que eles falaram sobre mim no jornal?”

Hobie fez uma careta. “Ah, órfão em dificuldade... mais um projeto de caridade para socialite... esse tipo de coisa. Dá pra imaginar.”

Olhei para meu prato, sentindo-me constrangido. Órfão? Caridade?

“Era um artigo muito bom. Dizia que você protegeu um dos filhos dela dos outros garotos da escola”, explicou ele, abaixando a cabeça grande e grisalha para me olhar nos olhos. “Outro geninho que avançou um ano.”

Balancei a cabeça. “Como?”

“O filho da Samantha. Você não o defendeu de um grupo de garotos mais velhos na escola? Não apanhou por ele e esse tipo de coisa?”

De novo balancei a cabeça, completamente desnorteado.

Ele riu. “Quanta modéstia! Não devia se envergonhar disso.”

“Mas... não foi assim”, falei, perplexo. “Eles implicavam e batiam em nós dois. Todos os dias.”

“O que torna ainda mais impressionante o fato de você tê-lo defendido. Era o que o jornal dizia. Uma garrafa quebrada?”, sugeriu ele, quando não respondi. “Alguém estava indo pra cima do filho de Samantha Barbour com uma garrafa e você...”

“Ah, isso”, eu disse, envergonhado. “Não foi nada de mais.”

“Você se cortou. Quando tentou ajudá-lo.”

“Não foi assim que aconteceu! Cavanaugh foi pra cima de nós dois! Havia um pedaço de vidro quebrado na calçada.”

Novamente ele riu — uma risada de homem grande, rica, áspera e destoante de sua voz cuidadosamente trabalhada. "Bem, independente de como tenha acontecido", disse ele, "sem dúvida você foi parar numa família interessante." Erguendo-se, ele foi até o armário, onde pegou uma garrafa de uísque e se serviu de uns dois dedos num copo não muito limpo.

"Samantha Barbour não parece ser a pessoa mais doce e acolhedora do mundo — pelo menos não é essa a impressão", continuou ele. "E no entanto parece fazer um grande bem ao mundo com suas fundações e campanhas de arrecadação, não é?"

Fiquei em silêncio enquanto Hobie colocava a garrafa de volta no armário. Acima, pela claraboia, a luz entrava cinzenta e opalina; uma chuva fina tamborilava no vidro.

"Você vai abrir a loja de novo?", perguntei.

"Bem...", Hobie suspirou. "Welty era quem cuidava de toda essa parte — os clientes, as vendas. Eu... eu sou um restaurador, não um empresário. *Brocanteur, bricoleur*. Mal botava os pés lá em cima. Sempre ficava aqui embaixo, lixando e polindo. Agora que ele se foi... bem, tudo ainda é muito novo. Pessoas ligando atrás de coisas que ele vendeu, entregas ainda sendo feitas de objetos que eu nem sabia que ele tinha comprado... não sei onde está a papelada, não sei pra quem que é nada disso... tem um milhão de coisas que preciso perguntar a ele. Daria qualquer coisa para falar com ele por cinco minutos. Principalmente... bem, principalmente sobre Pippa. O tratamento dela e... bem..."

"Sei", falei, ciente de quão ridículo soava. Estávamos entrando no território embaraçoso do funeral da minha mãe, silêncios estendidos, sorrisos errados, um lugar onde as palavras não funcionavam.

"Ele era um homem adorável. Como pouca gente. Amável, cativante. Sempre tinham pena dele por causa das costas, mas nunca conheci alguém tão naturalmente propenso a uma disposição alegre, e é claro que os clientes o amavam... sujeito extrovertido, muito sociável, estava sempre... 'O mundo não vai vir até mim', ele costumava dizer, 'então devo ir até ele'..."

De repente, o iPhone de Andy tocou. Nova mensagem chegando.

Hobie — o copo aproximando-se da boca — parou, violentamente. "O que foi isso?"

"Só um segundo", respondi, procurando no meu bolso. A mensagem era de Phil Lefkow, um dos garotos da turma de japonês de Andy: Oi Theo, eh o Andy, vc ta bem? Apressado, desliguei o telefone e o enfiei de volta no bolso.

"Perdão", falei. "O que você estava dizendo?"

"Esqueci." Ele ficou olhando pro vazio um pouco, depois balançou a cabeça. "Jamais achei que fosse ver isso de novo", disse, olhando para o anel. "É a cara dele pedir para alguém trazer isto aqui — colocá-lo na minha mão.

Eu... bem, eu não disse nada, mas tinha certeza de que alguém o tinha surrupiado no necrotério..."

Novamente o celular se manifestou com seu toque agudo e irritante. "Putz, desculpe!", falei, atrapalhando-me para pegá-lo. A mensagem de Andy dizia:

Soh pra garantir que vc ta vivo!!!!

"Desculpe", repeti, segurando o botão, só pra garantir. "Agora desliguei mesmo."

Mas ele apenas sorriu e olhou para dentro do copo. A chuva caía e gotejava na claraboia, projetando sombras aquosas que escorriam pela parede. Tímido demais para dizer alguma coisa, esperei que Hobie retomasse a conversa — e, quando ele não o fez, ficamos ali sentados tranquilamente, enquanto eu bebericava meu chá (Lapsang Souchong, defumado e peculiar) e sentia a estranheza da vida e de onde eu estava.

Deixei o prato de lado. "Obrigado", falei, educado, os olhos vagando pela cozinha. "Estava muito bom", eu disse em consideração à minha mãe (conforme tinha me ensinado), pro caso de ela estar ouvindo.

"Ah, que menino educado!", disse ele, rindo de mim, mas não com maldade, de um jeito que parecia amigável. Depois disse, parecendo se referir a outra coisa: "Gostou?".

"Como?"

"Da minha Arca de Noé." Ele indicou a prateleira com o queixo. "Achei que estivesse olhando pra ela." Os animais de madeira desgastados (elefantes, tigres, bois, zebras, a floresta toda até chegar num minúsculo par de ratinhos) estavam pacientemente enfileirados, esperando para embarcar.

"É dela?", perguntei, depois de um silêncio fascinado; os animais estavam colocados de um jeito tão pensado (os felinos se ignorando; o pavão macho de costas para sua fêmea para admirar seu reflexo na torradeira) que eu podia imaginá-la passando horas arrumando-os e tentando deixá-los o mais perfeito possível.

"Não..." Ele juntou as mãos sobre a mesa. "Foi uma das primeiras antiguidades que comprei na vida, trinta anos atrás. Numa feira de arte popular americana. Não sou grande fã de arte popular, nunca fui — essa peça, que não é de primeira qualidade, não combina com nada que eu tenho, mas não acontece sempre de aquela coisa inapropriada, aquilo que não se encaixa de fato, ser curiosamente a mais querida?"

Recuei na cadeira, incapaz de manter os pés imóveis. "Posso vê-la agora?", perguntei.

"Se ela estiver acordada..." Franziu os lábios. "Bem, nesse caso, não vejo nenhum mal. Mas só por um minuto." Quando ele se ergueu, sua altura volumosa e seus ombros caídos me pegaram outra vez de surpresa. "Mas vou te avisar: ela está um pouco confusa. Ah..." Ele virou na soleira da porta. "E é melhor não mencionar Welty se conseguir evitar."

"Ela não sabe?"

"Sabe...", ele falava rápido. "Mas às vezes quando ouve falar dele fica toda triste de novo. Pergunta quando aconteceu e por que ninguém lhe disse nada."

II

Quando ele abriu a porta, a persiana estava fechada, e demorou um pouco até meus olhos se acostumarem à escuridão, que cheirava a perfume, com um toque de doença e remédio. Sobre a cama havia um pôster emoldurado do filme *O mágico de Oz*. Uma vela perfumada queimava num copo vermelho, em meio a bugigangas e rosários, partituras, flores de papel de seda e cartões do Dia de São Valentim antigos — junto com o que pareciam ser centenas de cartões de melhoras pendurados em fitas, e um monte de balões prateados pairando ameaçadoramente no teto, fios metálicos caindo como tentáculos de água-viva.

"Tem alguém aqui pra ver você, Pip", disse Hobie, num tom alto e alegre.

Vi o movimento da colcha. Um cotovelo se ergueu. "Hum?", disse uma voz sonolenta.

"Está tão escuro, minha querida. Não posso abrir a cortina?"

"Não, por favor, a luz machuca meus olhos."

Ela era menor do que eu lembrava, e seu rosto — um borrão na penumbra — estava muito pálido. A cabeça raspada, com exceção de uma única mecha na frente. Enquanto me aproximava, um tanto temeroso, vi um brilho de metal na sua têmpora — uma fivela ou um prendedor de cabelo, pensei, antes de enxergar os grampos cirúrgicos de aço serpenteando horrivelmente sobre uma orelha.

"Ouvi vocês no corredor", disse ela, com uma voz baixa e rouca, olhando de mim para Hobie.

"Ouviu o quê, querida?", disse Hobie.

"Vocês conversando. Cosmo também."

A princípio eu não tinha reparado no cachorro, mas então o vi — um terrier cinza enrolado ao lado dela, em meio aos travesseiros e bichinhos de pelúcia. Quando ele ergueu a cabeça, percebi, com base no pelo acinzentado da cara e nos olhos com catarata, que era muito velho.

"Achei que estivesse dormindo, querida", Hobie estava dizendo, estendendo a mão para coçar o queixo do cachorro.

"Você sempre diz isso, mas sempre estou acordada. Oi", disse ela, olhando para mim.

"Oi."

"Quem é você?"

"Me chamo Theo."

"Quem é seu compositor favorito?"

"Não sei", disse, e então, só para não parecer bobo: "Beethoven."

"Que ótimo. Você tem cara de quem gosta de Beethoven."

"Tenho?", falei, encantado.

"De um jeito bom, quero dizer. Não posso escutar música. Por causa da minha cabeça. É horrível demais. Não", disse ela a Hobie, que estava tirando livros, gaze e pacotes de lenço da cadeira na cabeceira pra que eu pudesse sentar, "deixa ele sentar aqui. Você pode sentar aqui", disse ela a mim, deslocando-se ligeiramente na cama para abrir espaço.

Depois de uma olhada para Hobie para ver se tudo bem, sentei, cauteloso, apoiando-me numa anca, tendo o cuidado de não chamar a atenção do cachorro, que ergueu a cabeça e me encarou.

"Não se preocupe, ele não morde. Bem, às vezes ele morde." Ela me dirigiu um olhar sonolento. "Eu te conheço."

"Você se lembra de mim?"

"Somos amigos?"

"Sim", falei, sem pensar, e então olhei para Hobie, envergonhado por ter mentido.

"Esqueci seu nome, desculpe. Mas me lembro do seu rosto." E então, acariciando a cabeça do cachorro, ela disse: "Eu não me lembrava do meu quarto quando vim pra casa. Me lembrava da cama e de todas as minhas coisas, mas o quarto em si estava diferente".

Agora que meus olhos tinham se acostumado à escuridão, vi a cadeira de rodas no canto, os frascos de remédio na mesa junto à cama.

"O que você gosta de Beethoven?"

"Hã..." Eu estava olhando fixamente para seu braço, pousado sobre a colcha, a pele delicada e um band-aid na dobra do cotovelo.

Ela estava fazendo força pra cima na cama — olhando além de mim, para Hobie, a silhueta na soleira da porta. "Não devo conversar demais, né?", disse ela.

"Não, querida."

"Não acho que estou muito cansada. Mas não dá pra saber. Você fica cansado durante o dia?", ela me perguntou.

"Às vezes." Depois da morte da minha mãe, eu tinha desenvolvido uma tendência a pegar no sono durante a aula e a dormir no quarto de Andy depois da escola. "Antes não ficava."

"Eu também. Toda hora sinto sono. Por que será? Acho isso tão chato."

Hobie — percebi, olhando pra trás para a soleira iluminada da porta — tinha se afastado um momento. Apesar de ser bem atípico da minha parte, por algum motivo estava doido para pegar a mão dela e, agora que estávamos sozinhos, eu o fiz.

"Você não se importa, né?", perguntei. Tudo parecia lento como se eu estivesse me movendo debaixo d'água. Era muito estranho estar segurando a mão de alguém — a mão de uma garota —, mas também era estranhamente normal. Eu nunca tinha feito nada parecido antes.

"De jeito nenhum. Acho legal." Então, depois de uma breve pausa, durante a qual pude ouvir o pequeno terrier roncando, ela disse: "Você não se importa se eu fechar os olhos uns segundinhos, né?".

"Não", falei, tocando o nó dos dedos dela, acompanhando o traçado dos ossos.

"Sei que é grosseiro, mas realmente preciso."

Olhei para as pálpebras escuras, os lábios rachados, a palidez e os machucados, a feia cerquilha de metal sobre uma orelha. A estranha combinação do que era atraente nela e do que não deveria ser me deixou tonto e confuso.

Culpado, olhei para trás, e vi Hobie parado na porta. Depois de sair do quarto na ponta dos pés, fechei a porta silenciosamente atrás de mim, grato pelo corredor estar tão escuro.

Juntos, fomos andando de volta até a sala. "Como ela lhe pareceu?", disse ele, numa voz tão baixa que eu mal podia ouvi-lo.

Como eu deveria responder? "Bem, acho."

"Ela não é a mesma." Hobie fez uma pausa, tristemente, com as mãos enfiadas no fundo dos bolsos do robe. "Quer dizer, ela é e não é. Não reconhece muita gente que era bem próxima dela, fala num tom bem formal, e no entanto às vezes se abre com estranhos, fica bem conversadora e próxima, gente que ela nunca viu antes, trata como um velho amigo. É bem comum, disseram."

"Por que ela não pode escutar música?"

Ele ergueu uma sobrancelha. "Ah, ela escuta. Mas, às vezes, principalmente mais pro fim do dia, ela tende a se aborrecer. Acha que precisa treinar, que tem que ensaiar uma peça para a escola, fica agitada. Bem difícil. Desde que num nível amador, isso será perfeitamente possível um dia. Foi o que me disseram..."

De repente, a campainha tocou, assustando nós dois.

"Ah", disse Hobie, parecendo angustiado, olhando pro que eu percebi ser um velho relógio de pulso extremamente bonito. "Deve ser a enfermeira."

Olhamos um para o outro. Não tínhamos terminado a conversa; havia tanto ainda a dizer.

Novamente a campainha tocou. No final do corredor, o cachorro estava latindo. "Ela chegou cedo", disse Hobie, apressando-se, parecendo um pouco desesperado.

"Posso voltar? Para vê-la?"

Ele parou. Pareceu ofendido por eu ter achado que precisava perguntar. "Mas é claro que pode voltar", disse ele. "*Por favor*, volte..."

De novo a campainha.

"Sempre que quiser", disse Hobie. "Por favor. Será um prazer ver você."

III

"E aí, como foi lá?", disse Andy enquanto nos vestíamos pro jantar. "Foi estranho?" Platt tinha ido pegar o metrô de volta pra escola; a sra. Barbour tinha um jantar com o conselho de alguma instituição de caridade; e o sr. Barbour ia levar o restante de nós para jantar fora no Yacht Club (aonde só íamos quando a sra. Barbour tinha alguma outra coisa pra fazer à noite).

"Ele conhecia sua mãe, o cara."

Andy esboçou uma careta enquanto fazia o nó da gravata — todo mundo conhecia a mãe dele.

"Foi um pouco estranho", eu disse. "Mas foi bom ter ido. Aqui", disse, pescando o celular no bolso da jaqueta. "Obrigado."

Andy verificou se havia mensagens, depois o colocou no bolso. Fazendo uma pausa, com a mão ainda no bolso, ergueu os olhos, sem olhar diretamente para mim.

"Sei que está tudo ruim", disse ele inesperadamente. "Sinto muito por estar tudo tão fodido pra você agora."

Sua voz — tão insípida quanto uma voz robótica de secretária eletrônica — me impediu por um momento de compreender de fato o que ele havia dito.

"Ela era muito legal", disse ele, sem olhar pra mim. "Tipo..."

"É, bem", murmurei, nada ansioso para continuar a conversa.

"Tipo, *eu* sinto falta dela", disse Andy, fixando os olhos nos meus com uma expressão semiapavorada. "Nunca tinha conhecido ninguém antes que morreu. Bem, só meu avô Van der Pleyn. Ninguém de quem eu gostasse."

Não falei nada. Minha mãe sempre tivera um carinho especial por Andy, pacientemente fazendo-o se abrir mencionando sua estação meteorológica caseira, provocando-o por sua pontuação no *Galactic Battlegrounds* até deixá-lo vermelho. Jovem, brincalhona, divertida, carinhosa, ela tinha sido tudo o que a mãe dele não era: uma mãe que jogava frisbee no parque e discutia filmes de zumbi com a gente, que nos deixava deitar na cama dela nas manhãs de sábado comendo cereal Lucky Charms e vendo desenhos; e me irritara algumas vezes, um pouquinho, quão patético e risonho ele ficava na presença da minha mãe, correndo atrás dela e falando sem parar sobre o nível quatro de algum jogo qualquer em que ele estava, incapaz de tirar os olhos da bunda dela quando se curvava pra pegar alguma coisa na geladeira.

"Ela era a mais legal de todas", disse Andy, no seu tom distraído. "Lembra quando levou a gente de ônibus praquela convenção de fãs de terror que saía de New Jersey? E daquele Rip, o esquisitão que ficou seguindo a gente tentando convencer sua mãe a participar de um filme de vampiro?"

Andy não fazia por mal, eu sabia. Mas era quase insuportável pra mim conversar sobre qualquer coisa relacionada à minha mãe, a Antes. Desviei o olhar.

"Não acho nem que ele ligava pra questão do terror", disse Andy, na sua voz fraca, irritante. "Acho que era uma espécie de fetichista. Todo aquele lance de calabouço com as garotas amarradas a mesas de laboratório era bem coisa de bondage, estava na cara. Lembra dele implorando pra sua mãe colocar aqueles dentes de vampiro?"

"É. Foi quando ela decidiu falar com o segurança."

"Calças de couro. Todos aqueles piercings. Tipo, vai saber, talvez ele estivesse mesmo fazendo um filme de vampiro, mas definitivamente era um pervertido, você percebeu? Tipo, aquele sorrisinho malicioso dele. E como ficava olhando pro decote dela?"

Mostrei o dedo pra ele. "Venha, vamos indo", falei. "Estou com fome."

"Ah, é?" Eu tinha perdido quatro ou cinco quilos desde que minha mãe morrera — peso suficiente pra sra. Swanson (constrangedoramente) começar a me pesar na sala dela, na balança que usava pra garotas com distúrbios alimentares.

"Por quê, você não está?"

"Sim, mas achei que você estivesse tentando emagrecer pra caber no vestido da formatura."

"Vá se foder", respondi, bem-humorado, enquanto abria a porta e dava de cara com o sr. Barbour, que estava parado do lado de fora — se escutando escondido ou prestes a bater na porta era um mistério.

Mortificado, comecei a gaguejar algo — falar palavrão ia contra as regras dos Barbour —, mas ele não pareceu muito incomodado.

"Bem, Theo", disse, irônico, olhando por cima da minha cabeça. "Certamente fico feliz em saber que está se sentindo melhor. Venha, vamos comer."

IV

Ao longo da semana seguinte, todos perceberam que meu apetite tinha melhorado, inclusive Toddy. "Você já parou com a greve de fome?", ele me perguntou curioso certa manhã.

"Toddy, coma."

"Mas achei que era assim que chamava. Quando as pessoas não comem."

"Não, greve de fome é pra gente que está na prisão", disse Kitsey friamente.

"*Kitten*", disse o sr. Barbour, num tom de aviso.

"Sim, mas ele comeu três waffles ontem", disse Toddy, olhando ansioso para seus pais desinteressados, numa tentativa de envolvê-los na conversa. "Eu só comi dois. E de manhã ele comeu uma tigela de cereal e seis pedaços de bacon, mas vocês disseram que cinco pedaços era demais pra mim. Por que não posso comer também?"

V

"Bem, olá", disse Dave, o psiquiatra, enquanto fechava a porta e sentava numa cadeira à minha frente no seu consultório: tapetes kilin, prateleiras cheias de livros velhos (*Drogas e sociedade; Psicologia infantil: Uma abordagem diferente*); e uma cortina bege que abria com um zunido quando se apertava um botão.

Sorri, sem graça, os olhos percorrendo a sala toda — vaso de palmeira, estátua de bronze de Buda, tudo menos ele.

"Então." O ronco monótono dos carros que chegava da Primeira Avenida fazia o silêncio entre nós parecer imenso, intergaláctico. "Como estão as coisas hoje?"

"Bem..." Eu tinha pavor das sessões com Dave, um suplício de duas vezes por semana comparável ao dentista; sentia-me culpado por não gostar mais dele, já que se esforçava tanto, sempre me perguntando de que filmes e livros eu gostava, gravando CDs pra mim, recortando artigos da *Game Pro* que achava que iam me interessar — às vezes ele até me levava à EJ's Luncheonette pra comer um hambúrguer —, mas toda vez que começava com as perguntas eu ficava gelado, como se tivessem me empurrado num palco pra uma peça cujas falas eu não sabia.

"Parece um pouco distraído hoje."

"Hum..." Não tinha me passado despercebido que uma série de livros nas prateleiras de Dave tinha títulos com a palavra *sexo*: *Sexualidade adolescente*, *Sexo e cognição*, *Padrões de desvios sexuais* e *Saindo das sombras: Entendendo o vício sexual*, meu favorito. "Estou bem, acho."

"Você acha?"

"Não, estou bem. As coisas vão bem."

"Ah é?" Dave recostou-se na cadeira, o All-Star balançando. "Isso é ótimo." Então: "Por que você não me atualiza sobre o que anda acontecendo?".

"Ah..." Cocei a sobrancelha, desviei o olhar. "O espanhol continua bem difícil — tenho outra prova de segunda chamada, provavelmente vou fazer na segunda-feira. Mas tirei A no meu ensaio sobre Stalingrado. Então parece que isso vai transformar o B menos em B."

Ele ficou quieto por tanto tempo, olhando para mim, que comecei a me sentir encurralado e a procurar desesperadamente alguma outra coisa pra dizer. Então: "Mais alguma coisa?".

"Bem..." Olhei para os polegares.

"Como anda sua ansiedade?"

"Não está tão ruim", respondi, pensando no quanto me inquietava o fato de não saber nada sobre Dave. Ele era um daqueles caras que usava uma aliança que não parecia realmente uma aliança — e talvez não fosse mesmo uma aliança e ele apenas tivesse muito orgulho de sua herança celta. Se tivesse que chutar, eu diria que ele era recém-casado, com um bebê — tinha aquele olhar vidrado de pai jovem exausto, como se tivesse de levantar à noite pra trocar fraldas. Mas vai saber.

"E quanto à medicação? Como está a questão dos efeitos colaterais?"

"Hum..." Cocei o nariz. "Melhor, acho." Ultimamente não estava nem tomando os remédios, que me deixavam tão cansado e com dor de cabeça que comecei a cuspi-los na pia do banheiro.

Dave ficou em silêncio por um momento. "Então... seria um exagero dizer que está se sentindo melhor de forma geral?"

"Acho que não", falei, depois de um silêncio, olhando fixamente para o enfeite de parede acima da cabeça dele. Lembrava uma espécie de ábaco torto feito de contas de argila e corda, e eu tinha passado o que parecia ser uma parte enorme da minha vida recente a encará-lo.

Dave sorriu. "Você fala como se fosse algo de que se envergonhar. Mas se sentir melhor não significa que esqueceu sua mãe. Ou que a ama menos."

Ressentindo-me dessa suposição, que em nenhum momento tinha me ocorrido, desviei o olhar para a janela, para a vista depressiva do prédio de tijolos brancos do outro lado da rua.

"Você faz alguma ideia de por que está se sentindo melhor?"

"Não, na verdade não faço", respondi secamente. *Melhor* não era nem a palavra para como eu me sentia. Não havia uma palavra para aquilo. Era como se coisas pequenas demais para mencionar — risada no corredor da escola, uma lagartixa viva correndo num tanque no laboratório de ciências — me deixassem feliz por um momento e no momento seguinte com vontade de chorar. Às vezes, à noite, um vento úmido e arenoso soprava da Park Avenue, bem quando o trânsito da hora do rush estava diminuindo e a cidade se esvaziava; chovia, as árvores ficando mais verdes, a primavera adentrando mais e mais no verão; e o choro desconsolado das buzinas na rua, o cheiro desagradável de asfalto molhado tinha um quê de eletricidade, uma sensação de multidão e estática, secretárias e sujeitos gordos, todos solitários, com sacolas de comida pronta, pra todos os lados a tristeza canhestra de criaturas se forçando e lutando para viver. Durante semanas, eu estivera congelado, fechado; agora, no chuveiro, abria a água no máximo e berrava, em silêncio. Tudo estava cru, doloroso, confuso e errado, e no entanto era como se eu tivesse sido arrastado pra fora da água congelante por uma rachadura no gelo e sido deixado sob o sol e o frio glacial.

"Onde é que você estava agora?", perguntou Dave, tentando me fazer olhar pra ele.

"Como?"

"No que estava pensando agora?"

"Nada."

"É bem difícil não pensar em absolutamente nada."

Dei de ombros. Com exceção de Andy, eu não tinha contado pra ninguém sobre a ida até a casa de Pippa, e o segredo coloria tudo, como o brilho embaçado que fica depois de um sonho: flores de papel de seda, a luz bruxuleante de uma vela a queimar, o calor grudento da mão dela na minha. Mas, embora fosse a coisa mais vibrante e real que tinha me acontecido havia um bom tempo, eu não queria estragá-la falando sobre isso, sobretudo não com ele.

Ficamos ali sentados por outro longo momento. Então Dave inclinou-se para a frente com uma expressão preocupada e disse: "Sabe, quando eu te pergunto onde você estava durante esses silêncios, Theo, não estou tentando ser um idiota e te colocar contra a parede ou qualquer coisa do tipo".

"Ah, claro! Eu sei", respondi, inquieto, fincando os dedos no estofamento de tweed do braço do sofá.

"Estou aqui para conversar sobre o que você quiser. Ou..." — rangido de madeira enquanto ele mudava de posição na cadeira — "não precisamos conversar sobre nada. Eu só me pergunto se você estava pensando em algo."

"Bem", falei, depois de outra pausa interminável, resistindo à tentação de olhar de esguelha para o relógio. "É que... eu só..." Quantos minutos faltavam ainda? *Quarenta*?

"Porque ouvi dizer, de alguns dos outros adultos na sua vida, que você teve uma melhora visível recentemente. Anda participando mais das aulas", continuou, quando não respondi. "Tem se envolvido socialmente. Come." No silêncio, uma sirene de ambulância soou debilmente na rua. "Então acho que gostaria de saber se você pode me ajudar a entender o que mudou."

Dei de ombros, cocei o lado do rosto. Como é que se explicava aquele tipo de coisa? Parecia bobo tentar. Até a lembrança estava começando a parecer vaga, com um brilho estelar de irrealidade, como um sonho cujos detalhes vão ficando mais imprecisos quanto mais você tenta apreendê-los. O mais importante era a sensação, uma impressão subconsciente doce e rica tão forte que na aula, no ônibus escolar, deitado na cama tentando pensar em algo seguro ou agradável, em algum ambiente ou situação em que meu peito não ficava tomado de ansiedade, só o que eu tinha de fazer era afundar na corrente quente e me deixar levar para o lugar secreto onde tudo estava bem. Paredes cor de canela, chuva contra a vidraça, um vasto silêncio e uma sensação de profundidade e distância, como o verniz sobre o fundo de uma pintura do século XIX. Tapetes gastos a desfiar, leques japoneses e cartões antigos do Dia de São Valentim cintilando à luz de vela, pierrôs, pombas, corações coroados de flores. O rosto pálido de Pippa na escuridão.

VI

"Escuta", falei para Andy passados vários dias, quando saíamos do Starbucks depois da escola, "você pode me cobrir enquanto dou uma escapada esta tarde?"

"Claro", disse Andy, tomando um grande gole do café. "Por quanto tempo?"

"Não sei." Dependia de quanto levaria pra fazer a baldeação na rua 14, mas achava que gastaria uns quarenta e cinco minutos pra chegar a Downtown; de ônibus, em dia de semana, seria ainda mais demorado. "Três horas?"

Ele fez uma careta; se a sra. Barbour estivesse em casa, certamente faria perguntas. "O que eu falo pra ela?"

"Que eu tive de ficar até mais tarde na escola ou algo assim."

"Ela vai achar que você se meteu em encrenca."

"E daí?"

"Você não vai querer que ela ligue pra escola pra perguntar."

"Diga que fui ao cinema."

"Daí ela vai querer saber por que eu não fui. Melhor dizer que você está na biblioteca."

"Que desculpa mais furada."

"Tá bom, então. Por que a gente não diz pra ela que você tinha um compromisso absolutamente inevitável com seu agente de condicional? Ou que você parou pra tomar drinques no Four Seasons?"

Ele estava imitando o pai; a imitação saiu tão perfeita que eu ri. "*Fabelhaft*", respondi, com a voz do sr. Barbour. "Muito engraçado."

Ele deu de ombros. "A sede da biblioteca fica aberta até as sete hoje", disse, com sua voz insossa e fraquinha. "Mas não preciso saber pra qual unidade você foi. Talvez tenha se esquecido de me dizer."

VII

A porta abriu mais rápido do que eu esperava, enquanto olhava para a rua e pensava em alguma outra coisa. Dessa vez, ele tinha feito a barba e cheirava a sabonete, o longo cabelo grisalho cuidadosamente penteado para trás e preso atrás das orelhas; ele estava vestido de forma tão impressionante quanto o sr. Blackwell quando o vi.

Hobie ergueu as sobrancelhas; claramente ficou surpreso em me ver. "Olá!"

"Cheguei numa hora ruim?", perguntei, reparando no punho branquíssimo da manga da camisa, que tinha uma minúscula cifra vermelha bordada, as letras de fôrma tão pequenas e estilizadas que eram quase invisíveis.

"De modo algum. Na verdade eu estava torcendo pra você dar uma passada." Ele estava usando uma gravata vermelha com um desenho em amarelo-claro; sapatos oxford pretos, e terno azul-marinho, na medida certa. "Entre! Por favor."

"Está de saída?", perguntei, observando-o timidamente. O terno fazia-o parecer uma pessoa diferente, menos melancólico e distraído, mais competente — não o Hobie da minha primeira visita, com seu aspecto sujo de urso-polar elegante, embora maltratado.

"Bem... sim. Mas não agora. Sinceramente, estamos arrumando umas coisas. Mas não importa."

O que isso queria dizer? Segui-o casa adentro — pela floresta que era a oficina, pernas de mesa e poltronas sem molas —, atravessando a sala sombria no andar de cima e indo até a cozinha, onde o terrier Cosmo estava andando aflito de um lado pro outro e choramingando, as unhas batendo contra a ardósia. Quando entramos, deu alguns passos pra trás e nos lançou um olhar agressivo.

"Por que ele está aqui?", perguntei, ajoelhando-me para afagar sua cabeça e em seguida puxando a mão pra trás quando ele se esquivou.

"Hum?", disse Hobie. Ele parecia preocupado.

"Cosmo. Ele não fica sempre com ela?"

"Ah. A tia dela. Não quer o cachorro lá dentro." Hobie estava enchendo a chaleira na pia; percebi que a chaleira tremia em suas mãos enquanto ele fazia isso.

"Tia?"

"Sim", disse ele, botando a chaleira pra ferver, depois curvando-se para coçar o queixo do cachorro. "Pobrezinho, não está entendendo nada, né? Margaret tem opiniões muito fortes sobre cachorros no quarto de uma pessoa doente. Sem dúvida ela tem razão. E aqui está *você*", disse ele, olhando por cima do ombro com um estranho olhar animado. "Novamente uma boa surpresa. Pippa tem falado de você desde que esteve aqui."

"Sério?", falei, encantado.

"'Cadê aquele garoto?' 'Havia um garoto aqui.' Ela me disse ontem que você ia voltar e *presto*", disse ele, com uma risada calorosa e jovial, "aqui está você." Hobie se ergueu, os joelhos estalando, e passou as costas do pulso em sua testa branca e nodosa. "Se esperar um pouquinho, pode ir vê-la."

"Como ela está?"

"*Muito* melhor", disse ele, num tom incisivo, sem olhar pra mim. "Muita coisa acontecendo. A tia vai levá-la para o Texas."

"Texas?", falei, depois de uma pausa atordoada.

"Infelizmente."

"Quando?"

"Depois de amanhã."

"Não!"

Ele fez uma careta — uma pontada de dor que desapareceu no momento em que a vi. "Sim, estou fazendo as malas dela", disse ele, num tom alegre que não combinava com o flash de infelicidade que tinha deixado escapar. "Muita gente chegando e saindo esses dias. Amigos da escola... Na verdade, este é o primeiro momento de sossego que temos há algum tempo. Tem sido uma semana bem agitada."

"Quando ela volta?"

"Bem... não tão cedo, na verdade. Margaret vai levá-la pra morar lá."

"Pra sempre?"

"Ah, não! Não *pra sempre*", disse ele, num tom que me fez perceber que *pra sempre* era exatamente o que ele queria dizer. "Não é como se estivesse indo pra outro planeta", acrescentou, quando viu minha cara. "Certamente vou viajar pra vê-la. E ela com certeza vai voltar pra me visitar."

"Mas..." Eu sentia como se o teto tivesse caído em cima de mim. "Achei que ela morasse aqui. Com você."

"Bem, ela morava. Até agora. Mas tenho certeza de que vai ficar muito melhor lá no sul", acrescentou ele, sem muita convicção. "É uma grande mudança para todos nós, mas tenho certeza de que no longo prazo vai ser melhor."

Dava pra ver que ele não acreditava numa palavra do que estava dizendo.

"Mas por que ela não pode ficar aqui?"

Ele suspirou. "Margaret era meia-irmã de Welty", disse ele. "Sua *outra* meia-irmã. O parente mais próximo de Pippa. De sangue, no caso, coisa que não sou. Ela acha que Pippa vai ficar melhor lá no Texas, agora que já está boa o suficiente pra fazer a viagem."

"Eu não ia querer morar no Texas", falei, chocado. "É quente demais."

"E não acho que os médicos de lá sejam tão bons", disse Hobie, limpando as mãos. "Mas Margaret e eu discordamos nesse ponto."

Ele sentou e olhou para mim. "Seus óculos", disse. "Gostei deles."

"Obrigado." Eu não queria falar sobre meus óculos novos, uma novidade indesejável, embora de fato me ajudassem a enxergar melhor. A sra. Barbour tinha comprado a armação pra mim na E. B. Meyrowitz depois de um exame de vista com a enfermeira da escola. A armação era redonda e o padrão era de casco de tartaruga. Pareciam um pouco adultos e caros demais, e os mais velhos exageravam um pouco ao me garantir que ficavam ótimos.

"Como vão as coisas em Uptown?", perguntou Hobie. "Não imagina o rebuliço que a sua visita causou. Pra falar a verdade, eu mesmo estava pensando em ir até lá pra te ver. O único motivo por que não fui é que odiaria deixar Pippa, já que ela parte em tão pouco tempo. Isso tudo aconteceu muito rápido, sabe? O lance com Margaret. Ela é como o pai deles, o velho sr. Blackwell — bota uma coisa na cabeça e pronto, está feito."

"Ele também vai pro Texas? Cosmo?"

"Ah, não. Ele vai ficar bem aqui. Mora aqui desde que tinha doze semanas de vida."

"Ele não vai ficar triste?"

"Espero que não. Bem, pra ser sincero, ele vai sentir falta dela. Cosmo e eu nos damos relativamente bem, embora ele ande numa crise terrível desde que Welty morreu. Era o cachorro dele, na verdade, foi só bem recentemente que se entendeu com Pippa. Esses terriers pequenos que Welty sempre teve não são muito apaixonados por crianças, sabe? A mãe de Cosmo, Chessie, era um verdadeiro terror."

"Mas por que Pippa tem que se mudar pra lá?"

"Bem", disse Hobie, esfregando o olho, "de fato é a única coisa que faz sentido. Margaret é o parente mais próximo. Embora ela e Welty mal se falassem — nos últimos anos, pelo menos."

"Por quê?"

"Bem..." Dava pra ver que ele não queria explicar. "É tudo muito complicado. Margaret era bem contra a mãe de Pippa, sabe?"

Assim que ele disse isso, uma mulher alta, de nariz pontudo e com um ar de competência entrou na cozinha. Tinha a idade de uma jovem avó, um rosto magro e patrício de harpia e um cabelo vermelho-ferrugem ficando cinza. Seu terninho e seus sapatos lembravam a sra. Barbour, a não ser pelo fato de que eram de uma cor que a sra. Barbour jamais usaria: verde-limão.

Ela olhou para mim; olhou para Hobie. "O que está acontecendo?", perguntou com frieza.

Hobie bufou audivelmente; parecia exasperado. "Nada, Margaret. Este é o garoto que estava com Welty quando ele morreu."

Ela me olhou por cima dos óculos meia-lua e então riu bruscamente, uma risada aguda e autoconsciente.

"Olá", disse ela, toda simpática de uma hora para a outra, estendendo-me as mãos magras e vermelhas cobertas de diamantes. "Sou Margaret Blackwell Pierce. A irmã de Welty. *Meia*-irmã", ela se corrigiu, com uma olhada por cima do meu ombro para Hobie, quando viu minhas sobrancelhas baixarem. "Welty e eu tínhamos o mesmo pai, sabe? Minha mãe era Susie Delafield."

Ela disse o nome como se significasse alguma coisa. Olhei para Hobie para ver o que ele achava. Ela percebeu e lançou um olhar cortante para ele antes de voltar sua atenção — toda animada — para mim.

"Que garotinho adorável você é", disse ela. Seu nariz comprido era ligeiramente rosa na ponta. "Estou muitíssimo feliz por conhecer você. James e Pippa andaram me falando tudo da sua visita — a coisa *mais* extraordinária. Ficamos todos empolgados." Ela apertou minha mão. "E preciso agradecer do fundo do meu coração por ter devolvido o anel do meu avô. Significa muito mesmo pra mim."

Pra ela? Novamente, confuso, olhei para Hobie.

"Teria significado muito para meu pai também." Havia algo de deliberado e treinado na sua simpatia ("Tonéis de charme", como diria o sr. Barbour); e no entanto sua leve semelhança acobreada com o sr. Blackwell e com Pippa me atraiu, por mais que eu não quisesse. "Você sabe a história do anel, não sabe?"

A chaleira assobiou. "Quer um pouco de chá, Margaret?", disse Hobie.

"Sim, por favor", respondeu ela, enérgica. "Limão e mel. Um pouquinho de uísque também." Para mim, num tom mais amigável, ela disse: "Sinto muitíssimo, mas precisamos comparecer a alguns compromissos de adultos. Vamos encontrar o advogado daqui a pouco. Assim que a enfermeira de Pippa chegar."

Hobie pigarreou. "Não vejo nenhum mal se..."

"Posso ir vê-la?", perguntei, impaciente demais para deixá-lo terminar a frase.

"Claro", disse Hobie na hora, antes que tia Margaret pudesse intervir, virando-se habilmente para evitar sua expressão irritada. "Você lembra o caminho? É só seguir por ali."

VIII

A primeira coisa que ela me disse foi: "Você poderia apagar a luz, por favor?". Estava recostada na cama com os fones do iPod nos ouvidos, parecendo cega e desorientada sob a luz da lâmpada acima.

Apaguei. O quarto estava mais vazio, caixas de papelão empilhadas contra as paredes. Uma chuva fina de primavera batia nas vidraças; do lado de fora, no pátio escuro, as flores brancas e espumosas de uma pereira em flor pareciam pálidas contra o tijolo molhado.

"Oi", disse ela, cruzando as mãos com um pouco mais de força sobre a colcha.

"Oi", falei, desejando não soar tão constrangido.

"Sabia que era você! Ouvi vocês conversando na cozinha."

"Ah, é? Como sabia que era eu?"

"Sou musicista! Tenho um ouvido muito aguçado."

Agora que meus olhos tinham se acostumado à penumbra, vi que ela parecia menos frágil que na minha visita anterior. Seu cabelo tinha crescido um pouco atrás, e os grampos tinham sido retirados, embora a linha enrugada da ferida continuasse visível.

"Como você se sente?", perguntei.

Ela sorriu. "Sonolenta." O sono estava na voz dela, áspera e doce. "Você se importa em dividir?"

"Dividir o quê?"

Ela virou a cabeça para o lado e tirou um dos fones, estendendo-o para mim. "Escute."

Sentei junto a ela na cama e coloquei o fone no ouvido: harmonias etéreas, impessoais, penetrantes, como um sinal de rádio do Paraíso.

Olhamos um para o outro. "O que é isso?", perguntei.

"Humm..." Ela olhou para o iPod. "Palestrina."

"Ah." Mas eu não ligava pro que era. O único motivo por que estava ouvindo aquilo era a luz, a árvore na janela, o trovão, ela.

O silêncio entre nós era alegre e estranho, ligado pelo fio e pelas vozes gélidas ecoando finamente. "Não precisamos conversar", disse ela. "Se não estiver a fim." Suas pálpebras estavam pesadas e sua voz sonolenta soava como um segredo. "Todos sempre querem conversar, mas gosto de ficar em silêncio."

"Você andou chorando?", perguntei, olhando um pouco mais de perto para ela.

"Não. Bem... um pouquinho."

Ficamos sentados ali, sem dizer nada, e não foi constrangedor ou estranho.

"Tenho que ir embora", disse ela logo depois. "Você sabia?"

"Sim. Ele me disse."

"É horrível. Não quero ir." Ela cheirava a sal, a remédio e a alguma outra coisa, como o chá de camomila que minha mãe comprava no Grace's.

"Ela parece legal", falei, cauteloso. "Acho."

"Acho", repetiu ela num tom melancólico, passando a ponta de um dedo pela borda da colcha. "Comentou algo sobre uma piscina. E cavalos."

"Deve ser divertido."

Ela piscou, confusa. "Talvez."

"Você sabe montar?"

"Não."

"Nem eu. Mas minha mãe sabia. Ela amava cavalos. Sempre parava pra conversar com os cavalos das carruagens no Central Park. Tipo..." — eu não sabia bem como explicar — "era como se eles conversassem *mesmo* com ela. Tentavam virar a cabeça, mesmo com a viseira, na direção que ela ia."

"Sua mãe também morreu?", perguntou ela timidamente.

"Sim."

"Minha mãe morreu já faz uns..." Parou e pensou. "Não consigo lembrar. Ela morreu depois da Páscoa de algum ano, então não tive que voltar à escola na semana seguinte ao recesso. A gente ia fazer uma visita de campo, ao Jardim Botânico, e não pude ir. Sinto falta dela."

"Do que ela morreu?"

"Ficou doente. Sua mãe também?"

"Não. Foi um acidente." E então, não querendo me aventurar mais nesse assunto, eu disse: "Mas, enfim, ela amava cavalos, minha mãe. Quando era criança, tinha um cavalo que se sentia solitário às vezes, ela dizia. Ele gostava de ir direto até a casa e botar a cabeça pra dentro da janela pra ver o que estavam fazendo".

"Como ele se chamava?"

"Pintado." Eu adorava quando minha mãe me falava dos estábulos da época em que morava no Kansas: corujas e morcegos nas vigas do telhado, cavalos relinchando e resfolegando. Sabia o nome de todos os cavalos e cachorros de sua infância.

"Pintado! Ele era manchado?"

"Era, mais ou menos. Vi fotos dele. Às vezes, no verão, ele vinha e ficava olhando pra ela enquanto tirava seu cochilo da tarde. Ela podia ouvi-lo respirando, sabe, logo ali na cortina."

"Que legal! Eu gosto de cavalos. É só que..."

"Que foi?"

"Preferia ficar aqui!" De repente ela pareceu à beira das lágrimas. "Não sei por que preciso ir."

"Você devia falar pra eles que quer ficar." Quando foi que nossas mãos começaram a se tocar? Por que a mão dela estava tão quente?

"Mas eu falei! Só que todo mundo acha que vai ser melhor lá."

"Por quê?"

"Não sei", disse ela mal-humorada. "Mais tranquilo, dizem. Mas não gosto de silêncio, gosto quando há um monte de coisas pra ouvir."

"Eles vão me fazer ir embora também."

Ela se ergueu num cotovelo. "Não!", disse, parecendo alarmada. "Quando?"

"Não sei. Logo, acho. Tenho que ir morar com meus avós."

"Ah", disse ela, saudosa, recostando-se de volta no travesseiro. "Não tenho avós."

Enrosquei meus dedos nos dela. "Os meus não são muito legais."

"Sinto muito."

"Tudo bem", falei, com a voz mais normal que conseguia, embora meu coração estivesse batendo com tanta força que eu podia sentir a pulsação na ponta dos dedos. A mão dela, na minha, parecia aveludada e febril, ligeiramente grudenta.

"Você não tem nenhum outro parente?" Seus olhos estavam tão escuros sob a luz fraca da janela que pareciam pretos.

"Não. Bem..." Meu pai contava? "Não."

A isso se seguiu um longo silêncio. Ainda estávamos ligados pelos fones de ouvido: um com ela, outro comigo. Conchas cantando. Coros angelicais e pérolas. As coisas tinham ficado lentas demais de uma hora para a outra; era como se eu tivesse esquecido como se respirava direito; vezes seguidas me pegava prendendo a respiração, depois exalando asperamente e alto demais.

"Que música era essa mesmo?", perguntei, só pra ter alguma coisa pra falar.

Ela sorriu, sonolenta, e esticou-se para pegar um pirulito pontudo, com um aspecto pouco apetitoso, que estava sobre uma embalagem em cima do seu criado-mudo.

"É de Palestrina", disse ela, com o pirulito na boca. "*Missa solene*. Ou algo assim. São todas muito parecidas."

"Você gosta dela?", perguntei. "Da sua tia?"

Pippa me olhou por vários e longos segundos. Depois colocou o pirulito cuidadosamente de volta na embalagem e disse: "Ela parece legal. Acho. É só que não a conheço realmente. É estranho".

"Por que você tem que ir?"

"Tem a ver com dinheiro. Hobie não pode fazer nada — ele não é meu tio de verdade. É meu tio de mentirinha, ela diz."

"Queria que ele fosse seu tio de verdade", falei. "Queria que você ficasse."

De repente ela sentou, passou os braços em volta de mim e me beijou; todo o sangue fugiu da minha cabeça, uma longa descida, como se eu estivesse caindo de um penhasco.

"Eu..." Fiquei tomado de pavor. Aturdido, num reflexo, levei a mão à boca para secar o beijo — só que ele não era encharcado, ou desagradável, e eu podia sentir um traço seu brilhando no dorso da minha mão.

"Não quero que vá."

"Não quero ir."

"Você se lembra de ter me visto?"

"Quando?"

"Antes."

"Não."

"Eu me lembro de você", falei. De alguma forma minha mão tinha encontrado o caminho até o rosto dela. Atrapalhado, recuei e a enfiei do meu lado, fechando o punho, praticamente sentando em cima dela. "Eu estava lá." Foi aí que percebi que Hobie estava na porta.

"Ei." E, embora a ternura em sua voz fosse principalmente para ela, dava pra ver que um pouco era pra mim. "Eu disse que ele voltaria."

"Você disse!", respondeu ela, erguendo-se na cama. "Ele está aqui."

"Bem, você vai me dar ouvidos da próxima vez?"

"Eu *dei* ouvidos. Só não *acreditei* em você."

A bainha de uma cortina translúcida se arrastava pela vidraça. Eu ouvia o trânsito cantando fraquinho na rua. Sentado ali na beira da cama, parecia que estava no momento de despertar do som e da luz do dia, onde tudo se mistura e se confunde como se estivesse prestes a mudar, na mesma direção fluida e eufórica: luz, Pippa se sentando, Hobie na soleira da porta, o beijo (com o sabor peculiar do que devia ser um pirulito de morfina) ainda grudento nos meus lábios. Não tenho certeza de que a morfina explicaria quão leve eu me sentia naquele momento, quão sorridente estava, tomado por felicidade e beleza. Meio atordoados, despedimo-nos (não houve promessa de escrever; parecia que ela estava doente demais para isso), e então me vi no corredor, com a enfermeira ali, tia Margaret falando alto, confusa, e a mão tranquilizadora de Hobie no meu ombro, uma pressão forte e reconfortante, como uma âncora a me dizer que estava tudo bem. Eu não sentia um toque desses desde que minha mãe tinha morrido — amigável, transmitindo firmeza em meio aos acontecimentos confusos — e, como um cão de rua carente de afeição, senti uma profunda alteração na minha lealdade, em nível de sangue, uma convicção súbita, humilhante e plangente. *Este lugar é bom, estou seguro com esta pessoa, posso confiar nela, ninguém vai me fazer mal aqui.*

"Ah", exclamou tia Margaret, "você está chorando? Está vendo isso?", disse ela para a jovem enfermeira (assentindo, sorrindo, ansiosa para agradar, claramente sob seu encanto). "Que garoto doce! Vai sentir falta dela, não vai?" Seu sorriso era largo e seguro de si, de sua própria conveniência. "Vai ter que ir lá nos visitar, *precisa* ir. Fico sempre feliz em receber visitas. Meus pais... eles tinham uma das maiores casas Tudor do Texas..."

E assim ela continuou tagarelando, tão simpática quanto um papagaio. Mas minha lealdade estava em outro lugar. E o gosto do beijo de Pippa — agridoce e estranho — permaneceu comigo durante todo o trajeto até a casa dos Barbour, enquanto balançava sonolento no ônibus de volta, derretendo de tristeza e encanto, uma dor estrelada que me erguia como uma pipa acima da cidade e da ventania: minha cabeça nas nuvens de chuva, meu coração no céu.

IX

Odiava pensar na partida dela. Não suportava essa lembrança. No dia em que Pippa ia embora, acordei deprimido. Olhando para o céu sobre a Park Avenue, um azul quase preto ameaçador, como o de um céu turvo de uma pintura do Calvário, imaginei-a olhando para o mesmo céu da janela do avião; e, enquanto Andy e eu caminhávamos até o ponto de ônibus, os olhos baixos e o humor taciturno pareciam refletir e aumentar minha tristeza por sua partida.

"Bem, o Texas é chato mesmo", disse Andy, entre espirros; seus olhos estavam vermelhos e lacrimejavam por causa do pólen, o que o deixava ainda mais parecido com um rato de laboratório do que de costume.

"Você já foi pra lá?"

"Sim. Dallas. Tio Harry e tia Tess moraram lá um tempo. Não há nada para fazer além de ir ao cinema e não dá pra ir a pé pra lugar nenhum, alguém tem que levar. E eles têm cascavéis, e pena de morte, que eu considero primitiva e antiética em noventa e oito por cento dos casos. Mas provavelmente vai ser melhor pra ela lá."

"Por quê?"

"Pelo clima, principalmente", disse Andy, limpando o nariz com um dos lenços de algodão passados que tirava toda manhã de uma pilha na gaveta. "Pessoas em recuperação ficam melhor no clima quente. Foi por isso que meu avô Van der Pleyn se mudou pra Palm Beach."

Fiquei em silêncio. Andy, eu sabia, era leal; confiava nele, valorizava sua opinião, e no entanto em nossas conversas às vezes eu tinha a impressão de estar falando com um daqueles programas de computador que simulam a resposta humana.

"Se ela for pra Dallas tem que visitar o Museu da Ciência e Natureza. Embora talvez o ache pequeno e um tanto desatualizado. O Imax que eu vi lá não era nem 3-D. E eles cobram uma taxa extra pra entrar no planetário, o que é ridículo, considerando quão inferior é ao Hayden."

"Hum." Às vezes eu me perguntava o que exatamente seria necessário para arrancar Andy de sua torre nerd. Uma onda gigante? Uma invasão dos decepticons? Godzilla marchando pela Quinta Avenida? Ele era um planeta sem atmosfera.

x

Teria alguém já se sentido tão solitário? De volta à casa dos Barbour, rodeado pelo alarido e pela plenitude de uma família que não era a minha, eu me sentia ainda mais sozinho do que de costume — principalmente porque, conforme o final do ano escolar se aproximava, não estava claro para mim (nem para Andy, aliás) se eu ia acompanhá-los até a casa de veraneio no Maine. A sra. Barbour, com sua delicadeza característica, conseguia contornar o assunto mesmo em meio às caixas de papelão e malas abertas que estavam começando a surgir por toda a casa; o sr. Barbour e os irmãos mais novos pareciam animados, mas Andy via essa perspectiva com absoluto horror. "Sol e diversão", ele dizia com desdém, empurrando os óculos (como os meus, só que bem mais grossos) no nariz. "Pelo menos com seus avós você estará em terra seca. Com água quente. E internet."

"Não sinto pena de você."

"Bem, se tiver de ir com a gente, verá com seus próprios olhos. É como em *Raptado*. A parte em que eles o vendem como escravo."

"E aquela parte em que ele precisa ir morar com um parente esquisito no meio do nada, que ele nem conhece?"

"Sim, eu estava pensando nisso", disse Andy num tom sério, girando na cadeira para olhar para mim. "Mas pelo menos eles não devem estar tramando te matar — não é como se houvesse uma herança em jogo."

"Não, não é."

"Sabe qual é meu conselho pra você?"

"Não."

Andy coçou o nariz com a borracha do lápis: "Você tem que dar o mais duro que pode quando chegar na nova escola em Maryland. Você tem uma vantagem — está um ano adiantado. Isso significa que com dezessete anos se forma. Se você se dedicar, consegue sair de lá em quatro anos, talvez até em três, com uma bolsa de estudos pra qualquer lugar que queira ir".

"Minhas notas não são assim tão boas."

"Não", disse Andy, sério, "mas só porque você não se esforça. Além disso, acho que sua nova escola, seja lá onde for, não vai ser tão exigente."

"Rezo a Deus que não."

"Bem... escola pública", disse Andy. "Maryland. Com todo o respeito a Maryland. Tipo, eles têm o Laboratório de Física Aplicada e o Instituto do Telescópio Espacial na Johns Hopkins, sem contar o Centro de Voos Espaciais Goddard em Greenbelt. Definitivamente é um estado bem compromissado com a Nasa. Quanto você tirou no teste da primeira parte do fundamental?"

"Não lembro."

"Bem, sem problemas se não quer me falar. A questão é que pode terminar com boas notas quando tiver dezessete anos — talvez até dezesseis, se ralar bastante — e depois fazer faculdade onde quiser."

"Três anos é bastante tempo."

"É para nós. Mas no longo prazo não é. Quer dizer", argumentou Andy, "pense em uma cretina como Sabine Ingersoll ou naquele idiota do James Villiers. O filho da puta do Forrest Longstreet."

"Eles não são pobres. Eu vi o pai do Villiers na capa da *Economist*."

"Não, mas são burros como uma porta. Tipo, Sabine mal consegue botar um pé na frente do outro. Se a família dela não tivesse dinheiro e tivesse de se virar por conta, ela seria, sei lá, uma prostituta. Longstreet — ele provavelmente ia se encolher num canto e morrer de fome. Como um hamster que esqueceram de alimentar."

"Isso não está ajudando."

"O que quero dizer é: você é inteligente. E os adultos gostam de você."

"Como assim?", perguntei, duvidando.

“Claro”, disse Andy, com sua voz fraca e irritante. “Você decora nomes, faz aquele lance de contato visual, aperta mãos quando deve. Na escola todos se derretem por você.”

“Sim, mas…” Eu não queria dizer que era porque minha mãe estava morta.

“Não seja besta. Você se safa até de assassinato. É esperto o bastante pra descobrir isso sozinho.”

“E por que você ainda não conseguiu descobrir sozinho como se livrar desse lance de velejar?”

“Ah, eu já descobri, se descobri…”, disse Andy, carrancudo, voltando-se para seu livro de hiragana. “Descobri que terei quatro verões no inferno, na pior das hipóteses. Três se papai me deixar entrar na faculdade mais cedo, com dezesseis anos. Dois se eu encarar o penúltimo ano da escola e for praquele programa de verão em Mountain School aprender agricultura orgânica. E, depois disso, nunca mais boto o pé num barco de novo.”

XI

“Ah, como é difícil conversar com ela no telefone”, disse Hobie. “Eu não estava contando com isso. Ela definitivamente não está bem.”

“Não está bem?”, falei. Mal se passara uma semana e, embora eu não tivesse pensado em voltar para ver Hobie, de alguma forma estava lá de novo: sentado à mesa da cozinha comendo o segundo prato do que à primeira vista parecia uma massa preta de adubo, mas na verdade era uma mistura deliciosa de gengibre e figos, com chantili e raspas minúsculas e amargas de casca de laranja por cima.

Hobie esfregou o olho. Ele estava consertando uma cadeira no porão quando cheguei. “É tudo muito frustrante”, disse ele. Seu cabelo estava puxado pra trás, longe do rosto; seus óculos estavam pendurados numa corrente no pescoço. Sob o avental de trabalho preto, que ele tinha tirado e pendurado num gancho, usava calças de veludo velhas manchadas de solvente e cera de abelha e uma camisa de algodão fina de tanto ser lavada, com as mangas arregaçadas acima do cotovelo. “Margaret disse que ela chorou por três horas depois de falar no telefone comigo no domingo à noite.”

“Por que ela não pode simplesmente voltar?”

“Sinceramente, gostaria de saber o que fazer pra melhorar as coisas”, disse Hobie. Carrancudo e com um ar competente, a mão branca e nodosa espalmada na mesa, havia algo na posição dos seus ombros que sugeria um cavalo de carga de boa índole, ou um operário no bar ao final de um longo dia. "Pensei em pegar o avião até lá pra ver como ela está, mas Margaret não quer. Diz que ela não vai se adaptar se eu não a deixar em paz."

"Acho que você devia ir mesmo assim."

Hobie ergueu as sobrancelhas. "Margaret contratou um terapeuta — alguém famoso, ao que parece, que usa cavalos para tratar crianças feridas. E Pippa adora animais, mas mesmo se estivesse perfeitamente bem não ia querer ficar ao ar livre e andar a cavalo o tempo todo. Ela passou a maior parte da vida em aulas de música e salas de ensaio. Margaret está toda entusiasmada com o programa musical da igreja, mas um coral amador de crianças dificilmente vai interessá-la muito."

Empurrei o prato — totalmente limpo — pro lado. "Por que Pippa não a conheceu antes?", perguntei timidamente. Quando ele não respondeu, insisti: "Tem a ver com dinheiro?".

"Nem tanto. Embora... tenha. Você tem razão. Sempre tem a ver com dinheiro. Veja bem", disse ele, inclinando-se para a frente com as mãos grandes e expressivas na mesa, "o pai de Welty teve três filhos. Welty, Margaret e a mãe de Pippa, Juliet. Todos com mães diferentes."

"Ah."

"Welty era o mais velho. E o *filho* mais velho, aquilo tudo, né? Mas ele teve tuberculose vertebral com cerca de seis anos, quando seus pais moravam em Assuã. A babá não percebeu a gravidade da situação e ele foi levado pro hospital tarde demais. Era um garoto muito inteligente, parece, bem-apessoado também, mas o velho sr. Blackwell não era um homem que tolerava fraqueza ou enfermidade. Mandou o garoto pra América pra morar com parentes e mal voltou a pensar nele."

"Que coisa horrível", falei, chocado com a injustiça daquilo.

"Sim. Quer dizer, Margaret tem uma ideia bem diferente, é claro, mas ele era um homem difícil, o pai de Welty. Em todo caso, depois de os Blackwell terem sido expulsos do Cairo — *expulsos* não é a melhor palavra, talvez. Quando Nasser chegou ao poder, todos os estrangeiros tiveram de deixar o Egito. O pai de Welty estava no ramo de petróleo, e por sorte ele tinha dinheiro e propriedades em outro lugar. Os estrangeiros não puderam levar dinheiro ou qualquer coisa valiosa para fora do país.

"Em todo caso..." Ele pegou outro cigarro. "Acabei me desviando um pouco. A questão é que Welty mal conhecia Margaret, que era uns bons doze anos mais nova. A mãe de Margaret era texana, uma herdeira bem rica. Foi o último e o mais longo casamento do velho sr. Blackwell — seu grande romance, nas palavras de Margaret. Um casal proeminente em Houston. Muita bebida e aviões fretados, safáris na África — o pai de Welty adorava a África, mesmo depois que teve de deixar o Cairo nunca conseguia ficar longe.

"Em todo caso..." O fósforo acendeu, e ele tossiu enquanto soltava uma nuvem de fumaça. "Margaret era a princesinha do papai, a menina dos olhos, aquela coisa toda. Apesar disso, ao longo de todo o casamento, ele continuou tendo casos com atendentes, garçonetes, filhas de amigos — e, em algum momento, quando estava na casa dos sessenta, engravidou a cabeleireira. Foi assim que a mãe de Pippa nasceu."

Não falei nada. No segundo ano da escola houve um grande escândalo (documentado, diariamente, nas páginas de fofoca do *New York Post*) quando o pai de um dos meus colegas teve um filho com uma mulher que não era a mãe dele, o que significou um monte de mães tomando partido e parando de falar umas com as outras na frente da escola enquanto nos esperavam à tarde.

"Margaret estava na faculdade, em Vassar", disse Hobie, após uma pausa. Embora ele estivesse falando comigo como se eu fosse adulto (o que eu gostava), não parecia particularmente à vontade com o assunto. "Acho que ela ficou uns dois anos sem falar com o pai. O velho sr. Blackwell tentou subornar a cabeleireira, mas não foi bem-sucedido. Margaret e a mãe de Pippa, Juliet, nunca se encontraram, a não ser no tribunal, quando Juliet era praticamente um bebê de colo. O pai de Welty desenvolveu um ódio tão grande pela cabeleireira que deixou bem claro no testamento que nem ela nem Juliet deveriam receber um tostão, com exceção da pensão mínima que a lei exigisse. Mas Welty..." Hobie apagou o cigarro. "O velho sr. Blackwell pensou melhor no caso de Welty, e fez a coisa certa por ele no testamento. E ao longo de todas essas disputas judiciais, que se estenderam por anos, Welty foi ficando cada vez mais incomodado com o modo como o bebê era deixado de lado e negligenciado. A mãe de Juliet não a queria; nenhum dos parentes da mãe a queria; o velho sr. Blackwell certamente nunca a quis, e Margaret e sua mãe, francamente, ficariam até felizes de vê-la na rua. Nesse meio-tempo, a mãe deixava Juliet sozinha no apartamento quando saía para trabalhar... uma situação ruim em todos os sentidos.

"Welty não tinha nenhuma obrigação, mas era um homem sensível, sem família, e gostava de crianças. Ele convidou Juliet pra ficar aqui durante as férias quando ela tinha seis anos..."

"Aqui? Nesta casa?"

"Sim, aqui. E, quando o verão acabou e chegou a hora de mandá-la de volta, ela ficou chorando por ter de ir embora e a mãe não atendeu a nenhuma de suas ligações, ele cancelou as passagens de avião e falou com algumas pessoas pra ver se conseguia matriculá-la no primeiro ano. Não foi um arranjo oficial — ele tinha medo de pôr mais lenha na fogueira —, mas a maioria das pessoas supunha que Juliet era filha dele sem investigar mais. Ele estava na casa dos trinta, com idade suficiente pra ser pai dela. Coisa que, em todos os aspectos essenciais, ele era.

"Mas não importa", continuou Hobie, erguendo os olhos, num tom alterado. "Você disse que queria dar uma olhada na oficina. Quer descer lá?"

"Sim, por favor", falei. "Seria ótimo." Quando o encontrei lá embaixo trabalhando em sua cadeira virada de ponta-cabeça, ele se ergueu e se esticou, e disse que estava pronto para fazer um intervalo, mas de modo algum o que eu queria era subir, sendo a oficina tão rica e mágica: um tesouro a explorar, maior por dentro do que parecia por fora, a luz penetrando pelas janelas altas, arabescos e filigranas, ferramentas misteriosas cujos nomes eu não sabia, e os cheiros fortes e intrigantes de verniz e cera de abelha. Até a cadeira na qual ele estava trabalhando — que tinha pernas tipo pata de cabra na frente, com cascos fendidos — pareceu mais uma criatura sob encantamento do que uma peça de mobília, como se pudesse se desvirar e saltar da bancada de trabalho e sair trotando rua afora.

Hobie pegou o avental e vestiu-o novamente. Apesar de toda a sua delicadeza, do seu jeito calmo, ele tinha o físico de um homem que ganhava a vida transportando geladeiras ou carregando caminhões.

"Então", disse ele, conduzindo-me ao andar de baixo. "A loja-atrás--da-loja."

"Como?"

Ele riu. "*Arrière-boutique*. O que os clientes veem é um cenário — o rosto que se apresenta —, mas aqui embaixo é onde o trabalho realmente acontece."

"Certo", falei, olhando do pé da escada para o labirinto à minha frente, madeira clara feito mel, madeira escura feito melaço, reflexos de bronze, dourado e prata sob a luz fraca. Tal como na Arca de Noé, cada espécie de mobília estava organizada de acordo com seu tipo: cadeiras com cadeiras, canapés com canapés; relógios com relógios, mesas, armários e cômodas rigidamente separados na parede oposta. Mesas de jantar, no meio, formavam caminhos estreitos e labirínticos a se percorrer com cuidado. Nos fundos da sala, uma parede de espelhos velhos e manchados, pendurados lado a lado, brilhava com a luz prateada de velhos salões de baile e salões nobres iluminados por velas.

Hobie olhou de volta para mim. Podia ver quão deliciado eu estava. "Gosta de coisas antigas?"

Assenti — era verdade, eu realmente gostava de coisas antigas, embora fosse algo do qual nunca tinha me dado conta antes.

"Deve ser interessante pra você ficar na casa dos Barbour, então. Suponho que algumas das peças Queen Anne e Chippendale deles sejam tão boas quanto qualquer outra que se vê num museu."

"Sim", falei, hesitante. "Mas aqui é diferente. Mais legal", acrescentei, pro caso de ele não ter entendido.

"Como assim?"

"É que..." Apertei bem os olhos, tentando organizar os pensamentos. "Aqui embaixo é ótimo, um monte de cadeiras com um monte de outras cadeiras... você vê as diferentes personalidades, sabe? Tipo, aquela ali é meio que..." Eu não sabia a palavra. "Boba, quase, mas de um jeito bom. E confortável. E aquela ali tem um estilo mais nervoso, com aquelas pernas longas e finas..."

"Você tem um olho bom pra mobília."

"Bem..." Elogios me desconcertavam, eu nunca sabia direito como reagir, a não ser fazendo como se não tivesse escutado. "Quando estão arranjadas juntas dá pra ver como são feitas. Na casa dos Barbour..." Eu não sabia ao certo como explicar. "Não sei, é mais como aqueles cenários com animais empalhados no Museu de História Natural."

Quando ele riu, seu ar sombrio e ansioso evaporou; dava para sentir seu bom coração, calor irradiava dele.

"Não, sério", falei, determinado a continuar tentando me explicar. "A forma com que ela arruma, uma mesa sozinha com luz em cima, e todas aquelas coisas dispostas de modo a ficar claro que não é pra tocar — é como aqueles dioramas que eles colocam em volta do iaque ou sei lá o quê, pra mostrar seu habitat. É legal, mas..." Gesticulei na direção dos encostos das cadeiras alinhados contra a parede. "Aquele ali é uma harpa, aquele outro é como uma colher, aquele ali..." Imitei o formato da curva com a mão.

"Encosto escudo. Embora, devo dizer, o detalhe mais interessante naquele seja o trabalhado central no espaldar. Talvez você não perceba", disse ele, antes que eu pudesse perguntar o que era espaldar, "mas já é um aprendizado em si ver aquela mobília dela todo dia. Sob luzes diferentes, ser capaz de passar a mão quando quiser." Ele soltou uma baforada de ar contra as lentes dos óculos e limpou-as num canto do avental. "Você precisa voltar logo pra casa?"

"Na verdade não", falei, embora estivesse ficando tarde.

"Venha comigo, então", disse. "Vamos botar você pra trabalhar. Eu bem que precisava de uma mãozinha com esta pequena cadeira aqui."

"A pata de cabra?"

"Sim, a pata de cabra. Tem outro avental no gancho — eu sei, é grande demais, mas acabei de cobrir esta coisa com óleo de linhaça e não quero que estrague suas roupas."

XII

Dave, o psiquiatra, tinha comentado mais de uma vez que queria que eu tivesse um hobby — conselho que me injuriava, já que todos os hobbies que ele sugeria (raquetebol, tênis de mesa, boliche) pareciam incrivelmente ridículos. Se ele achava que um ou dois jogos de tênis de mesa iam me ajudar a superar a morte da minha mãe, ele não tinha a menor noção. Mas, conforme evidenciado pelo diário em branco que recebi do sr. Neuspeil, meu professor de inglês; pela sugestão da sra. Swanson de que eu começasse a fazer aulas de arte depois da escola; pela oferta de Enrique de me levar pra assistir a jogos de basquete nas quadras da Sexta Avenida; e até pelas tentativas esporádicas do sr. Barbour de fazer com que eu me interessasse por mapas e bandeiras náuticas, um monte de adultos teve a mesma ideia.

"O que você gosta de fazer no seu tempo livre?", a sra. Swanson tinha me perguntado na sala cinza-clara meio assombrada que cheirava a chá de ervas e artemísia, edições da *Seventeen* e da *Teen People* em pilhas altas na mesa de leitura e algum tipo de música asiática límpida com sinos tocando no fundo.

"Não sei. Gosto de ler. Ver filmes. Jogar *Age of Conquest II* e *Age of Conquest: Platinum Edition*. Não sei", falei de novo, quando ela continuou me olhando.

"Bem, tudo isso é ótimo, Theo", disse ela, parecendo preocupada. "Mas seria bom se encontrássemos alguma atividade em grupo pra você. Algo que estimule o trabalho em equipe, algo que possa fazer com outras crianças. Já pensou em começar um esporte?"

"Não."

"Eu pratico uma arte marcial chamada aikidô. Não sei se já ouviu falar. É uma maneira de usar os movimentos do oponente para se defender."

Desviei o olhar dela e olhei para o relicário com cara de gasto de Nossa Senhora de Guadalupe pendurado atrás de sua cabeça.

"Ou fotografia." Ela cruzou suas mãos com anéis de turquesa sobre a mesa. "Caso não esteja interessado em aulas de arte. Embora a sra. Sheinkopf tenha me mostrado alguns dos desenhos que você fez no ano passado — aquela série de telhados, sabe, torres, a vista da janela do estúdio? Muito observador — conheço aquela vista e você pegou uma linha e uma energia realmente interessantes, acho que cinético foi a palavra que ela usou, uma vivacidade, todos aqueles aviões passando e o ângulo das saídas… O que estou tentando dizer é que não é tanto *o que* você faz — só queria que pudéssemos encontrar uma forma de te deixar mais conectado."

"Conectado a quê?", falei, num tom que saiu um pouco antipático demais.

Ela pareceu perplexa. "A outras pessoas! E" — gesticulou na direção da janela — "ao mundo à sua volta! Escute", disse ela, com sua voz mais suave e hipnótica, "sei que você e sua mãe tinham um vínculo *incrivelmente* forte. Conversei com ela. Vi vocês dois juntos. E sei exatamente o quanto deve sentir sua falta."

Não, você não sabe, pensei, olhando-a insolente nos olhos.

Ela me lançou um olhar estranho. "Você ficaria surpreso, Theo", disse, inclinando-se para a frente em sua cadeira coberta por um xale, "com como coisas pequenas e cotidianas podem nos tirar do desespero. Mas ninguém pode fazer isso por você. Você é quem tem que prestar atenção na porta aberta."

Embora eu soubesse que ela não fazia por mal, saí da sala com a cabeça baixa, lágrimas de raiva nos olhos. O que ela achava que sabia, aquela morcega velha? A sra. Swanson tinha uma família gigantesca — uns dez filhos e trinta netos, a julgar pelas fotos na parede; tinha um apartamento enorme no lado oeste do Central Park e uma casa em Connecticut e nenhuma ideia de como era tudo se acabar de uma hora para a outra. Nada mais fácil pra ela do que sentar confortavelmente em sua cadeira hippie e divagar sobre atividades extracurriculares e portas abertas.

E no entanto, inesperadamente, uma porta *tinha* se aberto, e no lugar mais improvável: a oficina de Hobie. "Ajudar" com a cadeira (que envolveu basicamente ficar parado do lado enquanto Hobie rasgava o assento pra me mostrar o estrago das traças, reparos vagabundos e outros horrores escondidos sob o estofado) logo tinha se transformado em duas ou três tardes estranhamente envolventes por semana, depois da escola: etiquetando vidros, misturando cola de pele de coelho, procurando por caixas com peças de gaveta ("as miudezas complicadas") ou às vezes simplesmente observando-o virar pernas de cadeira no torno. Embora a loja em cima permanecesse escura, com os portões abaixados, na loja-atrás-da-loja, porém, os relógios de coluna tiquetaqueavam, o mogno reluzia, a luz penetrava num facho dourado sobre as mesas de jantar, a vida da coleção exótica do porão continuava.

Casas de leilão de toda a cidade ligavam pra ele, assim como clientes particulares; ele restaurava mobília para a Sotheby's, para a Christie's, para a Tepper, para a Doyle. Depois da escola, em meio ao tique-taque sonolento dos relógios de coluna, ele me ensinava a porosidade e o lustro de diferentes madeiras, suas cores, o encrespamento e o brilho da madeira de bordo e a granulação espumosa da nogueira com cecídio, o peso na mão e até mesmo os diferentes cheiros — "Às vezes, quando você não tem certeza do que tem, é mais fácil dar uma cheirada" —, o mogno picante, o carvalho com cheiro de poeira, a cerejeira-negra com seu odor característico e o cheiro floral e de resina de âmbar do jacarandá. Serras e escareadores, grosas e lanceteiras, lâminas curvas e lâminas côncavas, arcos de pua e caixas de esquadria. Aprendi sobre folheados e douração, o que é uma caixa e espiga, a diferença entre madeira ebonizada e ébano de verdade, entre as travessas superiores de cadeiras de Newport, Connecticut e Filadélfia, como o design quadradão e o topo reto de uma cômoda Chippendale tornava-a inferior a outra de suporte angular da mesma safra com suas colunas estriadas nos cantos e o que ele gostava de chamar de proporções "exaltadas" das gavetas.

Aquele porão — luz fraca, maravalha no chão — tinha um quê de estábulo, animais enormes parados pacientemente na penumbra. Hobie me fez ver o caráter animalesco da boa mobília no modo como falava de peças, usando "ele" e "ela", no aspecto musculoso que diferenciava peças ótimas de seus pares rígidos, quadradões e mais afetados, e na forma carinhosa como passava a mão pelos flancos escuros e brilhantes de aparadores e cômodas baixas, como animais de estimação. Ele era um bom professor e em pouco tempo, guiando-me no processo de análise e comparação, ensinou-me a identificar uma reprodução: pelo desgaste uniforme demais (antiguidades sempre se desgastavam assimetricamente); pelos cantos cortados por máquina em vez de aplainados à mão (um dedo sensível podia sentir um canto de máquina, mesmo com pouca luz); mais do que isso, pelo aspecto apagado e morto da madeira, pela ausência de certo brilho: a mágica que resultava de séculos sendo tocada, usada e passada por mãos humanas. Contemplar a vida dessas velhas e dignas cômodas altas e escrivaninhas — vidas mais longas e pacatas que a humana — me fez mergulhar numa calma feito uma pedra no fundo da água, de modo que, quando chegava a hora de ir embora, eu saía aturdido e piscando diante da algazarra da Sexta Avenida, mal sabendo onde estava.

Mais do que a oficina (ou o "hospital", como Hobie a chamava), eu gostava dele: seu sorriso cansado, seu porte relaxado e elegante de homem grande, suas mangas arregaçadas e seu jeito tranquilo e brincalhão, seu hábito de operário de esfregar a testa com o pulso, seu bom humor paciente e seu bom senso constante. Mas, embora nossa conversa fosse casual e esporádica, não havia nada de simples nela, nunca. Mesmo um "Como vai?" era uma pergunta sutil, sem aparentar; e minha resposta invariável ("Bem") podia ser facilmente lida por ele sem que eu precisasse dizer uma palavra. Embora quase nunca se intrometesse ou me questionasse, eu sentia que Hobie me entendia melhor do que vários adultos cujo trabalho era "entrar na minha cabeça", como Enrique gostava de dizer.

Mas — mais do que tudo — eu gostava dele porque me tratava como um companheiro e interlocutor por meus próprios méritos. Não importava que às vezes quisesse conversar sobre seu vizinho que tinha uma prótese no joelho ou sobre um concerto de música antiga que tinha visto em Uptown. Se eu lhe contasse algo engraçado que tinha acontecido na escola, ele se mostrava um ouvinte atento e receptivo; ao contrário da sra. Swanson (que ficava paralisada e parecia chocada quando eu fazia uma piada) ou Dave (que ria baixinho, mas de um jeito constrangido e sempre um pouco atrasado), ele gostava de rir, e eu adorava quando me contava histórias de sua vida: tios escandalosos casando tarde e freiras enxeridas da sua infância, o internato de quinta categoria na fronteira com o Canadá onde todos os professores viviam bêbados, a casa grande no norte do estado que seu pai mantinha tão fria que havia gelo no interior das janelas, tardes cinzentas de dezembro lendo Tácito ou *Ascensão da República Holandesa*, de Motley. ("Eu adorava história, *sempre* adorei. A estrada não trilhada! Minha maior ambição de garoto era ser professor de história na Notre Dame. Embora o que eu faço agora seja apenas uma forma diferente de trabalhar com história, imagino.") Ele me contou sobre seu canário cego de um olho, resgatado de um Woolworth's, que o acordava cantando toda manhã durante sua infância; o surto de febre reumática que o deixou de cama por seis meses; e a biblioteca pequena e esquisita de bairro antigo com afrescos no teto ("demolidos agora, infelizmente") aonde ia pra fugir de casa. Sobre a sra. De Peyster, a velha herdeira solitária que ele visitava depois da escola, uma antiga beldade de Albany e historiadora local que cercava Hobie de atenções e lhe dava bolo Dundee encomendado da Inglaterra, que adorava ficar durante horas explicando para Hobie cada item da cristaleira e que possuía, entre outras coisas, o sofá de mogno — cujos boatos diziam ter pertencido ao general Herkimer — que despertou a princípio o interesse de Hobie por mobília. ("Embora eu não consiga realmente imaginar o general Herkimer descansando naquele artigo velho e decadente com cara de grego.") Sobre sua mãe, que tinha morrido logo depois de sua irmã — que viveu apenas três dias —, fazendo de Hobie um filho único; e sobre o jovem padre jesuíta, um treinador de futebol americano que — tendo recebido uma ligação de uma empregada irlandesa em pânico quando o pai de Hobie o estava surrando com um cinto e fazendo-o "em pedacinhos praticamente" — tinha saído em disparada até a casa, arregaçado as mangas e derrubado o pai de Hobie no chão com um soco. ("Padre Keegan! Era ele quem vinha me visitar na época em que tive febre reumática, pra me dar a comunhão. Eu era coroinha. Ele sabia da história, tinha visto os vergões nas minhas costas. Ultimamente apareceram tantos padres sem-vergonha com os garotos, mas ele era tão bom comigo — eu sempre me pergunto o que aconteceu com ele, já tentei encontrá-lo e não consigo. Meu pai ligou pro arcebispo e num piscar de olhos já estava feito, eles o tinham despachado pro Uruguai.") Era tudo muito diferente da casa dos Barbour, onde — apesar da atmosfera geral de amabilidade — eu ficava perdido na multidão ou então era o alvo desconfortável de um inquérito formal. Eu me sentia melhor sabendo que Hobie estava a apenas uma viagem de ônibus, uma corrida reta pela Quinta Avenida; e à noite, quando eu acordava agitado e em pânico, a explosão me atingindo de ponta a ponta novamente, às vezes eu conseguia me acalmar e voltar a dormir pensando na casa dele, onde de vez em quando sem perceber você ia parar em 1850, um mundo de relógios tiquetaqueando e soalhos rangendo, panelas de cobre e cestas com nabos e cebolas na cozinha, chamas de velas curvando-se pra esquerda na corrente de ar de uma porta aberta e janelas altas de salão inflando e balançando como vestidos de baile, quartos silenciosos e frescos onde coisas velhas dormiam.

Mas estava ficando cada vez mais difícil explicar minhas ausências (na hora do jantar, muitas vezes), e os poderes inventivos de Andy estavam se esgotando. "Será que eu deveria ir até lá com você conversar com ela?", disse Hobie, certa tarde, quando estávamos na cozinha comendo uma torta de cereja que ele tinha comprado na feira dos produtores. "Ficaria feliz em conhecê-la. Ou talvez você possa convidá-la pra vir aqui."

"Talvez", falei, depois de pensar um pouco.

"Ela poderia querer ver aquela cômoda Chippendale — sabe, a Filadélfia, com o topo tipo pergaminho. Não pra comprar — só pra ver. Ou, se você quiser, podemos convidá-la pra almoçar no La Grenouille..." Ele riu. "Ou até em alguma espelunca daqui que possa diverti-la."

"Vou pensar", respondi; e voltei pra casa cedo de ônibus, preocupado. Para além da minha duplicidade crônica com a sra. Barbour — idas constantes à biblioteca, um projeto de história inexistente —, seria constrangedor admitir para Hobie que eu tinha dito que o anel do sr. Blackwell era uma joia de família. No entanto, se a sra. Barbour e Hobie tinham que se conhecer, de um jeito ou de outro minha mentira viria à tona. Parecia que não havia como contornar isso.

"Onde você esteve?", ela inquiriu rispidamente, vestida para sair, mas sem os sapatos, vindo dos fundos do apartamento segurando seu gim com limão.

Algo no seu jeito me fez pressentir uma armadilha. "Na verdade", falei, "eu estava em Downtown visitando um amigo da minha mãe."

Andy voltou-se para mim sem entender.

"Ah é?", disse a sra. Barbour desconfiada, com uma olhada de lado para Andy. "Andy me disse agora mesmo que você estava na biblioteca de novo."

"Hoje não", falei, com tanta desenvoltura que me surpreendi.

"Bem, devo dizer que fico aliviada em saber disso", disse a sra. Barbour com frieza. "Já que a sede da biblioteca fecha às segundas."

"Eu não disse que ele estava na sede, mãe."
"Talvez você o conheça, na verdade", falei, ansioso para tirar Andy do fogo cruzado. "Quer dizer, de nome."
"Quem?", disse a sra. Barbour, seu olhar voltando-se para mim.
"O amigo que eu estava visitando. Seu nome é James Hobart. Ele tem uma loja de mobília em Downtown. Na verdade ele faz as restaurações."
Ela baixou as sobrancelhas. "Hobart?"
"Ele trabalha pra várias pessoas da cidade. A Sotheby's, às vezes."
"Você não se importaria se eu desse uma ligada pra ele, então?"
"Não", respondi, na defensiva. "Ele disse que deveríamos todos sair pra almoçar. Ou talvez você queira ir até a loja algum dia."
"Ah", disse a sra. Barbour, depois de um ou dois segundos de surpresa. Agora era ela quem estava perdida. Se a sra. Barbour algum dia descia ao sul da rua 14, por qualquer motivo que fosse, eu estava por fora. "Bem. Veremos."
"Não pra comprar alguma coisa. Só pra ver. Ele tem umas coisas legais."
Ela piscou. "Claro", disse. Parecia estranhamente desorientada — algo de fixo e distraído nos olhos. "Ótimo. Tenho certeza de que vou gostar de conhecê-lo. Será que *já* o conheci?"
"Não, acredito que não."
"Em todo caso. Andy, sinto muito. Te devo um pedido de desculpas. Pra você também, Theo."
Eu? Fiquei sem saber o que dizer. Andy — roendo furtivamente o lado do polegar — encolheu um ombro enquanto ela dava um giro pra fora da sala.
"O que aconteceu?", perguntei baixinho.
"Ela está chateada. Não tem nada a ver com você. Platt está em casa", acrescentou ele.
Agora que Andy tinha mencionado, dei-me conta da música abafada emanando dos fundos do apartamento, uma batida forte e subliminar. "Por quê?", perguntei. "Qual é o problema?"
"Aconteceu algo na escola."
"Algo ruim?"
"Sei lá", disse ele, inexpressivo.
"Ele está em apuros?"
"Acho que sim. Ninguém quer falar sobre isso."
"Mas o que aconteceu?"
Andy fez uma cara de *Vai saber*. "Ele estava aqui quando voltamos pra casa da escola — ouvimos a música. Kitsey ficou empolgada e foi correndo dar oi, mas ele gritou e bateu a porta na cara dela."
Fiz uma careta. Kitsey idolatrava Platt.
"Daí minha mãe chegou em casa. Ficou lá no quarto dele. Depois pas-

sou um tempo no telefone. Tenho a *leve* impressão de que papai está a caminho de casa agora. Era pra eles jantarem com os Ticknor esta noite, mas acho que cancelaram."

"E quanto ao nosso jantar?", perguntei, depois de uma breve pausa. Normalmente, em dias de semana, comíamos na frente da televisão enquanto fazíamos a lição — mas, com Platt em casa, o sr. Barbour a caminho e os planos da noite abandonados, aquilo estava começando a ficar mais com cara de jantar em família na sala.

Andy endireitou os óculos, com aquele seu jeito escrupuloso de velhinha. Apesar de meu cabelo ser escuro e o dele ser claro, eu estava mais do que ciente do quanto os óculos idênticos que a sra. Barbour tinha escolhido pra nós me faziam parecer o gêmeo nerd de Andy — principalmente desde que tinha ouvido alguma garota na escola nos chamando de "os irmãos patetas" (ou talvez "os irmãos caretas" — de qualquer forma, não era um elogio).

"Podemos ir andando até o Serendipity pra comer um hambúrguer", disse ele. "Prefiro não estar aqui quando papai chegar em casa."

"Quero ir também", disse Kitsey inesperadamente, entrando aos pulos e quase esbarrando na gente, corada e sem fôlego.

Andy e eu nos entreolhamos. Kitsey não gostava de ser vista conosco nem na fila do ponto de ônibus.

"Por favor", choramingou ela, olhando de um para o outro. "Toddy vai pro treino de futebol, eu tenho meu próprio dinheiro, não quero ficar sozinha com eles, *por favor*."

"Ah, deixa", falei pra Andy, e ela me lançou um olhar de gratidão.

Andy pôs as mãos nos bolsos. "Tá bem, então", disse, impassível. Eles eram dois ratos brancos, pensei — só que Kitsey era uma ratinha rosa princesa enquanto Andy era mais o tipo de rato azarado e anêmico de pet shop que seria usado pra alimentar uma jiboia.

"Pegue suas coisas. *Já*", disse ele, quando Kitsey ficou parada ali encarando. "Não vou esperar você. E não esqueça o dinheiro, porque não vou pagar pra você."

XIII

Não fui até a oficina de Hobie nos dias seguintes, por lealdade a Andy, embora tenha ficado muito tentado pela atmosfera de tensão que pairava na casa. Andy tinha razão: era impossível descobrir o que Platt tinha feito, já que o sr. e a sra. Barbour se comportavam como se não houvesse absolutamente nada de errado (só que dava para ver que havia, sim) e o próprio Platt não dizia uma palavra, só ficava sentado carrancudo nas refeições com o cabelo caído na cara.

"Acredite", disse Andy, "é melhor quando você está por perto. Eles conversam e se esforçam pra agir normalmente."

"O que você acha que ele fez?"

"Sinceramente, não sei. Nem quero saber."

"Claro que quer."

"Bem, sim", admitiu Andy. "Mas realmente não faço a menor ideia."

"Acha que ele colou? Roubou? Mascou chiclete na capela?"

Andy deu de ombros. "Na última vez em que ficou em apuros, foi por ter batido na cara de alguém com um taco de lacrosse. Mas *aquela* vez não foi como *esta*." E, então, do nada: "Platt é o favorito da minha mãe".

"Você acha?", respondi, evasivo, embora soubesse muito bem que era verdade.

"Kitsey é a favorita do meu pai. E Platt da minha mãe."

"Ela gosta muito de Toddy também", falei, antes de perceber como isso soava.

Andy fez uma careta. "Eu desconfiaria que fui trocado na maternidade", disse ele, "se não fosse tão parecido com minha mãe."

XIV

Por algum motivo, durante esse intervalo forçado (possivelmente porque o problema misterioso de Platt me fazia lembrar do meu próprio) me ocorreu que talvez eu devesse falar pra Hobie da pintura, ou — no mínimo — puxar o assunto de uma forma oblíqua, pra ver qual seria sua reação. A dificuldade era como trazer isso à tona. A pintura continuava no apartamento, exatamente onde eu a deixara, na sacola que tinha pegado no museu. Quando a vi apoiada contra o sofá na sala, na horrível tarde em que voltei pra pegar algumas coisas de que precisava pra escola, passei direto por ela, desviando com tanto cuidado quanto se fosse um vagabundo sôfrego na calçada, e o tempo todo sentindo os olhos claros e frios da sra. Barbour nas minhas costas, no nosso apartamento, nas coisas da minha mãe, parada na porta de braços cruzados.

Era complicado. Toda vez que eu pensava nisso meu estômago revirava, e minha primeira reação era encerrar aquilo e pensar em outra coisa. Infelizmente, eu tinha esperado tanto pra falar algo pra quem quer que fosse que estava começando a parecer que era tarde demais para falar qualquer coisa. E, quanto mais tempo eu passava com Hobie — com suas Hepplewhite e Chippendale, as coisas velhas com que ele tomava tanto cuidado —, mais eu sentia que era errado ficar calado. E se alguém encontrasse a pintura? O que aconteceria comigo? Até onde sabia, o proprietário poderia entrar no apartamento — ele tinha uma chave. Mesmo se ele fosse lá não ia necessariamente topar com a pintura. Mas sabia que estava desafiando o destino ao deixá-la lá enquanto protelava a decisão sobre o que fazer.

Não é que eu não quisesse devolvê-la; se eu pudesse devolvê-la por mágica, só com um desejo, teria feito isso num segundo. Mas eu não sabia como devolvê-la de um jeito que não comprometesse nem a mim nem à pintura. Desde a explosão no museu, havia avisos por toda a cidade dizendo que pacotes abandonados por qualquer motivo que fosse seriam destruídos, o que acabou com as minhas ideias mais brilhantes de devolvê-la anonimamente. Qualquer mala ou pacote suspeito seria explodido, sem mais perguntas.

De todos os adultos que eu conhecia, pra apenas dois eu considerava fazer minha confidência: Hobie e a sra. Barbour. Deles, Hobie parecia de longe a perspectiva mais simpática e menos aterrorizante. Seria muito mais fácil explicar pra ele como, pra começar, tive a ideia de tirar a pintura do museu. Que tinha sido um erro. Que eu estava seguindo a instrução de Welty; que tinha sofrido uma concussão. Que não estava pensando direito no que estava fazendo. Que não tinha a intenção de deixá-la escondida por tanto tempo. No entanto, nesse limbo sem teto, parecia loucura chegar e admitir o que eu sabia que um monte de gente veria como uma infração bem grave. Nisso, por acaso — bem quando eu estava percebendo que não podia realmente esperar muito mais pra fazer algo a respeito —, deparei com uma minúscula foto em preto e branco da pintura na seção de negócios do *Times*.

Talvez por causa do mal-estar que tinha tomado conta da casa na sequência da desgraça de Platt, ocasionalmente o jornal agora era visto fora do escritório do sr. Barbour, onde ele se desmantelava e reaparecia uma ou duas páginas de cada vez. Essas páginas, estranhamente dobradas, estavam espalhadas perto de um copo de água tônica enrolado num guardanapo (o cartão de visita do sr. Barbour) na mesinha de centro da sala. Era um artigo longo e maçante, mais pro final da seção, relacionado à indústria de seguros — sobre as dificuldades financeiras de montar grandes exposições de arte numa economia ruim, e em especial a dificuldade de segurar o transporte de obras de arte. Mas o que chamou minha atenção foi a legenda abaixo da foto: ***O pintassilgo*, obra-prima de 1654, de Carel Fabritius, destruída**.

Sem pensar duas vezes, sentei na cadeira do sr. Barbour e comecei a passar o olho pelo denso texto à procura de qualquer outra menção à minha pintura (eu já tinha começado a pensar nela como *minha*; o pensamento entrou na minha mente como se eu a tivesse possuído a vida toda)

Questões de direito internacional entram em cena num caso de

terrorismo cultural como esse, que provocou uma onda de medo na comunidade financeira, assim como no mundo artístico. "A perda de uma só dessas obras já é impossível de mensurar", disse Murray Twitchell, um analista de risco baseado em Londres. "Além das doze obras perdidas e tidas como destruídas, outras 27 foram severamente prejudicadas, embora a restauração, em alguns casos, seja possível." No que para muitos pode ser considerada uma atitude fútil, o Banco de Dados de Arte Perdida

A história continuava na página seguinte; mas bem nessa hora a sra. Barbour entrou na sala e eu tive de deixar o jornal de lado.

"Theo", disse ela. "Tenho uma proposta pra você."

"Sim?", falei, cauteloso.

"Gostaria de ir ao Maine conosco este ano?"

Por um momento fiquei tão contente que me deu um branco total. "Sim!", respondi. "Nossa. Seria ótimo!"

Nem mesmo ela conseguiu deixar de esboçar um sorriso, ainda que mínimo. "Bem", disse, "Chance sem dúvida vai ficar feliz em te botar pra trabalhar no barco. Parece que vamos um pouco mais cedo este ano — bem, ele e as crianças vão mais cedo. Eu vou ficar na cidade pra cuidar de algumas coisas, mas depois vou também, dentro de uma ou duas semanas."

Estava tão feliz que não conseguia pensar numa única coisa pra dizer.

"Vamos ver se você gosta de velejar. Talvez acabe gostando mais do que Andy. Espero que sim, aliás."

"Você acha que vai ser divertido", disse Andy, num tom melancólico, quando corri de volta para o quarto (corri, não andei) pra lhe dar a boa notícia. "Mas não vai. Você vai odiar." Ainda assim, dava pra ver como ele tinha ficado contente. E naquela noite — antes de dormir — ele sentou comigo na beira da cama de baixo do beliche pra falar sobre os livros que poderíamos levar, os jogos e quais eram os sintomas de enjoo marítimo, pra que eu pudesse escapar do trabalho no deque, se precisasse.

XV

Essa dupla notícia — duplamente boa — me deixou tonto de alívio. Se minha pintura estava destruída — se essa era a história oficial — havia tempo mais do que suficiente pra decidir o que fazer. Pela mesma mágica, o convite da sra. Barbour parecia se estender para além do verão e bem longe no horizonte, como se o oceano Atlântico inteiro estivesse entre mim e vovô Decker;

a subida foi vertiginosa, e só o que eu podia fazer era exultar nessa trégua. Eu sabia que deveria dar a pintura para Hobie ou para a sra. Barbour, colocar-me nas mãos de um deles, contar tudo, implorar que me ajudasse — em algum canto escuro e lúcido da minha mente sabia que ia me arrepender se não o fizesse —, mas minha mente estava cheia demais com a ideia do Maine e de velejar para pensar em qualquer outra coisa; estava começando a me ocorrer que talvez fosse até inteligente da minha parte guardar a pintura por um tempo, como uma espécie de seguro para os próximos três anos, contra ter de ir morar com vovô Decker e Dorothy. É uma marca da minha incrível ingenuidade o fato de ter achado que poderia inclusive vendê-la, se precisasse. Então fiquei calado, vi mapas e símbolos com o sr. Barbour e deixei a sra. Barbour me levar até a Brooks Brothers pra comprar sapatos náuticos e suéteres leves de algodão pra usar no mar quando esfriasse à noite. E não disse nada.

XVI

"Educação demais era o meu problema", disse Hobie. "Pelo menos era o que meu pai achava." Eu estava na oficina com ele, ajudando a procurar em meio a infinitos pedaços de madeira antiga de cerejeira — alguns mais vermelhos, outros mais marrons, todos recuperados de móveis velhos — o tom exato de que ele precisava pra consertar a frente do relógio de coluna no qual estava trabalhando. "Meu pai tinha uma transportadora" — isso eu já sabia; era tão conhecida que até eu já tinha ouvido falar nela — "e no verão e durante as férias de Natal ele me fazia carregar caminhões. Eu teria de trabalhar pra poder dirigir um, ele dizia. Os homens nas docas caíam num silêncio mortal quando eu chegava. Filho do chefe, sabe? Não era culpa deles, porque meu pai era um péssimo chefe. Enfim, ele me fez trabalhar nisso desde os catorze, depois da aula e nos fins de semana, carregando caixas na chuva. Às vezes eu trabalhava no escritório também, um lugar triste e sujo. De congelar no inverno e pelando no verão. Gritando por cima dos exaustores. A princípio, era só no verão e durante as férias de Natal. Mas, então, depois do meu segundo ano na faculdade, ele disse que não ia mais pagar a mensalidade."

Eu tinha encontrado um pedaço de madeira que parecia uma boa substituta pra peça quebrada e dei-a para ele. "Suas notas eram ruins?"

"Não, eu ia bem", disse ele, pegando a madeira e segurando-a contra a luz, depois colocando-a na pilha de possíveis substitutas. "A questão era: ele próprio não tinha feito faculdade e tinha se dado bem. Eu achava que era melhor que ele? Mais do que isso: ele era o tipo de homem que precisava intimidar todos à sua volta — sabe o tipo? — e acho que deve ter caído a ficha pra ele. Que forma melhor de me manter sob seu controle e trabalhando de graça? A princípio…" Ele ficou vários momentos analisando outra peça de folheado, depois a colocou na pilha do talvez. "A princípio ele me disse que eu teria de trancar um ano — quatro anos, cinco, quanto tempo precisasse — e ganhar o resto do dinheiro pra faculdade com meu suor. Nunca recebi um centavo pelo trabalho. Morava em casa, e ele colocava tudo numa conta especial, sabe, pro meu próprio bem. Difícil, mas justo, pensei. Então — depois de eu ter trabalhado em tempo integral pra ele por cerca de três anos — o jogo mudou. De repente…" Ele riu. "Bem, eu não tinha entendido o acordo? Eu estava pagando pelos meus primeiros dois anos de faculdade. Nada era guardado."

"Que horrível!", falei, depois de uma pausa chocada. Não entendia como ele podia rir de algo tão injusto.

"Bem…" Hobie revirou os olhos. "Eu ainda era um pouco inexperiente, mas percebi que naquele ritmo ficaria de cabelo branco antes de conseguir sair de lá. Mas sem dinheiro, sem lugar pra morar, o que poderia fazer? Eu estava procurando desesperadamente alguma forma de sair de lá quando Welty surgiu no escritório um dia, bem na hora que meu pai explodia comigo. Ele adorava me esculachar na frente de seus homens, exibindo-se feito um chefe da máfia, dizendo que eu devia dinheiro pra ele por causa disso e daquilo, descontando do meu, abre aspas, salário. Retendo o suposto pagamento por alguma infração imaginária. Esse tipo de coisa.

"Não era a primeira vez que eu via Welty. Ele já tinha passado no escritório pra providenciar o transporte de vendas de espólio. Sempre dizia que, por causa das costas, tinha que se esforçar mais pra causar uma boa impressão, fazer as pessoas verem além da deformidade e tal, mas gostei dele de cara. A maioria das pessoas gostava — inclusive meu pai, que, devo dizer, não era um homem que simpatizava muito facilmente com as pessoas. De qualquer forma, Welty, tendo testemunhado a explosão, ligou pro meu pai no dia seguinte e disse que eu poderia ajudá-lo retirando a mobília que ele tinha comprado de uma casa. Eu era um rapaz grande e forte, trabalhava duro, justo o que ele precisava. Bem…" Hobie ergueu-se e esticou os braços acima da cabeça "Welty era um bom cliente. E meu pai, por algum motivo, concordou.

"A casa que eu o ajudei a esvaziar era a velha mansão De Peyster. E a verdade é que tinha conhecido a velha sra. De Peyster muito bem. Desde criança gostava de ir lá visitá-la — uma senhora engraçada com uma peruca amarela e brilhante, fonte de informações, papel pra todo lado, sabia tudo sobre a história local, contadora de histórias incrivelmente divertida. Enfim, era uma casa e tanto, cheia de coisas em vidro Tiffany e alguns móveis muito bons do século XIX, e eu pude ajudar indicando a procedência de um monte de peças, mais do que a filha da sra. De Peyster, que não tinha o menor interesse na cadeira em que o presidente McKinley tinha sentado ou qualquer coisa do tipo.

"No dia em que terminei de ajudá-lo na casa — eram cerca de seis horas da tarde, eu estava coberto de poeira, da cabeça aos pés —, Welty abriu uma garrafa de vinho. Sentamos perto dos caixotes e bebemos, pisos desnudos e o eco da casa vazia. Eu estava exausto — ele tinha me pagado direto, em dinheiro, deixando meu pai de fora —, e quando o agradeci e perguntei se sabia de algum outro trabalho Welty disse: 'Olha, acabei de abrir uma loja em Nova York e, se você quer um emprego, é seu'. Então brindamos a isso, e eu fui pra casa, fiz uma mala cheia de livros, despedi-me da empregada e peguei uma carona no caminhão para Nova York no dia seguinte. Nunca olhei pra trás."

Seguiu-se uma calmaria. Ainda estávamos procurando o folheado: remexendo fragmentos, finos feito papel, como fichas de algum jogo chinês antigo, uma leveza estranha naquele som que fazia você se sentir perdido num silêncio muito maior.

"Ei", falei, reparando numa peça e pegando-a, estendendo-a para ele triunfante: a cor exata, mais próxima do que todas as outras que ele tinha separado.

Ele a pegou das minhas mãos e olhou-a sob a lâmpada. "É boa."

"Qual é o problema dela?"

"Bem, veja..." Hobie virou a peça para cima, comparando-a com a do relógio. "Neste tipo de trabalho, é a granulação correta da madeira que você precisa encontrar de fato. É esse o truque. Variações no tom são mais fáceis de disfarçar. Agora esta..." — ele ergueu outra peça, visivelmente vários tons diferente — "com um pouco de cera de abelha e um tantinho do corante certo... talvez. Dicromato de potássio, um toque de marrom Vandyke... Algumas vezes, no caso de uma granulação realmente difícil de achar, certos tipos de nogueira especialmente, eu já usei amônia pra escurecer um pouco uma madeira nova. Mas só quando estava desesperado. É sempre melhor usar madeira da mesma época da peça que está consertando, se possível."

"Como aprendeu a fazer tudo isso?", perguntei, depois de uma pausa tímida.

Ele riu. "Do mesmo jeito que você está aprendendo agora! Rodeando e observando. Ajudando onde podia."

"Welty te ensinou?"

"Ah, não. Ele entendia — sabia como era feito. É necessário neste negócio. Tinha um olho muito bom e com frequência eu subia e o buscava quando queria uma segunda opinião. Mas, antes de eu entrar na empresa, ele geralmente passava adiante uma peça que precisava de restauração. É um trabalho que consome tempo — requer uma mentalidade específica. Ele não tinha nem o temperamento nem a resistência física pra isso. Preferia a parte da aquisição — sabe, ir a leilões — ou ficar na loja e bater papo com os clientes. Toda tarde, por volta das cinco, eu subia pra tomar uma xícara de chá. 'Torturado nas masmorras.' Era realmente bem desagradável aqui embaixo, com o mofo e a umidade. Quando vim trabalhar pra Welty" — ele riu — "havia aqui um velho chamado Abner Mossbank. Pernas ruins, artrite nos dedos, mal conseguia enxergar. Às vezes levava um ano pra terminar uma peça. Mas eu ficava parado atrás dele observando-o trabalhar. Era como um cirurgião. Eu não podia fazer perguntas. Silêncio total! Mas ele sabia absolutamente tudo — coisas que outras pessoas não sabiam ou não se davam mais ao trabalho de aprender — está por um fio, este ofício, mas passa de geração a geração."

"Seu pai nunca te deu o dinheiro que você ganhou?"

Ele riu, caloroso. "Nem um centavo! Nunca mais falou comigo. Era um velhaco amargo — caiu morto de um ataque cardíaco bem quando despedia um de seus empregados mais antigos. Um dos funerais mais vazios que já se viu. Três guarda-chuvas pretos no granizo. Difícil não pensar em Ebenezer Scrooge."

"Você nunca mais voltou pra faculdade?"

"Não. Eu não quis. Tinha encontrado o que gostava de fazer. Então..." Ele pôs as duas mãos na parte de baixo das costas, alongando-se; sua jaqueta puída, solta e um pouco suja fazia-o parecer um tratador de cavalos bondoso a caminho do estábulo. "Moral da história: vai saber aonde isso tudo vai te levar?"

"Tudo o quê?"

Ele riu. "Suas férias velejando", disse ele, indo até a prateleira onde os vidros de pigmento ficavam arrumados como poções numa botica; terras ocres, verdes venenosos, pós de carvão e osso queimado. "Pode ser o momento decisivo. O mar faz isso com algumas pessoas."

"Andy fica mareado. Ele precisa carregar um saquinho no barco pra vomitar nele."

"Bem..." — pegou um vidro de fuligem — "devo admitir, o mar nunca fez isso *comigo*. Quando eu era criança — 'A balada do velho marinheiro', aquelas ilustrações de Doré... Não, o oceano me dá calafrios mas eu também nunca tive uma aventura como a sua. Nunca se sabe. Porque..." — cenho franzido, colocando um tantinho de pó preto e macio na sua paleta — "jamais sonhei que toda aquela mobília antiga da sra. De Peyster decidiria meu futuro. Talvez você fique fascinado por bernardos-eremitas e estude biologia marinha. Ou decida que quer construir barcos, ou pintar marinhas, ou escrever o livro definitivo sobre o *Lusitânia*."

"Talvez", falei, as mãos nas costas. Mas o que eu realmente esperava não ousava pôr pra fora. Só de pensar, quase tremia. Porque a verdade era: Kitsey e Toddy tinham começado a ser muito, mas muito mais gentis comigo, como se alguém os tivesse chamado à parte; e eu tinha visto trocas de olhares, sinaizinhos sutis, entre o sr. e a sra. Barbour que me deixaram esperançoso — mais do que esperançoso. Na verdade, foi Andy quem tinha colocado essa ideia na minha cabeça. "Eles acham que ter você por perto é bom pra mim", dissera um dia daqueles a caminho da escola. "Que você está fazendo com que eu saia do casulo e seja mais social. Acho que talvez haja um anúncio ao chegarmos ao Maine."

"Anúncio?"

"Não seja besta. Eles gostam cada vez mais de você — minha mãe, principalmente. Mas papai também. Talvez queiram ficar com você."

XVII

Voltei de ônibus pra Uptown, um pouco sonolento, balançando confortavelmente de um lado pro outro e vendo as ruas molhadas de sábado passando. Assim que entrei no apartamento — tremendo de frio por ter voltado pra casa na chuva —, Kitsey veio correndo até o hall pra me encarar, de olhos arregalados e fascinada, como se eu fosse um avestruz que tinha entrado sem querer no apartamento. Então, depois de alguns segundos vazios, ela disparou de volta para a sala, as sandálias martelando no soalho, gritando: "Mãe? Ele chegou!".

A sra. Barbour apareceu. "Olá, Theo", disse ela. Estava perfeitamente tranquila, mas havia algo de tenso no seu jeito, embora eu não conseguisse descobrir exatamente o que era. "Venha cá. Tenho uma surpresa pra você."

Segui-a até o escritório do sr. Barbour, sombrio na tarde nublada, onde as cartas náuticas emolduradas e a chuva escorrendo pela vidraça cinzenta formavam como que um cenário de cabine de navio num mar tempestuoso. Do outro lado do escritório, uma figura ergueu-se de uma poltrona de couro. "Oi, amigão", disse ele. "Quanto tempo."

Fiquei paralisado na soleira da porta. A voz era inconfundível: meu pai.

Ele avançou até a luz fraca da janela. Era ele, sem dúvida, embora tivesse mudado desde a última vez que o vira: tinha engordado, estava bronzeado, o rosto gorducho, usava um terno novo e tinha um corte de cabelo que o fazia parecer um bartender de Downtown. No meu desalento, olhei de volta para a sra. Barbour, e ela me deu um sorriso radiante mas inútil, como se para dizer: *Eu sei, mas o que posso fazer?*

Enquanto continuava parado e mudo do choque, outra figura ergueu-se e abriu caminho com uma cotovelada, surgindo na frente do meu pai. "Oi, sou Xandra", disse uma voz gutural.

Vi-me diante de uma mulher estranha, bronzeada e em ótima forma: olhos cinzas e retos, pele marcada cor de cobre e dentes pra dentro, com uma fenda entre os dois maiores. Embora ela fosse mais velha que minha mãe, ou pelo menos parecesse mais velha, estava vestida como alguém mais jovem: sandálias vermelhas de plataforma, calça jeans de cintura baixa, cinto largo, bijuteria dourada. Seu cabelo, cor de palha, era muito liso e quebrado nas pontas; ela estava mascando chiclete e um cheiro forte de Juicy Fruit saía dela.

"É Xandra com X", disse ela, num tom baixo e grave. Seus olhos eram claros e sem cor, os cílios pintados de rímel escuro, e seu olhar era poderoso, confiante, firme. "Não Sandra. E, Deus sabe, nem Sandy. Escuto esse bastante, e me faz subir pelas paredes."

Conforme ela falava, meu espanto foi aumentando cada vez mais. Eu não conseguia assimilá-la direito: sua voz de uísque, seus braços musculosos, o caractere chinês tatuado no dedão, as unhas compridas e quadradas francesinhas; os brincos em forma de estrela-do-mar.

"Hum, acabamos de chegar no LaGuardia, faz umas duas horas", disse meu pai, pigarreando, como se isso explicasse tudo.

Era essa a pessoa por quem meu pai tinha nos deixado? Estupefato, olhei de volta para a sra. Barbour — só para descobrir que ela tinha sumido.

"Theo, estou em Las Vegas agora", disse meu pai, olhando para algum ponto da parede acima da minha cabeça. Ele ainda tinha sua voz firme e controlada de ator, mas, embora soasse tão autoritário quanto nunca, dava para ver que ele não estava nem um pouco mais à vontade que eu. "Acho que devia ter ligado, mas imaginei que seria mais fácil se simplesmente viéssemos te buscar."

"Me buscar?", falei, depois de uma longa pausa.

"Conte pra ele, Larry", disse Xandra, e então para mim: "Você deveria estar orgulhoso do seu papi. Ele largou a bebida. Quantos dias sóbrio agora? Cinquenta e um? Fez isso tudo sozinho também — não precisou nem se trancar num hospital. Se desintoxicou no sofá com uma cesta de doces e um frasco de Valium."

Como eu estava constrangido demais para olhar para ela, ou para meu pai, olhei de novo para a porta — e vi Kitsey Barbour parada no corredor escutando tudo com olhos grandes e redondos.

"Porque, tipo, *eu* simplesmente não conseguia aguentar aquilo", disse Xandra, num tom que sugeria que minha mãe tinha tolerado, e encorajado, o alcoolismo do meu pai. "Minha mãe era o tipo de bêbada que vomitaria no copo de Canadian Club e depois beberia de novo. E uma noite eu disse pra ele: Larry, não vou dizer pra você não beber nunca mais, e francamente acho que o AA já é demais pro nível de problema que você tem..."

Meu pai pigarreou e voltou-se para mim com uma expressão afável que ele geralmente usava com estranhos. Talvez ele *tivesse* parado de beber; mas ainda assim tinha a cara inchada e brilhante, e um olhar ligeiramente atordoado, como se tivesse passado os últimos oitos meses vivendo de drinques com rum e petiscos havaianos.

"Hum, filho", disse ele, "viemos direto do avião, e viemos pra cá porque — queríamos ver você imediatamente, claro..."

Esperei.

"... precisamos da chave do apartamento."

Isso tudo estava acontecendo um pouco rápido demais para mim. "A chave?", falei.

"Não conseguimos entrar lá", disse Xandra, sem rodeios. "Já tentamos."

"A questão, Theo", disse meu pai, seu tom claro e cordial, passando uma mão rígida e formal pelo cabelo, "é que preciso entrar lá e dar uma olhada na situação. Tenho certeza de que está uma bagunça, e alguém precisa entrar e começar a cuidar das coisas."

Se você não deixasse essa maldita bagunça... Estas eram palavras que eu tinha ouvido meu pai gritar pra minha mãe quando — cerca de duas semanas antes de ele desaparecer — tiveram a maior briga que eu já ouvira, quando os brincos de diamante e esmeralda que tinham pertencido à mãe dela sumiram do criado-mudo. Meu pai (a cara vermelha, zombando dela num falsete sarcástico) tinha dito que era culpa *dela*, Cinzia provavelmente tinha pegado, e de qualquer maneira não era uma boa ideia deixar joias espalhadas por aí desse jeito, e talvez isso servisse pra ensiná-la a cuidar melhor das coisas. Mas minha mãe — quase pálida de raiva — dissera com uma voz calma e fria que ela tinha tirado os brincos na sexta-feira à noite, e que Cinzia não tinha vindo trabalhar desde então.

O que você está insinuando?, berrou meu pai.

Silêncio.

Quer dizer que eu sou um ladrão agora, é isso? Está acusando seu próprio marido de roubar suas joias? Que porra mais irracional e doentia é essa? Você precisa de ajuda, sabia? De ajuda profissional...

Só que não tinham sumido apenas os brincos. Depois que ele próprio desapareceu, descobrimos que algumas outras coisas, incluindo dinheiro e moedas antigas que tinham pertencido ao pai dela, também tinham sumido; minha mãe então mandou trocar as fechaduras e avisou Cinzia e os porteiros pra não deixar meu pai entrar se aparecesse enquanto ela estava no trabalho. Claro que agora tudo tinha mudado, e não havia nada que pudesse impedi-lo de entrar no apartamento, mexer nas coisas dela e fazer o que quisesse com elas; mas, enquanto eu ficava parado olhando pra ele e tentando pensar o que dizer, meia dúzia de coisas passou pela minha cabeça, e a principal foi a pintura. Todos os dias, durante semanas, eu disse a mim mesmo que iria até lá e cuidaria disso, arranjaria um jeito, mas continuei adiando e adiando, e agora ali estava meu pai.

Ele continuava sorrindo fixamente para mim. "Vai nos ajudar com isso, amigão?" Talvez ele não estivesse mais bebendo, mas a velha avidez de fim de tarde por uma bebida continuava lá, áspera na sua voz como uma lixa.

"Não tenho a chave", respondi.

"Sem problemas", respondeu meu pai prontamente. "Podemos chamar um chaveiro. Xandra, passe o telefone."

Pensei rápido. Não queria que eles entrassem no apartamento sem mim. "José ou Goldie podem nos deixar entrar", falei. "Se eu for junto com vocês."

"Tá, pode ser", disse meu pai. "Vamos." Pelo tom dele, suspeitei que sabia que eu estava mentindo sobre a chave (escondida a salvo no quarto de Andy). Eu sabia que ele não gostava da ideia de envolver os porteiros, já que a maioria dos caras que trabalhava no prédio não gostava muito do meu pai, tendo-o visto bêbado vezes demais. Mas devolvi seu olhar da forma mais fria que consegui até ele dar de ombros e se virar.

XVIII

"*¡Hola, José!*"

"*¡Bomba!*", gritou José, fazendo um passinho alegre pra trás quando me viu na calçada; ele era o mais jovem e animado dos porteiros, sempre tentando escapar antes do seu turno acabar pra jogar futebol no parque. "Theo! *¿Qué lo que, manito?*"

Seu sorriso descomplicado me atirou com força de volta ao passado. Tudo continuava igual: toldo verde, sombra pálida, a poça marrom se formando no ponto afundado da calçada. Parando diante das portas art déco — com um brilho de níquel, estriadas por raios de sol abstratos, portas que jornalistas apressados de fedora puxariam num filme dos anos 1930 —, lembrei-me de todas as vezes em que entrei e encontrei minha mãe vendo a correspondência, esperando o elevador. Recém-chegada do trabalho, de salto e pasta, com as flores que eu lhe enviara de aniversário. *Quem diria? Meu admirador secreto atacou novamente.*

José, olhando além de mim, tinha avistado meu pai e Xandra, que se deixava ficar ligeiramente pra trás. "Olá, sr. Decker", disse ele, num tom mais formal, passando por mim para apertar a mão do meu pai educadamente, mas sem morrer de amores por ele. "Bom ver o senhor."

Meu pai, com seu Sorriso Atraente no rosto, começou a responder, mas eu estava nervoso demais e interrompi: "José...". Eu viera quebrando a cabeça no trajeto pra cá, ensaiando a frase mentalmente. "*Mi papá quiere entrar en el apartamento, le necesitamos abrir la puerta.*" Em seguida, num átimo, inclui disfarçadamente a pergunta que tinha formulado antes, a caminho: "*¿Usted puede subir con nosotros?*".

Os olhos de José se voltaram rapidamente para meu pai e Xandra. Ele era um sujeito grande e bonito da República Dominicana, algo nele lembrando o jovem Muhammad Ali — dócil, sempre brincando, mas você não ia querer se meter com ele. Uma vez, num momento de confidência, tinha erguido a jaqueta do uniforme e me mostrado uma cicatriz de faca no abdome, que disse ter arranjado numa briga de rua em Miami.

"Ficarei feliz em ajudar", disse ele em inglês, com uma voz tranquila. Estava olhando para eles, mas eu sabia que falava para mim. "Levo vocês. Está tudo bem?"

"Uhum, tudo bem", disse meu pai secamente. Foi ele quem insistiu pra que eu aprendesse espanhol em vez de alemão como língua estrangeira ("Pra que pelo menos uma pessoa na família consiga se comunicar com porteiros").

Xandra, que eu estava começando a achar que não passava de uma tonta, riu nervosamente e disse com sua voz rápida e gaguejante: "Sim, está tudo bem, mas o voo nos deixou exaustos. É uma longa viagem de Vegas, e ainda estamos um pouco..." — e aqui ela revirou os olhos e girou os dedos pra indicar tontura.

"Ah é?", disse José. "Hoje? Chegaram no LaGuardia?" Como todos os porteiros, ele era um mestre na conversa fiada, especialmente se tinha a ver com trânsito ou clima, ou o melhor caminho pro aeroporto na hora do rush. "Ouvi falar em grandes atrasos lá hoje, algum problema com os carregadores de bagagem. O sindicato, né?"

Durante todo o percurso de elevador, Xandra manteve-se num ritmo constante mas agitado de conversa: sobre o quanto Nova York era suja comparada a Las Vegas ("É, admito, tudo é mais limpo na Costa Oeste, acho que me estragaram nesse sentido"), sobre o péssimo sanduíche de peru no avião e sobre a aeromoça que "esqueceu" (Xandra fez as aspas com as mãos) de lhe devolver os cinco dólares de troco pelo vinho que tinha pedido.

"Putz!", disse José, saindo pro corredor, balançando a cabeça com aquele seu jeito sério-zombeteiro. "Comida de avião é ruim demais. Ultimamente é até sorte se te dão alguma coisa pra comer. Mas te digo uma coisa sobre Nova York. Aqui você encontra comida boa. Tem comida boa vietnamita, cubana, indiana…"

"Não gosto dessas coisas picantes."

"Comida boa do tipo que você quiser, então. Aqui tem. *Segundito*", disse ele, erguendo um dedo enquanto procurava a chave mestra no molho.

A fechadura abriu com um baque sólido, instintivo, de gelar o sangue com seu jeito certeiro. Embora o lugar estivesse abafado por ter ficado fechado, ainda assim fui atingido em cheio pelo cheiro forte de casa: livros e tapetes velhos e desinfetante de limão, o cheiro penetrante de mirra das velas que ela tinha comprado na Barney's.

A sacola do museu estava no chão, escorada no sofá — exatamente onde eu a deixara, quantas semanas antes? Sentindo-me tonto, passei por eles em disparada e entrei para agarrá-la enquanto José — bloqueando ligeiramente o caminho do meu pai irritado, sem dar mostras de que o fazia de fato — ficou postado logo depois da porta escutando Xandra, os braços cruzados. A expressão serena mas ligeiramente absorta do seu rosto me lembrou do olhar que ele fizera quando praticamente teve de carregar meu pai, tão bêbado que tinha perdido o sobretudo, escada acima numa noite gelada. *Acontece nas melhores famílias*, ele tinha dito com um sorriso abstrato, recusando a nota de vinte dólares que meu pai — falando coisas sem nexo, vômito no paletó, arranhado e sujo como se tivesse rolado na calçada — estava tentando lhe enfiar na cara.

"Na verdade, eu sou da Costa Leste", Xandra estava dizendo. "Da Flórida." Novamente aquela risada nervosa, gaguejante, espirrando saliva. "West Palm, para ser mais específica."

"Ah, é, da Flórida?", ouvi José comentar. "É lindo lá pra baixo."

"Sim, é ótimo. Pelo menos em Vegas temos sol. Não sei se aguentaria os invernos daqui, eu viraria um picolé…"

No instante em que ergui a sacola, percebi que ela estava leve demais — quase vazia. Onde é que estava a pintura? Embora estivesse quase cego de pânico, não parei, mas continuei andando, corredor adentro, no piloto automático, de volta até o meu quarto, a mente girando e zumbindo enquanto eu caminhava.

De repente — em meio às minhas recordaçoes desconexas daquela noite — eu lembrei. A sacola tinha molhado. Eu não quis deixar a pintura numa sacola molhada, para mofar ou se desintegrar ou sabe-se lá o quê. Então — como podia ter esquecido? — eu a tinha colocado na cômoda da minha mãe, a primeira coisa que ela veria quando chegasse em casa. Rapidamente, sem parar, deixei a sacola cair no corredor na frente da porta fechada do meu quarto e virei-me para o quarto dela, zonzo de medo, esperando que meu pai não estivesse me seguindo, mas com medo demais para olhar para trás e conferir.

Da sala, ouvi Xandra dizer: "Aposto que você vê um monte de celebridades nas ruas aqui, hein?".

"Ah, sim. LeBron, Dan Aykroyd, Tara Reid, Jay-Z, Madonna..."

O quarto da minha mãe estava escuro e frio, e o cheiro fraco e só levemente perceptível de seu perfume era quase insuportável pra mim. Ali estava a pintura, apoiada em meio a porta-retratos de moldura prateada — seus pais, ela, eu com várias idades diferentes, cavalos e cachorros aos montes: a égua Chalkboard do pai dela, Bruno, o dogue alemão, o bassê Poppy, que morreu quando eu estava no jardim de infância. Armando-me de coragem para enfrentar seus óculos de leitura sobre a cômoda, a meia-calça preta que ela tinha deixado pendurada pra secar, sua letra no calendário de mesa e um milhão de outras visões de cortar o coração, peguei a pintura e a enfiei debaixo do braço, então fui rapidamente para meu quarto, do outro lado do corredor.

Meu quarto — como a cozinha — dava pra uma saída de ar. Com as luzes apagadas, ficava escuro. Uma toalha de banho pegajosa estava jogada do jeito que eu a tinha deixado depois do meu banho naquela última manhã, por cima de uma pilha de roupas sujas. Peguei-a — estremecendo com o cheiro —, pensando em jogá-la sobre a pintura enquanto encontrava um lugar melhor pra escondê-la, talvez no...

"O que você está fazendo?"

Meu pai estava parado na soleira da porta, uma silhueta escura contra a luz brilhando atrás dele.

"Nada."

Ele se abaixou e pegou a bolsa que eu tinha deixado cair no corredor. "O que é isso?"

"Minha sacola de livros", falei, depois de uma pausa, embora aquilo fosse claramente uma sacola retornável e dobrável de mãe, nada que eu, ou qualquer garoto, fosse algum dia levar pra escola.

Ele a atirou pra dentro da porta aberta, torcendo o nariz com o cheiro. "Eca", disse, abanando a mão na frente do rosto, "isso aqui está cheirando a meia suja." Enquanto levava a mão até o lado da porta e apertava o interruptor, dei um jeito de, com um movimento complexo e espasmódico, jogar a toalha por cima da pintura pra que (eu esperava) ele não a visse.

"O que é que você tem aí?"

"Um pôster."

"Bem, olha, espero que não esteja pensando em carregar muita porcaria lá pra Vegas. Não precisa pegar suas roupas de inverno — não vai precisar delas, exceto talvez alguma coisa pra esquiar. Não vai acreditar como é esquiar em Tahoe — bem diferente destas montanhazinhas com gelo ao norte daqui."

Senti que precisava responder alguma coisa, sobretudo porque foi a coisa mais longa e aparentemente amigável que ele dissera desde que tinha aparecido, mas de alguma forma não estava conseguindo organizar meus pensamentos direito.

Do nada, meu pai disse: "Sua mãe também não era uma pessoa muito fácil de se conviver, sabe?". Ele pegou na minha mesa o que parecia ser uma prova antiga de matemática, examinou-a e depois colocou-a de volta. "Ela era cautelosa demais com as pessoas. Você sabe. Ficava quieta. Me dava um gelo. Era caxias. Era uma questão de poder, sabe — realmente controladora. Pra falar a verdade, e eu realmente odeio dizer isso, chegamos a um ponto em que era difícil demais pra mim só estar no mesmo ambiente que ela. Tipo, não estou dizendo que ela era uma pessoa má. É só que num minuto estava tudo bem, e, no seguinte, *bam*, o que foi que eu fiz?, a velha muralha de silêncio..."

Não falei nada. Fiquei parado ali, constrangido, com a toalha mofada jogada sobre a pintura e a luz brilhando nos meus olhos, desejando estar em qualquer outro lugar (no Tibete, em Tahoe, na Lua) e me sentindo incapaz de responder sem perder o controle. O que ele tinha dito sobre minha mãe era perfeitamente verdade: muitas vezes ela era reservada, e, quando ficava chateada, era difícil saber o que estava pensando, mas eu não estava interessado numa discussão sobre os defeitos dela e, de qualquer forma, eles pareciam bem insignificantes comparados aos do meu pai.

Ele continuava falando: "... porque eu não preciso provar nada, sabe? Toda história tem dois lados. Não é uma questão de quem está certo e quem está errado. E claro, admito, eu também tenho minha parcela de culpa, mas vou te dizer uma coisa, e tenho certeza de que você também sabe disso: ela tinha o hábito de reescrever a história a seu favor". Era estranho estar no quarto com meu pai de novo, especialmente porque ele estava muito diferente: quase que exalava um cheiro diferente, e tinha um corpo diferente, mais pesado e gordo, macio até, como se estivesse todo coberto por um centímetro extra de uma gordura mole. "Acho que muitos casamentos acabam tendo problemas como os nossos. É só que ela ficou tão amarga, sabe? E mesquinha. Sendo sincero, eu simplesmente não conseguiria continuar vivendo com ela, embora Deus sabe que ela não merecia *isso*..."

Certamente não, pensei.

"Porque você sabe qual foi a questão realmente, não sabe?", disse meu pai, apoiando-se no batente da porta com um cotovelo e me lançando um olhar astuto. "Pra eu ir embora? Tive de retirar um pouco de dinheiro da nossa conta-corrente pra pagar impostos e ela ficou uma fera, como se eu tivesse roubado." Ele me observava atentamente, procurando minha resposta. "Nossa conta *conjunta*. Ou seja, basicamente, quando as coisas iam de mal a pior, ela não confiava em mim. O próprio marido."

Eu não sabia o que dizer. Era a primeira vez que ouvia falar naqueles impostos, embora certamente não fosse nenhum segredo que minha mãe não confiava em meu pai quando se tratava de dinheiro.

"Deus do céu, ela sabia guardar uma mágoa", disse ele, com uma careta quase cômica, passando a mão pelo rosto. "Olho por olho. Sempre tentando empatar o placar. Porque, bem, ela nunca esquecia nada. Nem que tivesse de esperar vinte anos, faria você pagar de volta. E claro, *sou eu* quem sempre parece o vilão da história. E talvez eu *seja* o vilão..."

A pintura, embora pequena, estava ficando pesada, e eu sentia meu rosto paralisado do esforço para disfarçar meu desconforto. Para bloquear sua voz da minha cabeça, comecei a contar pra mim mesmo em espanhol. *Uno, dos, tres, cuatro, cinco, seis...*

Quando eu já estava no vinte e nove, Xandra apareceu.

"Larry", disse ela, "você e sua esposa realmente tinham um lugar muito bom aqui." A forma como disse isso me deixou com pena sem que isso me levasse a gostar mais dela um mínimo que fosse.

Meu pai passou o braço por sua cintura e puxou-a contra si com uma espécie de apertão que me deu ânsia de vômito. "Bem", disse ele modestamente, "isto é mais dela do que meu."

Pode crer, pensei.

"Vem comigo", disse meu pai, pegando-a pela mão e se afastando na direção do quarto da minha mãe, todo e qualquer pensamento sobre mim esquecido. "Quero te mostrar uma coisa." Virei-me e vi-os se afastar, enojado com a perspectiva de Xandra e meu pai botando as mãos nas coisas da minha mãe, mas tão feliz por vê-los sair que não me importei.

Com um olho na porta vazia, dei a volta até o outro lado da cama e deixei a pintura fora de vista. Um velho *New York Post* estava caído no chão — o mesmo jornal que ela tinha jogado em mim, empolgada, no nosso último sábado juntos. *Aqui*, ela tinha dito, colocando a cabeça pela porta, *escolha um filme*. Embora houvesse vários filmes que nós dois teríamos gostado, escolhi uma matinê do festival Boris Karloff: *O túmulo vazio*. Ela aceitou minha escolha sem reclamar; fomos até o Film Forum, assistimos ao filme e depois andamos até o Moondance Diner pra comer um hambúrguer — uma tarde de sábado perfeitamente agradável, exceto pelo fato de que era sua última tarde de sábado na Terra, e agora eu me sentia um lixo toda vez que pensava nisso, já que (graças a mim), o último filme que ela viu na vida foi um de terror velho e batido sobre cadáveres e violação de túmulos. (Se eu tivesse escolhido o filme que sabia que ela queria ver — aquele bem avaliado sobre crianças parisienses na Primeira Guerra Mundial — será que teria sobrevivido, de alguma forma? Meus pensamentos com frequência caíam nessas fendas escuras e supersticiosas.)

Embora o jornal parecesse sacrossanto, um documento histórico, abri na página do meio e a arranquei. Determinado, enrolei a pintura, folha por folha, e fechei-a com a mesma fita que tinha usado alguns meses antes pra embrulhar o presente de Natal dela. *Perfeito!*, ela tinha dito, numa tempestade de papel colorido, inclinando-se no seu roupão para me dar um beijo: um conjunto de aquarela que jamais levaria ao parque, em manhãs de sábado de verão que nunca veria.

Minha cama — uma cama de metal de acampamento do mercado de pulgas, parecida com uma cama de quartel, mas tranquilizadora — sempre pareceu o lugar mais seguro do mundo pra esconder alguma coisa. Mas, agora, olhando em volta (escrivaninha gasta, pôster japonês do *Godzilla*, caneca de pinguim do zoológico que usava como porta-lápis), senti a impermanência daquilo tudo me atingir com força; e fiquei tonto com a ideia de todas as nossas coisas saindo do apartamento, móveis, prataria e todas as roupas da minha mãe: vestidos de amostra ainda com a etiqueta, todas aquelas sapatilhas de balé coloridas e camisas feitas sob medida com suas iniciais nos punhos. Cadeiras e abajures chineses, discos de vinil antigos de jazz que ela tinha comprado no Village, vidros de geleia e azeitona e a mostarda alemã forte na geladeira. No banheiro, uma confusão de óleos perfumados e hidratantes, sais de banho coloridos, potes semicheios de xampus caríssimos amontoados do lado da banheira (Kiehl's, Klorane, Kérastase, minha mãe sempre tinha cinco ou seis tipos abertos ao mesmo tempo). Como era possível o apartamento ter parecido tão permanente e sólido quando era apenas um cenário, esperando para ser desmontado e levado por funcionários de transportadora num uniforme?

Quando entrei na sala, tive de enfrentar um suéter da minha mãe jogado sobre a cadeira onde ela o tinha deixado, um fantasma azul-celeste dela. Conchas que tínhamos catado na praia em Wellfleet. Jacintos que ela tinha comprado no mercado coreano alguns dias antes de morrer, com os talos cobertos de um preto-morte, podres. Na cesta de lixo, catálogos da Dover Books, da Belgian Shoes; uma embalagem de Necco Wafers, seu doce favorito. Peguei-o e cheirei. O suéter — eu sabia — também teria o cheiro dela se eu o pegasse e o colocasse contra o rosto, mas só a visão dele já era insuportável.

Voltei para meu quarto, subi na cadeira da minha escrivaninha e peguei minha mala — que era de tecido e não muito grande — e a enchi de cuecas, roupas escolares e camisas dobradas da lavanderia. Depois coloquei a pintura, com outra camada de roupas por cima.

Fechei o zíper da mala — sem trava, já que era só de lona — e fiquei imóvel. Depois saí para o corredor. Eu podia ouvir gavetas abrindo e fechando no quarto da minha mãe. Uma risadinha.

"Pai", falei, num tom alto, "vou descer pra falar com José."

As vozes emudeceram.

"Claro", disse ele, pela porta fechada, num tom atipicamente cordial.

Voltei, peguei a mala e saí do apartamento com ela, deixando a porta da frente entreaberta pra que pudesse entrar de volta. Depois desci de elevador, olhando para o espelho à minha frente, fazendo um esforço tremendo para não pensar em Xandra no quarto da minha mãe mexendo nas roupas dela. Será que ele já estava saindo com ela antes de ir embora? Ele não se sentia nem um pouco mal deixando-a revirar as coisas da minha mãe?

Eu caminhava na direção da porta da frente onde José estava de plantão quando uma voz chamou: "Espere!".

Virando-me, vi Goldie, saindo correndo da sala de correspondência.

"Theo, meu Deus, sinto muito", disse ele. Ficamos parados olhando um para o outro por um momento incerto e então, com um movimento impulsivo de dane-se, tão atrapalhado que foi quase cômico, ele se precipitou sobre mim e me abraçou.

"Sinto muito", repetiu, balançando a cabeça. "Meu Deus, que coisa." Desde que tinha se divorciado, Goldie frequentemente trabalhava à noite e nos feriados, postado nas portas sem as luvas e com um cigarro apagado na mão, olhando para a rua. Minha mãe algumas vezes me fez descer com café e rosquinhas pra ele quando ficava sozinho no saguão, sem nenhuma companhia além da árvore iluminada e da menorá elétrica, separando os jornais sozinho às cinco da manhã num dia de Natal, e a expressão em seu rosto me fez lembrar daquelas manhãs mortas de feriado, o olhar vazio, seu rosto pálido e inseguro, no momento distraído antes de ele me ver e pôr seu melhor sorriso de *Oi, garoto*.

"Ando pensando muito em você e na sua mãe", disse ele, secando a testa. "*Ay bendito*. Não consigo. Nem sei como deve estar sendo pra você."

"É", falei, desviando o olhar, "tem sido difícil" — frase a que por algum motivo eu constantemente recorria quando as pessoas me falavam sobre o quanto lamentavam. Eu já tivera de dizê-la tantas vezes que estava começando a soar superficial e um pouco falsa.

"Fico feliz que tenha dado uma passada aqui", disse Goldie. "Naquela manhã — eu estava trabalhando, lembra? Lá na frente."

"Lembro, claro", falei, estranhando sua insistência, como se achasse que eu poderia *não* lembrar.

"*Ah*, meu Deus." Ele passou a mão pela testa, a expressão um pouco selvagem, como se ele próprio tivesse escapado por um triz. "Penso nisso todo santo dia. Ainda vejo o rosto dela, sabe, entrando naquele táxi? Acenando, tão feliz."

De um jeito confidencial, ele se inclinou pra frente. "Quando fiquei sabendo que ela morreu", disse ele, como se estivesse me contando um grande segredo, "liguei pra minha ex-mulher; pra você ver como eu estava triste." Ele se afastou e me olhou de sobrancelha erguida, como se não esperasse que eu acreditasse. As batalhas de Goldie com a ex-mulher eram épicas.

"Nós mal nos falamos", disse ele, "mas pra quem que eu ia contar? Precisava contar pra alguém, sabe? Então liguei pra ela e disse: 'Rosa, você não vai acreditar. Perdemos uma mulher tão linda do prédio'."

José tinha me avistado e se afastava da porta da frente para se juntar à nossa conversa, andando com seu molejo característico. "A sra. Decker", disse ele, balançando a cabeça com carinho, como se jamais tivesse existido alguém como ela. "Sempre dava um oi, sempre um sorriso amigável. Atenciosa, sabe?"

"Diferente de outras pessoas do prédio", disse Goldie, olhando por cima do ombro. Ele se aproximou mais e articulou a palavra silenciosamente: "Esnobes, sabe? O tipo de gente que fica ali de mãos vazias sem nenhum pacote ou nada e espera você abrir a porta, é disso que eu estou falando".

"Ela não era assim", disse José, ainda balançando a cabeça, em movimentos grandes, como uma criança triste dizendo não. "A sra. Decker era gente fina."

"Você espera aqui um segundinho?", disse Goldie, erguendo a mão. "Eu já volto. Não saia. Não deixe ele sair", disse a José.

"Você quer que eu chame um táxi pra você, *manito*?", disse José, olhando para a mala.

"Não", falei, olhando pra trás, pro elevador. "Escuta, José, você guardaria isso pra mim até eu voltar aqui pra buscar?"

"Claro", disse ele, pegando-a e sentindo seu peso. "Vai ser um prazer."

"Eu mesmo vou voltar pra buscar, tá? Não deixe mais ninguém pegar."

"Claro, entendi", disse José, com simpatia. Segui-o até a sala de correspondência, onde pôs uma etiqueta na bolsa e a colocou numa prateleira do topo.

"Tá vendo?", disse ele. "Bem guardadinha. Não deixamos nada aqui em cima a não ser alguns pacotes que as pessoas precisam assinar pra retirar e nossas próprias coisas. Ninguém vai liberar aquela mala pra você sem sua assinatura, tá entendendo? Nem pro seu tio, seu primo, ninguém. E vou falar pro Carlos e pro Goldie e pros outros rapazes não darem essa bolsa pra ninguém além de você. Beleza?"

Assenti e estava prestes a lhe agradecer, quando José pigarreou. "Escuta", disse ele, num tom baixo. "Não quero te preocupar nem nada, mas vieram uns caras aqui ultimamente perguntando pelo seu pai."

"Uns caras?", falei, depois de um silêncio desconexo. "Caras", vindo de José, só podia significar uma coisa: homens pra quem meu pai devia dinheiro.

"Não se preocupe. Não dissemos nada pra eles. Tipo, seu pai já tinha ido fazia o quê, um ano? Carlos disse a eles que nenhum de vocês morava mais aqui e eles não vão voltar. Mas..." — ele olhou de relance pro elevador — "talvez seu pai não deva passar muito tempo no prédio neste exato momento, se é que você me entende."

Eu estava agradecendo quando Goldie retornou com o que parecia um maço gigantesco de dinheiro. "Isso é pra você", disse ele, um pouco melodramático.

Por um momento achei que tinha escutado mal. José tossiu e desviou o olhar. Na minúscula televisão em preto e branco da sala de correspondência (a tela praticamente do tamanho de uma capa de CD), uma mulher glamorosa com brincos longos e tilintantes brandia os punhos e gritava ofensivamente em espanhol pra um padre encolhido.

"O que é isso?", perguntei a Goldie, que continuava estendendo o dinheiro.

"Da sua mãe. Ela não te contou?"

Eu estava perdido. "Me contou o quê?"

Parecia que, pouco antes do Natal, Goldie tinha encomendado um computador e pedido pra entregarem no prédio. O computador era pro filho dele, que precisava pra escola, mas (ele foi vago nesta parte) Goldie não tinha realmente pagado, ou tinha pagado só uma parte, ou a ex-mulher deveria ter pagado e não pagou. Em todo caso, os entregadores estavam carregando o computador porta afora e colocando-o novamente na van quando por acaso minha mãe desceu e viu a situação.

"E ela própria pagou, aquela boa mulher", disse Goldie. "Ela viu o que estava acontecendo, abriu a bolsa e tirou o talão de cheques. Ela me disse: 'Goldie, eu sei que seu filho precisa desse computador pros trabalhos escolares. Por favor, me deixe fazer isso por você, meu amigo, e você me paga quando puder'."

"Tá vendo?", disse José, subitamente enérgico, olhando de relance pra televisão, onde a mulher estava parada agora num cemitério, discutindo com um sujeito de óculos de sol com cara de magnata. "Sua mãe fez isso." Ele assentiu pro dinheiro, quase com raiva. "*Sí, es verdade*, ela era gente fina. Se importava com as pessoas, sabe? A maioria das mulheres gastaria esse dinheiro com brincos de ouro, perfume ou outras coisas do tipo pra elas mesmas."

Senti-me estranho pegando o dinheiro, por todos os motivos possíveis. Mesmo no meu estado de choque, parecia haver algum furo na história (que tipo de loja entregaria um computador que não estava pago?). Mais tarde, fiquei me perguntando: será que eu parecia tão desamparado a ponto de os porteiros fazerem uma vaquinha para mim? Ainda não sei de onde veio o dinheiro; deveria ter feito mais perguntas, mas estava tão atordoado com tudo o que tinha acontecido naquele dia (e principalmente com a súbita aparição do meu pai e de Xandra) que, se Goldie tivesse me confrontado e tentado me dar um pedaço de chiclete velho que ele tinha raspado do chão, eu teria estendido a mão e aceitado da mesma maneira.

"Não é da minha conta, sabe", disse José, olhando por cima da minha cabeça enquanto falava, "mas, se eu fosse você, não contaria a ninguém sobre esse dinheiro. Se é que você me entende."

"É, põe no seu bolso", disse Goldie. "Não fique andando por aí com ele na mão desse jeito. Muita gente na rua te mataria por isso."

"Muita gente neste prédio!", disse José, não conseguindo controlar o riso de repente.

"Hahaha!", disse Goldie, ele próprio caindo na risada, e então disse alguma coisa em espanhol que eu não entendi.

"*Cuidado*", disse José, meneando a cabeça com aquele seu jeito sério-zombeteiro, incapaz de conter um sorriso. "É por isso que não deixam Godie e eu trabalharmos lado a lado", disse ele a mim. "Precisam nos manter separados. A gente se diverte demais."

XIX

Assim que meu pai e Xandra apareceram, as coisas começaram a andar rápido. No jantar daquela noite (num restaurante para turistas que eu fiquei surpreso por meu pai ter escolhido), ele atendeu uma ligação da corretora de seguros da minha mãe — uma ligação que, depois de todos esses anos, eu desejaria muito ter conseguido ouvir melhor. Mas o restaurante era barulhento e Xandra (entre goles de vinho branco — talvez *ele* tivesse parado de beber, mas ela com certeza não tinha) alternava entre reclamar porque não podia fumar e me contar de um jeito meio sem foco sobre como tinha aprendido bruxaria num livro da biblioteca quando estava no ensino médio, em algum lugar de Fort Lauderdale. ("Na verdade, o nome é wicca. É uma religião da terra.") Pra qualquer outra pessoa, eu teria perguntado o que exatamente isso envolvia, ser uma bruxa (feitiços e sacrifícios? Lidar com o demônio?), mas antes que tivesse a chance ela já tinha mudado de assunto, falando sobre como tivera a oportunidade de ir pra faculdade e lamentava por não ter feito isso ("Te digo no que estava interessada. História inglesa e essas coisas. Henrique VIII, Maria da Escócia"). Mas Xandra acabou não indo pra faculdade porque ficara obcecada por um cara. "*Obcecada*", ela sibilou, fixando em mim seus olhos penetrantes e sem cor.

Por que estava obcecada pelo cara que lhe impediu de fazer faculdade eu nunca soube, pois meu pai tinha terminado a ligação. Ele pediu (e então tive um pressentimento ruim) uma garrafa de champanhe.

"Não consigo beber tudo", disse Xandra, que estava na segunda taça de vinho. "Vou ficar com dor de cabeça."

"Bem, se eu não posso beber champanhe, você pode muito bem tomar um pouco", disse meu pai, recostando-se na cadeira.

Xandra apontou com a cabeça para mim. "Deixa *ele* tomar um pouco", disse ela. "Garçom, traga outra taça."

"Sinto muito", disse o garçom, um italiano severo que parecia estar acostumado a lidar com turistas fora de controle. "Nada de álcool para menores."

Xandra começou a remexer na bolsa. Ela estava com um vestido frente única marrom e tinha passado blush, ou bronzeador, ou algum pó marrom sobre as maçãs do rosto, deixando um traço tão forte que eu estava doido pra espalhá-lo com a ponta do dedo.

"Vamos lá fora fumar um cigarro", disse Xandra pro meu pai. Houve um longo momento em que eles trocaram um olhar malicioso que me deixou constrangido. Então ela puxou a cadeira pra trás e — jogando o guardanapo na cadeira — olhou em volta procurando o garçom. "Ah, que bom, ele saiu", disse ela, pegando meu copo (quase) vazio e colocando um pouco de champanhe nele.

A comida tinha chegado e eu me servi de outro copo grande de champanhe antes de eles voltarem. "Nham!", disse Xandra, os olhos meio vidrados, parecendo um pouco brilhosa, puxando a saia curta pra baixo, contornando a mesa e deslizando de volta no assento sem se dar ao trabalho de tirar a cadeira totalmente do caminho. Ela abriu o guardanapo no colo e puxou o prato enorme e vermelho-vivo de canelone na sua direção. "Parece ótimo!"

"O meu também", disse meu pai, que era enjoado com comida italiana e que eu já tinha visto várias vezes reclamar de pratos de massa encharcados de molho de tomate exatamente como o que tinha à sua frente.

Enquanto atacavam a comida (que provavelmente já estava fria, a julgar pelo tempo que eles demoraram pra voltar), retomaram a conversa interrompida. "Mas, enfim, não deu certo", disse ele, recostando-se na cadeira e brincando despreocupadamente com um cigarro que era incapaz de acender. "É assim que funciona."

"Aposto que você era ótimo."

Ele deu de ombros. "Mesmo quando você é novo", disse, "é difícil. Não é só talento. Tem muito a ver com aparência e sorte."

"Mas ainda assim", disse Xandra, limpando o canto da boca com um guardanapo enrolado na ponta do dedo. "Ator. Posso imaginar perfeitamente." A carreira de ator frustrada do meu pai era um dos seus assuntos preferidos e — embora ela parecesse bem interessada — algo me dizia que não era a primeira vez que ouvia isso.

"Se eu gostaria de ter continuado?" Meu pai contemplou sua cerveja sem álcool (ou será que era com baixo teor alcoólico? Não conseguia ver de onde estava sentado). "Sim. É um daqueles arrependimentos pra vida toda. Teria adorado fazer algo com meu talento, mas não pude me dar a esse luxo. A vida tem uma forma engraçada de interferir."

Eles estavam bem absortos no próprio mundo; considerando toda a atenção que estavam me dedicando daria na mesma se eu estivesse em Idaho, mas não me importava; conhecia aquela história. Meu pai, que fora uma estrela do teatro na faculdade, tinha durante um curto período ganhado a vida como ator: locuções em comerciais de TV, alguns papéis secundários (um playboy assassinado, o filho mimado de um chefe da máfia) na televisão e no cinema. Mas daí — depois de ele ter casado com minha mãe — as coisas foram definhando. Meu pai tinha uma longa lista de motivos explicando por que não tinha subido na carreira, embora, conforme eu o ouvira muitas vezes dizer, se minha mãe tivesse sido um pouco mais bem-sucedida como modelo ou se esforçado um pouco pra isso, haveria dinheiro suficiente pra ele se concentrar como ator sem precisar se preocupar em arranjar um trabalho fixo.

Meu pai deixou o prato de lado. Percebi que não tinha comido muito — geralmente, com ele, um sinal de que estava bebendo ou prestes a começar.

"Em algum momento, tive simplesmente de deixar pra lá", disse ele, amassando seu guardanapo e atirando-o na mesa. Fiquei pensando se tinha contado a Xandra sobre Mickey Rourke, que ele via como o principal vilão que arruinou sua carreira, além da minha mãe e de mim.

Xandra tomou um grande gole do vinho. "Ainda pensa em voltar?"

"*Pensar* eu penso, claro. Mas..." — ele balançou a cabeça como se recusando uma proposta ultrajante — "não. A resposta é não."

O champanhe fazia cócegas no céu da minha boca — uma alegria distante e empoeirada, engarrafada num ano mais feliz em que minha mãe ainda estava viva.

"Tipo, no *instante* em que ele me viu, soube que não gostou de mim", meu pai estava dizendo baixinho a ela. Então ele tinha contado sobre Mickey Rourke.

Ela jogou a cabeça pra trás e tomou de um gole o resto do seu vinho. "Caras assim não suportam a concorrência."

"Era só Mickey pra cá, Mickey pra lá, Mickey quer te conhecer, mas no momento em que entrei lá soube que tinha acabado."

"O cara é bizarro."

"Não, na época, ele não era. Porque, pra falar a verdade, havia realmente uma semelhança naquele tempo — não só física, mas tínhamos estilos de atuação parecidos. Ou, digamos, eu tinha o treinamento clássico, tinha um limite, mas sabia representar aquela mesma calma de Mickey, aquela coisa sussurrante e tranquila..."

"Uhhh, me deu até um arrepio. *Sussurrante*. Tipo, o jeito como você *disse* isso."

"É, mas Mickey era a estrela. Não havia espaço suficiente pra dois."

Enquanto eu os via dividir um pedaço de cheesecake como pombinhos num comercial de TV, afundei num fluxo mental desconhecido, as luzes do restaurante brilhantes demais, meu rosto queimando do champanhe, pensando de um jeito desordenado e exaltado sobre minha mãe depois que seus pais morreram e ela teve que ir morar com sua tia Bess, numa casa perto dos trilhos do trem com papel de parede marrom e capas de plástico sobre a mobília. A tia Bess — que fritava tudo em óleo Crisco e tinha metido a tesoura num dos vestidos da minha mãe porque o padrão psicodélico a incomodava — era uma solteirona de origem irlandesa atarracada e amargurada que tinha deixado a Igreja católica pra entrar numa seita minúscula e maluca que acreditava que era errado fazer coisas como beber chá ou tomar aspirina. Seus olhos — na única foto que eu tinha visto — eram do mesmo azul-prateado incomum da minha mãe, só que dementes e emoldurados por uma armação rosa, num rosto sem graça e batatudo. Minha mãe tinha falado desses dezoito meses com tia Bess como sendo os mais tristes da sua vida — os cavalos vendidos, os cachorros doados, longas despedidas chorosas à beira da estrada, os braços em volta do pescoço de Clover e Chalkboard, Pintado e Bruno. De volta a casa, tia Bess tinha dito à minha mãe que ela era mimada e que as pessoas que não temiam o Senhor sempre recebiam o que mereciam.

"E o produtor, sabe — bem, todos eles sabiam como Mickey era, todo mundo, estava começando a ficar conhecido por ser difícil..."

"Ela não merecia isso", falei em voz alta, interrompendo a conversa.

Meu pai e Xandra pararam de falar e me olharam como se eu tivesse virado um lagarto venenoso.

"Tipo, por que alguém diria uma coisa dessas?" Não era pra eu estar falando em voz alta, mas mesmo assim as palavras saíam espontaneamente da minha boca como se alguém tivesse apertado um botão. "Ela era tão maravilhosa e todo mundo era tão horrível com ela. Não merecia nada do que aconteceu."

Meu pai e Xandra trocaram um olhar. Então ele fez sinal pra que trouxessem a conta.

XX

Quando saímos do restaurante, meu rosto estava pegando fogo e havia um estrondo forte nos meus ouvidos. Quando voltei pro apartamento dos Barbour nem era tão tarde, mas de alguma forma consegui tropeçar na lata em que ficavam os guarda-chuvas e fiz um barulhão ao entrar. Quando a sra. Barbour e o sr. Barbour me viram, percebi (pela cara deles, mais do que pela forma como me sentia) que estava bêbado.

O sr. Barbour desligou a televisão com o controle remoto. "Onde esteve?", disse ele, num tom firme mas bondoso.

Apoiei-me nas costas do sofá. "Saí com meu pai e..." Mas me fugira o nome dela, tudo menos o X.

A sra. Barbou ergueu as sobrancelhas pro marido como se dissesse: *O que foi que eu falei?*

"Bem, vá pra cama, amigão", disse o sr. Barbour alegremente, num tom que conseguia, apesar de tudo, fazer eu me sentir um pouco melhor em relação à vida. "Mas tente não acordar Andy."

"Você não está se sentindo mal, está?", perguntou a sra. Barbour.

"Não", respondi, embora estivesse. Passei grande parte da noite acordado na cama de cima do beliche, infeliz, debatendo-me enquanto o quarto girava à minha volta, e umas duas vezes despertei sobressaltado e com o coração batendo porque parecia que Xandra tinha entrado no quarto e estava falando comigo — as palavras confusas, mas a cadência áspera e gaguejante inconfundível de sua voz.

XXI

"Então", disse o sr. Barbour no café da manhã no dia seguinte, dando-me um tapinha no ombro enquanto puxava a cadeira ao meu lado, "jantar festivo com o pai, hein?"

"Sim, senhor." Eu estava com uma dor de cabeça terrível, e o cheiro da rabanada deles fazia meu estômago revirar. Etta tinha discretamente trazido uma xícara de café pra mim da cozinha com duas aspirinas no pires.

"Eles moram em Las Vegas, não é?"

"Isso mesmo."

"E como é que ele se vira por lá?"

"Como?"

"O que é que ele faz da vida?"

"Chance", disse a sra. Barbour, com uma voz neutra.

"Bem, quero dizer... isto é", disse o sr. Barbour, percebendo que talvez a pergunta tivesse sido formulada de um jeito meio indelicado, "em que área ele está trabalhando?"

"Hum...", eu disse, e então parei. O que é que meu pai *fazia*? Eu não tinha ideia.

A sra. Barbour — que dava a impressão de estar incomodada com o rumo que a conversa tinha tomado — pareceu prestes a dizer alguma coisa, mas Platt — do meu lado — foi quem falou, num tom raivoso. "Em quem tenho que fazer um boquete pra conseguir uma xícara de café nesta casa?", disse ele na direção da mãe, empurrando-se pra trás na cadeira com uma mão na mesa.

Houve um silêncio terrível.

"*Ele* está tomando café", disse Platt, apontado pra mim com a cabeça. "*Ele* chega bêbado em casa e *ele está* tomando café?"

Depois de outro silêncio terrível, o sr. Barbour disse, num tom gélido o suficiente pra deixar até a sra. Barbour constrangida: "Já chega".

A sra. Barbour franziu as sobrancelhas claras. "Chance..."

"Não, você não vai defendê-lo desta vez. Vá pro quarto", disse a Platt. "Já."

Ficamos todos sentados encarando nossos pratos, escutando as pisadas raivosas de Platt, a batida ensurdecedora da porta, e então — alguns segundos depois — a música alta recomeçando. Ninguém disse muita coisa até o final do café.

XXII

Meu pai — que gostava de fazer tudo correndo, sempre louco pra "pôr o pé na estrada", como ele gostava de dizer — anunciou que planejava empacotar tudo em Nova York e partir rumo a Las Vegas dentro de uma semana. E ele foi fiel à sua palavra. Às oito da manhã da segunda-feira, funcionários de transportadora foram a Sutton Place e começaram a desmontar o apartamento. Um vendedor de sebo foi ver os livros de arte da minha mãe e outra pessoa foi ver a mobília — e, quase que de uma hora para a outra, minha casa desapareceu diante dos meus olhos, numa velocidade vertiginosa. Vendo a cortina ir embora, as fotos serem tiradas e os carpetes serem enrolados e levados, lembrei-me de uma animação a que tinha assistido uma vez, em que um personagem de desenho animado apagava com uma borracha a escrivaninha, o abajur, a cadeira, a janela com vista panorâmica e todo o escritório confortavelmente mobiliado até que a borracha pairava suspensa num mar perturbador de branco.

Atormentado pelo que estava acontecendo, mas incapaz de deter aquilo, fiquei ali vendo o apartamento desaparecer peça por peça, como uma abelha assistindo à destruição da colmeia. Na parede sobre a escrivaninha da minha mãe (em meio a inúmeras fotos de férias ou antigas da escola) havia uma foto em preto e branco da sua época de modelo tirada no Central Park. Era uma imagem muito nítida, e os mínimos detalhes apareciam com uma clareza quase dolorosa: suas sardas, a textura áspera do casaco, a cicatriz de catapora acima da sobrancelha esquerda. Alegremente, ela olhava para a desordem e a confusão da sala, pro meu pai jogando fora seus papéis e materiais de arte e empacotando os livros pra doar, uma cena com a qual ela provavelmente nunca sonhou, ou pelo menos espero que não.

XXIII

Meus últimos dias com os Barbour passaram tão rápido que eu quase não me lembro deles, a não ser pela correria com idas à lavanderia e várias viagens frenéticas à loja de vinhos em Lex pra pegar caixas de papelão. Com um marcador preto, escrevi o endereço exótico da minha nova casa:

Theodore Decker a/c Xandra Terrell
Desert End Road, 6219
Las Vegas, NV

Taciturnos, Andy e eu ficamos parados contemplando as caixas etiquetadas no quarto dele. "É como se você estivesse se mudando pra outro planeta", disse ele.

"Mais ou menos."

"Não, sério. Esse endereço. É como se fosse de uma colônia de mineração em Júpiter. Me pergunto como vai ser sua escola."

"Sabe Deus."

"Tipo, talvez seja um daqueles lugares sobre os quais a gente lê. Com gangues. Detectores de metal." Andy tinha sido tão maltratado na nossa escola (supostamente) esclarecida e progressista que a escola pública, na sua visão, estava no mesmo nível que uma prisão. "O que você vai fazer?"

"Raspar a cabeça, acho. Fazer uma tatuagem." Gostava do fato de que ele não tentava ser otimista ou se mostrar animado com a mudança, ao contrário da sra. Swanson ou de Dave (que claramente ficou aliviado por não ter mais que falar com meus avós). Ninguém na Park Avenue falou muita coisa mais sobre minha partida, embora eu soubesse, pela expressão tensa da sra. Barbour quando surgia o assunto do meu pai e sua "amiga", que não estava imaginando coisas. Além disso, não era como se o futuro com meu pai e Xandra fosse terrível ou assustador, e sim incompreensível, uma mancha de tinta preta no horizonte.

XXIV

"Bem, uma mudança de ares pode ser boa pra você", disse Hobie quando fui visitá-lo antes de ir embora. "Ainda que não sejam os ares que você escolheria." Excepcionalmente estávamos jantando na sala, sentados juntos numa das pontas da mesa, longa o suficiente pra acomodar doze pessoas, jarros e enfeites de prata se estendendo na escuridão opulenta. Ainda assim, de alguma forma fiquei com a mesma sensação da última noite no nosso velho apartamento na Sétima Avenida, minha mãe, meu pai e eu sentados sobre caixas de papelão pra comer comida chinesa.

Não falei nada. Eu me sentia infeliz; e minha determinação de sofrer em silêncio tinha me deixado pouco comunicativo. Durante toda a aflição da última semana, enquanto o apartamento era depenado e as coisas da minha mãe eram dobradas, encaixotadas e arrastadas para serem vendidas, eu tinha ansiado terrivelmente pela escuridão e tranquilidade da casa de Hobie, seus quartos lotados e o cheiro de madeira antiga, folhas de chá e fumo, laranjas em um pote no aparador e castiçais decorados com cera acumulada.

"Quer dizer, com a história da sua mãe..." Ele parou delicadamente. "Vai ser um novo começo."

Estudei meu prato. Ele tinha feito cordeiro ao curry, com um molho esverdeado que tinha um gosto mais francês do que indiano.

"Você não está com medo, está?"

Ergui os olhos. "Medo de quê?"

"De ir morar com ele."

Pensei um pouco nisso, olhando para as sombras atrás da cabeça de Hobie. "Não", respondi, "no fundo não." Por algum motivo, desde que voltara, meu pai parecia mais solto, mais tranquilo. Não podia atribuir isso ao fato de que ele tinha parado de beber, já que normalmente quando meu pai estava sóbrio ele ficava mais quieto e visivelmente infeliz, tão propenso a estourar que eu tomava o maior cuidado para ficar sempre a um braço de distância dele.

"Você contou pra mais alguém o que me disse?"

"Sobre?"

Constrangido, baixei a cabeça e experimentei um pouquinho do curry. Tinha realmente um gosto muito bom depois que você se acostumava ao fato de que não parecia curry.

"Acho que ele não está mais bebendo", falei, no silêncio que se seguiu. "Se é disso que você está falando. Ele parece melhor. Então..." Desconfortavelmente, minha voz foi morrendo. "É."

"O que acha da namorada dele?"

Tive de pensar para responder essa também. "Não sei", admiti.

Hobie manteve-se num silêncio amigável, esticando-se para pegar sua taça de vinho sem tirar os olhos de mim.

"Eu não a conheço de verdade. Ela é o.k., acho. Não consigo ver o que ele gosta nela."

"Por que não?"

"Bem..." Eu não sabia por onde começar. Meu pai podia ser encantador com "as damas", como ele dizia, abrindo a porta, tocando delicadamente seu pulso quando afirmava alguma coisa; eu já tinha visto mulheres se derreterem por ele, um espetáculo a que assistia friamente, perguntando-me como alguém podia cair numa ceninha daquelas. Era como ver crianças pequenas sendo enganadas por um mágico ruim. "Não sei. Acho que pensei que ela seria mais bonita ou algo assim."

"Beleza não importa se ela é legal", disse Hobie.

"É, mas ela não é muito legal."

"Ah." Então: "Eles parecem felizes juntos?".

"Não sei. Bem, sim", admiti. "Tipo, ele não parece superirritado o tempo todo." Em seguida, sentindo o peso da pergunta não formulada de Hobie: "Além disso, ele veio me buscar. Quer dizer, não precisava fazer isso. Podiam ter continuado sumidos se não me quisessem".

Nada mais foi dito sobre o assunto, e terminamos o jantar conversando sobre outras coisas. Mas, quando eu estava saindo, enquanto atravessávamos o corredor ladeado por fotografias, passando pelo quarto de Pippa, com uma luz acesa, Cosmo dormindo aos pés da cama dela, Hobie disse, ao abrir a porta da frente pra mim: "Theo".

"Sim?"

"Você tem meu endereço e meu telefone."

"Claro."

"Bem, então." Ele parecia quase tão desconfortável quanto eu. "Espero que faça uma boa viagem. Se cuide."

"Você também", falei. Olhamos um pro outro.

"Certo."

"Certo. Boa noite, então."

Ele abriu a porta com um empurrão, e eu saí da casa — pela última vez, pensei. Mas, embora achasse que nunca o veria de novo, nisso eu estava errado.

II

Quando somos muito fortes — quem recua?
Muito felizes — quem nos ridiculariza?
Quando somos muito maus — o que podem fazer conosco?
Arthur Rimbaud

5. Badr al-Dine

I

Embora eu tivesse decidido a deixar a mala na sala de correspondência do meu antigo prédio, onde tinha certeza que José e Goldie cuidariam dela, fiquei cada vez mais nervoso conforme a data da viagem se aproximava, até que, no último minuto, decidi voltar lá pelo que me parece agora um motivo bastante besta: na minha ânsia de tirar a pintura do apartamento, eu tinha enfiado junto um monte de coisas aleatórias na mala, incluindo a maior parte das minhas roupas de verão. Assim, no dia anterior ao que meu pai deveria me pegar na casa dos Barbour, voltei correndo para a rua 57 com a ideia de abrir a mala e tirar de cima umas duas das melhores camisetas.

José não estava lá, e sim um cara novo de ombros largos (Marco V., de acordo com o crachá) que entrou na minha frente e me cortou com uma postura de bloqueio obstinada mais de segurança do que de porteiro. "Com licença, posso ajudar?", disse ele.

Expliquei sobre a mala. Mas depois de folhear o livro de registros — passando um dedo pesado pela coluna das datas — ele não pareceu inclinado a entrar lá e tirar a bolsa da prateleira pra mim. "E você deixou isso aqui por quê?", perguntou ele desconfiado, coçando o nariz.

"José disse que eu podia."

"Você tem um recibo?"

“Não”, respondi, depois de uma pausa confusa.

“Bem, não posso ajudar. Não temos nenhum registro. Além disso, não guardamos pacotes para não moradores.”

Eu tinha morado no prédio por tempo suficiente pra saber que não era verdade, mas não estava a fim de discutir isso. “Olha”, falei, “eu morava aqui. Conheço Goldie, Carlos e todo mundo. Vamos lá”, disse, depois de uma pausa apática e indefinida, durante a qual senti a atenção dele diminuir. “Se me levar até lá, posso mostrar qual mala é.”

“Sinto muito. Ninguém além dos funcionários pode entrar lá.”

“É de lona e tem uma fita na alça. Meu nome está nela, está vendo? Decker?” Eu estava apontando para a etiqueta ainda colada na nossa velha caixa de correio para provar o que dizia quando Goldie voltou do intervalo.

“Ei! Olha quem está de volta! Este aqui é o meu garoto”, ele disse a Marco V. “Eu o conheço desde que era desta altura. O que conta de novo, Theo, meu amigo?”

“Nada. Na verdade… bem, vou sair da cidade.”

“Ah, é? Já vai pra Vegas?”, disse Goldie. Diante dessa voz, de sua mão no meu ombro, tudo tinha se tornado fácil e confortável. “Que loucura de lugar pra se viver, né?”

“Acho que sim”, falei, inseguro. As pessoas ficavam me falando sobre como as coisas seriam uma loucura pra mim em Vegas, mas eu não entendia por quê, já que era pouco provável que passasse muito tempo em cassinos ou clubes.

“Você *acha*?” Goldie revirou os olhos e balançou a cabeça, com um ar cômico que minha mãe conseguia imitar de brincadeira às vezes. “Ah meu Deus, estou te falando, garoto. Aquela cidade, os sindicatos que eles têm… Tipo, trabalho em restaurante, trabalho em hotel… *muito* dinheiro, pra qualquer lado que você olhar. E o clima? Sol todos os dias do ano. Você vai amar aquilo lá, meu amigo. Quando mesmo você disse que vai embora?”

“Hum, hoje. Quer dizer, amanhã. É por isso que eu queria…”

“Ah, você veio pra pegar sua mala? Mas é claro.” Goldie disse alguma coisa meio áspera em espanhol para Marco V., que deu de ombros sem interesse e voltou pra sala de correspondência.

“Ele é gente fina, o Marco”, disse Goldie baixinho para mim. “Mas ele não sabe nada sobre sua bolsa aqui, porque eu e José não a registramos no livro, se é que você me entende.”

Eu o entendia, sim. Todos os pacotes tinham que ser registrados quando entravam e saíam do prédio. Não etiquetando a mala, ela não constaria no registro oficial, e assim eles a protegeriam da possibilidade de outra pessoa tentar retirá-la.

"Ei", falei, sem jeito, "obrigado por cuidar pra mim da..."

"Sem problemas", disse Goldie. "Ei, valeu, cara", disse ele alto para Marco enquanto pegava a bolsa. "Como eu disse", continuou num tom baixo, obrigando-me a andar bem perto dele pra conseguir ouvir, "Marco é gente boa, mas um monte de moradores reclamou porque o prédio estava com falta de pessoal durante o... você sabe." Ele me lançou um olhar significativo. "Bem, Carlos não conseguiu chegar a tempo de cumprir seu turno aquele dia, acho que não foi culpa dele, mas foi despedido."

"Carlos?" Ele era o mais velho e mais reservado dos porteiros; era como um ídolo de matinê mexicano envelhecendo, o bigodinho e as têmporas ficando grisalhos, sapatos pretos polidos e brilhantes ao extremo e luvas brancas mais brancas que as de todo mundo. "Despediram Carlos?"

"Eu sei, inacreditável. Trinta e quatro anos e..." — Goldie apontou o polegar pra trás do ombro — "puff. E agora a gerência está toda preocupada com segurança, novos funcionários, novas regras, registrar quem entra e quem sai e aquela coisa toda...

"Mas, enfim", disse ele, enquanto virava de costas para a porta da frente, abrindo-a com um empurrão. "Vou chamar um táxi pra você, meu amigo. Você vai direto pro aeroporto?"

"Não...", falei, estendendo uma mão para detê-lo. Eu estava tão preocupado que não tinha realmente me dado conta do que ele estava fazendo, mas Goldie me afastou com um gesto de *Imagina*.

"Não, não", disse ele, carregando a mala até o meio-fio. "Tranquilo, meu amigo, deixa comigo." E percebi, consternado, que ele achava que eu estava tentando impedi-lo de carregar a bolsa até o lado de fora porque não tinha dinheiro pra gorjeta.

"Ei, espera", falei. Mas na mesma hora Goldie assobiou e precipitou-se na rua com a mão erguida. "Aqui! Táxi!", gritou ele.

Parei na soleira da porta, desanimado, enquanto o táxi encostava no meio-fio. "Bingo!", disse Goldie, abrindo a porta de trás. "Que sincronia, hein?" Antes que eu pudesse pensar direito em como detê-lo sem parecer um idiota já me vi sendo levado até o banco de trás enquanto a mala era colocada no porta-malas e Goldie dava uma batidinha no teto do carro, com aquele seu jeito amigável.

"Faça uma boa viagem, amigo", disse ele, olhando para mim, depois para o céu. "Aproveite aquele sol de lá por mim. Sabe como me sinto em relação ao sol — sou uma ave tropical. Mal posso esperar pra ir pra casa em Porto Rico e conversar com as abelhas. *Humm...*", cantarolou ele, fechando os olhos e virando a cabeça pro lado. "Minha irmã tem uma colmeia de abelhas mansas e eu canto pra elas dormirem. Será que eles têm abelhas em Vegas?"

"Não sei", respondi, procurando disfarçadamente nos bolsos pra ver se descobria quanto dinheiro eu tinha.

"Bem, se vir abelhas lá, diga que Goldie mandou um oi. Diga que eu estou chegando."

"*¡Hey! ¡Espera!*" Era José, a mão erguida, ainda com o uniforme de futebol, vindo pro trabalho direto do jogo no parque, gingando na minha direção com a cabeça balançando no seu passo atlético.

"Ei, *manito*, está indo embora?", disse ele, inclinando-se e enfiando a cabeça pela janela do táxi. "Você tem que mandar uma foto pra gente pôr lá embaixo!" No porão, onde os porteiros se trocavam e vestiam o uniforme, havia uma parede forrada de cartões-postais e polaroides de Miami e Cancún, Porto Rico e Portugal, que moradores e porteiros tinham mandado pra rua 57 Leste ao longo dos anos.

"É isso aí!", disse Goldie. "Manda uma foto pra gente! Não esqueça!"

"Eu..." Sentiria a falta deles, mas parecia meio gay sair do carro e dizer isso. Então eu só disse: "Tá bom. Se cuidem".

"Você também", disse José, afastando-se com a mão erguida. "Fique longe das mesas de vinte e um."

"Ei, garoto", disse o taxista, "quer que eu te leve pra algum lugar ou não?"

"Ei, ei, calma lá, fica frio", disse Goldie a ele. E pra mim disse: "Você vai ficar bem, Theo". Deu uma última batidinha no táxi. "Boa sorte, cara. A gente se vê. Fica com Deus."

II

"Não me diga", disse meu pai, quando chegou à casa dos Barbour na manhã seguinte pra me pegar de táxi, "que você vai carregar *esta merda toda* no avião." Pois eu tinha mais uma mala ao lado daquela com a pintura, a que tinha planejado levar a princípio.

"Acho que vai ultrapassar o limite de bagagem", disse Xandra, um pouco histérica. Em meio ao calor venenoso da calçada, eu podia sentir o cheiro do spray de cabelo dela de onde eu estava. "Eles só te deixam levar alguns quilos."

A sra. Barbour, que tinha descido até o meio-fio comigo, disse suavemente: "Ah, ele não vai ter problema com essas duas. Vivo ultrapassando o limite".

"Sim, mas isso custa dinheiro."

"Na verdade, acho que vão achar bem razoável", disse a sra. Barbour. Embora fosse cedo e ela não estivesse de joias ou batom, de alguma forma, mesmo de sandália e com um vestido de algodão simples, ela conseguia passar a impressão de estar impecavelmente arrumada. "Talvez tenha de pagar vinte dólares a mais no balcão, mas isso não deve ser um problema, não é mesmo?"

Ela e meu pai se encararam feito dois gatos. Então meu pai desviou o olhar. Eu estava um pouco envergonhado da jaqueta esportiva dele, que me fazia lembrar de sujeitos retratados no *Daily News* sob suspeita de extorsão.

"Você devia ter falado pra mim que tinha duas malas", disse, carrancudo em meio ao silêncio (bem-vindo para mim) que se seguiu à útil observação dela. "Não sei se vai caber isso tudo no porta-malas."

Parado no meio-fio, com o porta-malas do táxi aberto, quase cogitei deixar a mala com a sra. Barbour e telefonar mais tarde pra contar o que ela continha. Mas, antes que eu pudesse me decidir, o taxista russo de costas largas tinha tirado a mala de Xandra do porta-malas e colocado as minhas lá dentro, que — com alguns empurrões e socos — couberam.

"Tá vendo? Não são muito pesadas", disse ele, fechando o porta-malas, secando a testa. "Tecido maleável!"

"Mas e a minha mala de mão?", disse Xandra, em pânico.

"Sem problemas, madame. Pode ir no banco da frente comigo. Ou atrás com você, se preferir."

"Tudo certo, então", disse a sra. Barbour, inclinando-se para me dar um beijo rápido, o primeiro desde que eu tinha chegado, um beijo no ar de damas-saindo-pra-almoçar que cheirava a hortelã e gardênias. "Adeusinho, pra vocês todos", disse ela. "Façam uma viagem maravilhosa, tá bem?" Andy e eu já tínhamos nos despedido no dia anterior; embora eu soubesse que ele estava triste por eu ir embora, ainda assim me magoou o fato de ele não ter ficado pra me ver partir, e ido com o resto da família pra casa supostamente detestada no Maine. Quanto à sra. Barbour, ela não parecia particularmente abalada por estar me vendo pela última vez, embora eu me sentisse péssimo por ir embora.

Seus olhos cinza, nos meus, eram claros e frios. "Muito obrigado, sra. Barbour", falei. "Por tudo. Diga a Andy que mandei um tchau."

"Certamente direi", disse ela. "Você foi um hóspede excelente, Theo." Ali, na névoa de calor vaporosa da manhã na Park Avenue, continuei segurando a mão dela por mais um instante, com a leve esperança de que me dissesse pra entrar em contato se precisasse de alguma coisa, mas ela apenas disse: "Boa sorte, então", e me deu outro beijinho frio antes de se afastar.

III

Não entrava realmente na minha cabeça que eu estava saindo de Nova York. Em toda a minha vida nunca tinha ficado longe da cidade por mais que oito dias. No caminho para o aeroporto, olhando pela janela para outdoors anunciando casas de striptease e escritórios de advocacia especializados em danos morais que eu dificilmente veria tão cedo, um pensamento apavorante me provocou um calafrio. E quanto à inspeção de segurança? Eu não tinha viajado muito de avião (apenas duas vezes, e uma delas quando estava no jardim de infância), e não sabia direito o que uma inspeção de segurança envolvia. Raios X? Revista de bagagem?

"Será que abrem tudo no aeroporto?", perguntei, com uma voz tímida. E então perguntei de novo, porque ninguém pareceu me ouvir. Eu estava sentado no banco da frente, para assegurar a privacidade romântica de meu pai e Xandra.

"Ah, com certeza", disse o taxista. Ele era um russo grandalhão de ombros largos: feições grosseiras, bochechas suadas e vermelhas, feito um halterofilista que engordou. "Quando não abrem, eles passam no raio X."

"Mesmo se eu despachar?"

"Ah, sim", disse ele, num tom tranquilizador. "Estão de olho em explosivos, conferindo tudo. Bem seguro."

"Mas..." Tentei pensar em algum modo de formular a pergunta, sem me comprometer, mas não consegui.

"Não se preocupe", disse o taxista. "Muita polícia no aeroporto. E três ou quatro dias atrás? *Bloqueios na estrada*."

"Bem, só sei que mal posso esperar pra sair desta porra de cidade", disse Xandra com sua voz rouca. Por um instante perplexo, achei que ela estava falando comigo, mas quando olhei pra trás vi que estava virada pro meu pai.

Ele pôs a mão no joelho dela e disse alguma coisa baixo demais pra que eu ouvisse. Meu pai estava usando seus óculos de sol coloridos, inclinando-se com a cabeça caída pra trás no assento, e havia algo de relaxado e juvenil no seu tom monótono, na tal coisa secreta que se passava entre eles enquanto apertava o joelho de Xandra. Desviei o olhar e olhei para fora, para a terra de ninguém passando rápido: prédios compridos e baixos, bodegas e oficinas, revendas de carros cozinhando no calor da manhã.

"Sabe, eu não me importo com setes no número do voo", Xandra estava dizendo baixinho. "São os oitos que me deixam apavorada."

"Sim, mas oito é um número da sorte na China. Dá uma olhada no painel internacional quando chegarmos ao McCarran. Todos os voos vindo de Beijing são oito-oito-oito."

"Você e sua sabedoria chinesa."
"Padrões de números. É tudo energia. O encontro do céu e da terra."
"O céu e a terra. Você fala como se fosse mágica."
"E é."
"Ah é?"
Eles estavam sussurrando. No espelho retrovisor, seus rostos tinham uma expressão patética e pareciam muito colados; quando percebi que estavam prestes a se beijar (coisa que ainda me chocava, não importa quantas vezes eu os tivesse visto fazer), virei rigidamente a cabeça para a frente. Ocorreu-me que, se eu já não soubesse como minha mãe tinha morrido, nada no mundo me faria acreditar que eles não a tinham matado.

IV

Enquanto esperávamos pra pegar nossos cartões de embarque eu estava teso de medo, certo de que os seguranças abririam minha mala e descobririam a pintura bem ali, na fila do check in. Mas a mulher mal-humorada com o corte repicado de cujo rosto ainda lembro (estava rezando pra que não tivéssemos de passar por ela quando chegasse a nossa vez) colocou minha mala na esteira mal erguendo os olhos.

Enquanto eu via a mala balançar pra longe, na direção de funcionários e procedimentos desconhecidos, senti-me cercado e apavorado com a pressão dos estranhos — exposto também, como se todo mundo estivesse me olhando. Eu não ficava no meio de uma multidão tão densa nem tinha visto tantos policiais num só lugar desde o dia em que minha mãe morrera. Militares com rifles na mão estavam postados junto aos detectores de metal, imóveis em seus uniformes camuflados, os olhos frios percorrendo a multidão.

Mochilas, pastas, sacolas de compras e carrinhos de bebê, cabeças balançando pelo terminal até onde minha visão alcançava. Arrastando-me pela fila de inspeção, ouvi alguém gritar — meu nome, pensei. Fiquei paralisado.

"Vai logo, vai *logo*", disse meu pai, pulando atrás de mim num pé só, tentando tirar seu mocassim, dando-me uma cotovelada nas costas, "não fique aí parado, você está atrasando a fila toda, porra..."

Atravessando o detector de metais, mantive os olhos fixos no carpete — rígido de medo, esperando que a qualquer momento uma mão pousasse no meu ombro. Bebês choravam. Idosos passavam devagar em carrinhos motorizados. O que eles fariam comigo? Será que eu conseguiria fazê-los entender que não era bem o que parecia? Imaginei uma sala de blocos de concreto como nos filmes, portas fechadas, policiais furiosos em mangas de camisa, *pode esquecer, garoto, você não vai a lugar algum.*

Uma vez tendo passado pelos seguranças, no corredor ecoante, ouvi passos distintos e decididos logo atrás de mim. Novamente parei.

"Não me diga", começou meu pai, com um revirar de olhos exasperado, "que você esqueceu alguma coisa."

"Não", falei, olhando em volta. "Eu..." Não havia ninguém atrás de mim. Passageiros corriam por todos os lados.

"Puta merda, ele tá branco que nem papel", disse Xandra. Para meu pai, ela disse: "Ele está bem?".

"Ah, ele vai ficar bem", respondeu meu pai enquanto retomava o trajeto pelo corredor. "Depois que chegar no avião. Foi uma semana difícil pra todo mundo."

"Putz, se eu fosse ele, também ficaria apavorada de entrar num avião", disse Xandra, sem rodeios. "Depois do que passou."

Meu pai — puxando a mala de mão atrás de si, que minha mãe tinha comprado pra ele de aniversário vários anos antes — parou de novo.

"Pobrezinho", disse, surpreendendo-me com seu olhar de compaixão. "Você não está com medo, está?"

"Não", respondi, rápido demais. A última coisa que eu queria era chamar a atenção de alguém ou deixar transparecer um quarto que fosse da minha inquietação.

Ele franziu o cenho para mim, depois se virou. "Xandra?", disse, erguendo o queixo. "Por que você não dá pra ele uma daquelas... você sabe."

"Pode deixar", disse Xandra, parando pra pegar algo na bolsa, fazendo surgir duas pílulas grandes e brancas em forma de projétil. Uma ela colocou na mão estendida do meu pai, a outra deu pra mim.

"Obrigado", disse meu pai, guardando-a no bolso da jaqueta. "Vamos arranjar alguma coisa pra tomar com elas. Guarda isso aí", disse ele para mim enquanto erguia a pílula entre o polegar e o indicador e eu me admirava com o tamanho dela.

"Ele não precisa de uma inteira", disse Xandra, agarrando o braço do meu pai enquanto se inclinava de lado pra ajustar a correia da sandália de plataforma.

"Verdade", disse meu pai. Pegou a pílula de mim, dividiu-a habilmente ao meio e guardou a outra metade no bolso da jaqueta esportiva enquanto caminhavam à minha frente, puxando as malas atrás de si.

V

A pílula não foi forte o bastante pra me fazer apagar, mas me deixou alto e feliz, e me fez entrar e sair vertiginosamente de sonhos no ar-condicionado. Passageiros sussurravam nos assentos à minha volta enquanto a voz de uma aeromoça anunciava o resultado do sorteio promocional a bordo: jantar e bebidas para dois no Treasure Island. Sua promessa abafada me atirou num sonho no qual eu nadava no fundo de uma água preto-esverdeada, em alguma competição iluminada por tochas com crianças japonesas mergulhando atrás de uma fronha de pérolas rosa. Durante todo esse tempo o avião roncou forte e branco e constante como o mar, embora em dado estranho momento — enrolado no fundo do meu cobertor azul, sonhando com algum lugar alto do deserto — tenha parecido que os motores haviam sido desligados e eu me vira flutuando de peito pra cima na gravidade zero, ainda preso pelo cinto à cadeira, que de alguma forma tinha se soltado dos outros assentos para flutuar livremente pela cabine.

Caí de volta no meu corpo com um solavanco quando o avião pousava na pista e quicava, freando ruidosamente.

"*E*... bem-vindos ao paraíso dos cassinos, Nevada", o piloto estava dizendo pelo sistema de som. "No horário da Terra do Pecado são onze e quarenta e sete da manhã."

Semiofuscado pela claridade, por vidro laminado e superfícies refletoras, fui me arrastando pelo terminal atrás de meu pai e Xandra, atordoado com as vozes e o pisca-pisca de caça-níqueis, a música tocando alto e incongruente tão cedo no dia. O aeroporto era como uma loja da Times Square: palmeiras imponentes, telas de cinema com fogos de artifício, gôndolas, dançarinas, cantores e acrobatas.

Levou um bom tempo até minha segunda mala aparecer na esteira giratória. Roendo as unhas, fiquei olhando fixamente para um painel com um dragão-de-komodo arreganhando os dentes, um anúncio de alguma atração de cassino: "Mais de dois mil répteis esperam por você". A multidão na área de bagagem era como um grupo de retardatários animados diante de uma boate de quinta categoria: queimaduras de sol, camisetas de discoteca, minúsculas mulheres asiáticas carregadas de joias com gigantescos óculos de sol de marca. A esteira circulava praticamente vazia, e meu pai (doido pra fumar um cigarro, percebi) estava começando a se alongar, a andar de um lado pro outro e a esfregar o nó dos dedos contra o rosto do jeito que fazia quando queria uma bebida, até que finalmente minha mala chegou, a última, de lona com uma etiqueta vermelha e a fita multicolorida que minha mãe tinha amarrado na alça.

Meu pai, com uma longa passada, precipitou-se para a frente e a agarrou antes que eu pudesse pegá-la. "Já não era sem tempo", disse ele alegremente, jogando-a no carrinho. "Vamos dar o fora daqui."

Saímos enfim pelas portas automáticas para ir de encontro a um muro de calor de tirar o fôlego. Quilômetros de carros estacionados se estendiam ao nosso redor em todas as direções, cobertos e imóveis. Fiquei olhando rigidamente para a frente — lâminas cromadas brilhando, o horizonte reluzindo como vidro ondulado —, como se olhar pra trás, ou hesitar, pudesse fazer algum funcionário uniformizado entrar na nossa frente. Mas ninguém me pegou pelo colarinho ou gritou pra que parássemos. Ninguém nem mesmo olhou pra gente.

Eu estava tão desorientado com aquela claridade que quando meu pai parou diante de um Lexus prata novo e disse: "É este aqui", tropecei e quase caí no meio-fio.

"Este carro é de vocês?", perguntei, olhando de um pro outro.

"Que foi?", disse Xandra, toda coquete, pisando firme no salto alto até o lado do passageiro, enquanto meu pai destravava o carro com um bipe. "Não gostou?"

Um Lexus? Todos os dias, eu era surpreendido por todo tipo de coisa importante e insignificante que precisava contar com urgência à minha mãe, e, enquanto ficava olhando abobalhado meu pai guardar as malas no porta-malas, meu primeiro pensamento foi: *Uau, espera só até ela ficar sabendo disso.* Não era de estranhar que ele não tinha mandado dinheiro pra casa.

Meu pai jogou seu Viceroy fumado pela metade com um floreio. "Certo", disse ele, "entra aí." O ar do deserto o tinha magnetizado. Em Nova York, ele parecera um pouco acabado e abatido, mas ali naquele calor ondulante sua jaqueta esportiva branca e seus óculos de sol de líder de seita faziam sentido.

O carro — que ligou com o toque de um botão — era tão silencioso que a princípio não percebi que estávamos em movimento. E assim saímos deslizando, rumo ao vazio e ao espaço. Acostumado como estava a ficar balançando no banco de trás de táxis, a suavidade e a frieza do passeio eram estranhas, misteriosas: areia marrom, claridade desagradável, transe e silêncio, lixo arrastado pelo vento e preso em cercas de arame. Eu ainda me sentia grogue e leve da pílula, e as fachadas e superestruturas malucas da Strip, o brilho violento em que as dunas tocavam o céu, me deixaram com a impressão de que tínhamos aterrissado em outro planeta.

Xandra e meu pai estavam conversando baixinho no banco da frente. Nisso ela se virou para mim, estourando bolas de chiclete na boca, robusta e radiante, as joias reluzindo contra a luz forte. "E aí, o que tá achando?", perguntou, exalando uma baforada forte de Juicy Fruit.

"Uma doidera", falei, vendo uma pirâmide passar rápido pela janela, depois a Torre Eiffel, impressionado demais para absorver aquilo.

"Você tá achando uma doidera agora?", perguntou meu pai, batendo a unha no volante de um jeito que eu associava a nervos exaltados e discussões quando ele voltava pra casa tarde da noite. "Espera só até ver tudo iluminado à noite."

"Olha só aquilo", disse Xandra, inclinando-se para apontar pela janela do lado do meu pai. "Lá está o vulcão. Funciona mesmo."

"Na verdade, acho que estão reformando. Mas, em teoria, funciona. Lava quente. A cada hora."

"Vire à esquerda daqui a três quilômetros", disse uma voz computadorizada de mulher.

Cores carnavalescas, cabeças de palhaço gigantescas e placas de XXX: a estranheza daquilo me divertia, mas também me assustava um pouco. Em Nova York, tudo me fazia lembrar da minha mãe — cada táxi, cada esquina, cada nuvem que cobria o sol —, mas naquele vazio mineral e quente era como se ela nunca tivesse existido; eu não conseguia nem imaginar seu espírito olhando lá de cima para mim. Qualquer traço dela parecia evaporar no ar rarefeito do deserto.

Enquanto andávamos de carro, a linha improvável do horizonte foi diminuindo até virar uma terra erma de estacionamentos e lojas de fábrica, shoppings sem rosto surgindo um após o outro, Circuit City, Toys "R" Us, supermercados e farmácias, abertos vinte e quatro horas por dia, nenhuma indicação de onde terminava ou começava. O céu se estendia larga e infinitamente, como sobre o mar. Enquanto eu lutava pra ficar acordado — piscando contra a claridade —, fiquei atordoado pensando sobre o interior de couro do veículo e me lembrei de uma história que com frequência ouvia minha mãe contar: sobre como, quando ela e meu pai estavam namorando, ele tinha aparecido com um Porsche que emprestara de um amigo para impressioná-la. Só depois que já tinham se casado ela ficou sabendo que o carro não era realmente dele. Minha mãe parecia achar isso engraçado — embora, considerando outros fatos menos divertidos que vieram à luz depois do casamento deles (como as múltiplas vezes que foi detido, quando menor de idade, sob acusações desconhecidas), eu me perguntasse se ela conseguia mesmo achar alguma graça naquela história.

"Hum, quanto tempo faz que vocês têm este carro?", perguntei, interrompendo a conversa deles na frente.

"Ih, caramba. Pouco mais de um ano agora, né, Xan?"

Um ano? Eu ainda estava remoendo isso — que significava que meu pai tinha adquirido o carro (e Xandra) antes de ter sumido — quando olhei pra fora e vi que os centros comerciais tinham dado lugar a séries aparentemente infinitas de casinhas de estuque. Apesar do aspecto idêntico, desbotado e quadradão — fileira após fileira, como lápides num cemitério —, algumas das casas tinham sido pintadas em tons pastel alegres (verdinho, rosinha, azulzinho) e havia algo de empolgante no ar estrangeiro das sombras acentuadas, das plantas pontudas do deserto. Tendo crescido na cidade, onde nunca havia espaço suficiente, para mim aquilo era uma surpresa boa. Seria algo novo morar numa casa com um jardim, ainda que fosse só de rochas e cactos.

"Aqui ainda é Las Vegas?" Para me distrair, eu estava tentando descobrir o que diferenciava as casas umas das outras: uma porta arqueada aqui, uma piscina ou uma palmeira ali.

"Você está vendo uma parte totalmente diferente da cidade agora", disse meu pai, respirando forte, apagando seu terceiro Viceroy. "Os turistas nunca veem isso."

Embora já estivéssemos andando há um tempo, não havia pontos de referência, e era impossível saber pra onde estávamos indo. A linha do horizonte permanecia monótona e invariável, e eu estava com medo de que fôssemos passar por todas as casas em tons pastel e prosseguir na direção dos resíduos alcalinos adiante, pra algum estacionamento de trailers assolado pelo sol. Mas em vez disso — para minha surpresa — as casas começaram a ficar maiores: com um segundo andar, jardim de cactos, cercas, piscinas e garagens para vários carros.

"Certo, é aqui", disse meu pai, entrando numa rua que tinha uma placa de granito imponente com letras inglesas: *Vilas de Canyon Shadows*.

"Vocês moram *aqui*?", falei, impressionado. "Tem um cânion aqui perto?"

"Não, é só o nome do lugar", disse Xandra.

"Sabe, eles têm um monte de empreendimentos diferentes por aqui", disse meu pai, apertando o nariz. Percebi por seu tom — sua velha voz rouca de preciso-de-uma-bebida — que ele estava cansado e num humor não muito bom.

"Eles chamam de vilas", disse Xandra.

"É. Que seja. Ah, cala essa porra", disparou meu pai, estendendo a mão para abaixar o volume enquanto a mulher do GPS voltava a dar instruções.

"Cada uma tem um tema diferente", disse Xandra, que estava passando delicadamente gloss nos lábios com a ponta do dedo mindinho. "Brisa da Aldeia, Cordilheira Fantasma, Vila dos Cervos Dançantes... Bandeira da Alma é a vila de golfe? E Encantada é a mais chique, com um monte de propriedades para investimento — ei, vire aqui, benzinho", disse ela, apertando o braço dele.

Meu pai continuou dirigindo reto e não respondeu.

"Merda!" Xandra virou-se no assento para olhar para a rua se afastando atrás de nós. "Por que você sempre tem que fazer o caminho mais longo?"

"Não comece com a história dos atalhos. Você é tão ruim quanto a mulher do GPS."

"É, mas é mais rápido. Coisa de quinze minutos. Agora vamos ter que contornar a Vila dos Cervos toda."

Meu pai bufou exasperado. "Olha..."

"Qual é a dificuldade de cortar caminho pela Trilha Gitana e virar duas vezes à esquerda e uma à direita? Porque é só isso que você tem que fazer. Se sair da Desatoya..."

"Olha. Você quer ir dirigindo? Ou vai me deixar dirigir a porra do carro?"

Eu sabia que era melhor não discutir com meu pai quando ele falava nesse tom, e aparentemente Xandra também. Ela ficou se remexendo no assento e — de um jeito deliberado que pareceu calculado para irritá-lo — ligou o rádio bem alto e começou a esmurrar os botões enquanto ia passando por estática e publicidade.

O som era tão poderoso que eu podia senti-lo vibrando pelo encosto do assento de couro branco. *Vacation, all I ever wanted...* A luz penetrava e irradiava pelas nuvens selvagens do deserto — um céu que não acabava nunca, azul, como um jogo de computador ou uma alucinação de pilotos de teste.

"Vegas 99, trazendo os anos 80 e 90", disse a voz rápida e animada do rádio. "E agora temos Pat Benatar pra vocês, no nosso Lapdance de Almoço com Mulheres dos Anos 80."

Na Vila Ranchos Desatoya, no número 6219 da Desert End Road, onde havia madeira empilhada em alguns jardins e areia soprando nas ruas, paramos na entrada de uma casa grande e fechada num estilo que parecia espanhol, ou talvez fosse mouro, de estuque bege, gabletes arqueados e um telhado de telhas de barro inclinado em vários ângulos surpreendentes. Fiquei impressionado com seu ar despropositado e esparramado, suas cornijas e colunas, a porta de ferro trabalhado com aspecto cenográfico, como uma daquelas casas das novelas da Telemundo que os porteiros deixavam sempre passando na sala de correspondência.

Saímos do carro e estávamos dando a volta até a entrada da garagem com nossas malas quando ouvi um barulho angustiante e sinistro: gritos, ou choros, saindo de dentro da casa.

"Minha nossa, o que é isso?", falei, deixando cair minhas bolsas, alarmado.

Xandra estava inclinada de lado, tropeçando um pouco no salto alto e lutando para encontrar a chave. "Ah, cala a boca, cala essa boca, cacete", ela estava resmungando entre dentes. Mal abriu a porta e uma bola de pelo pegajosa e histérica saiu em disparada, ganindo, e começou a pular, dançar e saltar à nossa volta.

"Sai!" Xandra estava gritando. Pela porta semiaberta, uma música de safári (elefantes trombeteando, vozerio de macacos) estava tocando tão alta que eu conseguia escutar do lado de fora, na garagem.

"Nossa", falei, olhando pra dentro. O ar ali tinha um cheiro quente e rançoso: fumaça velha de cigarro, carpete novo e — nenhuma dúvida nesse ponto — cocô de cachorro.

"Para o tratador, felinos grandes representam uma série de desafios sem igual", ressoou a voz na televisão. "Que tal acompanhar Andrea e sua equipe nas rondas matinais?"

"Ei", falei, parando na porta com minhas malas, "vocês deixaram a televisão ligada."

"Sim", disse Xandra, passando e roçando em mim, "está no Animal Planet, deixei ligada pra ele. Pro Popper. Eu disse sai!", gritou ela pro cachorro, que estava arranhando seus joelhos enquanto mancava no salto e desligava a televisão.

"Ele ficou sozinho?", perguntei, por cima dos guinchos do cachorro. Era um daqueles cães peludos de madame que seria branco e fofinho se estivesse limpo.

"Ah, ele tem um bebedouro da Petco", disse Xandra, secando a testa com o dorso da mão enquanto passava por cima do cachorro. "E um daqueles alimentadores grandes."

"De que raça ele é?"

"Maltês. Raça pura. Ganhei num sorteio. Bem, sei que está precisando de um banho, é um sufoco mantê-los arrumadinhos. É isso mesmo, olha só o que você fez com a minha calça", disse ela pro cachorro. "Jeans branco."

Estávamos numa sala grande e aberta com pé-direito alto e uma escada de um lado que dava para uma espécie de mezanino balaustrado — uma sala quase tão grande quanto o apartamento inteiro no qual cresci. Mas, quando meus olhos se ajustaram depois da luz forte do sol, fiquei pasmo com quão vazio estava o lugar. As paredes eram brancas. A lareira era de pedra, com um ar falsificado de cabana. Um sofá como que saindo de uma sala de espera de hospital. De frente para as portas de vidro do pátio, uma parede com estante embutida, praticamente vazia.

Meu pai entrou com um rangido e deixou cair as malas no carpete. "Jesus amado, Xan, isso aqui tá cheirando a merda."

Xandra — inclinando-se para largar a bolsa — fez uma careta quando o cachorro começou a saltar, subir nela e arranhá-la toda. "Bem, era pra Janet ter vindo soltá-lo", disse, por cima dos gritos agudos do cachorro. "Ela tinha a chave e tudo o mais. Meu Deus, Popper", disse, torcendo o nariz e virando o rosto, "você tá fedendo."

O vazio do lugar me deixou chocado. Até aquele momento, eu jamais tinha questionado a necessidade de vender os livros, os tapetes e as antiguidades da minha mãe, ou de mandar quase todo o resto pra caridade ou pro lixo. Eu tinha crescido num apartamento de sala e dois quartos onde os closets transbordavam de cheios, onde cada cama tinha caixas embaixo, e onde potes e panelas ficavam pendurados no teto porque não havia espaço nos armários. Quão fácil teria sido trazer algumas das coisas dela, como a caixa de prata que tinha sido da sua mãe, ou a pintura da égua castanha que parecia um Stubbs, ou até mesmo seu exemplar de infância de *Beleza negra*! Não era como se meu pai não pudesse ter se utilizado de umas boas pinturas ou da mobília que ela tinha herdado dos pais. Ele tinha se livrado das coisas dela porque a odiava.

"Jesus", meu pai estava dizendo, a voz erguida num tom irritado por cima dos latidos estridentes. "O cachorro destruiu o lugar. Sinceramente."

"Bem, não sei. Tipo, sei que está uma bagunça, mas Janet disse..."

"Eu te *disse*, você deveria ter deixado o cachorro num canil. Ou, sei lá, levado pra um abrigo. Não gosto dele dentro de casa. O lugar dele é ao ar livre. Não te falei que ia dar problema? Não dá pra confiar na idiota da Janet..."

"Tá, ele fez xixi no carpete algumas vezes. E daí? E *você*, tá olhando o quê, cacete?", disse Xandra irritada, passando por cima do cachorro gritando — e com um leve sobressalto percebi que era pra mim que ela estava olhando.

VI

Meu quarto novo parecia tão vazio e solitário que, depois de desfazer as malas, deixei a porta de correr do closet aberta pra poder ver minhas roupas penduradas ali dentro. Do andar de baixo, eu ainda podia ouvir meu pai gritando por causa do carpete. Infelizmente, Xandra também estava gritando, deixando-o ainda mais exaltado, exatamente o contrário do que se deveria fazer com ele naquele estado (coisa que eu poderia ter dito a ela, se tivesse perguntado). Em casa, minha mãe sabia como sufocar a raiva do meu pai ficando em silêncio, um fogo baixo e constante de desprezo que sugava todo o oxigênio do ambiente e fazia com que tudo o que ele dissesse soasse ridículo. Uma hora ele acabava saindo, batendo a porta da frente com tudo, e quando voltava — horas depois, com um clique suave da chave na fechadura — perambulava pelo apartamento como se nada tivesse acontecido: indo até a geladeira pra pegar uma cerveja, perguntando num tom perfeitamente normal onde estava a correspondência.

Entre os três quartos vagos do andar de cima eu escolhi o maior, que como um quarto de hotel tinha seu próprio banheiro. Havia um carpete peludo azul. Colchão descoberto, com a roupa de cama num saco plástico na ponta.

Percal Legends. Vinte por cento de desconto. Um zunido mecânico suave saía das paredes, como o som de um filtro de aquário. Parecia o tipo de quarto no qual uma garota de programa ou uma aeromoça é assassinada na televisão.

Ainda atento ao meu pai e Xandra, sentei no colchão com a pintura embrulhada no colo. Mesmo com a porta trancada, hesitava em tirar o papel caso subissem, mas o desejo de olhá-la era irresistível. Cuidadosamente, raspei a fita com a unha do polegar e puxei-a pelas pontas.

A pintura abriu mais rápido do que eu esperava, e vi-me contendo um suspiro de prazer. Era a primeira vez que a via à luz do dia. No quarto árido — todo branco, forrado com placas de gesso — as cores sóbrias ganhavam vida; e, apesar de a superfície da pintura estar ligeiramente assombrada por uma camada de poeira, o ar que emanava era como a leveza arejada e banhada de luz de uma parede em frente a uma janela aberta. Era disso que pessoas como a sra. Swanson falavam quando se referiam à luz do deserto? Ela adorava discorrer animadamente sobre o que chamava de sua "estadia" no Novo México — horizontes amplos, céus vazios, clareza espiritual. No entanto, como se por um truque da luz, a pintura parecia transfigurada, como a vista escura de tetos e caixas-d'água do quarto da minha mãe que às vezes ficava dourada e eletrificada por alguns estranhos momentos na tempestade de luz do fim de tarde, pouco antes de uma chuva de verão.

"Theo?" Era meu pai, batendo energicamente na porta. "Está com fome?"

Ergui-me, torcendo pra que ele não tentasse abrir a porta e a encontrasse trancada. Meu quarto novo estava tão vazio quanto uma cela de prisão; mas o closet tinha prateleiras altas, bem acima da linha de visão do meu pai, profundas.

"Vou sair pra comprar comida chinesa. Quer que eu traga alguma coisa pra você?"

Será que meu pai saberia o que aquela pintura era se a visse? Eu não tinha pensado nisso — mas, olhando para ela na luz, para o brilho que desprendia, percebi que qualquer idiota saberia. "Hum, já vou indo", falei, minha voz soando falsa e rouca, colocando a pintura dentro de uma fronha extra e escondendo-a debaixo da cama antes de sair apressado do quarto.

VII

Nas semanas antes do início das aulas, zanzando lá embaixo com os fones do iPod desligado no ouvido, descobri uma série de fatos interessantes. Pra começar: o antigo trabalho do meu pai não tinha envolvido tantas viagens de negócios a Chicago e Phoenix como ele nos fizera acreditar. Sem o conhecimento da minha mãe ou meu, ele já ia até Las Vegas fazia alguns meses quando ele e Xandra se conheceram, num bar de decoração asiática do Bellagio. Os dois já se viam havia algum tempo antes de meu pai sumir — pouco mais de um ano, pelo que entendi; aparentemente eles tinham comemorado seu "aniversário" juntos não muito antes de a minha mãe morrer, com um jantar no Delmonico Steakhouse e show do Bon Jovi no MGM Grand. (Bon Jovi! Entre todas as muitas coisas que eu morria de vontade de contar pra minha mãe — e havia milhares, se não milhões —, parecia terrível que ela jamais ficaria sabendo desse fato hilário.)

Outra coisa que eu descobri, depois de alguns dias na casa na Desert End Road: o que Xandra e meu pai realmente queriam dizer quando falaram que meu pai tinha "parado de beber" era que ele tinha trocado uísque (sua bebida de sempre) por Corona Light e Vicodin. Eu estava intrigado com a frequência com que eles trocavam repentinamente o sinal de paz e amor, o V da vitória, em todo tipo de contexto incongruente, e isso poderia ter permanecido um mistério por muito mais tempo se meu pai não tivesse simplesmente chegado e pedido um Vicodin a Xandra quando achou que eu não estava escutando.

Eu não sabia nada sobre Vicodin, exceto que era por causa disso que uma atriz de filmes violentos de que eu gostava estava sempre aparecendo em fotos de tabloides: tropeçando pra fora da Mercedes enquanto luzes de viatura piscavam no fundo. Vários dias depois, deparei com um saco plástico que parecia ter umas trezentas pílulas dentro sobre o balcão da cozinha, ao lado do Propecia do meu pai e de uma pilha de contas não pagas, que Xandra agarrou e jogou na bolsa.

"Que pílulas são essas?", perguntei.

"Hum, vitaminas."

"Por que estão num saquinho?"

"Compro de um fisiculturista lá do trabalho."

O estranho era — e isso era outra coisa que eu desejaria ter podido discutir com a minha mãe — que a nova versão drogada do meu pai era uma companhia muito mais agradável e previsível do que a antiga. Quando meu pai bebia, seus nervos sofriam uma reviravolta — piadas inapropriadas e explosões agressivas o tempo todo, até o momento em que ele apagava —, mas quando parava de beber ficava pior. Ele andava dez passos à frente de nós dois na calçada, falando sozinho e remexendo os bolsos do terno como se procurasse uma arma. Trazia pra casa coisas que a gente não queria nem podia pagar, como Manolos de crocodilo pra minha mãe (que odiava salto alto) no tamanho errado. Ele trazia pilhas de papel do escritório pra casa e ficava sentado até depois da meia-noite bebendo café gelado e apertando números na calculadora, o suor escorrendo como se tivesse acabado de malhar quarenta minutos na StairMaster. Ou então fazia um escândalo porque queria ir pra alguma festa em algum buraco do Brooklyn ("Como assim, talvez eu não deva ir? Você acha que tenho que viver como um ermitão de merda, é isso?") e então — depois de arrastar minha mãe pra lá — saía furioso passados dez minutos depois de ter insultado alguém ou tirado sarro da pessoa.

Era diferente agora, uma energia mais afável, com as pílulas: uma combinação de lentidão e vivacidade, um ar confuso, patético e aéreo. Seu andar estava mais leve. Ele cochilava mais, assentia, perdia o fio da meada na argumentação, arrastava-se descalço pela casa com o roupão semiaberto. Considerando seus xingamentos amigáveis, a barba constantemente por fazer, o jeito descontraído como falava com o cigarro no canto da boca, era quase como se estivesse interpretando um personagem: um cara tranquilão de um noir da década de 1950 ou talvez de *Onze homens e um segredo*, um gângster preguiçoso e realizado, com pouco a perder. No entanto, mesmo em meio àquela sua nova atmosfera relaxada, ele ainda tinha aquele olhar enlouquecido e ligeiramente heroico de estudante insolente, ainda mais agitado com a idade, semiarruinado e despreocupado.

Na casa da Desert End Road, que tinha o pacote de TV a cabo supercaro que minha mãe jamais nos deixaria assinar, ele fechava a persiana e ficava sentado fumando na frente da televisão, o olhar vidrado feito um viciado em ópio, assistindo a ESPN no mudo, nenhum esporte em particular, qualquer coisa que estivesse passando: críquete, pelota basca, badminton, croquet. O ar ficava excessivamente gelado, com um cheiro rançoso de geladeira; sentado imóvel durante horas, a fumaça fina do seu Viceroy subindo até o teto como um fio de incenso, ele poderia perfeitamente estar contemplando Buda, Darma e Sangha como se fossem os líderes do ranking do PGA ou qualquer coisa do tipo.

O que não estava claro é se meu pai tinha um emprego — ou, se ele tinha, que tipo de emprego era esse. O telefone tocava toda hora do dia e da noite. Meu pai ia até o corredor com o fone, de costas pra mim, apoiando-se com o braço contra a parede e olhando para o carpete enquanto falava, algo em sua postura sugerindo a atitude de um técnico no final de um jogo difícil. Geralmente mantinha a voz bem baixa, mas mesmo quando não o fazia era difícil entender a conversa: comissão, vitória, provável favorito, direta, com margem. Ele ficava fora a maior parte do tempo, resolvendo coisas inexplicáveis, e muitas noites ele e Xandra nem voltavam pra casa. "A gente vive recebendo cortesia no MGM Grand", explicou ele, esfregando os olhos, afundando nas almofadas do sofá com um suspiro exausto — e novamente me veio a ideia do personagem que ele estava interpretando, o playboy mal-humorado, relíquia dos anos 1980, facilmente entediado. "Espero que não se importe. É só quando ela pega o último turno, é mais fácil pra gente passar a noite na Strip."

VIII

"O que são todos esses papéis espalhados?", perguntei a Xandra certo dia enquanto ela estava na cozinha preparando seu drinque light branco. Eu estava estranhando os cartões que encontrava toda hora pela casa: quadriculados preenchidos a lápis, com linhas e linhas de números monótonos. Com um vago aspecto científico, eles tinham um quê sinistro de sequências de DNA, ou talvez de transmissões de espionagem em código binário.

Ela desligou o liquidificador, afastou o cabelo dos olhos. "Como?"

"Essas planilhas de trabalho ou sei lá o quê."

"Baca-*rá*!", disse Xandra — enrolando o r, estralando os dedos de um jeito sutil e complicado.

"Ah", falei depois de uma pausa, embora jamais tivesse ouvido a palavra antes.

Ela enfiou o dedo na bebida, lambeu-o. "Vamos bastante pro salão de bacará no MGM Grand", disse ela. "Seu pai gosta de manter o registro dos jogos dele."

"Posso ir uma vez?"

"Não. Bem, é... acho que você *poderia*", disse ela, como se eu tivesse perguntado sobre a possibilidade de passar férias em um país islâmico instável. "É só que eles não são muito de receber crianças nos cassinos. Não permitem que você vá e fique vendo a gente jogar."

E daí?, pensei. Ficar de bobeira vendo meu pai e Xandra apostar não chegava nem perto da minha ideia de diversão. Em voz alta, falei: "Mas achei que eles tinham tigres e barcos piratas e coisas assim".

"É, bem. Acho que sim." Ela estava se esticando pra pegar um copo na prateleira, deixando à mostra um quadrilátero de caracteres chineses azuis entre a camiseta e o jeans de cintura baixa. "Tentaram vender um pacote pra toda a família alguns anos atrás, mas acabou não rolando."

IX

Eu poderia gostar de Xandra em outras circunstâncias — o que é, suponho, quase o mesmo que dizer que eu poderia gostar do garoto que me bateu se ele não tivesse me batido. Foi ela a primeira a me deixar com a impressão de que mulheres com mais de quarenta — mulheres sem aquela beleza toda, digamos assim — podiam ser sexy. Embora não tivesse um rosto bonito (olhos meio puxados, nariz pequeno e arredondado, dentes minúsculos), ela estava em forma, malhava, e seus braços e pernas eram tão brilhantes e bronzeados que sua cor parecia quase artificial, como se Xandra se besuntasse toda com um monte de cremes e óleos. Oscilando sobre o salto alto, ela andava rápido, sempre puxando a saia curta demais pra baixo, um andar inclinado pra frente, estranhamente sedutor. Por um lado, eu sentia aversão a ela — sua voz gaguejante, seu gloss grosso e brilhante que saía de um tubinho com a inscrição Lip Glass; os múltiplos furos de piercing nas orelhas e a fenda entre os dentes da frente, na qual ela gostava de passar a língua —, mas também havia algo de sensual, excitante e forte: uma força animal, algo de felino ronronando, à espreita quando ela tirava o salto e andava descalça.

Coca-cola de baunilha, protetor labial de baunilha, drinque light de baunilha, Stolichnaya de baunilha. Quando não estava trabalhando, ela se vestia feito uma mãe tenista rapper, saia curta branca, montes de joias de ouro. Até seus tênis eram novos e branquíssimos. Ela usava um biquíni de crochê branco para tomar sol à beira da piscina; tinha as costas largas mas magras, bem musculosas, como um homem sem camisa. "Opa, escapadinha", disse ela quando sentou na espreguiçadeira esquecendo de amarrar a parte de cima do biquíni, e eu vi que seus seios eram tão bronzeados quanto o resto dela.

Ela gostava de reality shows: *Survivor, American Idol*. Gostava de comprar na Intermix e na Juicy Couture. Gostava de ligar pra sua amiga Courtney e "desabafar", e muito do desabafo estava, infelizmente, relacionado a mim. "Dá pra acreditar?", escutei-a falando no telefone um dia em que meu pai não estava em casa. "Isso não estava no pacote. Um filho? Como assim?"

"Sim, é um pé no saco", continuou ela, inalando preguiçosamente seu Marlboro Light, parando perto das portas de vidro que davam para a piscina, olhando para as unhas do pé recém-pintadas de verde-melão. "Não", disse ela depois de uma pausa. "Não sei por quanto tempo. Tipo, o que ele espera que eu pense? Não sou nenhuma supermãe excêntrica."

Suas queixas pareciam rotineiras, nada particularmente exaltado e pessoal. Ainda assim era difícil saber como fazer para ela gostar de mim. A princípio eu tinha agido com base na premissa de que mulheres com idade pra ser sua mãe adoravam quando você ficava por perto e tentava conversar com elas, mas no caso de Xandra logo percebi que era melhor não brincar ou fazer muitas perguntas sobre seu dia quando ela chegava em casa de mau humor. Às vezes, quando estávamos só nós dois, ela tirava da ESPN e ficávamos comendo salada de frutas e vendo filmes na Lifetime num clima bastante pacífico. Mas quando ela estava irritada comigo tinha um jeito frio de falar "Percebe-se" em resposta a quase tudo o que eu dizia, fazendo eu me sentir idiota.

"Hum, não estou encontrando o abridor de latas."
"Percebe-se."
"Vai haver um eclipse lunar esta noite."
"Percebe-se."
"Olha, a tomada está soltando faíscas."
"Percebe-se."

Xandra trabalhava à noite. Geralmente saía correndo por volta de três e meia da tarde, vestida com seu uniforme cheio de curvas: jaqueta preta, calça preta de um material elástico e colado, com os botões da blusa abertos até a região sardenta do esterno. No crachá preso à jaqueta estava escrito XANDRA em letras maiúsculas e embaixo: *Flórida*. Em Nova York, naquela noite em que saímos pra jantar, ela tinha me dito que estava tentando entrar no setor imobiliário, mas o que ela realmente fazia, logo descobri, era trabalhar como gerente num bar chamado Nickels num cassino da Strip. Às vezes ela chegava em casa com travessas de plástico de petiscos embrulhados em celofane, coisas como almôndegas e frango teriyaki, que ela e meu pai carregavam pra frente da televisão e comiam enquanto viam TV no mudo.

Morar com eles era como dividir a casa com colegas com quem eu não me dava muito bem. Quando estavam em casa, eu ficava no quarto com a porta fechada. Quando saíam — que era a maior parte do tempo — eu vagava até os cantos mais afastados da casa, tentando me acostumar com sua imensidão. Várias partes não tinham nada de mobília, ou quase nada, e o espaço aberto, a claridade sem cortinas — carpetes sempre expostos e superfícies planas e paralelas —, faziam eu me sentir um pouco perdido.

No entanto, era um alívio não me sentir constantemente exposto, ou num palco, como acontecia na casa dos Barbour. O céu era de um azul rico, descuidado e infinito, com a promessa de alguma glória ridícula que não estava realmente lá. Ninguém se importava por eu nunca trocar de roupa e não fazer terapia. Eu era livre para não fazer nada, ficar na cama a manhã toda, ver cinco filmes seguidos de Robert Mitchum se estivesse a fim.

Meu pai e Xandra mantinham a porta do quarto trancada — uma pena, já que era ali que ela guardava o laptop, fora do meu alcance a não ser quando estava em casa e o trazia pra baixo pra eu usar na sala. Xeretando pela casa quando eles saíam, encontrei panfletos de imobiliária, taças de vinho novas ainda na caixa, uma pilha de *TV Guides* velhas, uma caixa de papelão com brochuras gastas: *Seus signos lunares*, *A dieta de South Beach*, *O livro das tells*, de Mike Caro, e *Amantes e jogadores*, de Jackie Collins.

As casas à nossa volta estavam vazias — nenhum vizinho. Cinco ou seis casas adiante, do outro lado da rua, havia um velho Pontiac estacionado. Pertencia a uma mulher de aspecto cansado com peitos grandes e um cabelo imundo, que às vezes eu via descalça no fim de tarde em frente à sua casa, segurando um maço de cigarros e falando no celular. Eu pensava nela como "a Jogadora", pois na primeira vez em que a vi ela estava vestindo uma camiseta com os dizeres NÃO ODEIE O JOGADOR, ODEIE O JOGO. Além dela, da Jogadora, o único ser vivo que eu tinha visto na nossa rua era um homem barrigudo de camiseta esportiva preta bem mais pra frente, já no cul-de-sac, empurrando uma lata de lixo sobre rodas até o meio-fio (eu poderia ter dito a ele que não havia coleta de lixo naquela rua. Quando chegava a hora de tirar o lixo, Xandra me fazia sair de fininho com o saco pra jogá-lo na caçamba da casa abandonada/em construção algumas portas adiante). À noite — tirando a nossa casa e a da Jogadora — reinava a mais completa escuridão na rua. Era tudo tão isolado quanto num livro que tínhamos lido no terceiro ano sobre crianças pioneiras em Nebraska, exceto pelo fato de que não havia irmãos ou animais de fazenda amigáveis, ou mamãe e papai.

O mais difícil, sem dúvida, era estar preso no meio do nada — nenhum cinema ou biblioteca, nem mesmo uma loja de esquina. "Não passa nenhum ônibus ou algo assim?", perguntei a Xandra certa vez quando ela estava na cozinha, desembrulhando a travessa de plástico da noite com asinhas de frango picantes e molho de gorgonzola.

"Ônibus?", disse Xandra, lambendo o barbecue que tinha espirrado no dedo.

"Não tem transporte público por aqui?"

"Não."

"O que as pessoas fazem?"

Xandra virou a cabeça pro lado. "Elas dirigem", disse, como se eu fosse um retardado que nunca tinha ouvido falar em carros.

Mas havia uma coisa: uma piscina. No meu primeiro dia fiquei vermelho de queimado com uma hora de sol e passei uma noite insone em lençóis novos e ásperos. Depois disso, só entrava quando o sol começava a baixar. O pôr do sol lá era florido e melodramático, grandes pinceladas de laranja, carmesim e escarlate, estilo *Lawrence da Arábia*, e então a noite caía escura e forte feito uma porta sendo batida. O cachorro de Xandra, Popper — que morava, na maior parte do tempo, num iglu de plástico marrom no lado sombreado da cerca —, corria de um lado pro outro latindo na beira da piscina enquanto eu ficava deitado de costas, tentando encontrar constelações que eu conhecia na confusão salpicada e branca de estrelas: Lira, a rainha Cassiopeia, Escorpião, chicoteante com os ferrões gêmeos na cauda, todos os padrões amáveis de infância que me faziam dormir com o brilho no teto do meu quarto em Nova York. Agora transfigurados — frios e gloriosos como divindades sem seus disfarces —, era como se tivessem saído voando do teto rumo ao céu para se apropriar de seus verdadeiros lares celestiais.

X

Minhas aulas começaram na segunda semana de agosto. À distância, o complexo cercado de prédios compridos, baixos e cor de areia, ligados por passarelas cobertas, me fez pensar numa prisão de segurança mínima. Mas, uma vez tendo entrado, os cartazes de cores vivas e o eco do corredor me fizeram entrar num sonho escolar antigo e conhecido: escadarias cheias de gente, luzes, sala de biologia com uma iguana e um aquário do tamanho de um piano; corredores ladeados por armários que eram familiares como o cenário de uma série de televisão muito vista — e, embora a semelhança com minha velha escola fosse apenas superficial, por alguma estranha sintonia ela também me pareceu reconfortante e real.

A outra turma de literatura inglesa avançada estava lendo *Grandes esperanças*. A minha estava lendo *Walden*; eu me escondi na frieza e no silêncio do livro, um refúgio do brilho de chapa metálica do deserto. Durante o intervalo da manhã (quando nos juntavam e nos faziam sair pra um pátio com cercas de arame, perto das máquinas de sanduíches), eu ficava no canto mais sombreado que podia encontrar com minha edição de bolso e, com um lápis vermelho, ia lendo e sublinhando várias frases particularmente encorajadoras: "A massa dos homens leva uma vida de desespero mudo". "Um desespero estereotipado mas inconsciente se esconde mesmo sob os chamados jogos e divertimentos da humanidade." O que Thoreau teria achado de Las Vegas: suas luzes e sua algazarra, seu lixo e seus delírios, suas projeções e fachadas ocas?

Na minha escola, a sensação de transitoriedade era perturbadora. Havia vários filhos de militares, vários estrangeiros — muitos deles filhos de executivos que tinham vindo a Las Vegas para assumir grandes empregos gerenciais ou na área da construção civil. Alguns tinham vivido em nove ou dez estados diferentes num período de anos equivalente, e muitos tinham morado no exterior: em Sydney, Caracas, Beijing, Dubai, Taipé. Havia também um bom tanto de garotos e garotas tímidos e quase invisíveis cujos pais tinham fugido da miséria rural para trabalhar como cumins e camareiras em hotéis. Nesse novo ecossistema, dinheiro, ou mesmo aparência, não parecia determinar a popularidade; o que mais importava, como vim a perceber, era quem tinha vivido mais tempo em Vegas, e isso explicava por que as beldades mexicanas de tirar o fôlego e os herdeiros itinerantes de construtores sentavam sozinhos no almoço enquanto os adolescentes medianos e sem graça, filhos de corretores locais e vendedores de carro, eram os líderes de torcida e presidentes de turma, a elite incontestada da escola.

Os dias eram claros e belos; conforme o mês de setembro ia passando, a claridade odiosa deu lugar a certa luminosidade, a um ar empoeirado e dourado. Às vezes eu almoçava na Mesa Espanhola, pra treinar a língua; às vezes almoçava na Mesa Alemã, apesar de não saber falar alemão, pois vários dos garotos de alemão II — filhos de executivos do Deutsche Bank e da Lufthansa — tinham crescido em Nova York. Das aulas, a única que realmente me interessava era literatura inglesa, apesar de me incomodar a quantidade de colegas que não gostava de Thoreau e até falava mal dele, como se ele (que dizia nunca ter aprendido nada de importante com uma pessoa de idade) fosse um inimigo, e não um amigo. Seu desprezo pelo comércio — estimulante para mim — irritava vários dos garotos mais expansivos de literatura inglesa avançada. "Aham, vai nessa", gritou um garoto detestável com um cabelo duro de tanto gel e penteado pra cima feito um personagem de Dragon Ball Z, "que mundo não teríamos se *todos* simplesmente largassem tudo e ficassem zanzando pelos bosques..."

"*Eu, eu, eu*", choramingou uma voz nos fundos.

"É antissocial", falou impaciente uma menina bocuda por cima das risadas que se seguiram a isso, remexendo-se no assento, voltando-se para a professora (uma mulher lânguida e comprida chamada sra. Spear, que sempre usava sandálias marrons e cores terrosas, e aparentava estar em uma terrível depressão). "Thoreau nunca tira a bunda do lugar e fica falando de como está por cima..."

"*Porque*", disse o garoto do Dragon Ball Z, erguendo a voz alegremente, "se todo mundo largar tudo, como ele está dizendo pra fazer, que tipo de comunidade teríamos? Se só existisse gente como ele? Não teríamos hospitais e tal. Não teríamos estradas."

"Grande merda", resmungou uma voz bem-vinda, alto apenas o suficiente pra todos à sua volta ouvirem.

Virei-me para ver quem tinha dito isso: o garoto com cara de chapado na fileira ao lado, sentado largado e tamborilando os dedos na carteira. Quando ele me viu olhando, ergueu uma sobrancelha surpreendentemente animada, como se dissesse: *Dá pra acreditar nesses idiotas?*

"Alguém aí atrás tem algo a dizer?", perguntou a sra. Spear.

"Como se Thoreau desse a mínima pra estradas", disse o garoto chapado. Seu sotaque me pegou de surpresa: estrangeiro, mas eu não conseguia identificá-lo.

"Thoreau foi o primeiro ambientalista", disse a sra. Spear.

"Ele também foi o primeiro vegetariano", disse uma garota nos fundos.

"Típico", disse outro. "O sr. Natureba."

"Vocês não estão entendendo o que quero dizer", disse o garoto do Dragon Ball Z, animado. "Alguém tem que construir estradas, e não simplesmente ficar sentado nos bosques olhando pra formigas e pernilongos o dia todo. Chama-se civilização."

Meu vizinho soltou uma risada alta e rasgada de desdém. Ele era pálido e magro, não muito limpo, com um cabelo escuro e liso caindo nos olhos e o aspecto doentio de um fugitivo, mãos calejadas e unhas pretas nos cantos e roídas até a carne — em nada parecido com os ratos de skate de cabelos sedosos e bronzeados de esquiar da minha escola no Upper West Side, punks cujos pais eram CEOs e cirurgiões da Park Avenue, mas um garoto que você poderia muito bem ver sentado numa calçada com um cachorro de rua preso por uma corda.

"Bem, para trabalhar algumas dessas questões, gostaria que todos voltassem para a página quinze", disse a sra. Spear. "Onde Thoreau fala sobre sua experiência de vida."

"Como assim experiência?", disse o Dragon Ball Z. "Qual é a diferença entre viver nos bosques como ele faz e um homem das cavernas?"

O garoto de cabelo escuro fechou a cara e afundou mais na cadeira. Ele me lembrava os garotos na St. Mark's Place, que pareciam moradores de rua e ficavam passando cigarros um pro outro, comparando cicatrizes, mendigando trocados — as mesmas roupas rasgadas e braços brancos esqueléticos; os mesmos braceletes pretos de couro confusamente amarrados nos pulsos. Sua complexidade era um signo que eu não conseguia decifrar, embora o significado geral estivesse bem claro: *tribo diferente, pode esquecer, sou maneiro demais pra você, nem tente falar comigo*. Foi essa a minha primeira impressão — equivocada — do único amigo que fiz quando estava em Vegas e, no fim das contas, um dos melhores amigos que tive na vida.

Seu nome era Boris. De algum modo nos encontramos parados juntos em meio à aglomeração de gente esperando o ônibus depois da escola naquele dia.

"Haha! Harry Potter", disse ele, enquanto me olhava.

"Vá se foder", respondi, indiferente. Não era a primeira vez, em Vegas, que eu tinha ouvido o comentário sobre Harry Potter. Minhas roupas nova-iorquinas — calça cáqui, camisas brancas, os óculos de armação de tartaruga dos quais eu infelizmente precisava pra enxergar — me faziam parecer um esquisitão na escola, onde a maioria das pessoas usava regata e chinelo.

"Cadê sua vassoura?"

"Esqueci em Hogwarts", falei. "E você? Cadê sua prancha?"

"Hein?", disse ele, inclinando-se pra mim com as mãos em concha no ouvido num gesto de velhote surdo. Ele era uns trinta centímetros mais alto que eu; além do coturno e da calça camuflada bizarra e velha rasgada nos joelhos, ele vestia uma camiseta preta imunda com um logo de snowboard, **Never Summer**, em letras góticas brancas.

"Sua camiseta", falei, apontando de leve com o queixo. "Não vai dar pra praticar muito snowboard no deserto."

"Nhé", disse Boris, afastando o cabelo escuro e pegajoso dos olhos. "Nunca pratiquei snowboard. Só odeio o sol."

Acabamos sentando juntos no ônibus, no banco mais perto da porta — claramente um lugar impopular pra se sentar, a julgar pela forma desesperada com que os outros garotos abriam caminho e se empurravam pra chegar no fundo, mas eu não tinha crescido andando de ônibus escolar e pelo jeito nem ele, já que também parecia achar natural simplesmente se jogar no primeiro banco vazio da frente. Ficamos um tempo sem dizer muita coisa, mas era uma longa viagem, e uma hora começamos a conversar. Acabou que ele também morava em Canyon Shadows — bem mais pra frente, na parte que já era reclamada pelo deserto, onde muitas das casas estavam inacabadas e havia sempre areia nas ruas.

"Há quanto tempo você está aqui?", perguntei a ele. Era o que todos se perguntavam na minha escola, como se estivéssemos cumprindo pena na prisão.

"Sei lá. Dois meses talvez?" Embora ele falasse inglês com bastante fluência, com um forte sotaque australiano, também havia um algo a mais escuro e pastoso por trás: um quê de Conde Drácula, ou talvez de agente da KGB. "De onde você é?"

"Nova York", respondi, e fiquei satisfeito com sua segunda olhadela silenciosa, as sobrancelhas abaixadas que diziam: *Legal.* "E você?"

Ele fez uma careta. "Bem, vejamos", disse, afundando no assento e contando os lugares nos dedos. "Morei na Rússia, na Escócia, que talvez tenha sido legal mas eu não lembro, na Austrália, na Polônia, na Nova Zelândia, no Texas por dois meses, no Alasca, na Nova Guiné, no Canadá, na Arábia Saudita, na Suécia, na Ucrânia..."

"Caramba."

Ele deu de ombros. "Mais tempo na Austrália, na Rússia e na Ucrânia. Nesses três lugares."

"Você fala russo?"

Ele fez um gesto que entendi ser de *mais ou menos*. "Ucraniano também, e polonês. Apesar de eu já ter esquecido muita coisa. Outro dia eu estava tentando lembrar qual era a palavra pra 'libélula' e não consegui."

"Fala alguma coisa."

Ele falou, algo cuspido e gutural.

"O que isso significa?"

Ele riu, divertido. "Vai tomar no cu."

"Ah é? Em russo?"

Ele riu, expondo dentes cinzentos e nada americanos. "Ucraniano."

"Achei que eles falassem russo na Ucrânia."

"Bem, sim. Depende da parte da Ucrânia. Não são línguas tão diferentes, as duas. Bem..." — estalar de língua, revirar de olhos — "não muito. Os números mudam, os dias da semana, alguma coisa de vocabulário. Meu nome tem outra grafia na Ucrânia, mas na América do Norte é mais fácil usar a forma russa e ser Boris, e não B-o-r-y-s. No Ocidente todo mundo conhece Boris Yeltsin..." Ele inclinou a cabeça pra um lado. "Boris Becker..."

"Boris Badenov..."

"Hein?", disse ele rispidamente, virando-se como se eu o tivesse insultado.

"Bullwinkle? Boris e Natasha?"

"Ah, sim. O príncipe Boris! *Guerra e paz*. Tenho esse nome por causa dele. Embora o sobrenome do príncipe Boris seja Drubetskói, não isso que você disse."

"Mas e aí, qual é a sua língua materna? Ucraniano?"

Ele deu de ombros. "Polonês talvez", disse ele, recostando-se no assento, jogando o cabelo escuro pro lado com um meneio de cabeça. Seus olhos eram firmes e bem-humorados, muito escuros. "Minha mãe era polonesa, de Rzeszów, perto da fronteira com a Ucrânia. Russo, ucraniano... A Ucrânia, como você deve saber, era um satélite da União Soviética, então eu falo os dois. Talvez russo menos, mas é melhor pra praguejar e xingar. Se você sabe uma língua eslava — russo, ucraniano, polonês, até tcheco — meio que entende todas. Mas, pra mim, inglês é a mais fácil agora. Costumava ser o contrário."

"O que você acha dos Estados Unidos?"

"Todo mundo sempre sorri tão abertamente! Bem, a maioria das pessoas. Talvez você nem tanto. Acho isso meio bobo."

Ele era, como eu, filho único. Seu pai (nascido em Novoagansk, na Sibéria, mas de nacionalidade ucraniana) trabalhava com mineração e exploração. "Ele tem um cargo importante — viaja pelo mundo." A mãe de Boris, segunda esposa do pai, tinha morrido.

"A minha também", falei.

Ele deu de ombros. "Ela morreu já faz um tempão", disse. "Era alcoólatra. Ficou bêbada uma noite, caiu de uma janela e morreu."

"Nossa", falei, um pouco chocado com a tranquilidade com que ele soltou isso.

"É, uma merda", disse Boris num tom desinteressado, olhando pra fora pela janela.

"E qual é a sua nacionalidade?", perguntei, depois de um breve silêncio.

"Hein?"

"Bem, se sua mãe era polonesa e seu pai é ucraniano, e se você nasceu na Austrália, isso faz de você um...?"

"Indonésio", disse ele, com um sorriso sinistro. Ele tinha sobrancelhas escuras e diabólicas muito expressivas que ficavam subindo e descendo enquanto falava.

"Por quê?"

"Bem, meu passaporte diz que sou ucraniano. E eu também tenho cidadania polonesa. Mas a Indonésia é o lugar pra onde quero voltar", disse, afastando o cabelo dos olhos. "Bem... PNG."

"Como?"

"Papua-Nova Guiné. É o lugar onde eu mais gostei de morar."

"Papua-Nova Guiné? Achei que eles tinham caçadores de cabeça."

"Não mais. Ou não muitos. Este bracelete é de lá", disse ele, apontando pra uma das muitas tiras pretas de couro no pulso. "Meu amigo Bami fez pra mim. Ele era nosso cozinheiro."

"Como é morar lá?"

"Nada mal", disse Boris, olhando pra mim de lado com seu jeito divertido e cismado. "Eu tinha um papagaio. E um ganso de estimação. Além disso, estava aprendendo a surfar. Mas daí, seis meses atrás, meu pai me arrastou com ele pra uma cidadezinha sombria do Alasca. Península de Seward, logo abaixo do Círculo Polar Ártico. Então, na metade de maio, voamos até Fairbanks num avião a hélice, e depois viemos pra cá."

"Nossa", falei.

"Um tédio *mortal* lá", disse Boris. "Um monte de peixe morto, internet ruim. Eu devia ter fugido — quem me dera tivesse fugido", disse ele amargamente.

"E feito o quê?"

"Ficado em Nova Guiné. Morado na praia. De qualquer forma, graças a Deus não ficamos lá o inverno todo. Alguns anos atrás, estávamos no norte do Canadá, em Alberta, numa cidadezinha de uma rua depois do rio Pouce Coupe. Escuridão o tempo todo, de outubro a março, e porra nenhuma pra fazer exceto ler e escutar a rádio CBC. A gente tinha que dirigir cinquenta quilômetros pra chegar numa lavandeira. Ainda assim...", riu ele, "mil vezes melhor que a Ucrânia. É Miami Beach, se for comparar."

"O que seu pai faz mesmo?"

"Bebe, principalmente", disse Boris, desgostoso.

"Ele deveria conhecer meu pai, então."

Novamente a risada súbita e explosiva — quase como se estivesse cuspindo em mim. "Sim. Ótimo. E putas?"

"Não ficaria surpreso", falei, depois de uma pausa curta de espanto. Embora poucas coisas que o meu pai fizesse me chocassem, eu nunca o imaginara realmente indo pra espeluncas como as boates que a gente via às vezes na rodovia.

O ônibus tinha esvaziado bastante; estávamos só a algumas ruas da minha casa. "Meu ponto já é aqui", falei.

"Quer ir até a minha casa ver televisão?", perguntou Boris.

"Bem..."

"Ah, vamos. Não tem ninguém lá. E eu tenho *SOS Iceberg* em DVD."

XI

O ônibus escolar na verdade não ia até o final de Canyon Shadows, onde Boris morava. Era uma caminhada de vinte minutos até sua casa descendo no último ponto, sob um sol escaldante, por ruas tomadas de areia. Apesar de haver várias placas de hipoteca executada e À VENDA na minha rua (à noite, um som de rádio de carro se propagava por quilômetros), ainda assim, eu não fazia ideia de quão esquisito Canyon Shadows ficava nos seus confins mais distantes: uma cidade de brinquedo, encolhendo à beira do deserto, sob um céu ameaçador. Parecia que ninguém nunca tinha morado na maioria das casas. Outras — inacabadas — tinham janelas grosseiras e sem vidro; estavam cobertas por estruturas de andaime e cinzentas da areia trazida pelo vento, com pilhas de massa de cimento e material de construção amarelado na frente. As janelas tapadas com tábuas lhes davam um aspecto cego, quebrado e irregular, feito um rosto espancado e enfaixado. À medida que caminhávamos, o ar de abandono ia ficando cada vez mais perturbador, como se estivéssemos vagando por um planeta despovoado por radiação ou doença.

"Eles constroem estas merdas longe demais", disse Boris. "Agora o deserto está tomando de volta. E os bancos." Ele riu. "Foda-se Thoreau, hein?"

"Esta cidade toda é um grande Foda-se pro Thoreau."

"Te digo quem são os fodidos. Os donos dessas casas. Em muitas não conseguem nem puxar a água. As casas são tomadas porque as pessoas não conseguem pagar — é por isso que meu pai aluga a nossa casa por um preço absurdamente baixo."

"Hum", falei, depois de uma pausa ligeira e atônita. Não tinha parado pra pensar em como meu pai conseguia arcar com uma casa tão grande como a nossa.

"Meu pai trabalha com mineiração", disse Boris subitamente.

"Como?"

Ele afastou o cabelo escuro e suado do rosto. "As pessoas nos odeiam, aonde quer que a gente vá. Porque prometem que a mina não vai agredir o ambiente, e daí é claro que agride. Mas aqui..." — ele deu de ombros de um jeito fatalista — "meu Deus, neste areal de merda, quem se importa?"

"Hã", falei, impressionado com a forma como nossas vozes se propagavam pela rua deserta, "é *realmente vazio* pra estas bandas, né?"

"Sim. Um cemitério. Só tem outra família morando aqui — aquelas pessoas, lá embaixo. O caminhão grande na frente, tá vendo? Imigrantes ilegais, acho."

"Você e seu pai são legais, né?" Era um problema na escola: alguns alunos não eram; havia cartazes sobre isso nos corredores.

Ele fez um som de *Pfft, ridículo*. "Óbvio. A mina cuida disso. Ou alguém. Mas aquelas pessoas ali embaixo? Uns vinte, trinta talvez, todos homens, todos morando na mesma casa. Traficantes, talvez."

"Você acha?"

"Algo muito estranho acontece lá", disse Boris num tom sombrio. "É só o que sei."

A casa de Boris — ladeada por dois terrenos vazios transbordando de lixo — era muito parecida com a do meu pai e de Xandra: carpete em todo o piso, eletrodomésticos brilhando de novos, a mesma planta baixa, pouca mobília. Mas, dentro da casa, era quente demais pra se ter algum conforto; a piscina estava vazia, com alguns centímetros de areia no fundo, e não havia nenhuma pretensão de jardim, nem mesmo cactos. Todas as superfícies — os eletrodomésticos, os balcões, o piso da cozinha — estavam ligeiramente cobertas por uma camada de areia.

"Bebe alguma coisa?", disse Boris, abrindo a geladeira e revelando uma fileira reluzente de garrafas de cerveja alemã.

"Ah, nossa, valeu."

"Na Nova Guiné", disse Boris, secando a testa com o dorso da mão, "quando eu morava lá, sabe? Passamos por uma enchente feia. Cobras... muito perigoso e assustador... minas não detonadas da Segunda Guerra Mundial flutuando no quintal... vários gansos morreram. Enfim...", disse ele, abrindo uma cerveja, "toda a água ficou contaminada. Tifo. Só o que a gente tinha era cerveja. Toda a Pepsi tinha acabado, Lucozade tinha acabado, os comprimidos de iodo tinham acabado, por três semanas inteiras, meu pai e eu, até os muçulmanos, nada pra beber além de cerveja! Almoço, café da manhã, tudo."

"Não parece tão mal assim."

Ele fez uma careta. "Eu tinha dor de cabeça o tempo todo. A cerveja local era muito ruim. Isso aqui que é bom! Tem vodca no congelador também."

Eu ia aceitar, para impressioná-lo, mas daí pensei no calor e na volta pra casa à pé e disse: "Não, obrigado".

Ele bateu sua garrafa contra a minha. "Concordo. Quente demais pra beber durante o dia. Meu pai bebe tanto que detona os nervos dos pés."

"Sério?"

"O nome é..." — ele franziu o cenho, num esforço pra lembrar as palavras — "neuropatia periférica" (na pronúncia dele, "neuro*pa*tia perifé*rica*"). "No Canadá, no hospital, tiveram que lhe ensinar a andar de novo. Ele se ergueu — caiu no chão — o nariz sangrando — hilário."

"Deve ser engraçado", falei, pensando na época em que via meu pai rastejando de quatro até a geladeira pra pegar gelo.

"Muito. O que o seu bebe? Seu pai?"

"Uísque. Quando bebe. Supostamente ele parou."

"Ah", disse Boris, como se já tivesse ouvido essa antes. "Meu pai devia trocar — uísque bom é muito barato aqui. Mas e aí, quer ver meu quarto?"

Eu estava esperando algo parecido com meu próprio quarto, e fiquei surpreso quando ele abriu a porta pra uma espécie de espaço bagunçado coberto por tendas, fedendo a Marlboros há muito fumados, pilhas de livros por toda parte, garrafas velhas de cerveja e cinzeiros, montes de toalhas usadas e roupas sujas transbordando no carpete. As paredes estavam cobertas por tecidos estampados — amarelo, verde, índigo, roxo — e havia uma bandeira vermelha de foice e martelo pendurada por cima do colchão forrado com um batique. Era como se um cosmonauta russo tivesse caído na selva e construído pra si um abrigo com a bandeira do seu país e qualquer outro sarongue e tecido nativo que pudesse encontrar.

"Você que fez isso?", perguntei.

"Dobrei e pus numa mala", disse Boris, jogando-se no colchão absurdamente colorido. "Leva só dez minutos pra colocar de volta. Quer ver SOS *Iceberg*?"

"Pode ser."

"Filme incrível. Já assisti seis vezes. Tipo, quando ela entra no avião pra resgatá-los no gelo?"

Mas de alguma forma acabamos não vendo SOS *Iceberg* naquela tarde, talvez porque não conseguíamos parar de falar pra poder descer e ligar a televisão. Boris tivera uma vida mais interessante do que qualquer pessoa da minha idade que eu já conhecera. Parecia que só raras vezes ele tinha frequentado a escola, e as do tipo mais simples; nos lugares desolados onde seu pai trabalhava, muitas vezes não havia onde estudar. "Tem umas fitas", disse ele, dando grandes goles na cerveja com um olho voltado pra mim. "E uns testes pra fazer. Só que pra isso você precisa estar num lugar com internet, e às vezes, como bem no norte do Canadá ou na Ucrânia, a gente não tem isso."

"Mas daí você faz o quê?"

Ele deu de ombros. "Leio bastante, acho." Uma professora no Texas, ele disse, tinha pegado um currículo na internet pra ele.

"Não é possível que eles não tivessem uma escola em Alice Springs."

Boris riu. "Certeza que têm", disse, soprando uma mecha de cabelo suado do rosto. "Mas depois que minha mãe morreu moramos no norte por um tempo, na Terra de Arnhem, numa cidade chamada Karmeywallag. Cidade, dizem. Quilômetros no meio do nada — trailers pros mineiros morarem e um posto de gasolina com um bar nos fundos, cerveja, uísque e sanduíches. Enfim, a esposa de Mick, que cuidava do bar, Judy era o nome dela? Só o que eu fazia..." — ele tomou um gole melecado de cerveja — "só o que eu fazia, todos os dias, era ver novelas com Judy, e ficar atrás do balcão com ela à noite enquanto meu pai e seus homens enchiam a cara. Nem o sinal da TV pegava durante a monção. Judy guardava suas fitas no congelador pra elas não estragarem."

"Estragarem como?"

"Mofo. Nos sapatos, nos livros." Ele deu de ombros. "Naquela época eu não conversava tanto quanto hoje, porque não falava inglês muito bem. Muito tímido, sentava sozinho, ficava sempre na minha. Mas Judy? Ela falava comigo mesmo assim, e era gentil, apesar de eu não entender uma palavra do que dizia. Toda manhã eu ia até ela, que fazia uma boa fritada pra mim. Chuva, chuva, chuva. Varrendo, lavando louça, ajudando a limpar o bar. Pra tudo que era canto eu ia atrás, feito um filhote de ganso. Isso é xícara, isso é vassoura, isso é banqueta, isso é lápis. Essa foi a minha escola. Televisão, fitas de Duran Duran e Boy George, tudo em inglês. *As filhas de McLeod* era o programa favorito dela. Sempre a gente via junto, e quando eu não sabia alguma coisa ela explicava pra mim. E falávamos sobre as irmãs, e choramos quando Claire morreu no acidente de carro, e ela disse que se tivesse um lugar como Drovers ia me levar pra morar lá, e seríamos felizes juntos, e teríamos todas as mulheres pra trabalhar pra gente como as McLeod. Ela era muito jovem e bonita. Cabelo loiro encaracolado e um lance azul nos olhos. O marido dela a chamava de cadela e dizia que ela era feia pra burro, mas eu achava que ela parecia a Jodi da série. O dia todo ela falava comigo e cantava

— me ensinou as letras de todas as canções do jukebox. *Dark in the city, the night is alive*… Logo eu tinha aprendido bastante. *Fale inglês, Boris!* Eu tinha feito umas aulinhas de inglês na escola na Polônia. Olá, com licença, muito obrigado. Mas dois meses com ela e eu já tagarelava! Nunca mais parei de falar! Ela era muito legal e gentil comigo sempre. Ainda que fosse pra cozinha e chorasse todo dia do tanto que odiava Karmeywallag."

Estava ficando tarde, mas continuava quente e claro lá fora. "Mas e aí, estou faminto", disse Boris, erguendo-se e esticando-se de modo a revelar uma faixa de barriga entre a calça camuflada e a camiseta esfarrapada: côncava, de uma palidez mortal, como a de um santo morrendo de fome.

"O que tem pra comer?"

"Pão e açúcar."

"Tá brincando?"

Boris bocejou, esfregou os olhos vermelhos. "Você nunca comeu pão com açúcar por cima?"

"Não tem mais nada?"

Ele deu de ombros com um ar cansado. "Tenho um vale-pizza. Mas é inútil. Não entregam tão longe."

"Achei que vocês tinham um cozinheiro no lugar onde moravam."

"A gente tinha. Na Indonésia. Na Arábia Saudita também." Boris estava fumando um cigarro — eu tinha recusado o que me oferecera; ele parecia um pouco chapado, balançando-se e fazendo uns passinhos de dança pelo quarto, como se houvesse música tocando, apesar de não haver. "Um cara muito gente fina chamado Abdul Fataah. Que significa 'servo do abridor dos portões dos alimentos'."

"Vamos pra minha casa, então."

Ele se jogou na cama com as mãos entre os joelhos. "Não me diga que a vadia cozinha."

"Não, mas ela trabalha num bar com serviço de bufê. Às vezes traz umas comidas e tal pra casa."

"Maravilha", disse Boris, cambaleando um pouco enquanto se erguia. Ele já tinha bebido três cervejas e estava terminando a quarta. Na porta, pegou um guarda-chuva e estendeu outro pra mim.

"Hum, pra que isso?"

Ele abriu o seu e pôs o pé pra fora. "Mais fresco de andar", disse ele, o rosto azul na sombra. "E a gente não se queima no sol."

XII

Antes de Boris, eu tinha suportado minha solidão bem estoicamente, sem me dar conta de quão sozinho estava. E suponho que, se qualquer um de nós estivesse vivendo numa casa minimamente normal, com horário para dormir, obrigações e a supervisão de um adulto, não teríamos nos tornado tão inseparáveis, e tão rápido, mas daquele dia em diante praticamente ficamos juntos o tempo todo, filando refeições e dividindo qualquer dinheiro que tínhamos.

Em Nova York, eu tinha crescido com várias crianças do mundo — crianças que tinham morado fora e que falavam três ou quatro línguas, que iam pra acampamentos de verão em Heidelberg e tiravam férias em lugares como Rio de Janeiro ou Innsbruck e Cap d'Antibes. Mas Boris — como um velho capitão do mar — deixava todas no chinelo. Ele já tinha andado de camelo, comido larvas, jogado críquete, pegado malária, morado na rua na Ucrânia ("mas só por duas semanas"), detonado uma banana de dinamite sozinho, nadado em rios da Austrália infestados de crocodilos. Tinha lido Tchékhov em russo e autores ucranianos e poloneses dos quais eu nunca tinha ouvido falar. Tinha enfrentado as trevas do rigoroso inverno russo, quando a temperatura caía pra quarenta abaixo de zero: nevascas intermináveis, neve e gelo preto, a única alegria sendo a palmeira verde de neon que ficava ligada vinte e quatro horas por dia na frente de um bar provinciano onde o pai gostava de beber. Embora fosse só um ano mais velho que eu — tinha quinze — ele já tinha feito sexo de verdade com uma garota, no Alasca, alguém de quem tinha filado um cigarro no estacionamento de uma loja de conveniência. Ela perguntou se ele queria ir sentar no carro com ela, e pronto, aconteceu. ("Mas quer saber?", disse ele, soprando fumaça pelo canto da boca. "Não acho que ela tenha gostado muito." "Você...?" "Meu Deus, sim. Embora, te digo uma coisa, eu sabia que não estava fazendo direito. Acho que estava apertado demais no carro.")

Todos os dias, voltávamos pra casa juntos de ônibus. No Centro Comunitário abandonado no final da Vila Desatoya, onde as portas estavam sempre trancadas e as palmeiras pareciam mortas e marrons nos vasos, havia um parquinho abandonado onde comprávamos refrigerantes e barras de chocolate derretidas do estoque cada vez menor das máquinas automáticas, e sentávamos do lado de fora nos balanços, fumando e conversando. Suas rabugices e maus humores, que eram frequentes, se alternavam com explosões insanas de hilaridade; ele era ousado e sombrio, às vezes conseguia me fazer rir a ponto de eu ficar com a barriga doendo, e tínhamos tanto a dizer que muitas vezes perdíamos a noção do tempo e ficávamos fora conversando até bem depois de escurecer. Na Ucrânia, ele tinha visto um político eleito levar um tiro enquanto ia até o carro — ele viu por acaso, não o atirador, só o homem de ombros largos com um sobretudo pequeno demais caindo de joelhos na escuridão e na neve. Boris me falou sobre uma escola com telhado de zinco perto da reserva Chippewa em Alberta, cantou canções de ninar em polonês pra mim ("Como lição de casa, na Polônia, era comum ter que decorar um poema ou uma música, ou uma oração, coisas desse tipo") e me ensinou a xingar em russo ("Esta é a verdadeira *mat* dos gulags"). Ele também me falou sobre como, na Indonésia, tinha se convertido ao islamismo por seu amigo Bami, o cozinheiro: parou de comer porco, jejuou durante o Ramadã, orou pra Meca cinco vezes por dia. "Mas não sou mais muçulmano", explicou, arrastando o dedão pela poeira. Estávamos deitados de costas no gira-gira, tontos de tanto rodar. "Desisti faz um tempo."

"Por quê?"

"Porque eu bebo." (Essa era a pérola do ano; Boris bebia cerveja como outros garotos bebem Pepsi, começando praticamente no instante em que chegávamos em casa da escola.)

"Mas e daí?", falei. "Por que alguém tem que saber?"

Ele soltou um grunhido de impaciência. "É errado professar uma fé se eu não a sigo corretamente. É desrespeitoso com o islã."

"Ainda assim. Boris da Arábia. Até que combina."

"Vá se foder."

"Não, falando sério", respondi, rindo, apoiando-me num cotovelo. "Você realmente acreditava naquilo tudo?"

"Tudo o quê?"

"Você sabe. Alá e Maomé. 'Não há nenhum Deus além de Deus'...?"

"Não", disse ele, um pouco irritado, "meu islamismo era uma questão política."

"Como, tipo o terrorista do sapato-bomba?"

Ele riu pelo nariz. "Porra, não. Além disso, o islã não prega a violência."

"Então o quê?"

Ele se ergueu no gira-gira, o olhar alerta: "Como assim, o quê? O que está tentando dizer?".

"Calma lá! Só estou fazendo uma pergunta."

"Que seria...?"

"Se você se converteu a isso e tudo o mais, então no que você acreditava?"

Ele se recostou de volta e gargalhou como se eu tivesse lhe dado uma colher de chá. "Acreditar? Rá! Eu não acredito em *nada*."

"Como assim? Agora, você quer dizer?"

"Quero dizer nunca. Bem... na Virgem Maria, um pouco. Mas Alá e Deus...? Não tanto."

"Então por que quis ser muçulmano?"

"Porque..." — ele estendeu as mãos, do jeito que fazia quando ficava perdido — "eram pessoas tão boas, todos foram tão legais comigo!"

"Já é um começo."

"Bem, e foi mesmo. Eles me deram um nome árabe, Badr al-Dine. *Badr* é lua, quer dizer algo como lua de fidelidade, mas eles disseram: 'Boris, você é *badr* porque ilumina tudo, sendo muçulmano agora, iluminando o mundo com sua religião, você brilha aonde quer que vá'. Eu adorei ser Badr. Além disso, a mesquita era incrível. Um palácio caindo aos pedaços, estrelas brilhando à noite, pássaros no telhado. E um senhor javanês nos ensinava o Alcorão. E eles também me davam comida, e eram gentis, e faziam questão de que eu me mantivesse limpo e tivesse roupas limpas. Às vezes eu pegava no sono no meu tapete de oração. E na salá, perto do nascer do sol, quando os pássaros acordavam, era sempre aquele som de asas batendo!"

Embora seu sotaque australiano-ucraniano sem dúvida fosse bem esquisito, ele era quase tão fluente em inglês quanto eu; e considerando quão pouco tempo tinha vivido na América, estava razoavelmente familiarizado com formas bem *amerikanskii*. Ele vivia olhando seu dicionário de bolso surrado (seu nome rabiscado em cirílico na frente, com a forma em inglês escrita cuidadosamente embaixo: BORYS VOLODYMYROVYCH PAVLIKOVSKI) e toda hora eu encontrava guardanapos da 7-Eleven e papeizinhos de rascunho com listas de palavras e termos que ele tinha feito:

reprimir e domesticar
celeridade
trattoria
sabe-tudo = *крутой пацан*
propinquidade
prevaricação.

Quando seu dicionário o deixava na mão, ele me consultava. "O que é segundanista?", ele tinha me perguntando, olhando o quadro de avisos nos corredores da escola. "Econ. Dom.? Ciên. Polit.?" (na sua pronúncia, "tcienpoli"). Ele nunca tinha ouvido falar na maior parte das comidas da lanchonete da escola: fajitas, falafel, tetrazzini de peru. Embora soubesse muita coisa sobre filmes e música, estava décadas atrasado; ele não tinha a menor noção de esportes, jogos ou televisão, e — com exceção de algumas grandes marcas europeias como Mercedes e BMW — não sabia diferenciar um carro do outro. O dinheiro americano o deixava confuso, e às vezes a geografia também: onde ficava a Califórnia? Qual era a capital da Nova Inglaterra?

Mas Boris estava acostumado a se virar sozinho. Acordava alegremente pra ir à escola, arranjava suas próprias caronas, assinava seus próprios boletins, furtava sua própria comida e seu material escolar. Uma vez por semana mais ou menos desviávamos quilômetros do nosso trajeto no calor sufocante, escondidos sob a sombra de guarda-chuvas, feito membros de alguma tribo indonésia, para pegar o apertado ônibus local chamado CAT, o qual, até onde eu sabia, não era utilizado por mais ninguém além de bêbados, pessoas pobres demais pra ter um carro e crianças. Ele passava poucas vezes, e se o perdêssemos tínhamos que ficar parados esperando um bom tempo até o próximo vir, mas entre os pontos havia um centro comercial com um supermercado fresco, reluzente e mal servido de funcionários onde Boris furtava pra nós bife, manteiga, chá, pepino (uma grande iguaria pra ele), bacon — até xarope pra tosse uma vez, quando peguei uma gripe —, escondendo-os no forro cortado da feia gabardina cinza (um casaco de homem, grande demais para ele, com ombros caídos e um ar sombrio do Bloco do Leste, um quê de racionamento de comida e fábricas da era soviética, complexos industriais em Lviv ou Odessa). Enquanto ele perambulava, eu ficava de vigia na ponta do corredor, tremendo tanto de nervosismo que temia acabar desmaiando — mas logo eu já estava enchendo meus próprios bolsos de maçã e chocolate (também entre os itens preferidos de Boris) antes de ir descaradamente até o balcão para comprar pão, leite e outros itens grandes demais pra se roubar.

Ainda em Nova York, lá pelos meus onze anos, minha mãe tinha me inscrito num curso de Crianças na Cozinha na colônia de férias, onde aprendi a fazer algumas coisas simples: hambúrguer, misto-quente (que eu às vezes fazia pra minha mãe nas noites em que trabalhava até tarde) e o que Boris chamava de "ovos com torradas". Ele, que ficava sentado na bancada chutando os armários com os calcanhares e conversando comigo enquanto eu cozinhava, ficava com a louça. Na Ucrânia, Boris me disse, tinha algumas vezes furtado carteiras pra conseguir dinheiro pra comer. "Me perseguiram, uma ou duas vezes", disse. "Mas nunca me pegaram."

"Talvez a gente deva ir até a Strip um dia", falei. Estávamos no balcão da cozinha da minha casa com garfos e facas, comendo o bife direto da frigideira. "Se vamos fazer isso, lá é o lugar. Nunca vi tanta gente bêbada, e são todos turistas."

Ele parou de mastigar; pareceu chocado. "E por que faríamos isso? É tão fácil roubar aqui, de lojas tão grandes!"

"Só estou dizendo." O dinheiro que eu tinha ganhado dos porteiros — que Boris e eu estávamos gastando aos poucos nas máquinas automáticas e no 7-Eleven perto da escola, que Boris chamava de "o armazém" — ainda seguraria as pontas por um tempo, mas não pra sempre.

"Rá! E o que eu vou fazer se você for preso, Potter?", disse, jogando um pedaço generoso de bife pro cachorro, que ele tinha ensinado a dançar sobre as patas traseiras. "Quem vai fazer o jantar? E quem vai cuidar do Snaps aqui?" No caso do cachorro de Xandra, Popper, ele pegara o hábito de chamá-lo de

"Amila", "Nitrato", "Popchik" e "Snaps" — tudo menos seu nome verdadeiro. Eu tinha começado a deixá-lo entrar mesmo não devendo, pois já estava cansado do cachorro sempre se esticando até a ponta da corrente pra tentar olhar pela porta de vidro, latindo sem parar. Mas dentro de casa ele era surpreendentemente silencioso; carente de atenção, seguia-nos pra onde quer que fôssemos, trotando ansioso no nosso calcanhar, pra cima e pra baixo, enroscando-se pra dormir no tapete enquanto Boris e eu líamos, discutíamos e escutávamos música no meu quarto.

"Sério, Boris", falei, afastando o cabelo dos olhos (eu estava precisando terrivelmente de um corte de cabelo, mas não queria gastar dinheiro com aquilo), "não vejo muita diferença entre roubar carteiras e roubar bifes."

"*Grande* diferença, Potter." Ele ergueu as mãos afastadas pra me mostrar quão grande era. "Roubar de gente trabalhadora? E roubar de uma grande empresa rica que rouba as pessoas?"

"O Costco não rouba as pessoas. É um mercado atacadista."

"Tá, pode ser. Roubar o básico pra viver de um cidadão comum. É esse seu plano brilhante. Shhh", disse ele ao cachorro, que tinha latido alto pedindo mais bife.

"Eu não ia roubar de algum pobre trabalhador", falei, jogando eu mesmo um pedaço de bife pro Popper. "Tem muito pulha de bobeira por Vegas com montes de dinheiro."

"Pulha?"

"Salafrário. Gente desonesta."

"Ah." A sobrancelha escura e pontuda ergueu-se. "É justo. Mas se você roubar dinheiro de um pulha, tipo um gângster, é bem provável que eles te machuquem, *nie*?"

"Você não ficou com medo de que te machucassem na Ucrânia?"

Ele deu de ombros. "De apanhar, talvez. Não de levar um tiro."

"Um tiro?"

"Sim, um *tiro*. Não faça essa cara de surpresa. Neste país de caubóis, vai saber. Todo mundo tem arma."

"Não estou falando de um policial. Estou falando de turistas bêbados. Fica cheio deles de sábado à noite."

"Rá!" Ele pôs a frigideira no chão pro cachorro terminar de limpá-la. "Provavelmente você vai acabar na cadeia, Potter. Moral fraca, escravo da economia. Péssimo cidadão, você."

XIII

Àquela altura — meados de outubro — comíamos juntos praticamente todas as noites. Boris, que geralmente bebia três ou quatro cervejas antes, tomava chá quente na hora da refeição. Então, depois de uma dose de vodca pós-jantar, um hábito que logo peguei dele ("Ajuda na digestão", explicou), ficávamos de bobeira lendo, fazendo a lição de casa e às vezes discutindo, e com frequência bebíamos até cair de sono na frente da televisão.

"Não vá!", disse Boris certa noite na sua casa quando me ergui já no fim de *Sete homens e um destino* — o tiroteio final, Yul Brynner reunindo seus homens. "Vai perder a melhor parte."

"É, mas já são quase onze horas."

Boris — deitado no chão — apoiou-se num cotovelo. Cabelo comprido, peito estreito, franzino e magro, ele era o exato oposto de Yul Brynner em quase tudo, e no entanto havia também uma estranha semelhança: ambos tinham o mesmo olhar astuto e alerta, um ar divertido e um pouco cruel, algo de mongol ou tártaro na inclinação dos olhos.

"Liga pra Xandra vir te buscar", disse ele com um bocejo. "Que horas ela sai do trabalho?"

"Xandra? Pode esquecer."

Novamente Boris bocejou, as pálpebras pesadas da vodca. "Dorme aqui, então", disse ele, rolando pro lado e esfregando o rosto com uma mão. "Eles vão sentir sua falta?"

Será que eles voltariam pra casa? Algumas noites não voltavam. "Duvido", falei.

"Shhh", disse Boris, esticando-se para pegar seus cigarros, sentando. "Olha agora. Aí vêm os bandidos."

"Você já viu esse filme?"

"Dublado em russo, se é que dá pra imaginar. Mas um russo muito ruim. Muito boiola. É *boiola* a palavra certa? Mais tipo professores do que pistoleiros, sabe?"

XIV

Embora eu tivesse me sentido muito triste na casa dos Barbour, agora eu pensava saudosamente no apartamento da Park Avenue como um Éden perdido. E embora pudesse acessar meu e-mail no computador da escola, Andy não era lá muito de escrever, e as mensagens que eu recebia em resposta eram frustrantemente impessoais. (*Oi, Theo. Espero que tenha aproveitado o verão. Papai comprou um barco novo* (Absalão). *Minha mãe se recusou a botar o pé nele, mas infelizmente eu fui obrigado. Japonês II está me dando dor de cabeça, mas de resto tudo bem.*) A sra. Barbour respondia sem falta às cartas que eu enviava — uma ou duas linhas no seu papel de carta com monograma da Dempsey e Carroll —, mas nunca havia nada de pessoal. Ela sempre perguntava *como você está?* e terminava com *pensando em você*, mas nunca havia nenhum *sentimos sua falta* ou *gostaríamos muito de ver você*.

Escrevi para Pippa, no Texas, embora ela estivesse doente demais para responder — o que não foi um problema, já que a maioria das cartas eu nem cheguei a enviar.

Querida Pippa,
Como você está? O que está achando do Texas? Tenho pensado muito em você. Tem andado a cavalo? Por aqui tudo ótimo. Me pergunto se aí está quente, porque aqui está.

Ficou ruim; joguei fora e comecei de novo.

Querida Pippa,
Como você está? Tenho pensado em você e espero que esteja bem. Tomara que esteja tudo bem ótimo aí pra você no Texas. Devo admitir, eu meio que odeio aqui, mas fiz alguns amigos e estou me acostumando um pouco, acho.
Me pergunto se você tem saudade de casa. Eu tenho. Sinto muita saudade de Nova York. Queria tanto que morássemos mais perto. Como está sua cabeça agora? Melhor, espero. Peço desculpas por

"É sua namorada?", disse Boris, mastigando uma maçã, lendo por cima do meu ombro.

"Cai fora."

"O que aconteceu com ela?", disse ele, e então, quando não respondi: "Você bateu nela?"

"Quê?", falei, escutando por alto.

"A cabeça dela. É por isso que você está se desculpando? Bateu nela ou algo assim?"

"Aham, claro", respondi. E então, por sua expressão severa e atenta, percebi que ele estava falando sério.

"Você acha que eu bato em garotas?", perguntei.

Ele deu de ombros. "Talvez ela merecesse."

"Hum, a gente não bate em mulheres aqui."

Ele fechou a cara, cuspiu uma semente de maçã. "Não. Os americanos só perseguem países menores que pensam diferente deles."

"Boris, cala a boca e me deixa em paz."

Mas ele tinha me deixado incomodado com o comentário, e, em vez de escrever uma nova carta para Pippa, comecei uma para Hobie.

Querido sr. Hobart,
Olá, como você está? Bem, espero. Não tinha escrito ainda para agradecer sua gentileza comigo durante minhas últimas semanas em Nova York. Espero que você e Cosmo estejam bem, apesar de sentir falta de Pippa. Como ela está? Espero que tenha conseguido voltar para a música. Espero também

Mas essa eu também não enviei. De modo que fiquei encantado quando recebi uma carta — uma longa carta, em papel de verdade — de ninguém menos que Hobie.

"O que você tem aí?", disse meu pai, desconfiado, reparando no carimbo de Nova York, arrancando a carta da minha mão.

"Quê?"

Mas ele já tinha rasgado o envelope. Passou o olho pela carta, rapidamente, e então perdeu o interesse. "Aqui", disse, estendendo-a de volta para mim. "Foi mal, garotão. Falha minha."

A carta em si era linda, como um artefato físico: um rico papel, uma caligrafia cuidadosa, um quê de quartos silenciosos e dinheiro.

Querido Theo,
Queria saber como está e ao mesmo tempo fico feliz por não ter recebido notícias, pois espero que isso signifique que está feliz e ocupado. Aqui, as folhas já mudaram de cor, a Washington Square está encharcada e amarela, e esfriou. Nas manhãs de sábado, Cosmo e eu saímos pra dar uma volta pelo Village — eu o pego no colo e o levo até a loja de queijos. Não tenho certeza de que isso é permitido, mas as garotas do balcão guardam sobras de todo tipo de queijo pra ele. Cosmo sente falta de Pippa tanto quanto eu, mas — como eu — não deixa de apreciar as refeições. Às vezes comemos junto à lareira, agora que o frio veio para ficar.
Espero que você esteja se adaptando aí e que tenha feito alguns amigos. Quando falo com Pippa por telefone ela não parece muito feliz, embora certamente esteja melhor de saúde. Vou pegar um avião até lá no feriado de Ação de Graças. Não sei se Margaret vai gostar de me receber, mas Pippa me quer por lá, então eu vou. Se puder transportar Cosmo no avião vou levá-lo comigo.
Estou enviando uma foto da qual achei que você poderia gostar — de uma cômoda Chippendale que acabou de chegar, num estado muito ruim. Disseram que ela ficou guardada num galpão sem aquecimento lá por Watervliet. Bem marcada, bem arranhada, e o tampo está dividido em dois — mas repare só nos pés inclinados e possantes, garra e bola! Os pés não estão tão visíveis na foto, mas dá pra ver bem a pressão das garras. É uma obra-prima, e só lamento por não terem cuidado melhor dela. Não sei se você consegue ver a granulação impressionante do tampo — é extraordinária.

Quanto à loja: eu a abro algumas vezes por semana com hora marcada, mas na maior parte do tempo fico trabalhando no porão nas coisas que clientes particulares me mandam. A sra. Skolnik e várias pessoas da vizinhança perguntaram de você — tudo continua praticamente igual por aqui, exceto pela sra. Cho, do mercado coreano, que sofreu um derrame leve (leve mesmo, ela já voltou a trabalhar agora). Além disso, aquele café na Hudson de que eu tanto gostava fechou — muito triste. Passei ali na frente esta manhã e parece que eles o estão transformando num — bem, não sei como vocês chamam. Uma loja de artigos japoneses, acho.

Vejo que como sempre acabei me estendendo demais, e estou ficando sem espaço, mas realmente espero que esteja feliz e bem, e que não se sinta tão solitário aí como talvez temesse. Se houver algo que eu possa fazer por você aqui, ou se puder te ajudar de alguma forma, pode contar comigo.

XV

Naquela noite, na casa de Boris — deitado bêbado na minha metade do colchão forrado com batique —, tentei lembrar como era Pippa. Mas a lua aparecia tão grande e clara pela janela sem cortinas que me fez pensar em vez disso numa história que minha mãe tinha me contado, sobre viajar pra exposições de cavalos com sua mãe e seu pai no banco de trás do velho Buick deles quando era pequena. *Eram muitas viagens — dez horas às vezes por campos áridos. Rodas-gigantes, arenas de rodeio com serragem, tudo cheirava a pipoca e esterco de cavalo. Numa noite em que ficamos em San Antonio, eu estava fazendo um pouco de manha — querendo meu quarto, sabe, meu cachorro, minha cama —, então meu pai me ergueu no parque de diversões e me disse para olhar para a lua. "Quando você ficar com saudade de casa", ele disse, "é só olhar pra cima. Porque a lua é a mesma aonde quer que você vá." Então, depois que ele morreu, e eu tive que ir morar com tia Bess — tipo, até hoje, na cidade, quando vejo uma lua cheia, é como se ele estivesse me dizendo pra não olhar pra trás ou ficar triste pelo que acontece, que minha casa é onde quer que eu esteja.* Então ela me deu um beijo no nariz. *Ou onde você esteja, filhote. O centro da minha terra é você.*

Uma leve agitação do meu lado. "Potter?", disse Boris. "Tá acordado?"

"Posso te perguntar uma coisa?", falei. "Como é a lua na Indonésia?"

"Do que você está falando?"

"Ou, sei lá, na Rússia? Ela é exatamente a mesma daqui?"

Ele deu uma batidinha no lado da minha cabeça com o nó dos dedos um gesto com que fiquei familiarizado que significava *idiota*. "É a mesma em todo lugar", disse ele, bocejando, escorando-se no pulso magro cheio de braceletes. "Por quê?"

"Sei lá", falei, e então, depois de uma pausa tensa: "Escutou isso?"

Uma porta tinha batido. "O que foi isso?", perguntei, virando-me para encará-lo. Olhamos um para o outro, escutando. Vozes lá embaixo — risadas, pessoas indo de um lado pro outro, um estrondo como se de algo derrubado.

"É seu pai?", perguntei, sentando na cama, e então ouvi uma voz de mulher, embriagada e estridente.

Boris sentou também, ossudo e com uma palidez doentia sob a luz da janela. Lá embaixo, parecia que estavam atirando coisas e arrastando móveis.

"O que estão falando?", sussurrei.

Boris escutou. Dava pra ver todos os ossos e reentrâncias do seu pescoço. "Besteira", disse ele. "Estão bêbados."

Ficamos os dois sentados ali, escutando, Boris mais atento que eu.

"Quem é que está com ele?", perguntei.

"Alguma puta." Ele escutou um momento, o cenho franzido, seu perfil nítido sob o luar, e então recostou-se de volta. "Duas."

Rolei pro lado e conferi meu iPod. Eram 3h17.

"Porra", resmungou Boris, coçando a barriga. "Por que não calam a boca?"

"Estou com sede", falei, depois de uma tímida pausa.

Ele riu pelo nariz. "Rá! Você não vai querer ir lá agora, acredite."

"O que estão fazendo?", perguntei. Uma das mulheres tinha acabado de gritar — se rindo ou com medo, eu não saberia dizer.

Ficamos deitados ali, rígidos como tábuas, encarando o teto, escutando as batidas e os esbarrões sinistros.

"Ucraniano?", perguntei, passado um momento. Embora não conseguisse entender uma palavra do que estavam dizendo, eu já convivera com Boris o suficiente pra começar a diferenciar a entonação em relação ao russo.

"Tá de parabéns, Potter." Então: "Me acende um cigarro aí".

Ficamos passando o cigarro de um pro outro, no escuro, até que outra porta bateu em algum lugar e as vozes cessaram. Por fim, Boris exalou, um último suspiro fumarento, e rolou pro lado pra apagar o cigarro no cinzeiro já cheio junto da cama. "Boa noite", sussurrou ele.

"Boa noite."

Boris adormeceu quase de imediato — dava pra ver por sua respiração —, mas eu ainda fiquei deitado acordado por um bom tempo, com a garganta irritada, sentindo-me tonto e enjoado do cigarro. Como é que tinha ido parar naquela estranha nova vida, na qual estrangeiros bêbados gritavam à minha volta à noite, todas as minhas roupas estavam sujas, e ninguém me amava? Boris — alheio — roncava ao meu lado. Por fim, já perto da alvorada, quando finalmente peguei no sono, sonhei com minha mãe: sentada à minha frente na linha 6 do metrô, balançando suavemente, seu rosto calmo sob as luzes artificiais tremeluzindo.

O que está fazendo aqui?, disse ela. *Vá pra casa! Agora mesmo! Encontro você no apartamento*. Só que havia algo de errado na sua voz; e quando olhei mais de perto vi que definitivamente não era ela, apenas alguém fingindo ser ela. Então, ofegante e sobressaltado, acordei.

XVI

O pai de Boris era uma figura misteriosa. Na explicação do meu amigo: ele geralmente estava trabalhando no meio do nada, na mina, onde ficava com seus homens durante semanas. "Não toma banho", disse Boris, austero, "Vive bêbado e imundo." O velho rádio de ondas curtas da cozinha era dele ("Da era Brezhnev", disse Boris; "ele se recusa a jogá-lo fora"), assim como os jornais em russo e os *USA Today* que às vezes eu encontrava pela casa. Certo dia entrei num dos banheiros da casa deles (que eram bem desagradáveis — sem cortina no boxe ou assento no vaso, nem no andar de cima nem no de baixo, e uma sujeira preta crescendo na banheira) e levei um susto e tanto com um dos ternos do pai dele, encharcado e fedendo, pendurado como uma coisa morta no varão do boxe: áspero, disforme, de uma lã marrom irregular da cor de raízes recém-arrancadas, pingando horrivelmente no chão, feito um golem de bafo úmido do velho continente, ou talvez uma peça de roupa pescada numa rede da polícia.

"Que foi?", disse Boris, quando saí.

"Seu pai lava os próprios ternos?", perguntei. "Na pia ali dentro?"

Boris — recostando-se contra o batente da porta, roendo o canto da unha do polegar — deu de ombros com um ar evasivo.

"Você só pode estar de brincadeira", falei, e então, quando ele continuou me olhando: "Que foi? Não existe lavanderia na Rússia?"

"Ele tem joias e coisas chiques o bastante", resmungou Boris com a boca em volta do polegar. "Relógio Rolex, sapatos Ferragamo. Pode lavar o terno do jeito que bem entender."

"Tá", falei, e mudei de assunto. Várias semanas se passaram sem uma palavra sobre o pai dele. Até que um dia Boris chegou de fininho atrasado na aula de literatura inglesa avançada com uma mancha cor de vinho sob o olho.

"Ah, levei uma bolada no rosto", disse ele num tom animado quando a sra. Spear ("Spirsetskaya", conforme ele a chamava) perguntou, desconfiada, o que acontecera.

Isso, eu sabia, era mentira. Olhando de relance pra ele, no corredor ao lado, fiquei me perguntando durante toda a nossa discussão enfadonha sobre Ralph Waldo Emerson como ele tinha arranjado aquele olho roxo depois de eu o ter deixado na noite anterior para ir pra casa e levar Popper pra passear — Xandra o deixava preso do lado de fora por tanto tempo que eu estava começando a me sentir responsável por ele.

"O que aconteceu?", perguntei quando o alcancei depois da aula.

"Hein?"

"Como foi que você ficou assim?"

Ele piscou. "Ah, fala sério", disse, empurrando-me com o ombro.

"Que foi? Você estava bêbado?"

"Meu pai voltou pra casa", disse ele, e depois, quando não respondi: "O que mais, Potter? O que você achou que era?"

"Meu Deus, por quê?"

Ele deu de ombros. "Fiquei feliz que você já tinha ido", disse, esfregando o olho bom. "Mal acreditei quando ele apareceu. Estava dormindo no sofá de baixo. A princípio achei que fosse você."

"O que aconteceu?"

"Ah", disse Boris, suspirando com extravagância; ele viera fumando a caminho da escola; dava pra sentir na sua respiração. "Ele viu as garrafas de cerveja no chão."

"Bateu em você porque você estava bebendo?"

"Porque ele estava mamado pra cacete, isso sim. Ele estava bêbado feito um gambá — não acho que sabia que era em mim que estava batendo. Hoje de manhã ele viu meu rosto, então chorou, se arrependeu. Em todo caso, não vai voltar tão cedo."

"Por que não?"

"Ele disse que tem um monte de coisa lá pra fazer. Vai ficar fora três semanas. A mina fica perto de um daqueles bordéis controlados pelo Estado, sabe?"

"Eles não são controlados pelo Estado", falei, e então me peguei pensando se eram.

"Bem, sabe o que quero dizer. Mas uma coisa boa — ele me deixou dinheiro."

"Quanto?"

"Quatro mil."

"Tá brincando."

"Não, não..." Boris deu um tapa na testa. "Estou pensando em rublos, foi mal! Mais ou menos duzentos dólares, mas ainda assim. Devia ter pedido mais, só que não tive coragem."

Tínhamos chegado ao ponto do corredor onde eu devia virar pra ir pra aula de álgebra e Boris, pra de governo americano: a cruz da sua existência. Era uma matéria obrigatória — fácil até pelos padrões inconstantes da nossa escola —, mas tentar fazer Boris entender a Declaração de Direitos, e os poderes enumerados versus os implícitos do Congresso dos Estados Unidos, lembrou-me da vez que eu tinha tentado explicar à sra. Barbour o que era um servidor de internet.

"Bem, vejo você depois da aula", disse Boris. "Me explica de novo, antes de eu ir: qual é a diferença entre Banco Federal e Banco Central?"

"Você contou pra alguém?"

"O quê?"

"Você sabe."

"Como assim? Você quer me denunciar?", disse Boris, rindo.

"Não *você*. Ele."

"E por quê? Por que seria uma boa ideia? Me diz. Pra que eu seja deportado?"

"Tá", falei, depois de uma pausa desconfortável.

"Então — a gente devia comer fora hoje à noite!", disse Boris. "Num restaurante! Talvez o mexicano." Depois de uma desconfiança inicial de algumas reclamações, ele passara a gostar de comida mexicana — desconhecida na Rússia, disse, nada mal quando você se acostumava com ela, mas se estivesse picante demais não chegava nem perto. "Podemos pegar o ônibus."

"O chinês é mais perto. E a comida é melhor."

"Sim, mas... lembra?"

"Ah é, verdade", falei. Da última vez que tínhamos comido lá saímos de fininho sem pagar. "Esquece."

XVII

Boris gostava de Xandra bem mais do que eu: pulando na frente para abrir a porta para ela, dizendo que gostava do novo corte de cabelo, oferecendo-se para carregar coisas. Passei a provocá-lo por causa disso desde que o flagrara olhando enquanto ela se inclinava pra pegar o celular no balcão da cozinha.

"Meu Deus, como ela é sexy", disse Boris, já no meu quarto. "Acha que o seu pai se importaria?"

"Provavelmente não ia perceber."

"Não, sério, o que você acha que seu pai faria comigo?"

"Se o quê?"

"Se eu e Xandra."

"Sei lá, provavelmente ligaria pra polícia."

Ele riu, debochado. "Dizendo o quê?"

"Não por você. Por ela. Estupro de menor."

"Quem me dera."

"Pode comer se quiser", falei. "Não me importo se ela for pra cadeia."

Boris ficou de bruços e me lançou um olhar astuto. "Ela usa cocaína, sabia?"

"Quê?"

"Cocaína." Ele fez que cheirava.

"Tá brincando?", falei, e então, quando ele sorriu zombeteiro para mim: "Como é que você sabe?"

"Simplesmente sei. Pelo jeito que fala. Além disso, ela range os dentes. Preste atenção uma hora dessas."

Eu não sabia no que deveria prestar atenção. Mas, certa tarde em que chegamos quando meu pai não estava em casa, vimos Xandra se endireitando na frente da mesinha de centro enquanto cheirava, segurando o cabelo na nuca com uma mão. Quando jogou a cabeça pra trás e seus olhos pousaram em nós, houve um momento em que ninguém disse nada, e então ela se virou como se não estivéssemos ali.

Continuamos andando, escada acima até meu quarto. Embora eu jamais tivesse visto alguém cheirar antes, ficou claro até pra mim o que ela estava fazendo.

"Meu Deus, que sexy", disse Boris, depois de eu ter fechado a porta. "Onde será que ela guarda?"

"Sei lá", falei, jogando-me na cama. Xandra estava saindo; escutei o carro na garagem.

"Acha que ela daria um pouco pra gente?"

"Poderia dar um pouco pra *você*."

Boris afundou sentando no chão perto da cama, com o joelho erguido e as costas contra a parede. "Acha que ela vende?"

"Não mesmo", falei, depois de uma ligeira pausa de descrença. "Você acha?"

"Haha! Bom pra você, se for o caso."

"Por quê?"

"Dinheiro em casa!"

"Grande utilidade pra mim."

Ele voltou o olhar astuto e avaliador para mim. "Quem paga as contas aqui, Potter?", disse ele.

"Hum." Era a primeira vez que essa pergunta, que de imediato percebi ser de enorme importância em termos práticos, tinha me ocorrido. "Não sei. Meu pai, acho. Embora Xandra contribua também."

"E onde ele consegue? O dinheiro?"

"Não faço ideia", respondi. "Ele fala com gente no telefone e então sai de casa."

"Nenhum talão de cheques pela casa? Nenhum dinheiro?"

"Não. Nunca. Fichas de jogo, às vezes."

"Tão boas quanto dinheiro", disse Boris prontamente, cuspindo um pedaço de unha roída no chão.

"Claro. Só que você não pode descontá-las no cassino se tiver menos de dezoito anos."

Boris riu alto. "Que nada. A gente dá um jeito, se precisar. Botamos aquela jaqueta da escola gay com o brasão de armas em você, te mandamos pro guichê, *Com licença, senhorita...*"

Rolei até ele e dei um soco forte no seu braço. "Vá se foder", falei, irritado com a imitação arrastada e esnobe da minha voz.

"Você não pode falar assim, Potter", disse Boris alegre, esfregando o braço. "Eles não vão te dar nem um centavo. Só estou dizendo que sei onde fica o talão de cheques do meu pai, e se há uma emergência..." Ele me mostrou as mãos estendidas. "Certo?"

"Certo."

"Tipo, se eu precisar passar um cheque sem fundo, eu passo um cheque sem fundo", disse Boris num tom filosófico. "Bom saber que consigo. Não estou dizendo pra arrombar o quarto e mexer nas coisas deles, mas, ainda assim, é uma boa ideia manter os olhos abertos, né?"

XVIII

Boris e seu pai não celebravam o Dia de Ação de Graças, e Xandra e meu pai tinham uma reserva num restaurante do MGM Grand para uma comemoração de feriado romântica. "Quer ir também?", disse meu pai, quando me viu olhando o panfleto no balcão da cozinha: corações e fogos de artifício, bandeirinha tricolor sobre um prato de peru assado. "Ou já tem alguma outra coisa pra fazer?"

"Não, obrigado." Ele estava sendo gentil, mas a ideia de ficar com meu pai e Xandra no jantar romântico não me agradou. "Tenho planos."

"O que vai fazer então?"

"Vou passar o Dia de Ação de Graças com alguém."

“Com quem?”, disse meu pai, num raro acesso de preocupação. “Um amigo?”

“Deixa eu adivinhar”, disse Xandra, descalça, com a camisa dos Miami Dolphins que ela usava pra dormir, olhando dentro da geladeira. “A mesma pessoa que vive comendo as laranjas e maçãs que eu trago pra casa.”

“Ah, fala sério”, disse meu pai sonolento, chegando por trás dela e passando os braços à sua volta, “você gosta do russinho. Como é mesmo o nome dele? Boris.”

“Claro que gosto. O que é bom, acho, já que ele fica aqui praticamente o tempo todo. Merda”, disse ela, saindo do abraço dele, batendo na coxa nua, “quem deixou esse pernilongo entrar? Theo, não sei por que não consegue se lembrar de manter a porta da piscina fechada. Já te falei várias vezes.”

“Bem, eu poderia muito bem passar o Dia de Ação de Graças com vocês, se preferem”, falei calmamente, recostando-me contra o balcão da cozinha. “Por que não?”

Minha intenção era irritar Xandra, e foi com prazer que vi que tinha conseguido. “Mas a reserva é para dois”, disse ela, jogando o cabelo pra trás e olhando pro meu pai.

“Bem, tenho certeza de que eles podem dar um jeito.”

“Vamos ter que ligar antes.”

“Beleza, então, pode ligar”, disse meu pai, dando uma batidinha ligeiramente chapada nas costas dela e arrastando-se para a sala para conferir os placares do futebol americano.

Xandra e eu ficamos nos encarando por um momento, e então ela desviou o olhar, como se para bloquear uma visão insuportável do futuro. “Preciso de café”, disse friamente.

“Não fui eu que deixei aquela porta aberta.”

“Não sei quem é que fica deixando o tempo todo. Só sei que aqueles vendedores de Amway lá não drenaram a fonte antes de se mudar e agora onde quer que eu olhe tem um zilhão de pernilongos — tá vendo?, lá vai outro, merda.”

“Não fica brava. Não preciso ir com vocês dois.”

Xandra baixou a caixa de filtros de café. “Então, o que você quer?”, disse ela. “Devo alterar a reserva ou não?”

“Do que vocês dois estão falando?”, perguntou meu pai fracamente na sala ao lado, do seu ninho de porta-copos manchados, maços de cigarro velhos e folhas marcadas de bacará.

“Nada”, gritou Xandra em resposta. Então, alguns minutos depois, quando a cafeteira começou a chiar e estalar, ela esfregou o olho e disse num tom rouco de sono: “Eu não disse que não queria que você fosse”.

"Eu sei." Então: "Além do mais, só pra você saber, não sou eu que deixo a porta aberta. É o meu pai, quando ele vai lá fora falar no telefone".

Xandra — esticando-se diante do armário pra pegar sua caneca do Planet Hollywood — olhou pra mim por cima do ombro. "Você não vai mesmo jantar na casa dele?", disse ela. "O russinho ou sei lá o quê?"

"Não. Vamos só ficar aqui vendo televisão."

"Quer que eu traga alguma coisa pra vocês?"

"Boris gosta daquelas salsichinhas que você traz pra casa. E eu gosto das asinhas. Aquelas picantes."

"Mais alguma coisa? E aqueles taquitos? Você gosta também, né?"

"Seria ótimo."

"Certo. Arranjo pra vocês. Só fiquem longe dos meus cigarros, é tudo o que peço. Não ligo se você fuma", disse ela, erguendo uma mão pra me calar, "não é como se eu estivesse te revistando, mas alguém anda roubando cigarros do pacote e isso está me custando uns vinte e cinco paus por semana."

XIX

Desde que Boris tinha aparecido com o olho machucado, eu formara na mente a imagem do pai dele como um soviético de pescoço grosso com olhos de porco e um corte de cabelo à escovinha. Na realidade — conforme fiquei surpreso em ver, quando finalmente o conheci —, era tão magro e pálido quanto um poeta faminto. Clorótico, com o peito afundado, ele fumava sem parar, usava camisetas baratas que ficavam cinza ao ser lavadas e bebia xícaras e mais xícaras de chá açucarado. Mas, quando você o olhava nos olhos, percebia que sua fragilidade era enganosa. Era rijo, intenso, mau humor chispando dele — de ossos pequenos e rosto anguloso, como Boris, mas com um olhar avermelhado maléfico e dentes serreados minúsculos e amarronzados. Pensei numa raposa com raiva.

Embora eu já o tivesse vislumbrado de passagem e o escutado (ou alguém que supus ser ele) aos tropeços pela casa à noite, só fui conhecê-lo realmente face a face alguns dias antes do feriado. Estávamos entrando na casa de Boris num dia depois da escola, rindo e conversando, quando o encontramos curvado sobre a mesa da cozinha com uma garrafa e um copo. Apesar das roupas surradas, usava sapatos caros e um monte de joias de ouro; quando nos encarou com olhos avermelhados, paramos de falar na hora. Embora fosse um homem pequeno e franzino, havia algo em seu rosto que fazia você não querer se aproximar demais.

"Oi", arrisquei, timidamente.

"Olá", disse ele, impassível, com um sotaque muito mais carregado que o de Boris — e então virou-se para Boris e disse algo em ucraniano. Seguiu-se uma breve conversa, que eu observei com interesse. Era interessante ver a mudança que ocorria em Boris quando falava outra língua — uma espécie de vivacidade, ou de estado de alerta, uma sensação de que havia uma pessoa diferente e mais eficiente ocupando seu corpo.

Então — inesperadamente — o sr. Pavlikovski estendeu as duas mãos para mim. "Obrigado", disse ele com forte sotaque.

Embora eu estivesse com medo de me aproximar dele — era como se aproximar de um animal selvagem —, dei um passo à frente e estendi as duas mãos, meio sem graça. Ele as segurou entre as dele, que eram ásperas e frias.

"Você é pessoa boa", disse ele. Estava com os olhos injetados de sangue e uma expressão intensa demais. Eu queria desviar o olhar, sentia-me envergonhado.

"Deus esteja com você e te abençoe sempre", disse ele. "Você é como um filho pra mim. Por deixar meu filho fazer parte da sua família."

Minha família? Confuso, olhei de relance para Boris.

Os olhos do sr. Pavlikovski se voltaram para ele. "Você falou pra ele o que eu te disse?"

"Ele disse que você é parte da nossa família aqui", disse Boris, num tom entediado, "e se algum dia houver alguma coisa que ele possa fazer por você..."

Para minha grande surpresa, o sr. Pavlikovski me puxou pra perto e me enlaçou num forte abraço, enquanto eu fechava os olhos e fazia o melhor que podia pra ignorar seu cheiro: creme de cabelo, suor, álcool e algum tipo de colônia forte e desagradavelmente penetrante.

"O que foi aquilo tudo?", perguntei baixinho quando já estávamos lá em cima no quarto de Boris com a porta fechada.

Boris revirou os olhos. "Acredite. Você não vai querer saber."

"Ele sempre fica chapado daquele jeito? Como é que mantém o emprego?"

Boris soltou uma gargalhada. "É do alto escalão", disse ele. "Ou algo assim."

Ficamos no quarto escuro e forrado de batique de Boris até ouvir a caminhonete do pai dele dar a partida na garagem. "Não vai voltar tão cedo", disse Boris, enquanto eu deixava a cortina cair de volta sobre a janela. "Ele se sente mal por me deixar tão sozinho. Sabe que vem um feriado aí, e perguntou se eu poderia ficar na sua casa."

"Bem, você já fica lá o tempo todo mesmo."

"Ele sabe", disse Boris, tirando o cabelo dos olhos. "Foi por isso que te agradeceu. Mas — espero que você não se importe — dei pra ele o endereço errado da sua casa."

"Por quê?"

"Porque..." — ele afastou as pernas para abrir espaço pra eu me sentar ao seu lado, sem que precisasse pedir — "acho que você não vai querer ele chegando bêbado na sua casa no meio da noite. Tirando seu pai e Xandra da cama. Além disso — se algum dia vier à tona — ele acha que seu sobrenome é Potter."

"Por quê?"

"É melhor assim", disse Boris calmamente. "Acredite."

xx

Boris e eu estávamos deitados no chão na frente da televisão na minha casa, comendo batata frita e bebendo vodca, assistindo ao desfile do Dia de Ação de Graças da Macy's. Nevava em Nova York. Uma série de balões tinha acabado de passar — Snoopy, Ronald McDonald, Bob Esponja, Mr. Peanut —, e uma trupe de dançarinos havaianos estava apresentando um número na Herald Square.

"Sorte não sermos nós", disse Boris. "Aposto que estão com o rabo congelando."

"É", falei, embora não tivesse olhos para os balões, os dançarinos ou nada daquilo. Ver a Herald Square na televisão fez eu me sentir como se tivesse ido parar a milhões de anos-luz da Terra, captando sinais dos primórdios do rádio, vozes de locutores e aplausos do público de uma civilização desaparecida.

"Idiotas. Não dá pra acreditar que elas se vestem assim. Vão acabar no hospital, essas garotas." Assim como Boris reclamava ferozmente do calor de Las Vegas, ele também tinha uma crença inabalável de que qualquer coisa "gelada" deixava as pessoas doentes: piscinas não aquecidas, o ar-condicionado da minha casa e até pedras de gelo na bebida.

Ele deitou de costas e me passou a garrafa. "Você e sua mãe iam a esse desfile?"

"Não."

"Por que não?", disse Boris, dando uma batata para Popper.

"*Nekulturny*", falei, uma palavra que tinha aprendido com ele. "E turistas demais."

Ele acendeu um cigarro e ofereceu outro pra mim. "Tá triste?"

"Um pouco", respondi, inclinando-me para acendê-lo no fósforo dele. Não conseguia parar de pensar no último Dia de Ação de Graças; ficava passando de novo e de novo na minha mente como um filme que eu não conseguia desligar: minha mãe dando passos leves descalça num jeans velho rasgado nos joelhos, abrindo uma garrafa de vinho, servindo um pouco de refrigerante pra mim numa taça de champanhe, arrumando umas azeitonas, ligando o som, vestindo seu avental divertido de feriado e desembalando o peru que ela tinha comprado pra nós em Chinatown, para em seguida torcer o nariz e recuar diante do cheiro — *Ah, meu Deus, Theo, esse negócio estragou, abre a porta pra mim* —, fedor de amônia de fazer chorar, segurando-o à sua frente feito uma granada não detonada enquanto descia correndo a escada de incêndio e ia até a lata de lixo na rua ao mesmo tempo que eu — inclinando-me para fora da janela — simulava alegremente sons de ânsia de vômito lá do alto. Fizemos uma refeição frugal com vagem e mirtilos em conserva e arroz integral com amêndoas torradas: *Nosso Ação de Graças Socialista Vegetariano*, ela o chamara. Tínhamos planejado mal porque ela estava pra entregar um projeto no trabalho; no ano seguinte, ela prometeu (nós dois cansados de tanto rir; por algum motivo o peru estragado tinha nos deixado muito divertidos), íamos alugar um carro e viajar até a casa do amigo dela, Jed, em Vermont, ou então faríamos reservas em algum lugar incrível como o Gramercy Tavern. Só que esse futuro não chegou; e eu estava celebrando um Ação de Graças alcoólico com batatas fritas e Boris na frente da televisão.

"O que vamos comer, Potter?", disse ele, coçando a barriga.

"Quê? Você está com fome?"

Balançou a mão de um lado pro outro: *mais ou menos*. "E você?"

"Não muito." Eu estava com o céu da boca arranhado de tanto comer batata, e os cigarros estavam começando a me deixar enjoado.

De repente Boris deu uma gargalhada; sentou. "Escuta", disse ele, chutando-me, apontando pra televisão. "Você ouviu isso?"

"O quê?"

"O cara da TV. Ele acabou de desejar bom feriado pros filhos. 'Bastardo e Casey.'"

"Ah, fala sério." Boris vivia se enganando com palavras em inglês, equívocos na escuta, às vezes engraçados, mas na maior parte das vezes apenas irritantes.

"Bastardo e Casey! Foda, hein? Casey até vai, mas chamar o próprio filho de Bastardo na televisão num feriado?"

"Não foi isso que ele disse."

"Tá, então, você que sabe tudo, o que foi que ele disse?"

"Como é que eu vou saber, porra?"

"Então por que está discutindo comigo? Por que sempre acha que sabe tudo? Qual é o problema deste país? Como é que uma nação tão idiota foi ficar tão arrogante e rica? Americanos... estrelas de cinema... gente da TV... eles dão pros seus filhos nomes como Maçã, Cobertor, Azul e Bastardo, todo tipo de coisa doida."

"E a questão é...?"

"A questão é que, tipo, a democracia é desculpa pra qualquer porra. Violência... ganância... idiotice... tudo é válido se os americanos fizerem. Não é? Estou errado?"

"Você realmente não consegue calar a boca, né?"

"Eu sei o que eu ouvi, haha! Bastardo! Te digo uma coisa. Se eu achasse que meu filho era bastardo é certeza que ia chamá-lo de outra porra."

Na geladeira, havia asinhas de frango, taquitos e salsichinhas que Xandra tinha trazido, assim como bolinhos do restaurante chinês aonde meu pai gostava de ir, mas, quando finalmente fomos comer, metade da garrafa de vodca (a contribuição de Boris pro Dia de Ação de Graças) já tinha acabado e estávamos a ponto de passar mal. Boris — que às vezes se alterava seriamente quando bebia, uma inclinação russa por temas pesados e questões sem resposta — estava sentado na bancada de mármore balançando um garfo com uma salsicha espetada e falando um tanto freneticamente sobre pobreza, capitalismo, mudanças climáticas e quão fodido o mundo estava.

Em dado momento, confuso, falei: "Boris, cala a boca. Não quero ouvir isso". Ele tinha voltado ao meu quarto pra pegar meu exemplar de *Walden* e estava lendo em voz alta uma longa passagem que reforçava algum argumento seu.

O livro jogado — felizmente de bolso — me atingiu na bochecha. "*Ischézni!* Se manda!"

"Esta é a minha casa, seu burro de merda."

A salsichinha — ainda espetada no garfo — passou raspando pela minha cabeça, não me atingindo por pouco. Mas estávamos rindo. Lá pelo meio da tarde já estávamos completamente chapados: rolando no carpete, derrubando um ao outro, rindo e xingando, rastejando. A TV estava ligada num jogo de futebol americano, e embora fosse chato pra nós dois seria trabalhoso demais encontrar o controle e trocar de canal. Boris estava tão bêbado que não parava de tentar falar comigo em russo.

"Fale inglês ou então cale a boca", eu disse, tentando me segurar no corrimão e me esquivando de um jeito tão atrapalhado do soco dele que caí em cima da mesinha de centro.

"*Ty menjá dostál!! Poshël ty!*"

"Glu-glu-glu", respondi numa vozinha enjoada de garota, a cara voltada pro tapete. O chão balançava e sacudia como o convés de um navio. "Balalaica. Blá-blá-blá."

"Maldita *télik*", disse Boris, caindo no chão ao meu lado, chutando ridiculamente na direção da TV. "Não quero ficar vendo essa porrá."

"É, tipo, caralho" — rolando pro lado, agarrando minha barriga —, "eu também não." Meus olhos não estavam focando direito, os objetos tinham halos que brilhavam para além dos limites normais.

"Vamos ver a previsão do tempo", disse Boris, arrastando-se de joelhos pela sala. "Quero ver a previsão do tempo na Nova Guiné."

"Você vai ter que procurar, não sei que canal é."

"Dubai!", exclamou Boris, caindo pra frente de quatro — e então, uma torrente sentimental de palavras em russo da qual entendi um ou dois xingamentos.

"*Angliyski!* Fale inglês."

"Está nevando lá?" Chacoalhando meu ombro. "O cara disse que está nevando, que doido, *ty videsh*? Nevando em Dubai! Um milagre, Potter! Olha!"

"É *Dublin*, seu burro. Não Dubai."

"*Valí otsyúda!* Vai se foder!"

Nisso devo ter apagado (algo que acontecia com demasiada frequência quando Boris trazia uma garrafa), pois só sei que no momento seguinte a luz tinha mudado totalmente e eu estava ajoelhado junto das portas de correr com uma poça de vômito no carpete ao meu lado e a testa pressionada contra o vidro. Boris estava num sono profundo, de bruços, roncando alegremente, um braço pendendo pra fora do sofá. Popchik estava dormindo também, o queixo descansando satisfeito na parte de trás da cabeça de Boris. Eu me sentia péssimo. Uma borboleta morta flutuando na piscina. Ronco de máquina audível. Grilos e besouros afogados girando nos filtros de plástico. Acima, o sol poente brilhava berrante e desumano, projeções vermelho-sangue de nuvens que sugeriam cenas apocalípticas de catástrofe e ruína: detonações de atóis do Pacífico, animais selvagens correndo diante de chamas monstruosas.

Talvez eu tivesse chorado, se Boris não estivesse ali. Em vez disso, fui até o banheiro e vomitei de novo. Então, depois de beber um pouco de água da torneira, voltei com papel toalha e limpei a sujeira que tinha feito, mesmo com a cabeça doendo tanto que eu mal conseguia enxergar. O vômito era de um tom laranja horrível das asinhas com barbecue, difícil de tirar, deixando uma mancha, e enquanto eu esfregava com detergente fiz o melhor que pude pra me agarrar a lembranças reconfortantes de Nova York — o apartamento dos Barbour com sua porcelana chinesa e os porteiros amigáveis, o remanso atemporal da casa de Hobie, livros velhos e relógios tiquetaqueando alto, mobília antiga, cortinas de veludo, sedimentos do passado por toda parte, quartos silenciosos onde as coisas eram tranquilas e faziam sentido. Muitas vezes, à noite, quando eu ficava tomado pela estranheza de onde estava, eu me acalmava pegando no sono ao pensar na oficina dele, ricos cheiros de cera de abelha e aparas de jacarandá, e depois a estreita escada sala acima, onde raios de sol empoeirados brilhavam sobre tapetes orientais.

Vou ligar, pensei. Por que não? Estava apenas bêbado o suficiente pra achar que era uma boa ideia. Mas o telefone chamou e chamou. Finalmente — depois de duas ou três tentativas, e então uma triste meia hora e pouco na frente da televisão —, enjoado e suando, com meu estômago a me torturar, vendo o canal do tempo, estradas com gelo, frentes frias varrendo Montana, decidi ligar para Andy, indo até a cozinha para não acordar Boris. Foi Kitsey quem atendeu.

"Não podemos falar", disse ela às pressas quando percebeu que era eu. "Estamos atrasados. Vamos sair pra jantar."

"Onde?", perguntei, piscando. Minha cabeça ainda doía tanto que eu mal conseguia ficar de pé.

"Com os Van Ness na Quinta. Amigos da minha mãe."

Nos fundos, ouvi gritos indistintos de Toddy, Platt rugindo: "Sai de cima de *mim*!".

"Posso dar um oi pro Andy?", disse, encarando fixamente o chão da cozinha.

"Na verdade, não. Estamos — já vou, mãe!", ouvi-a gritar. Para mim, ela disse: "Feliz Dia de Ação de Graças".

"Pra você também", falei, "mande um oi pra todos." Mas ela já tinha desligado.

XXI

Meus temores em relação ao pai de Boris tinham diminuído um pouco desde que ele segurara minhas mãos e me agradecera por cuidar do filho. Embora o sr. Pavlikovski ("Senhor!", gargalhava Boris) tivesse, é verdade, uma aparência assustadora, passei a pensar que ele não era um sujeito tão terrível quanto parecia. Duas vezes na semana seguinte ao Dia de Ação de Graças, chegamos da escola e o encontramos na cozinha — amabilidades murmuradas, nada mais, enquanto ele ficava sentado à mesa tragando vodca e secando a testa molhada com um guardanapo de papel, o cabelo relativamente claro escurecido com algum tipo de creme oleoso, escutando notícias em russo em alto volume no velho rádio. Mas então, numa noite em que estávamos no andar de baixo com Popper (que tinha vindo andando da minha casa), vendo um filme antigo de Peter Lorre chamado *Os dedos da morte*, a porta da frente bateu com força.

Boris deu um tapa na testa. "Merda." Antes que eu me desse conta do que ele estava fazendo, já tinha jogado Popper nos meus braços, agarrado-me pelo colarinho da camiseta, erguido-me e empurrado-me pelas costas.

"O que...?"

Ele estendeu a mão — *vá já.* "Cachorro", sibilou. "Meu pai vai matá-lo. Rápido."

Atravessei a cozinha correndo e — o mais silenciosamente que podia — saí de fininho pela porta dos fundos. Estava muito escuro lá fora. Ao menos uma vez na vida, Popper não soltou um pio. Coloquei-o no chão, sabendo que ia colar em mim, e dei a volta na casa até as janelas da sala, que não tinham cortina.

O pai dele estava andando com uma bengala, algo que eu nunca tinha visto. Apoiando-se pesadamente nela, mancava pela sala iluminada como um personagem numa peça de teatro. Boris estava parado, os braços cruzados sobre o magro peito, abraçando-se.

Ele e o pai estavam discutindo — ou, melhor, o pai esbravejava raivosamente contra ele. Boris encarava o chão. Seu cabelo estava caído no rosto, então eu só podia ver a ponta do nariz dele.

Abruptamente, jogando a cabeça pra trás, Boris disparou algo rude e virou-se para sair. Nisso — tão cruelmente que mal tive tempo de registrar aquilo — o pai dele arremessou a bengala feito uma cobra, golpeando Boris na altura dos ombros e derrubando-o no chão. Antes que ele pudesse se erguer — Boris estava de quatro —, o sr. Pavlikovski o chutou, depois o agarrou pela parte de trás da camisa e o botou, trôpego, de pé. Vociferando e gritando em russo, deu um tapa no rosto dele com sua mão vermelha cheia de anéis, de um lado e do outro: *pá-pá*. Então — atirando-o cambaleante no meio da sala — ergueu o cabo curvo da bengala e o atingiu com tudo no rosto.

Meio em choque, recuei diante da janela, tão desorientado que tropecei e caí em cima de um saco de lixo. Popper — alarmado com o barulho — ficou correndo de um lado pro outro latindo num tom agudo e choroso. Quando eu estava tentando me colocar de pé — tomado de pânico, em meio a latas e garrafas de cerveja caídas —, a porta abriu e um quadrado de luz amarela se derramou no concreto. Tão rapidamente quanto podia, ergui-me, agarrei Popper e saí correndo.

Mas era apenas Boris. Ele me alcançou, agarrou-me pelo braço e me arrastou rua afora.

"Meu Deus", falei, diminuindo um pouco o passo, tentando olhar pra trás. "O que foi aquilo?"

Atrás de nós, a porta da frente da casa abriu novamente. O sr. Pavlikovski ficou parado na soleira da porta projetando sua silhueta contra a luz, agarrando-se com um braço, brandindo o punho e gritando em russo.

Boris me arrastou consigo. "Vem *logo*." Corremos adiante pela rua escura, os sapatos golpeando o asfalto, até que finalmente a voz do pai morreu.

"Porra", falei, desacelerando quando dobrávamos a esquina. Meu coração batia forte e minha cabeça girava; Popper reclamava e lutava pra descer, e eu o pus no asfalto pra deixá-lo correr em círculos à nossa volta. "O que aconteceu?"

"Ah, nada", disse Boris, soando inexplicavelmente alegre, limpando o nariz com uma fungada úmida. "Tempestade em copo d'água, como se diz. Ele só estava puto."

Curvei-me, as mãos nos joelhos, pra recuperar o fôlego. "Puto de raiva ou de bêbado?"

"Os dois. Mas sorte que não viu Popchyk, ou... nem sei. Ele acha que animais devem ficar do lado de fora. Aqui", disse, segurando a garrafa de vodca, "olha só o que eu trouxe! Peguei na saída."

Senti o cheiro de sangue nele antes de vê-lo. Havia uma lua crescente — pouca coisa, mas o suficiente para enxergar —, e quando me ergui e olhei pra Boris de frente percebi que seu nariz estava escorrendo e sua camisa estava escura de sangue.

"Putz", falei, ainda respirando com dificuldade, "você está bem?"

"Vamos até o parquinho, recuperar o fôlego", disse Boris. Seu rosto, eu vi, estava um caos: o olho inchado, um corte feio em formato curvo na testa do qual também escorria sangue.

"Boris! Devíamos ir pra casa."

Ele ergueu uma sobrancelha. "Casa?"

"Pra *minha* casa. Que seja. Você não parece bem."

Ele sorriu — expondo dentes ensanguentados — e me deu uma cotovelada nas costelas. "Não, preciso de uma bebida antes de encarar Xandra. Vamos lá, Potter. Por que não me deixa dar uma relaxada? Depois de tudo isso?"

XXII

No Centro Comunitário abandonado, os escorregadores do parquinho brilhavam prateados sob o luar. Sentamos na borda da fonte vazia, os pés balançando na bacia seca, e ficamos passando a garrafa até começarmos a perder a noção do tempo.

"Aquela foi a coisa mais esquisita que já vi", falei, limpando a boca com o dorso da mão. As estrelas giravam um pouco.

Boris — inclinando-se pra trás sobre as mãos, o rosto voltado para o céu — estava cantarolando consigo mesmo em polonês.

Wszystkie dzieci, nawet źle,
pogrążone są we śnie,
a Ty jedna tylko nie.
A-*a*-*a*, *a*-*a*-*a*...

"Ele é assustador pra cacete", falei. "Seu pai."

"É", disse Boris alegremente, limpando a boca no ombro da camiseta manchada de sangue. "Ele já matou gente. Matou um homem na mina de tanto bater nele uma vez."

"Mentira."

"Não, é verdade. Foi na Papua-Nova Guiné. Ele tentou fazer parecer que as rochas tinham caído e matado o cara, mas mesmo assim a gente teve de partir logo depois."

Pensei naquilo. "Seu pai não é, hum, muito robusto", eu disse. "Tipo, não consigo realmente imaginar..."

"Não com os punhos. Com uma... como é que vocês chamam...?" Ele fez que batia numa superfície. "Chave de grifa."

Fiquei em silêncio. Havia algo no gesto de Boris arremessando a chave imaginária que tinha um quê de verdade.

Boris — que até então estava tentando acender um cigarro — soltou um suspiro fumarento. "Quer um?" Ele o passou para mim e acendeu outro para si, depois esfregou o queixo com o nó dos dedos. "Ah", disse ele, mexendo pra frente e pra trás.

"Dói?"

Boris riu sonolento, e me deu um soco no ombro. "O que você acha, idiota?"

Não demorou muito e já estávamos tontos e rindo, cambaleando de quatro sobre o cascalho. Bêbado como eu estava, sentia minha mente flutuando, fria e estranhamente clara. Então, em algum momento — sujos de poeira de rolar no chão e se atracar —, pegamos o caminho de volta para casa numa escuridão quase total, fileiras de moradias abandonadas e a noite do deserto gigantesca à nossa volta, o crepitar brilhante das estrelas lá no alto e Popchik trotando atrás de nós enquanto cambaleávamos de um lado pro outro, rindo tanto a ponto de já estarmos gaguejando e ofegando, quase passando mal à beira da estrada.

Ele cantava a plenos pulmões, a mesma melodia de antes:

A-*a*-*a*, *a*-*a*-*a*,

byly sobie kotki dwa.
A-a-a, kotki dwa,
Szarobure…

Chutei-o. "Inglês!"

"Aqui, eu te ensino. *A-a-a, a-a-a…*"

"Me diz o que significa."

"Tá, eu digo. 'Era uma vez dois gatinhos'", cantou Boris:

Eles eram marrom-acinzentados.
A-a-a…

"*Dois gatinhos?*"

Ele tentou me bater, e quase caiu. "Vai se foder! Não cheguei ainda na parte boa." Limpando a boca com a mão, Boris jogou a cabeça pra trás e cantou:

Ah, durma, meu querido,
E eu vou te dar uma estrela do céu,
Todas as crianças dormem profundamente
Todas as outras, até as ruins,
Todas as crianças dormem menos você.
A-a-a, a-a-a…
Era uma vez dois gatinhos…

Quando chegamos à minha casa — fazendo barulho demais, um mandando o outro calar a boca —, a garagem estava vazia: não havia ninguém. "Graças a *Deus*", disse Boris com fervor, caindo no concreto para se prostrar diante do Senhor.

Peguei-o pelo colarinho da camiseta. "Levanta!"

Dentro — sob as luzes — Boris estava um caos: sangue pra todo lado, o olho inchado formando uma fenda brilhante. "Espera aí", falei, soltando-o no meio do carpete da sala, e cambaleei até o banheiro pra pegar alguma coisa pro corte. Mas não havia nada além de xampu e um frasco de perfume verde que Xandra tinha ganhado em algum sorteio do Wynn. Lembrando-me embriagado de algo que minha mãe dissera, que perfume servia como antisséptico em caso de emergência, voltei para a sala, onde Boris estava esparramado no carpete com Popper farejando ansioso sua camiseta manchada de sangue.

"Aqui", falei, empurrando o cachorro pro lado, limpando o ponto ensanguentado na sua testa com um pano molhado. "Fique parado."

Boris recuou estremecendo e grunhiu. "Mas que porra você tá fazendo?"

"Cala a boca", respondi, afastando o cabelo dele dos olhos.

Boris resmungou algo em russo. Eu estava tentando ser cuidadoso, mas estava tão bêbado quanto ele, e quando espirrei o perfume no corte Boris gritou e me deu um soco na boca.

"Mas que porra?", falei, tocando os lábios, os dedos voltando ensanguentados. "Olha só o que você fez comigo."

"*Blyad*", disse ele, tossindo e abanando o ar, "isso fede. O que você pôs em mim, sua puta?"

Comecei a rir; não podia evitar.

"*Babaca*", esbravejou ele, empurrando-me com tanta força que caí no chão. Mas Boris também estava rindo. Estendeu uma mão pra me ajudar, mas eu a repeli.

"Vá se foder!" Eu ria tanto que mal conseguia falar direito. "Você tá com o cheiro da Xandra."

"Jesus, estou sufocando. Preciso tirar isso de mim."

Saímos tropeçando de casa — arrancando a roupa, pulando num pé só enquanto tirávamos a calça — e nos jogamos na piscina: péssima ideia, conforme percebi tarde demais, no momento antes de cair na água, cego de tão bêbado e chapado demais pra andar. A água fria me atingiu com tanta força que quase me tirou o fôlego.

Subi aflito para a superfície: os olhos ardendo, o cloro queimando no nariz. Um jorro de água me atingiu nos olhos e eu espirrei de volta. Boris era um borrão branco na escuridão, o rosto chupado e o cabelo preto grudado nas têmporas. Rindo, ficamos lutando e empurrando um ao outro pra baixo d'água, apesar de eu sentir os dentes baterem e estar bêbado e enjoado demais pra ficar brincando numa piscina funda.

Boris mergulhou. Uma mão agarrou meu tornozelo e me puxou pra baixo, e eu me vi olhando para uma barreira escura de bolhas.

Puxei; lutei. Era como estar no museu de novo, preso num espaço escuro, sem ter como subir ou sair. Eu me debati e me contorci, enquanto bolhas de uma respiração em pânico flutuavam diante dos meus olhos: sinos subaquáticos, escuridão. Por fim — bem quando eu estava prestes a engolir uma golfada de água — consegui me soltar e irromper na superfície.

Lutando para respirar, agarrei-me à borda da piscina e fiquei arfando. Quando minha visão clareou, vi Boris — tossindo, xingando — se precipitando na direção da escadinha. Ofegante de raiva, eu meio que nadei meio que pulei atrás dele e enganchei um pé no seu tornozelo de modo que caiu de cara com um estalo.

"Idiota", balbuciei, quando voltou se debatendo à superfície. Boris estava tentando falar, mas eu espirrei um jorro de água no rosto dele, depois outro, peguei o cabelo dele e o empurrei pra baixo. "Seu merda", gritei quando ele veio à tona, arfando, água escorrendo pelo rosto. "Nunca *mais* faça isso comigo." Eu tinha as duas mãos sobre seus ombros e estava prestes a me jogar pra cima dele de novo — empurrá-lo pra baixo, segurá-lo ali por um bom tempo — quando Boris estendeu a mão e agarrou meu braço, e eu vi que ele estava branco e trêmulo.

"Para", disse ele, ofegando — e então percebi quão desfocados e estranhos seus olhos estavam.

"Ei", eu disse, "você tá bem?" Mas ele tossia forte demais pra conseguir responder. Seu nariz voltara a sangrar, o sangue jorrando escuro entre seus dedos. Ajudei-o a subir, e juntos caímos sobre os degraus da escadinha — metade pra dentro, metade pra fora, exaustos demais pra escalá-la até o final.

XXIII

Acordei com o sol forte. Estávamos na minha cama: cabelo molhado, semivestidos e tremendo de frio no ar-condicionado, com Popper roncando entre nós. Os lençóis estavam encharcados e fedendo a cloro; eu estava com uma dor de cabeça atordoante e um gosto metálico horrível na boca, como se tivesse chupado um punhado de moedas.

Fiquei deitado imóvel, sentindo que poderia vomitar se mexesse a cabeça nem que fosse só meio centímetro, e então — com muito cuidado — sentei.

"Boris?", chamei, esfregando o rosto com a palma da mão. Listras vermelho-ferrugem de sangue manchavam a fronha. "Tá acordado?"

"Ah, Deus", gemeu ele, com uma palidez mortal, pegajoso de suor, rolando de bruços para se agarrar ao colchão. Estava nu, a não ser pelos braceletes de Sid Vicious e pelo que parecia ser uma das minhas cuecas. "Vou vomitar."

"Aqui não." Chutei-o. "Levanta."

Resmungando, ele tropeçou pra fora da cama. Eu podia ouvi-lo vomitando no meu banheiro. O som me deixou enjoado e um pouco histérico. Rolei pro lado e ri com a cabeça enfiada no travesseiro. Quando Boris voltou cambaleando, segurando a cabeça, fiquei chocado com seu olho roxo, o sangue seco nas narinas e o corte já com uma crosta na testa.

"Jesus", falei, "tá com uma cara feia. Precisa levar uns pontos."

"Sabe de uma coisa?", disse Boris, jogando-se de barriga no colchão.

"O quê?"

"Estamos atrasados pra escola, porra!"

Rolamos de costas e caímos na gargalhada. Tão fraco e nauseado como eu me sentia, achei que jamais conseguiria parar.

Boris inclinou-se pra fora da cama, tateando com um braço à procura de alguma coisa no chão. Num instante sua cabeça reapareceu. "Ah! O que é isso?"

Sentei e me precipitei avidamente para o copo d'água, ou para o que achei que fosse água. Quando ele o meteu debaixo do meu nariz, fiquei sufocado com o cheiro.

Boris riu alto. Rápido como um raio subiu em cima de mim: era só osso pontudo e carne pegajosa, fedendo a suor e vômito e a alguma outra coisa, frio e sujo, feito água parada de lagoa. Bruscamente apertou minhas bochechas, derramando o copo de vodca no meu rosto. "Hora do remédio! Pronto, pronto", disse ele, enquanto eu derrubava o copo pra longe e lhe dava um soco na boca, um golpe de raspão que não deu muito certo. Popper estava latindo agitado. Boris me prendeu num mata-leão, agarrou minha camiseta do dia anterior e tentou enfiá-la na minha boca, mas fui rápido demais para ele e o arremessei para fora da cama, fazendo-o bater a cabeça contra a parede. "Ah, porra", disse ele, esfregando sonolento o rosto com a mão aberta e dando risada.

Levantei-me, inseguro, subitamente suando frio, e me arrastei até o banheiro, onde, com uma ou duas golfadas violentas — a mão apoiada contra a parede —, esvaziei meu estômago no vaso sanitário. Podia ouvi-lo rindo no quarto.

"Dois dedos na garganta", gritou ele para mim, e então alguma outra coisa que não entendi, numa nova onda de náusea.

Quando acabou, cuspi uma ou duas vezes, depois limpei a boca com o dorso da mão. O banheiro estava uma zona: chuveiro pingando, porta escancarada, toalhas encharcadas e panos manchados de sangue amontoados no chão. Ainda tremendo do enjoo, bebi água da pia com as mãos e passei um pouco no rosto. Meu peito nu refletido parecia curvado e pálido, e eu ficara com um lábio inchado no ponto onde Boris tinha me dado um soco na noite anterior.

Ele continuava no chão, deitado largadamente com a cabeça apoiada contra a parede. Quando voltei, abriu o olho bom e riu ao me ver. "Tá melhor?"

"Vá se foder! Nem fala comigo."

"Bem feito. Não falei pra você não ficar de bobeira por aí com o copo?"

"Eu?"

"Você não lembra, né?" Ele tocou o lábio superior com a língua pra ver se sua boca tinha voltado a sangrar. Quando ficava sem camisa dava pra ver todas as costelas, marcas de surras passadas e o calor atravessando seu peito. "Aquele copo no chão, *péssima* ideia. Azarado! Falei pra você não deixar ali! Traz um azar danado pra gente!"

"Você não precisava derramá-lo na minha cabeça", retruquei, procurando meus óculos e pegando a primeira calça que vi na pilha de roupa suja no chão.

Boris apertou a ponta do nariz, rindo. "Estava só tentando ajudar. Uma bebidinha vai fazer você se sentir bem melhor."

"Aham, muito obrigado."

"É verdade. Se conseguir manter no estômago. Vai fazer sua dor de cabeça desaparecer num passe de mágica. Meu pai não é lá muito útil, mas essa é uma coisa bem útil que ele me disse. Uma boa cerveja gelada é a melhor coisa, se você tiver."

"Hum, vem cá", falei. Estava postado diante da janela, olhando pra piscina.

"Hein?"

"Vem ver. Quero que você veja isso."

"Diz logo o que é", resmungou Boris, do chão. "Não quero levantar."

"É bom você se mexer." Lá embaixo, o pátio parecia uma cena de crime. Um fio de sangue manchava as pedras do pavimento da piscina. Sapatos, jeans, camiseta ensopada de sangue, estavam desordenadamente atirados e jogados. Uma das botas surradas de Boris jazia caída na parte mais funda da piscina. Pior: uma espuma gosmenta de vômito flutuava na água rasa perto da escadinha.

XXIV

Mais tarde, depois de algumas passadas cansativas do aspirador na piscina, sentamos no balcão da cozinha e ficamos fumando os Viceroys do meu pai e conversando. Já era quase meio-dia — tarde demais para cogitar ir à escola. Boris — sujo e com um ar desvairado, a camiseta caindo num dos ombros, batendo portas de armário, reclamando amargamente porque não havia chá — tinha feito um café horroroso à moda russa, fervendo grãos numa panela no fogão.

"Não, não", disse ele, quando me viu servindo de uma quantidade normal. "Muito forte, bem pouquinho."

Experimentei. Fiz uma careta.

Ele meteu um dedo no café e lambeu-o. "Um biscoito seria bom."

"Você só pode estar brincando."

"Pão com manteiga?", disse esperançoso.

Escorreguei pra fora do balcão — o mais suavemente que pude, pois minha cabeça doía — e saí procurando até encontrar uma gaveta com sachês de açúcar e tortilhas embaladas que Xandra tinha trazido pra casa do bar.

"Que loucura", falei, olhando pro rosto dele.

"O quê?"

"O seu pai fazer isso."

"Não é nada", murmurou Boris, virando a cabeça para os lados de modo a enfiar a tortilha de milho inteira na boca. "Ele me quebrou uma costela uma vez."

Depois de uma longa pausa, e porque eu não conseguia pensar em nada melhor pra dizer, falei: "Uma costela quebrada não é tão sério".

"Não, mas dói. Esta aqui", disse ele, erguendo a camiseta e mostrando pra mim.

"Achei que ele fosse te matar."

Boris empurrou o ombro contra o meu. "Ah, eu o provoquei de propósito. Retruquei. Pra que você pudesse tirar Popchik de lá. Olha, tá tudo bem", disse, num tom condescendente, quando continuei olhando pra ele. "Na noite passada ele estava espumando, mas vai se arrepender quando me vir."

"Talvez você deva ficar aqui por um tempo."

Boris inclinou-se pra trás sobre as mãos e me lançou um sorriso de pouco caso. "Não é nada pra se preocupar. Ele fica deprimido às vezes, só isso."

"Ah." Nos velhos tempos de Black Label — vômito nas camisas sociais, colegas de trabalho irritados ligando pra casa —, meu pai (em lágrimas às vezes) atribuíra seus acessos à "depressão".

Boris riu, com o que parecia uma diversão genuína. "E daí? Você também não fica triste às vezes?"

"Ele devia estar na cadeia por fazer isso."

"Ah, por favor." Boris tinha cansado do café ruim e fora até a geladeira ver se arranjava uma cerveja. "Meu pai tem gênio ruim, é verdade, mas ele me ama. Podia ter me deixado com um vizinho quando saiu da Ucrânia. Foi o que aconteceu com meus amigos Maks e Seryozha — Maks acabou na rua. Além disso, eu também deveria estar na cadeia, se for pensar por esse lado."

"Como assim?"

"Eu tentei matar meu pai uma vez. Sério!", disse, quando viu a cara que eu estava fazendo. "Tentei mesmo."

"Não acredito em você."

"É verdade", disse ele, resignado. "Me sinto mal por isso. No nosso último inverno na Ucrânia, fiz meu pai sair de casa — ele estava tão bêbado que saiu. Depois tranquei a porta. Pensei que ia morrer na neve. Ainda bem que não morreu, né?", disse, com uma gargalhada. "Senão eu teria ficado preso na Ucrânia, meu Deus. Catando comida em latas de lixo. Dormindo em estações de trem."

"O que aconteceu?"

"Sei lá. Não era tão tarde. Alguém o viu e o pegou de carro — uma mulher, imagino, vai saber. De toda forma ele saiu pra beber mais, voltou pra casa alguns dias depois — por sorte, não lembrava o que tinha acontecido! Até me trouxe uma bola de futebol e disse que a partir dali só ia beber cerveja. Aquilo durou um mês talvez."

Esfreguei o olho por trás dos óculos. "O que você vai falar na escola?"

Boris abriu a cerveja. "Hein?"

"Bem, quer dizer." O machucado no rosto tinha cor de carne crua. "As pessoas vão perguntar."

Ele sorriu zombeteiro e me deu uma cotovelada. "Vou falar que foi *você* quem fez isso", disse ele.

"Não, sério."

"Estou falando sério."

"Boris, não tem graça."

"Ah, sei lá. Futebol, skate." Seu cabelo preto caiu no rosto como uma sombra, e ele o jogou pra trás. "Você não vai querer que me mandem pra longe, né?"

"É", falei, depois de uma pausa desconfortável.

"Porque a Polônia..." Ele me passou a cerveja. "Acho que seria pra lá. Se deportassem. Mas a Polônia...", ele riu, um latido súbito, "melhor que a Ucrânia, meu Deus!"

"Não podem te mandar de volta pra lá, podem?"

Boris franziu o cenho para as mãos, que estavam sujas, as unhas cheias de sangue seco nos cantos. "Não", disse ferozmente. "Eu me mataria primeiro."

"Ah, coitadinho..." Boris vivia ameaçando se matar por tudo que era motivo.

"Estou falando sério! Morro antes! Prefiro morrer."

"Não, você não prefere."

"Sim! O inverno — você não sabe como é. Até o ar é ruim. Só concreto cinza, e o vento..."

"Bem, em alguma época deve ser verão lá."

"Ah, Deus." Ele pegou o cigarro de mim, deu uma tragada profunda, soltou uma baforada de fumaça no teto. "Pernilongos. Lama fedendo. Tudo cheira a mofo. Eu ficava tão faminto e solitário — tipo, às vezes sentia tanta fome, sério, que ia até a margem do rio e pensava em me afogar."

Minha cabeça doía. As roupas de Boris (minhas, na verdade) giravam na secadora. Lá fora, o sol brilhava forte e maligno.

"Não sei você", falei, pegando o cigarro de volta, "mas eu bem que queria comida de verdade."

"O que a gente faz, então?"

"Devíamos ter ido pra escola."

"Humpf." Boris deixava bem claro que só ia à escola porque eu ia, e porque não havia mais nada pra fazer.

"Não, sério. Deveríamos ter ido. Hoje tem pizza."

Boris fez uma careta, genuinamente arrependido. "Foda-se." Esse era o outro ponto positivo da escola pra ele: pelo menos nos davam comida. "Tarde demais agora."

XXV

Às vezes, à noite, eu acordava chorando. A pior coisa da explosão era como eu a carregava no corpo — o calor, o abalo nos ossos e o estrondo. Nos meus sonhos, sempre havia um caminho claro para a saída e outro escuro. Eu tinha que pegar o caminho escuro, pois o claro ardia em fogo. Mas o caminho escuro era onde os corpos estavam.

Felizmente, Boris nunca parecia incomodado ou surpreso quando eu o acordava, como se viesse de um mundo onde não houvesse nada de tão estranho num gemido de dor noturno. Às vezes ele pegava Popchik — roncando aos pés da cama — e o deixava como se fosse um montículo molenga e sonolento sobre meu peito. Com aquele peso sobre mim — o calor de ambos à minha volta —, eu ficava deitado contando em espanhol ou tentando me lembrar de todas as palavras em russo que eu sabia (xingamentos, principalmente) até pegar no sono novamente.

Logo que cheguei a Las Vegas, tentei me sentir melhor imaginando que minha mãe continuava viva e seguindo sua rotina em Nova York — batendo papo com os porteiros, comprando café e muffin na lanchonete, esperando a linha 6 do metrô na plataforma, perto da banca de jornal. Mas isso não funcionou por muito tempo. Quando eu enterrava a cara num travesseiro estranho que nem de longe tinha o cheiro dela, ou de casa, pensava no apartamento dos Barbour na Park Avenue, ou na casa de Hobie no Village.

Lamento por seu pai ter vendido as coisas da sua mãe. Se tivesse me dito, eu poderia ter comprado algumas e guardado pra você. Quando estamos tristes — pelo menos eu sou assim — pode ser reconfortante nos apegarmos a objetos familiares, às coisas que não mudam.
Suas descrições do deserto — aquele brilho ofuscante oceânico e infinito — são terríveis, mas também muito bonitas. Talvez haja alguma vantagem na aridez e no vazio disso tudo. A luz de antigamente é diferente da luz de hoje, e no entanto aqui, nesta casa, sou lembrado do passado a cada curva. Mas quando penso em você, é como se tivesse partido para o mar num navio — rumo a um brilho estrangeiro onde não há estradas, apenas estrelas e céu.

Essa carta chegou enfiada no meio de uma velha edição de capa dura de *Terra dos homens*, de Saint-Exupéry, que li e reli. Mantive a carta dentro do livro, onde ficou marcada e suja de tanto ser relida.

Boris foi a única pessoa em Vegas pra quem eu contei como minha mãe tinha morrido — informação que, louvavelmente, ele aceitou com a maior tranquilidade; sua própria vida tinha sido tão errática e violenta que não pareceu nem um pouco chocado com a história. Ele já tinha visto grandes explosões, nas minas do pai em Batu Hijau e em outros lugares dos quais eu nunca tinha ouvido falar, e — sem entrar em detalhes — era capaz de arriscar um palpite bastante preciso quanto aos tipos de explosivos utilizados. Falante como era, também tinha um jeito reservado, e eu confiava que não ia contar pra ninguém, nem seria preciso pedir. Talvez porque ele próprio fosse órfão de mãe e tivesse criado fortes laços com pessoas como Bami, Evgeny, o "tenente" do seu pai, e Judy, a mulher do dono do bar em Karmeywallag, nem de longe parecia achar que minha ligação com Hobie era estranha. "As pessoas prometem escrever e não escrevem", disse ele, quando estávamos na cozinha olhando para a última carta dele. "Mas esse sujeito escreve pra você o tempo todo."

"É, ele é legal." Eu já tinha desistido de tentar explicar Hobie para Boris: a casa, a oficina, seu jeito pensativo de ouvir tão diferente do jeito do meu pai, mas acima de tudo uma espécie de atmosfera agradável de atenção: nebulosa, outonal, um microclima ameno e acolhedor que fazia eu me sentir seguro e confortável na sua companhia.

Boris enfiou o dedo no pote aberto de manteiga de amendoim sobre a mesa entre nós, lambendo-o. Tinha se apaixonado por manteiga de amendoim, que (como de marshmallow) não encontrava na Rússia. "Bicha velha?", perguntou ele.

Fiquei chocado. "Não", falei rapidamente; e então: "Não sei."

"Não importa", disse Boris, oferecendo-me o pote. "Conheci algumas bichas velhas de quem gosto muito."

"Não acho que ele seja", falei, inseguro.

Boris deu de ombros. "Quem se importa? Se ele é bom com você... Nenhum de nós recebe carinho suficiente neste mundo, não é mesmo?"

XXVI

Com o tempo, Boris passara a gostar do meu pai, e vice-versa. Ele entendia, melhor do que eu, como meu pai ganhava a vida; e embora soubesse, sem que tivessem precisado lhe dizer, que devia ficar longe dele quando estava perdendo, Boris também entendia que meu pai sentia necessidade de algo que eu não estava disposto a dar: a saber, um público no frenesi da vitória, quando ficava alto e agitado, andando de um lado pro outro na cozinha, querendo alguém para ouvir suas histórias e lhe dar os parabéns por seu ótimo desempenho. Quando o ouvíamos lá embaixo todo convencido e no auge da empolgação por uma vitória — batendo nas coisas eufórico, fazendo barulho —, Boris baixava seu livro e descia até lá, onde ficava pacientemente escutando a entediante descrição carta por carta da sua noite na mesa de bacará, a qual geralmente era seguida por histórias excruciantes (para mim) de triunfos relacionados, que remontavam até os dias de faculdade do meu pai e à carreira de ator arruinada.

"Você não me disse que seu pai trabalhou em filmes!", disse Boris, retornando do andar de baixo com uma xícara já gelada de chá.

"Não foram muitos. Tipo, dois."

"Mas ainda assim. Aquele lá — aquele foi realmente um *grande* filme, aquele filme, sobre os policiais que aceitam suborno. Qual era o nome mesmo?"

"Não era um papel muito importante. Apareceu tipo um segundo. Fez um advogado que leva um tiro na rua."

Boris deu de ombros. "E daí? Ainda assim é interessante. Se algum dia for pra Ucrânia, as pessoas vão tratá-lo como uma estrela."

"Ele pode ir, então, e levar Xandra junto."

Boris, com seu entusiasmo pelo que chamava de "conversas intelectuais", também encontrou no meu pai um bom interlocutor. Desinteressado por política como eu era, e ainda menos interessado nas opiniões do meu pai a respeito, não estava disposto a me engajar no tipo de discussão inútil sobre acontecimentos mundiais de que sabia que meu pai gostava. Mas Boris — bêbado ou sóbrio — ficava feliz em fazê-lo. Com frequência, nessas conversas, meu pai balançava os braços e se punha a imitar o sotaque de Boris vezes sem fim, de um jeito que me dava nos nervos. Mas Boris parecia não perceber ou se importar. Às vezes, quando descia pra pôr a chaleira no fogo e não voltava, eu os encontrava discutindo alegremente na cozinha, como dois atores numa peça de teatro, falando sobre a dissolução da União Soviética ou qualquer coisa do tipo.

"Ah, Potter", disse ele, chegando do andar de baixo. "Seu pai... Que sujeito legal!"

Tirei os fones do iPod. "Se você diz."

"Estou falando sério!", respondeu Boris, jogando-se no chão. "Ele é tão simpático e inteligente! E ele te ama."

"Não sei de onde você tirou isso."

"Fala sério! Ele quer consertar as coisas com você, mas não sabe como. Queria que fosse você lá embaixo discutir coisas com ele, e não eu."

"Ele te disse isso?"

"Não. Mas é verdade! Eu sei."

"Conta outra."

Boris me lançou um olhar astuto. "Por que você odeia tanto o cara?"

"Eu não *odeio*."

"Ele magoou sua mãe", disse Boris, categórico. "Quando a abandonou. Mas você precisa perdoar. Isso tudo é passado agora."

Arregalei os olhos. Era isso que meu pai ficava dizendo pras pessoas?

"Não tem nada a ver", falei, sentando, jogando minha HQ pro lado. "Minha mãe..." Como eu poderia explicar? "Você não entende, ele era um babaca com a gente, ficamos *felizes* quando foi embora. Tipo, eu sei que você acha que ele é um cara incrível e tudo o mais..."

"E por que ele é tão terrível assim? Porque saiu com outras mulheres?", disse Boris, estendendo as mãos, as palmas pra cima. "Acontece. Ele tem a vida dele. O que isso tem a ver com você?"

Balancei a cabeça, incrédulo. "Cara", falei, "você caiu na dele feito um patinho." Eu nunca deixava de me impressionar com como meu pai conseguia cativar estranhos e envolvê-los. Eles lhe emprestavam dinheiro, recomendavam-no pra promoções, apresentavam-no a pessoas importantes, convidavam-no pra ficar em sua casa de veraneio, caíam completamente em seu encanto — e então tudo desmoronava e ele passava para outra pessoa.

Boris abraçou os joelhos e encostou a cabeça na parede. "Tudo bem, Potter", disse ele num tom condescendente. "Seu inimigo é meu inimigo. Se você o odeia, eu o odeio também. Mas..." — ele virou a cabeça de lado — "aqui estou eu. Na casa dele. O que devo fazer? Conversar, ser simpático e agradável? Ou desrespeitá-lo?"

"Não estou falando *isso*. Só estou dizendo pra não acreditar em tudo que ele te diz."

Boris riu. "Não acredito em tudo que *ninguém* me diz", disse ele, chutando meu pé amigavelmente. "Nem mesmo você."

XXVII

Por mais que meu pai gostasse de Boris, eu estava constantemente tentando distrair sua atenção do fato de que ele tinha praticamente se mudado pra nossa casa — o que não era tão difícil assim, já que entre as apostas e as drogas meu pai vivia tão distraído que poderia não ter percebido se eu trouxesse um lince pra morar conosco. Com Xandra era um pouco mais difícil negociar, sendo ela mais propensa a reclamar das despesas, apesar do estoque de sanduíche roubado com que Boris contribuía. Quando ela estava em casa, ele ficava lá em cima, fora do caminho dela, franzindo o cenho para sua edição russa de *O idiota* e escutando música nos alto-falantes portáteis. Eu levava cervejas e comida da cozinha pra ele, e aprendi a fazer o chá do jeito que ele gostava: fervendo, com três colheres de açúcar.

Àquela altura já era quase Natal, embora não desse pra saber com base no clima: frio à noite, mas claro e quente durante o dia. Quando o vento soprava, o guarda-sol à beira da piscina estalava com um som de tiro. Havia clarões de relâmpago à noite, mas nada de chuva; e às vezes a areia levantava e voava em pequenos redemoinhos que rodopiavam pra cá e pra lá na rua.

Eu estava deprimido por causa das festas, mas Boris levava na esportiva. "É pra criancinhas, aquilo tudo", disse ele com desdém, apoiando-se nos cotovelos na minha cama. "Árvores, brinquedos. Vamos ter nossa própria *praznyky* na véspera de Natal. O que você acha?"

"*Praznyky?*"

"Você sabe. Uma espécie de festa de Natal. Não necessariamente a Santa Ceia, só um bom jantar. Cozinhar algo especial — talvez convidar seu pai e Xandra. Acha que eles iam gostar de comer alguma coisa com a gente?"

Para minha grande surpresa, meu pai e até Xandra pareceram encantados com a ideia (meu pai, acredito, principalmente porque gostou da palavra *praznyky* e se divertia fazendo Boris dizê-la em voz alta). No dia 23, Boris e eu fomos fazer compras, com dinheiro que meu pai tinha nos dado (o que foi sorte, já que o mercado estava cheio demais por causa das festas para furtos tranquilos), e voltamos pra casa com batatas, frango, uma série de ingredientes pouco apetitosos (repolho, cogumelos, ervilhas, creme de leite) pra algum prato de Natal polonês que Boris disse que sabia fazer, pães de centeio alemães (Boris insistiu que tinha que ser pão preto; o branco seria completamente errado pra refeição, segundo ele), meio quilo de manteiga, picles e alguns doces natalinos.

Boris tinha dito que comeríamos quando surgisse a primeira estrela no céu — a estrela de Belém. Mas não estávamos acostumados a cozinhar pra ninguém além de nós mesmos e consequentemente nos atrasamos. Na véspera de Natal, por volta de oito horas da noite, o prato com repolho estava pronto e o frango (que descobrimos como cozinhar com base nas instruções da embalagem) ainda precisava ficar mais uns dez minutos no forno quando meu pai — assobiando "Fa-la-la-la-la" — chegou batendo alegremente num armário da cozinha para chamar nossa atenção.

"Vamos lá, garotos!", disse ele. Seu rosto estava corado e brilhoso, e ele falava muito rápido, com certo ritmo staccato e tenso que eu conhecia bem demais. Estava com um dos seus velhos ternos chiques Dolce & Gabbana de Nova York, mas sem gravata, a camisa frouxa e desabotoada no pescoço. "Vão lá pentear o cabelo e se arrumar. Vamos jantar fora. Você tem alguma coisa melhor pra vestir, Theo? Imagino que sim."

"Mas..." Olhei pra ele frustrado. Era bem típico do meu pai passar por cima de tudo e mudar os planos no último minuto.

"Ah, vamos lá. O frango pode esperar. Não pode? Claro que pode." Ele falava a mil por hora. "Vocês podem botar o outro negócio na geladeira também. Comemos amanhã, no almoço de Natal — nesse caso ainda vai ser *praznyky*? Ou *praznyky* é só na véspera de Natal? Estou misturando as coisas? Bem, tá certo, aí a gente vai ter o nosso Almoço de Natal. Nova tradição. As sobras são melhores, de qualquer forma. Escutem, vai ser *fantástico*. Boris..." — ele já estava conduzindo meu amigo pra fora da cozinha — "que tamanho de camisa você veste, camarada? Não sabe? Algumas das minhas velhas camisas Brooks Brothers, eu realmente deveria dar todas pra você, ótimas camisas, não me leve a mal, provavelmente vão ficar nos seus joelhos, mas estão um pouco apertadas no colarinho pra mim, e se você arregaçar as mangas vão ficar bem boas..."

XXVIII

Embora eu já estivesse em Las Vegas havia quase meio ano, era só minha quarta ou quinta vez na Strip — e Boris (que estava satisfeito o bastante com nossa pequena órbita entre escola, centro comercial e casa) mal e mal fora realmente a Vegas. Olhamos assombrados para as cachoeiras de neon, eletricidade cintilando, pulsando e caindo em cascatas de bolhas por todo o lado, o rosto voltado pra cima dele brilhando vermelho e depois dourado sob a torrente maluca de luzes.

Dentro do Venetian, gondoleiros remavam por um canal de verdade, com água de verdade cheirando a química, enquanto cantores de ópera fantasiados cantavam "Noite Feliz" e "Ave Maria" sob céus artificiais. Boris e eu fomos seguindo desconfortáveis, sentindo-nos maltrapilhos, arrastando os sapatos, atordoados demais pra absorver aquilo tudo. Meu pai tinha feito reservas para nós num restaurante italiano chique forrado com painéis de carvalho — a versão longínqua do restaurante irmão em Nova York, mais famoso. "Peçam o que quiserem, todo mundo", disse ele, puxando a cadeira para Xandra. "Por minha conta. Mandem ver."

Nós o levamos ao pé da letra. Comemos torta de aspargos com vinagrete de echalota; salmão defumado; carpaccio de peixe defumado; perciatelli com alcachofras e trufas negras; achigã crocante com açafrão e favas; fraldinha ao molho barbecue; costelas no vapor; e panna cotta, bolo de abóbora e sorvete de figo de sobremesa. Foi de longe a melhor refeição que fiz em meses, talvez na vida; e Boris — que tinha comido sozinho dois pratos do carpaccio — estava em êxtase. "Ah, *maravilhoso*", disse ele, pela décima quinta vez, praticamente ronronando, enquanto a jovem garçonete trazia um prato extra de doces e biscoitos com café. "Obrigado! Obrigado, sr. Potter, Xandra", disse ele novamente. "Estava delicioso."

Meu pai — que não tinha comido tanto assim comparado a nós (nem Xandra) — empurrou o prato pro lado. O cabelo nas têmporas estava úmido e seu rosto estava tão brilhoso e corado que ele parecia praticamente em brasa. "Agradeça ao chinesinho com o boné dos Cubs que não parou de apostar esta tarde no salão", disse ele. "Meu Deus. Era como se eu não *pudesse* perder." No carro, ele já tinha nos mostrado sua sorte grande: o rolo gordo de notas de cem, presas por um elástico. "As cartas simplesmente vinham e vinham. Mercúrio em retrocesso e a lua alta! Bem — foi mágico. Sabe, às vezes há uma luz na mesa, tipo um halo visível, e você é *ela*, sabe? *Você* é a luz. Tem um crupiê fantástico aqui, Diego, eu *amo* o Diego — tipo, é uma loucura, ele é igualzinho ao pintor Diego Rivera só que com um smoking fodão. Já falei do Diego pra vocês? Tá aqui há quarenta anos, desde os velhos tempos do Flamingo. Cara grande, corpulento, com ar de importante. Mexicano, sabe? Mãos lisas e rápidas, anéis grandes..." Ele balançou os dedos. "Ba-ca-RRRÁ! Meu Deus, adoro esses mexicanos da velha guarda na sala de bacará, eles são tão estilosos. Sujeitos velhos, elegantes e antiquados, sabem se portar bem pra cacete, sabe? Em todo caso, estávamos na mesa do Diego, eu e o chinesinho, ele era uma figura também, óculos de armação de tartaruga, nem uma palavra em inglês, só 'San Bin! San Bin!', bebendo aquele chá maluco de ginseng que todos eles bebem, tem gosto de poeira, mas eu adoro o cheiro, cheira a sorte, e foi incrível, *que* série boa pra nós, santo Deus, todas aquelas mulheres chinesas alinhadas atrás de nós, a gente acertando em todas as mãos. Você acha", disse ele para Xandra, "que haveria algum problema se eu voltasse ao salão de bacará pra eles conhecerem o Diego? Tenho certeza de que iam adorar o cara. Mas não sei se ainda é o turno dele... O que você acha?"

"Ele não vai estar lá." Xandra estava bonita — de olhos brilhantes e animada — num vestido curto de veludo, sandálias com pedras e um batom mais vermelho do que o que ela costumava usar. "Não agora."

"Às vezes, em dia de feriado, ele pega dois turnos."

"Ah, eles não vão querer descer lá. É uma viagem. Vai levar meia hora pra atravessar o cassino até lá e voltar."

"É, mas eu sei que ele ia gostar de conhecer meus garotos."

"Sim, provavelmente", concordou Xandra, passando um dedo pela borda da taça de vinho. A minúscula pomba de ouro do seu colar reluzia na base da garganta. "Ele é um cara legal. Mas, Larry, sem brincadeira, eu sei que você não me leva a sério, mas se começar a ficar muito amiguinho dos crupiês qualquer dia vai descer lá e encontrar os seguranças na sua cola."

Meu pai riu. "Jesus!", disse ele alegre, batendo na mesa, tão alto que me encolhi. "Se eu não soubesse das coisas, acharia que Diego *estava mesmo* me ajudando hoje. Quer dizer, talvez ele estivesse. Bacará telepático! Coloque seus pesquisadores soviéticos pra trabalhar *nisso*", disse ele a Boris. "Vai dar um jeito no sistema econômico de lá."

Boris pigarreou — ligeiramente — e ergueu seu copo com água. "Desculpe, posso dizer uma coisa?"

"Está na hora de fazer discursos? É pra gente brindar?"

"Agradeço a todos pela companhia. E desejo saúde e felicidade para todos nós, e que possamos viver até o próximo Natal."

No silêncio surpreso que se seguiu, uma rolha de champanhe estourou na cozinha, uma explosão de risos. Era meia-noite e pouco: dois minutos do Natal. Então meu pai recostou-se na cadeira e riu. "Feliz Natal!", bradou ele, tirando do bolso uma caixa de joia que estendeu para Xandra, e dois maços com notas de vinte (Quinhentos dólares! Cada um!) que jogou sobre a mesa pra mim e pra Boris. E embora no ambiente noturno sem relógio e com temperatura controlada do cassino uma palavra como *Natal* praticamente não tivesse sentido, *felicidade*, em meio ao tilintar alto de taças, não pareceu uma ideia tão condenada ou fatal.

6. Terra dos homens

I

Ao longo do ano seguinte, estive tão preocupado em tentar bloquear Nova York e minha velha vida da mente que mal percebi o tempo passar. Os dias voavam imutáveis naquela claridade sem estações: manhãs de ressaca no ônibus da escola e costas ardidas e rosadas de adormecer à beira da piscina, o cheiro forte da vodca e o odor constante de Popper de cachorro molhado e cloro, Boris me ensinando a contar, pedir orientações, oferecer uma bebida em russo, com a mesma paciência de quando tinha me ensinado a xingar. Sim, por favor, eu gostaria disso. Obrigado, você é muito gentil. *Govorite li vy po angliyski?* Você fala inglês? *Ya nemnogo govoryu po-russki.* Sim, falo um pouquinho de russo.

Inverno ou verão, os dias eram ofuscantes; o ar do deserto queimava nossas narinas e deixava a garganta seca e arranhada. Tudo era engraçado; tudo nos fazia rir. Às vezes, logo antes do pôr do sol, bem quando o céu azul começava a escurecer num tom violeta, nuvens selvagens e bem marcadas ao estilo Maxfield Parrish rolavam douradas e brancas deserto adentro, como a Revelação Divina conduzindo os mórmons para o oeste. *Govorite medlenno*, eu disse. Fale devagar. E *Povtorite, pozhaluysta*. Repita, por favor. Mas estávamos tão em sintonia um com o outro que não precisávamos falar absolutamente nada se não quiséssemos; sabíamos como fazer o outro se matar de rir só com uma arqueada de sobrancelha ou um movimento de boca. À noite, comíamos de pernas cruzadas no chão, deixando marcas gordurosas de dedo nos cadernos escolares. Nossa dieta tinha nos deixado desnutridos, com equimoses macias e marrons nos braços e pernas — deficiência de vitamina, tinha dito a enfermeira da escola, que deu uma injeção dolorosa na bunda de cada um, além de um pote colorido de vitaminas infantis. ("Minha bunda dói", disse Boris, esfregando o traseiro e xingando os bancos de metal do ônibus escolar.) Eu estava sardento da cabeça aos pés de toda a natação; meu cabelo (mais comprido do que jamais esteve depois) ficou com listras claras das químicas da piscina, e eu basicamente me sentia bem, embora ainda carregasse um peso no peito que nunca desapareceu, e meus dentes do fundo estivessem apodrecendo de todos os doces que comíamos. À parte isso, estava bem. E assim o tempo foi passando relativamente alegre; mas então — logo depois do meu aniversário de quinze anos — Boris conheceu uma garota chamada Kotku; e tudo mudou.

O nome Kotku (variante ucraniana: *Kotyku*) faz ela parecer mais interessante do que era; mas esse não era seu nome real, apenas um apelido de bichinho de estimação (gatinha, em polonês) que Boris tinha dado a ela. Seu sobrenome era Hutchins; seu nome de nascimento era na verdade algo como Kylie, Keiley ou Kaylee; e ela tinha vivido a vida toda em Clark, Nevada. Embora estudasse na mesma escola que nós e estivesse só um ano à nossa frente, ela era bem mais velha — três anos inteiros mais velha que eu. Boris, aparentemente, já estava de olho nela havia um tempo, mas eu não tinha tomado conhecimento da garota até a tarde em que ele se jogou aos pés da minha cama e disse: "Estou apaixonado".

"Ah é? Por quem?"

"Uma garota lá de educação cívica. De quem comprei um pouco de maconha. Tipo, ela já tem dezoito anos, dá pra acreditar? Meu Deus, ela é *linda*."

"Você tem maconha?"

Brincando, ele avançou contra mim e me agarrou pelo ombro; Boris sabia exatamente onde eu era mais fraco, o ponto abaixo da escápula em que podia cravar os dedos e me fazer gritar. Mas eu não estava de bom humor e bati nele, com força.

"Ai! Porra!", disse, rolando pra longe, esfregando a mandíbula com a ponta dos dedos. "Por que fez isso?"

"Espero que tenha doído", falei. "Cadê a maconha?"

Não falamos mais sobre o interesse amoroso de Boris, pelo menos não naquele dia, mas, alguns dias depois, eu estava saindo da aula de matemática quando o vi pairando sobre uma garota perto dos armários. Embora ele não fosse especialmente alto pra sua idade, a garota era minúscula, independente de quão mais velha que nós parecesse: pouco peito, bunda pequena, maçãs do rosto salientes, uma testa brilhante e um rosto triangular anguloso. Piercing no nariz. Regata preta. Esmalte preto descascando; cabelo listrado laranja e preto; olhos azul-claros retos e brilhantes, bem delineados com lápis preto. Ela definitivamente era bonitinha — sexy, até; mas o olhar que me lançou foi de ansiedade e provocação, algo nela lembrando uma atendente de fast-food filha da mãe ou uma babá malévola.

"E aí, o que você achou?", perguntou Boris ansioso quando me alcançou depois da escola.

Dei de ombros. "Ela é bonitinha, acho."

"Você acha?"

"Bem, Boris, quer dizer, ela parece ter uns vinte e cinco anos."

"Eu sei! É ótimo!", disse ele, parecendo abismado. "Dezoito anos! Maior de idade! Ela pode comprar bebida sem problemas! Além disso, viveu aqui a vida toda, então sabe quais lugares não pedem identidade."

II

Hadley, a garota conversadora de jaqueta esportiva que sentava do meu lado em história americana, torceu o nariz quando perguntei sobre a mulher mais velha de Boris. "*Ela*?", disse Hadley. "*Maior* vadia." A irmã mais velha de Hadley, Jan, estava no mesmo ano que Kyla, Kayleigh ou qualquer que fosse seu nome. "E a mãe dela, ouvi dizer, é uma puta sem tirar nem pôr. É melhor seu amigo tomar cuidado pra não pegar alguma doença."

"Bem", falei, surpreso com a veemência dela, embora talvez não devesse ter ficado. Hadley, filha de militar, estava na equipe de natação e cantava no coral da escola; tinha uma família normal com três irmãos, uma weimaraner chamada Gretchen que tinha trazido da Alemanha e um pai que gritava com ela se chegava depois do horário marcado.

"Sem brincadeira", disse Hadley. "Ela fica com namorados de outras garotas — fica com outras garotas — fica com *qualquer* um. Além disso, acho que fuma maconha."

"Ah", falei. Nenhum desses fatores, a meu ver, constituía necessariamente motivos pra eu não gostar de Kylie ou sei lá o quê, especialmente desde que Boris e eu tínhamos abraçado de coração o hábito de fumar maconha nos últimos meses. Mas o que realmente me incomodava — e muito — era o como Kotku (vou continuar chamando-a pelo nome que Boris lhe deu, já que não consigo lembrar agora seu nome verdadeiro) tinha chegado da noite pro dia e praticamente tomado posse de Boris.

Primeiro ele estava ocupado na sexta-feira à noite. Depois passou a ser o fim de semana todo — não só à noite, mas de dia também. Não demorou muito, era Kotku isso e Kotku aquilo, e num piscar de olhos Popper e eu já estávamos jantando e vendo filmes sozinhos.

"Ela não é incrível?", Boris me perguntou de novo, depois da primeira vez que ele a trouxe pra minha casa — uma noite terrível, que consistiu basicamente em nós três ficando tão chapados que mal conseguíamos nos mover, e depois os dois rolando no sofá de baixo enquanto eu ficava sentado no chão de costas pra eles tentando me concentrar numa reprise de *Quinta dimensão*. "O que você acha?"

"Bem, é..." O que ele queria que eu dissesse? "Ela gosta de você. Com certeza."

Boris mudou de posição, irrequieto. Estávamos do lado de fora, à beira da piscina, embora estivesse ventando muito e frio demais pra nadar. "Não, sério! O que *você* acha *dela*? Fale a verdade, Potter", disse ele, quando hesitei.

"Não sei", respondi, inseguro, e então, quando ele continuou me olhando: "Sinceramente? Não sei, Boris. Ela parece um pouco desesperada."

"Ah, é? Isso é ruim?"

Seu tom era de curiosidade genuína — não de irritação, nem de sarcasmo. "Bem", falei, desconcertado. "Talvez não."

Boris — o rosto corado da vodca — pôs a mão no coração. "Eu a amo, Potter. Sério. É a coisa mais verdadeira que já me aconteceu na vida."

Eu estava tão constrangido que tive de desviar o olhar.

"Aquela bruxinha magricela!" Ele suspirou, feliz. "É tão ossuda e leve nos meus braços! Como o ar." Boris, misteriosamente, parecia adorar Kotku por muitos dos motivos que me faziam achá-la perturbadora: seu corpo arisco de gato de rua, o aspecto adulto esquálido e necessitado. "E tão corajosa e sábia, com um coração generoso! Só quero cuidar dela e protegê-la daquele tal de Mike. Sabe?"

Em silêncio, servi-me de outra dose de vodca, embora eu realmente não estivesse precisando. O lance com Kotku era duplamente desconcertante porque — conforme o próprio Boris tinha me informado, num tom inconfundível de orgulho — ela já tinha namorado: um cara de vinte e seis anos chamado Mike McNatt, que tinha uma moto e trabalhava pra uma empresa de limpeza de piscina. "Ótimo", eu tinha dito, quando Boris me dera a notícia. "Precisamos chamá-lo pra ajudar com a aspiração aqui." Eu já estava de saco cheio de cuidar da piscina (um trabalho que tinha sobrado em grande parte para mim), especialmente porque Xandra nunca comprava produtos o suficiente ou do tipo certo.

Boris enxugou os olhos com o canto das mãos. "É sério, Potter. Acho que ela está com medo dele. Quer terminar, mas tem medo. Está tentando convencê-lo a entrar no Exército."

“É melhor você tomar cuidado pra esse cara não vir atrás de você.”

“De mim!” Ele riu. “É com ela que eu estou preocupado! Ela é tão pequena! Trinta e seis quilos!”

“Uhum, é.” Kotku se dizia “quase anoréxica”, e sempre conseguia deixar Boris preocupado falando que não tinha comido nada o dia todo.

Ele deu uma batidinha no lado da minha cabeça. “Você fica muito tempo aqui parado sozinho”, disse, sentando ao meu lado e colocando os pés na piscina. “Venha pra casa da Kotku hoje à noite. Leve alguém.”

“Como quem?”

Boris deu de ombros. “Que tal aquela loirinha sexy com corte de cabelo masculino, da sua turma de história? A nadadora?”

“Hadley?” Balancei a cabeça. “Nem pensar.”

“Sim! Você devia! Ela é sexy! E toparia com certeza!”

“Acredite, não é uma boa ideia.”

“Eu a convido pra você! Vamos lá. Ela é simpática com você, e sempre conversa. Vamos ligar?”

“Não! Não é isso... para”, falei, agarrando a manga da camiseta enquanto ele começava a se levantar.

“Medroso!”

“Boris.” Ele estava indo pra dentro pegar o telefone. “Não. Estou falando sério. Ela não vai topar.”

“E por quê?”

O tom debochado da sua voz me irritou. “Sinceramente? Porque...” Eu ia falar *Porque Kotku é uma vadia*, o que era óbvio, mas em vez disso falei: “Olha, Hadley está entre os melhores alunos e tal. Ela não vai querer ir pra casa de Kotku”.

“Quê?”, disse Boris, virando-se com um giro, ultrajado. “Aquela puta. O que foi que ela disse?”

“Nada. É só que...”

“Sim, ela disse!” Ele estava avançando a toda pra piscina agora. “É bom você me contar.”

“Fala sério. Não é nada. Relaxa, Boris”, respondi, quando vi quão irritado estava. “Kotku é bem mais velha. Elas não estão nem no mesmo ano.”

“Aquela cadela de nariz empinado. O que foi que Kotku fez pra ela?”

“*Relaxa*.” Meus olhos pousaram na garrafa de vodca, iluminada por um raio de sol claro e branco como um sabre de luz. Ele já tinha bebido além da conta, e a última coisa que eu queria era uma briga. Mas eu também estava bêbado demais pra pensar em alguma forma engraçada ou fácil de fazê-lo esquecer aquele assunto.

III

Um monte de outras garotas melhores da nossa própria idade gostava de Boris — com destaque para Saffi Caspersen, que era dinamarquesa, falava inglês com um sotaque britânico empolado, tinha um papel secundário numa produção do Cirque du Soleil e era de longe a garota mais bonita do nosso ano. Saffi estava em literatura inglesa avançada conosco (onde dissera algumas coisas interessantes sobre *O coração é um caçador solitário*) e, embora tivesse uma reputação de arrogante, gostava de Boris. Todo mundo via. Ela ria quando ele fazia piadas, agia como boba no grupo de estudos dele, e eu já a tinha visto conversando animadamente com ele no corredor — Boris respondendo com o mesmo entusiasmo, no seu modo russo de gesticular. No entanto — misteriosamente —, ele não parecia nem um pouco atraído por ela.

"Mas por que não?", perguntei. "É a garota mais bonita da nossa turma." Eu sempre achara que as dinamarquesas eram grandes e loiras, mas Saffi era pequenina e tinha um cabelo escuro, com um quê de conto de fadas acentuado por sua maquiagem brilhante de palco na foto profissional que eu tinha visto dela.

"Bonita, sim. Mas não é muito sexy."

"Boris, ela é *incrivelmente* sexy. Tá maluco?"

"Ah, ela dá duro demais", disse Boris, deixando-se cair ao meu lado com uma cerveja numa mão, pegando meu cigarro com a outra. "Certinha demais. O tempo todo estudando, ensaiando ou algo assim. Kotku..." — ele soltou uma baforada, estendeu o cigarro de volta para mim — "ela é como nós."

Fiquei em silêncio. Como é que eu tinha passado de melhor aluno pra mesma categoria de uma pária como Kotku?

Boris me deu uma cutucada. "Acho que é você quem gosta dela. De Saffi."

"Não, não é verdade."

"É sim. Chame ela pra sair."

"É, talvez", falei, embora eu soubesse que não teria coragem. Na minha antiga escola, onde estrangeiros e alunos de intercâmbio tendiam a ficar educadamente à margem, alguém como Saffi talvez tivesse sido mais acessível, mas em Vegas ela era popular demais, cercada por pessoas demais — e também havia o enorme problema de achar o que fazer para convidá-la. Em Nova York teria sido relativamente fácil: eu poderia levá-la pra patinar no gelo, chamá-la para ir ao cinema ou ao planetário. Mas era praticamente impossível imaginar Saffi Caspersen cheirando cola ou bebendo cerveja no parquinho, ou fazendo qualquer uma das coisas que Boris e eu fazíamos juntos.

IV

Eu ainda o via — só que com bem menos frequência. Cada vez mais ele passava as noites com Kotku e sua mãe no Double R — um hotel barato, na verdade um motel da década de 1950 caindo aos pedaços, na rodovia entre o aeroporto e a Strip, onde sujeitos com cara de imigrante ilegal ficavam no pátio perto da piscina vazia discutindo sobre peças de motos. ("Double R?", disse Hadley. "Você sabe o que isso significa, né? Ratos e ratazanas.") Kotku, felizmente, não acompanhava Boris tanto assim até a minha casa, mas mesmo quando não estava por perto ele falava constantemente sobre ela. Kotku tinha bom gosto pra música e gravara um CD pra ele com um monte de hip-hop superfoda que eu realmente devia ouvir. Kotku gostava de pizza só com pimentão verde e azeitonas. Kotku queria muito, mas *muito*, um teclado eletrônico — e também um gato siamês, ou talvez um furão, mas eles não permitiam animais de estimação no Double R. "Sério, você precisa passar mais tempo com ela, Potter", disse Boris, cutucando-me com o ombro. "Vai gostar dela."

"Ah, fala sério", respondi, pensando no modo afetado dela perto de mim — rindo na hora errada, de um jeito desagradável, sempre me mandando ir buscar cerveja pra ela na geladeira.

"Não! Ela gosta de você! É verdade! Tipo, pensa em você mais como um irmão mais novo. Foi isso que me disse."

"Ela nunca me diz uma palavra."

"É porque você não fala com ela."

"Vocês dois estão transando?"

Boris soltou um grunhido impaciente, o som que ele fazia quando as coisas não corriam do jeito dele.

"Mente suja", disse, tirando o cabelo dos olhos, e então: "Que foi? O que você acha? Entendeu ou quer que eu pinte?"

"Quer que eu *desenhe*."

"Hein?"

"Esta é a frase. Entendeu ou quer que eu desenhe?"

Boris revirou os olhos. Abanando as mãos o tempo todo, recomeçou o falatório sobre quão inteligente Kotku era, quão "incrivelmente esperta", quão sábia, o quanto tinha vivido, quão injusto eu era por julgá-la e olhar de cima sem me dar ao trabalho de conhecê-la; mas, enquanto eu ficava ali parcialmente escutando Boris falar e parcialmente assistindo a um velho filme noir na televisão (*Anjo ou demônio*, Dana Andrews), não pude deixar de pensar sobre como ele tinha conhecido Kotku no que era basicamente uma aula de recuperação de educação cívica, com estudantes que não eram espertos o bastante (mesmo na nossa escola extremamente pouco exigente) para passar sem uma ajudinha extra. Boris — bom em matemática sem precisar se esforçar e melhor em línguas do que qualquer pessoa que eu já conhecera — tinha sido obrigado a entrar em "educação cívica para idiotas" porque era estrangeiro: uma exigência da escola da qual se ressentia grandemente. ("Mas por quê? Por acaso tenho alguma chance de um dia votar pro Congresso?") Mas Kotku — com dezoito anos! Nascida e criada em Clark! Cidadã americana, vivendo bem no contexto de *Polícia 24h*! — não tinha essa desculpa.

Seguidas vezes eu me pegava tendo pensamentos mesquinhos como esse, os quais me esforçava ao máximo para deixar de lado. O que tinha a ver com aquilo? Sim, Kotku era uma vaca; sim, ela era burra demais para passar em educação cívica como qualquer um, e usava brincos de argola baratos da farmácia que toda hora enroscavam nas coisas; e sim, mesmo tendo só trinta e seis quilos ou sei lá o quê, ainda assim ela me dava calafrios, como se pudesse me matar de tanto me chutar com suas botas de bico fino se ficasse nervosa o bastante. ("Ela é uma neguinha briguenta", tinha dito o próprio Boris, gabando-se em dado momento enquanto ficava saltando fazendo sinais de gangue, ou o que ele achava que eram sinais de gangue, e me brindando com uma história sobre como Kotku tinha arrancado um chumaço ensanguentado do cabelo de alguma menina — esse era outro detalhe sobre Kotku: ela vivia se metendo em brigas assustadoras de meninas, geralmente com outras garotas brancas escrotas como ela, mas às vezes com as gângsteres de verdade, latinas ou negras.) Mas que diferença fazia quem era a garota infame de que Boris gostava? Não éramos amigos ainda? Melhores amigos? Irmãos, praticamente?

Não havia exatamente uma palavra para mim e Boris. Até Kotku aparecer, eu nunca tinha pensado muito no assunto. Eram só tardes sonolentas no ar-condicionado, os dois preguiçosos e bêbados, a veneziana fechada pra proteger da claridade, sachês de açúcar vazios e cascas de laranja secas espalhados no carpete, "Dear Prudence", do White Album (que Boris adorava), ou então a mesma música lúgubre antiga do Radiohead tocando de novo e de novo:

For a minute
I lost myself, I lost myself...

A cola que a gente cheirava vinha com um rugido mecânico escuro, como o barulho ventoso de hélices: *apertem os cintos!* Caíamos pra trás na cama escuridão adentro, como paraquedistas se jogando pra trás de um avião, embora — naquela altura, naquela longa distância percorrida — fosse preciso tomar cuidado com o saco sobre a cara, ou então teria de ficar arrancando pedaços de cola seca do cabelo ou da ponta do nariz quando voltasse. Sono exausto, costas com costas, em lençóis sujos que cheiravam a cigarro e cachorro, Popchik roncando de barriga pra cima, sussurros subliminares soprando pelas aberturas da parede se você prestasse bastante atenção. Meses e meses se passaram sem que o vento jamais parasse, areia batendo contra as vidraças, a superfície da piscina enrugada e com uma aparência sinistra. Chá forte pela manhã, chocolate roubado. Boris puxando meu cabelo com força e me chutando nas costelas. *Acorda, Potter. Hora de levantar.*

Disse a mim mesmo que não sentia a falta dele, mas sentia. Ficava chapado sozinho, vendo conteúdo adulto e o canal da Playboy, lia *As vinhas da ira* e *A casa das sete torres*, que pareciam que tinham de ser juntados pra formar o livro mais chato já escrito, e, pelo que me pareceram milhares de horas — tempo suficiente pra aprender dinamarquês ou tocar violão se eu estivesse tentando —, ficava de bobeira na rua com um skate detonado que Boris e eu tínhamos encontrado numa das casas fechadas do quarteirão. Ia a festas do time de natação com Hadley — festas sem bebidas, com pais presentes — e, nos fins de semana, frequentava festas sem pais de gente que eu mal conhecia, Xanax e doses de Jägermeister, voltando pra casa no ônibus CAT sibilante às duas da manhã tão fodido que precisava me agarrar ao assento da frente pra não cair no corredor. Depois da aula, se estivesse entediado, era relativamente fácil sair pra matar o tempo com uma das turmas de maconheiros apáticos que circulavam entre o Del Taco e os fliperamas pra criancinhas da Strip.

Mas ainda assim eu estava solitário. Era de Boris que eu tinha saudade, de toda a confusão impulsiva dele: melancólico, temerário, esquentado, espantosamente imprudente. O Boris pálido e doentio, com suas maçãs furtadas e seus romances em russo, de unhas roídas até a carne e cadarços se arrastando na poeira. O Boris — alcoólatra iniciante, xingador fluente em quatro línguas — que pegava comida do meu prato quando tinha vontade e cochilava bêbado no chão, o rosto vermelho como se tivesse levado um tapa. Mesmo quando pegava coisas sem pedir, como fazia com demasiada frequência — pequenas coisas viviam sumindo, DVDs e materiais escolares do meu armário, mais de uma vez eu o flagrara vasculhando meus bolsos à procura de dinheiro —, suas próprias posses significavam tão pouco pra ele que de certa forma aquilo não era roubo; toda vez que arranjava dinheiro dividia a metade comigo, e qualquer coisa que tinha ele me dava de bom grado se eu pedisse (e às vezes quando não pedia, como quando o isqueiro de ouro do sr. Pavlikovski, que eu tinha admirado de passagem, apareceu no bolso externo da minha mochila).

O curioso é que, entre todas as coisas, eu me preocupara achando que Boris era quem era um pouco afetuoso demais, se é que *afetuoso* é a palavra certa. Na primeira vez em que ele tinha se virado na cama e passado um braço em volta da minha cintura, fiquei ali deitado semiacordado por um momento, sem saber o que fazer: encarando minhas velhas meias no chão, garrafas de cerveja vazias, minha edição de bolso de *O emblema vermelho da coragem*. Por fim — constrangido —, fingi um bocejo e tentei rolar pra longe, mas ele suspirou e me puxou pra mais perto, com um movimento de aconchego sonolento.

Shh, Potter, ele sussurrou na minha nuca. *Sou só eu*.

Era estranho. Era estranho? Era; e não era. Eu voltara a pegar no sono logo em seguida, embalado por seu cheiro amargo e sujo de cerveja, e por sua respiração ressonando baixinho no meu ouvido. Estava ciente de que não poderia explicar aquilo sem fazer parecer mais do que era. Nas noites em que eu acordava sufocando de medo lá estava ele me segurando quando eu me erguia apavorado na cama, puxando-me de volta pras cobertas ao seu lado, murmurando num polonês sem sentido, sua voz rouca e estranha do sono. Adormecíamos nos braços um do outro, escutando música do meu iPod (Thelonious Monk, Velvet Underground, música de que minha mãe gostava), e às vezes acordávamos agarrados como náufragos ou crianças bem menores.

E no entanto (essa era a parte sombria, era isso que me incomodava), também houve outras noites bem mais confusas e fodidas, os dois lutando pelo quarto parcialmente nus, uma luz fraca vindo do banheiro e tudo aureolado e instável sem meus óculos: mãos um no outro, bruscas e rápidas, cervejas derrubadas enchendo o carpete de espuma — divertido e nada de tão perturbador quando estava de fato acontecendo, valendo mais do que a pena pelo arquejo forte quando eu revirava os olhos e esquecia tudo; mas quando acordávamos na manhã seguinte de barriga pra baixo e gemendo em lados opostos da cama tudo esmorecia numa incoerência de lampejos na contraluz, agitados e mal iluminados como num filme experimental, o estranho esgar das feições de Boris já desaparecendo da memória e nada daquilo sendo mais relevante na nossa vida real do que um sonho. Nunca falávamos disso; não era bem real; e enquanto nos aprontávamos pra escola atirávamos sapatos, espirrávamos água um no outro, tomávamos aspirina pra ressaca, ríamos e fazíamos piadas o tempo todo até o ponto de ônibus. Eu sabia que as pessoas iam ficar com a ideia errada se soubessem, não queria que ninguém descobrisse, e sabia que Boris também não, mas ao mesmo tempo ele parecia tão completamente despreocupado que eu tinha quase certeza de que aquilo não renderia mais que uma risada, não era nada pra levar a sério demais ou com que se preocupar. E no entanto, mais de uma vez, perguntei-me se deveria tomar coragem e dizer algo: estabelecer uma espécie de limite, deixar as coisas claras, só pra ter certeza absoluta de que ele não tinha ficado com a impressão errada. Mas o momento nunca chegou. Agora não fazia sentido falar algo e criar um constrangimento sobre a coisa toda, embora esse fato não me servisse de grande consolo.

Eu odiava o quanto sentia sua falta. Havia muita bebedeira na minha casa, da parte de Xandra pelo menos, muita bateção de porta ("Bem, se não fui eu, só *pode* ter sido você", ouvi-a gritar); e sem Boris lá (ambos se seguravam mais com ele em casa) ficava mais difícil. Parte do problema era que o horário de Xandra no bar tinha mudado — as escalas de trabalho tinham sido alteradas; ela estava sob muita pressão, pessoas com quem trabalhava tinham saído ou estavam em turnos diferentes; às segundas e quartas, quando eu levantava pra ir à escola, com frequência a encontrava recém-chegada do trabalho, sentada sozinha vendo seu programa matinal favorito, intoxicada demais pra dormir, bebendo antiácido direto da garrafa.

"Estou exausta", disse ela, com uma tentativa de sorriso, quando me viu na escada.

"Você devia dar um mergulho. Vai te deixar com sono."

"Não, obrigada, acho que vou só ficar aqui com minha garrafinha. Santo remédio. É definitivamente uma maravilha com gosto de chiclete."

Quanto ao meu pai, ele estava passando bem mais tempo em casa — ficando comigo, o que gostei, embora suas mudanças de humor me cansassem. Era a temporada de futebol americano; ele tinha uma vivacidade no andar. Depois de conferir seu BlackBerry, ele me deu um toca aqui e saiu dançando pela sala: "Sou um gênio ou não sou? Hein?". Consultava listas com as desvantagens, notícias de jogos e — de vez em quando — um livro de bolso chamado *Escorpião: Previsão do ano esportivo*. "Sempre buscando uma vantagem", disse ele, quando o encontrei percorrendo tabelas e apertando números na calculadora como se estivesse tentando calcular o imposto de renda. "Você só tem que acertar cinquenta e três, cinquenta e quatro por cento pra conseguir viver bem disso — veja bem, o bacará é estritamente para entretenimento, não envolve nenhuma habilidade. Estabeleço limites e nunca ultrapasso, mas você realmente pode fazer dinheiro nas casas de apostas se for disciplinado. Precisa encarar a coisa como um investimento. Não como um fã, nem mesmo como um apostador, porque o segredo é: o melhor time geralmente ganha o jogo e o *linemaker* é bom na definição dos números. Mas o *linemaker* tem limites, em se tratando da opinião pública. O que está prevendo nao é quem vai ganhar, mas quem o público acha que vai ganhar. Então essa margem, entre o favorito sentimental e o fato real — *merda*, tá vendo aquele receptor na *end zone*, outro pro Pittsburgh bem ali, definitivamente não precisamos que pontuem agora —, enfim, como eu estava dizendo, se realmente sentar e fizer a lição de casa, ao contrário do zé-mané que escolhe seu time depois de uns cinco minutos lendo a seção de esportes, quem tem a vantagem? Entende, não sou como um daqueles tapados que ficam deslumbrados com o Giants faça chuva ou faça sol — porra, sua mãe podia ter te dito isso. Escorpião tem a ver com controle — esse sou eu. Competitivo. Quero ganhar a qualquer preço. Era daí que saía minha atuação, na época em que eu atuava. Sol em escorpião, ascendente em leão. Tudo no meu mapa. Agora, você é de câncer, um ermitão, todo reservado e escondido no casulo, modus operandi completamente diferente. Não é ruim, não é bom, é só assim e pronto. Enfim, que seja, sempre sigo minhas probabilidades, mas ao mesmo tempo não custa nada prestar atenção no trânsito e nas progressões de arco solar em dia de jogo..."

"Foi por causa de Xandra que você ficou interessado nisso tudo?"

"Xandra? Metade das casas de apostas de Vegas tem um astrólogo na discagem rápida. Em todo caso, como eu estava dizendo, não havendo outras complicações, os planetas fazem uma diferença? Sim. Eu definitivamente diria que sim. É como se, tipo, um jogador está num bom dia, está num mau dia, está de mau humor, que seja. Sinceramente, ajuda ter essa vantagem quando você vai se sentindo um pouco, como posso dizer?, haha, pressionado, embora..." — ele me mostrou um maço gordo do que pareciam notas de cem, presas por um elástico — "este tem sido um ano maravilhoso para mim. Cinquenta e três por cento, mil jogos por ano. Esse é o ponto mágico."

Os domingos eram o que ele chamava de dias de grande bilheteria. Quando eu acordava, encontrava-o lá embaixo em meio a uma confusão de jornais espalhados, andando de um lado pro outro agitado e irrequieto como se fosse manhã de Natal, abrindo e fechando armários, mexendo no aplicativo de notícias esportivas do BlackBerry e comendo salgadinho. Se descesse e assistisse aos jogos com ele nem que fosse por pouco tempo quando estavam passando os principais, às vezes ele me dava o que chamava de "um gostinho" — vinte pratas, cinquenta, quando ganhava. "Pra te deixar interessado", explicava, inclinando-se para a frente no sofá, esfregando as mãos ansioso. "Veja — o que a gente precisa é que os Colts sejam empurrados pra fora do campo durante a primeira metade do jogo. Devastados. E no caso dos Cowboys e dos Niners precisamos que a pontuação passe os trinta na segunda metade — isso!", gritou, pulando eufórico com o punho erguido. "Perdeu! Bola pros Redskins. Estamos dentro!"

Mas era confuso, porque os Cowboys é que tinham perdido a bola. Eu achava que eles tinham que ganhar por pelo menos quinze pontos. A mudança de lealdade no meio do jogo era abrupta demais para que eu acompanhasse, e com frequência passava vergonha torcendo pro time errado; no entanto, enquanto nos movíamos rápida e aleatoriamente entre jogos, entre desvantagens, eu me divertia com seu delírio e com a overdose de um dia todo de comida gordurosa, aceitava as notas de vinte e cinquenta que ele jogava pra mim como se tivessem caído do céu. Outras vezes — subindo e depois tombando numa onda rouca de entusiasmo — uma vaga inquietação tomava conta dele, a qual até onde eu sabia não tinha muito a ver com o desenrolar dos seus jogos, e ele ficava andando de um lado pro outro por nenhum motivo que eu pudesse discernir, as mãos cruzadas no topo da cabeça, os olhos fixos no jogo com o ar de um homem perturbado com o trabalho: falando com técnicos, com jogadores, perguntando qual era o problema deles, que porra achavam que estavam fazendo. Às vezes ele me seguia até a cozinha, com uma atitude estranhamente suplicante. "Estão me matando", dizia, com humor, inclinando-se sobre o balcão, um jeito cômico, algo na sua postura curvada sugerindo um ladrão de banco ferido a bala.

Linhas X. Linhas Y. Jardas corridas, ganhar campo. Em dia de jogo, até as cinco da tarde mais ou menos, a luz branca do deserto retardava a melancolia do domingo — o outono mergulhando no inverno, a solidão do crepúsculo de outubro, aula no dia seguinte —, mas sempre havia um longo momento imóvel mais para o fim daquelas tardes de futebol americano em que o humor da multidão mudava e tudo ficava desolado e incerto, na tela e fora dela, o brilho de chapa metálica atravessando a porta de vidro do pátio ficando dourado e depois cinza, longas sombras e a noite entrando na imobilidade do deserto, uma tristeza da qual eu não conseguia me livrar, uma sensação de pessoas em silêncio saindo do estádio e de chuva fria caindo em cidades universitárias do leste.

O pânico que tomava conta de mim então era difícil de explicar. Aqueles dias de jogo acabavam com uma velocidade, uma sensação de perder sangue quase, que me lembravam de quando fiquei vendo o apartamento em Nova York ser desmontado e encaixotado: algo sem fundamento, instável, nada a que se agarrar. No andar de cima, com a porta do quarto fechada, acendia todas as luzes, fumava maconha se tivesse, ouvia música nos alto-falantes portáteis — músicas até então não ouvidas, como Shostakovich e Erik Satie, que eu tinha colocado no iPod pra minha mãe e depois nunca deletara — e folheava livros da biblioteca: livros de arte, principalmente, pois me lembravam dela.

As obras-primas da pintura holandesa. Delft: A Idade de Ouro. Pinturas de Rembrandt, seus pupilos e seguidores anônimos. Procurando no computador da escola, tinha visto que havia um livro sobre Carel Fabritius (um livro pequenininho, só cem páginas), mas não tinha na biblioteca da escola, e o tempo de computador ali era monitorado tão de perto que eu ficava paranoico demais pra fazer qualquer pesquisa na internet — especialmente depois que uma clicada sem pensar num link (*Het Puttertje, O pintassilgo, 1654*) tinha me redirecionado para um site com uma aparência assustadoramente oficial chamado Banco de Dados de Arte Desaparecida, que exigia que eu me registrasse com nome e endereço. Tinha ficado tão apavorado com a aparição inesperada das palavras *Interpol* e *Desaparecida* que entrei em pânico e desliguei o computador no ato, coisa que não devíamos fazer. "O que você aprontou?", quis saber o bibliotecário, o sr. Ostrow, antes que eu pudesse reiniciá-lo de novo. Ele chegou por cima do meu ombro e começou a digitar a senha.

"Eu..." Apesar de tudo, quando ele começou a olhar o histórico, fiquei aliviado, porque não era pornografia. Eu pensara em comprar um laptop barato pra mim com os quinhentos dólares que meu pai me dera de Natal, mas de alguma forma aquele dinheiro tinha acabado. *Arte desaparecida,* falei pra mim mesmo; nenhum motivo para entrar em pânico com aquela palavra, *desaparecida,* arte destruída era arte desaparecida, não era? Mesmo não tendo colocado um nome, preocupava-me o fato de ter tentado entrar no site com o IP da escola. Até onde sabia, os investigadores que tinham falado comigo mantiveram-se informados e sabiam que eu estava em Vegas; a ligação, embora sutil, existia.

A pintura estava escondida, muito espertamente, eu achava, numa fronha de algodão limpa presa com fita adesiva na parte de trás da cabeceira da cama. Eu tinha aprendido, com Hobie, que coisas antigas tinham que ser manuseadas com cuidado (às vezes ele usava luvas brancas de algodão para objetos particularmente delicados), e nunca a tocava com as mãos, só pelas pontas. Nunca a tirava da fronha, exceto quando meu pai e Xandra não estavam e sabia que demorariam um tempo pra voltar — embora mesmo quando não podia vê-la gostava de saber que estava ali, pela profundidade e solidez que dava às coisas, o reforço à estrutura, uma certeza de fundamento invisível que me tranquilizava, tanto quanto era reconfortante saber que lá longe baleias nadavam imperturbáveis nas águas do Báltico e monges em fusos horários arcanos entoavam mantras sem cessar pela salvação do mundo.

Tirá-la, manuseá-la, olhar para ela, não era nada a ser feito despreocupadamente. Até no ato de estender a mão para pegá-la havia uma sensação de expansão, um flutuar e erguer-se; e em um estranho momento, depois de eu já a ter olhado por tempo o bastante, os olhos secos do ar do deserto refrigerado, todo o espaço entre mim e ela parecia desaparecer, de modo que quando eu erguia os olhos era a pintura e não eu que era real.

Nascido em 1622 e morto em 1654. Filho de um professor de escola. Menos de doze obras atribuídas com segurança a ele. De acordo com Van Bleyswijck, o historiador da cidade de Delft, Fabritius estava no seu ateliê pintando o sacristão da Oude Kerk de Delft quando, às dez e meia da manhã, ocorreu a explosão do paiol. O corpo do pintor foi retirado dos destroços do seu ateliê por vizinhos burgueses, "com grande pesar", os livros diziam, "e não pouco esforço". O que me atraiu nesses breves relatos de livro de biblioteca era o elemento do acaso: desastres aleatórios, o meu e o dele, convergindo para o mesmo ponto invisível, o *big bang*, como meu pai dizia, não com qualquer tipo de sarcasmo ou indiferença, e sim com um reconhecimento respeitoso dos poderes da sorte que governavam sua própria vida. Podia-se estudar as ligações durante anos e jamais desvendá-las — tratava-se simplesmente de coisas se encontrando, coisas se despedaçando, túnel do tempo, minha mãe parada na frente do museu quando o tempo bruxuleou e a luz ficou estranha, incertezas pairando sobre a borda de uma vasta claridade. A possibilidade perdida que poderia, ou não, mudar tudo.

Lá em cima, a água da pia do banheiro tinha cloro demais pra se beber. À noite, um vento seco arrastava lixo e latas de cerveja rua afora. A umidade, Hobie tinha me dito, era a pior coisa do mundo pra antiguidades; no relógio de coluna que ele estava trabalhando quando fui embora, tinha me mostrado como a madeira apodrecera embaixo por causa da umidade ("Alguém jogando água em pisos de pedra com um balde percebe quão mole essa madeira está, quão corroída?").

Túnel do tempo: uma forma de ver as coisas duas vezes, ou mais do que duas. Assim como os rituais do meu pai, seus sistemas de aposta, todos os oráculos e as mágicas se baseavam num campo de consciência de padrões invisíveis, e assim também a explosão em Delft era parte de um complexo de eventos que ricocheteavam no presente. Os múltiplos resultados podiam te deixar tonto. "O dinheiro não é importante", disse meu pai. "Ele só representa a energia da coisa, entende? É como você a segue. O fluxo do acaso." Fixamente o pintassilgo olhava para mim, com seus olhos brilhantes e imutáveis. O painel de madeira era minúsculo, "apenas um pouco maior que uma folha de papel A4", conforme pontuava um dos meus livros de arte, embora toda essa coisa de dados e dimensões, a informação didática morta, fosse tão irrelevante na sua forma quanto as estatísticas da seção de esportes quando os Packers estavam ganhando por dois pontos no último quarto e uma neve gelada e fina começava a cair no campo. A pintura, sua mágica e vivacidade, era como aquele estranho momento arejado da neve caindo, luz esverdeada e flocos rodopiando nas câmeras, em que você não se importava mais com o jogo, quem ganhou ou perdeu, e só quer beber aquele momento ventoso indescritível. Quando eu olhava para a pintura sentia a mesma convergência para um único ponto: um instante bruxuleante iluminado pelo sol que existia agora e para sempre. Às vezes eu prestava atenção na corrente no tornozelo do pintassilgo, ou pensava em como aquela era uma vida cruel para uma criaturinha viva — esvoaçando brevemente, sempre forçado a pousar no mesmo lugar desesperador.

V

A parte boa: eu estava contente com quão legal meu pai andava sendo. Ele me levava pra jantar — bons jantares, em restaurantes com toalha branca, só nós dois — pelo menos uma vez por semana. Às vezes convidava Boris pra ir também, convites que ele sempre aceitava no ato — a atração de uma boa refeição era poderosa o bastante para anular até a força gravitacional de Kotku —, mas, estranhamente, me vi gostando mais quando estávamos só meu pai e eu.

"Sabe", disse ele, em um desses jantares quando estávamos nos demorando na sobremesa — falando sobre a escola, sobre todo tipo de coisa (aquele novo pai envolvido! De onde ele tinha saído?), "eu realmente tenho gostado de te conhecer melhor desde que você veio pra cá, Theo."

"Bem, hã, é, eu também", falei, constrangido, mas ao mesmo tempo sendo sincero.

"Quer dizer..." — meu pai passou uma mão no cabelo — "obrigado por me dar uma segunda chance, garotão. Porque eu cometi um grande erro. Jamais deveria ter deixado meu relacionamento com sua mãe interferir no meu relacionamento com você. Não, não", disse ele, erguendo a mão, "não estou botando a culpa nela, já superei. É só que ela te amava *tanto* que eu sempre me sentia uma espécie de intruso entre vocês. Aquela coisa de um estranho na própria casa. Vocês dois eram tão próximos...", ele riu, com tristeza, "que não havia muito espaço para três."

"Bem..." Minha mãe e eu andando na ponta dos pés pelo apartamento, sussurrando, tentando evitá-lo. Segredos, risadas. "Quer dizer, eu só..."

"Não, não, não estou pedindo pra você se desculpar. Sou o pai, sou eu quem deveria ter pensado melhor. É só que acabou se tornando meio que um círculo vicioso, se é que você me entende. Eu me sentindo alienado, depressivo, bebendo um monte. E jamais deveria ter deixado isso acontecer. Perdi, tipo, alguns anos realmente importantes da sua vida. Sou eu quem tem que viver com isso."

"Hum..." Eu me sentia tão mal que não sabia o que dizer.

"Não estou tentando te constranger, amigão. Só estou dizendo que fico feliz que somos amigos agora."

"Bem, é", falei, olhando para meu prato raspado até o final, "eu também."

"E, tipo, quero compensar as coisas pra você. Veja, eu estou indo tão bem nas casas de apostas este ano..." — meu pai bebeu um gole do café — "que quero abrir uma poupança pra você. Sabe, só guardar um pouquinho. Porque eu realmente não fiz a coisa certa com você como sua mãe fez, sabe, todos aqueles meses em que fiquei longe."

"Pai", falei, desconcertado. "Não precisa fazer isso."

"Ah, mas eu quero! Você tem um número de Seguro Social, não tem?"

"Claro."

"Bem, já tenho dez mil reservado. É um bom começo. Quando chegarmos em casa, me dê seu número do Seguro Social e na próxima vez que passar pelo banco abro uma conta no seu nome, tá bem?"

VI

A não ser na escola, eu quase não tinha visto Boris recentemente, exceto numa saída numa tarde de sábado em que meu pai nos levara até o Carnegie Deli, no Mirage, para comer peixe e *bialys*. Mas, então, algumas semanas antes do Dia de Ação de Graças, ele chegou martelando os degraus escada acima quando eu não o esperava e disse: "Seu pai está numa fase ruim, você sabia?".

Larguei o *Silas Marner*, que estávamos lendo pra escola. "Como?"

"Bem, ele está jogando em mesas de duzentos dólares — duzentos dólares a aposta", disse ele. "Dá pra perder mil dólares em cinco minutos, facinho."

"Mil dólares não é nada para ele", falei; e, então, quando Boris não respondeu: "Quanto foi que ele disse que perdeu?"

"Ele não disse", afirmou Boris. "Mas um monte."

"Tem certeza de que não está só te sacaneando?"

Boris riu. "Talvez", disse, sentando na cama e apoiando-se nos cotovelos. "Você não sabe nada sobre isso?"

"Bem..." Até onde eu sabia, meu pai tinha ganhado uma bolada com a vitória dos Bills na semana anterior. "Não entendo como pode estar indo *tão* mal. Ele me levando pro Bouchon e outros lugares assim."

"Sim, mas talvez tenha um bom motivo para isso", disse Boris sabiamente.

"Motivo? Que motivo?"

Ele pareceu prestes a dizer alguma coisa, depois mudou de ideia.

"Bem, vai saber", disse, acendendo um cigarro e tragando profundamente. "Seu pai tem algo de russo."

"Certo", falei, estendendo a mão para pegar o cigarro. Várias vezes eu tinha ouvido Boris e meu pai, nas suas "conversas intelectuais", de braços agitados, discutindo sobre os muitos apostadores célebres da história russa: Pushkin, Dostoiévski, outros nomes que eu não conhecia.

"Bem — russo demais, sabe, pra se queixar de como as coisas vão mal o tempo todo! Mesmo se a vida estiver maravilhosa, ele guarda para si. Você não vai querer tentar o diabo." Boris estava vestindo uma das camisetas descartadas do meu pai, quase transparente de tanto ser lavada, tão grande que esvoaçava nele feito uma peça de um traje árabe ou hindu. "Só que, com seu pai, às vezes é difícil saber se ele está brincando ou falando sério." Então, observando-me atentamente, disse: "O que você está pensando?".

"Nada."

"Ele sabe que a gente conversa. Foi por isso que me disse. Não ia me dizer se não *quisesse* que você soubesse."

"É." Eu tinha praticamente certeza de que esse não era o caso. Meu pai era o tipo de cara que, estando bem-humorado, discutiria alegremente sua vida pessoal com a esposa do chefe ou outra pessoa qualquer.

"Ele mesmo te contaria", disse Boris, "se achasse que você queria saber."

"Olha. É como você já disse..." Meu pai tinha uma queda pelo masoquismo, pelo gesto teatral; nos nossos domingos juntos, ele adorava exagerar seus infortúnios, gemendo e cambaleando, reclamando bem alto sobre ter sido "aniquilado" ou "destruído" depois de um jogo perdido, mesmo se tivesse ganhado meia dúzia de outros e estivesse somando os lucros na calculadora. "Às vezes ele faz um pouco de drama."

"Bem, sim, é verdade", disse Boris num tom sensato. Ele pegou o cigarro de volta, tragou, e então, amigavelmente, passou-o para mim. "Pode ficar com o resto."

"Não, obrigado."

Houve um breve silêncio, durante o qual pudemos ouvir o rugido televisivo da multidão no jogo de futebol americano do meu pai. Então Boris apoiou-se novamente sobre os cotovelos e disse: "O que tem pra comer lá embaixo?".

"Porra nenhuma."

"Tinha sobras de comida chinesa."

"Não mais. Alguém comeu."

"Merda. Talvez eu vá até a casa da Kotku, a mãe dela tem pizza congelada. Quer vir?"

"Não, obrigado."

Boris riu e fez um sinal de gangue que parecia falso. "Como quiser, *yo*", disse ele, com sua voz de gângster (discernível da sua voz normal apenas pelo gesto de mão e pelo *yo*), enquanto se levantava e saía. "O neguinho aqui tem que comer."

VII

O ponto peculiar em relação a Boris e Kotku era quão rapidamente seu relacionamento tinha adquirido um aspecto agressivo e irritável. Eles ainda transavam constantemente e mal conseguiam manter as mãos longe um do outro, mas no minuto em que abriam a boca era como pessoas que estavam casadas há quinze anos. Discutiam sobre pequenas somas de dinheiro, como quem tinha pagado o almoço na praça de alimentação da última vez; e suas conversas, quando eu as escutava, eram mais ou menos assim:

Boris: "Quê? Eu estava tentando ser gentil!".

Kotku: "Bem, isso não foi muito gentil".

Boris, correndo atrás para alcançá-la: "Estou falando sério, Kotyku! Mesmo! Só estava tentando ser gentil!".

Kotku: [faz beicinho]

Boris, tentando beijá-la sem sucesso: "O que foi que eu fiz? Qual é o problema? Por que você acha que não sou mais gentil?".

Kotku: [silêncio]

O problema com Mike, o piscineiro — rival romântico de Boris —, tinha se resolvido pela decisão extremamente conveniente dele de se juntar à Guarda Costeira. Kotku, aparentemente, ainda passava horas no telefone com o cara toda semana, coisa que por algum motivo não incomodava Boris ("Ela só está tentando apoiá-lo, sabe?"). Mas era perturbador o quanto tinha ciúme dela na escola. Boris sabia sua grade de cor, e no segundo que nossas aulas acabavam saía correndo para encontrá-la, como se suspeitasse que o traísse durante a aula de espanhol para o trabalho ou qualquer coisa do tipo. Certo dia, depois da escola, quando Popper e eu estávamos sozinhos em casa, ele me ligou para perguntar: "Você conhece um cara chamado Tyler Olowska?".

"Não."

"Está na nossa turma de história americana."

"Desculpe. É uma turma grande."

"Bem, olha. Você consegue descobrir alguma coisa sobre ele? Onde mora, talvez?"

"Onde ele *mora*? Isso tem a ver com Kotku?"

De repente — pegando-me totalmente de surpresa — a campainha tocou: quatro toques imponentes. Durante todo o tempo que morei em Las Vegas ninguém jamais tinha tocado a campainha da nossa casa, nem uma única vez. Boris, do outro lado da linha, também ouviu. "O que foi isso?", perguntou. O cachorro estava correndo em círculos e latindo sem parar.

"Alguém na porta."

"Na *porta*?" Na nossa rua deserta — sem vizinhos, sem coleta de lixo, sem iluminação pública — esse era um grande acontecimento. "Quem você acha que é?"

"Não sei. Depois eu te ligo de volta."

Agarrei Popchyk — que estava praticamente histérico — e (enquanto ele se contorcia e gania nos meus braços, lutando pra descer) consegui abrir a porta com uma mão.

"Mazolha só isso", disse uma voz agradável com sotaque de Jersey. "Que carinha mais fofo."

Vi-me piscando contra a claridade de fim de tarde para um homem muito alto, muito bronzeado, muito magro, de idade indeterminada. Parecia uma mistura de cara de rodeio com um artista fodido de bar. A parte de cima da lente dos óculos de aviador com armação dourada era roxa; ele vestia uma jaqueta esportiva branca sobre uma camisa de caubói vermelha e calça jeans preta, mas o que mais me chamou a atenção foi seu cabelo: meio peruca, meio implante, com uma textura de lã ou vidro e uma cor castanho-escura de graxa de sapato na lata.

"Vá em frente, coloque-o no chão!", disse ele, apontando com a cabeça para Popper, que ainda estava lutando para escapar. Sua voz era profunda e seu jeito parecia calmo e amigável; a não ser pelo sotaque, era o texano perfeito, botas e tudo o mais. "Deixe-o correr! Não me importo. Adoro cachorros."

Quando soltei Popchyk no chão, o homem se abaixou para afagar sua cabeça, numa postura que lembrava um caubói desengonçado junto à fogueira. Por mais esquisita que fosse a aparência dele, com o cabelo e tudo o mais, não tive como não admirar quão tranquilo e confortável parecia na própria pele.

"Sim, sim", disse ele. "Carinha fofo. Você é, sim!" Seu rosto bronzeado tinha um aspecto enrugado de maçã seca, marcado por linhas minúsculas. "Eu mesmo tenho três em casa. Minipinschers."

"Como?"

Ele se ergueu; quando sorriu pra mim, exibiu dentes alinhados e ofuscantemente brancos.

"Pinschers miniatura", disse ele. "Uns filhos da mãe neuróticos, roem tudo e detonam a casa quando estou fora, mas eu amo os bichinhos. Qual é o seu nome, garoto?"

"Theodore Decker", respondi, perguntando-me quem ele era.

Novamente ele sorriu; seus olhos por trás das lentes translúcidas dos óculos eram pequenos e brilhantes. "Ei! Outro nova-iorquino! Posso ouvir na sua voz, estou certo?"

"Isso mesmo."

"Um garoto de Manhattan, eu chutaria. Correto?"

"Sim", falei, perguntando-me exatamente o que ele tinha ouvido na minha voz. Ninguém jamais tinha adivinhado que eu era de Manhattan só de me ouvir falar.

"Bem, eu sou de Canarsie. Nascido e criado lá. É sempre bom conhecer outro cara do Leste. Sou Naaman Silver." Ele estendeu a mão.

"Prazer em conhecê-lo, sr. Silver."

"Senhor!" Ele riu com afeição. "Adoro um rapazinho educado. Não fazem mais muitos como você. Você é judeu, Theodore?"

"Não, senhor", falei, e então desejei ter dito que sim.

"Bem, te digo uma coisa. Qualquer pessoa de Nova York, na minha opinião, é um judeu honorário. É assim que eu vejo. Já foi a Canarsie?"

"Não, senhor."

"Bem, costumava ser uma comunidade fantástica antigamente, mas agora..." Ele deu de ombros. "Minha família, eles viveram lá por quatro gerações. Meu avô Saul dirigia um dos primeiros restaurantes kosher da América, sabe? Lugar grande, famoso. Mas fechou quando eu era criança. E então minha mãe nos levou pra Jersey depois que meu pai morreu pra que pudéssemos estar mais perto do meu tio Harry e da família." Ele pôs a mão no fino quadril e olhou para mim. "Seu pai está, Theo?"

"Não."

"Não?" Ele olhou por cima de mim, para a casa. "Que pena. Sabe quando ele volta?"

"Não, senhor", falei.

"*Senhor*. Gosto disso. Você é um bom garoto. Te digo uma coisa, faz eu lembrar de mim mesmo na sua idade. Recém-saído da ieshiva..." Ele ergueu as mãos, braceletes de ouro nos pulsos peludos e bronzeados. "Estas mãos? Brancas, como leite. Como as suas."

"Hum..." Eu ainda estava parado sem jeito na porta. "Você gostaria de entrar?" Não tinha certeza se deveria convidar um estranho para entrar na casa, mas eu estava solitário e entediado. "Pode esperar se quiser. Mas não tenho certeza de quando ele vai voltar pra casa."

Novamente ele sorriu. "Não, obrigado. Tenho um monte de outras paradas pra fazer. Mas te digo uma coisa, vou ser direto com você, porque você é um bom garoto. Tenho cinco boladas a ver com seu pai. Sabe o que isso significa?"

"Não, senhor."

"Bem, abençoado seja. Você não precisa saber, e espero que nunca saiba. Mas vou apenas dizer que não é uma boa política de negócios." Ele pôs uma mão amigável no meu ombro. "Acredite ou não, Theodore, eu tenho habilidades interpessoais. Não gosto de vir até a casa de um homem e lidar com seu filho, como estou fazendo com você agora. Isso não está certo. Normalmente eu iria até o trabalho dele e teríamos nossa conversinha lá. Só que ele é um homem meio difícil de encontrar, como você talvez saiba."

Dentro da casa, podia ouvir o telefone tocando: Boris, eu tinha quase certeza. "Talvez seja melhor você ir atender", disse o sr. Silver com simpatia.

"Não, tudo bem."

"Vá em frente. Acho que deveria. Posso esperar."

Sentindo-me cada vez mais incomodado, voltei para dentro e atendi o telefone. Conforme o previsto, era Boris. "Quem era?", disse ele. "Não era Kotku, era?"

"Não. Olha..."

"Acho que ela foi pra casa com aquele tal de Tyler Olowska. Estou com esse pressentimento. Bem, talvez ela não tenha ido pra *casa* com ele. Mas saíram juntos da escola. Ela estava conversando com ele no estacionamento. Tipo, eles têm a última aula juntos, marcenaria ou sei lá o quê..."

"Boris, sinto muito, eu *realmente* não posso falar agora, te ligo depois, tá bem?"

"Vou confiar na sua palavra", disse o sr. Silver quando voltei para a porta. Olhei para além dele, para o Cadillac branco estacionado no meio-fio. Havia dois homens no carro — um motorista e outro homem no assento da frente. "Não era seu pai, certo?"

"Não, senhor."

"Você me diria se fosse, não diria?"

"Sim, senhor."

"Por que não acredito em você?"

Fiquei em silêncio, sem saber o que dizer.

"Não importa, Theodore." Novamente, ele se abaixou para acariciar Popper atrás das orelhas. "Vou encontrá-lo mais cedo ou mais tarde. Garante que vai se lembrar de falar pra ele o que eu te disse? E que dei uma passada?"

"Sim senhor."

Ele apontou um dedo comprido para mim. "Qual é o meu nome mesmo?"

"Sr. Silver."

"Sr. Silver. Isso mesmo. Só pra garantir."

"O que você quer que eu diga a ele?"

"Diga que falei que apostar é pra turistas", disse ele. "Não pra locais." Levemente, muito de leve, ele tocou no topo da minha cabeça. "Fique com Deus."

VIII

Quando Boris apareceu na porta meia hora depois, tentei lhe contar sobre a visita do sr. Silver, mas, embora ele tenha escutado um pouquinho, acima de tudo estava furioso com Kotku por paquerar outro garoto, Tyler Olowska ou quem quer que fosse, um maconheiro rico um ano mais velho que nós que estava no time de golfe. "Ela que se foda", disse Boris com uma voz gutural enquanto estávamos sentados no piso do térreo da minha casa fumando a maconha de Kotku. "Não está atendendo o celular. Sei que está com ele agora. Eu *sei*."

"Deixa disso." Por mais preocupado que estivesse com o lance do sr. Silver, estava ainda mais cansado de falar sobre Kotku. "Ele provavelmente só estava comprando maconha."

"É, mas tem mais coisa aí, eu *sei*. Ela não quer mais que eu fique na casa dela, já reparou? Sempre tem *coisa pra fazer* agora. Nem usa mais o colar que eu comprei pra ela."

Meus óculos estavam tortos e eu os empurrei até a ponte do nariz. Boris não tinha nem comprado o colar idiota, e sim o furtado no shopping, agarrando-o e saindo correndo enquanto eu (cidadão honesto, de blazer escolar) distraía a vendedora com perguntas bobas e educadas sobre o que papai e eu deveríamos comprar pro aniversário da mamãe. "Hum", falei, tentando soar empático.

Boris fez uma careta, o cenho feito uma nuvem carregada. "Ela é uma puta. Outro dia estava fingindo que chorava na aula, tentando fazer o filho da mãe do Olowska ficar com *pena* dela. Que piranha."

Dei de ombros — sem discordar daquele ponto — e passei o baseado pra ele.

"Ela só gosta dele porque tem dinheiro. A família dele tem duas Mercedes. E classe."

"Esse carro é de velhinha."

"Bobagem. Na Rússia, é o que os mafiosos dirigem. E..." — ele puxou profundamente, segurando a fumaça, abanando a mão, os olhos lacrimejando, *espera, espera, essa é a melhor parte, só um pouco, olha só, hein?* — "sabe como ele a chama?"

"Kotku?" Boris insistia tanto em chamá-la de Kotku que as pessoas na escola — professores, inclusive — tinham começado a chamá-la de Kotku também

"Isso mesmo!", disse Boris, indignado, fumaça saindo da boca. "*Meu* nome! O kliytchka que *eu* dei pra ela. E outro dia no corredor eu vi o cara desarranjando ela na cabeça."

Havia umas duas balas de menta derretidas do bolso do meu pai na mesinha de centro, junto com algumas receitas de remédio e troco, e eu desembrulhei uma e pus na boca. Estava alto como um paraquedista, e a doçura formigava por todo o meu corpo, como fogo. "Desarranjou ela?", perguntei, a bala estralando alto contra meus dentes. "Como é?"

"Tipo isso", disse ele, fazendo um movimento de bagunçar o cabelo com a mão enquanto dava a última puxada no baseado e o apagava. "Não sei como se fala."

"Eu não me preocuparia com isso", falei, balançando a cabeça pra trás contra o sofá. "Viu, você precisa experimentar uma dessas balas de menta. Têm um gosto muito bom."

Boris passou uma mão no rosto, depois sacudiu a cabeça como um cachorro se chacoalhando e espirrando água. "Uau", disse, passando as duas mãos pelo cabelo emaranhado.

"É. Eu também", falei, depois de uma pausa vibrante. Meus pensamentos estavam esticados e pegajosos, lentos para chegar até a superfície.

"Quê?"

"Estou doidão."

"Ah é?" Ele riu. "Quanto?"

"Bem, bem no alto, amigão." A bala de menta na minha língua parecia intensa e enorme, do tamanho de uma pedra, como se eu mal pudesse falar com ela na boca.

Um silêncio pacífico seguiu-se. Eram cerca de cinco e meia da tarde, mas a luz continuava pura e forte. Algumas camisetas brancas minhas estavam penduradas do lado de fora, perto da piscina, e pareciam deslumbrantes, ondulando e esvoaçando como velas. Fechei os olhos, vermelho queimando pelas minhas pálpebras, afundando de volta no sofá (subitamente muito confortável) como se fosse um barco balançando, e pensei em Hart Crane, que estávamos lendo na aula de literatura inglesa. Brooklyn Bridge. Como é que eu nunca tinha lido esse poema em Nova York? E como é que nunca tinha prestado atenção na ponte, se a via praticamente todos os dias? Gaivotas e quedas vertiginosas. *Penso em cinemas, truques panorâmicos*...

"Eu poderia estrangulá-la", disse Boris de repente.

"Como?", falei, assustado, tendo ouvido somente a palavra *estrangulá-la* e o tom inconfundivelmente nervoso de Boris.

"Quenga magricela de merda. Ela me deixa tão puto." Boris me cutucou com o ombro. "Fala a verdade, Potter. Você não ia gostar de apagar aquele sorrisinho do rosto dela?"

"Bem...", falei, depois de uma pausa confusa; claramente se tratava de uma pegadinha. "O que é uma quenga?"

"O mesmo que piranha, basicamente."

"Ah."

"No caso, no sentido da mulher."

"Certo."

A isso se seguiu um silêncio longo e constrangedor o bastante a ponto de eu pensar em me erguer e botar uma música pra tocar, embora não conseguisse decidir qual. Qualquer coisa otimista parecia errado, e a última coisa que eu queria era botar algo lúgubre ou angustiante que pudesse atiçá-lo.

"Hum", falei, depois do que esperava ser uma pausa decentemente longa, "*Guerra dos mundos* vai passar daqui a quinze minutos."

"Eu vou dar pra ela a guerra dos mundos", disse Boris num tom sombrio. Ele se levantou.

"Aonde você vai?", perguntei. "Ao Double R?"

Boris fechou a cara. "Vá em frente, ria", disse ele amargo, vestindo desajeitado sua capa de chuva cinza *sovietskoye*. "Vão ser Três Rs pro seu pai se ele não pagar o dinheiro que deve praquele cara."

"Três Rs?"

"Rapto, raticida, revólver", disse Boris, com uma risada macabra que soava eslava.

IX

Aquilo era um filme ou algo assim? Fiquei pensando. Três Rs? De onde tinha tirado isso? Embora eu tivesse feito um trabalho bastante bom pra apagar os acontecimentos da tarde da minha mente, Boris tinha me deixado realmente apavorado com seu comentário final, e eu fiquei sentado rígido no andar de baixo durante uma hora ou mais com *Guerra dos mundos* passando sem som, escutando os estalos da máquina de gelo e o chacoalhar do vento no guarda-sol do pátio. Popper, contagiado pelo meu humor, também estava nervoso, e ficou latindo alto e saltando do sofá pra conferir os ruídos da casa — de modo que, não muito depois de escurecer, quando um carro de fato virou na entrada da casa, ele disparou até a porta e fez uma algazarra tal que quase me matou de susto.

Mas era só meu pai. Ele parecia desalinhado e com os olhos vidrados, num humor não muito bom.

"Pai?" Eu ainda estava chapado o bastante pra minha voz sair parecendo ofegante e esquisita demais.

Ele parou ao pé da escada e olhou para mim.

"Veio um cara aqui. Um sr. Silver."

"Ah, é?", disse meu pai, casualmente. Mas ele estava imóvel, a mão no corrimão.

"Ele disse que está tentando entrar em contato com você."

"Quando foi isso?", perguntou, vindo para a sala.

"Hoje à tarde, por volta das quatro, acho."

"Xandra estava aqui?"

"Eu não a vi."

Ele pôs uma mão no meu ombro e pareceu pensar por um minuto. "Bem, eu agradeceria se não dissesse nada sobre isso."

A bituca do baseado de Boris ainda estava no cinzeiro, percebi. Ele me viu olhando para ela, pegou-a e cheirou-a.

"Achei que tinha sentido um cheiro", disse, jogando-a no bolso da jaqueta. "Você está fedendo um pouco, Theo. Onde é que vocês arranjam isso?"

"Está tudo bem?"

Os olhos do meu pai pareciam um pouco vermelhos e fora de foco. "Claro", disse ele. "Só vou subir e fazer umas ligações." Ele exalava um cheiro forte de tabaco e do chá de ginseng que sempre bebia, hábito que tinha adquirido dos empresários chineses no salão de bacará e que dava a seu suor um odor estrangeiro e forte. Enquanto eu ficava olhando meu pai subir os degraus até o patamar da escada, vi-o retirar a bituca do bolso da jaqueta e botá-la de novo sob o nariz, pensativamente.

x

Uma vez lá em cima no meu quarto, com a porta trancada e Popper ainda nervoso e andando rígido de um lado pro outro, meus pensamentos voltaram-se para a pintura. Tinha ficado orgulhoso de mim mesmo pela ideia da fronha atrás da cabeceira, mas agora percebi quão idiota era deixar a pintura na casa — não que eu tivesse qualquer opção, a não ser que quisesse escondê-la na caçamba de lixo algumas casas adiante (que jamais fora esvaziada durante todo o tempo que eu tinha morado em Vegas) ou em uma das casas abandonadas da rua. A casa de Boris não era mais segura que a minha, e não havia mais ninguém que eu conhecesse o bastante ou em quem confiasse. O único outro lugar era a escola, também uma má ideia, mas embora eu soubesse que devia haver uma escolha melhor não conseguia pensar em nada. De vez em quando faziam inspeções aleatórias nos armários da escola e agora — ligado como eu estava, através de Boris, a Kotku — possivelmente era o tipo de imprestável que eles poderiam inspecionar aleatoriamente. Ainda assim, mesmo se alguém a encontrasse no meu armário — fosse o diretor, ou o sr. Detmars, o assustador treinador de basquete, ou até os seguranças que eles contratavam pra botar medo nos alunos de tempos em tempos —, seria melhor do que se fosse vista por meu pai ou pelo sr. Silver.

A pintura, dentro da fronha, estava enrolada em várias camadas de papel de desenho colado por fita — papel bom, para arquivamento, que eu tinha pegado da sala de artes da escola —, com uma camada interna dupla de pano de prato branco e limpo de algodão para proteger a superfície dos ácidos do papel (não que houvesse algum). Mas eu já tinha pegado a pintura tantas vezes para olhá-la — abrindo a aba superior da borda com fita para retirá-la— que o papel estava rasgado e a fita nem grudenta estava mais. Depois de ficar deitado na cama por alguns minutos olhando para o teto, levantei e peguei o rolo extragrande de fita adesiva reforçada que tinha sobrado da nossa mudança e descolei a fronha de trás da cabeceira da cama.

Era demais — tentador demais — tê-la nas mãos e não olhá-la. Rapidamente eu a tirei da fronha, e quase de imediato seu brilho me envolveu, algo quase musical, uma doçura interna que era inexplicável para além de uma harmonia profunda e corrente de certeza, do jeito que o coração bate lenta e seguramente quando você está com uma pessoa com quem se sente seguro e amado. Uma energia, um brilho, saía dela, uma frescura como a da luz da manhã no meu antigo quarto em Nova York, que era serena e ao mesmo tempo estimulante, uma luz que deixava tudo mais aguçado, e também mais suave e encantador do que realmente era, e mais encantador ainda porque era parte do passado e irrecuperável: papel de parede brilhando, o velho globo da Rand McNally à meia-luz.

Passarinho pequeno; passarinho amarelo. Deixando o torpor de lado, coloquei a pintura de volta no pano de prato enrolado em papel e novamente cobri com duas ou três (quatro? cinco?) páginas esportivas antigas do meu pai, e então — impulsivo, realmente abraçando a coisa da minha própria forma chapada e determinada — rodeei-a de novo e de novo com fita até que nem um pedacinho de jornal estivesse visível, e o rolo inteiro acabasse. Ninguém ia abrir aquele pacote por mero capricho. Mesmo com uma faca, uma faca boa, e não só uma tesoura, levaria um bom tempo pra chegar à pintura. Por fim, quando acabei — o embrulho parecia um estranho casulo de ficção científica —, guardei a pintura mumificada, com fronha e tudo, na minha sacola de livros e coloquei-a debaixo das cobertas aos pés da cama. Irritável, com um grunhido, Popper deslocou-se pro lado pra abrir espaço. Minúsculo como era, com aquela aparência ridícula, ainda assim latia ferozmente e era bastante territorial quanto ao seu lugar ao meu lado, e eu sabia que se alguém abrisse a porta do quarto enquanto eu estivesse dormindo — mesmo Xandra ou meu pai, de quem nao gostava muito — ia saltar e dar o alarme.

O que tinha começado como um pensamento tranquilizador estava novamente se metamorfoseando em pensamentos sobre estranhos e arrombamentos. O ar-condicionado estava tão gelado que eu tremia; quando fechei os olhos me senti sair do corpo — flutuando rapidamente pra cima como um balão que escapou —, para então me assustar com um forte puxão de corpo inteiro quando abri os olhos. Por isso mantive os olhos bem fechados e tentei lembrar o que podia do poema de Hart Crane, que não era muita coisa, embora mesmo palavras isoladas como *gaivota*, *trânsito*, *tumulto* e *amanhecer* carregassem algo das suas distâncias aéreas, dos seus impulsos de cima a baixo; e bem quando eu estava começando a cochilar caí numa espécie de memória sensorial esmagadora do parque estreito, ventoso e com cheiro de escape perto do nosso antigo apartamento, junto ao rio, o rugido do trânsito abstratamente acima, enquanto a água rodopiava em correntes rápidas e confusas, e às vezes parecia fluir em duas direções diferentes.

XI

Não dormi muito naquela noite e estava tão exausto quando cheguei à escola e guardei a pintura no armário que nem reparei que Kotku (perto de Boris, como se nada tivesse acontecido) estava com um lábio inchado. Só quando ouvi um valentão mais velho chamado Eddie Riso perguntar "O que foi isso?" percebi que alguém tinha esbofeteado pra valer a cara dela. Kotku estava andando pela escola rindo um tanto nervosamente e dizendo às pessoas que tinha sido atingida na boca pela porta do carro, mas de um jeito meio constrangido que (pra mim, pelo menos) não soou verdadeiro.

"Você fez aquilo?", perguntei a Boris, da próxima vez que o vi sozinho (ou relativamente sozinho) na aula de literatura inglesa.

Boris deu de ombros. "Eu não queria."

"Como assim, 'não queria'?"

Boris pareceu chocado. "Ela me obrigou a fazer aquilo!"

"Ela te obrigou", repeti.

"Olha, só porque você está com ciúmes dela..."

"Vá se foder", falei. "Estou pouco me lixando pra você e Kotku — tenho meus próprios problemas. Pode espancá-la que eu não ligo."

"Ah, meu Deus, Potter", disse Boris, subitamente sério. "Ele voltou? Aquele cara?"

"Não", falei, depois de uma breve pausa. "Não ainda. Bem, tipo, que se foda", falei, quando Boris continuou me olhando. "É problema *dele*, não meu. *Ele* vai ter que pensar em alguma coisa."

"Quanto seu pai está devendo?"

"Não faço ideia."

"Você não consegue arranjar o dinheiro pra ele?"

"*Eu?*"

Boris desviou o olhar. Cutuquei-o no braço. "O que você quer dizer? Se *eu* não posso arranjar pra ele? Do que está falando?", perguntei, quando ele não respondeu.

"Deixa pra lá", disse Boris rapidamente, endireitando-se na cadeira, e eu não tive a chance de insistir na conversa, porque nisso Spirsetskaya tinha entrado na sala, pronta para falar sobre o entediante *Silas Marner*, e aquilo ficou por isso mesmo.

XII

Naquela noite, meu pai chegou em casa cedo com sacolas do seu restaurante chinês favorito, incluindo uma caixinha extra dos bolinhos apimentados de que eu gostava — ele estava tão bem-humorado que era como se eu tivesse sonhado com o sr. Silver e toda aquela história da noite anterior.

"Então...", comecei, e parei. Xandra, tendo terminado seus rolinhos primavera, estava lavando copos na pia, mas ainda havia tanta louça que me senti confortável em falar na frente dela.

Ele sorriu seu grande sorriso de paizão pra mim, que às vezes fazia as aeromoças transferi-lo pra primeira classe.

"Então o quê?", perguntou, deixando sua embalagem de camarão à Szechuan de lado para pegar um biscoito da sorte.

"Hã..." Xandra estava com a torneira bem aberta. "Você conseguiu resolver tudo?"

"O quê", disse ele alegremente, "você quer dizer com Bobo Silver?"

"Bobo?"

"Escuta, espero que não tenha ficado preocupado com aquilo. Você não ficou, ficou?"

"Bem..."

"Bobo..." Ele riu. "Eles o chamam de 'O Mensch'. Na verdade é um cara legal — bem, você falou com ele —, foi só um mal-entendido, só isso."

"O que quer dizer cinco boladas?"

"Olha, foi só uma confusão. Bem", disse ele, "essas pessoas desempenham papéis. Têm sua própria linguagem, seu próprio jeito de fazer as coisas. Mas olha...", ele riu, "essa é ótima — quando eu o encontrei lá no Caesars, é lá que Bobo diz que é o 'escritório' dele, sabe, a piscina do Caesars — enfim, quando o encontrei, sabe o que ele não parava de dizer? 'Aquele seu filho é um bom garoto, Larry.' 'Um verdadeiro cavalheiro.' Tipo, não sei o que você falou pra ele, mas realmente te devo uma."

"Hum", falei, num tom neutro, servindo-me de mais arroz. Por dentro eu estava quase bêbado com sua súbita mudança de humor — a mesma onda de euforia que sentia na época em que era criança quando o silêncio se quebrava, quando seus passos ficavam leves de novo e você o ouvia rindo de alguma coisa, cantarolando no espelho ao se barbear.

Meu pai quebrou seu biscoito da sorte e riu. "Olha isso", disse ele, fazendo uma bolinha e jogando pra mim. "Quem será que fica lá sentado em Chinatown inventando essas coisas?"

Em voz alta, eu o li: "Você tem um equipamento incomum para o destino, utilize-o com cuidado!".

"Equipamento incomum?", disse Xandra, chegando por trás para passar os braços em volta do pescoço dele. "Isso soa meio ambíguo."

"Ah...", meu pai virou-se para beijá-la. "Uma mente suja. A fonte da juventude."

"Percebe-se."

XIII

"Eu deixei *você* com o lábio inchado aquela vez", disse Boris, que claramente se sentia culpado sobre o negócio com Kotku, já que tinha trazido o assunto do nada no nosso amistoso silêncio matinal no ônibus escolar.

"É, e eu atirei sua cabeça contra a porra da parede."

"Não fiz de propósito!"

"O que você não fez de propósito?"

"Atingir sua boca!"

"Você fez de propósito com ela?"

"De certa forma, sim", disse ele, evasivo.

"De certa forma."

Boris fez um som exasperado. "Eu disse a ela que sentia muito! Está tudo bem entre nós agora, sem problemas! E, além do mais, desde quando isso é da sua conta?"

"Foi *você* quem puxou o assunto, não eu."

Boris me olhou por um momento estranho e desfocado, depois riu. "Posso te falar uma coisa?"

"O quê?"

Ele aproximou a cabeça da minha. "Kotku e eu viajamos ontem à noite", disse ele baixinho. "Usamos ácido juntos. Foi ótimo."

"Sério? Onde conseguiram?" Bala era relativamente fácil de encontrar na escola — Boris e eu tínhamos usado pelo menos uma dúzia de vezes, noites mágicas e indescritíveis em que caminháramos deserto adentro semidelirantes diante das estrelas —, mas ninguém tinha ácido.

Boris esfregou o nariz. "Ah. Bem. A mãe dela conhece um velho assustador lá chamado Jimmy que trabalha numa loja de armas. Ele arranjou cinco doses — não sei por que comprei cinco, devia ter comprado seis. De qualquer forma, eu ainda tenho um pouco. Meu Deus, foi fantástico."

"Ah, é?" Agora que olhei mais de perto pra ele percebi que suas pupilas estavam dilatadas e estranhas. "Você ainda está chapado?"

"Talvez um pouco. Dormi tipo duas horas. Em todo caso, a gente reatou totalmente. Foi como — até as flores da colcha da mãe dela estavam amigáveis. E nós éramos feitos da mesma coisa que as flores, e percebemos o quanto nos amamos e precisamos um do outro, não importa o que aconteça, e o quanto tudo de ruim que tinha acontecido entre nós era só por amor."

"Nossa", falei, num tom que suponho ter soado mais triste do que eu pretendia, pela forma como Boris franziu as sobrancelhas e olhou para mim.

"Sim?", falei, quando ele continuou me encarando. "O que foi?"

Ele piscou e balançou a cabeça. "Não, eu simplesmente posso *ver*. Essa névoa de tristeza, algo assim, em volta da sua cabeça. É como se você fosse um soldado ou algo do tipo, uma pessoa da *história*, andando num campo de batalha com todos esses sentimentos profundos..."

"Boris, você ainda está completamente drogado."

"Na verdade, não", disse ele num tom sonhador. "Eu meio que fico entrando e voltando. Mas ainda posso ver faíscas coloridas saindo das coisas se olhar bem de canto de olho."

XIV

Uma semana mais ou menos se passou, sem incidentes, nem da parte do meu pai nem da parte de Boris-Kotku — tempo suficiente pra eu achar que era seguro trazer a fronha de volta para casa. Eu tinha percebido, quando a tirei do meu armário, quão estranhamente volumosa (e pesada) ela parecia, e quando subi até o andar de cima e a tirei da fronha, vi por quê. Claramente eu estava fora de mim quando a enrolei e fechei com fita: todas aquelas camadas de jornal, rodeadas por um rolo extragrande inteiro de fita adesiva reforçada com fibra, pareceram uma precaução prudente quando eu estava apavorado e chapado, mas de volta ao meu quarto, sob a luz sóbria da tarde, a pintura parecia ter sido enrolada e embalada por um maluco e/ou mendigo — mumificada, praticamente. Havia tanta fita nela que nem quadrada era mais direito; até os cantos estavam arredondados. Peguei na cozinha a faca mais afiada que podia encontrar e serrei um dos cantos — cuidadosamente a princípio, preocupado que a faca pudesse escorregar e danificar a pintura —, e depois um pouco mais enérgico. Mal tinha chegado à metade de uma seção de sete centímetros e meio, minhas mãos começando a cansar, quando ouvi Xandra entrando lá embaixo, de modo que a coloquei de volta na fronha e a colei atrás da cabeceira novamente até o momento em que soubesse que iam ficar fora por um tempo.

Boris tinha me prometido que íamos usar as duas doses restantes de ácido assim que sua mente voltasse ao normal, conforme ele dizia; ainda se sentia um pouco fora do ar, confidenciou, via padrões se movendo na falsa granulação de madeira da sua carteira na escola, e nas primeiras poucas vezes que tinha fumado maconha começara a ter completas viagens de novo.

"Parece meio intenso", falei.

"Não, é legal. Posso fazer parar quando eu quiser. Acho que deveríamos usar no parquinho", ele acrescentou. "No feriado de Ação de Graças, talvez." O parquinho abandonado era aonde tínhamos ido tomar bala todas as vezes com exceção da primeira, quando Xandra chegou batendo na porta do meu quarto pedindo pra ajudarmos a consertar a máquina de lavar, o que obviamente não fomos capazes de fazer, mas quarenta e cinco minutos de pé com ela na lavanderia durante a melhor parte da pílula tinha sido uma tremenda decepção.

"Vai ser muito mais forte que bala?"

"Não — bem, sim, mas é maravilhoso, confie em mim. Eu não parava de desejar que Kotku e eu estivéssemos fora ao ar livre, só que lá é *perto demais* da rodovia, luzes, carros — talvez neste fim de semana?"

Então isso era algo a esperar. Mas, assim que eu estava começando a me sentir bem e até esperançoso em relação às coisas novamente — a TV não estava ligada na ESPN já fazia uma semana, o que era definitivamente uma espécie de recorde —, encontrei meu pai me esperando quando cheguei em casa da escola.

"Preciso falar com você, Theo", disse ele, no momento em que entrei. "Tem um minuto?"

Fiz uma pausa. "Bem, sim, claro." A sala parecia quase como se tivesse sido arrombada — papéis espalhados pra todo lado, até as almofadas do sofá ligeiramente fora do lugar.

Ele parou de andar pra lá e pra cá — estava se movendo com uma leve rigidez, como se seu joelho estivesse doendo. "Venha cá", disse, num tom amigável. "Sente-se."

Sentei. Meu pai suspirou; ele sentou à minha frente e passou uma mão pelo cabelo.

"O advogado", disse ele, inclinando-se para a frente com as mãos cruzadas nos joelhos e me olhando diretamente nos olhos.

Esperei.

"O advogado da sua mãe. Tipo, sei que estou pedindo assim de repente, mas realmente preciso que você fale no telefone com ele por mim."

Estava ventando bastante; lá fora, areia batia contra as portas de vidro e o toldo do pátio esvoaçava com um som como de uma bandeira a estalar. "O que foi?", falei, depois de uma pausa cautelosa. Ela tinha comentado algo sobre ver um advogado quando ele foi embora — sobre o divórcio, imaginei —, mas eu não sabia no que tinha dado.

"Bem..." Meu pai respirou fundo; olhou para o teto. "O negócio é o seguinte. Acho que você deve ter percebido que eu não ando mais apostando, certo? Bem", disse ele, "quero parar. Enquanto estou por cima, digamos assim. Não é que..." — ele fez uma pausa e pareceu pensar — "bem, sinceramente, fiquei muito bom nesse negócio fazendo a lição de casa e sendo disciplinado. Faço meus cálculos. Não aposto impulsivamente. E, tipo, como eu disse, tenho me saído muito bem. Juntei um monte de dinheiro nesses últimos meses. É só que..."

"Certo", falei, inseguro, no silêncio que se seguiu, perguntando-me aonde ele queria chegar.

"Bem, mas pra que se arriscar? Porque..." — mão no coração — "eu *sou* um alcoólatra. Sou o primeiro a admitir isso. Não posso beber absolutamente *nada*. Uma bebida é demais, e mil não me satisfazem. Deixar o álcool foi a melhor coisa que já fiz. E, tipo, com o jogo, mesmo com minhas tendências ao vício e tudo o mais, sempre foi meio diferente, sem dúvida levei uns arranhões, mas eu nunca fui como alguns desses caras que, não sei, vão tão longe que desviam dinheiro e acabam com o negócio da família ou sei lá o quê. Mas...", ele riu, "se você não quer cortar o cabelo mais cedo ou mais tarde, melhor parar de ir à barbearia, né?"

"E?", falei cauteloso, depois de esperar que ele continuasse.

"E... uff." Meu pai passou as duas mãos pelo cabelo; parecia infantil, aturdido, incrédulo. "O negócio é o seguinte. Realmente estou querendo fazer grandes mudanças no momento. Porque tenho a oportunidade de entrar num negócio incrível. Um amigo meu tem um restaurante. E, bem, acho que vai ser uma coisa *realmente* boa para todos nós — uma oportunidade única, na verdade. Sabe? Xandra anda tão estressada no trabalho com seu chefe sendo um babaca e, não sei, só acho que isso faz bem mais sentido."

Meu pai? Um restaurante? "Uau, isso é ótimo", falei. "Uau."

"Pois é." Meu pai assentiu. "É *realmente* ótimo. Mas a questão é: pra abrir um lugar desses..."

"Que tipo de restaurante?"

Meu pai bocejou, enxugou os olhos vermelhos. "Ah, você sabe — comida americana simples. Bifes, hambúrgueres e tal. Uma coisa simples e bem preparada. Mas a questão é: pro meu amigo conseguir abrir o local e pagar os imposto de restaurante..."

"Imposto de restaurante?"

"Ah, meu Deus, sim, você não vai acreditar no tipo de taxas que têm aqui. Você tem que pagar imposto de restaurante, taxa de licença pra bebida alcoólica, seguro de responsabilidade civil — é um grande gasto pra abrir e botar um lugar desses pra funcionar."

"Bem." Eu podia ver aonde ele estava querendo chegar. "Se precisar do dinheiro da minha poupança..."

Meu pai pareceu perplexo. "Como?"

"Você sabe. A conta que abriu pra mim. Se precisa do dinheiro, não tem problema."

"Ah sim." Meu pai ficou em silêncio por um momento. "Obrigado. Eu realmente agradeço, amigão. Mas na verdade..." Ele tinha se levantado, e estava andando em volta. "A questão é: na verdade estou pensando em uma forma realmente inteligente de fazer isso. Uma solução no curto prazo, pra conseguir abrir e botar o lugar pra funcionar, sabe? Vamos recuperar o investimento em poucas semanas — tipo, um lugar como aquele, a localização e tal, vai ser como imprimir dinheiro. É só a despesa inicial. Esta cidade é uma loucura com seus impostos e taxas. Então..." ele riu, meio que se desculpando, "você sabe que eu não ia pedir se não fosse uma emergência."

"O quê?", falei, depois de uma pausa confusa.

"Bem, como eu estava dizendo, realmente preciso que faça esta ligação pra mim. Aqui está o número." Ele já tinha escrito tudo pra mim num pedaço de papel — o prefixo era 212, reparei. "Você precisa ligar pra este cara e falar com ele. O nome é Bracegirdle."

Olhei para o papel, e depois para o meu pai. "Não entendo."

"Você não precisa entender. Só o que você tem que fazer é falar o que eu te disser."

"O que isso tem a ver comigo?"

"Olha, só faça e pronto. Diga quem você é, que precisa dar uma palavrinha, negócios, blá-blá-blá..."

"Mas..." Quem era aquela pessoa? "O que você quer que eu diga?"

Meu pai respirou fundo; ele estava tendo o cuidado de controlar suas expressões, algo no qual ele era bastante bom.

"Ele é um advogado", disse ele, em meio a um suspiro. "O advogado da sua mãe. Ele precisa tomar as providências pra transferir esse valor..." — meus olhos saltaram diante da soma para a qual ele estava apontando, sessenta e cinco mil dólares — "para *esta* conta." (Ele arrastara o dedo pela sequência de números embaixo.) "Diga pra ele que vou te mandar pra uma escola particular. Ele vai precisar do seu nome e do seu número do Seguro Social. É isso."

"Escola particular?", falei, depois de uma pausa desorientada.

"Bem, entenda, é por causa dos impostos."

"Não quero ir pra escola particular."

"Calma, calma, só me escuta. Desde que esses fundos sejam usados pro seu benefício, no sentido oficial, não teremos problema. E o restaurante é para o benefício de *todos* nós, entende? Talvez, no fim das contas, principalmente para o seu. E, tipo, eu mesmo poderia fazer a ligação, é só que, se conduzirmos isso da maneira certa, vamos conseguir economizar uns trinta mil que do contrário iria pro governo. Porra, eu *vou* te mandar pra uma escola particular se você quiser. Internato. Poderia te mandar pra Andover com todo esse dinheiro extra. Só não quero que metade disso acabe com a Receita Federal, se é que você me entende. Além disso — bem, do jeito que essa coisa foi feita, quando chegar a época de você ir pra faculdade, vai acabar saindo caro pra *você*, porque com aquela quantidade de dinheiro lá significa que você não pode receber uma bolsa. O pessoal do apoio financeiro vai olhar direto praquela conta e te colocar numa faixa de renda diferente, e tirar setenta e cinco por cento dela no primeiro ano, puff. Dessa forma, pelo menos, você vai poder usar todo o dinheiro, entende? Agora. Quando realmente pode servir de algo."

"Mas..."

"*Mas*..." Falsete, língua estirada, olhar patético. "Ah, fala sério, Theo", disse ele, com sua voz normal, quando continuei olhando pra ele. "Juro por Deus, não tenho tempo pra isso. Preciso que ligue o mais rápido possível, antes que os escritórios fechem na Costa Leste. Se precisar assinar alguma coisa, diga pra ele mandar os papéis por FedEx. Ou por fax. Só precisamos resolver isso o quanto antes, tá bem?"

"Mas por que *eu* preciso fazer isso?"

Meu pai suspirou; revirou os olhos. "Olha, não me venha com essa, Theo", disse ele. "Sei que você sabe do que se trata, porque vejo você conferindo a correspondência — sim", disse ele, por cima das minhas objeções, "sim, é verdade, todo dia você vai até aquela caixa de correio feito uma porra de um raio."

Eu estava tão perplexo com isso que não soube nem como responder. "Mas...", olhei de relance para o papel e o número saltou novamente: sessenta e cinco mil dólares.

Sem aviso, meu pai ergueu a mão e me esbofeteou no rosto, com tanta força e tão rápido que por um segundo fiquei sem saber o que tinha acontecido. Em seguida, quase antes que pudesse piscar, ele me bateu de novo, um *zás* de HQ, um estalo brilhante como de flash de câmera, dessa vez com o punho. Enquanto eu vacilava — ficara com as pernas bambas, tudo branco —, ele me pegou pelo pescoço com um forte puxão pra cima e me forçou a ficar na ponta dos pés, deixando-me sem ar.

"Escuta aqui." Ele estava gritando na minha cara — o nariz a cinco centímetros do meu —, mas Popper pulava e latia como um doido, e o zunido nos meus ouvidos chegou a tal ponto que era como se ele estivesse gritando comigo através da estática do rádio. "Você vai ligar pra esse sujeito..." — sacudindo o papel na minha cara — "e falar o que eu mandar. Não torne as coisas mais difíceis do que têm que ser, porque eu vou *te obrigar* a fazer isso, Theo, sem brincadeira, vou quebrar seu braço, vou arrancar a *porra* do seu couro se você não ligar agora mesmo. Tá bem? Tá bem?", ele repetiu no silêncio tonto que se seguiu. Seu hálito de cigarro estava amargo no meu rosto. Ele soltou meu pescoço; recuou. "Tá me ouvindo? Diga alguma coisa."

Atirei um braço na frente do rosto. Lágrimas escorriam pelas minhas bochechas, mas eram automáticas, como água da torneira, nenhuma emoção ligada a elas.

Meu pai fechou os olhos com força, depois abriu-os novamente; balançou a cabeça. "Olha", disse ele, num tom frio, ainda respirando forte. "Sinto muito." Não *soava* como quem sentia muito, percebi, num ponto claro e difícil da minha mente; soava como se ainda quisesse arrancar meu couro. "Mas, eu juro, Theo. Apenas confie em mim. Você precisa fazer isso por mim."

Tudo estava embaçado, e eu ergui as duas mãos para endireitar os óculos. Minha respiração estava tão alta que era a coisa mais barulhenta na sala.

Meu pai, a mão no quadril, virou os olhos para o teto. "Ah, dá um tempo", disse ele. "Para já com isso."

Não falei nada. Ficamos ali por mais um ou dois longos momentos. Popper tinha parado de latir e estava olhando de um para o outro apreensivo, como se tentasse entender o que estava acontecendo.

"É só que... bem, sabe?" Agora ele estava todo racional novamente. "Sinto muito, Theo, juro que sinto, mas realmente estou num beco sem saída aqui, precisamos deste dinheiro agora mesmo, neste minuto, realmente precisamos."

Ele estava tentando encontrar meus olhos: seu olhar era franco, sensato. "Quem é esse cara?", perguntei, olhando não para ele, mas para a parede acima da cabeça dele, minha voz por algum motivo soando grossa e estranha.

"O advogado da sua mãe. Quantas vezes vou ter que te dizer?" Ele estava massageando o nó dos dedos como se tivesse machucado a mão ao me bater. "Veja, a questão é, Theo..." — outro suspiro — "tipo, eu sinto muito, mas, juro, eu não estaria tão chateado se isso não fosse tão importante. Porque eu realmente, realmente estou em apuros aqui. É uma coisa temporária, entende? Só até o negócio levantar voo. Porque a coisa toda poderia desmoronar, simples assim…" Estalar de dedos. "A não ser que eu comece a pagar alguns desses credores. E o resto eu *vou* usar pra te mandar pra uma escola melhor. Uma escola particular. Você ia gostar disso, não ia?"

Num instante, embalado por seu próprio rap, ele já estava discando o número. Passou-me o telefone e — antes que alguém atendesse — disparou até o outro lado da sala e pegou a extensão.

"Olá", falei, para a mulher que atendeu o telefone. "Hum, desculpe", minha voz áspera e irregular. Eu ainda não podia acreditar no que estava acontecendo. "Posso falar com o sr., hã…"

Meu pai apontou rispidamente o dedo para o papel: *Bracegirdle*.

"Sr., hã, Bracegirdle", falei em voz alta.

"E quem gostaria de falar com ele?" Tanto a minha voz quanto a dela estavam altas demais pelo fato de o meu pai estar ouvindo na extensão.

"Theodore Decker."

"Ah, sim", disse a voz do homem que atendeu do outro lado. "Olá! Theodore! Como você está?"

"Bem."

"Você parece gripado. Está com o nariz entupido?"

"Hã, sim", falei hesitante. Meu pai, do outro lado da sala, estava articulando com a boca a palavra *laringite*.

"Mas que pena", disse a voz ecoando, tão alto que eu tinha de segurar o telefone um pouquinho afastado do ouvido. "Nunca acho que as pessoas ficam gripadas onde você está, com todo o sol. Em todo caso, fico feliz por você ter me ligado. Não tinha uma boa forma de entrar em contato direto com você. Sei que as coisas provavelmente ainda estão muito difíceis. Mas espero que estejam melhores do que na última vez em que te vi."

Fiquei em silêncio. Eu tinha conhecido aquele homem?

"Foi num momento ruim", disse o sr. Bracegirdle, interpretando corretamente meu silêncio.

A voz fluente e veludosa me fez lembrar. "Certo, nossa", falei.

"Tempestade de neve, lembra?"

"Certo." Ele tinha aparecido talvez uma semana depois que minha mãe morreu: um homem mais velho com a cabeça cheia de cabelos brancos — vestido com apuro, camisa listrada, gravata-borboleta. Ele e a sra. Barbour pareciam se conhecer, ou pelo menos ele parecia conhecê-la. Tinha sentado de frente pra mim na poltrona mais perto do sofá e falado um monte, coisas confusas, embora só o que realmente ficou gravado na minha mente foi a história que ele contou sobre como conheceu minha mãe: forte tempestade de neve, nenhum táxi à vista — quando, precedido por um jato de neve molhada, um táxi ocupado encostou na esquina da rua 84 com a Park. O vidro abaixou. Minha mãe ("Uma visão encantadora!") ia até a rua 57 Leste. Ele ia praquela direção?

"Ela sempre falava daquela tempestade", eu disse. Meu pai — o telefone no ouvido — me olhou friamente. "Quando a cidade fechou."

Ele riu. "Que jovem adorável! Eu estava saindo de uma reunião que foi até tarde — trustee idosa lá na Park com a rua 92, herdeira de navios, agora morta infelizmente. Mas, enfim, lá estava eu, saindo da cobertura para a rua — arrastando minha pasta de litígios, é claro —, e a neve já chegara a trinta centímetros. Silêncio perfeito. Crianças puxavam trenós pela Park Avenue. Enfim, o metrô não estava funcionando na rua 72 e lá estava eu, neve até os joelhos e caminhando com dificuldade, quando, epa!, lá vinha um táxi amarelo com sua mãe dentro! Freando com tudo. Como se ela tivesse sido mandada por uma equipe de busca. 'Entra aí, eu te dou uma carona.' O centro totalmente deserto... flocos de neve caindo rodopiando e todas as luzes da cidade ligadas. E lá estávamos nós, rodando a mais ou menos três quilômetros por hora — poderíamos muito bem estar num trenó —, deslizando e passando nos sinais vermelhos, não fazia sentido parar. Lembro que conversamos sobre Fairfield Porter — tinha acabado de ter uma exposição em Nova York —, e depois sobre Frank O'Hara e Lana Turner e sobre em que ano eles tinham finalmente fechado o velho Horn and Hardart, o Automat. E então, descobrimos que trabalhávamos na mesma rua, um de frente pro outro! Foi o início de uma bela amizade, como dizem."

Olhei de relance para o meu pai. Ele estava com uma expressão esquisita no rosto, os lábios comprimidos, como se estivesse prestes a vomitar no carpete.

"Conversamos um pouco sobre o espólio da sua mãe, se você se lembra", disse a voz do outro lado da linha. "Não muito. Não era o momento. Mas eu tinha a esperança de que viesse me ver quando estivesse pronto para conversar. Teria ligado antes de você deixar a cidade se soubesse que estava indo embora."

Olhei para meu pai; olhei para o papel na minha mão. "Quero ir pra escola particular", disparei.

"É mesmo?", disse o sr. Bracegirdle. "Acho que pode ser uma excelente ideia. Aonde você está pensando em ir? Na Costa Leste? Ou algum lugar por aí?"

Não tínhamos pensado nisso. Olhei para meu pai.

"Hã", falei, "hã", enquanto meu pai fazia uma careta para mim e acenava freneticamente com a mão.

"Deve haver bons internatos na Costa Oeste, embora eu não saiba nada sobre eles", o sr. Bracegirdle estava dizendo. "Estudei em Milton e foi uma experiência maravilhosa para mim. Meu filho mais velho estudou lá também, por um ano, mas aquele definitivamente não era o lugar certo pra ele."

Enquanto continuava falando — passando de Milton a Kent e a vários outros internatos frequentados por filhos de amigos e conhecidos —, meu pai rabiscou um bilhete; atirou-o em mim. *Transfira o dinheiro para mim*, dizia. *Adiantamento*.

"Hum", falei, sem saber de que outra forma poderia introduzir o assunto. "Minha mãe me deixou algum dinheiro?"

"Bem, não exatamente", disse o sr. Bracegirdle, parecendo esfriar ligeiramente diante da pergunta, ou talvez fosse só o constrangimento da interrupção. "Ela estava com alguns problemas financeiros mais para o fim, como tenho certeza de que você está bem ciente. Mas de fato você tem um plano de poupança 529. E ela também fez uma pequena UTMA pra você logo antes de morrer."

"O que é isso?" Meu pai — os olhos em mim — estava ouvindo com muita atenção.

"Transferência Uniforme para Menores. É pra ser usado na sua educação. Mas não pode ser usado pra qualquer outra coisa — não enquanto você for menor de idade, em todo caso."

"Por que não?", perguntei, depois de uma breve pausa, já que ele tinha parecido enfatizar tanto o último ponto.

"Porque é a lei", disse secamente. "Mas sem dúvida algo pode ser feito se você quer ir estudar em algum lugar. Sei de uma cliente que usou parte do 529 do filho mais velho pra pagar uma creche luxuosa pro filho mais novo. Não que eu ache que vinte mil dólares por ano fosse uma despesa prudente àquela altura — os gizes de cera mais caros de Manhattan, com certeza! Mas é assim que funciona, entende?"

Olhei para o meu pai. "Então não haveria como você, digamos, transferir sessenta e cinco mil dólares pra mim?", falei. "Se estivesse precisando neste exato momento?"

"Não! Absolutamente não! Tire essa ideia da cabeça." Suas maneiras tinham mudado — claramente ele repensara sua opinião sobre mim, não mais o filho da minha mãe e um bom garoto, mas um trastezinho dinheirista. "A propósito, posso perguntar como foi que chegou a essa soma específica?"

"Hã..." Olhei para o meu pai, que estava com uma mão sobre os olhos. *Merda*, pensei, e então percebei que tinha dito em voz alta.

"Bem, não importa", disse o sr. Bracegirdle num tom suave. "Simplesmente não é possível."

"De jeito nenhum?"

"De jeito nenhum, não tem como."

"Certo, tudo bem..." Fiz um enorme esforço pra pensar, mas minha mente estava correndo em duas direções ao mesmo tempo. "Você poderia me enviar parte dele, então? Tipo a metade?"

"Não. Tudo teria de ser providenciado diretamente com a faculdade ou escola de sua escolha. Em outras palavras, vou precisar ver as contas para pagá-las. Há muita papelada envolvida, também. E no caso improvável de você decidir *não* fazer faculdade..."

Enquanto ele continuava falando, confusamente, sobre os vários pormenores dos fundos que minha mãe tinha feito para mim (todos eles sendo bastante restritivos, pelo menos no que se referia a pôr a mão imediatamente em dinheiro vivo e passível de ser gasto), meu pai, segurando o telefone longe do ouvido, tinha algo muito parecido com uma expressão de horror no rosto.

"Bem, é bom saber disso, obrigado, senhor", falei, tentando encerrar a conversa.

"Há benefícios fiscais, é claro. Em fazer dessa forma. Mas o que ela realmente queria era garantir que seu pai jamais conseguisse tocar nesse dinheiro."

"Ah", falei, hesitante, no silêncio demasiado longo que se seguiu. Algo no seu tom me fez suspeitar que ele sabia que meu pai poderia ser a presença Darth Vaderiana respirando audivelmente (audivelmente para mim — se para ele não sei) do outro lado da linha.

"Há outras questões, também, digamos..." Silêncio decoroso. "Não sei se deveria falar isso, mas uma pessoa não autorizada por duas vezes tentou retirar uma grande soma da conta."

"Como?", falei, depois de uma pausa de ânsia.

"Veja bem", disse o sr. Bracegirdle, sua voz tão distante quanto se estivesse vindo do fundo do mar, "eu sou o guardião da conta. E cerca de dois meses depois que sua mãe morreu, alguém entrou no banco em Manhattan durante o horário comercial e tentou falsificar minha assinatura nos papéis. Bem, eles me conhecem na sede, e na hora me ligaram, mas enquanto ainda estavam no telefone comigo o homem escapou pela porta, antes que o segurança pudesse abordá-lo e pedir sua identidade. Isso foi, meu Deus, quase dois anos atrás. Mas então — na semana passada — você recebeu a carta que eu te escrevi falando sobre isso?"

"Não", respondi, quando finalmente percebi que tinha que dizer alguma coisa.

"Bem, sem entrar muito nos detalhes, recebi uma ligação peculiar. De alguém que se dizia ser seu advogado aí, requisitando uma transferência de fundos. E então — quando fomos verificar — descobrimos que alguma pessoa com acesso ao seu número do Seguro Social tinha solicitado, e recebido, um linha de crédito bastante alta no seu nome. Por acaso você sabe de alguma coisa sobre isso?"

Quando eu não disse nada, ele continuou: "Bem, nada com que se preocupar. Tenho uma cópia da sua certidão de nascimento aqui, enviei por fax para o banco emissor e mandei cancelar imediatamente a linha de crédito. E já alertei a Equifax e todas as agências de crédito. Mesmo que você seja menor de idade, e legalmente incapaz de entrar num contrato desses, poderia ser responsável por quaisquer dívidas contraídas no seu nome quando chegasse à maioridade. Em todo caso, peço veementemente que tenha muito cuidado com seu número de Seguro Social no futuro. É possível solicitar um novo, em tese, embora a burocracia seja uma dor de cabeça tão grande que não recomendo...".

Eu estava suando frio quando desliguei o telefone — e completamente despreparado para o uivo que meu pai soltou. Pensei que ele estava bravo — bravo comigo —, mas quando simplesmente ficou ali parado com o telefone na mão, olhei para ele um pouco mais de perto e percebi que estava chorando.

Foi horrível. Eu não tinha ideia do que fazer. Soava como se tivessem jogado água quente em cima dele — como se estivesse se transformando num lobisomem — como se estivesse sendo torturado. Deixei-o ali e — Popchik correndo pela escada à minha frente; claramente ele também não queria ter qualquer parte com aqueles uivos — fui para meu quarto e tranquei a porta. Sentei ao lado da cama com a cabeça entre as mãos, querendo uma aspirina, mas não querendo descer até o banheiro para pegá-la, desejando que Xandra se apressasse e viesse pra casa. Os gritos lá embaixo eram atrozes, como se ele estivesse sendo queimado com um maçarico. Peguei meu iPod, tentei encontrar alguma música alta que não fosse deprimente (a *Quarta* de Shostakovich, que embora sendo clássica era, *sim*, um pouco deprimente), deitei na cama com os fones no ouvido e os olhos no teto, enquanto Popper ficava de orelha em pé olhando para a porta fechada, os pelos na nuca levantados.

XV

"Ele me falou que você tinha uma fortuna", disse Boris mais tarde naquela noite no parquinho, enquanto estávamos sentados esperando as drogas fazerem efeito. Eu desejava ligeiramente que tivéssemos escolhido outra noite pra tomá-las, mas Boris tinha insistido que aquilo ia fazer eu me sentir melhor.

"Você acreditou que eu tinha uma fortuna e não ia te dizer?" Estávamos sentados nos balanços pelo que parecia uma eternidade, esperando pelo que exatamente eu não sabia.

Boris deu de ombros. "Não sei. Tem um monte de coisas que você não me conta. Eu teria contado a *você*. Mas tudo bem."

"Não sei o que fazer." Embora fosse muito sutil, eu tinha começado a perceber padrões de caleidoscópio cinza brilhante girando lentamente no cascalho aos meus pés — gelo sujo, diamantes, centelhas de vidro quebrado. "As coisas estão ficando assustadoras."

Boris me cutucou. "Tem uma coisa que eu também não te contei, Potter."

"O quê?"

"Meu pai tem que ir embora. Por causa do trabalho. Ele vai voltar pra Austrália em poucos meses. Depois segue, acho, pra Rússia."

Houve um silêncio que talvez tenha durado cinco segundos, mas que pareceu ser de uma hora. Boris? Partindo? Tudo parecia paralisado, como se a Terra não girasse mais.

"Bem, *eu* não vou", disse Boris sereno. Seu rosto sob o luar tinha assumido uma tremulação eletrizada inquietante, feito um filme em preto e branco e mudo. "Foda-se. Vou fugir."

"Pra onde?"

"Sei lá. Quer vir junto?"

"Sim", falei, sem pensar, e então: "Kotku vai também?"

Ele fez uma careta. "Não sei." O aspecto fílmico tinha assumido um caráter de palco iluminado tão grande e forte que toda a semelhança com a vida real desaparecera; tínhamos sido neutralizados, romanceados, achatados; meu campo de visão estava delimitado por um retângulo preto; eu podia ver as legendas passando embaixo do que ele estava dizendo. Então, quase ao mesmo tempo, senti meu estômago revirar. *Oh, Deus*, pensei, passando as duas mãos pelo cabelo e me sentindo dominado demais para explicar o que estava sentido.

Boris ainda estava falando, e eu percebi que, se não quisesse me perder para sempre naquele mundo granuloso de Nosferatu, sombras aguçadas e acromatismo, era importante ouvi-lo e não ficar tão obcecado com a textura artificial das coisas.

"... tipo, acho que eu entendo", ele estava dizendo num tom melancólico, enquanto salpicos e pingos de chuva de decadência dançavam por toda a volta. "Com ela não se trata nem de fugir, ela é maior de idade, sabe? Mas morou na rua uma vez e não gostou."

"Kotku morou na rua?" Senti uma onda inesperada de compaixão por ela — orquestrada de alguma forma, com um crescendo cinemático quase, embora a tristeza em si fosse perfeitamente real.

"Bem, eu também morei, na Ucrânia. Mas eu ficava com meus amigos Maks e Seryozha — nunca mais do que alguns dias de cada vez. Às vezes era bem divertido. A gente dormia no porão de prédios abandonados — bebia, tomava butorfanol, fazia fogueiras até. Mas eu sempre voltava pra casa quando meu pai ficava sóbrio. Mas, com Kotku, foi diferente. Tinha um namorado lá da mãe dela — ele fazia coisas com Kotku. Então ela foi embora. Dormiu em soleiras de porta. Mendigou — fez boquete em caras por dinheiro. Ficou fora da escola por um tempo — ela foi corajosa em voltar, tentar terminar, depois do que tinha acontecido. Porque, tipo, as pessoas falam. Você sabe."

Ficamos em silêncio, contemplando o horror daquilo, eu sentindo como se tivesse experimentado nessas poucas palavras todo o peso e extensão da vida de Kotku e Boris.

"Sinto muito por não gostar dela", falei, sendo realmente sincero.

"Bem, eu também sinto muito", disse Boris num tom sensato. Sua voz parecia estar indo direto para meu cérebro sem passar pelos meus ouvidos. "Mas ela também não gosta de você. Acha que é mimado. Que nem de longe passou pelo tipo de coisa que passamos."

Parecia ser uma crítica cabível. "Justo", falei.

Um interlúdio pesado e bruxuleante de tempo pareceu passar: sombras trêmulas, estática, o silvo de um projetor invisível. Quando estendi minha mão e olhei pra ela, estava salpicada de pó e brilhante como um pedaço de filme em decomposição.

"Uau, também estou vendo agora", disse Boris, virando-se pra mim. Uma espécie de movimento desacelerado girado à manivela, catorze quadros por segundo. Seu rosto estava branco-giz e suas pupilas, escuras e enormes.

"Tá vendo?", perguntei cauteloso.

"Você sabe." Ele balançou no ar sua mão em preto e branco, iluminada artificialmente. "Essa coisa plana toda, como um filme."

"Mas você..." Não era só eu? Ele também via?

"Claro", disse Boris, a cada momento parecendo cada vez menos com uma pessoa e mais com um pedaço degradado de película de nitrato da década de 1920, uma luz brilhando atrás dele saindo de alguma fonte oculta. "Mas queria que tivéssemos um pouco de cor. Talvez como *Mary Poppins*."

Quando ele disse isso, comecei a rir descontroladamente, tão forte que quase caí do balanço, porque soube então que ele via mesmo a mesma coisa que eu. Mais do que isso: estávamos *criando* aquilo. O que quer que a droga estivesse nos fazendo ver, estávamos construindo juntos. E, com essa percepção, o simulador de realidade virtual inverteu-se para o modo colorido. Aconteceu para nós dois ao mesmo tempo, *pop!* Olhamos um para o outro e apenas rimos; tudo era histericamente engraçado, até o escorregador do parquinho estava sorrindo para nós, e em algum momento, tarde da noite, enquanto nos balançávamos no trepa-trepa e chuvas de centelhas saíam voando da nossa boca, eu tive a epifania de que o riso era luz, e a luz era riso, e que esse era o segredo do universo. Durante horas, assistimos às nuvens se reorganizarem em padrões inteligentes; rolamos na terra, acreditando que era alga marinha (!); deitamos de costas e cantamos "Dear Prudence" para as estrelas acolhedoras e apreciativas — uma das grandes noites da minha vida, na verdade, apesar do que aconteceu depois.

XVI

Boris dormiu na minha casa, já que eu morava mais perto do parquinho e ele estava (segundo o termo favorito dele para chapado) *v gavno*, que significava "bebaço", "na merda" ou algo do tipo — em todo caso, chapado demais pra voltar pra casa sozinho no escuro. E isso foi sorte, pois significou que eu não estava sozinho em casa às três e meia da tarde no dia seguinte, quando o sr. Silver passou por lá.

Embora mal tivéssemos dormido, e estivéssemos um pouco bambos, tudo ainda parecia um pouquinho mágico e cheio de luz. Estávamos bebendo suco de laranja e vendo desenho (boa ideia, já que parecia prolongar o humor tecnicolor hilário da tarde) e (má ideia) tínhamos acabado de compartilhar nosso segundo baseado da tarde quando a campainha tocou. Popchyk — que andava extremamente nervoso, porque sentia que estávamos fora do normal de alguma forma e ficava latindo como se estivéssemos possuídos — começou uma algazarra quase na mesma hora, como se estivesse esperando algo do tipo.

Num instante, tudo desabou em cima de mim. "Puta merda", falei.

"*Eu* vou", disse Boris imediatamente, enfiando Popchyk debaixo do braço. Sem cerimônia ele foi, descalço e sem camisa, com um ar de total despreocupação. Mas no que pareceu algo como um segundo estava de volta, o rosto pálido.

Boris não disse nada; não precisava dizer. Levantei, calcei meu tênis e amarrei com força (conforme adquirira o hábito de fazer antes das nossas expedições de furto, pro caso de eu ter que fugir), e fui até a porta. Lá estava o sr. Silver novamente — jaqueta esportiva branca, cabelo de graxa de sapato e tudo o mais — só que, dessa vez, parado ao lado dele, havia um sujeito grande com tatuagens azuis borradas serpenteando por todo o antebraço, segurando um taco de beisebol de alumínio.

"Ora, ora, Theodore!", disse o sr. Silver. Ele parecia genuinamente feliz em me ver. "Como vai?"

"Bem", respondi, maravilhado com quão não chapado subitamente me senti. "E o senhor?"

"Não posso reclamar. Um machucado bem grande este seu, camarada."

Por reflexo, ergui a mão e toquei no rosto. "É..."

"Melhor cuidar disso aí. Seu amigo me disse que seu pai não está em casa."

"Hum, isso mesmo."

"Tudo bem com vocês dois? Estão tendo algum problema aqui esta tarde?"

"Hum, não, não estamos", respondi. O sujeito não estava brandindo o taco, ou sendo ameaçador de nenhuma forma, mas ainda assim eu não podia deixar de estar bem consciente de que ele o tinha.

"Porque se alguma vez vocês tiverem problemas de qualquer natureza", disse o sr. Silver, "posso cuidar deles pra vocês *assim.*"

Do que ele estava falando? Olhei para além dele, na direção da rua, para o carro. Mesmo com as janelas filmadas, eu podia ver os outros homens esperando ali.

O sr. Silver suspirou. "Fico feliz em saber que você não tem nenhum problema, Theodore. Só queria poder dizer o mesmo."

"Como?"

"Porque a questão é", continuou ele, como se eu não tivesse falado. "*Eu* tenho um problema. Um bem grande. Com seu pai."

Sem saber o que dizer, fiquei encarando suas botas de caubói. Elas eram de crocodilo e pretas, com saltos de madeira, bem pontudas na frente e tão brilhantes de graxa que me lembraram as botas de caubói femininas que Lucie Lobo, uma estilista excêntrica do trabalho da minha mãe, sempre usava.

"Veja, o negócio é o seguinte", disse o sr. Silver. "Tenho cinquenta mil em promissórias do seu pai. E isso está me causando uns problemas bem grandes."

"Ele está juntando o dinheiro", falei, constrangido. "Talvez, não sei, se você puder dar só mais um pouquinho de tempo pra ele..."

O sr. Silver olhou para mim. Ajeitou os óculos.

"Escuta", ele falou num tom sensato. "Seu pai quer arriscar a roupa do corpo apostando como alguns idiotas manipulam a porra de uma bola — perdoe a linguagem. Mas é difícil pra mim me compadecer de um cara como ele. Não honra seus compromissos, três semanas atrasado no pagamento dos juros, não retorna minhas ligações..." — ele estava contando as afrontas nos dedos — "fica de me encontrar ao meio-dia de hoje e então não aparece. Sabe quanto tempo eu fiquei sentado esperando por aquele caloteiro? *Uma hora e meia.* Como se eu não tivesse coisas melhores pra fazer." Ele virou a cabeça pro lado. "São caras como seu pai que mantêm eu e o Yurko aqui na ativa. Acha que eu gosto de vir até a sua casa? De percorrer toda essa distância até aqui?"

Achei que era uma pergunta retórica — claramente ninguém em sã consciência ia gostar de percorrer toda a distância até onde morávamos —, mas como uma quantidade exorbitante de tempo passou e ele continuou me encarando como se realmente esperasse uma resposta, eu finalmente pisquei desconfortável e disse: "Não".

"*Não*. É isso mesmo, Theodore. Certamente não gosto. Temos coisas melhores pra fazer, eu e Yurko, acredite, do que passar a tarde toda perseguindo um caloteiro como seu pai. Então me faça um favor, eu te peço, e diga para o seu pai que podemos pôr um fim nisso como cavalheiros no segundo que ele sentar e resolver as coisas comigo."

"Resolver as coisas?"

"Ele precisa me trazer o que me deve." Estava sorrindo mas a parte mais escura da lente de seus óculos de aviador dava a seus olhos uma expressão perturbadoramente encoberta. "E eu quero que você diga a ele por mim para fazer isso, Theodore. Porque na próxima vez que tiver que vir aqui, acredite, não vou ser tão bonzinho."

XVII

Quando voltei pra sala Boris estava sentado em silêncio, olhando fixamente para o desenho animado com o som desligado, acariciando Popper — que, apesar da chateação de antes, agora dormia profundamente no seu colo.

"Ridículo", disse ele secamente.

Boris pronunciou a palavra de tal forma que levei um momento para me dar conta do que ele tinha dito. "Certo", falei, "eu te disse que ele era esquisito."

Balançou a cabeça e recostou-se contra o sofá. "Não estou falando do sujeito com cara de Leonard Cohen de peruca."

"Você acha que é peruca?"

Ele fez uma cara de quem não se importava. "Ele também, mas estou falando do russo grande, com o... como vocês chamam?"

"Taco de beisebol."

"Aquilo era só pra impressionar", disse ele com desdém. "Só estava tentando assustar você, o babaca."

"Como você sabe que ele era russo?"

Deu de ombros. "Porque eu sei. Ninguém tem tatuagens como aquelas nos Estados Unidos. É russo, sem dúvida. Ele soube que eu era russo também, no minuto em que abri a boca."

Algum período de tempo se passou antes que eu percebesse que estava sentado ali olhando pro espaço. Boris ergueu Popchyk e o pôs no sofá, com tanta delicadeza que o cachorro não acordou. "Quer sair daqui por um tempo?"

"Meu Deus", falei, balançando a cabeça de repente — por algum motivo o impacto da visita tinha acabado de me atingir, uma reação tardia. "Porra, eu *queria* é que meu pai estivesse em casa. Sabe? Queria que aquele cara desse uma surra nele. Realmente queria. Ele merece."

Boris chutou meu tornozelo. Seus pés estavam pretos de sujeira, e ele tinha esmalte preto nas unhas, cortesia de Kotku.

"Sabe o que comi ontem?", disse ele, amistoso. "Duas barras Nestlé e uma Pepsi." Todas as barras de chocolate, para Boris, eram "barras Nestlé", assim como todos os refrigerantes eram "Pepsi". "E você sabe o que eu comi hoje?" Ele fez um zero com o polegar e o indicador. "*Nul*."

"Eu também. Esse troço faz você não sentir fome."

"É, mas eu preciso comer alguma coisa. Meu estômago..." Ele fez uma careta.

"Quer ir comer panquecas?"

"Sim — alguma coisa — não ligo. Você tem dinheiro?"

"Vou dar uma procurada."

"Bom. Acho que tenho cinco dólares."

Enquanto Boris saía à procura de sapatos e uma camisa, joguei um pouco de água no rosto, conferi minhas pupilas e o machucado na minha mandíbula, reabotoei a camisa quando vi que ela estava abotoada errada, e então fui soltar Popchik, jogando a bola de tênis pra ele, já que ele não tinha dado uma volta adequada de coleira e eu sabia que se sentia confinado. Quando voltamos, Boris — vestido agora — estava no térreo; tínhamos feito uma rápida busca na sala e estávamos rindo e brincando, juntando nossas moedas e tentando decidir pra onde queríamos ir e qual era a forma mais rápida de chegar lá, quando de repente percebemos que Xandra tinha entrado pela porta da frente e estava parada ali com uma expressão estranha no rosto.

Paramos de falar imediatamente e continuamos nossa busca por trocados em silêncio. Não era uma hora em que Xandra normalmente chegava em casa, mas seu horário variava, e ela já tinha nos surpreendido antes. Mas, então, num tom de voz que parecia inseguro, ela disse meu nome.

Paramos com a busca. Geralmente Xandra me chamava de *garoto* ou *você* ou qualquer coisa menos Theo. Ela ainda estava, percebi, com o uniforme do trabalho.

"Seu pai teve um acidente de carro", disse ela. Era como se estivesse dizendo para Boris e não para mim.

"Onde?", perguntei.

"Aconteceu faz umas duas horas. O hospital me ligou no trabalho."

Boris e eu trocamos um olhar. "Nossa", falei. "O que aconteceu? Deu perda total no carro?"

"O nível de álcool no sangue dele era de um e setenta e um."

O número não significava nada para mim, embora o mesmo não valesse para o fato de que estivera bebendo. "Nossa", falei, mexendo nas moedas no meu bolso. "Quando ele volta pra casa?"

Ela me encarou sem expressão. "Pra casa?"

"Do hospital."

Rapidamente, ela balançou a cabeça; olhou em volta à procura de uma cadeira pra sentar; e então sentou. "Você não entendeu." Sua expressão era vazia e estranha. "Ele morreu. Está morto."

XVIII

As seis ou sete horas seguintes foram confusas. Vários amigos de Xandra apareceram: sua melhor amiga Courtney; Janet, do trabalho; e um casal chamado Stewart e Lisa que eram mais legais e bem mais normais que as pessoas que Xandra costumava receber em casa. Boris, generosamente, ofereceu o que restava da maconha de Kotku, o que foi apreciado por todas as partes presentes; e alguém, felizmente (talvez tenha sido Courtney), pediu pizza — como conseguiu convencer o Domino's a entregar lá onde morávamos eu não sei, já que fazia mais de ano que Boris e eu chantageávamos, implorávamos e tentávamos todo tipo de bajulação e desculpa que conseguíamos imaginar.

Enquanto Janet estava sentada com o braço em volta de Xandra, e Lisa afagava sua cabeça, e Stewart fazia café na cozinha, e Courtney enrolava um baseado na mesinha de centro que ficou quase tão profissional quanto um de Kotku, Boris e eu nos mantivemos afastados, chapados. Era difícil acreditar que meu pai podia estar morto quando seus cigarros continuavam no balcão da cozinha e seus velhos tênis brancos ainda estavam junto à porta dos fundos. Aparentemente — as informações chegaram na ordem errada, tive que juntar as peças na minha cabeça — ele tinha batido com o Lexus na rodovia, um pouco antes das duas da tarde, saindo pro lado errado da estrada e ficado frente a frente com um caminhão que o matou na hora (mas não o motorista do caminhão, felizmente, ou os passageiros do carro que colidiu com a traseira do caminhão, embora o motorista do carro tenha quebrado a perna). A notícia sobre a concentração de álcool no sangue era e não era uma surpresa — eu suspeitava que meu pai estivesse bebendo de novo, embora não o tivesse visto fazer isso —, mas o que mais parecia chocar Xandra não era a extrema embriaguez (ele estava praticamente inconsciente no volante), mas o local do acidente — fora de Vegas, rumando para oeste, deserto adentro. "Ele teria me dito, ele teria me dito", ela dizia tristemente em resposta a uma ou outra pergunta de Courtney, mas por que, pensei friamente, sentado no chão com as mãos sobre os olhos, ela achava que estava na natureza do meu pai falar a verdade sobre qualquer coisa?

Boris estava com o braço no meu ombro. "Ela não sabe, né?"

Ele estava falando do sr. Silver. "Será que eu deveria...?"

"Pra onde ele estava indo?", Xandra perguntou a Courtney e Janet, num tom quase agressivo, como se suspeitasse que pudessem estar ocultando informações. "O que estava fazendo lá longe?" Era estranho vê-la ainda no uniforme de trabalho, já que costumava tirá-lo no segundo que passava pela porta.

"Ele não foi encontrar o cara como deveria", sussurrou Boris.

"Eu sei." Possivelmente ele tinha a *intenção* de encontrar o sr. Silver. Mas — como minha mãe e eu tínhamos visto tantas vezes, tão fatalmente, ele fazer — provavelmente dera uma passada num bar em algum lugar para uma ou duas doses rápidas, para acalmar os nervos, como sempre dizia. Àquela altura — vai saber o que estaria passando pela cabeça dele. Não seria nada útil contar a Xandra nas atuais circunstâncias, mas certamente ela sabia que ele já tinha sumido da cidade fugindo de suas obrigações antes.

Não chorei. Embora ondas frias de descrença e pânico me atingissem, tudo parecia extremamente irreal, e eu ficava olhando em volta procurando por ele, abalado de novo e de novo pela ausência de sua voz em meio às outras, aquela voz calma e racional de comercial de aspirina (*Quatro em cada cinco médicos...*) que se reconhecia acima de todas as outras numa sala. Xandra entrava e saía de um estado todo prático — enxugando os olhos, pegando pratos para a pizza, servindo taças do vinho tinto que tinha surgido de algum lugar — para então cair no choro novamente. Só Popchik estava feliz; era raro termos tanta companhia em casa, e ele corria de pessoa pra pessoa, não desencorajado por repetidas rejeições. Em algum momento indefinido, tarde da noite — Xandra chorando nos braços de Courtney pela vigésima vez, *Ah meu Deus, ele se foi, não posso acreditar* —, Boris me puxou de lado e disse: "Potter, tenho que ir".

"Não, por favor."

"Kotku vai surtar. Devia estar na casa da mãe dela agora! Ela não me vê já faz, tipo, quarenta e oito horas."

"Olha, fala pra ela vir pra cá se quiser, conta o que aconteceu. Vai ser uma merda se você tiver que ir embora agora."

Xandra já estava distraída o suficiente com seus convidados e sua tristeza pra Boris poder subir até o andar de cima e fazer a ligação no quarto dela — um quarto que geralmente permanecia trancado, que Boris e eu nunca vimos. Passados uns dez minutos, ele voltou descendo rapidamente a escada.

"Kotku disse pra eu ficar", falou, abaixando-se pra sentar do meu lado. "Pediu pra eu dizer que sente muito."

"Nossa", falei, à beira das lágrimas, esfregando a mão no rosto pra que não visse quão surpreso e tocado eu estava.

"Bem, tipo, ela sabe como é. O pai dela morreu também."

"Ah é?"

"É, faz alguns anos. Num acidente de carro, também. Eles não eram tão próximos..."

"Quem morreu?", disse Janet, rebolando na nossa direção, uma presença crespa de blusa de seda que recendia a maconha e produtos de beleza. "Alguém mais morreu?"

"Não", respondi secamente. Eu não gostava de Janet — ela era a idiota que tinha se oferecido pra cuidar de Popper e então o deixado trancado sozinho em casa.

"Não você, ele", disse Janet, dando um passo pra trás e focando sua atenção nebulosa em Boris. "Alguém morreu? Que era próximo de você?"

"Várias pessoas, sim."

Ela piscou. "De onde você é?"

"Por quê?"

"Seu sotaque é tão engraçado. Britânico ou algo assim — bem, não. Tipo uma mistura de Inglaterra com Transilvânia."

Boris riu pelo nariz. "Transilvânia?", disse ele, mostrando suas presas a ela. "Quer que eu te morda?"

"Ah, que garotos engraçados", disse ela distraída, antes de dar uma batidinha no topo da cabeça de Boris com a base da sua taça de vinho e se afastar pra dar tchau a Stewart e Lisa, que estavam indo embora.

Xandra, aparentemente, tinha tomado uma pílula. ("Talvez mais do que uma", disse Boris no meu ouvido.) Ela parecia prestes a desmaiar. Boris — foi canalhice minha, mas eu simplesmente não estava a fim de fazer isso — tirou o cigarro dela e apagou-o, depois ajudou Courtney a levá-la escada acima até seu quarto, onde ela ficou deitada de bruços sobre a colcha com a porta aberta.

Fiquei na soleira da porta enquanto Boris e Courtney tiravam os sapatos dela — interessante ver, pela primeira vez, o quarto que ela e meu pai mantinham sempre trancado. Xícaras sujas e cinzeiros, pilhas de revista *Glamour*, colcha verde fofa, laptop que eu nunca conseguia usar, bicicleta ergométrica — quem diria que eles tinham uma bicicleta ergométrica ali dentro?

Tinham tirado os sapatos de Xandra, mas decidiram deixá-la vestida. "Você quer que eu passe a noite?", Courtney perguntou a Boris baixinho.

Boris, descaradamente, espreguiçou-se e bocejou. Sua camisa subiu tão alto e seu jeans estava tão caído que dava pra ver que ele não estava usando cueca. "Gentil da sua parte", disse ele. "Mas ela apagou total, acho."

"Não me importo." Talvez eu estivesse chapado — eu *estava* chapado —, mas ela estava se inclinando tão perto dele que parecia que estava tentando seduzi-lo ou algo do tipo, o que era hilário.

Devo ter feito algum som de engasgo ou risada — já que Courtney virou-se a tempo de ver meu gesto cômico para Boris, o polegar apontado pra porta. *Tira ela daqui!*

"Você está bem?", disse Courtney friamente, olhando-me de cima a baixo. Boris estava rindo também, mas já tinha se recomposto quando ela se virou pra ele, sua expressão toda sentimental e preocupada, o que só me fez rir ainda mais.

XIX

Xandra já tinha apagado totalmente quando todos foram embora — caíra num sono tão pesado que Boris pegou um espelho pequeno da bolsa dela (que tínhamos revistado, à procura de pílulas e dinheiro) e o segurou debaixo do nariz pra ver se ela estava respirando. Havia duzentos e vinte e nove dólares na carteira, que eu não me senti tão mal assim em pegar, já que ela tinha cartões de crédito e um cheque não descontado no valor de dois mil e vinte e cinco dólares.

"Sabia que Xandra não era o nome real dela", falei, jogando pra Boris a carteira de motorista: rosto alaranjado de maquiagem, cabelo afofado de um jeito diferente, nome Sandra Jaye Terrell, nenhuma restrição. "Do que será que são estas chaves?"

Boris — feito um médico tradicional de filme, os dedos no pulso dela, sentado ao seu lado na cama — segurou o espelho contra a luz. "*Da-da*", murmurou ele, e depois alguma outra coisa que não entendi.

"Hein?"

"Ela capotou." Com um dedo, cutucou o ombro dela, e depois inclinou-se e espiou a gaveta do criado-mudo que eu estava rapidamente vasculhando em meio à uma confusão de porcarias: trocados, fichas, brilho labial, porta-copos, cílios postiços, acetona, livros de bolso surrados (*Seus pontos fracos*), amostras de perfume, fitas cassete velhas, cartões de plano de saúde expirados havia dez anos e um monte de caixas de fósforo de brinde de um escritório de advocacia em Reno com a inscrição REPRESENTAÇÃO DE MOTORISTAS ALCOOLIZADOS E TODOS OS DELITOS RELACIONADOS A DROGAS.

"Ei, deixa eu ficar com umas dessas", disse Boris, esticando-se e pegando uma tira de preservativos. "O que é isso?" Ele pegou algo que a princípio parecia uma lata de Coca-Cola — mas, ao chacoalhá-la, ela retiniu. Encostou o ouvido nela. "Rá!", disse ele, jogando-a para mim.

"Bom trabalho." Desenrosquei o topo — estava na cara que era falso — e despejei o conteúdo em cima do criado-mudo.

"Uau", falei, depois de alguns momentos. Claramente era aqui que Xandra guardava as gorjetas — em parte dinheiro, em parte fichas. Havia mais um monte de outras coisas também — tanto que demorei pra assimilar tudo —, mas meus olhos pousaram direto nos brincos de diamante e esmeralda de que minha mãe tinha dado falta logo antes de meu pai sumir.

"Uau", falei de novo, erguendo um deles entre o polegar e o indicador. Minha mãe tinha usado esses brincos em quase todas as festas e eventos formais a que foi — a transparência verde-azulada das pedras, seu brilho perverso de três da madrugada, fazia parte dela tanto quanto a cor dos seus olhos ou o cheiro escuro e picante do seu cabelo.

Boris estava gargalhando. No meio do dinheiro tinha imediatamente avistado e apanhado um tubo de filme, que abriu com mãos trêmulas. Enfiou a ponta do mindinho nele e experimentou. "Bingo", disse ele, passando um dedo ao longo da gengiva. "Kotku vai ficar puta por não ter vindo agora."

Estendi os brincos pra ele sobre a palma das mãos. "Aham, legal", disse, mal olhando. Boris estava derramando um montinho de pó sobre o criado-mudo. "Você consegue uns dois mil dólares por esses aí."

"Eram da minha mãe." Meu pai tinha vendido a maior parte das joias dela ainda em Nova York, incluindo sua aliança de casamento. Mas agora — eu via— Xandra tinha surrupiado algumas coisas pra ela, e me senti estranhamente triste ao ver o que tinha escolhido — não as pérolas ou o broche de rubi, mas coisas baratas da adolescência, incluindo seu bracelete do ensino médio, um penduricalho com ferraduras, sapatilhas de balé e trevos-de-quatro-folhas.

Boris endireitou-se, apertou as narinas, estendeu-me a nota enrolada. "Quer um pouco?"

"Não."

"Vamos lá. Vai fazer você se sentir melhor."

"Não, obrigado."

"Deve haver quatro ou cinco saquinhos aqui. Talvez mais! Podemos ficar com um e vender os outros."

"Você já usou esse negócio antes?", perguntei, duvidando, olhando para o corpo debruçado de Xandra. Embora ela claramente tivesse capotado, eu não gostava de ter essas conversas nas suas costas.

"Aham. Kotku gosta. Mas é caro." Ele pareceu sair do ar por um minuto, depois piscou rapidamente. "Uau. Vamos lá", disse ele, rindo. "Aqui. Não sabe o que tá perdendo."

"Já estou fodido demais assim", falei, mexendo no dinheiro.

"Tá, mas isso vai te deixar sóbrio."

"Boris, não posso ficar de bobeira por aí", falei, guardando os brincos e o bracelete no bolso. "Se vamos sair, tem que ser agora. Antes que as pessoas comecem a aparecer."

"Que pessoas?", perguntou Boris, cético, passando o dedo debaixo do nariz de novo e de novo.

"Acredite, é rápido. Os assistentes sociais chegam do nada." Terminei de contar o dinheiro — mil trezentos e vinte e um dólares, mais as moedas; havia muito mais em fichas, algo em torno de cinco mil dólares, mas talvez fosse melhor deixar isso pra ela. "Metade pra você e metade pra mim", falei, enquanto começava a separar o dinheiro em duas pilhas iguais. "Tem o suficiente aqui pra duas passagens. Provavelmente estamos atrasados demais pra pegar o último voo, mas deveríamos já ir e pegar um carro até o aeroporto."

"Agora? Esta noite?"

Parei de contar e olhei pra ele. "Não tenho mais ninguém no mundo. Ninguém. *Nada*. Eles vão me botar num lar adotivo tão rápido que eu não vou nem saber o que foi que me atingiu."

Boris apontou com o queixo para o corpo de Xandra. Era de dar nos nervos — naquela posição, de bruços sobre o colchão, ela parecia morta. "E quanto a ela?"

"Mas que porra...", falei depois de uma breve pausa. "O que a gente deveria fazer? Esperar até ela acordar e descobrir que a roubamos?"

"Sei lá", disse Boris, olhando pra Xandra com ar de dúvida. "Só me sinto mal por ela."

"Bem, não sinta. *Ela* não me quer. Vai ligar pra eles assim que perceber que está presa comigo."

"Eles? Não entendo quem são *eles*."

"Boris, sou menor." Eu podia sentir meu pânico aumentando de um jeito familiar demais — talvez a situação não fosse literalmente de vida ou morte, mas sem dúvida parecia ser, a casa se enchendo de fumaça, as saídas se fechando. "Não sei como é no seu país, mas eu não tenho *nenhuma* família, não tenho amigos aqui..."

"Eu! Você tem eu!"

"O que vai fazer? Me adotar?" Levantei. "Olha, se você vem, precisamos nos apressar. Está com seu passaporte? Você vai precisar."

Boris ergueu as mãos com seu gesto russo de *já chega*. "Espera! Está acontecendo rápido demais."

Parei, a meio caminho da porta. "Qual é o seu problema, cacete?"

"O *meu* problema?"

"*Você* queria fugir! Foi você quem me convidou pra ir com você! Ontem à noite."

"Pra onde a gente vai? Nova York?"

"Pra onde mais?"

"Quero ir pra um lugar quente", falou ele de imediato. "Califórnia."

"Isso é loucura. O que é que a gente sabe...?"

"Califórnia!", exclamou ele.

"Bem..." Embora não soubesse quase nada sobre a Califórnia, eu podia assumir com segurança que (a não ser pela música "California Über Alles", que ele estava cantarolando) Boris sabia ainda menos. "Onde na Califórnia? Que cidade?"

"Quem se importa?"

"É um estado grande."

"Fantástico! Vai ser divertido. Vamos ficar chapados o tempo todo, ler livros, fazer fogueiras. Dormir na praia."

Olhei para ele por um momento longo e insuportável. Seu rosto estava pegando fogo e sua boca estava meio roxa do vinho tinto.

"Tá certo", falei, sabendo bem demais que eu estava dando aquele passo além e cometendo o maior erro da minha vida, pequenos furtos, a caneca de esmola, acenos de cabeça na calçada e a vida de sem-teto, a merda da qual eu nunca ia me recuperar.

Ele estava alegre. "Praia, então? Sim?"

Era assim que as coisas davam errado: nessa velocidade. "Onde você quiser", falei, tirando o cabelo dos olhos. Eu estava morto de cansaço. "Mas precisamos ir agora. Por favor."

"Quê, neste minuto?"

"Sim. Você precisa passar em casa e pegar alguma coisa?"

"*Esta noite?*"

"Não estou brincando, Boris." Discutir com ele fazia o pânico aumentar de novo. "Não posso simplesmente ficar sentado e esperar..." A pintura era um problema, eu não tinha certeza do que ia fazer, mas uma vez tirando Boris da casa eu podia pensar em alguma coisa. "Por favor, vamos."

"A Assistência Social é tão ruim assim aqui?", disse Boris, duvidando. "Você faz os caras parecerem policiais."

"Você vem comigo? Sim ou não?"

"Preciso de um tempo. Tipo", disse ele, seguindo-me, "não podemos ir embora agora! Não mesmo. Espera mais um pouquinho. Me dá um dia! Um dia!"

"Por quê?"

Ele parecia perdido. "Bem, digamos, porque..."

"Porque...?"

"Porque... porque eu preciso ver Kotku! E... todo tipo de coisa! Sinceramente, você não pode ir embora *esta noite*", ele repetiu, quando eu não disse nada. "Confie em mim. Vai se arrepender, estou falando sério. Venha pra minha casa! Espere até amanhã de manhã pra partir!"

"Não posso esperar", respondi secamente, pegando minha metade do dinheiro e saindo na direção do meu quarto.

"Potter..." Ele foi atrás de mim.

"Sim?"

"Tem uma coisa importante que eu tenho que te falar."

"Boris", falei, virando-me, "mas que porra. O que foi?", falei, enquanto ficávamos parados olhando um para o outro. "Se tem algo a dizer, vá em frente e diga."

"Tenho medo de que você fique bravo."

"Qual é o problema? O que foi que você fez?"

Boris ficou em silêncio, mordendo a lateral do dedo.

"Bem, e aí?"

Ele desviou o olhar. "Você precisa ficar", disse distraído. "Está cometendo um erro."

"Esquece", retruquei, virando de volta. "Se você não quer vir comigo, não venha, tá bem? Mas não posso ficar aqui parado a noite toda."

Boris — pensei — poderia perguntar o que havia dentro da fronha, principalmente por estar tão gorda e com um formato tão estranho depois da minha embrulhada entusiasmada demais. Mas quando eu a desgrudei da cama e a coloquei na minha mala pequena (junto com meu iPod, caderno, carregador, *Terra dos homens*, algumas fotos da minha mãe, minha escova de dentes e uma muda de roupa), ele franziu a testa e não disse nada. Quando peguei, no fundo do closet, minha jaqueta da escola (pequena demais para mim, embora estivesse muito grande quando minha mãe a comprou), ele assentiu e disse: "Boa ideia, isso aí".

"Como?"

"Faz você parecer menos sem-teto."

"Estamos em novembro", falei. Eu só tinha trazido um suéter quente de Nova York; guardei-o na mala e fechei o zíper. "Vai estar frio."

Boris recostou-se insolente contra a parede. "O que você vai fazer, então? Morar na rua, numa estação de metrô, onde?"

"Vou ligar pro meu amigo com quem fiquei antes."

"Se eles te quisessem, aquelas pessoas, já teriam te adotado."

"Eles não podiam! Como iam fazer isso?"

Boris cruzou os braços. "Aquela família não queria ficar com você. Você mesmo me disse, várias vezes. Além disso, nunca recebe notícia deles."

"Isso não é verdade", falei, depois de uma pausa breve e confusa. Fazia só alguns meses, Andy tinha me mandado um e-mail relativamente longo (para ele) contando algumas coisas que estavam acontecendo na escola, um escândalo com o treinador de tênis aliciando meninas da nossa turma, embora aquela vida parecesse tão distante que eu fiquei com a sensação de estar lendo sobre pessoas que não conhecia.

"Filhos demais?", disse Boris, um pouco presunçoso ao meu ver. "Sem espaço suficiente? Lembra essa parte? Você disse que a mãe e o pai ficaram felizes de ver você partir."

"Vá se foder." Eu já estava ficando com dor de cabeça. O que ia fazer se a Assistência Social aparecesse e me colocasse no banco de trás de um carro? Pra quem — em Nevada — eu poderia ligar? Pra sra. Spear? Pra Jogadora? Pra balconista da loja de maquete que nos vendeu cola de maquete sem as maquetes?

Boris me seguiu até o andar de baixo, onde fomos interrompidos no meio da sala por um Popper de olhar angustiado — que veio correndo direto na nossa frente como se soubesse exatamente o que estava acontecendo.

"Ah, merda", falei, botando minha mala no chão. Silêncio.

"Boris", falei, "você não poderia...?"

"Não."

"Kotku não poderia...?"

"Não."

"Bem, foda-se", falei, pegando-o no colo e enfiando-o debaixo do braço. "Não vou abandoná-lo aqui pra Xandra trancá-lo e deixá-lo morrer de fome."

"E pra onde você tá indo?", perguntou Boris, enquanto eu caminhava em direção à porta.

"Hein?"

"Andando? Até o aeroporto?"

"Espera", falei, colocando Popchik no chão. De repente me senti enjoado e como se estivesse prestes a vomitar vinho tinto por todo o carpete. "Pode levar cachorro no avião?"

"Não", disse Boris cruelmente, cuspindo um pedaço de unha roída.

Ele estava agindo feito um babaca; eu queria dar um soco nele. "Tá bem então", falei. "Talvez alguém no aeroporto queira ficar com ele. Ah, foda-se, vou pegar o metrô."

Ele estava prestes a dizer algo sarcástico, os lábios comprimidos de um jeito que eu conhecia bem, mas então — muito subitamente — sua expressão se desmanchou; e eu me virei para ver Xandra, os olhos desvairados, borrada de rímel, oscilando no patamar no topo da escada.

Olhamos para ela, paralisados. Depois de uma pausa que pareceu durar séculos, ela abriu a boca, fechou de novo, segurou-se no corrimão para recuperar o equilíbrio e depois disse, numa voz rouca: "Vocês sabem se Larry deixou as chaves no cofre do banco?".

Ficamos olhando apavorados por vários momentos antes de perceber que ela estava esperando uma resposta. Seu cabelo era como um monte de feno; ela aparentava estar completamente desorientada e tão instável que parecia capaz de tombar escada abaixo.

"Hã, sim", disse Boris alto. "Quero dizer, não." E, então, quando ela continuou ali: "Tá tudo bem. Volte pra cama".

Ela resmungou alguma coisa e — com os pés vacilantes — saiu cambaleando. Nós dois permanecemos imóveis por alguns momentos. Então — silenciosamente, minha nuca formigando — peguei minha mala e saí de fininho pela porta da frente (minha última visão daquela casa e dela, embora não tenha dado nem uma última olhada pra trás), e Boris e Popchik vieram atrás de mim. Juntos, nós três fomos nos afastando rapidamente da casa até o final da rua, as unhas de Popchik batendo no asfalto.

"Tá bem", disse Boris, na meia-voz cômica que usava quando escapávamos por um triz no supermercado. "Certo. Talvez não *tão* apagada quanto pensei."

Eu suava frio, e o ar da noite — embora gelado — era um alívio. Lá longe no oeste, clarões silenciosos de relâmpago de Frankenstein retorciam-se na escuridão.

"Bem, pelo menos ela não tá morta, né?" Ele riu. "Estava preocupado. Jesus."

"Me empresta seu celular", falei, vestindo atrapalhado o casaco. "Preciso chamar um táxi."

Ele o pescou no bolso e o estendeu para mim. Era um celular simples, que ele tinha comprado para rastrear Kotku.

"Não, fique com ele", disse Boris, erguendo as mãos pra cima quando tentei devolvê-lo depois de ter feito a ligação: Lucky Cab, o número estampado em cada banco de ponto de ônibus em Las Vegas. Então Boris pegou o maço de dinheiro — sua metade do que pegamos de Xandra — e tentou passá-lo para mim.

"Esquece", falei, olhando ansioso pra trás, para a casa. Estava com medo de que ela acordasse de novo e saísse na rua procurando por nós. "É seu."

"Não! Você pode precisar!"

"Não quero", falei, enfiando as mãos nos bolsos pra impedi-lo de continuar empurrando-o pra mim. "Você também pode precisar."

"Fala sério, Potter! Eu queria que você não fosse *agora*." Ele gesticulou na direção da rua, para as fileiras de casas vazias. "Se não quer vir até a minha casa, fique ali um ou dois dias! Aquela casa de tijolos tem até mobília dentro. Trago comida pra você se quiser."

"Ou podemos ligar pro Domino's", falei, mostrando o celular no bolso da jaqueta. "Já que agora eles entregam aqui e tudo o mais."

Ele fez uma careta. "Não fique com raiva."

"Não estou." E, de fato, eu não estava — só me sentia tão desorientado que tinha a impressão de que poderia acordar e descobrir que estava dormindo com um livro na cara.

Boris, eu percebi, estava olhando para o céu e cantarolando consigo mesmo uma frase de uma das músicas da minha mãe do Velvet Underground: *But if you close the door... the night could last forever...*

"E quanto a você?", falei, esfregando os olhos.

"Hein?", disse ele, olhando para mim com um sorriso.

"E aí? Vou te ver de novo?"

"Talvez", disse ele, com o mesmo tom alegre que eu imaginei que tivesse usado com Bami e Judy, a mulher do dono do bar em Karmeywallag, e com todas as outras pessoas da sua vida pra quem já tinha dito adeus. "Quem sabe?"

"Você me encontra daqui a um ou dois dias?"

"Bem..."

"Junte-se a mim depois. Pegue um avião — você tem o dinheiro. Eu te ligo e digo onde estou. Não diga que não."

"Tá bem, então", disse Boris, com o mesmo tom alegre. "Não vou dizer que não." Mas claramente, pelo seu tom, ele *estava* dizendo que não.

Fechei os olhos. "Ah, meu Deus." Eu estava tão cansado que cambaleava; tinha de lutar contra o impulso de me deitar no chão, um desejo físico me puxando para o meio-fio. Quando abri os olhos, vi Boris me olhando preocupado.

"Olhe só pra você", disse ele. "Caindo, quase." Ele pôs a mão no bolso.

"Não, não, não", falei, recuando, quando vi o que tinha na mão. "De jeito nenhum. Pode esquecer."

"Vai fazer você se sentir melhor!"

"Foi o que você disse sobre o outro negócio." Eu não estava no clima pra mais nenhuma alga marinha ou estrelas cantando. "Sério, não quero nada."

"Mas isso é diferente. Completamente diferente. Vai te deixar sóbrio. Limpar sua mente — prometo."

"Certo." Uma droga que deixava sóbrio e limpava a mente de forma alguma parecia ser o estilo de Boris, mas de fato ele aparentava estar um pouco mais alerta do que eu.

"Olha pra mim", disse Boris num tom sensato. "Sim." Ele sabia que me tinha. "Estou delirando? Com a boca espumando? Não — só estou tentando ajudar! Aqui", disse, derramando um pouco no dorso da mão, "venha. Eu dou pra você."

Eu meio que esperava que aquilo fosse um truque — que eu ia desmaiar na hora e acordar sabe Deus onde, talvez em uma das casas vazias ao longo da rua. Mas estava cansado demais pra me importar, e talvez não fosse um problema se isso acontecesse. Inclinei-me para a frente e deixei que ele apertasse uma narina com a ponta do dedo. "Isso!", disse ele encorajador. "Assim mesmo. Agora aspira."

Quase na mesma hora, eu *realmente* me senti melhor. Era como um milagre. "Uau", falei, apertando o nariz contra a ardência aguda e agradável.

"Não falei?" Boris já estava derramando mais um pouco. "Aqui, outra narina. Não expire. Certo, *agora*."

Tudo parecia mais vivo e mais claro, incluindo o próprio Boris.

"O que foi que eu te disse?" Ele estava derramando mais para si próprio agora. "Não se arrepende por não ter ouvido?"

"Você vai vender esse negócio, *deus*", falei, olhando para o céu. "Por quê?"

"Vale muito dinheiro, na verdade. Alguns milhares de dólares."

"Esse pouquinho?"

"Não esse pouquinho! Aqui tem um monte de gramas — vinte, talvez mais. Podia fazer uma fortuna se dividisse em pequenas porções e vendesse pra garotas tipo K. T. Bearman."

"Você conhece K. T. Bearman?" Katie Bearman, que estava um ano na nossa frente, tinha seu próprio carro — um conversível preto — e estava tão longe da nossa escala social que poderia muito bem ser uma estrela de cinema.

"Claro. Skye, KT, Jessica, todas aquelas garotas. Em todo caso..." — ele me ofereceu o frasco de novo — "posso comprar pra Kotku aquele teclado que ela quer agora. Sem me preocupar com dinheiro."

Repetimos a dose algumas vezes até eu começar a me sentir mais otimista em relação ao futuro e às coisas em geral. E, enquanto ficávamos ali esfregando o nariz e falando alto na rua, Popper olhando curioso para nós, a maravilha que era Nova York parecia estar bem na ponta da minha língua, uma evanescência possível de transmitir. "Quer dizer, é ótimo", falei. As palavras estavam espiralando e caindo de mim. "Sério, você *tem* que vir. Podemos ir até Brighton Beach — é aonde todos os russos vão. Bem, eu nunca fui lá. Mas o metrô chega lá — é o último ponto da linha. Tem uma grande comunidade russa, restaurantes com peixe defumado e caviar. Minha mãe e eu sempre falávamos em ir lá comer um dia, um joalheiro com quem ela trabalhava indicou a ela os lugares bons, mas nunca fomos. Deve ser ótimo. Além disso, tipo, eu tenho dinheiro pra escola — você pode ir pra *minha* escola. Não — certeza que você pode. Tenho uma mala. Bem, eu tinha. Mas o cara disse que desde que o dinheiro do meu fundo fosse usado pra educação — pode ser pra educação de *qualquer* um. Não só a minha. Tem mais do que o suficiente pra nós dois. Embora, tipo, as escolas públicas sejam boas em Nova York, conheço gente de lá, por mim tudo bem a escola pública."

Eu ainda estava tagarelando quando Boris disse: "Potter". Antes que eu pudesse responder, ele pôs as duas mãos no meu rosto e me beijou na boca. Enquanto eu ainda estava parado piscando — acabara antes que eu me desse conta do que tinha acontecido — ele pegou Popper pelas pernas da frente e o beijou também, no ar, um beijo estralado na ponta do nariz.

Depois ele o estendeu para mim. "Seu táxi está logo ali", disse, dando uma última afagada na cabeça de Popper. E — de fato — quando me virei, um sedã estava vindo lentamente do outro lado da rua, examinando os endereços.

Ficamos olhando um para o outro — eu respirando com dificuldade, completamente atordoado.

"Boa sorte", disse Boris. "Não vou esquecer você." Então deu uma batidinha na cabeça de Popper. "Tchau, Popchyk. Cuide dele, tá?", disse para mim.

Mais tarde — no táxi, e depois — repassei esse momento na minha mente e fiquei admirado por ter acenado e me afastado tão casualmente. Por que não tinha agarrado o braço dele e implorado uma última vez pra que entrasse no carro, vamos, *porra, Boris*, é como faltar na escola, vamos estar tomando café da manhã sobre milharais quando o sol nascer. Eu o conhecia bem o bastante pra saber que se pedisse a ele da forma certa, no momento certo, faria quase tudo; e no exato momento em que me virava soube que ele teria corrido atrás de mim e se atirado pra dentro do carro rindo se eu tivesse pedido uma última vez.

Mas eu não pedi. E, na verdade, talvez tenha sido melhor assim — digo isso agora, embora tenha sido algo de que me arrependi amargamente por um tempo. Mais do que tudo eu estava aliviado por, no meu estado incomum de tagarela, ter me impedido de deixar escapar aquilo que estava na ponta da minha língua, aquilo que eu nunca disse, ainda que fosse algo que nós dois sabíamos muito bem sem que eu precisasse dizer em voz alta pra ele na rua — que era, é claro, *eu te amo*.

XX

Eu estava tão cansado que as drogas não duraram muito tempo, pelo menos não a parte da sensação boa. O taxista — um nova-iorquino, pelo jeito que falava — imediatamente supôs que algo estava errado e tentou me dar um cartão com o número da National Runaway, que me recusei a aceitar. Quando pedi a ele para me levar até a estação de trem (nem sabendo se havia trem em Vegas — só imaginava que tinha que ter), ele balançou a cabeça e disse: "Você sabe que eles não aceitam cachorros na Amtrak, né?".

"Eles não aceitam?", falei, o coração apertado.

"No avião talvez, não sei." Ele era um sujeito meio novo, falava rápido, com cara de bebê, ligeiramente acima do peso, com uma camiseta que dizia PENN & TELLER: AO VIVO EM LAS VEGAS. "Você vai precisar de uma caixa, ou algo assim. Talvez o ônibus seja a melhor opção. Mas eles não deixam garotos com menos de certa idade viajar sem autorização dos pais."

"Eu te disse! Meu pai morreu! A namorada dele está me mandando de volta pra minha família na Costa Leste."

"Bem, ei, você não tem que se preocupar com nada então, não é?"

Fiquei de boca fechada o resto da viagem. A morte do meu pai ainda não tinha entrado na minha cabeça, e de vez em quando as luzes passando rápido na rodovia traziam de volta o fato numa investida doentia. Um acidente. Pelo menos em Nova York não tínhamos que nos preocupar com ele dirigindo alcoolizado — o maior medo era que caísse na frente de um carro ou fosse esfaqueado por causa da carteira, cambaleando pra fora de algum boteco às três da manhã. O que aconteceria com o corpo dele? Eu tinha espalhado as cinzas da minha mãe no Central Park, embora aparentemente houvesse um regulamento contra isso; uma noite, tinha ido com Andy até uma área deserta do lado oeste da lagoa e — enquanto Andy ficava de vigia — esvaziei a urna. O que me perturbou muito mais do que o ato em si de espalhar as cinzas foi que a urna tinha sido embalada em pedaços rasgados de classificados pornô: MASSAGISTAS ASIÁTICAS e ORGASMOS QUENTES MOLHADINHOS foram duas das frases aleatórias que chamaram minha atenção enquanto o pó cinza, da cor de rocha lunar, saía voando e rodopiando no crepúsculo de maio.

Então vi luzes, e o carro parou. "Certo", disse o taxista, virando com o braço estendido para o banco de trás. Estávamos no estacionamento da Greyhound. "Qual é o seu nome mesmo?"

"Theo", falei, sem pensar, e imediatamente me arrependi.

"Certo, Theo. J. P." Ele se esticou pra trás pra apertar minha mão. "Quer um conselho?"

"Claro", falei, estremecendo um pouco. Mesmo com tudo o mais que estava acontecendo, e havia muita coisa, eu me sentia muitíssimo desconfortável com o fato de que esse cara provavelmente tinha visto Boris me beijando na rua.

"Não é da minha conta, mas você vai precisar de alguma coisa pra colocar o peludinho aí."

"Como?"

Ele apontou com a cabeça para minha mala. "Ele vai caber nisso?"

"Humm..."

"De qualquer forma, provavelmente a mala é grande demais pra você levar junto — vão guardá-la embaixo. Não é como no avião."

"Eu..." Eram coisas demais pra eu pensar. "Não tenho nada."

"Espera aí. Deixa eu dar uma olhada no meu escritório aqui atrás." Ele se levantou, deu a volta até o porta-malas e retornou com uma sacola grande de lona de uma loja de produtos naturais com a inscrição *The Greening of America*.

"Se eu fosse você", disse ele, "ia lá comprar a passagem sem levar o peludinho junto. Deixa ele aqui comigo, só pra garantir, tá bem?"

Meu novo amigo tinha razão sobre não ser possível viajar pela Greyhound sem um formulário de menor desacompanhado assinado por um dos pais — e havia outras restrições para crianças também. A atendente na janela — uma mexicana-americana pálida com o cabelo amarrado atrás — começou num tom monótono a repassar a longa e funesta lista. Nada de baldeação. Nada de viagens com mais de cinco horas de duração. A menos que a pessoa indicada no formulário de menor desacompanhado viesse me encontrar, eu seria entregue para a custódia dos Serviços de Proteção à Criança ou das autoridades policiais locais da minha cidade de destino.

"Mas..."

"Todas as crianças com menos de quinze anos. Sem exceção."

"Mas eu não tenho *menos* de quinze anos", falei, atrapalhando-me pra pegar minha identidade emitida em Nova York. "Eu *tenho* quinze anos. Olha." Enrique — prevendo talvez que eu tivesse que entrar no que ele chamava de O Sistema — tinha me levado pra tirar uma foto pra identidade logo depois que minha mãe morreu; embora eu tenha me ressentido disso na época, a garra de longo alcance de Big Brother ("Uau, seu próprio código de barras", Andy tinha dito, olhando para ela com curiosidade), agora me sentia grato por ele ter tido a precaução de me arrastar até Downtown e me registrar como um veículo de segunda mão. Paralisado, como um refugiado, fiquei esperando sob as luzes fluorescentes desagradáveis enquanto a atendente olhava para a identidade em vários ângulos diferentes e sob diferentes luzes, até finalmente concordar que era genuína.

"Quinze anos", disse ela desconfiada, estendendo-a de volta para mim.

"Isso." Eu sabia que não parecia ter minha idade. Não havia, percebi, nenhuma dúvida quanto a ser honesto sobre Popper, já que um grande letreiro perto do balcão dizia em letras vermelhas que CACHORROS, GATOS, AVES, ROEDORES, RÉPTEIS OU OUTROS ANIMAIS NÃO SERÃO TRANSPORTADOS.

Quanto ao ônibus propriamente dito, eu estava com sorte: havia um à uma e quarenta e cinco da manhã para Nova York saindo da estação em quinze minutos. Enquanto a máquina cuspia minha passagem com um estalo mecânico, fiquei parado aturdido me perguntando que diabos deveria fazer com Popper. No caminho de volta, eu meio que acalentava a esperança de que o taxista tivesse ido embora — talvez levando Popper para um lar mais amoroso e seguro —, mas em vez disso o encontrei bebendo uma lata de Red Bull e falando no celular, sem nem sinal do cachorro. Ele encerrou sua ligação quando me viu parado ali. "O que você acha?"

"Onde ele está?" Meio grogue, olhei para o banco de trás. "O que você fez com ele?"

Ele riu. "Agora você não vê e... agora vê!" Com um floreio, ele retirou a cópia mal dobrada de *USA Today* da sacola de lona no banco do passageiro ao lado dele; e ali, sentado satisfeito numa caixa de papelão no fundo da sacola, triturando umas batatinhas, estava Popper.

"Desvio de atenção", disse ele. "A caixa enche a sacola de modo que ela não fique com formato de cachorro e dá a ele um pouco mais de espaço pra se movimentar. E o jornal é a cobertura perfeita. Esconde, faz a sacola parecer cheia, não acrescenta nenhum peso."

"Você acha que vai dar certo?"

"Bem, tipo, ele é tão pequenininho — tem o quê, dois, três quilos? Ele é silencioso?"

Olhei com ar de dúvida para ele, enrolado no fundo da caixa. "Nem sempre."

J. P. limpou a boca com o dorso da mão e me deu o pacote de batatinha. "Dê umas duas dessas porcarias se ele ficar agitado. Vocês vão parar de poucas em poucas horas. Sente o mais fundo no ônibus que puder, e certifique-se de se afastar da estação um bom tanto com ele antes de soltá-lo e deixá-lo fazer suas necessidades."

Pus a mala no ombro e passei o braço em volta dela. "Dá pra perceber?", perguntei a ele.

"Não. Não se eu não soubesse. Mas posso te dar uma dica? Segredo de mágico?"

"Claro."

"Não fique olhando pra sacola desse jeito. Olhe pra qualquer lugar menos pra ela. Pra paisagem, pro seu cadarço — isso, muito bem, isso mesmo. Confiante e natural, é assim que se faz. Embora dar uma de atrapalhado e ficar procurando a lente de contato que caiu também funcione, se você achar que as pessoas estão te olhando desconfiadas. Derrube as batatas — tropece — tussa na bebida — qualquer coisa."

Uau, pensei. Claramente não era à toa que eles chamavam de Lucky Cab.

Novamente ele riu, como se eu tivesse pensado em voz alta. "Ei, é uma regra boba, proibir cachorros no ônibus", disse ele, tomando outro gole grande do Red Bull. "Tipo, o que você deveria fazer? Abandoná-lo na beira da estrada?"

"Você é mágico ou algo assim?"

Ele riu. "Como foi que adivinhou? Faço um show com truques de cartas num bar lá no Orleans — se você tivesse idade suficiente pra entrar, eu te diria pra ir lá me ver qualquer hora dessas. Em todo caso, o segredo é sempre fixar a atenção deles *longe* do ponto onde o lance secreto está sendo feito. Essa é a primeira lei da mágica. Desvio de atenção. Nunca se esqueça disso."

XXI

Utah. Enquanto o sol nascia, o San Rafael Swell se estendia em paisagens inumanas como Marte: arenito e xisto, desfiladeiros e planaltos vermelho-ferrugem desolados. Eu tivera sérias dificuldades para dormir, em parte por causa das drogas, em parte pelo medo de que Popper pudesse se agitar ou ganir, mas ele ficou perfeitamente quieto enquanto atravessávamos as tortuosas estradas montanhosas, sentado dentro da sacola no banco ao meu lado, no assento mais perto da janela. No fim das contas minha mala *era* pequena o suficiente para eu levar comigo, o que me deixou feliz por uma série de motivos: meu suéter, *Terra dos homens*, mas acima de tudo minha pintura, que parecia um artigo a ser protegido mesmo embalado e fora de vista, como uma imagem sacra transportada por um cruzado batalha adentro. Não havia outros passageiros no fundo com exceção de um casal hispânico com cara de tímido carregando no colo um monte de potes de plástico com comida, e um velho bêbado falando sozinho, e viajamos bem pelas estradas sinuosas ao longo de todo o estado de Utah até Grand Junction, no Colorado, onde fizemos uma parada de cinquenta minutos para descansar. Depois de trancar minha mala num armário operado por moedas, dei uma volta com Popper atrás da estação de ônibus, bem longe da vista do motorista, comprei dois hambúrgueres do Burger King pra nós e dei água para ele numa tampa de plástico de um pote velho de marmita que encontrei no lixo. De Grand Junction dormi até nossa parada em Denver, uma hora e dezesseis minutos, bem quando o sol estava se pondo — onde Popper e eu corremos e corremos, de puro alívio por estarmos fora do ônibus, tão longe e por tantas ruas desconhecidas e escuras que quase tive medo de que nos perdêssemos, embora tenha ficado feliz por encontrar um café hippie onde as balconistas eram jovens e amigáveis ("Traz ele pra dentro!", disse a garota de cabelo roxo no balcão quando viu Popper amarrado na frente, "nós amamos cachorros!") e onde comprei não apenas dois sanduíches de peru (um pra mim, outro pra ele), mas também um brownie vegano e um saco de papel gorduroso com biscoitos caninos vegetarianos caseiros.

Li até tarde, papel amarelado cremoso sob um círculo de luzes fracas, enquanto a escuridão desconhecida passava rapidamente, ao longo da Divisória Continental e saindo das Montanhas Rochosas, Popper contente depois das suas travessuras em Denver e cochilando feliz na sacola.

Em algum momento dormi, depois acordei e li mais um pouco. Às duas da manhã, bem quando Saint-Exupéry estava contando a história do acidente de avião no deserto, entramos em Salina, Kansas ("As encruzilhadas da América") — parada de vinte minutos para descansar, sob uma lâmpada de sódio assolada por mariposas, onde Popper e eu corremos no escuro por um estacionamento deserto de um posto de gasolina, minha cabeça ainda cheia do livro enquanto ao mesmo tempo exultava na estranheza de estar no estado da minha mãe pela primeira vez na vida — será que ela tinha, nas suas viagens com seu pai, vindo alguma vez até essa cidade, carros passando correndo na Saída para a Interestadual da rua 9, silos de grãos iluminados como naves assomando no vazio a quilômetros de distância? De volta ao ônibus — sonolentos, sujos, exaustos, com frio — Popchik e eu dormimos de Salina a Topeka, e de Topeka a Kansas City, Missouri, onde paramos logo ao amanhecer.

Minha mãe tinha me falado várias vezes de quão plana era a região onde ela crescera — tanto que você podia ver ciclones girando a quilômetros de distância pelas pradarias —, mas ainda assim eu mal podia acreditar na vastidão daquilo, no céu interminável, tão enorme que você se sentia esmagado e oprimido pelo infinito. Em St. Louis, por volta do meio-dia, tivemos uma parada de uma hora e meia (tempo mais do que suficiente para a caminhada de Popper e para um sanduíche de rosbife horrível de almoço, mas o bairro era perigoso demais pra se aventurar muito longe) e — de volta à estação — fizemos baldeação para um ônibus completamente diferente. Então — depois de uma ou duas horas de viagem — acordei, com o ônibus parado, e encontrei Popper sentado calmamente com a ponta do nariz pra fora da sacola e uma mulher negra de meia-idade com um batom rosa brilhante pairando acima de mim, esbravejando: "Você não pode ficar com esse cachorro no ônibus".

Olhei para ela, desorientado. Então, para meu grande horror, percebi que não era uma passageira qualquer, mas a própria motorista, de quepe e uniforme.

"Ouviu o que eu disse?", repetiu, com um tique de cabeça agressivo de um lado pro outro. Ela era grande como um pugilista; o crachá, acima do impressionante busto, dizia *Denese*. "Você não pode *ficar* com esse cachorro neste ônibus." Então — impaciente — ela fez um gesto de abanar com a mão como se dissesse: *Enfia essa porra de volta na sacola!*

Cobri a cabeça dele — que não pareceu se importar — e sentei me encolhendo todo por dentro. Estávamos parados numa cidade chamada Effingham, Illinois: casas de Edward Hopper, fórum cenográfico e um banner com fonte manuscrita que dizia *Encruzilhadas da oportunidade!*

A motorista girou um dedo em volta. "Algum de vocês aqui atrás tem alguma objeção a este animal?"

Os outros passageiros no fundo — sujeito de bigode estilo guidão despenteado; mulher adulta com aparelho; mãe negra ansiosa com menina de escola primária; W. C. Fields, parecendo mais velho com tubos no nariz e cilindro de oxigênio — pareciam todos surpresos demais pra falar, embora a menininha, os olhos redondos, tenha balançado a cabeça de modo quase imperceptível: *não*.

A motorista esperou. Ela olhou em volta. Depois voltou-se para mim. "Certo. Essa é uma boa notícia pra você e pro cachorro, meu bem. Mas se *qualquer um*..." — ela sacudiu o dedo para mim — "se *qualquer um* desses passageiros aqui atrás reclamar de você ter um animal a bordo, a *qualquer* momento, vou ter que fazer você descer. Entendeu?"

Ela não estava me expulsando? Pisquei para ela, com medo de me mexer ou soltar uma palavra.

"*Você entendeu?*", repetiu ela, mais agourenta.

"Obrigado..."

Um pouco hostil, ela balançou a cabeça. "A*h*, não. Não me agradeça, meu bem. Porque eu vou te pôr pra fora deste ônibus se houver uma única reclamação. Uma só."

Fiquei sentado tremendo enquanto ela voltava pisando duro pelo corredor e dava a partida no ônibus. Saímos sacolejando do estacionamento. Eu tinha medo até de olhar pros outros passageiros, embora pudesse sentir que todos olhavam pra mim.

Perto do meu joelho, Popper soltou uma minúscula bufada e mudou de posição. Por mais que eu gostasse dele e tivesse pena, nunca achei que em se tratando de cachorros ele fosse particularmente interessante ou inteligente. Pelo contrário: eu já tinha passado muito tempo desejando que fosse um animal mais legal, um border collie, um labrador ou um cachorro resgatado talvez, alguma mistura de pit bull inteligente e obsessivo do abrigo, um vira-latinha agressivo que corresse atrás de bolas e mordesse pessoas — na verdade, qualquer coisa menos o que ele realmente era: um cachorro de menina, um brinquedo, completamente gay, um bicho que eu tinha vergonha de levar pra passear na rua. Não que Popper não fosse fofo; de fato, ele era exatamente o tipo de bola de pelo minúscula e saltitante de que muita gente gostava — talvez não eu, mas certamente alguma garotinha como a que estava sentada do outro lado do corredor o encontraria à beira da estrada e o levaria pra casa e colocaria lacinhos no pelo dele.

Fiquei sentado rigidamente ali, revivendo a onda de medo de novo e de novo: a cara da motorista, meu choque. O que realmente tinha me assustado era que agora eu sabia que, se ela me fizesse botar Popper pra fora do ônibus, eu teria que descer com ele também (e fazer o quê?), mesmo se fosse no meio do nada em Illinois. Chuva, milharais, parado à beira da estada. Como é que eu tinha me apegado a um animal tão ridículo? Um cachorrinho de colo que Xandra tinha escolhido?

Durante todo o trajeto de Illinois e Indiana, fiquei sentado balançando e vigilante: com medo demais de pegar no sono. As árvores estavam nuas, abóboras de Halloween apodreciam nas sacadas. Do outro lado do corredor, a mãe tinha passado o braço em volta da menininha e estava cantando, bem baixinho, "*You are my sunshine*". Eu não tinha nada pra comer além de migalhas da batata que o taxista tinha me dado; e — gosto desagradável de sal na boca, planícies industriais, cidadezinhas no meio do nada passando pela janela — me senti gelado e desamparado, olhando pra fora pra terra deserta e pensando nas músicas que minha mãe tinha cantado para mim, havia tanto tempo. *Toot toot tootsie goodbye, toot toot tootsie, don't cry*. Finalmente — em Ohio, quando já estava escuro, e as luzes nas tristes casinhas ao longe estavam se acendendo — senti-me seguro o suficiente pra tirar um cochilo, balançando a cabeça de um lado pro outro no sono, até Cleveland, cidade fria iluminada por luzes brancas, onde troquei de ônibus às duas da manhã. Tinha medo de levar Popper para fazer a longa caminhada que eu sabia que ele precisava, porque alguém mais poderia nos ver (o que íamos fazer, se nos descobrissem? Ficar em Cleveland pra sempre?). Mas ele parecia assustado também; e ficamos parados tremendo numa esquina por dez minutos antes de eu lhe dar um pouco de água, colocá-lo na sacola e andar de volta até a estação para embarcar.

Estávamos no meio da noite e todo mundo parecia semidormindo, o que tornou a troca de ônibus mais fácil; fizemos baldeação novamente ao meio-dia, em Buffalo, onde o ônibus saiu da estação esmigalhando granizo acumulado. O vento estava gélido, com um ar cortante e úmido; depois de dois anos no deserto eu tinha esquecido como era o inverno de verdade — dolorido e frio. Boris não tinha respondido nenhuma das minhas mensagens, o que talvez fosse compreensível, considerando que eu as tinha enviado pro celular de Kotku, mas mesmo assim mandei outra: BFALO NY NYC ESTA NOITE. ESPERO Q VC ESTEJA BEM SOUBE ALGO DE X?

De Buffalo até a cidade de Nova York era um longo caminho; mas, senão por uma parada febril e onírica em Syracuse, aonde levei Popper para dar uma volta e lhe dei água e comprei pra nós dois pretzels de queijo porque não havia mais nada, consegui dormir quase a viagem toda, por Batavia, Rochester, Syracuse e Binghamton, com o rosto apoiado contra o vidro e o ar gelado entrando pela fresta, a vibração me levando de volta pra *Terra dos homens* e pra uma cabine de piloto solitária no alto do deserto.

Acredito que devo ter começado a ficar silenciosamente doente desde a parada em Cleveland, mas quando finalmente saí do ônibus, em Port Authority, era noite e eu estava ardendo em febre. Estava gelado e com as pernas bambas, e a cidade — pela qual eu tanto ansiara — parecia estranha, barulhenta e fria, gases de escape, lixo e estranhos passando rápido em todas as direções.

O terminal estava repleto de policiais. Pra todos os lados que eu olhasse havia placas de abrigos para crianças que fugiram de casa, linhas diretas para os mesmos casos, e uma policial em particular me olhou desconfiada enquanto eu passava apressado na direção da saída — depois de mais de sessenta horas no ônibus, eu estava sujo e cansado, e sabia que não passava realmente despercebido —, mas ninguém me parou e eu não olhei pra trás até ter saído pela porta e estar bem longe. Vários homens de diferentes idades e nacionalidades me chamaram na rua, vozes suaves vindo de várias direções (*Ei, irmãozinho, pra onde você tá indo? Precisa de uma carona?*), mas embora um cara ruivo em especial tenha parecido legal e normal e não fosse muito mais velho que eu, quase como alguém que poderia ser meu amigo, eu era nova-iorquino o bastante pra ignorar seu cumprimento alegre e continuar andando como se soubesse pra onde estava indo.

Eu tinha achado que Popper ficaria radiante em sair e andar, mas, quando o coloquei na calçada, a Oitava Avenida foi demais para ele, que ficou com medo de percorrer coisa de uma quadra; Popper nunca tinha estado numa rua de cidade antes, tudo o apavorava (carros, buzinas, pernas, sacos plásticos vazios voando pela calçada), e toda hora ele ficava dando puxões pra frente, saindo correndo na direção da faixa de pedestre, saltando pra lá e pra cá, escondendo-se atrás de mim em pânico e enrolando a guia em volta das minhas pernas de forma que tropecei e quase caí na frente de uma van acelerando pra passar no amarelo.

Depois de pegá-lo no colo, frenético, e colocá-lo de volta na sacola (onde ele arranhou e bufou exasperado antes de se acalmar), fiquei parado no meio da multidão da hora do rush tentando organizar meus pensamentos. Tudo parecia muito mais sujo e hostil do que eu me lembrava — mais frio também, ruas cinza como jornal velho. *Que faire?*, como minha mãe gostava de dizer. Quase podia ouvi-la dizendo isso, com seu tom leve e despreocupado.

Muitas vezes eu me perguntara, quando meu pai ficava agitado batendo portas de armário na cozinha e reclamando que queria uma bebida, como era "querer uma bebida" — como era querer álcool e nada mais, nem água ou Pepsi ou qualquer outra coisa. *Agora*, pensei sombriamente, *eu sabia*. Estava morrendo de vontade de tomar uma cerveja, mas não era bobo de ir até uma lanchonete e tentar comprar uma sem identidade. Saudosamente pensava na vodca do sr. Pavlikovski, a explosão diária de calor que eu tomara por certa.

Mas mais importante: eu estava morrendo de fome. Estava a alguns metros de uma loja de cupcake meio chique, e sentia tanta fome que fui direto pra lá e comprei o primeiro que chamou minha atenção (sabor chá verde, descobri depois, com recheio de baunilha — esquisito, mas ainda assim delicioso). Quase de imediato o açúcar fez eu me sentir melhor; enquanto comia, lambendo o creme dos dedos, fiquei olhando assombrado para a multidão decidida. Ao sair de Vegas de alguma forma tinha me sentido muito mais confiante sobre como isso tudo ia funcionar. Será que a sra. Barbour ligaria para a Assistência Social pra avisar que eu tinha aparecido? Eu tinha pensado que não, mas agora estava na dúvida. Havia também a questão não tão insignificante de Popper, já que (junto com laticínios, nozes, fita adesiva, mostarda e cerca de vinte e cinco outros itens domésticos comumente encontrados) Andy era violentamente alérgico a cães — não só a cães, mas também a gatos, cavalos, animais de circo e ao porquinho-da-índia (o porquinho Newton) que pertencia à nossa turma no segundo ano, motivo pelo qual não havia nenhum animal de estimação na casa dos Barbour. De alguma forma isso não parecera um problema tão intransponível lá em Vegas, mas — parado ali na Oitava Avenida quando estava frio e escurecendo — de fato era.

Não sabendo mais o que fazer, comecei a caminhar na direção leste rumo à Park Avenue. O vento batia gelado na minha cara e o cheiro de chuva no ar me deixou nervoso. O céu em Nova York parecia muito mais baixo e pesado do que no oeste — nuvens sujas, manchadas de borracha, como lápis sobre papel áspero. Era como se o deserto, sua vastidão, tivesse recondicionado minha visão à distância. Tudo parecia úmido e fechado.

Caminhar me ajudou a exercitar as pernas. Fui andando na direção leste até a biblioteca (os leões! Por um momento fiquei imóvel, como um soldado que retorna e tem seu primeiro vislumbre de casa), e então virei na Quinta Avenida — as luzes dos postes acesas, ainda bastante movimentada, embora estivesse esvaziando — e subi até a parte sul do Central Park. Por mais cansado que estivesse, e com frio, ainda assim meu coração vacilou ao ver o parque, e eu atravessei correndo a rua 57 (Rua da Alegria!) até a escuridão frondosa. Os cheiros, as sombras, até os troncos pálidos e salpicados de luz dos plátanos levantaram meu ânimo, mas ao mesmo tempo era como se eu estivesse vendo outro parque por trás do tangível, um mapa para o passado, um parque fantasma escurecido pela memória, excursões escolares e visitas ao zoológico de muito tempo atrás. Estava andando pela calçada do lado da Quinta Avenida, olhando pra dentro, e os caminhos estavam sombreados de árvores, aureolados das luzes dos postes, misteriosos e convidativos como os bosques de *O leão, a feiticeira e o guarda-roupa*. Se me virasse e entrasse por um daqueles caminhos iluminados, será que ia entrar num ano diferente, talvez até num futuro diferente, onde minha mãe — recém-chegada do trabalho — estaria esperando por mim, o cabelo ligeiramente bagunçado pelo vento, no banco (nosso banco) perto da lagoa: deixando o celular de lado, erguendo-se para me beijar. *Oi, filhote, como foi a escola, o que quer comer no jantar?*

Então — de repente — eu parei. Uma presença familiar de terno tinha passado por mim abrindo caminho com o ombro e andando a passos largos na calçada à minha frente. O choque do cabelo branco se destacava na escuridão, um cabelo branco que parecia como se devesse ser usado comprido e preso por um elástico; ele estava preocupado, mais amarrotado que de costume, mas ainda assim eu o reconheci na hora, o ângulo da sua cabeça num fraco eco de Andy. O sr. Barbour, de pasta e tudo, voltando pra casa do trabalho.

Corri para alcançá-lo. “Sr. Barbour?”, chamei. Ele estava falando sozinho, embora eu não conseguisse ouvir o que ele dizia. “Sr. Barbour, é o Theo”, falei alto, segurando-o pela manga.

Com uma violência chocante, ele se virou e repeliu minha mão. Era realmente o sr. Barbour; eu o teria reconhecido em qualquer lugar. Mas seus olhos, nos meus, eram os de um estranho — brilhantes, duros e desdenhosos.

“Sem mais esmola!”, gritou ele, alto. “Cai fora!”

Eu deveria ter reconhecido a loucura ao vê-la. Era uma versão potencializada do olhar com que meu pai às vezes ficava em dia de jogo — ou, também, quando ele tinha me agarrado e batido em mim. Nunca estivera por perto do sr. Barbour quando ele não tomava os remédios (Andy, como sempre, fora comedido ao descrever os “entusiasmos” do pai; na época eu não sabia sobre os episódios em que ele tinha tentado ligar pro secretário de Estado ou ir de pijama pro trabalho); e sua fúria era tão incoerente com o sr. Barbour confuso e desatento que eu conhecia que só o que pude fazer foi recuar, envergonhado. Ele ficou me olhando por um longo momento e então espanou o braço (como se eu fosse sujo, como se o tivesse contaminado ao tocá-lo) e saiu pisando duro.

"Você estava pedindo dinheiro praquele homem?", disse outro homem que se aproximou do nada, enquanto eu estava parado na calçada, atônito. "Estava?", disse ele, com mais insistência, quando me virei. Tinha uma constituição atarracada, o terno ligeiramente empresarial e estilo casado-com-filhos; seu jeito patético me deu calafrios. Enquanto eu tentava desviar, ele se interpôs no meu caminho e colocou uma mão pesada sobre meu ombro, e em pânico eu me esquivei e fugi para o parque.

Segui na direção da lagoa, por trilhas amarelas e encharcadas com folhas caídas, onde instintivamente fui direto para o ponto de encontro (como minha mãe chamava o nosso banco) e sentei tremendo. Parecera uma sorte incrível e inacreditável avistar o sr. Barbour na rua; eu tinha pensado, talvez por cinco segundos, que depois do embaraço e espanto iniciais ele ia me cumprimentar alegremente, fazer algumas perguntas, *ah, não importa, não importa, haverá tempo para isso depois*, e caminhar comigo até o apartamento. *Meu Deus, que aventura. Mas, ah, Andy vai ficar contente em te ver!*

Jesus, pensei, passando a mão pelo cabelo, ainda me sentindo abalado. Num mundo ideal, o sr. Barbour teria sido o membro da família que eu *mais* ia querer encontrar na rua — mais do que Andy, certamente mais do que os irmãos dele, mais até do que a sra. Barbour, com suas pausas gélidas, suas amabilidades sociais e seus códigos de comportamento desconhecidos pra mim, seu olhar frio e ilegível.

Por força do hábito, conferi as mensagens do celular pelo que pareceu a milésima vez — e fiquei alegre, apesar de tudo, ao encontrar finalmente uma mensagem — um número que não reconheci, mas que só podia ser de Boris.

OI! ESPERO Q ESTEJA BEM TB. NÃO MTO BRAVO. LIGA PARA XNR VIU ELA TA NO MEU PE.

Tentei ligar para ele — eu tinha mandado cerca de cinquenta mensagens na estrada —, mas ninguém atendeu naquele número e o celular de Kotku caía direto na caixa postal. Xandra podia esperar. Caminhando de volta até o sul do parque, com Popper, comprei três cachorros-quentes de um vendedor que estava acabando de encerrar o expediente (um pra Popper, dois pra mim) e, enquanto comíamos, num banco mais escondido dentro do Scholar's Gate, considerei minhas opções. Nas minhas fantasias do deserto sobre Nova York algumas vezes eu tinha projetado imagens perversas de Boris e eu morando na rua, perto da St. Mark's Place ou da Tompkins Square, muito provavelmente parados chacoalhando nossas canecas de esmola com os mesmos ratos de skate que outrora zombaram de Andy e de mim em nossos uniformes escolares. Mas a perspectiva real de dormir na rua era bem menos atraente estando eu sozinho e febril no frio de novembro.

O pior de tudo era: eu estava a apenas cinco quadras da casa de Andy. Pensei em ligar pra ele — talvez pedir pra me encontrar — e então decidi que não. Certamente poderia ligar se ficasse desesperado; Andy ficaria feliz em sair de fininho, trazer-me uma muda de roupa e dinheiro surrupiado da bolsa da mãe e — quem sabe — talvez sobras de canapé de caranguejo ou aqueles amendoins que os Barbour sempre comiam. Mas a palavra *esmola* ainda queimava. Por mais que eu gostasse de Andy, já tinham se passado quase dois anos. E eu não podia esquecer a forma como o sr. Barbour me olhara. Claramente algo havia dado errado, muito errado, só que eu não sabia ao certo o que era — além de saber que eu era responsável de alguma forma, no miasma generalizado de vergonha e indignidade e do fato de ser um peso que nunca me deixara realmente.

Sem querer — eu estava olhando pro vazio — fiz contato visual com um homem sentado num banco à minha frente. Rapidamente desviei o olhar, mas já era tarde demais; ele estava se erguendo, aproximando-se.

"Vira-lata fofo", disse, inclinando-se para acariciar Popper, e então, quando não respondi: "Qual é o seu nome? Se importa se eu sentar?". Era um sujeito magro, pequeno mas de aspecto forte; e fedia. Levantei, evitando os olhos dele, mas enquanto me virava para ir embora ele esticou o braço e me pegou pelo pulso.

"Qual é o problema?", perguntou, com uma voz horrível. "Não gosta de mim?"

Eu me soltei com um giro e corri — Popper correndo atrás de mim, para a rua, rápido demais. Ele não estava acostumado com o trânsito da cidade, carros se aproximavam — agarrei-o bem a tempo e atravessei correndo a Quinta Avenida, na direção do Pierre. Meu perseguidor — preso do outro lado pelo sinal que mudou — atraía olhares dos pedestres, mas, quando olhei pra trás de novo, seguro no círculo de luz jorrando da entrada quente e bem iluminada do hotel — casais bem vestidos, porteiros chamando táxis —, vi que tinha desaparecido.

As ruas estavam muito mais barulhentas do que eu lembrava — mais fedidas, também. Parado na esquina diante de A La Vieille Russie, vi-me dominado pelo fedor familiar do centro: cavalos de carruagem, gás de escape de ônibus, perfume e urina. Por tanto tempo eu tinha pensado em Vegas como algo temporário — minha verdadeira vida estava em Nova York — mas será que estava? *Não mais*, pensei, com tristeza, examinando o movimento cada vez mais esparso de pedestres passando rápido pela Bergdorf.

Embora eu estivesse dolorido e tremendo de febre de novo, andei por mais ou menos dez quadras, ainda tentando tirar o zumbido e a moleza das pernas, a vibração penetrante do ônibus. Mas por fim o frio me venceu e chamei um táxi; teria sido um trajeto fácil de ônibus, meia hora talvez, da Quinta até o Village, mas depois de três dias inteiros no ônibus eu não podia suportar a ideia de ficar sacolejando nem um minuto a mais.

Não me sentia muito confortável com a ideia de chegar subitamente à casa de Hobie — não estava nem um pouco confortável com isso, já que tínhamos perdido o contato fazia um tempo, por culpa minha, não dele; em algum momento, eu simplesmente tinha parado de responder. De um lado, era o curso natural das coisas; de outro, a especulação casual de Boris ("bicha velha?") tinha me indisposto com ele, sutilmente, e suas últimas duas ou três cartas ficaram sem resposta.

Eu me sentia mal; eu me sentia péssimo. Mesmo sendo um trajeto curto devo ter cochilado no banco de trás, porque quando o taxista parou e disse "Aqui tá bom?" despertei com um sobressalto, e por um momento fiquei ali sentado atordoado, lutando para lembrar onde estava.

A loja — reparei, enquanto o táxi se afastava — estava fechada e escura, como se jamais tivesse sido aberta novamente durante todo o tempo em que fiquei longe de Nova York. As janelas estavam encardidas e — olhando pra dentro — vi que alguns dos móveis tinham sido forrados com lençóis. Nada mais tinha mudado, a não ser pelo fato de que todos os livros velhos e bricabraques — as cacatuas de mármore, os obeliscos — estavam cobertos por uma camada adicional de poeira.

Meu coração afundou. Fiquei parado na rua por um ou dois longos minutos antes de tomar coragem e tocar a campainha. Pareceu que fiquei ali por eras ouvindo o eco distante, embora provavelmente não tenha demorado nada; eu já tinha quase me convencido de que não havia ninguém em casa (e o que ia fazer? Andar até a Times Square, tentar encontrar um hotel barato em algum lugar ou me entregar para os policiais?) quando a porta abriu muito subitamente e me vi olhando não para Hobie, mas para uma garota da minha idade.

Era ela — Pippa. Ainda pequena (eu tinha ficado bem mais alto que ela) e magra, embora com um aspecto muito mais saudável do que da última vez que eu a tinha visto, o rosto mais cheio; um monte de sardas; cabelo diferente também, parecia ter crescido de volta com outra cor e outra textura, não mais um louro-avermelhado, mas um tom de ferrugem mais escuro e um pouco ralo, como o de sua tia Margaret. Ela estava vestida como um garoto, só de meia e com uma calça de veludo velha, um suéter grande demais, um lenço listrado rosa e laranja que uma avó doida usaria. Testa franzida, educada mas reticente, ela me olhou inexpressiva com os olhos castanho-dourados: um estranho. "Posso ajudar?", perguntou.

Ela se esqueceu de mim, pensei, desanimado. Como poderia ter esperado que lembrasse? Fazia um bom tempo; eu sabia que também estava diferente. Era como ver uma pessoa que eu achava que estava morta.

E então — martelando os degraus escada abaixo, chegando por trás dela, com uma calça de sarja manchada de tinta e um cardigã surrado — veio Hobie. *Ele cortou o cabelo*, foi meu primeiro pensamento; estava rente à cabeça e muito mais branco do que eu lembrava. Sua expressão era de ligeira irritação; por um momento de fazer parar o coração achei que ele também não tinha me reconhecido, e então: "Deus do céu", disse ele, recuando de repente.

"Sou eu", falei rápido. Estava com medo de que ele fosse fechar a porta na minha cara. "Theodore Decker. Lembra?"

Rapidamente, Pippa ergueu os olhos pra ele — claramente ela reconheceu meu nome, mesmo não *me* reconhecendo —, e a surpresa amigável no rosto dos dois me causou um espanto tão grande que comecei a chorar.

"Theo." Seu abraço foi forte e paternal, e tão intenso que me fez chorar ainda mais. Então sua mão estava no meu ombro, uma mão pesada de ancoragem que era a própria segurança e autoridade; ele me conduziu oficina adentro, o brilho dourado fraco e cheiros ricos de madeira com que eu sonhara, e escada acima no salão há muito perdido, com veludos, urnas e bronzes. "É maravilhoso ver você", ele estava dizendo; e "Você parece exausto" e "Quando foi que voltou?" e "Está com fome?" e "Meu Deus, como você cresceu!" e "Esse cabelo! Parece o Mogli!" e (preocupado agora) "Está achando abafado aqui? Quer que eu abra uma janela?" — e, quando Popper botou a cabeça pra fora da sacola, "Haha! Quem é este?".

Pippa — rindo — pegou-o e aninhou-o nos braços. Eu me sentia tonto da febre — brilhando, vermelho e radiante, como as barras de um aquecedor elétrico, tão perdido que não senti nem vergonha de ter chorado. Eu não tinha consciência de nada além do alívio de estar ali, da minha dor e do meu coração transbordando.

Na cozinha havia sopa de cogumelos. Eu não tinha vontade, mas estava quente e eu estava morrendo de frio. Enquanto comia (Pippa de pernas cruzadas no chão, brincando com Popchik, balançando o lenço de vovó no rosto dele, Popper/Pippa, como é que eu nunca tinha reparado na semelhança dos nomes?), contei pra ele, um pouco, de um jeito confuso, sobre a morte do meu pai e o que tinha acontecido. Hobie, enquanto escutava, os braços cruzados, tinha um olhar extremamente preocupado no rosto, seu obstinado cenho franzido sulcando cada vez mais conforme eu falava.

"Você precisa ligar pra ela", disse ele. "Pra mulher dele."

"Mas ela não é mulher dele! É só a namorada dele! Ela não se importa nem um pouco comigo."

Hobie balançou a cabeça com firmeza. "Não importa. Você tem que ligar pra ela e dizer que está bem. Sim, sim, você tem", disse ele, falando mais alto enquanto eu tentava me opor. "Sem mas. Agora mesmo. Neste momento. Pips..." — havia um telefone de parede antigo na cozinha — "venha comigo. Vamos desocupar aqui um minuto."

Embora Xandra fosse a última pessoa no mundo com quem eu queria falar — especialmente depois de eu ter saqueado o quarto dela e roubado suas gorjetas —, eu me sentia tão aliviado por estar ali que teria feito qualquer coisa que Hobie pedisse. Ao discar o número, tentei dizer a mim mesmo que ela provavelmente não ia atender (tantos advogados e cobradores ligavam pra nós, o tempo todo, que Xandra raramente atendia ligações de números desconhecidos). Por isso fiquei surpreso quando atendeu no primeiro toque.

"Você deixou a porta aberta", disse quase de imediato, num tom acusador.

"Como?"

"Deixou o cachorro escapar. Ele fugiu — não consigo encontrá-lo em lugar algum. Provavelmente foi atropelado por um carro ou algo assim."

"Não." Eu estava olhando fixamente para a escuridão do pátio de tijolos. Estava chovendo, gotas batendo forte contra as vidraças, a primeira chuva de verdade que eu via em quase dois anos. "Ele está comigo."

"Ah." Ela pareceu aliviada. Então, num tom mais ríspido: "Onde você está? Com Boris em algum lugar?".

"Não."

"Falei com ele — completamente doidão, parecia. Não quis me dizer onde você estava. Sei que ele sabe." Embora ainda fosse cedo lá, a voz dela estava grave como se estivesse bebendo ou chorando. "Eu devia pôr os policiais atrás de você, Theo. Sei que foram vocês dois que roubaram o dinheiro e aquelas coisas."

"É, assim como você roubou os brincos da minha mãe."

"Quê?"

"Aqueles de esmeralda. Eram da minha avó."

"Eu não roubei." Ela estava brava agora. "Como ousa? Larry me *deu* aqueles brincos, ele me deu depois..."

"É. Depois de ele ter roubado da minha mãe."

"Hum, desculpe, mas sua mãe está morta."

"É, mas ela não estava quando ele os roubou. Isso foi tipo um ano antes de ela morrer. Minha mãe avisou a companhia de seguros", falei, erguendo a voz acima da dela. "E fez um boletim de ocorrência." Eu não sabia se a parte do boletim de ocorrência era verdade, mas poderia muito bem ser.

"Hum, acho que você nunca ouviu falar numa coisinha chamada comunhão de bens."

"Certo. E acho que você nunca ouviu falar numa coisa chamada herança de família. Você e meu pai nem casados eram. Ele não tinha o direito de dá-los a você."

Silêncio. Eu podia ouvir o clique do isqueiro dela do outro lado, uma inalada cansada. "Olha, garoto. Posso falar uma coisa? Não sobre o dinheiro, sinceramente. Ou o pó. Embora, posso te garantir com toda a certeza, eu não estava fazendo nada desse tipo quando tinha sua idade. Você se acha muito esperto e tudo mais, e imagino que seja, mas você está se metendo numa enrascada, você e aquele sei-lá-o-quê. Tá sim, tá sim", disse ela, erguendo a voz por cima da minha, "eu também gosto dele, mas ele é encrenca, aquele garoto."

"Você deve saber."

Ela riu, com frieza. "Bem, garoto, adivinha? Já rondei esse limite algumas vezes. E eu sei, *sim*. Ele vai acabar na prisão assim que fizer dezoito anos, aquele lá, e aposto de olhos fechados que você vai estar junto com ele. Bem, mas também não posso te culpar", disse ela, erguendo a voz de novo, "eu amava seu pai, mas ele certamente não valia nada e, pelo que ele me disse, sua mãe também não prestava."

"Tá bem. É isso. Vá se foder." Eu estava com tanta raiva que tremia. "Vou desligar agora."

"Não — espera. Espera. Desculpe. Não deveria ter dito isso sobre sua mãe. Não era por isso que eu queria falar com você. Por favor. Você espera um segundo?"

"Estou esperando."

"Primeiro de tudo — supondo que você se importa —, vou mandar cremar seu pai. Tudo bem por você?"

"Faça o que quiser."

"Você nunca ligou muito pra ele mesmo, né?"

"Acabou?"

"Só mais uma coisa. Não dou a mínima pra onde você está, sinceramente. Mas preciso de um endereço pra entrar em contato com você."

"E pra quê?"

"Não dê uma de espertinho. Em algum momento alguém vai ligar da escola ou algo assim..."

"Eu não contaria com isso."

"E eu vou precisar, não sei, de algum tipo de explicação de onde você está. A não ser que você queira que os policiais coloquem sua foto numa caixa de leite ou algo assim."

"Acho isso bastante improvável."

"*Bastante improvável*", repetiu ela, numa imitação arrastada e cruel da minha voz. "Bem, pode ser. Mas me passe de qualquer forma, e ficamos quites. Quer dizer", disse ela, quando não respondi, "vou deixar bem claro: não faz a menor diferença pra mim onde você está. Só não quero ficar aqui segurando a bomba caso haja algum problema e eu precise entrar em contato com você."

"Tem um advogado em Nova York. O nome é Bracegirdle. George Bracegirdle."

"Você tem um número?"

"Procure", falei. Pippa tinha entrado na cozinha pra pegar uma tigela de água pro cachorro e, constrangido, pra que não precisasse olhar pra ela, virei-me para a parede.

"Brace Girdle?", Xandra estava dizendo. "É isso mesmo? Mas que raio de nome é esse?"

"Olha, tenho certeza de que você vai conseguir encontrá-lo."

Houve um silêncio. Então Xandra disse: "Quer saber?".

"O quê?"

"Foi seu pai quem morreu. Seu próprio pai. E você age como se tivesse sido, não sei, eu ia dizer o cachorro, mas nem mesmo o cachorro. Porque eu sei que você ia se importar se fosse o cachorro que tivesse sido atropelado por um carro, pelo menos eu acho que ia."

"Digamos que eu me importava com ele tanto quanto ele se importava comigo."

"Bem, deixa eu falar uma coisa pra *você*. Você e seu pai são muito mais parecidos do que você imagina. Você é o filho dele, ah se é, sem tirar nem pôr."

"Bem, você é uma mentirosa de merda", falei, depois de uma pausa breve e desdenhosa — uma réplica que me pareceu resumir muito bem a situação. Mas — muito tempo depois de eu ter desligado o telefone, quando fiquei sentado espirrando e tremendo numa banheira quente, e na névoa brilhante que se seguiu (tomando as aspirinas que Hobie me deu, seguindo-o pelo corredor até o úmido quarto vago, *você parece exausto, tem mais cobertores no baú, não, não, chega de falar, vou deixar você descansar agora*), o último comentário dela ficou passando de novo e de novo na minha mente, enquanto eu afundava o rosto no travesseiro pesado e com um cheiro não familiar. Não era verdade — não mais do que o que ela tinha dito sobre minha mãe. Até sua voz seca e rouca no telefone, a lembrança dela, fazia eu me sentir sujo. *Ela que se foda*, pensei sonolento. Deixa isso pra lá. Estava a milhares de quilômetros de distância. Mas, embora eu estivesse morto de cansaço — mais do que morto de cansaço — e a frágil cama de latão fosse a mais macia em que eu já tinha dormido na vida, suas palavras foram um fio desagradável atravessando a noite toda os meus sonhos.

III

Estamos tão acostumados a fingir para os outros,
que no final acabamos fingindo para nós mesmos.
François de La Rochefoucauld

7. A loja-atrás-da-loja

I

Quando acordei com o estrondo de caminhões de lixo, foi como se tivesse caído de paraquedas num universo diferente. Minha garganta doía. Deitado bem imóvel sob o edredom, fiquei respirando o ar escuro de pétalas secas e madeira de lareira queimada e o odor perene — muito tênue — de terebintina, resina e verniz.

Permaneci um tempo deitado ali. De Popper — que até então estava enrolado aos meus pés — não havia nem sinal. Eu tinha dormido com minhas roupas, que estavam imundas. Por fim — movido por um acesso de espirros — sentei, enfiei o suéter sobre a camisa e apalpei embaixo da cama para me certificar de que a fronha ainda estava ali, depois fui me arrastando pelo piso frio até o banheiro. Meu cabelo tinha secado em nós emaranhados demais pra passar o pente, e, mesmo depois de ter jogado água e tentado de novo pentear, havia um chumaço tão enozado que finalmente desisti e o serrei, arduamente, com uma tesoura de unha enferrujada que estava na gaveta.

Jesus, pensei, virando-me do espelho pra espirrar. Já fazia um tempo que eu não via um e mal me reconhecia: mandíbula machucada, acne espalhada no queixo, o rosto com manchas e inchado da gripe — os olhos inchados também, deixando-me com um olhar idiota, furtivo e de educado em casa. Eu parecia uma criança criada numa seita e recém-resgatada pelas autoridades locais, piscando após sair de algum porão abastecido com armas de fogo e leite em pó.

Era tarde: nove horas. Ao sair do quarto, pude ouvir o clássico programa matinal da WNYC, uma familiaridade de sonho na voz do locutor, números de Köchel, uma calma de drogado, o mesmo murmúrio quente de rádio pública com que eu acordara tantas manhãs em Sutton Place. Na cozinha, encontrei Hobie à mesa com um livro.

Mas ele não estava lendo; olhava fixamente para a frente. Quando me viu, teve um sobressalto.

"Bem, aí está você", disse enquanto levantava para pôr desordenadamente de lado uma pilha de cartas e contas de modo que eu pudesse sentar. Ele estava vestido pro trabalho: calça de veludo larga nos joelhos e um velho suéter marrom, surrado e com buracos de traça; as entradas aumentando na testa e o novo corte à escovinha lhe davam o ar enfadonho e calvo do senador em mármore na capa do livro de latim de Hadley. "Como está?"

"Bem, obrigado." A voz grave e rouca.

Novamente o cenho franzido surgindo. Ele me olhou atentamente. "Deus do céu!", disse. "Você está parecendo um corvo esta manhã."

O que isso queria dizer? Ardendo de vergonha, deslizei na cadeira que ele tinha arrastado pra mim e — constrangido demais para encará-lo — olhei para o livro: couro rachado, *Vida e cartas* de Lord Sei-lá-o-quê, um volume antigo que provavelmente tinha vindo de uma das vendas de espólio. Sra. Fulana-de-Tal, de Poughkeepsie, fratura na bacia, sem filhos, tudo muito triste.

Hobie estava me servindo chá, empurrando um prato pra mim. Numa tentativa de esconder meu desconforto, baixei a cabeça e me atirei à torrada — e quase sufoquei, já que minha garganta estava inflamada demais pra eu engolir. Estiquei-me rápido para pegar o chá, derramando-o na toalha e tendo que correr pra secar.

"Não — não, não tem problema — aqui..."

Meu guardanapo estava encharcado; não sabia o que fazer com ele; na minha confusão deixei-o cair em cima da torrada e enfiei o dedo debaixo dos óculos pra esfregar os olhos. "Sinto muito", disparei.

"Como?" Hobie me olhava como se eu tivesse lhe perguntado como chegar a um lugar e ele não tivesse muita certeza. "Ah, o que é isso...?"

"Por favor, não me faça ir embora."

"Como assim? Fazer você *ir embora*? Pra onde?" Hobie abaixou seus óculos meia-lua e me olhou por cima deles. "Não seja ridículo", disse, num tom semi-irritado brincalhão. "Te digo pra onde vou fazer você ir, e é direto pra cama. Parece que pegou a Peste Negra."

Mas isso não foi suficiente pra me tranquilizar. Paralisado de vergonha, determinado a não chorar, peguei-me encarando fixamente o ponto abandonado perto do fogão onde outrora ficara a cesta de Cosmo.

"Ah", disse Hobie, quando me viu olhando para o canto vazio. "Sim. Pois é. Surdo como uma porta, três ou quatro convulsões por semana, mas ainda assim queríamos que ele vivesse pra sempre. Chorei feito um bebê. Se tivessem me dito que Welty ia partir antes de Cosmo — ele passou metade da vida indo e voltando com aquele cachorro do veterinário. Olhe aqui", disse, num tom alterado, inclinando-se pra frente e tentando fazer contato visual quando continuei sentado, mudo e triste. "Vamos lá. Sei que você passou por muita coisa, mas não há nenhuma necessidade de se inquietar agora. Você parece muito abalado — sim, você parece", disse ele com firmeza. "Muito abalado de fato e — a saúde!", disse, vacilando um pouco. "Passou por maus bocados, sem dúvida. Não se aflija — está tudo bem. Volte pra cama, e falamos sobre isso depois."

"Eu sei, mas..." Virei a cabeça pro lado pra conter um espirro úmido e borbulhante. "Não tenho pra onde ir."

Hobie recostou-se na cadeira: cortês, cauteloso, algo ligeiramente amaneirado nele. "Theo...", disse, batendo no lábio inferior. "Quantos anos você tem?"

"Quinze. Quinze e meio."

"E..." — ele parecia estar tentando formular a pergunta — "quanto ao seu avô?"

"Ah", falei, desesperançado, depois de uma pausa.

"Você falou com ele? Ele sabe que você não tem pra onde ir?"

"Bem, porra..." Tinha simplesmente escapado. Hobie ergueu uma mão para me tranquilizar. "Você não entende. Tipo, eu não sei se ele tem Alzheimer ou o quê, mas quando ligaram pra ele, nem mesmo quis falar comigo."

"Então..." Hobie apoiou pesadamente o queixo na mão e me olhou feito um professor cético. "Você não falou com ele?"

"Não. Bem, não pessoalmente. Tinha uma mulher lá, ajudando..." A amiga de Xandra, Lisa (solícita, seguindo-me de um lado pro outro, expressando gentilmente mas com uma urgência cada vez maior a preocupação de que "a família" fosse notificada), tinha se retirado pra um canto em algum momento para discar o número que lhe dei — e desligou o telefone com uma expressão que arrancou, de Xandra, a única risada da noite.

"Tinha uma mulher?", disse Hobie, no silêncio que se seguiu, num tom de voz que se usaria com um doente mental.

"Isso. Bem..." Esfreguei uma mão no rosto; as cores da cozinha pareciam intensas demais; eu me sentia tonto, fora de controle. "Acho que Dorothy atendeu o telefone e Lisa disse que ela ficou tipo 'Certo, espere'. Nem mesmo um 'Ah, não!' ou 'O que aconteceu?' ou 'Que horrível!' — simplesmente 'Espere um momento, vou lá chamá-lo', e então meu avô atendeu e Lisa lhe falou sobre o acidente e ele escutou, e então disse que sentia muito em ouvir isso, mas com aquele *tom*, Lisa disse. Não 'O que eu posso fazer para ajudar?' ou 'Quando é o funeral?' ou qualquer coisa do tipo. Simplesmente, tipo, 'Obrigado por ligar, adeus'. Quer dizer — eu poderia ter avisado", acrescentei nervosamente quando Hobie não respondeu. "Porque, tipo, eles não gostavam do meu pai — não gostavam *mesmo*. Meu pai e Dorothy, a madrasta, se odiaram desde o primeiro dia, mas ele também nunca se deu bem com vovô Decker..."

"Tá bem, tá bem. Vá com calma..."

"E, tipo, meu pai se meteu em alguma encrenca quando era garoto, talvez tenha algo a ver com isso. Ele foi preso, mas eu não sei por que motivo — sinceramente, não sei. Mas eles nunca quiseram nada com meu pai até onde eu me lembro e nunca quiseram nada comigo também..."

"Calma! Não estou tentando..."

"Porque, eu juro, mal cheguei a encontrá-los, realmente não conheço os dois, mas não há nenhum motivo pra me odiarem. Não que meu avô seja uma ótima pessoa — ele foi muito violento com meu pai, na verdade..."

"Já chega! Não estou tentando te pressionar, só quero saber — agora não, escute", disse, acima das minhas objeções, rebatendo as palavras como se estivesse tentando espantar uma mosca da mesa.

"O advogado da minha mãe está aqui. Na cidade. Você poderia ir comigo até o escritório dele? Não", falei confuso quando ele franziu as sobrancelhas, "não um advogado, advogado, mas que lida com dinheiro? Falei com ele no telefone. Antes de partir."

"Vem cá", disse Pippa, rindo, o rosto ruborizado do frio. "Qual é o problema desse cachorro? Ele nunca viu um carro antes?"

Cabelo vermelho-vivo; gorro de lã verde; o choque de vê-la em plena luz do dia foi um balde de água fria. Ela mancava ao andar, provavelmente por causa do acidente, mas havia uma leveza de gafanhoto naquilo que era como a preliminar estranha e graciosa de um passo de dança; e estava envolta em tantas camadas pra se proteger do frio que parecia um pequeno casulo colorido, com pés.

"Ele estava guinchando igual um gato", disse ela, desenrolando um dos seus muitos cachecóis estampados enquanto Popchyk dançava a seus pés com a ponta da guia na boca. "Sempre faz aquele barulho esquisito? Tipo, um táxi passava e — uau! no ar! Era como se eu estivesse segurando uma pipa! As pessoas se matavam de rir. Sim..." — inclinando-se pra falar com o cachorro, esfregando o topo da sua cabeça com o nó dos dedos — "você precisa de um banho, não é? Ele é maltês?", perguntou, olhando pra cima.

Assenti, descontrolado, o dorso da mão na boca, tentando sufocar um espirro.

"Eu adoro cachorros." Mal conseguia escutar o que ela estava dizendo, fascinado por seus olhos nos meus. "Tenho um livro sobre eles e decorei cada raça que existe. Se tivesse um cachorro grande teria um terra-nova como a Nana de Peter Pan, e se eu tivesse um cachorro pequeno — bem, eu mudo de ideia o tempo todo. Gosto de todos os terriers — os Jack Russell especialmente, eles são sempre tão engraçados e simpáticos na rua. Mas conheço um basenji maravilhoso também. E vi um pequinês incrível outro dia. Só a realeza podia ter esse tipo de cachorro na China. É uma raça muito antiga."

"Os malteses também são antigos", grasnei, feliz por ter um fato interessante com que contribuir. "Vêm da Grécia antiga."

"Foi por isso que você escolheu um maltês? Porque é antigo?"

"Hum..." Reprimi uma tosse.

Ela estava falando alguma outra coisa — pro cachorro, não pra mim —, mas eu tinha caído em outro acesso de espirros. Rapidamente, Hobie agarrou o que havia mais à mão — um guardanapo de tecido — e estendeu pra mim.

"Certo, já chega", disse ele. "De volta pra cama. Não, não", continuou, enquanto eu tentava estender o guardanapo de volta pra ele, "fique com isso. Agora me diga..." — olhando para o meu prato destruído, chá derramado e torrada encharcada — "o que posso levar de café da manhã pra você?"

Pego entre espirros, respondi com um dar de ombros vivo e o sotaque russo que assimilara de Boris: "Qualquer coisa".

"Tá certo, então. Se você gostar, vou fazer um mingau de aveia. Desce fácil na garganta. Tem uma meia?"

"Hum..." Pippa estava ocupada com o cachorro, suéter mostarda e cabelo como uma folha de outono, suas cores misturadas e confundidas com as cores brilhantes da cozinha: maçãs reluzindo numa tigela amarela, o tom forte de prata refletindo na lata de café em que Hobie guardava seus pincéis.

"Pijama?", Hobie estava dizendo. "Não? Vou ver o que consigo encontrar de Welty. E quando você tirar essas coisas vou jogá-las na máquina. Agora, andando", disse, colocando a mão no meu ombro tão subitamente que eu pulei.

"Eu..."

"Você pode ficar. O tempo que quiser. E não se preocupe, vou com você ver o advogado, vai ficar tudo bem."

II

Grogue, tremendo, voltei pelo corredor escuro e me entreguei às cobertas, pesadas e frias como gelo. O quarto cheirava a umidade e, embora houvesse muitas coisas interessantes pra se olhar — um par de grifos de terracota, imagens de bordados vitorianos, até uma bola de cristal —, as paredes marrom-escuras, sua profunda textura seca feito cacau em pó, envolveram-me completamente numa sensação que a voz de Hobie e também a de Welty produziam, uma cor amigável que me encheu até o âmago e falou em tons quentes e antiquados, de modo que, ao afundar numa corrente ardente de febre, eu me senti cercado e tranquilizado pela presença deles, ao passo que Pippa tinha lançado um halo colorido e mutável todo seu; pensava de um jeito confuso sobre folhas escarlates e centelhas de fogueira voando na escuridão, e sobre minha pintura, como ela ficaria contra um fundo tão rico, escuro e absorvedor de luz. Penas amarelas. Lampejo de carmesim. Olhos negros brilhantes.

Acordei com um sobressalto — apavorado, agitando os braços, de volta ao ônibus com alguém pegando a pintura da minha mochila — e encontrei Pippa pegando o cachorro sonolento, seu cabelo mais brilhante do que qualquer outra coisa no quarto.

"Desculpe, mas ele precisa sair", disse ela. "Não espirre em mim."

Apoiei-me atrapalhado nos cotovelos. "Desculpe. Oi", falei, bobo, esfregando um braço no rosto; e então: "Estou me sentindo melhor."

Seus inquietos olhos castanho-dourados percorreram o quarto em volta. "Você está entediado? Quer que eu te traga lápis de cor?"

"Lápis de cor?" Eu estava confuso. "Pra quê?"

"Hã, pra desenhar."

"Bem…"

"Tudo bem", disse ela. "É só dizer que não."

Pippa saiu, Popchik trotando atrás dela, deixando atrás de si um cheiro de chiclete de canela, e eu afundei o rosto no travesseiro, sentindo-me esmagado por minha idiotice. Embora preferisse morrer a contar isso pra alguém, eu estava preocupado que meu uso exuberante de drogas tivesse danificado meu cérebro e meu sistema nervoso, e talvez até minha alma, de alguma forma irreparável embora não perceptível de imediato.

Enquanto estava deitado ali, inquieto, meu celular apitou: ADIVINHA ONDE ESTOU? PISCINA DO MGM GRAND!!!!!

Pisquei. BORIS? Digitei em resposta.

SIM, SOU EU!

O que ele estava fazendo lá? Escrevi de volta. VC TA BEM?

SIM MAS COM MTO SONO! ESTAMOS USANDO AQUELE PÓ! :-)

E, então, outro toque:

MUITO LEGAL. FESTA FESTA. VC? MORANDO DBAIXO DA PONTE?

NYC, respondi. DE CAMA DOENTE. PQ VC TA NO MGMGR?

C/ KT E AMBER E AQUELE PESSOAL!!! ;-)

Então, chegando um segundo depois: VC CONHECE UMA BEBIDA CHAMADA WITE RUSIAN? GOSTO MTO BOM NOME NAO.

Uma batida na porta. "Você está bem?", disse Hobie, enfiando a cabeça pela porta. "Posso te trazer alguma coisa?"

Deixei o celular de lado. "Não, obrigado."

"Bem, me diga quando estiver com fome, por favor. Temos um monte de comida, a geladeira está tão cheia que mal consigo fechar a porta. Tivemos convidados no Dia de Ação de Graças — que barulho é esse?", disse ele, olhando em volta.

"Só o meu celular." Boris tinha mandado uma mensagem: VC NAO VAI ACREDITAR NOS ULTIMOS DIAS!

"Bem, vou deixar você descansar. Me avise se precisar de alguma coisa."

Uma vez que Hobie se foi, rolei de frente pra parede e respondi: MGMGR? C/ KT BEARMAN?!

A resposta veio quase na mesma hora: SIM! TB AMBER, MIMI, JESICA E A IRMA DE KT JORDAN Q TA NA *FACULDADE* :-D

COMO ASSIM???

VC SAIU NUMA MA HORA!!! :-D

Então, quase de imediato, antes que eu pudesse responder: TENHO Q IR, AMBR PRECISA DO CELULAR DELA

ME LIGA DEPOIS, escrevi de volta. Mas não houve resposta — e demoraria um bom tempo antes de eu receber qualquer outra notícia de Boris novamente.

III

Aquele dia e o dia seguinte, ou os dois dias seguintes, entregue a um velho pijama de Welty absurdamente macio, foram tão confusos e perturbados pela febre que repetidas vezes me peguei de volta a Port Authority fugindo de pessoas, esquivando-me pela multidão e me lançando em túneis com água oleosa pingando em mim, ou então em Las Vegas novamente no ônibus CAT, passando por centros industriais assolados pelo vento, areia batendo na janela, nenhum dinheiro pra pagar a passagem. O tempo deslizava sob mim aos montes, como trechos derrapantes de gelo na rodovia, pontuados por súbitos lampejos intensos nos quais minhas rodas se firmavam e eu era arremessado de volta ao tempo normal: Hobie me trazendo aspirinas e refrigerante com gelo, Popchik — recém-saído do banho, fofinho e branco-neve — saltando pra cima da cama e marchando pra lá e pra cá sobre meus pés.

"Aqui", disse Pippa, aproximando-se da cama e me cutucando pra que pudesse sentar. "Abra um espaço."

Sentei, tateando à procura dos óculos. Sonhara com a pintura — eu a tinha tirado, olhado pra ela, não tinha? — e me peguei olhando ansioso ao redor pra me certificar de que a guardara antes de ir dormir.

"O que foi?"

Forcei-me a dirigir o olhar para o rosto de Pippa. "Nada." Eu tinha me arrastado várias vezes pra debaixo da cama só pra pôr as mãos sobre a fronha e não podia deixar de me perguntar se tinha me descuidado e deixado a pintura aparecendo embaixo da cama. *Não olhe pra baixo*, falei para mim mesmo. *Olhe pra ela.*

"Aqui", Pippa estava dizendo. "Fiz uma coisa pra você. Abra a mão."

"Uau", falei, olhando para o origami espetado e verde na palma da minha mão. "Obrigado."

"Sabe o que é?"

"Hã..." Cervo? Corvo? Gazela? Em pânico, olhei pra ela.

"Desiste? Um sapo! Não dá pra ver? Aqui, põe no criado-mudo. Ele salta quando você pressiona assim, tá vendo?"

Enquanto eu brincava com ele, sem graça, estava ciente dos olhos dela sobre mim — olhos que tinham luz e ferocidade próprias, um poder despreocupado como os de um gato.

"Posso ver isso?" Ela tinha apanhado meu iPod e estava ocupada mexendo nele. "Humm", disse. "Legal! Magnetic Fields, Mazzy Star, Nico, Nirvana, Oscar Peterson. Nenhuma clássica?"

"Bem, tem algumas", falei, sentindo-me envergonhado. Tudo o que ela tinha mencionado exceto Nirvana era na verdade da minha mãe, e até algumas do Nirvana eram dela.

"Eu podia gravar uns CDs pra você. Só que deixei meu computador na escola. Posso te mandar algumas por e-mail — ando escutando muito Arvo Pärt, não me pergunte por quê, tenho que escutar com os fones de ouvido porque deixa minhas colegas de quarto malucas."

Apavorado de que ela me pegasse encarando, mas incapaz de desviar os olhos, fiquei observando-a estudar meu iPod com a cabeça curvada: orelhas rosadas, cicatriz aparente e ligeiramente enrugada sob o cabelo vermelho-escaldante. De perfil, seus olhos abaixados revelavam pálpebras longas e pesadas, com uma ternura que me lembrava dos anjos e pajens no livro sobre obras-primas do norte da Europa que eu tinha pegado emprestado e renovado seguidas vezes na biblioteca.

"Ei..." As palavras morrendo na minha boca.

"Sim?"

"Hum..." Por que não era como antes? Por que não conseguia pensar em nada pra dizer?

"Ih..." Ela tinha erguido os olhos para mim, e então estava rindo de novo, rindo forte demais pra conseguir falar.

"O que foi?"

"Por que você está olhando pra mim assim?"

"Assim como?", perguntei, alarmado.

"Tipo..." Eu não tinha certeza de como deveria interpretar a careta de olhos esbugalhados que ela fez pra mim. Pessoa sufocando? Mongoloide? Peixe?

"Não fique bravo. Você é tão sério. É só que..." Ela baixou os olhos para o iPod e irrompeu em riso novamente. "Uhh", disse, "Shostakovich. *Intenso*."

Quanto será que ela lembrava? Eu ficava me perguntando, ardendo de humilhação, mas ao mesmo tempo incapaz de tirar os olhos dela. Não era o tipo de coisa que você podia perguntar, mas ainda assim eu queria saber. Será que também tinha pesadelos? Temor de multidões? Suores e pânicos? Será que alguma vez teve a sensação de estar observando a si mesma de longe, como com frequência acontecia comigo, como se a explosão tivesse dividido meu corpo e minha alma em duas entidades distintas que permaneciam uns dois metros uma da outra? Sua explosão de riso tinha uma imprudência autoinduzida que eu conhecia bem demais das noites selvagens com Boris, uma ponta de vertigem e histeria que associava (no meu caso, pelo menos) com o fato de ter escapado por pouco da morte. Houve noites no deserto em que eu me senti tão enjoado de tanto rir, convulsionado e curvado de dor no estômago por horas a fio, que teria me jogado alegremente na frente de um carro pra fazer aquilo parar.

IV

Na manhã de segunda-feira, embora estivesse longe de me sentir bem, forcei-me a sair do nevoeiro de dores e sonecas e marchei zelosamente até a cozinha para ligar para o escritório do sr. Bracegirdle. Mas, quando pedi para falar com ele, sua secretária (depois de me colocar na espera e então retornar um pouco rápido demais) me informou que ele não estava no escritório e não, ela não tinha um número para o qual pudesse ligar e receava que não saberia dizer quando ele voltaria. Eu gostaria de mais alguma coisa?

"Bem..." Deixei o número de Hobie com ela e lamentava não ter reagido rápido o bastante e já marcado um horário quando o telefone tocou.

"Prefixo 212, hein?", disse a voz inteligente e agradável.

"Fui embora", falei, tolamente; a gripe na minha cabeça me fazia soar nasal e burro. "Estou na cidade."

"Sim, foi o que imaginei." Seu tom era amigável mas frio. "O que posso fazer por você?"

Quando lhe contei sobre meu pai, houve um suspiro profundo. "Bem", disse, cauteloso. "Sinto muito. Quando aconteceu?"

"Semana passada."

Ele escutou sem interromper; nos cinco minutos e pouco que levei para colocá-lo a par da situação, ouvi-o ignorar pelo menos duas outras ligações. "Vixe", disse ele, quando terminei de falar. "É uma história e tanto, Theodore."

Vixe. Eu poderia ter sorrido, se estivesse de bom humor. Ele era com certeza uma pessoa que minha mãe conhecia e gostava.

"Deve ter sido terrível pra você lá", ele estava dizendo. "É claro, sinto muitíssimo por sua perda. É tudo *muito* triste. Embora sinceramente — e me sinto mais confortável em dizer isso pra você agora —, quando ele apareceu, ninguém soube o que fazer. Sua mãe tinha, é claro, me confidenciado algumas coisas — até Samantha havia expressado certas preocupações — bem, como você sabe, foi uma situação difícil. Mas era quase esperado. Capangas com tacos de beisebol..."

"Bem..." *Capangas com tacos de beisebol.* Eu realmente não quis que ele focasse nesse detalhe. "O cara só ficou lá parado, segurando o taco. Não é como se tivesse me batido ou algo do tipo."

Ele riu, uma risada fácil que quebrou a tensão. "Sessenta e cinco mil dólares de fato pareceu um valor *bem* específico. Devo dizer também — eu abusei um pouco da minha autoridade como seu advogado quando falamos no telefone, embora espero que considerando as circunstâncias você me perdoe. Foi só que desconfiei de alguma tramoia."

"Como?", falei, depois de uma pausa de ânsia.

"No telefone. O dinheiro. Você *pode* sacá-lo, no caso da poupança pelo menos. Os impostos são altíssimos, mas é possível."

Possível? Eu poderia tê-lo retirado? Um futuro alternativo estava passando em flashes pela minha mente: o sr. Silver pago, meu pai de roupão conferindo os resultados dos jogos no BlackBerry, eu na aula de Spirsetskaya com Boris de bobeira no corredor ao meu lado.

"Embora eu deva realmente te informar que o dinheiro do fundo é um pouco menos que isso, na verdade", o sr. Bracegirdle estava dizendo. "Mas está reservado e sempre rendendo! Não que não possamos providenciar pra que você use um pouco agora, considerando sua situação, mas sua mãe estava absolutamente determinada a não o gastar mesmo com as dificuldades financeiras que enfrentava. A última coisa que ia querer é que seu pai botasse as mãos nele. E, sim, aqui entre nós, eu realmente acho que você foi inteligente em voltar pra cidade por sua conta e risco. Desculpe..." — conversa abafada — "tenho um encontro às onze. Preciso correr — você está na casa da Samantha agora, imagino?"

A pergunta me pegou de surpresa. "Não", falei. "Estou com amigos no Village."

"Bem, esplêndido. Desde que você esteja confortável. Em todo caso, receio que tenha que sair correndo agora. O que você acha de continuarmos essa discussão no meu escritório? Vou te passar de volta para Patsy pra que ela possa agendar um horário."

"Ótimo", falei, "obrigado", mas quando desliguei o telefone me senti nauseado, como se alguém tivesse acabado de enfiar uma mão no meu peito e deixado solto um monte de coisas úmidas e desagradáveis em volta do meu coração.

"Está tudo bem?", perguntou Hobie, atravessando a cozinha, parando subitamente para ver a expressão do meu rosto.

"Claro." Mas foi uma longa caminhada pelo corredor até meu quarto — e uma vez tendo fechado a porta e subido na cama comecei a chorar, ou algo parecido com isso, chiados secos horríveis com a cara pressionada contra o travesseiro, enquanto Popchik farejava inquieto minha camiseta e minha nuca.

v

Antes disso, eu estava me sentindo melhor, mas de alguma forma foi como se a notícia tivesse me deixado mal novamente. Conforme o dia passava e minha febre voltava à sua antiga oscilaçao vertiginosa, eu não conseguia pensar em nada além do meu pai: *tenho que ligar pra ele*, pensava, pulando assustado de novo e de novo na cama bem quando estava começando a pegar no sono; era como se sua morte não fosse real, só um ensaio, uma prévia: a morte real (permanente) ainda estava para acontecer e havia tempo de impedi-la se eu o encontrasse, se ele atendesse o celular, se Xandra entrasse em contato com ele do trabalho, *tenho que falar com ele, tenho que contar pra ele*. Então, mais tarde — o dia tinha acabado, estava escuro —, caí numa espécie de sonho perturbado em que meu pai estava berrando comigo por ter arruinado as reservas de passagem de avião que ele tinha feito quando tomei consciência de luzes no corredor, uma minúscula sombra iluminada por trás — Pippa, entrando subitamente no quarto com um leve tropeço quase como se alguém a tivesse empurrado, olhando insegura para trás, dizendo: "Devo acordá-lo?".

"Espere", falei, em parte para ela e em parte para meu pai, que estava recuando rapidamente de volta para a escuridão, em meio a uma multidão violenta de estádio do outro lado de um portão alto e arqueado. Quando consegui botar os óculos, vi que ela estava de casaco, como se fosse sair.

"Desculpe", falei, o braço sobre os olhos, desnorteado com o clarão da lâmpada.

"Não, eu é que peço desculpas. É só que... bem..." — tirando uma mecha de cabelo do rosto — "estou indo embora e queria dar tchau."

"Tchau?"

"Ah." Suas sobrancelhas marrom-claras se juntaram; ela olhou na direção da porta para Hobie (que tinha sumido) e de volta para mim. "Certo. Bem." Sua voz parecia ligeiramente em pânico. "Vou voltar. Esta noite. Mas, enfim, foi bom te ver. Espero que dê tudo certo pra você."

"Esta noite?"

"É, vou pegar o voo agora. Ela me botou num internato", disse ela quando continuei a olhá-la estupefato. "Vim pro feriado de Ação de Graças. Pra ver o médico. Lembra?"

"Ah. Certo." Eu a estava encarando muito intensamente e torcendo para ainda estar dormindo. A palavra *internato* me trouxe alguma vaga lembrança, mas eu achara que era um sonho.

"É..." Ela também parecia inquieta. "Pena que você não veio antes, foi divertido. Hobie cozinhou — veio um monte de gente. Mas, enfim, foi sorte eu ter conseguido vir. Precisei de uma liberação do dr. Camenzind. Ação de Graças não é feriado lá na minha escola."

"O que eles fazem?"

"Não comemoram. Bem — acho que talvez façam peru ou algo assim pras pessoas que comemoram."

"Que escola é essa?"

Quando ela me disse o nome — com um trejeito meio cômico da boca —, fiquei chocado. Institut Mont-Haefeli era uma escola na Suíça — mal avaliada, de acordo com Andy — pra onde só as garotas mais burras e perturbadas iam.

"Mont-Haefeli? Sério? Achei que fosse uma espécie de..." — o termo *clínica de reabilitação* não era bom — "uau."

"Bem. Tia Margaret diz que vou me acostumar." Ela estava brincando com o sapo de origami no criado-mudo, tentando fazê-lo saltar, só que ele estava torto e tombava pra um lado. "E a vista é como a da montanha da caixa de lápis Caran d'Ache. Montes de neve e flores de prado e aquilo tudo. Tirando isso é como um daqueles filmes de terror europeus sem graça em que pouca coisa acontece."

"Mas..." Eu sentia como se estivesse deixando passar algo, ou talvez ainda estivesse dormindo. A única pessoa que conhecia que já tinha ido pra Mont-Haefeli era a irmã de James Villiers, Dorit Villiers, e a história é que ela tinha sido mandada pra lá porque apunhalara o namorado na mão.

"É, é um lugar estranho", disse ela, olhos entediados piscando pelo quarto em volta. "Uma escola pra lelés. Mas poucos lugares me aceitariam, com a lesão na cabeça. Eles têm uma clínica lá", disse ela, dando de ombros. "Médicos à disposição. Uma coisa muito maior do que você imagina. Tipo, tenho problemas, já que bati a cabeça, mas não é como se fosse doida ou roubasse lojas."

"Sim, mas..." Eu ainda estava tentando tirar a ideia de *filme de terror* da minha cabeça. "Suíça? Isso é bem legal."

"Se você diz."

"Conheci uma garota chamada Lallie Foulkes que foi pro Le Rosey. Ela disse que tinham um intervalo para chocolate toda manhã."

"Bem, a gente não tem nem geleia pra pôr na torrada." A mão dela aparecia salpicada e pálida contra o preto do casaco. "Só as garotas com transtornos alimentares ganham geleia. Se você quiser açúcar no chá tem que roubar os sachês da sala das enfermeiras."

"Hum..." Cada vez pior. "Você conhece uma garota chamada Dorit Villiers?"

"Não. Ela ficou lá, mas depois a mandaram pra algum outro lugar. Acho que tentou arranhar alguém na cara. Ficou presa um tempo."

"Como?"

"Não é assim que eles *chamam*", disse Pippa, esfregando o nariz. "É um prédio com ar de fazenda que chamam de La Grange — sabe, todo estilo leiteria, rústico e falso. Mais legal que as casas de residência. Mas as portas têm alarme e eles têm guardas e tal."

"Bem, quer dizer..." Pensei em Dorit Villiers — cabelo louro crespo; olhos azuis inexpressivos como um anjo amalucado de árvore de Natal — e não soube o que dizer.

"Lá eles só colocam as garotas realmente loucas. Em La Grange. Estou em Bessonet, com um monte de garotas que falam francês. Supostamente é pra eu aprender a língua melhor, mas ninguém lá fala comigo."

"Você devia falar pra ela que não gosta de lá! Pra sua tia."

Pippa fez uma careta. "Eu falo. Mas aí ela começa a me dizer o quanto paga. Ou então que assim eu a magoo. Enfim", disse, inquieta, num tom de *tenho que ir*, olhando por cima do ombro.

"Hã", falei, finalmente, depois de uma pausa aturdida. Dia e noite, meu delírio tinha sido colorido por uma consciência dela na casa, ondas energizadas e recorrentes de felicidade ao som da sua voz no corredor, dos seus passos: faríamos uma barraca de cobertor, ela estaria esperando por mim na pista de gelo, um cantarolar alegre de emoção diante de todas as coisas que faríamos juntos quando eu melhorasse — na verdade, parecia que já *estávamos* fazendo algumas coisas, como montar colares de doces com as cores do arco-íris enquanto o rádio tocava Belle & Sebastian, e então, mais tarde, vagar pelo fliperama de um cassino não existente na Washington Square.

Hobie, percebi, estava parado discretamente no corredor. "Desculpe", disse ele, olhando para o relógio de pulso. "Odeio ter que te apressar..."

"Claro", disse Pippa. Para mim ela disse: "Tchau então. Melhoras pra você".

"Espere!"

"Sim?", disse ela, virando-se.

"Você vai voltar pro Natal, né?"

"Não, vou pra casa da tia Margaret."

"Quando você volta, então?"

"Bem..." Deu de ombros. "Não sei. Na Páscoa talvez."

"Pips...", disse Hobie, embora estivesse realmente falando comigo, e não com ela.

"Certo", disse Pippa, afastando o cabelo dos olhos.

Esperei até ouvir a porta da frente fechar. Então saí da cama e puxei a cortina pro lado. Pelo vidro empoeirado, observei-os descer juntos os degraus da frente, Pippa com seu cachecol e gorro rosa apressando ligeiramente o passo ao lado da figura grande e bem vestida de Hobie.

Por um tempo depois de terem dobrado a esquina, fiquei parado diante da janela olhando para a rua vazia. Então, sentindo-me tonto e desamparado, arrastei-me até o quarto dela e — incapaz de resistir — abri uma frestinha da porta.

Era o mesmo de dois anos atrás, só que mais vazio. Pôsteres de *O mágico de Oz* e SALVE O TIBETE. Nenhuma cadeira de rodas. Janela com pedras brancas de granizo acumuladas no parapeito. Mas tinha o cheiro dela, ainda estava quente e vivo da sua presença, e, enquanto eu respirava a atmosfera dela, senti um enorme sorriso de alegria se formar no meu rosto só por estar parado ali com seus livros de contos de fada, seus frascos de perfume, suas presilhas e sua coleção de Dia de São Valentim: papel rendado, cupidos e aquilégias, pretendentes eduardianos com buquês de rosa apertados contra o peito. Silenciosamente, andando na ponta dos pés mesmo estando descalço, fui até os retratos com moldura prateada sobre a penteadeira — Welty e Cosmo, Welty e Pippa, Pippa e sua mãe (mesmo cabelo, mesmos olhos) com um Hobie mais jovem e mais magro...

Um ruído baixo dentro do quarto. Eu me virei, sentindo-me culpado — alguém se aproximando? Não: apenas Popchik, branco-algodão depois do banho, aninhado entre os travesseiros da cama desfeita dela e roncando com um som baboso, extasiado e ronronante. Embora houvesse algo de patético nisso — confortando-me nas coisas deixadas pra trás como um cachorrinho aconchegando-se num velho casaco —, eu me enfiei debaixo dos lençóis e me aninhei ao lado dele, sorrindo tolamente diante do cheiro do edredom dela e de sua sensação sedosa no meu rosto.

VI

"Ora, ora", disse o sr. Bracegirdle enquanto apertava a mão de Hobie e depois a minha. "Theodore — tenho que dizer —, você está ficando muito parecido com sua mãe. Queria que ela pudesse ver você agora."

Tentei fazer contato visual com ele sem parecer constrangido. A verdade era: embora eu tivesse o cabelo liso da minha mãe, e algo de seu tom de pele, parecia bem mais com o meu pai, uma semelhança tão forte que nenhum espectador tagarela, nenhuma garçonete de qualquer cafeteria tinha deixado passar despercebida — não que alguma vez eu tivesse ficado feliz com isso, ser parecido com o progenitor que eu não suportava, mas ver no espelho uma versão mais jovem do seu rosto mal-humorado de motorista embriagado era particularmente perturbador agora que ele estava morto.

Hobie e o sr. Bracegirdle conversavam num tom leve — o sr. Bracegirdle estava dizendo a Hobie como ele tinha conhecido minha mãe, despertando sua lembrança: "Sim! Eu lembro — trinta centímetros em menos de uma hora! Meu Deus, saí de um leilão e nada se movia; eu estava na parte alta, na antiga Parke-Bernet...".

"Na Madison, em frente ao Carlyle?"

"Sim — uma caminhada e tanto até em casa."

"Você trabalha com antiguidades? Lá no Village?"

Educadamente, fiquei sentado ouvindo a conversa deles: amigos em comum, donos de galerias e colecionadores de arte, os Raker e os Rehnberg, os Fawcett, os Vogel, os Mildeberger e Depew, passando para monumentos desaparecidos de Nova York, o fechamento de Lutèce, La Caravelle, Café des Artistes — *o que sua mãe teria pensado, Theodore? Ela amava o Café des Artistes.* (Como ele sabia disso?, fiquei me perguntando.) Enquanto nem por um instante acreditei em algumas das coisas que meu pai, em momentos de maldade, insinuava sobre minha mãe, *realmente* parecia que o sr. Bracegirdle a conhecia bem mais do que eu imaginara. Até os livros não jurídicos da sua estante pareciam sugerir uma correspondência, um eco de interesses entre eles. Livros de arte. Agnes Martin, Edwin Dickinson. Poesia também, primeiras edições: Ted Berrigan. Frank O'Hara, *Meditações numa emergência*. Lembrei-me do dia em que ela chegou corada e feliz com exatamente a mesma edição de Frank O'Hara — que eu presumira que tinha encontrado na Strand, já que não tínhamos dinheiro pra uma coisa daquelas. Mas, quando pensei melhor no assunto, me dei conta de que ela não tinha me dito como a conseguira.

"Bem, Theodore", disse o sr. Bracegirdle, chamando-me de volta ao mundo. Embora idoso, ele tinha a aparência calma e bem bronzeada de alguém que passava muito do seu tempo livre na quadra de tênis; as bolsas escuras embaixo dos olhos lhe davam um aspecto afável de panda. "Você tem idade suficiente pra que um juiz considere sua vontade acima de tudo neste assunto", ele estava dizendo. "Especialmente porque sua guarda não seria contestada. É claro", disse ele para Hobie, "que poderíamos solicitar uma guarda temporária para o futuro próximo, mas não acho que será necessário. Claramente esse arranjo atende ao melhor interesse do menor, desde que pra você não haja problema."

"Fico feliz se Theo estiver feliz", disse Hobie.

"Você está totalmente preparado para atuar como guardião informal de Theodore por enquanto?"

"Informal, black tie, como quiserem."

"Temos que ver também a questão da sua educação. Falamos sobre internato, se bem me lembro. Mas parece que é muita coisa pra se pensar agora, não é?", disse, percebendo a expressão aflita do meu rosto. "Você acabou de chegar, e com os feriados se aproximando... Nenhuma necessidade de tomar qualquer decisão que seja no momento", disse ele, com um olhar para Hobie. "Acredito que não haveria problema se tirasse um tempo para si e descansasse o resto deste período. Depois podemos ver o que fazer. E você sabe que pode me ligar a *qualquer* momento, é claro. Da noite ou do dia." O advogado estava escrevendo um número de telefone num cartão de visita. "Este é o número da minha casa, e este é o meu celular — minha nossa, mas que tosse horrível essa sua!", disse ele, olhando pra mim, "uma tosse e tanto, está sendo tratada, não? E este é meu número lá em Bridgehampton. Espero que não hesite em me ligar se precisar de alguma coisa, o que quer que seja."

Fiz um grande esforço, dando meu melhor, pra engolir outra tosse. "Obrigado..."

"Isso é definitivamente o que você quer?" O sr. Bracegirdle estava olhando atentamente para mim com uma expressão que fez eu me sentir como se estivesse no banco das testemunhas. "Ficar com o sr. Hobart nas próximas poucas semanas?"

Não gostei de como *próximas poucas semanas* soou. "Sim, mas..."

"Porque... internato." Ele cruzou as mãos, inclinou-se pra frente na cadeira e me observou. "É quase certo que é a melhor coisa pra você no longo prazo, mas sinceramente, considerando a situação, acredito que poderia ligar pro meu amigo Sam Ungerer em Buckfield e te colocaríamos lá agora mesmo. Algo pode ser feito. É uma escola excelente. E acredito que seria possível providenciar pra que você ficasse na casa do diretor ou de um dos professores em vez do dormitório, pra que fique num ambiente mais familiar, se achar que gostaria disso."

Tanto ele quanto Hobie estavam olhando para mim, de modo encorajador, eu achava. Olhei para os meus sapatos, sem querer parecer ingrato, mas desejando que esse tipo de sugestão desaparecesse.

"Bem." O sr. Bracegirdle e Hobie trocaram um olhar — será que estava errado em enxergar uma pontada de resignação e/ou decepção na expressão de Hobie? "Desde que seja isso que você quer, e que o sr. Hobart esteja de acordo, não vejo nenhum problema neste arranjo para o momento. Mas peço veementemente que pense sobre onde quer ficar, Theodore, pra que possamos seguir em frente e arranjar alguma coisa para o próximo período escolar, ou talvez até pra um curso de verão, se quiser."

VII

Guarda temporária. Nas semanas que se seguiram, fiz o melhor que pude pra me enterrar nos estudos e não pensar sobre o que *temporária* poderia significar. Eu tinha me inscrito num programa de faculdade antecipada na cidade — meu raciocínio sendo de que isso me impediria de ser mandado pra algum fim de mundo se por algum motivo as coisas não dessem certo na casa de Hobie. Passava o dia todo no meu quarto, sob uma luz fraca de abajur, enquanto Popchik cochilava no carpete aos meus pés, debruçado sobre cartilhas preparatórias para testes, decorando datas, provas, teoremas, palavras latinas, tantos verbos irregulares em espanhol que até em sonhos eu corria os olhos por linhas de longas tabelas e me desesperava pra tentar não misturá-las.

Era como se estivesse tentando me punir — talvez até compensar as coisas em relação à minha mãe — ao estabelecer metas tão altas. Tinha perdido o hábito de fazer lição de casa; não era como se tivesse realmente continuado meus estudos em Vegas e a quantidade absurda de material para decorar me dava uma sensação de tortura, luzes voltadas para o rosto, sem saber a resposta correta, catástrofe se eu errasse. Esfregando os olhos, tentando me manter acordado com duchas frias e café gelado, eu me instigava lembrando a mim mesmo que coisa boa era aquilo que eu estava fazendo, embora meu estudo excessivo e interminável parecesse muito mais com autodestruição do que qualquer coisa que eu tivesse cheirado; e em algum momento confuso o estudo em si se tornou uma espécie de droga que me deixava tão esgotado que mal conseguia reconhecer meu entorno.

Ao mesmo tempo, eu me sentia grato pelo estudo, porque ele me mantinha ocupado demais para pensar. A vergonha que me atormentava era ainda mais excruciante por não ter uma origem muito clara: eu não sabia por que me sentia tão contaminado, imprestável e errado — só sabia que me sentia assim, e toda vez que erguia os olhos dos livros era inundado por águas lamacentas vindas de todos os lados.

Parte disso tinha a ver com a pintura. Eu sabia que nada de bom viria em mantê-la, e ao mesmo tempo sabia que a tinha mantido por tempo demais pra me manifestar agora. Confidenciar ao sr. Bracegirdle seria imprudência. Minha posição era precária demais; ele já estava ansioso pra me mandar pro internato. E quando pensava, como com frequência acontecia, em contar a Hobie, eu me pegava alternando entre vários cenários hipotéticos, nenhum dos quais mais ou menos provável que os outros.

Eu daria a pintura a Hobie e ele diria *Ah, não é nada de mais*, e de alguma forma (eu tinha problemas com essa parte, a logística toda) ele ia cuidar disso, ou ligar pra alguém que conhecia, ou ter uma grande ideia sobre o que fazer, ou algo assim, e não se importar, ou ficar bravo, e de alguma forma ia ficar tudo bem.

Ou: eu daria a pintura a Hobie e ele chamaria a polícia.

Ou: eu daria a pintura a Hobie e ele pegaria a pintura para si e então diria *Quê, tá maluco? Pintura? Não sei do que está falando.*

Ou: eu daria a pintura a Hobie e ele assentiria, pareceria empático e me diria que eu tinha feito a coisa certa, mas, assim que eu saísse de perto, ele ligaria pro advogado e eu seria despachado pro internato ou pra um centro de detenção juvenil (que, com ou sem pintura, era onde a maioria dos meus cenários acabava de qualquer forma).

Mas de longe a maior parte da minha inquietação tinha a ver com meu pai. Sabia que a morte dele não era culpa minha, mas, num nível irracional, completamente inabalável e profundo, sabia que era. Considerando quão friamente eu me afastara de meu pai em seu desespero final, o fato de que ele tinha mentido era irrelevante. Talvez soubesse que estava em meu poder pagar sua dívida — um fato que vinha me atormentando desde que o sr. Bracegirdle o deixara escapar tão levianamente. Nas sombras além do abajur de mesa, os grifos de terracota de Hobie me encaravam com olhos redondos de vidro. Será que achava que eu passara a perna nele de propósito? Que queria que ele morresse? À noite, eu sonhava com meu pai sendo espancado e perseguido em estacionamentos de cassinos, e mais de uma vez acordei sobressaltado com ele sentado na cadeira junto da minha cama me observando em silêncio, a brasa do cigarro brilhando no escuro. *Mas me disseram que você morreu*, eu dizia em voz alta, antes de perceber que ele não estava ali.

Sem Pippa, a casa ficava num silêncio mortal. Os cômodos formais e fechados tinham um leve fedor de umidade, como folhas mortas. Eu ficava à toa olhando as coisas dela, perguntando-me onde estava e o que estava fazendo, e esforçando-me terrivelmente pra me sentir ligado a ela por fios tão tênues como um cabelo vermelho no ralo da banheira ou uma meia enrolada debaixo do sofá. Mas, por mais que sentisse falta do arrepio nervoso da presença dela, eu era acalmado pela casa, sua sensação de segurança e cobertura: retratos antigos e corredores mal iluminados, relógios tiquetaqueando alto. Era como se tivesse entrado como aprendiz de marinheiro no *Marie Céleste*. Conforme me movia pelo silêncio estagnado, pelos fachos de sombra e profunda luz solar, os pisos antigos rangiam sob meus pés como o convés de um navio, o burburinho do trânsito lá fora na Sexta Avenida quebrando só audivelmente contra o ouvido. Lá em cima, tentando entender atordoado equações diferenciais, a Lei de Resfriamento de Newton, variáveis independentes, considerando o fato de que o tau é constante para eliminar sua derivada, a presença de Hobie no porão era uma âncora, um peso amigável: eu me sentia confortado em ouvir o bater do martelo flutuando de baixo para cima e em saber que ele estava lá embaixo trabalhando silenciosamente com suas ferramentas, suas gomas adesivas e suas madeiras multicoloridas.

Com os Barbour, minha falta de mesada tinha sido uma constante preocupação; o fato de sempre ter que pedir à sra. Barbour dinheiro pro almoço, pras taxas de laboratório da escola e pra outras despesas pequenas tinha provocado em mim um pavor e uma ansiedade desproporcionais aos valores que ela despreocupadamente desembolsava. Mas minha remuneração pra viver agora vinda do sr. Bracegirdle fez eu me sentir bem menos constrangido com minha chegada sem aviso à casa de Hobie. Podia pagar as contas do veterinário de Popchik, uma pequena fortuna, já que ele estava com os dentes estragados e um caso não muito grave de verme no coração — Xandra, até onde eu sabia, jamais tinha lhe dado um remédio ou vacina durante todo o tempo em que fiquei em Vegas. Também pude pagar minha própria conta do dentista, que foi considerável (seis obturações, dez horas infernais na cadeira) e comprar um laptop e um iPhone, assim como os sapatos e as roupas de inverno de que precisava. E — embora Hobie não quisesse aceitar dinheiro pras compras de mercado — eu saía e fazia compras pra ele: leite, açúcar e sabão em pó do Grand Union, mas com mais frequência produtos frescos da feira dos produtores na Union Square, cogumelos silvestres, pão de passas e outros pequenos luxos que pareciam agradá-lo, ao contrário das grandes embalagens de sabão para as quais olhava com tristeza e levava até a despensa sem dizer uma palavra.

Era tudo muito diferente da atmosfera lotada, complicada e excessivamente formal da casa dos Barbour, onde tudo era ensaiado e programado como numa produção da Broadway, uma perfeição abafada da qual Andy constantemente se esquivava, fugindo para seu quarto como uma lula assustada. Em contraste, Hobie vivia e flutuava como um grande mamífero marinho no seu próprio habitat agradável, o marrom-escuro de manchas de chá e tabaco, onde cada relógio da casa dizia alguma coisa diferente e o tempo na verdade não correspondia à medida-padrão, mas vagava ao seu próprio tique-taque tranquilo, obedecendo ao ritmo do seu remanso cheio de antiguidade, longe da versão construída em fábrica e colada com epóxi do mundo. Embora ele gostasse de ir ao cinema, não havia televisão; lia velhos romances com folhas de guarda marmorizadas; não tinha celular; seu computador, um IBM pré-histórico, era do tamanho de uma mala e inútil. Numa tranquilidade inculpável, Hobie se enterrava no trabalho, curvando folhas de madeira com vapor ou talhando roscas em pernas de mesa com um cinzel, e sua alegre absorção subia flutuando da oficina e se espalhava por toda a casa com o calor de um fogão a lenha aceso no inverno. Ele era distraído e amável; era negligente, atrapalhado, autodepreciativo e bondoso; muitas vezes não escutava na primeira vez em que alguém falava com ele, ou mesmo na segunda; perdia os óculos, esquecia onde tinha deixado a carteira, as chaves, os recibos de lavanderia, e vivia me chamando até o porão pra que eu me abaixasse com ele e o ajudasse a procurar algum encaixe ou peça minúscula de equipamento que tinha derrubado. Às vezes abria a loja com hora marcada, por uma ou duas horas de cada vez, mas — até onde se via — isso era pouco mais que uma desculpa para pegar a garrafa de xerez e bater papo com amigos e conhecidos; e, se ele mostrava algum móvel, abrindo e fechando gavetas para *ohhs* e *ahhs*, parecia ser principalmente no espírito com que eu e Andy outrora arrastávamos nossos brinquedos até a escola pra mostrá-los e falar sobre eles diante da turma.

Se alguma vez Hobie realmente vendeu algum móvel, eu não vi. Sua praia (como ele dizia) era a oficina, ou melhor, o "hospital", onde as cadeiras e mesas aleijadas ficavam empilhadas esperando seus cuidados. Como um jardineiro ocupado com espécies de estufa, tirando os pulgões das folhas de uma planta específica, ele ficava absorto com a textura e a granulação de uma peça específica, as gavetas escondidas, as marcas e maravilhas. Embora tivesse algumas poucas ferramentas modernas de marcenaria — uma tupia, uma furadeira sem fio e uma serra circular —, raramente as usava. ("Se requer protetores de ouvido, não me serve de muita coisa.") Hobie descia cedo pra oficina e, às vezes, se tinha um projeto, ficava lá embaixo até depois de escurecer, mas geralmente quando a luz começava a sumir ele subia e — antes de se lavar pro jantar — se servia do mesmo dedo de uísque, puro, num pequeno copo — cansado, simpático, fuligem nas mãos, algo de grosseiro e soldadesco na sua fadiga. Ele te levou pra jantar, Pippa me perguntou por mensagem.

Sim umas 3 ou 4 vzs

Ele soh gosta de ir pra 3 restaurantes pra onde ninguem vai.

Verdade o lugar onde ele me levou semana passada era tipo a tumba do farao

Eh ele soh vai pra lugares onde sente pena dos donos! pq tem medo que o lugar feche e entao vai se sentir culpado

Prefiro qdo ele cozinha

Pede pra ele fazer pao de mel pra vc ai que vontade de comer isso agora

O jantar era o momento do dia pelo qual eu mais ansiava. Em Vegas — especialmente depois de Boris ter começado a sair com Kotku — nunca me acostumei à tristeza de ter que sair procurando algo pra comer à noite, sentado à beira da cama com um pacote de batata frita ou arroz velho que sobrou da marmita do meu pai. Por um feliz contraste, todo o dia de Hobie girava em torno do jantar. Onde vamos comer? Quem vai? O que devo cozinhar? Você gosta de *pot-au-feu*? Não? Nunca comeu? Arroz de limão ou açafrão? Figo em calda ou damasco? Quer ir comigo até o Jefferson Market? Às vezes, nos domingos, havia convidados, que, em meio a professores da New School e de Columbia, senhoras da orquestra, da ópera e de sociedades de preservação e vários amigos antigos de um lado e do outro da rua, também incluíam um bom número de comerciantes e colecionadores de todo tipo, de velhinhas excêntricas com luvas sem dedos que vendiam joias georgianas no mercado de pulgas a ricaços que não ficariam deslocados na casa dos Barbour (Welty, fiquei sabendo, tinha ajudado muitas dessas pessoas a formar sua coleção, aconselhando-as sobre que peças comprar). Na maior parte das conversas eu ficava completamente perdido (St. Simon? Festival de Ópera de Munique?

Coomaraswamy? A casa de campo em Pau?). Mas, mesmo quando o ambiente era formal e a companhia, "inteligente", o almoço era do tipo em que as pessoas não pareciam se importar em se servir sozinhas ou comer com o prato no colo, em oposição às festas rigidamente servidas sempre cheias de frios tilintares na casa dos Barbour.

De fato, nesses jantares, por mais agradáveis e interessantes que os convidados de Hobie fossem, eu vivia preocupado que alguém que me conhecesse da casa dos Barbour aparecesse. Eu me sentia culpado por não ter ligado pra Andy; e no entanto, depois do que acontecera com o pai dele na rua, sentia-me ainda mais envergonhado de que ele soubesse que eu tinha chegado à cidade sem ter onde morar.

E pra começar — embora não fosse uma grande questão — eu ainda me sentia incomodado com o modo como tinha aparecido na casa de Hobie. Apesar de ele nunca contar a história na minha frente, de como eu tinha surgido na sua porta, principalmente porque via como eu ficava desconfortável, ainda assim contava pras pessoas — não que eu o culpasse; era uma história boa demais pra não contar. "Faz tanto sentido se você conhecesse Welty", disse uma grande amiga de Hobie, a sra. DeFrees, uma vendedora de aquarelas do século XIX que apesar das roupas rígidas e dos perfumes fortes era do tipo que adorava abraçar e afagar, com o hábito de uma velhinha de apertar seu braço ou acariciar sua mão enquanto falava. "Porque, meu querido, Welty era um agora*maníaco*. Amava pessoas, sabe, amava o mercado. O vaivém daquilo. Negociações, produtos, conversa, troca. Foi aquele tantinho de Cairo da infância, eu sempre dizia que ele teria sido perfeitamente feliz de chinelo mostrando tapetes no *souq*. Ele tinha o dom do antiquário, sabe? Sabia o que combinava com quem. A pessoa vinha na loja sem a intenção de comprar alguma coisa, entrando pra fugir da chuva talvez, e ele oferecia uma xícara de chá e elas acabavam ficando com uma mesa de jantar sendo levada pra Des Moines. Ou um estudante entrava só pra admirar, e ele trazia exatamente a pequena gravura barata. Todo mundo ficava feliz. Ele sabia que nem todo mundo tinha condições de entrar e comprar alguma peça grande e importante — a questão era combinar, encontrar o lar certo."

"E as pessoas confiavam nele", disse Hobie, vindo com o dedinho de xerez da sra. DeFrees e um copo de uísque pra ele próprio. "Welty sempre dizia que sua deficiência era o que fazia dele um bom vendedor, e acho que havia um pouco de verdade nisso. 'O aleijado simpático.' Nenhuma segunda intenção. Sempre de lado, observando."

"Ah, Welty nunca ficava de lado em nada", disse a sra. DeFrees, aceitando seu copo de xerez e batendo afetuosamente na manga de Hobie, a pele fina como papel da pequena mão brilhando com diamantes de corte rosa. "Estava sempre bem no centro, que Deus o tenha, dando aquela risada, nem uma palavra em reclamação. Em todo caso, meu querido", ela disse, voltando-se para mim, "não tenha dúvidas quanto a isso. Welty sabia *exatamente* o que estava fazendo quando te deu o anel. Porque, ao dá-lo a você, ele te trouxe direto aqui para Hobie, entende?"

"Certo", falei, e então tive que me levantar e ir até a cozinha, de tão perturbado que fiquei com esse detalhe. Porque, é claro, ele não tinha me dado só o anel.

VIII

À noite, no antigo quarto de Welty, que agora era meu, seus velhos óculos de leitura e canetas-tinteiros ainda nas gavetas da escrivaninha, eu ficava acordado ouvindo o barulho da rua e me afligindo. Tinha passado pela minha cabeça em Vegas que se meu pai ou Xandra encontrassem a pintura eles poderiam não saber do que se tratava, pelo menos não de imediato. Mas Hobie saberia. Vezes sem fim eu me pegava imaginando cenários em que chegava em casa e o encontrava esperando por mim com a pintura nas mãos — *O que é isso?* —, pois não havia desculpa ou frase preventiva com que enfrentar tal catástrofe; e quando eu me ajoelhava e me esticava debaixo da cama pra pôr as mãos sobre a fronha (o que fazia, cegamente e a intervalos irregulares, para me certificar de que ela ainda estava lá) era uma rápida e falsa encostada e soltada, como ao pegar um prato quente demais do micro-ondas.

Um incêndio na casa. A visita de um exterminador de pragas. A grande e vermelha Interpol no banco de dados de arte desaparecida. Se alguém se desse ao trabalho de fazer a ligação, o anel de Welty era a prova de que eu estivera na galeria com a pintura. A porta do meu quarto era tão velha e desnivelada nas dobradiças que nem sequer encaixava direito; eu tinha que mantê-la fechada com um peso de porta de ferro. E se, levado por algum impulso inesperado, Hobie tivesse a ideia de subir lá e fazer uma limpeza? Isso não parecia combinar com o Hobie distraído e não particularmente asseado que eu conhecia — Nao ele nao liga se vc eh desorganizado ele nunca vai no meu quarto a nao ser pra trocar a roupa de cama e tirar o po, Pippa tinha me escrito, levando-me a arrancar imediatamente o lençol da minha cama e a passar quarenta e cinco minutos frenéticos espanando cada superfície do meu quarto — os grifos, a bola de cristal, a cabeceira da cama — com uma camiseta limpa. Tirar o pó logo se tornou um hábito obsessivo — o suficiente pra eu sair e comprar meus próprios panos de limpeza, apesar de Hobie ter uma casa cheia deles; eu não queria que ele me *visse* tirando o pó, minha única esperança é que a palavra *pó* jamais lhe ocorresse se por acaso enfiasse a cabeça pra dentro do meu quarto.

Por esse motivo, por eu só me sentir realmente confortável em sair de casa na companhia dele, passava a maior parte do dia no meu quarto, na minha escrivaninha, mal e mal fazendo uma pausa pras refeições. E, quando ele saía, eu o acompanhava por galerias, vendas de espólio, exposições, leilões em que ficávamos bem nos fundos ("Não, não", disse ele, quando apontei para as cadeiras vazias na frente, "queremos poder ver os lances") — empolgante no início, como nos filmes, embora depois de umas duras horas fosse tão tedioso quanto qualquer coisa em *Cálculo: Conceitos e conexões*.

Mas, embora eu tenha tentado (com algum sucesso) ser blasé, arrastando-me indiferente atrás de Hobie por Manhattan como se não me importasse com o que quer que fosse, a verdade é que grudei nele praticamente com o mesmo espírito ansioso com que Popchik — desesperadamente solitário — ficava o tempo todo seguindo Boris e eu em Vegas. Fui com Hobie a almoços esnobes. A avaliações. Ao alfaiate. A palestras pouquíssimo frequentadas sobre marceneiros obscuros da Filadélfia da década de 1770. Fui com Hobie ver a orquestra da Ópera, apesar de os programas serem tão chatos e se estenderem por tanto tempo que eu temia seriamente acabar caindo no corredor. Fui com ele jantar com os Amstiss (na Park Avenue, desconfortavelmente perto da casa dos Barbour) e com os Vogel, e os Krasnow, e os Mildeberger, em que a conversa era ou a) terrivelmente maçante ou b) tão além da minha compreensão que eu nunca conseguia soltar mais do que um *humm*. ("Pobrezinho, devemos ser desesperadamente desinteressantes pra você", disse a sra. Mildeberger com vivacidade, não parecendo perceber como tinha razão.) Outros amigos, como o sr. Abernathy — da idade do meu pai, com algum escândalo ou desgraça não muito claro no passado —, eram tão volúveis e falantes, tinham tanta desconsideração por mim ("E *onde* foi mesmo que você disse que arranjou este garoto, James?"), que eu ficava sentado estarrecido em meio às antiguidades chinesas e aos vasos gregos, querendo dizer alguma coisa inteligente e ao mesmo tempo apavorado com a perspectiva de atrair qualquer tipo de atenção, sentindo-me emudecido e completamente perdido. Pelo menos uma ou duas vezes por semana íamos visitar a sra. DeFrees no seu sobrado repleto de antiguidades (a versão análoga do sobrado de Hobie em Uptown), na rua 63 Leste, onde eu ficava sentado na ponta de uma cadeira delgada tentando ignorar os assustadores gatos dela cravando suas garras nos meus joelhos. ("Ele é uma criaturinha bem sagaz, não é?", ouvi-a comentar num tom não tão baixo quando estavam do outro lado da sala olhando animados umas aquarelas de Edward Lear.) Às vezes ela nos acompanhava às exposições na Christie's e na Sotheby's, Hobie debruçando-se sobre cada peça, abrindo e fechando gavetas, apontando-me vários detalhes de acabamento, riscando seu catálogo com um lápis — e então, depois de uma ou duas paradas numa galeria ao longo do caminho, ela voltava para a rua 63 e nós seguíamos para o Sant Ambrœus, onde Hobie, com seu terno elegante, ficava no balcão bebendo um espresso enquanto eu comia um croissant de chocolate e olhava para os garotos com sacolas de livros entrando, torcendo pra não ver ninguém que eu conhecia da minha antiga escola.

"Seu pai vai querer outro espresso?", o balconista perguntou quando Hobie pediu licença para ir ao toalete.

"Não, obrigado, acho que só a conta." Comovia-me, de um jeito lastimável, quando as pessoas achavam que Hobie era meu pai. Embora ele tivesse idade suficiente pra ser meu avô, ele projetava um vigor mais de acordo com os pais europeus mais velhos que se viam no East Side — pais refinados, imponentes e seguros de si no segundo casamento, que tinham filhos aos cinquenta ou sessenta. Com suas roupas de galeria, bebericando seu espresso e olhando tranquilamente para a rua, poderia ser um magnata industrial suíço ou um dono de restaurante com uma ou duas estrelas Michelin: importante, casado tardiamente, próspero. Por que, eu pensava com tristeza, enquanto ele voltava com o sobretudo no braço, por que minha mãe não tinha casado com alguém como ele? Ou como o sr. Bracegirdle? Alguém com quem ela realmente tivesse algo em comum — mais velho talvez, bem-apessoado, alguém que gostasse de galerias, quartetos de cordas e de matar tempo em sebos, alguém atencioso, culto, amável? Que a teria entendido, comprado roupas bonitas pra ela e a levado pra Paris no seu aniversário, e lhe dado a vida que ela merecia? Não teria sido difícil pra minha mãe encontrar alguém assim, se tivesse tentado. Homens a amavam: dos porteiros aos meus professores aos pais dos meus amigos até ao seu chefe, Sergio (que a chamava, por razões desconhecidas para mim, de Bonequinha), e até o sr. Barbour sempre fora rápido em correr para cumprimentá-la quando eu tinha passado a noite lá e ela ia me buscar, rápido nos sorrisos e rápido em tocá-la no cotovelo enquanto a conduzia até o sofá, a voz baixa e amigável, gostaria de sentar, gostaria de uma bebida, uma xícara de chá, qualquer coisa? Não achava que fosse imaginação minha — não totalmente — o modo tão atento com que o sr. Bracegirdle olhava para mim: quase como se estivesse olhando para ela, ou procurando algum traço do fantasma dela em mim. No entanto, mesmo na morte meu pai era indestrutível, independente do quanto eu tentasse desejar que sumisse de vista — ele sempre estava lá, nas minhas mãos, na minha voz e no meu andar, na minha rápida olhadela de lado enquanto saía do restaurante com Hobie, o próprio movimento da minha cabeça lembrando seu velho hábito vaidoso de dar uma conferida na aparência em qualquer superfície espelhada.

IX

Em janeiro, fiz meus testes: o fácil e o difícil. O fácil foi numa sala de escola de ensino médio no Bronx: mães grávidas, taxistas de todo tipo e um bando estridente de melhores amigas do Grand Concourse com jaquetas curtas de pele e esmaltes brilhantes. Mas o teste não foi realmente tão fácil quanto achei que seria, com muito mais perguntas sobre questões misteriosas relacionadas ao governo do estado de Nova York do que eu tinha previsto (como eu ia saber durante quantos meses do ano a legislatura de Albany ficava em sessão?), e voltei pra casa de metrô preocupado e deprimido. O teste difícil (sala de aula trancada, pais ansiosos andando de um lado pro outro nos corredores, a atmosfera tensa de um torneio de xadrez) pareceu ter sido elaborado tendo em mente algum recluso educado no MIT e cheio de tiques nervosos, muitas das respostas de múltipla escolha sendo tão parecidas que saí literalmente sem a menor ideia de como tinha ido.

E daí?, falei pra mim mesmo, andando até a Canal Street para pegar o metrô, as mãos enfiadas no fundo do bolso e as axilas rançosas da transpiração pelo nervosismo em sala. Talvez eu não conseguisse entrar no programa de faculdade antecipada — e se não conseguisse? Eu tinha que ir bem, muito bem, ficar entre os primeiros trinta por cento, pra ter uma chance.

Hubris: uma palavra de vocabulário bastante destacada nos meus testes preparatórios, embora não tivesse aparecido nos testes propriamente. Estava concorrendo com cinco mil candidatos por algo em torno de trezentas vagas — se não passasse, não tinha certeza do que ia acontecer; não acho que conseguiria suportar ter que ir pra Massachusetts ficar com aqueles Ungerer de que o sr. Bracegirdle vivia falando, aquele diretor gente fina e sua "turma", como o advogado os chamava, mãe e três garotos, que eu imaginava seguirem a linha cara vazia, andar saltitante e sorriso branco dos mesmos pré-vestibulandos que com uma alegre pontualidade nos maus e velhos tempos tinham agredido a mim e ao Andy e nos feito comer poeira do chão. Mas se eu reprovasse no teste (ou, para ser mais exato, se não fosse bem o bastante para entrar no programa de faculdade antecipada), como ia conseguir ficar em Nova York? Certamente deveria ter traçado uma meta mais alcançável, uma escola de ensino médio decente onde eu teria pelo menos uma chance de entrar. Mas o sr. Bracegirdle fora tão inflexível sobre o internato, sobre ar fresco, cores de outono, céus estrelados e as muitas alegrias da vida no campo

(“*Stuyvesant*. Por que você ia ficar aqui e ir pra Stuyvesant quando poderia sair de Nova York? Esticar as pernas, respirar um pouco de ar? Num ambiente familiar?”), que eu tinha ficado longe de todas as escolas de ensino médio, até das melhores.

“Sei o que a sua mãe ia querer pra você, Theodore”, ele repetia. “Um novo começo. Fora da cidade.” O sr. Bracegirdle tinha razão. Mas como eu poderia explicar a ele, na corrente de desordem e falta de sentido que tinha se seguido à morte da minha mãe, quão irrelevantes aqueles velhos desejos eram?

Ainda perdido em pensamentos enquanto dobrava a esquina até a estação, pescando meu MetroCard no bolso, passei por uma banca de jornal onde vi uma manchete que dizia:

OBRAS-PRIMAS DO MUSEU RECUPERADAS NO BRONX
MILHÕES EM ARTE ROUBADA

Parei na calçada, trabalhadores passando por mim de ambos os lados. Então — rigidamente, sentindo-me observado, o coração batendo — voltei e comprei um exemplar (certamente comprar um jornal era uma coisa menos suspeita para um garoto da minha idade do que parecia) e atravessei a rua correndo até os bancos da Sexta Avenida para lê-lo.

A polícia, seguindo uma dica, tinha recuperado três pinturas — uma de George van der Mijn, uma de Wybrand Hendriks e uma de Rembrandt, todas desaparecidas do museu desde a explosão — numa casa no Bronx. As pinturas tinham sido encontradas numa área de armazenamento do sótão, embrulhadas em papel-alumínio e empilhadas no meio de um monte de filtros de reposição para a unidade central de ar-condicionado do prédio. O ladrão, seu irmão e a sogra do irmão — dona do local — estavam sob custódia aguardando fiança; se condenados por todas as acusações, receberiam uma sentença combinada de até vinte anos.

Era um artigo longo de várias páginas, com linha do tempo e diagrama. O ladrão — um paramédico — tinha se deixado ficar após a chamada para evacuar, retirado as pinturas da parede, enrolado-as num lençol, escondido-as debaixo de uma maca portátil dobrada e saído do museu com elas despercebido. “Ele escolheu sem nenhuma atenção quanto ao valor”, disse o investigador do FBI entrevistado para o artigo. “Olhou e pegou. Não sabia nada sobre arte. Uma vez tendo levado as pinturas para casa, ele não soube o que fazer com elas, então conversou com seu irmão e juntos esconderam as obras na casa da sogra dele, sem seu conhecimento, de acordo com ela.” Depois de uma rápida pesquisa na internet, os irmãos aparentemente tinham percebido que o quadro de Rembrandt era famoso demais pra se vender, e foram seus esforços pra vender uma das obras menos conhecidas que levaram os investigadores até o esconderijo no sótão.

Mas o último parágrafo do artigo saltou como se tivesse sido impresso em letras vermelhas.

> Quanto às outras obras ainda desaparecidas, a esperança dos investigadores de encontrá-las foi renovada, e as autoridades agora estão seguindo pistas importantes. "Quanto mais você sacode a árvore, mais coisas caem dela", disse Richard Nunnally, elo entre a polícia de Nova York e a divisão de crimes contra a arte do FBI. "Geralmente, no roubo de arte, o padrão é as peças serem levadas para fora do país depressa, mas esse achado no Bronx vem apenas confirmar que provavelmente estamos lidando com amadores, pessoas inexperientes que roubaram por impulso e não têm o conhecimento necessário para vender ou esconder esses objetos." De acordo com Nunnally, diversas pessoas presentes na cena estão sendo questionadas, contactadas e novamente investigadas: "Agora, a ideia é que muitas das pinturas desaparecidas podem estar na cidade, debaixo do nosso nariz".

Sentia-me nauseado. Levantei e joguei o jornal na lixeira mais próxima e — em vez de entrar no metrô — vaguei de volta pela Canal Street e fiquei perambulando por Chinatown durante uma hora no frio congelante, eletrônicos baratos e tapetes vermelho-sangue nas lojas de *dim sum*, olhando por janelas embaçadas para estruturas de mogno com pato à Beijing a girar e pensando: *merda, merda*. Vendedores de rua corados, empacotados como mongóis, gritando acima dos braseiros fumarentos. Ministério Público. FBI. Novas informações. *Estamos determinados a processar esses casos de modo que a lei seja cumprida em toda a sua extensão. Temos plena confiança de que outras obras desaparecidas em breve surgirão.* A *Interpol, a Unesco e outras agências federais e internacionais estão cooperando com as autoridades locais no caso.*

Estava em toda a parte. Todos os jornais, até os em mandarim, traziam o retrato do Rembrandt recuperado em meio a torrentes de símbolos chineses, espiando para fora de caixas de legumes não identificáveis e enguias no gelo.

"Perturbador", disse Hobie mais tarde naquela noite, no jantar com os Amstiss, o cenho franzido de ansiedade. As pinturas recuperadas eram a única coisa sobre a qual conseguia falar. "Pessoas machucadas por todo lado, pessoas sangrando até a morte, e aí vem esse sujeito arrancando pinturas das paredes. Carregando-as pra fora na *chuva*."

"Bem, não posso dizer que fico surpreso", disse o sr. Amstiss, que estava no seu quarto uísque com gelo. "Depois daquele segundo ataque cardíaco da mamãe, você não ia acreditar na bagunça que os idiotas do Beth Israel deixaram. Pegadas pretas por *todo* o carpete. Ficamos encontrando tampas de seringa de plástico por todo o chão durante semanas, o cachorro quase engoliu uma. E também quebraram alguma coisa, algo no armário de porcelana, o que era mesmo?"

"Olha, você não vai me pegar reclamando dos paramédicos", disse Hobie. "Eu fiquei realmente impressionado com os que recebemos quando Juliet estava doente. Só me alegro por terem encontrado as pinturas antes de terem sido danificadas demais, poderia ter sido uma verdadeira — Theo?", ele disse para mim, de repente, fazendo-me erguer rápido os olhos do prato. "Está tudo bem?"

"Desculpe. Só estou cansado."

"Não admira", disse a sra. Amstiss amavelmente. Ela dava aulas de história americana na Columbia; dos dois, era dela que Hobie mais gostava e de quem era amigo, o sr. Amstiss sendo a metade lamentável do pacote. "Teve um dia difícil. Está preocupado com o teste?"

"Não, na verdade não", falei sem pensar, e então me arrependi.

"Ah, tenho *certeza* de que ele vai entrar", disse o sr. Amstiss. "Você vai entrar", ele disse para mim, num tom que sugeria que qualquer idiota entraria, e então voltando-se para Hobie: "A maior parte desses programas de faculdade antecipada não merece o nome, não é verdade, Martha? Ensino médio glorificado. Difícil na hora de entrar, mas fichinha uma vez que se está lá dentro. É assim que as coisas são hoje com a garotada — participam, aparecem e esperam um prêmio. Todo mundo ganha. Sabe o que um dos alunos da Martha disse pra ela outro dia? Conte, Martha. Um garoto lá chega depois da aula, quer conversar. Não deveria dizer garoto — aluno de pós. E sabe o que ele disse?".

"Harold", disse a sra. Amstiss.

"Disse que está preocupado com seu desempenho nas provas, quer o conselho dela. Porque ele *tem sérias dificuldades pra se lembrar das coisas*. É ou não é o fim da picada? Aluno de pós de história americana com sérias dificuldades pra *se lembrar das coisas?*"

"Bem, Deus sabe, eu também tenho sérias dificuldades pra me lembrar das coisas", disse Hobie num tom afável, e erguendo-se com os pratos desviou a conversa para outros assuntos.

Mas então, tarde da noite, depois que os Amstiss tinham ido embora e Hobie estava dormindo, fiquei sentado no meu quarto olhando para a rua pela janela, escutando o rolar distante de caminhões às duas da manhã na Sexta Avenida e fazendo o melhor que podia para aplacar o pânico.

Mas o que eu poderia fazer? Tinha passado horas no meu laptop, clicando rapidamente pelo que pareciam centenas de artigos — *Le Monde*, *Daily Telegraph*, *Times of India*, *La Repubblica*, línguas que eu não sabia ler, todos os jornais do mundo cobrindo aquilo. As multas, além da pena de prisão, eram absurdas: duzentos mil, meio milhão de dólares. Pior: a mulher que era dona da casa estava sendo acusada porque as pinturas tinham sido encontradas na propriedade dela. E isso significava, muito provavelmente, que Hobie também estaria encrencado — muito mais do que eu. A mulher, uma cabeleireira aposentada, alegou que não fazia ideia de que as pinturas estavam lá. Mas Hobie, que tinha um antiquário? Pouco importava se tinha me recebido por pura bondade. Quem ia acreditar que ele não sabia de nada?

Meus pensamentos se atiravam pra cima, pra baixo e pros lados, como numa volta ruim num brinquedo de parque de diversões. *Embora esses ladrões tenham agido impulsivamente e não tenham antecedentes criminais, sua inexperiência não vai nos impedir de instaurar um processo seguindo a lei à risca.* Um comentador, em Londres, tinha mencionado minha pintura quando falava do Rembrandt recuperado: *chamou a atenção para obras mais valiosas ainda desaparecidas, em especial* O pintassilgo *de Carel Fabritius, de 1654, único na história da arte e portanto de valor inestimável.*

Liguei o computador pela terceira ou quarta vez e o desliguei, e então, um pouco tenso, subi na cama e apaguei a luz. Ainda tinha o saquinho de pílulas que roubara de Xandra — centenas delas, todas de cores e tamanhos diferentes, analgésicos, segundo Boris, mas, embora algumas vezes fizessem meu pai apagar totalmente, eu também o tinha ouvido reclamar que às vezes elas o mantinham acordado à noite, de modo que — depois de ficar deitado paralisado com desconforto e indecisão durante uma hora ou mais, enjoado e me debatendo, olhando para os reflexos de luzes de carros dançando no teto —, liguei a luz de novo, tateei pela gaveta do criado-mudo à procura do saquinho e escolhi duas pílulas coloridas, uma azul e uma amarela, pensando que, se uma não me fizesse dormir, a outra faria.

De valor inestimável. Fiquei de frente para a parede. O Rembrandt recuperado tinha sido avaliado em quarenta milhões. Mas quarenta milhões ainda era um valor estimado.

Lá fora na avenida, um carro de bombeiros gritou alto e forte antes de se arrastar para longe. Carros, caminhões, casais rindo alto saindo dos bares. Enquanto eu ficava deitado tentando pensar em coisas calmantes como neve e estrelas no deserto, torcendo pra não ter tomado a mistura errada e acidentalmente me matado, fiz o melhor que pude pra me agarrar firmemente ao único fato útil ou reconfortante que tinha descoberto nas minhas leituras na internet: pinturas roubadas eram quase impossíveis de se rastrear, a não ser que as pessoas tentassem vendê-las ou movê-las, motivo pelo qual apenas vinte por cento dos ladrões de arte eram pegos.

8. A loja-atrás-da-loja, continuação

I

Tal era meu pavor e minha ansiedade por causa da pintura que ofuscou, de certa forma, a chegada da carta: eu tinha sido aceito para o primeiro semestre do programa de faculdade antecipada. A notícia era tão chocante que guardei o envelope numa gaveta da escrivaninha, onde ficou ao lado de uma pilha de papel de carta com monograma de Welty durante dois dias, até conseguir tomar coragem para ir ao topo da escada (um raspar enérgico de serrote vindo da loja) e dizer: "Hobie?".

O serrote parou.

"Passei."

O rosto grande e pálido de Hobie apareceu no pé da escada. "Como é?", disse ele, ainda no transe do trabalho, não totalmente ali, limpando as mãos e deixando marcas brancas no avental preto — e então sua expressão mudou quando viu o envelope. "É o que eu estou pensando que é?"

Sem dizer uma palavra, eu o estendi a ele. Hobie olhou para o envelope, depois para mim — e então riu o que eu acreditava ser sua risada irlandesa, áspera e surpresa consigo mesma.

"Muito bem!", disse ele, desatando o avental e pendurando-o sobre o corrimão da escada. "Fico contente em saber, não vou mentir pra você. Odiava pensar em ter que te mandar lá pra cima sozinho. E quando é que ia me contar? No primeiro dia de aula?"

Fez eu me sentir péssimo, quão feliz ele ficou. No nosso jantar de comemoração — eu, Hobie e a sra. DeFrees num pequeno restaurante italiano do bairro — olhei para o casal tomando vinho na única outra mesa ocupada além da nossa e — em vez de me sentir feliz, como tinha esperado — me senti apenas irritado e entorpecido.

"Viva!", disse Hobie. "A parte mais difícil acabou. Você pode respirar um pouco agora."

"Você deve estar *tão* contente", disse a sra. DeFrees, que a noite toda tinha enroscado o braço no meu e dado pequenos apertões e gritinhos de satisfação. ("Você está *bien élégante*", Hobie tinha dito a ela quando a beijou na bochecha — cabelo grisalho preso no topo da cabeça e fitas de veludo amarradas entre os elos do bracelete de diamantes.)

"Exemplo de dedicação!", Hobie disse a ela. Isso fez eu me sentir ainda pior em relação a mim mesmo, ouvi-lo dizer a seus amigos o quanto eu tinha dado duro e como era um excelente aluno.

"Bem, é maravilhoso. Você não está contente? E em tão pouco tempo! Tente parecer um pouco mais feliz, meu querido. Quando ele começa?", perguntou a Hobie.

II

A surpresa agradável foi que, depois do trauma para entrar, o programa de faculdade antecipada nem de perto era tão rigoroso quanto eu temera. Em certos aspectos era a escola menos exigente na qual eu já tinha estudado: nada de turmas avançadas, de discursos intimidadores sobre exames finais e admissões em escolas da Ivy League, de matemática opressiva e de requisitos de língua — na verdade, não havia nem um requisito sequer. Com um espanto cada vez maior, eu olhava em volta para o paraíso acadêmico nerd no qual tinha caído e entendi por que tantos alunos de ensino médio superdotados e talentosos dos cinco distritos tinham se matado para entrar naquele lugar. Não havia testes, exames, notas. Havia turmas em que você construía painéis solares e tinha seminários com economistas ganhadores do Nobel, e turmas em que só o que você fazia era ouvir fitas de Tupac ou assistir a episódios de *Twin Peaks*. Os alunos eram livres para inventar seus próprios grupos de estudo sobre robótica e história dos jogos se assim escolhessem. Eu podia escolher entre disciplinas eletivas interessantes com apenas algumas perguntas pra responder em casa no meio do semestre e um projeto no final. Mas embora soubesse quão sortudo era, ainda assim era impossível eu me sentir feliz ou mesmo grato pela minha boa sorte. Era como se tivesse sofrido uma alteração química de espírito, como se o equilíbrio ácido da minha psique tivesse mudado e lixiviado a vida fora de mim em aspectos impossíveis de reparar ou reverter, como uma fronde de coral vivo endurecida.

Eu podia fazer o que tinha que fazer. Já fizera isso antes: esvaziar a mente, ir levando. Quatro manhãs por semana levantava às oito, tomava banho na banheira com pé de garra do banheiro perto do quarto de Pippa (cortina de box, o cheiro do xampu de morango dela me fazendo flutuar num vapor zombeteiro em que sua presença sorria por toda a minha volta). Então — abruptamente puxado pra terra — saía da nuvem de vapor e me vestia em silêncio no meu quarto e — depois de arrastar Popchik em volta da quadra, onde disparava pra lá e pra cá e gritava aterrorizado — enfiava a cabeça na oficina, dava tchau para Hobie, pendurava a mochila no ombro e pegava o metrô pra descer duas paradas ao sul.

A maioria dos alunos estava fazendo cinco ou seis disciplinas, mas eu optei pelo mínimo, quatro: artes plásticas, francês, introdução ao cinema europeu, literatura russa traduzida. Queria fazer conversação em russo, mas a disciplina introdutória só estaria disponível no outono. Com uma frieza instintiva aparecia pras aulas, respondia quando me dirigiam a palavra, fazia minhas tarefas e voltava a pé pra casa. Às vezes, depois da aula, comia em restaurantes mexicanos e italianos baratos em torno da NYU, com máquinas de pinball e plantas de plástico, esportes na grande tela de televisão e cervejas a um dólar no happy hour (embora nada de cerveja para mim: era estranho reajustar minha vida como menor de idade, era como voltar ao giz de cera e ao jardim de infância). Depois, cheio de açúcar de refis ilimitados de Sprite, eu voltava a pé pra casa de Hobie pelo Washington Square Park com a cabeça baixa e meu iPod ligado bem alto. Por causa da ansiedade (o Rembrandt recuperado continuava em todos os noticiários), eu estava tendo sérios problemas para dormir, e toda vez que a campainha da casa de Hobie tocava inesperadamente pulava como se diante de um alarme de incêndio disparado.

"Você está perdendo oportunidades, Theo", disse minha conselheira Susanna (primeiros nomes apenas: todos amigos), "atividades extracurriculares são o que ancoram nossos alunos num campus urbano. Os mais novos principalmente. Pode ser fácil se perder."

"Bem..." Ela tinha razão: a escola era solitária. Os alunos de dezoito e dezenove anos não socializavam com os mais novos e, embora houvesse muitos da minha idade e mais novos ainda (inclusive um de doze anos esguio cujos boatos diziam ter um QI de duzentos e sessenta), suas vidas eram tão enclausuradas e suas preocupações, tão tolas e com cara de estrangeiras, que era como se falassem alguma língua perdida de ensino fundamental que eu tinha esquecido. Moravam em casa com os pais; preocupavam-se com coisas do tipo curvas de desempenho, italiano no exterior e estágios de verão na ONU; surtavam se você acendia um cigarro na frente deles; eram sérios, bem-intencionados, perfeitos, sem noção da vida. Considerando o que eu tinha em comum com qualquer um deles, dava na mesma sair com crianças de oito anos.

"Vejo que está fazendo francês. O clube de língua francesa se encontra uma vez por semana, num restaurante francês no University Place. E às terças vão até a Aliança Francesa e veem filmes franceses. Parece algo que você ia gostar de fazer."

"Talvez." O chefe do departamento de língua francesa, um argelino idoso, já tinha me abordado (assustadoramente — ao sentir sua mão grande e firme no meu ombro, eu tinha pulado como se estivesse sendo assaltado) e me dito sem rodeios que estava dando um seminário que talvez me interessasse, sobre as raízes do terrorismo moderno, começando com a FLN e a Guerre d'Algérie — eu odiava como todos os professores do programa pareciam saber quem eu era, dirigindo-se a mim com um aparente conhecimento prévio da "tragédia", conforme minha professora de cinema, a sra. Lebowitz ("Me chame de Ruthie"), nomeara tudo o que tinha acontecido. Ela também — a sra. Lebowitz — estivera atrás de mim pra que me juntasse ao clube de cinema, depois de ter lido um ensaio que eu escrevera sobre *Ladrões de bicicleta*; sugerira ainda que eu poderia gostar do clube de filosofia, que promovia discussões semanais sobre o que ela chamava de Grandes Questões. "Hum, talvez", eu respondera educadamente.

"Bem, com base no seu ensaio, parece que você é atraído pelo que, na falta de um termo melhor, vou chamar de território metafísico. Como a questão de por que pessoas boas sofrem", disse, quando continuei olhando inexpressivo para ela. "E se o destino é aleatório. O que o seu ensaio aborda realmente não é tanto o aspecto cinematográfico de De Sica, e sim o caos fundamental e a incerteza do mundo em que vivemos."

"Não sei", respondi, na pausa incômoda que se seguiu. Será que meu ensaio era realmente sobre essas coisas? Eu não tinha nem gostado de *Ladrões de bicicleta* (ou *Kes*, ou *La Mouette*, ou *Lacombe Lucien*, ou qualquer outro dos filmes estrangeiros extremamente deprimentes que tínhamos visto na aula dela).

A sra. Lebowitz ficou me olhando por tanto tempo que me senti desconfortável. Então ela ajeitou os óculos vermelhos e brilhantes e disse: "Bem, a maioria das coisas que vemos na aula de cinema europeu é bastante pesada. E é por isso que pensei que talvez você fosse gostar de ver um dos meus seminários sobre grandes títulos do cinema. 'Comédia dos anos 30' ou talvez até 'Cinema mudo'. Trabalhamos com *Dr. Caligari*, mas também um monte de Buster Keaton, Charlie Chaplin — caos, sabe, mas numa estrutura não ameaçadora. Coisas mais animadas".

"Talvez", falei. Mas eu não tinha nenhuma intenção de me incomodar com qualquer tantinho de trabalho extra, não importava quão animador fosse. Pois — praticamente desde o momento que eu passara pela porta — a explosão enganosa de energia com que eu tinha conseguido me arrastar pra dentro do programa de faculdade antecipada tinha acabado. Eu era indiferente a suas pródigas ofertas; não tinha nenhum desejo de me esforçar qualquer pouquinho a mais para além do absolutamente necessário. Só queria ir levando.

Consequentemente, a recepção entusiástica dos meus professores logo começou a minguar em resignação e numa espécie de arrependimento vago e impessoal. Eu não estava procurando desafios, desenvolvendo minhas habilidades, expandindo meus horizontes, utilizando os muitos recursos disponíveis. Eu não estava, como Susanna tinha delicadamente colocado, me adaptando ao programa. Na verdade — cada vez mais no decorrer do semestre, conforme meus professores lentamente se distanciavam e um tom mais ressentido começava a aparecer ("As oportunidades acadêmicas oferecidas não parecem estimular Theodore a esforços maiores, em qualquer área") — fui ficando mais e mais desconfiado de que a única razão pela qual tinham me deixado entrar no programa era "a tragédia". Alguém havia marcado minha inscrição no escritório de admissão, passado pra um administrador, meu Deus, este pobre garoto, vítima de terrorismo, blá-blá-blá, a escola tem uma responsabilidade, quantas vagas temos sobrando, acha que podemos encaixá-lo? Era quase certo que eu tinha arruinado a vida de algum gênio merecedor do Bronx — um pobre fracassado tocador de clarinete dos prédios populares que ainda estava apanhando por causa da tarefa de álgebra, que ia acabar perfurando bilhetes num pedágio em vez de ensinar mecânica dos fluidos na CalTech porque eu tinha tomado seu lugar de direito.

Claramente um erro fora cometido. "Theodore participa muito pouco em aula e parece não ter nenhum desejo de dedicar qualquer atenção a mais nos seus estudos do que a absolutamente necessária", escreveu meu professor de francês, num relatório mordaz de meio de semestre que — na ausência de qualquer adulto me supervisionando de perto — ninguém viu além de mim. "Há que se esperar que seus fracassos o levem a provar sua capacidade de modo que ele possa tirar proveito da sua situação na segunda metade do semestre."

Mas eu não tinha nenhum desejo de tirar proveito da minha situação, e muito menos de provar minha capacidade. Como um amnésico, andava a esmo pelas ruas e (em vez de fazer a lição de casa, frequentar o laboratório de língua ou participar de qualquer um dos clubes a que tinha sido convidado) ia de metrô até bairros purgatórios de final de linha onde vagava sozinho entre bodegas e salões de alongamento capilar. Mas logo perdi o interesse até pela minha mobilidade recém-adquirida — centenas de quilômetros sobre trilhos, andando só por andar —, e em vez disso, como uma pedra afundando silenciosamente em águas profundas, eu me perdi em trabalhos ociosos no porão de Hobie, uma moleza acolhedora abaixo do nível da calçada onde ficava isolado do ruído da cidade e de toda a rigidez aérea de torres de escritórios e arranha-céus, onde me sentia feliz polindo tampos de mesa e escutando música clássica na WNYC por horas a fio.

No fim das contas: que me importava o *passé composé* ou as obras de Turguêniev? Era errado querer dormir até tarde com as cobertas sobre a cabeça e vagar por uma casa tranquila com velhas conchas em gavetas e cestos de vime com tecidos dobrados de estofado guardados sob a mesinha da sala, o pôr do sol jorrando em raios rubros e drásticos pela claraboia sobre a porta da frente? Não demorou muito e, entre a escola e a oficina, eu já tinha caído numa espécie de modorra esquecida, uma versão distorcida e onírica da minha antiga vida na qual andava por ruas familiares e ao mesmo tempo vivia em circunstâncias não familiares, entre rostos diferentes; e, embora com frequência, caminhando pra escola, pensasse na minha velha vida perdida com minha mãe — a estação da Canal Street, caixas de flores iluminadas no mercado coreano, qualquer coisa podia despertar as lembranças —, era como se uma cortina preta tivesse descido sobre minha vida em Vegas.

Só às vezes, em momentos de descuido, ela me atingia em explosões tão rebeldes que eu parava no meio da calçada, assombrado. De alguma forma o presente tinha se encolhido num lugar menor e bem menos interessante. Talvez a questão fosse só que eu tinha ficado sóbrio, não mais o desperdício crônico e o esplendor daquelas bebedeiras ardentes da adolescência, nossa pequena tribo guerreira de dois tumultuando no deserto; talvez fosse apenas como as coisas funcionam quando você fica mais velho, embora fosse impossível imaginar Boris (na Varsóvia, em Karmeywallag, na Nova Guiné, onde quer que fosse) vivendo uma vida serena de prelúdio à fase adulta como aquela na qual eu tinha caído. Andy e eu — até Tom Cable e eu — sempre tínhamos falado obsessivamente sobre o que seríamos quando crescêssemos, mas o futuro nunca tinha parecido entrar na cabeça de Boris para além da próxima refeição. Eu não conseguia imaginá-lo de forma alguma se preparando para ganhar a vida ou ser um membro produtivo da sociedade. E no entanto estar com ele era saber que a vida era cheia de possibilidades incríveis e ridículas — muito maiores do que qualquer coisa que ensinavam na escola. Havia tempos já tinha desistido de tentar mandar mensagem ou ligar pra ele;

as mensagens para o celular de Kotku ficavam sem resposta, seu telefone residencial em Vegas tinha sido desligado. Eu não podia imaginar — dada sua ampla esfera de movimento — que algum dia o veria de novo. E no entanto pensava nele quase todos os dias. Os romances russos que eu tinha que ler pra escola me faziam lembrar dele; os romances russos, *Os sete pilares da sabedoria*, o Lower East Side, estúdios de tatuagem, *pierogi*, cheiro de maconha no ar, velhinhas polonesas bamboleando de um lado pro outro com sacolas de compras e garotos fumando na porta dos bares ao longo da Segunda Avenida.

E — às vezes, inesperadamente, com uma clareza que era quase dor — eu me lembrava do meu pai. Chinatown me fazia lembrar dele com seu jeito chamativo e torpe, com seus humores incertos e ilegíveis: espelhos e aquários, janelas de lojas com flores de plástico e vasos de bambu para dar sorte. Às vezes, quando ia até a Canal Street para Hobie, para comprar trípole e terebintina de Veneza na Pearl Paint, eu acabava vagando na direção da Mulberry Street até um restaurante de que meu pai gostava, não muito longe do metrô. E, oito degraus até um porão com mesas de fórmica manchadas onde eu comprava panquecas crocantes com cebolinha, carne de porco picante, pratos para os quais eu tinha que apontar, porque o cardápio estava em chinês. Na primeira vez em que tinha aparecido na casa de Hobie carregado de sacos de papel gordurosos, sua expressão vazia me sobressaltou, e eu fiquei parado no centro do recinto como um sonâmbulo acordado no meio do sonho, perguntando-me no que exatamente estava pensando — não em Hobie, certamente; ele não era o tipo de pessoa que ansiava por comida chinesa vinte e quatro horas por dia.

"Ah, eu gosto *sim*", disse Hobie prontamente, "é só que nunca penso nisso." E comemos lá embaixo na loja direto da embalagem, Hobie sentado num banquinho com seu avental de trabalho preto e as mangas arregaçadas até o cotovelo, os pauzinhos parecendo estranhamente pequenos em seus grandes dedos.

III

A natureza informal da minha estadia na casa de Hobie me preocupava também. Embora o próprio Hobie, em sua beneficência nebulosa, não parecesse se importar com minha presença, o sr. Bracegirdle claramente via isso como um arranjo temporário e tanto ele quanto minha conselheira na escola tinham feito um esforço gigantesco pra me explicar que, embora os dormitórios da faculdade fossem destinados aos alunos mais velhos, algo poderia ser feito no meu caso. Mas, toda vez que o assunto moradia surgia, eu ficava em silêncio e olhava para os sapatos. Os corredores da casa de estudantes eram abarrotados e cheios de moscas, e tinham um elevador de gaiola pichado que rangia feito um elevador de prisão: paredes forradas com panfletos de bandas, pisos grudentos de cerveja derramada, bando de marmanjões zumbis enrolados em cobertores cochilando nos sofás da sala de TV e sujeitos com cara de chapados e pelo na cara — homens-feitos na minha opinião, sujeitos grandes e assustadores na casa dos vinte — atirando latas de cerveja vazias um no outro no corredor. "Bem, você ainda é um pouco novo", disse o sr. Bracegirdle quando — encurralado — expressei minhas reservas, embora o verdadeiro motivo para elas fosse algo que não podia discutir: como — considerando minha situação — eu poderia viver com um colega de quarto? E quanto à segurança? Rociadores automáticos contra incêndio? Roubo? A *escola não se responsabiliza por objetos pessoais dos estudantes*, dizia o guia que tinham me dado. *Recomendamos que os estudantes façam um seguro sobre quaisquer objetos valiosos que porventura tenham.*

Num transe de ansiedade, atirei-me à tarefa de ser indispensável a Hobie: fazendo serviços de rua, limpando pincéis, ajudando-o a inventariar as restaurações e a procurar encaixes e peças velhas de madeira de armário. Enquanto ele esculpia ripas e fazia pernas novas de cadeira para combinar com as antigas, eu derretia cera de abelha e resina na chapa quente para o polimento dos móveis: dezesseis medidas de cera de abelha para cada quatro de resina e uma de terebintina de Veneza, além de uma tinta cor de caramelo perfumada que era espessa como doce e fácil de mexer. Logo ele estava me ensinando a estabelecer o vermelho sobre fundo branco para a douração: sempre um pouco do dourado desgastado no ponto onde a mão naturalmente tocava, e então uma leve camada escura com fuligem passada em vãos e no encosto. ("A pátina é um dos maiores problemas numa peça. Com madeira nova, se você está buscando um efeito antigo, uma pátina com douração é mais fácil de imitar.") E se, após a fuligem, a douração ainda estivesse brilhante demais e com cara de nova, ele me ensinou a marcá-la com um alfinete — riscos leves e irregulares de diferentes profundidades — e depois denteá-la ligeiramente com um molho de chaves velhas antes de ligar o aspirador de pó na função sopro para dar uma apagada. "A peças fortemente restauradas — onde não há marquinhas de desgaste ou nobres cicatrizes — você mesmo tem que dar uns toques de antiguidade e nobreza. O segredo", explicou, enxugando a testa com o dorso do pulso, "é nunca deixar as coisas muito perfeitas." Com *perfeitas* ele queria dizer *regulares*. Qualquer coisa desgastada de modo muito uniforme era falsificação na certa; o envelhecimento real, como vim a ver nas peças de mobília genuínas que passaram pelas minhas mãos, era variável, tortuoso, inconstante, cantando aqui e carrancudo ali, riscas assimétricas tépidas num armário de jacarandá por uma inclinação do sol que batia nele enquanto o outro lado estava escuro como no dia em que tinha sido cortado. "O que envelhece a madeira? O que você quiser. Calor e frio, fuligem de lareira, gatos demais — ou aquilo", disse ele, dando um passo pra trás enquanto eu passava o dedo pelo topo áspero e embaciado de uma arca de mogno. "O que acha que acabou com essa superfície?"

"Nossa..." Agachei-me até o ponto onde o acabamento — preto e pegajoso, como a crosta queimada de algum prato esquisito que você não ia querer comer — recuperava um brilho rico e claro.

Hobie riu. "Spray de cabelo. Décadas de spray de cabelo. Dá pra acreditar?", disse ele, arranhando uma borda com a unha do polegar de modo a descascar um caracol da cobertura preta. "A mulher a estava usando como penteadeira. Ao longo dos anos, acumula como laca. Não sei o que colocam nele, mas é um pesadelo pra tirar, especialmente a substância dos anos 50 e 60. Teria sido uma peça realmente interessante se não tivesse estragado o acabamento. Só podemos é limpar o topo, pra que se possa ver a madeira de novo, talvez passar uma leve camada de cera. Mas é uma bela peça antiga, não é?", disse ele com doçura, passando um dedo na lateral. "Repare na virada da perna e nessa granulação, no desenho dela — está vendo essa flor, aqui e ali, quão cuidadosamente foi combinada?"

"Você vai desmontá-la?" Embora Hobie visse isso como uma etapa indesejável, eu amava o drama cirúrgico de desmembrar uma peça e remontá-la do zero — trabalhando rápido antes que a cola secasse, como médicos correndo em meio a uma apendicectomia a bordo de um navio.

"Não...", ele disse, batendo nela com o nó dos dedos, o ouvido colado à madeira. "Parece bem firme, mas temos alguns danos no trilho", continuou, puxando uma gaveta que rangeu e emperrou. "É o que acontece quando se deixa uma gaveta abarrotada de porcarias. Vamos consertar isto..." — puxando a gaveta com força, fazendo uma careta diante do raspar de madeira com madeira — "aplainar os pontos onde ela liga. Consegue ver o arredondamento? A melhor forma de consertar é esquadrar o entalhe. Vai deixá-lo maior, mas não acho que vamos ter que arrancar as velhas corrediças do encaixe rabo de andorinha. Lembra o que fizemos naquela peça de carvalho, né? Mas..." — passando a ponta de um dedo ao longo da borda — "com mogno é um pouco diferente. Com nogueira também. É incrível a frequência com que madeira é tirada de pontos que não estão realmente causando problema. Com mogno em particular, a granulação é feita com tanto rigor, mogno desta idade especialmente, que você não vai querer aplainar se houver outra opção. Um pouquinho de parafina nos trilhos e ela vai ficar tão boa quanto se estivesse nova."

IV

E assim o tempo foi passando. Os dias eram tão parecidos que eu mal percebia os meses mudarem. A primavera transformou-se em verão, cheiro de umidade e lixo, as ruas cheias de pessoas e as árvores cobrindo-se de folhas escuras; e então o verão se transformou em outono, desolado e frio. À noite, eu ficava lendo *Eugênio Oneguin* ou então me debruçava sobre algum dos muitos livros sobre mobília de Welty (meu favorito era uma velha obra de dois volumes chamada *Mobília Chippendale: Genuína e falsa*) ou sobre a volumosa e agradável *História da arte* de Janson. Embora às vezes trabalhasse no porão com Hobie por seis ou sete horas seguidas, quase nenhuma palavra sendo dita, eu nunca me sentia solitário com o foco da sua atenção: o fato de que um adulto que não fosse minha mãe pudesse ser tão compreensivo e sintonizado, estar tão totalmente ali, me impressionava. Nossa grande diferença de idade nos tornava tímidos um com o outro; havia uma formalidade, uma reserva de gerações; e no entanto também tínhamos desenvolvido uma espécie de telepatia na loja, de modo que eu lhe estendia a plaina ou o cinzel correto antes mesmo que precisasse pedir. "Colado com epóxi" era sua expressão para trabalho malfeito e coisas baratas em geral; ele já tinha me mostrado uma série de peças originais cujas juntas tinham permanecido imperturbáveis por duzentos anos ou mais, enquanto o problema com muitos trabalhos modernos era que costumavam ser encaixados muito rigidamente, a madeira colada com força demais, o que a rachava e não a deixava respirar. "Nunca esqueça: a pessoa para quem realmente estamos trabalhando é aquela que vai restaurar a peça daqui a cem anos. É ela que queremos impressionar." Sempre que Hobie colava um móvel era meu trabalho separar todos os grampos corretos, cada um na devida abertura, enquanto ele arrumava as peças numa ordem precisa de caixa e espiga — uma preparação meticulosa para o ato em si de colar e segurar com grampo, quando tínhamos que trabalhar freneticamente nos poucos minutos disponíveis antes de a cola secar, as mãos de Hobie seguras como as de um cirurgião, apanhando a peça certa quando eu me atrapalhava, meu trabalho sendo principalmente o de segurar as peças juntas enquanto ele colocava os grampos (não só os grampos-padrão tipo G e F, mas também uma série excêntrica de itens que ele deixava à mão para quando precisasse, como molas de colchão, grampos de roupa, velhos aros de bordado, câmaras de ar de bicicleta e — para pesos — sacos de areia e vários objetos apanhados aleatoriamente, como velhos pesos de porta de chumbo e cofrinhos de ferro fundido). Quando Hobie não precisava de um par de mãos extra, eu varria a serragem e recolocava as ferramentas no painel; quando não havia mais nada pra fazer, eu ficava satisfeito em sentar e vê-lo afiar cinzéis ou curvar madeira no vapor com uma bacia de água na chapa quente. Fede lá embaixo, Pippa tinha escrito. O vapor eh horrivel como eh que vc aguenta? Mas eu adorava o cheiro — revigorantemente tóxico — e a sensação de madeira antiga sob minhas mãos.

V

Durante todo esse tempo, eu tinha acompanhado cuidadosamente as notícias sobre meus colegas ladrões de arte no Bronx. Todos tinham se declarado culpados — a sogra também — e recebido as sentenças mais severas permitidas por lei: multas na casa das centenas de milhares e penas de prisão que iam de cinco a quinze anos, sem condicional. A opinião geral parecia ser de que todos eles ainda estariam vivendo felizes em Morris Heights e indo a grandes jantares italianos na casa da mãe se não tivessem tentado vender o Wybrand Hendriks pra um revendedor que ligou pra polícia.

Mas isso não diminuiu minha ansiedade. Houve um dia em que cheguei em casa da escola e encontrei o andar de cima cheio de fumaça e bombeiros atropelando-se no corredor em frente ao meu quarto. "Ratos", dissera Hobie, parecendo nervoso e pálido, andando pela casa com seu avental de trabalho e óculos de segurança no topo da cabeça feito um cientista maluco. "Não suporto armadilhas de cola, elas são cruéis, e eu me enrolei pra chamar uma dedetizadora, mas, santo Deus, isso é ultrajante, não posso deixá-los roendo os fios elétricos, se não fosse o alarme o lugar podia ter ido abaixo de uma hora pra *outra*, aqui..." — virando para o bombeiro — "tudo bem se eu levá-lo ali?" "Você precisa ver isso...", disse, desviando de equipamento e ficando bem pra trás pra apontar pra um emaranhado de esqueletos carbonizados de ratos ardendo no rodapé. "Olha só aquilo! Um ninho inteiro!" Embora a casa de Hobie fosse toda equipada com alarmes — não só contra incêndio, mas contra roubo — e o fogo não tivesse provocado nenhum dano real senão numa seção do piso do corredor, ainda assim o incidente me abalou bastante (e se Hobie não estivesse em casa? E se o incêndio tivesse começado no meu quarto?) e, deduzindo que aquele monte de ratos numa seção de sessenta centímetros só significava mais ratos (e mais fios roídos) em outros lugares, fiquei me perguntando se, apesar da aversão dele por ratoeiras, eu não deveria armar algumas por minha conta. Minha sugestão de que ele pegasse um gato

— embora recebida entusiasticamente por Hobie e pela sra. DeFrees, que era louca por eles — foi discutida com aprovação mas nunca posta em prática, e logo sumiu de vista. Então, apenas algumas semanas depois, bem quando eu estava me perguntando se deveria levantar a questão do gato de novo, quase desmaiei ao entrar no meu quarto e encontrá-lo ajoelhado no tapete perto da minha cama — estendendo a mão *debaixo* da cama, conforme pensei, mas na verdade estendendo-a pra pegar a espátula no chão; ele estava trocando uma vidraça rachada na parte de baixo da janela do quarto.

"Ah, oi", disse Hobie, erguendo-se pra espanar a perna da calça. "Desculpe! Não queria te dar um susto! Pretendia colocar essa vidraça nova desde que você chegou. Eu gosto de usar vidro ondulado nessas janelas antigas, mas se você intercala com algumas peças claras realmente não é um problema — ei, cuidado", disse ele, "você está bem?", disse, enquanto eu deixava cair minha mochila e afundava numa poltrona como um primeiro-tenente traumatizado pela guerra tropeçando no campo.

Era uma loucura, como minha mãe teria dito. Eu não sabia o que fazer. Embora estivesse bem consciente de como Hobie me olhava com estranheza às vezes, de quão maluco eu devia parecer pra ele, ainda assim eu existia numa névoa baixa de clangor interno: sobressaltando-me toda vez que alguém vinha até a porta; dando um pulo como se escaldado quando o telefone tocava; assaltado por "premonições" — no meio da aula — que me faziam levantar da carteira e voltar correndo pra casa pra me certificar de que a pintura ainda estava na fronha, de que ninguém tinha mexido no pacote ou tentado arrancar a fita. No computador, revirei a internet procurando por leis que tratavam de roubo de arte, mas só encontrei fragmentos espalhados que não forneciam nenhum tipo de visão relevante ou coesa. Então, depois de já estar na casa de Hobie pelo que, do contrário, teriam sido oito meses tranquilos, uma solução inesperada se apresentou.

Eu me dava bem com todos os caras que faziam transporte e armazenamento para Hobie. A maioria eram irlandeses de Nova York, sujeitos lentos e afáveis que não tinham conseguido entrar pra polícia ou pros bombeiros — Mike, Sean, Patrick, Pequeno Frank (que não era nada pequeno, tendo o tamanho de uma geladeira) —, mas também dois israelitas chamados Raviv e Aviv, e — meu favorito — um judeu russo chamado Grisha. ("Judeu russo é uma contradição", ele explicou, em meio a uma grande nuvem de fumaça mentolada. "Para a mente russa em todo caso. Já que um russo verdadeiro não pode ser judeu, na mente antissemita — a Rússia é famosa por isso.") Grisha tinha nascido em Sebastopol, da qual dizia se lembrar ("água escura, sal"), embora seus pais tivessem emigrado quando ele tinha dois anos. Cabelo claro, rosto vermelho-tijolo e olhos espantosamente azuis, tinha barriga de bebida e era tão descuidado com as roupas que às vezes os botões de baixo da camisa ficavam abertos, mas pela forma tranquila e arrogante com que se portava claramente acreditava ser bonito (talvez tivesse sido, no passado). Ao contrário do sr. Pavlikovski e sua cara fechada, ele era bem conversador, cheio de piadas ou *anekdoty*, como as chamava, as quais contava num tom monótono engraçado e disparado. "Você acha que sabe xingar, *mazhor*?", disse ele bem-humorado, do tabuleiro de xadrez montado num canto da oficina onde ele e Hobie às vezes jogavam à tarde. "Mande bala, então. Deixe minhas orelhas queimando." E eu tinha soltado uma torrente tão absurda de obscenidades que até Hobie — sem entender uma palavra — tinha se reclinado pra trás rindo com as mãos nos ouvidos.

Numa tarde melancólica, não muito depois de meu primeiro semestre de outono na escola ter começado, aconteceu de eu estar sozinho na casa quando Grisha deu uma passada para deixar alguns móveis. "Aqui, *mazhor*", disse ele, batendo a bituca do cigarro entre o polegar com cicatrizes e o indicador. *Mazhor* — um dos muitos apelidos zombeteiros para mim — significava "major" em russo. "Faça alguma coisa de útil. Venha me ajudar com este lixo no caminhão." Todos os móveis, para Grisha, eram "lixo".

Olhei para além dele, para o caminhão. "Com o quê? É pesado?"

"Se fosse pesado, *poprygountchik*, eu ia pedir sua ajuda?"

Trouxemos a mobília para dentro — espelho com moldura dourada, enrolado em espuma; um castiçal; um jogo de cadeiras de sala de jantar — e, assim que tudo tinha sido desembalado, Grisha recostou-se contra um aparador no qual Hobie estava trabalhando (depois de tocá-lo primeiro com a ponta de um dedo, para se certificar de que não estava grudento) e acendeu um Kool para si. "Quer um?"

"Não, obrigado." Na verdade eu queria, mas receava que Hobie sentisse o cheiro em mim.

Grisha afastou a fumaça do cigarro com uma mão cheia de unhas sujas. "E aí, o que está fazendo?", disse ele. "Quer me ajudar esta tarde?"

"Te ajudar como?"

"Feche seu livro de mulher pelada" (*História da arte*, de Jason) "e venha comigo até o Brooklyn."

"Pra quê?"

"Tenho que levar alguns destes lixos pra armazenar, precisava de uma mãozinha. Era pra Mike ajudar, mas está *doente* hoje. Rá! Os Giants jogaram ontem à noite, perderam, ele tinha apostado uma porrada no jogo. Aposto que está em casa na cama em Inwood com uma ressaca e um olho roxo."

VI

No caminho pro Brooklyn em uma van cheia de móveis, Grisha manteve um monólogo constante sobre, por um lado, as ótimas qualidades de Hobie e, por outro, como ele estava arruinando o negócio de Welty. "Cara honesto num mundo desonesto? Vivendo recluso? Me machuca bem aqui, no coração, ver ele jogando dinheiro pela janela todo dia. Não", disse ele, erguendo uma palma encardida enquanto eu tentava falar, "leva tempo o que ele faz, as restaurações, trabalhando à mão como os velhos mestres — eu entendo. Ele é artista — não homem de negócios. Mas me explica, por favor, por que está pagando pra armazenar lá no Brooklyn Navy Yard em vez de movimentar os estoques e pagar as contas? Tipo, é só olhar, o lixo no porão! Coisas que Welty comprou em leilão — mais chegando a cada semana. Lá em cima, a loja está superlotada! Ele está sentado em cima de uma fortuna — levaria cem anos pra vender tudo! As pessoas olhando pela janela — dinheiro na mão — querendo comprar — desculpe, minha senhora! Cai fora! A loja está fechada! E lá está ele no porão com suas ferramentas de carpinteiro gastando dez horas pra esculpir *um pedacinho assim*" — indicou com o polegar e o indicador — "de madeira pra alguma porcaria de cadeira de velhinha."

"É, mas ele também recebe clientes. Vendeu um monte de coisa na semana passada."

"Quê?", disse Grisha raivosamente, desviando a cabeça da estrada pra me encarar. "Vendeu? Pra quem?"

"Pros Vogel. Ele abriu a loja pra eles — compraram uma estante de livros, uma mesa de jogos..."

Grisha fechou a cara. "*Aquela* gente. Seus supostos *amigos*. Sabe por que compram dele? Porque sabem que podem conseguir um preço baixo com ele. 'Abrir com hora marcada', rá! Melhor pra ele manter o lugar fechado pros abutres. Bem..." — punho no peito — "você me conhece. Hobie é família pra mim. Mas..." — ele esfregou três dedos juntos, um velho gesto de Boris, *dinheiro! dinheiro!* — "é ruim pra lidar com negócios. Dá seu último palito de fósforo, resto de comida, o que for, pra qualquer impostor e vigarista. Espere e verá — logo, em quatro, cinco anos, ele vai estar falido, no olho da rua, a não ser que encontre alguém pra cuidar da loja pra ele."

"Tipo quem?"

"Bem..." Ele deu de ombros. "Alguém como minha prima Lidiya. Aquela mulher consegue vender água pra um homem se afogando."

"Você devia falar pra ele. Sei que quer encontrar alguém."

Grisha riu com cinismo. "Lidiya? Trabalhar *naquela* espelunca? Escuta — Lidiya vende ouro, Rolex, diamantes de Serra Leoa. É buscada em casa em

Lincoln Town Car. Calça de couro branca... pele até o chão... unhas que chegam *aqui*. Nunca que uma mulher como aquela vai ficar sentada em uma loja de usados com um monte de poeira e lixo velho o dia todo."

Ele parou a van e desligou o motor. Estávamos na frente de um prédio quadradão e cinza numa área desolada de frente pro mar, lotes vazios e oficinas mecânicas, o tipo de região pra onde os gângsteres levam o cara que vão matar nos filmes.

"Lidiya — Lidiya é sexy", disse ele contemplativo. "Pernas longas — peitões — bonita. Tem potencial. Mas nesse negócio — você não vai querer alguém tão chamativo."

"Então o quê?"

"Alguém como Welty. Havia certa inocência nele, sabe? Como um estudioso. Ou padre. Ele era o avô de todo mundo. Mas ainda assim um homem de negócios muito esperto. Tudo bem ser legal, amável, amigo de todo mundo, mas, quando você tem seu cliente confiando e acreditando que o menor preço é o seu, tem que tirar seu lucro, haha! Isso é varejo, *mazhor*. Como a porra do mundo funciona."

Depois de abrirem a porta pra nós, vi que lá dentro havia uma escrivaninha com um italiano sozinho lendo jornal. Enquanto a entrada de Grisha era registrada, examinei um panfleto sobre uma prateleira ao lado de um monte de plástico bolha e fita adesiva:

ARMAZENAMENTO DE OBRAS DE ARTE ARISTON
INSTALAÇÃO ALTAMENTE AVANÇADA
SUPRESSÃO DE INCÊNDIO, CONTROLE DE TEMPERATURA
SEGURANÇA 24 HORAS POR DIA
INTEGRIDADE — QUALIDADE — SEGURANÇA
PARA TODAS AS SUAS NECESSIDADES EM OBRAS DE ARTE
MANTENDO OS SEUS BENS A SALVO DESDE 1968

À parte o funcionário na escrivaninha, o lugar estava deserto. Carregamos o elevador de serviço e — com o auxílio de uma chave magnética e de um código — subimos até o sexto andar. Fomos andando por corredores longos e sem rosto, câmeras no teto e portas numeradas anônimas, Corredor D, Corredor E, paredes sem janelas da Estrela da Morte que pareciam se estender ao infinito, uma sensação de arquivos militares subterrâneos ou talvez de paredes de columbário em algum cemitério futurístico.

Hobie tinha um dos espaços maiores — portas duplas, grandes o bastante pra deixar passar um caminhão. "Aqui vamos nós", disse Grisha, enfiando a chave no cadeado e escancarando a porta com um rangido metálico. "Olhe pra toda a merda que ele tem aqui." O lugar estava tão abarrotado de móveis e outros itens (abajures, livros, porcelana, pequenas estátuas de bronze, velhas bolsas B. Altman cheias de papéis e sapatos mofados) que à primeira olhada confusa eu quis recuar e fechar a porta, como se tivéssemos entrado sem querer no apartamento de um velho acumulador compulsivo que tinha acabado de morrer.

"Dois mil por mês ele paga por isso", disse num tom sombrio enquanto tirávamos a espuma das cadeiras e as empilhávamos, precariamente, sobre uma mesa de cerejeira. "Vinte e quatro mil dólares por ano! Devia estar usando esse dinheiro pra acender seus cigarros em vez de pagar o aluguel desta pocilga."

"E quanto àquelas unidades menores?" Algumas das portas eram bem pequenas — do tamanho de uma mala.

"As pessoas são malucas", disse Grisha resignado. "Por um espaço do tamanho de um caminhão? Milhares de dólares por mês?"

"Tipo..." Eu não sabia exatamente como perguntar. "O que impede as pessoas de botar coisas ilegais aqui?"

"Ilegais?" Grisha secou o suor da testa com um lenço sujo e então foi tateando e enxugando dentro do colarinho da camisa. "Tipo o quê, armas?"

"Isso. Ou, sei lá, coisas roubadas."

"O que impede as pessoas? Vou te dizer. Nada é o que impede elas. Enterre alguma coisa aqui e ninguém vai encontrá-la, a não ser que você seja morto ou preso e não pague a mensalidade. Noventa por cento dessas coisas — fotos de bebê antigas, velharias do sótão da vovó. Mas — se as paredes falassem, sabe? Provavelmente milhões de dólares escondidos, se você soubesse onde procurar. Todo tipo de segredo. Armas, joias, corpos de vítimas assassinadas — coisas malucas. Aqui..." — ele tinha fechado a porta com um baque, estava manuseando atrapalhado a trinca — "me ajude com esta porra. Odeio este lugar, meu Deus. É como a morte, sabe?" Fez um gesto para o corredor estéril e aparentemente interminável. "Tudo fechado, isolado da vida! Toda vez que venho aqui, fico com uma sensação de dificuldade pra respirar. Pior que uma maldita biblioteca."

VII

Naquela noite, peguei a lista telefônica da cozinha de Hobie, levei-a até meu quarto e procurei em *Armazenamento — obras de arte*. Havia dezenas de lugares em Manhattan e nos distritos externos, muitos com anúncios imponentes detalhando seus serviços: luvas brancas, da nossa porta para a sua! Um mordomo de desenho animado oferecia um cartão de visita numa bandeja de prata: BLINGEN E TARKWELL, DESDE 1928. *Fornecemos soluções discretas e confidenciais de armazenamento altamente avançado para uma ampla gama de empresas e clientes particulares.* ARTTECH. OBRAS DE PATRIMÔNIO. SOLUÇÕES DE ARQUIVÍSTICA. *Instalações monitoradas por equipamentos de registro higrotermógrafo. Mantemos um controle de temperatura personalizado conforme as exigências da Associação Americana de Museus, de 21 graus e 50% de umidade relativa do ar.*

Mas tudo isso era elaborado demais. A última coisa que eu queria era chamar a atenção para o fato de que estava armazenando uma obra de arte. O que precisava era de algo seguro e discreto. Uma das cadeias maiores e mais conhecidas tinha vinte filiais em Manhattan — incluindo uma em East Sixties perto do rio, meu antigo bairro, a apenas algumas ruas de onde minha mãe e eu costumávamos morar. *Nossas instalações são protegidas por um centro de comando personalizado de segurança 24 horas por dia e trazem a última tecnologia em detecção de fumaça e fogo.*

Hobie estava me perguntando alguma coisa do corredor. "Quê?", falei asperamente, minha voz alta e falsa, fechando a lista telefônica sobre meu dedo.

"Moira está aqui. Quer ir conosco até o barzinho comer um hambúrguer?" O barzinho era como ele chamava o White Horse.

"Parece ótimo, vou num minuto." Voltei para o anúncio nas páginas amarelas. *Abra espaço para a diversão de Verão! Soluções fáceis para seus equipamentos esportivos e de lazer.* Quão simples faziam parecer: sem necessidade de cartão de crédito, pagamento em dinheiro e pronto, liberado.

No dia seguinte, em vez de ir pra aula, retirei a fronha de debaixo da cama, fechei-a com fita adesiva, coloquei-a numa sacola da Bloomingdale's e peguei um táxi até a loja de artigos esportivos na Union Square, onde, depois de alguma hesitação, comprei uma barraca pequena e barata e depois peguei um táxi de volta até a rua 60.

No escritório envidraçado de era espacial da empresa de armazenamento, eu era o único cliente; e embora tivesse preparado uma história falsa (apaixonado por acampar; mãe neurótica com organização), o homem da recepção pareceu completamente desinteressado pela minha sacola de loja esportiva de marca com a etiqueta da barraca pendurada ardilosamente pra fora. Da mesma forma, ninguém pareceu achar nem um pouco digno de nota ou incomum o fato de eu querer pagar pelo armário um ano adiantado, em dinheiro — ou dois anos talvez? Haveria algum problema? "Caixa eletrônico ali", disse o porto-riquenho na caixa registradora, apontando sem tirar os olhos do sanduíche de bacon e ovo.

Era assim tão fácil?, pensei, enquanto descia de elevador. "Escreva o número do seu armário", o cara do caixa tinha dito, "e sua senha também, e guarde num lugar seguro", mas eu já tinha memorizado ambos — tinha visto filmes de James Bond o bastante pra saber como funcionava — e no minuto em que saí joguei o papel no lixo.

Ao sair do prédio, seu silêncio de cripta e o ruído constante de brisa viciada das saídas de ar, eu me senti tonto, sem limites, e o céu azul e a luz alardeando do sol, a névoa matinal familiar de fumaça de escapamento e o grito e o choro de buzinas, tudo parecia alargar a avenida transformando-a numa forma maior e melhor de mundo: um reino ensolarado de multidão e sorte. Era a primeira vez que chegava perto de Sutton Place desde que voltara para Nova York, e era como cair de volta num velho sonho agradável, mistura de passado e presente, a textura esburacada das calçadas e até as mesmas velhas rachaduras sobre as quais eu sempre saltava quando voltava correndo pra casa, impulsionando-me pra frente, imaginando-me num avião, a inclinação das asas, *Estou chegando*, aquele trecho final, metralhando rápido na direção de casa — muitos dos mesmos comércios ainda funcionando, a mercearia, o restaurante grego, a loja de vinhos, todos os rostos esquecidos da vizinhança confundindo-se na minha mente, Sal, a florista, e a sra. Battaglina, do restaurante italiano, e Vinnie, da lavanderia, com sua fita métrica em volta do pescoço, de joelhos prendendo um alfinete na saia da minha mãe.

Eu estava a apenas algumas quadras do nosso antigo prédio. Olhando pra frente na direção da rua 57, aquela ruela luminosa e familiar com o sol batendo na medida certa e refletindo dourado nas janelas, eu pensei: Goldie! José!

Diante desse pensamento, meu passo acelerou. Era de manhã; um deles ou ambos deveriam estar de serviço. Não chegara a enviar o cartão-postal de Vegas conforme tinha prometido: eles iam ficar animadíssimos em me ver, amontoando-se à minha volta, abraçando-me e me dando tapinhas nas costas, interessados em ouvir tudo o que tinha acontecido, inclusive sobre a morte do meu pai. Eles iam me convidar pra ir até a sala de correspondência, talvez chamar Henderson, o gerente, atualizar-me com todas as fofocas do prédio. Mas, quando dobrei a esquina, em meio ao trânsito parado e às buzinas de carro, vi da metade da quadra que o prédio estava cicatrizado com andaimes e as janelas fechadas com letreiros oficiais.

Parei, consternado. Então — incrédulo — me aproximei e fiquei ali, estarrecido. As portas art déco tinham desaparecido e — no lugar do saguão escuro e fresco, com seus pisos polidos, seus painéis raiados — abria-se uma caverna de brita e pedaços de concreto, com operários de capacete saindo com carrinhos de mão cheios de entulho.

"O que aconteceu aqui?", perguntei pra um sujeito de capacete coberto de sujeira que estava parado um pouco pra trás, curvado e sorvendo culposamente o seu café.

"Como assim?"

"Eu..." Mais afastado, olhando pra cima, vi que não era só o saguão; eles tinham destripado o prédio inteiro, deixando ver até o pátio nos fundos; o mosaico vítreo da fachada ainda intacto, mas as janelas estavam empoeiradas e vazias, nada atrás delas. "Eu morava aqui. O que está acontecendo?"

"Os donos venderam." Ele estava gritando mais alto que as britadeiras no saguão. "Tiraram os últimos inquilinos faz alguns meses."

"Mas..." Ergui os olhos para a casca vazia, depois olhei pra dentro, pra obra de escombros empoeirada e iluminada — homens gritando, fios pendurados. "O que estão fazendo?"

"Condomínio de luxo. De cinco milhões pra cima — piscina no telhado — dá pra acreditar?"

"Meu Deus."

"É, a gente pensa que estaria protegido, não é? Lugar antigo e joia — ontem tivemos que quebrar com a britadeira a escada de mármore do saguão, você se lembra dela? Uma pena realmente. Quem dera se a gente conseguisse tirar os degraus inteiros. Você não vê mais muito mármore de qualidade como via antigamente, aquele bom e velho mármore. Ainda assim..." Ele deu de ombros. "É a cidade certa."

Ele estava gritando pra alguém em cima — um homem baixando um balde de areia numa corda — e eu continuei andando, sentindo-me enjoado, passando bem debaixo da nossa antiga janela da sala ou então da casca bombardeada dela, perturbado demais pra erguer os olhos. *Bem guardadinha*, José tinha dito, colocando minha bolsa na prateleira da sala de correspondência. Alguns dos inquilinos, como o velho sr. Leopold, moravam no prédio havia setenta e tantos anos. O que acontecera com ele? Ou com Goldie e José? Ou, aliás, com Cinzia? Cinzia, que a qualquer momento podia estar com uma dúzia ou mais de trabalhos de meio período como faxineira, mas que trabalhava apenas algumas horas por semana no prédio, não que eu tivesse pensado nela até então, mas tudo tinha parecido tão sólido, tão imutável, todo o sistema do prédio, um ponto de ligação por onde eu sempre podia dar uma passada e ver gente, dar um oi, saber o que andava acontecendo. Gente que conhecia minha mãe. Gente que conhecia meu pai.

Quanto mais eu me afastava, mais triste ficava, diante da perda de um dos poucos pontos de ancoragem estáveis e imutáveis do mundo que eu assumira como permanente. Rostos familiares, cumprimentos alegres. *Hey, manito*. Pois eu achara que esse último marco do passado, pelo menos, estaria onde o tinha deixado. Era estranho pensar que jamais seria capaz de agradecer a José e Goldie pelo dinheiro que me deram — ou, ainda mais estranho, que jamais lhes contaria que meu pai tinha morrido: e quem mais eu conhecia que o conhecera? Ou se importaria? Até a calçada dava a impressão de que poderia quebrar sob meus pés e eu poderia escorregar na rua 57 pra dentro de algum fosso onde jamais pararia de cair.

IV

Não é a carne e o sangue, mas o coração
que faz de nós pais e filhos.

Schiller

9. O tudo da possibilidade

I

Certa tarde, passados oito anos — já tinha terminado a escola e ido trabalhar para Hobie —, eu acabara de sair do Banco de Nova York e estava andando pela Madison aborrecido e preocupado quando ouvi meu nome.

Virei. A voz me era familiar, mas não reconheci seu dono: na casa dos trinta, maior que eu, com olhos cinzentos melancólicos e cabelo loiro na altura dos ombros. Suas roupas — calça de tweed felpuda; suéter com gola xale — combinavam mais com uma estrada rural enlameada do que com uma rua da cidade; e ele tinha um ar indefinido de quem tinha dinheiro e o perdeu, como alguém que dormira no sofá de amigos, usara drogas e desperdiçara um bom tanto do dinheiro dos pais.

"É o Platt", disse ele. "Platt Barbour."

"Platt", falei, depois de uma pausa chocada. "Quanto tempo. Meu Deus." Era difícil reconhecer o brutamontes do time de lacrosse de antigamente naquele pedestre sóbrio e de aspecto solícito. A insolência tinha sumido, assim como o velho lampejo agressivo; agora ele parecia esgotado e havia um quê ansioso e fatalista em seus olhos. Ele poderia ser um marido infeliz do subúrbio, preocupado com uma esposa infiel, ou um professor desacreditado de uma escola de segunda categoria.

"Bem. Então. Platt. Como você está?", perguntei, depois de um silêncio desconfortável, recuando. "Continua na cidade?"

"Sim", disse ele, coçando o pescoço, visivelmente constrangido. "Acabei de começar num emprego novo, na verdade." Ele não tinha envelhecido bem; no passado, fora o mais loiro e o mais bonito dos irmãos, mas sua mandíbula e sua cintura tinham engrossado e suas feições tinham embrutecido e perdido a antiga beleza perversa de *Jungvolk*. "Estou trabalhando pra uma editora acadêmica agora. Blake-Barrows. A sede fica em Cambridge, mas eles têm um escritório aqui."

"Que ótimo", falei, como se já tivesse ouvido falar da editora, embora não fosse o caso. Assenti, brincando com os trocados no bolso, já pensando numa forma de me mandar. "Bem, que maravilha ver você. Como está Andy?"

Sua expressão congelou. "Você não sabe?"

"Bem..." — titubeando — "ouvi dizer que ele estudou no MIT. Topei com Win Temple na rua faz um ou dois anos, e ele disse que Andy tinha uma bolsa... astrofísica? Bem", falei nervosamente, desconcertado pelo olhar fixo de Platt, "não mantive contato com a turma da escola..."

Platt correu a mão pela parte de trás da cabeça. "Sinto muito. Não sabíamos como entrar em contato com você. As coisas ainda estão muito confusas. Mas achei que você já soubesse a essa altura."

"Soubesse o quê?"

"Ele morreu."

"Andy?", falei, e então, quando Platt não reagiu: "Não."

Uma careta efêmera desapareceu no instante em que a vi. "Sim. Foi muito ruim. Papai também."

"Como?"

"Faz cinco meses. Eles se afogaram."

"Não." Olhei pra calçada.

"O barco virou. Perto de Northeast Harbor. Não estávamos tão longe, mas talvez não devêssemos estar lá. Papai... você sabe como ele era."

"Meu Deus." Parado ali, na tarde de primavera incerta com crianças recém-saídas da escola passando correndo por toda a minha volta, senti-me confuso e abalado como se diante de uma pegadinha sem graça. Apesar de pensar em Andy com frequência ao longo dos anos e ter sentido vontade de vê-lo uma ou duas vezes, não entrei em contato depois que voltei para Nova York. Eu tinha certeza de que ia esbarrar nele em algum momento — como tinha acontecido com Win, James Villiers, Martina Lichtblau e outras pessoas da escola. Mas, embora eu muitas vezes tenha cogitado pegar o telefone para dar um oi, por algum motivo nunca o fiz.

"Você está bem?", perguntou Platt, massageando a nuca, parecendo tão incomodado quanto eu.

"Hum..." Virei para a vitrine da loja para me recompor, e meu fantasma transparente virou-se para me encontrar, um monte de gente passando atrás de mim no vidro.

"Minha nossa", falei. "Não posso acreditar. Não sei o que dizer."

"Desculpe dar a notícia assim na rua", disse Platt, esfregando a mandíbula. "Você está cadavérico."

Cadavérico: uma expressão do sr. Barbour. Com uma pontada de dor, lembrei-me do sr. Barbour revirando as gavetas do quarto de Platt, oferecendo-se para acender a lareira para mim. *Que coisa mais terrível, Deus do céu.*

"Seu pai também?", perguntei, piscando como se alguém tivesse acabado de me chacoalhar e me acordado de um sono profundo. "Foi isso que você disse?"

Ele olhou em volta, erguendo o queixo de uma maneira que por um momento trouxe de volta o velho Platt arrogante de que eu lembrava, depois conferiu o relógio.

"Você tem um minuto?", perguntou Platt.

"Bem..."

"Vamos tomar uma bebida", disse ele, pousando uma mão tão enérgica no meu ombro que estremeci. "Conheço um lugar tranquilo na Terceira Avenida. O que me diz?"

II

Ficamos sentados no bar quase vazio — uma espelunca outrora famosa forrada de painéis de carvalho e cheirando a gordura de hambúrguer, com bandeirolas da Ivy League nas paredes — enquanto Platt falava num tom monótono, inquieto e desconexo, tão baixo que eu tinha que me esforçar para acompanhar.

"Papai", disse ele, olhando para o gim com limão — a bebida da sra. Barbour. "Evitávamos falar sobre isso, mas... Desequilíbrio químico era como minha avó chamava. Transtorno bipolar. Ele teve seu primeiro episódio, ou ataque, ou qualquer que seja o nome, na faculdade de direito de Harvard, no início do curso. Nunca conseguiu chegar ao segundo ano. Todos aqueles planos e impulsos extravagantes... combativo em aula, falando na hora errada... Se propôs a escrever um poema épico do tamanho de um livro sobre o baleeiro *Essex*, que era só um monte de bobagens, e então seu colega de quarto, que aparentemente era uma influência mais estabilizadora do que se sabia, foi passar um semestre na Alemanha e... bem. Meu avô teve que pegar o trem até Boston para buscá-lo. Ele tinha sido preso por botar fogo na frente da estátua de Samuel Eliot Morison na Commonwealth Avenue e resistido à prisão quando um policial tentou levá-lo."

"Eu sabia que ele tinha problemas. Mas não assim."

"Bem." Platt ficou olhando para sua bebida, depois a virou de uma vez. "Isso foi muito antes de eu nascer. As coisas mudaram quando ele casou com mamãe. Ele já estava tomando remédios fazia um tempo, embora minha avó jamais tenha confiado nele depois daquilo tudo."

"Do quê?"

"Ah, é claro que *nós*, os netos, nos dávamos muito bem com ela", acrescentou Platt rapidamente. "Mas você não imagina os transtornos que papai causou quando era mais novo... rasgou mundos de dinheiro, brigas e acessos terríveis, alguns problemas desagradáveis com garotas menores de idade... ele chorava e pedia desculpas, depois acontecia tudo de novo... Ela sempre o culpou pelo ataque cardíaco do meu avô, os dois estavam discutindo no escritório e *bum*. Mas, sob efeito dos remédios, ele era um cordeirinho. Um pai maravilhoso... Bem, você sabe. Maravilhoso conosco, com os filhos."

"Ele era adorável. Quando o conheci."

"Sim." Platt deu de ombros. "Podia ser. Depois que casou com mamãe, ele se manteve equilibrado por um tempo. Então, não sei o que aconteceu. Fez uns investimentos muito imprudentes — esse foi o primeiro sinal. Ligações constrangedoras tarde da noite para conhecidos, esse tipo de coisa. Se apaixonou e ficou obcecado por uma universitária que estagiava no escritório dele, uma garota cuja família mamãe conhecia. Foi muito difícil."

Por algum motivo, eu estava incrivelmente comovido por ouvi-lo chamar a sra. Barbour de "mamãe". "Nunca soube de nada disso", falei.

Platt franziu a testa: uma expressão desesperançada e resignada que trazia fortemente à tona sua semelhança com Andy. "Nós mesmos mal ficamos sabendo — os filhos, digo", completou ele com amargura, correndo o polegar pela toalha da mesa. "'Papai está doente' era só o que nos diziam. Eu estava no internato, sabe, quando o mandaram pro hospital. Nunca me deixavam falar com ele no telefone, diziam que estava doente demais, e durante semanas e semanas achei que ele estava morto e que não queriam me contar."

"Disso eu lembro. Foi horrível."

"Do quê?"

"Do, hã, colapso."

"É, bem..." — fiquei assustado com o lampejo de raiva em seus olhos — "e como é que *eu* ia saber se era 'colapso' ou câncer terminal ou qualquer outra porra? 'Andy é tão sensível... Andy vai ficar melhor na cidade... Andy não se adaptaria ao internato...' Bem, só posso dizer que mamãe e papai *me* mandaram pra longe no instante em que aprendi a amarrar o cadarço, uma escola equestre idiota chamada Prince George, totalmente de quinta categoria, mas, ah, uau, uma grande experiência de construção de caráter, uma ótima preparação pra Groton, e eles aceitam crianças bem novas, de sete a treze anos. Você devia ter visto o folheto, 'Virgínia, o estado da caça' e aquilo tudo. Mas a questão é que não eram só colinas verdes e montaria como nas fotos. Fui pisoteado numa baia e quebrei o ombro, e lá estava eu na enfermeira vendo a entrada vazia e nenhum carro vindo. *Ninguém* foi me visitar, nem mesmo minha avó. E o médico ainda era um bêbado. Encaixou meu ombro do jeito errado, tenho problemas até hoje. E simplesmente odeio cavalos.

"*Mas enfim*..." — mudança consciente de tom — "eles me tiraram daquele lugar e me botaram em Groton na época em que as coisas realmente ficaram complicadas com papai e ele foi mandado pra longe. Aparentemente houve um incidente no metrô... histórias conflitantes aí, papai disse uma coisa e os policiais disseram outra, *mas*..." — ele ergueu as sobrancelhas, com uma espécie de trejeito zombeteiro afetado — "lá se foi papai para o pinel! Oito semanas. Sem cinto, sem cadarços, sem nada cortante. Mas teve um tratamento de choque lá, e isso realmente pareceu funcionar, porque quando saiu era uma pessoa nova. Bem, você lembra. Pai do ano, praticamente."

"Então..." — pensei no meu encontro desagradável com o sr. Barbour na rua, mas decidi não mencionar — "o que aconteceu?"

"Bem, vai saber. Ele começou a ter problemas de novo alguns anos atrás e teve que voltar."

"Que tipo de problema?"

"Ah..." Platt expirou ruidosamente. "Quase a mesma coisa, ligações constrangedoras, explosões em público e tal. Não havia nada de errado com ele, claro, *ele* estava perfeitamente bem, tudo começou quando estavam fazendo umas reformas no prédio, com que ele não concordava, martelos e serras constantes e todas essas empresas destruindo a cidade, nada que a princípio não fosse verdade, e então foi meio que uma bola de neve, até o ponto em que ele achava que estava sendo seguido, fotografado e espionado o tempo todo. Escreveu umas cartas bem malucas pras pessoas, incluindo alguns clientes da firma... causou um incômodo muito desagradável no Yacht Club... vários membros reclamaram, até alguns amigos bem antigos dele, e quem pode culpá-los?

"Em todo caso, papai voltou do hospital e nunca mais foi o mesmo. As oscilações eram menos extremas, mas ele não conseguia se concentrar e vivia muito irritado. Há mais ou menos seis meses trocou de médico, tirou uma licença do trabalho e foi até o Maine — tio Harry tem uma casa numa ilhazinha lá, ninguém além do caseiro, e papai dizia que o ar do mar lhe fazia bem. Nós nos revezávamos pra ficar com ele... Andy estava em Boston na época, no MIT, a última coisa que ele queria era ter que lidar com papai, mas infelizmente, já que estava mais perto que nós, sobrou pra ele."

"Ele não voltou pra... hã..." — eu não queria dizer *pinel* — "pra onde ele tinha ido antes?"

"Bem, como é que alguém ia fazê-lo ir? Não é uma coisa fácil mandar uma pessoa contra a vontade, especialmente quando não admite que há algo com ela, coisa que àquela altura não fazia, e além disso fomos levados a acreditar que era só uma questão de medicação, que ele ficaria bem assim que a nova dose começasse a fazer efeito. O caseiro nos mantinha informados, cuidava pra que ele comesse bem e tomasse os remédios, papai falava com o psiquiatra por telefone todo dia — tipo, o médico *disse* que estava tudo bem", explicou Platt, na defensiva. "Ele podia dirigir, nadar, velejar, se estivesse a fim. Provavelmente não foi uma ótima ideia sair já *tão* tarde no dia, mas as condições não estavam tão ruins quando partimos e, é claro, você conhece papai. Marujo destemido e aquilo tudo. Heroísmo e bravura."

"Sim." Eu já tinha ouvido muitas, mas muitas histórias sobre o sr. Barbour saindo para velejar em "águas mal-humoradas" que eram no fim das contas tempestades em macroescala, estado de emergência decretado em três estados e queda de energia ao longo da Costa Leste, Andy mareado e vomitando enquanto tirava água salgada do barco. Noites pendendo pro lado, encalhado em bancos de areia, na escuridão, sob uma chuva torrencial. O próprio sr. Barbour — gargalhando com seu Virgin Mary e um prato de bacon e ovos no domingo de manhã — tinha mais de uma vez contado a história de como ele e os filhos foram arrastados pra alto-mar pra lá do estuário de Long Island durante um furacão, o rádio sem funcionar, e então a sra. Barbour tinha ligado pra um padre da St. Ignatius Loyola na Park com a 84 e ficado sentada a noite toda rezando (a sra. Barbour!) até a ligação da Guarda Costeira chegar. ("Primeiro vento forte e ela se volta correndo pra Roma, não é, minha querida? Hahaha!")

"Papai..." Platt balançou a cabeça com tristeza. "Mamãe costumava dizer que, se Manhattan não fosse uma ilha, ele não teria vivido aqui por um minuto. No interior ele era infeliz, sempre ansiando pela água. Tinha que *vê-la*, tinha que sentir seu *cheiro*. Eu me lembro de viajar por Connecticut com ele quando era garoto e em vez de ir direto pela 84 até Boston tínhamos que desviar quilômetros do caminho e seguir costa acima. Sempre olhando para o Atlântico — muito, muito sensível a isso, a como as nuvens mudavam quanto mais nos aproximávamos do oceano." Platt fechou seus olhos acinzentados por um momento, depois abriu de novo. "Você sabia que a irmã mais nova de papai se afogou, né?", perguntou, num tom tão indiferente que por um momento achei que tinha ouvido mal.

Pisquei, sem saber o que dizer. "Não. Não sabia."

"Bem, foi o que aconteceu", disse Platt sem emoção. "Kitsey recebeu o nome dela. Pulou de um barco no East River durante uma festa — uma brincadeira, foi o que todos disseram, um acidente. Mas, tipo, qualquer um sabe que não se deve fazer isso. As correntes estavam doidas, arrastaram o corpo dela na hora. Outro garoto morreu também. Ele pulou pra tentar salvá-la. E teve o tio do meu pai, Wendell, nos anos 60, que tentou nadar meio bêbado até o continente uma noite, num desafio. Quer dizer, papai costumava falar sem parar sobre como a água era a fonte da vida pra ele, a fonte da juventude e aquilo tudo. E sem dúvida foi. Mas não foi só isso. Foi a morte."

Não respondi. As histórias de barco do sr. Barbour, nunca particularmente convincentes, ou focadas, ou informativas sobre o esporte em si, tinham uma urgência majestosa toda própria, um tremor apelativo de desastre.

"E..." — a boca de Platt era uma linha fina — "é claro, a merda é que ele achava que era imortal no que se referia à agua. Filho de Poseidon! Impossível se afogar! E, pra ele, quanto mais turbulenta a água melhor. Costumava ficar bem eufórico com tempestades, sabe? Pressão atmosférica reduzida era como gás hilariante pra ele. Embora naquele dia em especial... estava agitado, mas quente, um daqueles dias bem ensolarados de outono em que você quer mais é sair pra água mesmo. Andy estava irritado por ter que ir, ele estava gripado e teve que parar alguma atividade complicada no computador, mas nenhum de nós achou que houvesse um perigo real. O plano era levá-lo para dar uma volta, fazer com que se acalmasse e, com sorte, dar um pulo no restaurante do píer e tentar fazê-lo comer alguma coisa. Veja..." — ele cruzou as pernas, irrequieto — "estávamos só nós dois lá com ele, Andy e eu, e sendo bem sincero papai estava um pouco fora de si. Andava agitado desde o dia anterior, falando de um modo um pouco frenético, realmente à toda. Andy ligou pra mamãe porque ele tinha trabalho a fazer e não se sentia capaz de dar conta do papai sozinho, então mamãe ligou pra mim. Quando cheguei lá e desci da balsa, papai estava longe, no mundo da lua. Esbravejando sobre o borrifo respingado e a bruma soprada e aquela coisa toda — o Atlântico verde selvagem —, *viajando* totalmente. Andy nunca foi capaz de tolerar papai naquele humor, e estava no quarto com a porta trancada. Já devia ter encarado uma dose gigantesca de papai antes de eu chegar.

"Olhando pra trás, eu sei, parece burrice, mas... eu *poderia* ter ido sozinho com ele. Papai estava ficando histérico preso dentro de casa e o que é que eu ia fazer, derrubá-lo e trancá-lo? E aí também, você conhece Andy, ele nunca pensava em comida, o armário estava vazio, nada na geladeira além de umas pizzas congeladas... Um passeio rápido, algo pra comer no píer, parecia um bom plano, sabe? 'Alimentá-lo', era o que mamãe sempre dizia quando papai começava a ficar um pouco alegre demais. 'Botar alguma comida na barriga dele.' Essa sempre foi a primeira linha de defesa. Fazer com que sentasse, comesse um bife. Geralmente só precisava disso pra que ele sossegasse de novo. E, tipo, eu tinha pensado vagamente que, se o ânimo dele não tivesse acalmado quando chegássemos no continente, podíamos deixar o restaurante pra lá e levá-lo para o pronto atendimento se necessário. Só fiz Andy ir por precaução. Achei que podia precisar de uma mãozinha extra — sinceramente, eu tinha ficado fora até tarde na noite anterior, não estava lá me sentindo totalmente alerta, como papai costumava dizer." Ele fez uma pausa, esfregando as palmas das mãos sobre as coxas da calça de tweed. "Bem. Andy nunca gostou muito de água. Como você sabe."

"Eu lembro."

Platt estremeceu. "Já vi gatos nadarem melhor que Andy. Quer dizer, sendo bem sincero, ele era simplesmente o garoto mais desajeitado que já vi, sem considerar espasmódicos ou retardados... santo Deus, você devia tê-lo visto na quadra de tênis. Costumávamos brincar que íamos inscrevê-lo nas Paralimpíadas, que ele ganharia em todas as competições. Ainda assim, ele se dedicava bastante ao barco, Deus sabe — parecia inteligente ter um homem extra a bordo, e papai sem dúvida não estava no seu melhor, sabe? Poderíamos facilmente ter manejado sozinhos — tipo, estava tudo *bem*, tudo teria permanecido perfeitamente bem se eu tivesse ficado de olho no céu como deveria, mas o tempo virou, estávamos tentando rizar a vela maior e papai agitava os braços pra lá e pra cá, gritando sobre os espaços vazios entre as estrelas, realmente todo tipo de coisa maluca, e ele perdeu o equilíbrio numa onda e caiu no mar. Estávamos tentando puxá-lo de volta a bordo, Andy e eu — e então fomos atingidos, uma onda enorme, dessas que se formam subitamente e aparecem e te acertam do nada, e bum, viramos. Não estava tão frio, mas a água a onze graus é o suficiente pra te deixar com hipotermia se ficar lá por tempo o bastante, coisa que infelizmente aconteceu, e, no caso de papai, ele estava *exultante*, fora da estratosfera..."

Nossa comunicativa garçonete universitária estava se aproximando pelas costas de Platt, prestes a perguntar se queríamos alguma coisa. Fiz contato visual com ela e balancei a cabeça ligeiramente, alertando-a pra que se afastasse.

"Foi a hipotermia que pegou papai. Ele tinha ficado tão magro, nenhuma gordura corporal nele, uma hora e meia na água foi o suficiente pra fazer o estrago, debatendo-se naquela temperatura. Você perde calor mais rápido se não fica perfeitamente imóvel. Andy..." Platt, parecendo sentir que a garçonete estava ali, virou-se e ergueu dois dedos, *mais dois*. "Bem, eles encontraram o colete de Andy boiando ao lado do barco ainda preso à corda."

"Ah, meu Deus."

"Deve ter escapado pela cabeça dele quando afundou. Tem uma tira que passa em volta da virilha, mas é um pouco desconfortável, ninguém gosta de usá-la. Em todo caso, lá estava o colete de Andy, ainda preso à corda de segurança, mas aparentemente ele não tinha afivelado tudo, o merdinha. Bem, tipo", continuou Platt, erguendo a voz, "foi típico, sabe? Não podia se dar ao trabalho de prender a coisa direito? Sempre foi desastrado..."

Nervoso, olhei de relance pra garçonete, consciente de quão alto Platt estava falando.

"Meu Deus." Platt empurrou-se pra trás da mesa muito subitamente. "Sempre fui horrível com Andy. Um completo babaca."

"Platt." Eu queria dizer *Não, você não foi*, só que não era verdade.

Ele olhou de esguelha para mim, balançou a cabeça. "Quer dizer, meu Deus." Seus olhos estavam apagados e pareciam vazios, como os pilotos de Huey num jogo de computador (*Cavalaria Aérea II: Invasão do Camboja*) que Andy e eu gostávamos de jogar. "Quando penso em algumas das coisas que fiz com ele. Nunca vou me perdoar, nunca."

"Nossa", falei, depois de uma pausa desconfortável, olhando para as mãos com grandes nós de Platt descansando com as palmas viradas pra baixo na mesa — mãos que depois de todos esses anos ainda tinham um aspecto rude e brutal, certo resíduo de crueldade. Embora nós dois tivéssemos suportado nossa cota de bullying na escola, a perseguição a Andy empreendida por Platt — inventiva, alegre, sádica — beirou a tortura sem tirar nem pôr: ele cuspia na comida de Andy, e destruía seus brinquedos, mas também deixava peixes mortos do aquário e fotos de autópsia da internet no travesseiro de Andy, puxava as cobertas e mijava nele enquanto dormia (e depois gritava: *O androide fez xixi na cama!*); enfiava sua cabeça na banheira no melhor estilo Abu Ghraib; forçava seu rosto contra a caixa de areia do parquinho enquanto ele chorava e lutava para respirar; segurava seu inalador acima da sua cabeça enquanto ele ofegava e implorava (*Quer isso? Quer isso?*). Havia também uma história medonha sobre Platt e um cinto, um quarto no sótão de alguma casa de campo, as mãos amarradas, um laço improvisado: horror. *Ele teria me matado*, Andy me dissera, com sua voz remota e sem emoção, *se a babá não tivesse me escutado batendo no chão*.

Uma chuva fraca de primavera tamborilava nas janelas do bar. Platt olhou pro copo vazio e ergueu os olhos.

"Venha ver minha mãe", disse. "Sei que ela quer muito ver você."

"Agora?", perguntei, quando percebi que era isso que ele queria dizer.

"Ah, por favor. Se não agora, depois. Não prometa apenas, como todo mundo faz. Significaria muito pra ela."

"Bem..." Foi a minha vez de olhar o relógio. Eu tinha alguns serviços de rua pra fazer. Na verdade, tinha um monte de coisa na cabeça e várias preocupações bem urgentes, mas estava ficando tarde, a vodca tinha me deixado aéreo, a tarde me escapara.

"Por favor", disse ele. Sinalizou pedindo a conta. "Ela nunca vai me perdoar se souber que encontrei você e te deixei escapar. Não pode passar lá só por um minuto?"

III

Passar pelo hall de entrada foi como atravessar um portal de volta à infância: porcelana chinesa, pinturas de paisagem iluminadas, luminárias de seda brilhando fracamente, tudo igual a quando o sr. Barbour abriu a porta para mim na noite em que minha mãe morreu.

"Não, não", disse Platt, quando por hábito fui na direção do espelho redondo para a sala. "Aqui atrás." Ele estava se dirigindo aos fundos do apartamento. "Estamos bem informais agora. Mamãe geralmente recebe as pessoas aqui atrás, se é que recebe alguém..."

No passado, eu não tinha coragem nem de chegar perto do santuário da sra. Barbour, mas conforme nos aproximamos o cheiro do perfume dela — inconfundível, flores brancas com uma estranheza pulverulenta em seu âmago — era como uma cortina puxada sobre uma janela aberta.

"Ela não sai mais como antigamente", Platt disse baixinho. "Nada daqueles grandes jantares e eventos. Talvez uma vez por semana receba alguém pra tomar chá ou vá jantar com uma amiga. Mas é só."

Platt bateu e escutou. "Mamãe?", chamou, e, diante da resposta indistinta, abriu uma fresta da porta. "Tenho uma visita pra você. Não vai adivinhar quem foi que eu encontrei na rua..."

Era um quarto enorme, pintado num tom pêssego de velhinha da década de 1980. Logo na entrada havia uma área de recepção com um sofá e poltronas sem braços — vários bibelôs, almofadas bordadas, nove ou dez pinturas do Velho Mestre: a fuga para o Egito, Jacó e o anjo, o círculo de Rembrandt principalmente, embora houvesse uma minúscula de pena e tinta marrom de Cristo lavando os pés de são Pedro feita com tanta habilidade (a curvatura cansada e frouxa das costas de Cristo; a tristeza vazia e complicada do rosto de são Pedro) que poderia ter saído da mão do próprio Rembrandt.

Inclinei-me para a frente para olhar melhor; do outro lado do quarto um abajur em forma de pagode se acendeu. "Theo?", ouvia-a dizer, e lá estava ela, apoiada em pilhas de travesseiros numa cama bizarramente grande.

"Você! Não posso acreditar!", disse ela, estendendo os braços para mim. "Está todo crescido! Por onde andou? Está morando aqui?"

“Sim. Voltei já faz um tempo. Você está ótima”, acrescentei respeitosamente, embora ela não estivesse.

“E você!” Ela pôs as duas mãos sobre as minhas. “Como está bonito! Estou muito emocionada.” A sra. Barbour parecia ao mesmo tempo mais velha e mais nova do que eu lembrava: muito pálida, sem batom, linhas no canto dos olhos, a pele ainda branca e macia. Seu cabelo loiro prateado (tinha sempre sido assim ou ela ficara grisalha?) caía solto e despenteado na altura do ombro; usava óculos meia-lua e um casaquinho de cetim preso com um enorme broche de diamante em forma de floco de neve.

“E aqui você me encontra, na minha cama, com meu bordado, como uma velha viúva de marinheiro”, disse ela, apontando para a tela de tapeçaria inacabada sobre os joelhos. Dois cachorros pequenos — yorkshire terriers — estavam dormindo sobre uma peça de caxemira clara jogada aos pés dela, e o menor dos dois, ao me ver, ergueu-se num salto e começou a latir furiosamente.

Sorri constrangido enquanto ela tentava acalmá-lo — o outro cachorro estava fazendo um escândalo também — e olhei em volta. A cama era moderna — king size, com uma cabeceira forrada com tecido —, mas ela tinha um monte de coisas antigas interessantes ali atrás, nas quais eu não saberia prestar atenção quando criança. Claramente, aquele era o Mar dos Sargaços do apartamento, onde iam parar os objetos banidos dos recintos públicos cuidadosamente decorados: mesas de canto incompatíveis; bricabraque asiático; uma coleção sensacional de sinos de mesa de prata. Uma mesa de jogos de mogno que de onde eu estava parecia ser uma Duncan Phyfe, e em cima (em meio a cinzeiros cloasonados baratos e porta-copos sem fim) um cardeal empalhado: comido pelas traças, frágil, as penas desbotadas num tom ferrugem, a cabeça fortemente inclinada e o olho uma conta preta empoeirada de horror.

“Tlim-Tlim, shh, por favor fique quieto, não consigo suportar isso. Este é o Tlim-Tlim”, disse a sra. Barbour, pegando o cachorro irrequieto nos braços, “ele é o danadinho dos dois, não é, querido, nunca um momento de paz, e a outra, de lacinho rosa, é Clementine. Platt”, chamou ela, por cima dos latidos, “você poderia levá-lo até a cozinha? Ele realmente fica um pouco chato com visitas”, disse ela a mim, “eu devia ter um adestrador…”

Enquanto a sra. Barbour enrolava seu bordado e o colocava numa cesta oval com uma peça de marfim trabalhada na tampa, sentei na poltrona junto da cama dela. O estofado estava gasto, e o listrado delicado me era familiar — uma antiga cadeira da sala exilada para o quarto, a mesma na qual eu encontrara minha mãe sentada quando foi à casa dos Barbour muitos anos antes me buscar depois de eu passar a noite ali. Corri um dedo pelo tecido. Subitamente vi minha mãe se erguendo para me cumprimentar, com o casaco verde brilhante que ela estava usando naquele dia — elegante o bastante pra que toda hora as pessoas a parassem na rua pra perguntar onde o comprara, mas inadequado para a casa dos Barbour.

"Theo", disse a sra. Barbour. "Você gostaria de beber alguma coisa? Uma xícara de chá? Ou algo mais forte?"

"Não, obrigado."

Ela deu uma batidinha na colcha de brocado da cama. "Venha sentar ao meu lado. Por favor. Quero ver você."

"Eu..." Diante do seu tom, ao mesmo tempo íntimo e formal, uma terrível tristeza tomou conta de mim. Quando nos olhamos, parecia que todo o passado fora redefinido e trazido à luz por aquele momento, claro como vidro, uma complexidade de imobilidade de tardes chuvosas na primavera, uma cadeira escura no corredor, o toque leve como ar da sua mão na minha nuca.

"Estou tão feliz que você veio."

"Sra. Barbour", falei, mudando-me para a cama, sentando cautelosamente, "meu Deus. Não posso acreditar. Só fui saber agora. Sinto muito."

Ela comprimiu os lábios como uma criança tentando não chorar. "Sim", disse ela, "bem", e então se fez entre nós um silêncio horrível e aparentemente inquebrável.

"Sinto muito", repeti, com mais urgência, ciente de quão tolo eu soava, como se ao falar mais alto pudesse transmitir a intensidade do meu pesar.

Com tristeza, ela piscou; sem saber o que fazer, estendi a mão e a coloquei sobre as dela, e ficamos sentados ali por um tempo desconfortavelmente longo.

No final, foi ela quem falou primeiro. "Bem." Resoluta, ela arrancou uma lágrima do olho enquanto eu me debatia procurando algo para dizer. "Ele tinha falado de você nem três dias antes de morrer. Ia se casar. Com uma japonesa."

"Não diga. Sério?" Por mais triste que eu estivesse, ainda assim não podia deixar de sorrir um pouquinho: Andy escolhera japonês como sua segunda língua precisamente porque tinha uma queda por personagens safadas de mangá com uniforme escolar. "Japonesa do Japão?"

"Sim. Uma coisinha minúscula com uma voz esganiçada e uma carteira em formato de bicho de pelúcia. Ah, sim, eu a conheci", disse ela, com uma sobrancelha erguida. "Andy traduzindo tudo em meio a sanduíches num chá no Pierre. Ela estava no funeral, claro — a garota. Seu nome era Miyako. Bem, culturas diferentes e tal, mas é verdade o que dizem sobre os japoneses serem reservados."

A cadelinha, Clementine, tinha se arrastado para se enrolar no ombro da sra. Barbour feito uma gola de pele. "Tenho que admitir, estou pensando em pegar um terceiro", disse ela, erguendo a mão para acariciá-la. "O que você acha?"

"Não sei", respondi, desconcertado. Era extremamente incomum para a sra. Barbour pedir a opinião de quem quer que fosse sobre qualquer assunto, quanto mais a minha.

"Eles têm sido um consolo enorme, os dois. Minha velha amiga Maria Mercedes de la Pereyra simplesmente apareceu com eles uma semana depois do funeral, de forma bastante inesperada, dois filhotes com lacinho numa cesta, e admito que não estava segura de início, mas na verdade acho que nunca tinha recebido um presente tão significativo. Nunca pudemos ter cachorros por causa de Andy. Ele era extremamente alérgico. Você lembra."

"Lembro."

Platt — ainda com seu casaco de tweed de guarda-caça, com grandes bolsos alargados pra pássaros mortos e cartuchos de espingarda — tinha voltado. Ele puxou uma cadeira. "Então, mamãe", disse, mordendo o lábio inferior.

"Então, Platypus." Silêncio formal. "Dia bom no trabalho?"

"Ótimo." Ele assentiu, como se tentasse convencer a si mesmo do fato. "É. Bem agitado."

"Fico tão feliz por ouvir isso."

"Livros novos. Um sobre o Congresso de Viena."

"Outro?" Ela se voltou para mim. "E você, Theo?"

"Como?" Eu estava olhando para a peça de marfim trabalhada (um baleeiro) sobre a tampa da cesta de costura dela e pensando no pobre Andy: água escura, sal na garganta, nauseado e se debatendo. O horror e a crueldade de morrer no seu elemento mais odiado. *O problema é que eu desprezo barcos.*

"Me diga. O que tem feito da vida?"

"Hum... Trabalho com antiguidades. Mobília americana, principalmente."

"Não!" Ela estava extasiada. "Mas que perfeito!"

"Sim. Lá no Village. Dirijo a loja e cuido das vendas. Meu sócio..." — ainda era algo tão novo que eu não estava acostumado a dizer — "meu sócio na empresa, James Hobart, é o artesão, cuida das restaurações. Você devia ir lá conhecer uma hora dessas."

"Ah, encantador. Antiguidades!" Ela suspirou. "Bem, você sabe como gosto de coisas antigas. Queria que meus filhos tivessem demonstrado algum interesse por isso. Sempre torci pra que pelo menos um deles se interessasse."

"Bem, sempre tem a Kitsey", disse Platt.

"É curioso", continuou a sra. Barbour, como se não tivesse ouvido. "Nenhum dos meus filhos veio com um só osso artístico no corpo. Não é extraordinário? Pequenos filisteus, os quatro."

"Ah, que nada", falei, no tom mais brincalhão que conseguia fazer. "Eu me lembro de Toddy e Kitsey com todas aquelas aulas de piano. Andy com seu violino Suzuki."

Ela fez um gesto de desdém. "Ah, você sabe o que quero dizer. Nenhum dos meus filhos tem qualquer senso *visual*. Nenhuma apreciação por pinturas, interiores ou qualquer coisa do tipo. Agora..." — novamente ela pegou a minha mão — "quando *você* era criança, eu costumava vê-lo no corredor estudando minhas pinturas. Sempre ia direto para as melhores. A paisagem de Frederic Church, meu Fitz Henry Lane e meu Raphaelle Peale ou o John Singleton Copley — sabe, o retrato oval, o pequenininho, a menina de touca?"

"Era um Copley?"

"Sim. E você estava olhando o pequeno Rembrandt agora mesmo."

"Então é *mesmo* um Rembrandt?"

"Sim. Só aquele, o da lavagem de pés. Os outros são todos da escola dele. Meus próprios filhos passaram a vida toda com esses desenhos e nunca demonstraram o menor interesse, não é verdade, Platt?"

"Gosto de pensar que nos destacamos em outras coisas."

Pigarreei. "Sabe, eu realmente só passei para dar um oi", falei. "Foi maravilhoso ver você — vocês dois..." Virei-me para incluir Platt. "Quem me dera tivesse sido sob circunstâncias mais felizes."

"Você ficaria pro jantar?"

"Sinto muito", falei, sentindo-me encurralado. "Não posso, não hoje. Mas queria dar uma passada um minuto pra ver você."

"Então volta pra jantar? Ou almoçar? Ou pra uma bebida?" Ela riu. "Ou o que você quiser."

"Pra jantar, claro."

A sra. Barbour ergueu o rosto para receber um beijo, como jamais fizera quando eu era criança, nem mesmo com seus próprios filhos.

"Que adorável ter você aqui de novo!", disse ela, pegando minha mão e pressionando-a contra o rosto. "Como nos velhos tempos."

IV

Enquanto eu me dirigia para a porta, Platt me deu uma espécie de aperto de mão esquisito — em parte de membro de gangue, em parte de garoto de fraternidade, em parte língua de sinais — que eu não soube ao certo como responder. Confuso, puxei a mão e — sem saber o que mais fazer — bati o punho com o dele, sentindo-me um idiota.

"Então... Foi legal a gente se esbarrar", falei, no silêncio constrangedor. "Me liga."

"Pra marcar o jantar? Ah, sim. Provavelmente vamos comer aqui, se pra você tudo bem, mamãe não gosta muito de sair." Ele enfiou as mãos no bolso do casaco. Em seguida, de forma chocante, disse: "Tenho visto bastante seu velho amigo Cable. Mais do que gostaria, na verdade. Ele vai gostar de saber que vi você".

"*Tom* Cable?" Ri, incrédulo, embora aquilo não fosse bem uma risada; a lembrança ruim de como tínhamos sido suspensos da escola juntos e de como ele me tratou quando minha mãe morreu ainda fazia eu me sentir desconfortável. "Vocês se falam?", perguntei, quando Platt não respondeu. "Há anos não pensava nele."

Platt sorriu com malícia. "Tenho que admitir: naquela época, achei que fosse estranho que qualquer amigo daquele garoto aguentasse um mala como Andy", disse ele baixinho, recostando-se contra o batente da porta. "Não que eu me importasse. Deus sabe como Andy precisava de alguém que o fizesse sair e o deixasse chapado ou algo assim."

Androide. Florzinha. Chokito. Bob Esponja Calça Cagada.

"Não?", disse Platt casualmente, interpretando mal meu olhar inexpressivo. "Achei que você estava metido nisso. Cable certamente fazia bem o tipo maconheiro."

"Deve ter sido depois que eu fui embora."

"Bem, talvez." Platt olhou para mim, de um jeito que não tive certeza se gostava. "Mamãe certamente não achava que você era um anjo, e eu sabia que era amigo de Cable. E Cable era um ladrãozinho." Asperamente, num tom que trouxe o velho e desagradável Platt de volta, ele riu. "Falei pra Kitsey e Toddy manterem os quartos trancados quando você estivesse aqui pra que não roubasse nada."

"Então aquilo tudo foi por causa disso?" Eu não pensava no incidente do cofrinho havia anos.

"Bem, sabe como é, Cable..." Ele olhou para o teto. "Veja, eu costumava sair com a irmã de Tom, Joey, puta merda, ela também era uma figura."

"Certo." Eu me lembrava bem demais de Joey Cable — dezesseis anos e peituda — passando roçando por meu eu de doze anos no corredor da casa nos Hamptons com uma camiseta minúscula e calcinha preta fio dental.

"Jo Ligeirinha! Que bunda ela tinha. Lembra como desfilava nua em volta da banheira de hidromassagem? Mas, enfim, Cable. Lá nos Hamptons, no clube do papai, ele foi pego saqueando armários no vestiário masculino, não poderia ter mais do que doze ou treze. Isso foi depois de você ir embora?"

"Deve ter sido."

"Esse tipo de coisa aconteceu em *vários* clubes de lá. Tipo, durante grandes torneios e tal. Ele se esgueirava até o vestiário e roubava o que conseguisse pegar. Então, talvez já na época da faculdade — ah, merda, onde é que foi?, não foi em Maidstone... Enfim, Cable tinha um emprego de verão no clube ajudando no bar, levando velhos camaradas pra casa mamados demais pra dirigir. Sujeito bem-apessoado, bom de conversa — bem, você sabe. Ele pegava os velhos contando suas histórias de guerra ou sei lá o quê. Acendia o cigarro deles, ria das piadas. Só que às vezes ajudava a carregar os velhos camaradas até a porta de casa e no dia seguinte a carteira deles tinha desaparecido."

"Bem, já faz anos que não o vejo", falei secamente. Não gostava do tom que Platt tinha assumido. "O que ele está fazendo?"

"Bem, você sabe. Aprontando. Pra falar a verdade, sai com a minha irmã de tempos em tempos, embora eu certamente gostaria de pôr um fim nisso. Em todo caso", disse ele, num tom ligeiramente alterado, "aqui estou eu, te segurando. Mal posso esperar pra contar pra Kitsey e Toddy que vi você — pra Toddy especialmente. Você causou uma impressão e tanto nele — fala de você o tempo todo. Vai estar na cidade na próxima semana e sei que vai querer ver você."

V

Em vez de pegar um táxi preferi caminhar, para organizar os pensamentos. Estava um dia claro e úmido de primavera, nuvens de tempestade atravessadas por raios de luz e funcionários de escritório enchendo as faixas de pedestre, mas a primavera em Nova York sempre foi uma época envenenada para mim, um eco sazonal da morte da minha mãe soprando com os narcisos, árvores floridas e salpicos de sangue, um borrifo fino de alucinação e horror (*Maravilha! Súper!*, como Xandra poderia ter dito). Com a notícia sobre Andy, era como se alguém tivesse apertado um interruptor de raios X e invertido tudo para o modo negativo fotográfico, de forma que, até no caso dos narcisos, das pessoas passeando com cães e dos guardas de trânsito assobiando nas esquinas, só o que eu via era morte: calçadas repletas de mortos, cadáveres saindo em massa de ônibus e correndo pra casa do trabalho, nada restando de qualquer um deles dali a cem anos além de obturações, marca-passos e talvez alguns fragmentos de pano e osso.

Não dava para imaginar. Eu tinha pensado em ligar para Andy um milhão de vezes e foi apenas a vergonha que me impediu de fazê-lo; era verdade que eu não falava com ninguém daquela época, mas topava com algumas pessoas da escola de vez em quando, e Martina Lichtblau (com quem, no ano anterior, eu tivera um caso breve e insatisfatório, três transas furtivas num sofá-cama) tinha falado dele. *Andy está em Massachusetts agora, você ainda fala com ele?, ah sim, o mesmo geek absurdo de sempre, só que agora ele superexalta isso, é quase como, tipo, uma coisa meio que retrô e maneira. Óculos fundo de garrafa? Calça de veludo laranja e um corte de cabelo feito um capacete de Darth Vader?*

Uau, Andy, eu tinha pensado, balançando a cabeça com carinho, estendo a mão sobre o ombro nu de Martina pra pegar um dos seus cigarros. Eu tinha pensado na época sobre como seria bom vê-lo — uma pena que não estava em Nova York, talvez ligasse pra ele no fim do ano, quando estivesse em casa.

Só que eu não tinha ligado. Não estava no Facebook porque era paranoico e mal lia o jornal, mas ainda assim não conseguia imaginar como não ficara sabendo — exceto pelo fato de que andava tão preocupado com a loja que não conseguia pensar em quase mais nada. Não que estivéssemos com problemas financeiros — ganhávamos dinheiro quase que literalmente a rodo, tanto que Hobie, creditando a mim sua salvação (ele estivera à beira da falência), tinha insistido em me tornar seu sócio, coisa que não me entusiasmou muito, dadas as circunstâncias. Mas meus esforços para dissuadi-lo disso só o deixaram mais determinado de que eu deveria ter uma participação nos lucros; quanto mais tentava recusar sua oferta, mais persistente ele ficava; com típica generosidade, atribuía minha reticência à "modéstia", embora meu verdadeiro temor fosse de que uma parceria lançaria certa luz oficial sobre coisas não oficiais que andavam acontecendo ali — coisas que iam chocar o pobre Hobie até a sola dos sapatos John Lobb, se soubesse. O que não era o caso. Eu tinha vendido propositalmente uma imitação para um cliente, que tinha descoberto e estava fazendo um escândalo.

Eu não me importava em devolver o dinheiro — de fato, a única coisa a ser feita era comprar a peça de volta com prejuízo. No passado, isso tinha funcionado muito bem pra mim. Vendi peças alteradas ou totalmente reconstruídas como originais; se — fora da luz fraca da Hobart e Blackwell — o colecionador levasse a peça pra casa e percebesse algo errado ("Sempre carregue uma luz de bolso com você", Hobie tinha me aconselhado, logo no início; "Há um motivo pra tantas lojas de antiguidades serem escuras"), então eu — aflito com a confusão, ao mesmo tempo que permanecia fiel à minha convicção de que a peça era genuína — galantemente me oferecia para comprá-la de volta acrescentando dez por cento ao que o colecionador tinha pagado, sob as condições e os termos de uma venda normal. Isso me fazia parecer um bom sujeito, seguro da integridade do produto e disposto a ir a extremos absurdos para garantir a felicidade do cliente, que não raro amolecia e decidia ficar com a peça. Mas, nas três ou quatro ocasiões em que colecionadores desconfiados aceitaram minha oferta, o que o colecionador não percebeu era que a imitação — passando da sua posse para a minha, a um preço indicativo de seu aparente valor — tinha da noite para o dia adquirido uma procedência. Uma vez de volta às minhas mãos, eu tinha um registro que mostrava que ela fora parte da coleção do ilustre Fulano de Tal. Apesar do percentual que pagara para recomprar a imitação do sr. Fulano de Tal (idealmente um ator ou um estilista que colecionava por hobby, quando não alguém ilustre como colecionador em si), eu podia então me recuperar e vendê-la novamente, às vezes pelo dobro do que tinha pagado ao comprá-la de volta, para algum palerma de Wall Street que não conhecia a Chippendale de Ethan Allen, mas que ficava mais do que empolgado com "documentos oficiais" que provavam que sua secretária Duncan Phyfe ou outra coisa qualquer vinha da coleção do sr. Fulano de Tal, conhecido filantropo/decorador de interiores/estrela da Broadway/preencha a lacuna.

E até então tinha funcionado. Só que o sr. Fulano de Tal — no caso, um perfeito boiola do Upper East Side chamado Lucius Reeve — não estava caindo. O que me incomodava era que ele parecia pensar que, primeiro, ele tinha sido escolhido de propósito, o que era verdade, e que, segundo, Hobie estava no rolo, que ele era o cérebro do esquema, o que não poderia estar mais distante da verdade. Quando tentei salvar a situação insistindo que o erro era todo meu — *cof cof, sinceramente, senhor, foi um mal-entendido, sou novo nisso e espero que não guarde rancor contra mim, o trabalho que Hobie faz é de uma qualidade tão alta que o senhor deve entender como às vezes essas confusões acontecem, não é?* —, o sr. Reeve ("Me chame de Lucius"), uma figura bem vestida de idade e ocupação incertas, foi implacável. "Não nega que o trabalho saiu da mão de James Hobart, então?", ele tinha dito no almoço enervante no Harvard Club, recostando-se maliciosamente contra a cadeira e correndo o dedo pela borda do copo de água tônica.

"Escute..." Tinha sido um erro tático, percebi, encontrá-lo em seu próprio território, onde ele conhecia os garçons, podia fazer o pedido num bloco de papel e eu não podia ser magnânimo e sugerir que experimentasse isso ou aquilo.

"Ou que ele deliberadamente pegou esse ornamento esculpido de fênix de um Thomas Affleck — sim, sim, acredito que *seja* Affleck, Filadélfia em todo caso — e o afixou no topo dessa cômoda genuinamente antiga, mas do contrário insignificante, do mesmo período? Não estamos falando da mesma peça?"

"Por favor, se apenas me deixar..." Estávamos sentados numa mesa perto da janela, o sol batia nos meus olhos, eu estava suando e me sentia desconfortável.

"Como então insiste que a fraude não foi deliberada? Da parte dele e da sua?"

"Veja..." — o garçom estava nos rodeando, e eu queria que ele fosse embora — "o erro foi meu. Como já disse. E eu me ofereci para comprar a peça de volta por um valor bem mais alto, então não sei ao certo o que espera que eu faça."

Mas, apesar do tom frio, eu estava no auge da ansiedade, a qual não fora aliviada pelo fato de já terem se passado doze dias e Lucius Reeve ainda não ter depositado o cheque que eu lhe dera — era isso que estava conferindo no banco logo antes de esbarrar com Platt.

O que Lucius Reeve queria eu não sabia. Hobie fazia essas peças canibalizadas e fortemente alteradas ("mutações", como ele as chamava) praticamente desde o início de sua carreira; o armazém no Brooklyn Navy Yard estivera cheio de peças com etiquetas que remontavam a trinta anos ou mais. Na primeira vez em que eu tinha ido lá sozinho e realmente vasculhado o lugar, fiquei estupefato ao encontrar o que pareciam ser autênticos Hepplewhite, autênticos Sheraton, a caverna de Ali Babá transbordando de tesouros. "Oh, Deus, não", disse Hobie, sua voz falhando no telefone. A instalação era como um bunker, sem sinal de celular. Eu tinha ido direto pra fora pra ligar pra ele, parado na doca de carga e descarga exposta ao vento com um dedo no ouvido. "Acredite, se fosse real, o departamento de mobília americana da Christie's já teria me ligado há muito tempo..."

Eu tinha admirado as mutações de Hobie durante anos e até ajudado a trabalhar em algumas delas, mas foi o choque de ser enganado por essas peças até então não vistas que (para usar uma expressão cara a Hobie) me encheu de loucas conjecturas. De vez em quando passava pela loja uma peça com qualidade de museu danificada ou quebrada demais pra que fosse salva; para Hobie, que sofria com esses elegantes resquícios antigos como se fossem crianças desnutridas ou gatos maltratados, era uma questão de dever recuperar o que ele podia (um par de remates aqui, um jogo de pernas finamente torneadas ali), e então, com seus dons de carpinteiro e marceneiro, recombiná-las em lindos e novos Frankensteins que em alguns casos eram claramente fantasiosos, mas em outros modelos tão fiéis do período que eram tudo menos indistinguíveis da coisa real.

Ácido, tinta, cola, fuligem, cera, sujeira e poeira. Pregos velhos enferrujados com água salgada. Ácido nítrico sobre nogueira nova. Corrediças de gaveta desgastadas com lixa, algumas semanas sob luz artificial para envelhecer madeira nova em cem anos. De cinco cadeiras de jantar Hepplewhite destruídas ele foi capaz de fazer um jogo consistente e de aspecto totalmente autêntico de oito, desmontando as originais, copiando as peças (usando madeira recuperada de outros móveis danificados da época) e remontando-as com metade de partes originais e metade de partes novas. ("Uma perna de cadeira...", disse, correndo um dedo por ela. "Normalmente, elas ficam arranhadas e amassadas na base. Mesmo se você usar madeira velha, precisa passar uma corrente na base das pernas recém-cortadas se quiser que todas combinem... Bem de leve, não estou dizendo pra arrancar pedaços dela... Padrões bem distintos também, as pernas da frente geralmente um pouquinho mais denteadas que as de trás, percebe?") Eu já o vira reconfigurar a madeira original de um aparador praticamente em estilhaços, transformando-a numa mesa que poderia ter saído da mão do próprio Duncan Phyfe. ("Será que ficou bom?", dissera Hobie, dando um passo pra trás ansioso, sem parecer se dar conta da maravilha que havia operado.) Ou — como no caso da cômoda "Chippendale" de Lucius Reeve — uma simples peça nas suas mãos se tornava, pelo acréscimo de um ornamento recuperado de uma velha ruína grandiosa do mesmo período, algo quase indistinguível de uma obra-prima.

Um homem mais prático ou menos escrupuloso teria usado essa habilidade para fins calculados e feito uma fortuna com ela (ou, na convincente expressão de Grisha, "fodido mais do que uma prostituta"). Mas, até onde eu sabia, a ideia de vender as mutações por originais ou até de vendê-las por si só jamais tinha passado pela cabeça de Hobie; e sua completa falta de interesse nos trâmites da loja me deu uma liberdade considerável para me dedicar à tarefa de levantar dinheiro e cuidar das contas. Com um único sofá e um jogo de cadeiras com espaldar entrelaçado "Sheraton" que eu vendi a preços de Israel Sack para a jovem e confiada esposa californiana de um banqueiro investidor, eu tinha conseguido pagar centenas de milhares em impostos atrasados da casa. Com outro jogo de sala de jantar e um canapé "Sheraton" — vendidos para um cliente de fora da cidade que devia ter pensado duas vezes, mas estava cego pela reputação impecável de Hobie e Welty como vendedores —, eu tinha tirado a loja do vermelho.

"É muito conveniente", dissera Lucius Reeve num tom simpático, "que ele deixe toda a parte comercial da loja com você. Que tenha uma oficina produzindo fraudes, mas lave as mãos quanto à maneira como você se utiliza delas."

"Tem minha oferta. Não vou ficar aqui sentado ouvindo isso."

"Então por que continua sentado?"

Nem por um instante duvidei do assombro de Hobie se ele soubesse que eu vendia suas mutações como se fossem originais. A começar porque muito dos seus esforços mais criativos estavam cheios de pequenas imprecisões, piadas internas quase, e nem sempre ele era tão meticuloso com seus materiais como alguém que criasse falsificações deliberadas teria sido. Mas eu tinha descoberto que era muito fácil enganar até compradores relativamente experientes se vendesse cerca de vinte por cento mais barato que a coisa real. As pessoas adoravam pensar que estavam fazendo um grande negócio. Quatro em cada cinco passariam direto por cima do que não queriam ver. Eu sabia como chamar a atenção para pontos extraordinários de uma peça, o folheado cortado à mão, a ótima pátina, as nobres cicatrizes, correndo um dedo por uma curva em serpentina excepcional (chamada pelo próprio Hogarth de "a linha da beleza") a fim de desviar os olhos de pequenas partes retrabalhadas nos fundos, onde, com uma luz forte, poderiam ver que a granulação não correspondia perfeitamente. Eu me recusava a sugerir que os clientes examinassem a parte de baixo da peça, como o próprio Hobie — ansioso em educar, com o risco de minar fatalmente seus próprios interesses — era rápido demais em fazer. Mas só para o caso de alguém realmente querer dar uma olhada, eu me certificava de que o chão em volta da peça estivesse muito, muito sujo e que a luz de bolso que eu por acaso tinha à mão fosse muito, muito fraca. Havia muita gente em Nova York com um monte de dinheiro e vários decoradores pressionados pelo tempo. Se você lhes mostrasse uma foto de um item de aspecto similar num catálogo de leilão, ficavam felizes em agarrar o que viam como um desconto, especialmente se estivessem gastando o dinheiro de outra pessoa. Outro truque — calculado para atrair um cliente diferente, mais sofisticado — era enterrar uma peça nos fundos da loja, jogar o pó do aspirador na função sopro sobre ela (antiguidade instantânea!) e deixar o cliente xereta descobri-la por conta própria — olha, debaixo de todo esse lixo empoeirado, um canapé Sheraton! No caso desse tipo de trapaça — que eu tinha o maior prazer em executar —, o truque era dar uma de bobo, parecer entediado, ficar absorto no meu livro, agir como se não soubesse o que tinha e deixá-los achar que *eles* estavam *me* trapaceando: mesmo quando suas mãos tremiam de animação, mesmo quando tentavam parecer descontraídos enquanto saíam correndo para ir ao banco fazer um saque gigantesco. Se o cliente fosse alguém importante, ou muito ligado a Hobie, eu sempre podia dizer que a peça não estava à venda. Um seco "Não está à venda" também era o ponto de partida correto com estranhos, já que não só deixava o tipo de comprador que eu estava procurando mais ansioso para fazer uma rápida barganha, em dinheiro, mas também preparava o terreno pra eu abortar o negócio no meio se algo desse errado. Hobie perambulando lá em cima num momento ruim era a principal coisa que podia dar errado. A sra. DeFrees dando uma passada na loja num momento ruim era outra coisa que podia, e tinha, dado errado — tive de parar de falar bem no ponto de fechar a venda, para grande desgosto da esposa do diretor de cinema que cansou de esperar e foi embora para nunca mais voltar. Sem nenhuma luz negra ou análise de laboratório, a maior parte da falsificação de Hobie não era visível; e, embora ele tivesse muitos colecionadores sérios como clientes, também recebia muita gente que jamais saberia, por exemplo, que algo como um espelho de corpo inteiro Queen Anne nunca chegou a ser feito. Mas mesmo se alguém fosse suficientemente esperto para detectar uma incoerência — digamos, um estilo de entalhe ou um tipo de madeira anacrônico com o fabricante ou o período —, eu tinha por uma ou duas vezes sido ousado o bastante pra passar até por cima disso: alegando que a peça fora feita por encomenda para um cliente especial e que portanto, estritamente falando, era mais valiosa do que o artigo comum.

No meu estado trêmulo e agitado, eu tinha me dirigido quase que inconscientemente para o parque e atravessado a trilha até a lagoa, onde Andy e eu tínhamos ficados sentados vestindo nossas parcas em muitas tardes de inverno no ensino fundamental, esperando que minha mãe viesse nos buscar do zoológico ou nos levasse para o cinema — *Ponto de encontro, cinco horas!* Mas a essa altura, infelizmente, eu me peguei sentando lá com frequência esperando Jerome, o ciclista de quem eu comprava minhas drogas. As pílulas que eu tinha roubado de Xandra tantos anos antes tinham me levado pra um mau caminho: oxicodonas, roxicodonas, morfina e Dilaudid quando conseguia, eu comprava na rua havia anos; nos últimos meses, ficava (na maior parte do tempo) numa rotina de dia sim, dia não (embora o que caracterizasse um "dia não" era uma dose pequena o bastante pra me impedir de ficar enjoado), mas embora aquele fosse oficialmente um "dia não" eu estava me sentindo cada vez mais sombrio e a vodca que tinha tomado com Platt estava perdendo o efeito, e embora soubesse que não tinha nada comigo não parava de ficar tateando pelo corpo, minhas mãos escorregando de novo e de novo para meu sobretudo e para os bolsos do paletó.

Na faculdade eu não tinha feito nada de louvável ou notável. Meus anos em Vegas tinham me deixado incapacitado pra qualquer forma de trabalho duro; e, quando finalmente me formei, com vinte e um (levei seis anos pra terminar, em vez dos quatro esperados), eu o fiz sem nenhuma distinção. "Sinceramente, não vejo muita coisa aqui que vai fazer um programa de mestrado apostar em você", minha conselheira tinha dito. "Especialmente porque dependeria muito de apoio financeiro."

Mas eu não me importei; sabia o que queria fazer. Minha carreira como vendedor tinha começado por volta dos dezessete, quando aconteceu de eu estar lá em cima em uma das raras tardes em que Hobie tinha decidido abrir a loja. Naquela época, eu já tinha começado a ficar ciente dos problemas financeiros dele; Grisha tinha sido mais do que sincero sobre as terríveis consequências se Hobie continuasse a acumular estoques sem vendê-los. ("Ainda vai estar lá embaixo, pintando, entalhando, no dia em que vierem e puserem o aviso de despejo na porta da frente.") Mas, apesar dos envelopes da Receita que tinham começado a se acumular em meio aos catálogos da Christie's e de velhos programas de concertos na mesa do hall (NOTIFICAÇÃO DE SALDO DEVEDOR NÃO PAGO, LEMBRETE DA NOTIFICAÇÃO DE SALDO DEVEDOR, SEGUNDA NOTIFICAÇÃO DE SALDO DEVEDOR), Hobie não aguentava deixar a loja aberta mais do que meia hora, a não ser que amigos por acaso dessem uma passada; e quando chegava a hora dos amigos irem embora, ele com frequência enxotava os verdadeiros clientes e trancava a loja. Quase sempre eu voltava da escola para encontrar o aviso de FECHADO na porta e pessoas espiando pelas janelas. O pior de tudo é que, quando ele conseguia manter a loja aberta por algumas horas, tinha o hábito de se afastar confiadamente pra fazer uma xícara de chá, deixando a porta aberta e a caixa registradora abandonada; embora Mike, o cara do transporte, tivesse a precaução de trancar os estojos de prata e joias, uma série de itens de majólica e cristal tinha desaparecido, e eu mesmo tinha subido inesperadamente no dia em questão para encontrar uma mãe malhada e vestindo trajes casuais que parecia ter acabado de sair de uma aula de Pilates enfiando um peso de papel na bolsa.

"São oitocentos e cinquenta dólares", falei, e ao som da minha voz ela paralisou e ergueu os olhos horrorizada. Na verdade custava apenas duzentos e cinquenta, mas ela estendeu o cartão de crédito sem dizer uma palavra e me deixou concluir a venda — provavelmente a primeira transação rentável que tinha ocorrido desde a morte de Welty; pois os amigos de Hobie (seus principais clientes) estavam bem cientes de que podiam pechinchar a níveis criminosos nos seus preços já baixos demais. Mike, que também ajudava na loja de vez em quando, subia os preços indiscriminadamente e se recusava a negociar, e como consequência vendia muito pouco.

"Muito bem!", Hobie tinha dito, piscando deliciado sob o brilho da sua luminária de trabalho, quando desci e lhe informei da minha grande venda (um bule de prata, na minha versão; eu não queria que ficasse parecendo que eu roubara a mulher na cara dura, e além disso eu sabia que ele não se interessava pelo que chamava de miudezas, as quais eu viera a perceber, por meio do meu exame atento dos livros de antiguidades, que formavam uma grande parte do inventário da loja). "Mas que olhinho bom esse garoto tem. Welty teria gostado de você na hora feito um bebê deixado na porta, haha! Se interessando pela prata dele!"

Daquele ponto em diante, adquiri o hábito de ficar sentado lá em cima à tarde com meus livros da escola enquanto Hobie se ocupava no porão. De início era apenas pela diversão — diversão que faltava e muito na minha deprimente vida de estudante, cafés no saguão e palestras sobre Walter Benjamin. Nos anos que se seguiram à morte de Welty, a Hobart e Blackwell tinha evidentemente adquirido uma reputação de alvo fácil para ladrões; e a emoção de atacar esses larápios e gatunos bem vestidos e extorquir grandes somas deles era quase como furtar de volta.

Mas eu também aprendi uma lição, que fui absorvendo aos poucos, mas que era a coisa mais verdadeira no coração do negócio. Era o segredo que ninguém contava, a coisa que você tinha que aprender sozinho: no comércio de antiguidades não existe preço "correto". O valor objetivo — o valor listado — era insignificante. Se um cliente chegasse sem a menor ideia e com dinheiro na mão (como a maioria deles fazia) não importava o que os livros diziam, o que os experts diziam, por quanto tinham sido vendidos itens similares na Christie's. Um objeto — *qualquer* objeto — valia o que quer que você conseguisse fazer seu cliente pagar por ele.

Como consequência, comecei a percorrer a loja retirando alguns preços (de forma que o cliente tivesse de vir até mim para perguntar) e alterando outros — não todos, mas alguns. O truque, conforme descobri por tentativa e erro, era manter pelo menos um quarto dos preços baixos e subir o resto, às vezes em até quatrocentos ou quinhentos por cento. Anos de preços anormalmente baixos tinham formado uma cartela de clientes fiéis; deixar um quarto dos preços baixos os mantinha fiéis e assegurava que pessoas à caça de uma barganha ainda pudessem encontrar uma, se procurassem. Deixar um quarto dos preços baixos também significava que, por alguma alquimia perversa, os preços remarcados parecessem legítimos em comparação: por algum motivo, algumas pessoas ficavam mais propensas a gastar mil e quinhentos dólares num bule Meissen se estivesse ao lado de uma peça mais simples embora comparável sendo vendida (por um preço justo, mas baixo) por umas poucas centenas.

Foi assim que começou; foi assim que a Hobart e Blackwell, depois de definhar por anos, tinha passado, sob meus auspícios atentos, a dar lucro. Mas a questão não era só o dinheiro. Eu gostava do jogo envolvido. Ao contrário de Hobie — que assumia, erroneamente, que qualquer um que entrasse na loja era tão fascinado por mobília quanto ele, que era extremamente prático apontando as falhas e virtudes de uma peça —, descobri que tinha o dom oposto: de ofuscação e mistério, a habilidade de falar sobre artigos inferiores de um jeito que fazia as pessoas desejá-los. Quando vendia uma peça, exaltando-a (em oposição a ficar sentado de longe e deixar que os desavisados vagueassem até minha armadilha), era um jogo de avaliar um cliente e descobrir que imagem queria projetar — não tanto as pessoas que eram (Decorador sabe-tudo? Dona de casa de New Jersey? Homossexual autoconsciente?), e sim as pessoas que queriam ser. Mesmo nos níveis mais elevados se tratava de ilusão — fumaça e espelho, todos mobiliando um palco. O truque era se dirigir à projeção, ao eu da fantasia — o especialista, o boa-vida entendido —, e não à pessoa insegura de fato parada à sua frente. Era melhor se deixar ficar um pouco pra trás e não ser direto demais. Logo aprendi como me vestir (no limiar entre conservador e pomposo) e como lidar com clientes sofisticados e não sofisticados, com calibrações diferentes de cortesia e indolência: presumindo conhecimento em ambos, rápido em lisonjear, rápido em perder o interesse ou recuar bem na hora certa.

E, no entanto, com aquele Lucius Reeve eu tinha feito um estrago feio. O que ele queria eu não sabia. Na verdade, foi tão implacável em contornar minhas desculpas e direcionar sua raiva completamente para Hobie que eu estava começando a pensar que tinha esbarrado em algum rancor ou ódio preexistente. Não queria ter que abrir o jogo com Hobie mencionando o nome. Mas também quem poderia guardar um rancor tão forte contra Hobie, a mais bem-intencionada e altruísta das pessoas? Minha pesquisa na internet não tinha revelado nada sobre Lucius Reeve além de poucas menções inócuas nas colunas sociais, nem mesmo uma filiação a Harvard ou ao Harvard Club, nada além de um endereço respeitável na Quinta Avenida. Ele não tinha nenhuma família até onde eu via, nenhum emprego ou meios visíveis de sustento. Eu fora tolo em lhe fazer um cheque — ganância da minha parte; andava pensando em estabelecer uma linhagem para a peça, embora a essa altura nem mesmo um envelope de dinheiro colocado sob um guardanapo e deslizado sobre a mesa era garantia de que ia deixar o assunto morrer.

Estava parado com as mãos nos bolsos do sobretudo, os óculos embaçados da umidade de primavera, olhando infeliz para as águas lamacentas da lagoa: uns poucos patos marrons tristes, sacolas plásticas arrastadas até os juncos. A maior parte dos bancos trazia os nomes dos benfeitores — em memória da sra. Ruth Klein ou qualquer coisa do tipo —, mas o banco da minha mãe, o ponto de encontro, era o único daquela parte que tinha recebido por seu doador anônimo uma mensagem mais misteriosa e acolhedora: O TUDO DA POSSIBILIDADE. Tinha sido o banco dela desde antes de eu nascer; em seus primeiros dias na cidade, minha mãe sentava lá com seu livro da biblioteca nas tardes livres, ficando sem almoçar quando precisava do dinheiro da entrada no MoMA ou de um ingresso de cinema no Paris Theatre. Mais adiante, depois da lagoa, onde a trilha ficava vazia e escura, era a região abandonada e desolada onde Andy e eu tínhamos espalhado as cinzas dela. Fora ele quem me convencera a ir de fininho até lá e espalhá-las, em desobediência à regra da cidade, e a fazê-lo naquele ponto específico: *Bem, tipo, era onde ela costumava nos encontrar.*

É, mas olha essas placas. Tem veneno de rato aqui.

Vai lá. Você pode fazer agora. Não tem ninguém vindo.

Ela adorava os leões-marinhos também. Sempre tínhamos que ir até lá pra vê-los.

É, mas você definitivamente não vai querer despejar as cinzas lá, o negócio cheira a peixe. Além disso me dá calafrios ficar com esse jarro ou sei lá o quê no meu quarto.

VI

"Meu Deus", disse Hobie quando deu uma boa olhada em mim sob as luzes. "Você está branco feito papel. Será que vai ficar doente?"

"Hum..." Ele estava prestes a sair, o casaco sobre o braço; atrás dele estavam o sr. e a sra. Vogel, abotoados e sorrindo malevolamente. Minhas relações com os Vogel (ou "os abutres", como Grisha os chamava) tinham esfriado, de forma significativa, desde que eu assumira a loja; ciente das muitas e muitas peças que na minha visão eles tinham praticamente roubado de Hobie, eu agora acrescentava um valor alto em qualquer coisa que suspeitasse vagamente que estavam interessados; e embora a sra. Vogel — que não era boba — tivesse passado a ligar diretamente para Hobie, eu conseguia frustrá-la (entre outras formas) dizendo a Hobie que já tinha vendido a peça em questão e esquecido de marcar.

"Você já comeu?" Hobie, no seu benévolo espírito confuso e na sua falta de sabedoria, permanecia completamente ignorante de que os Vogel e eu agora nos tínhamos em tudo menos em alta conta. "Estávamos saindo pra jantar. Por que não vem conosco, hein?"

"Não, obrigado", falei, consciente do olhar da sra. Vogel me atravessando, sorriso frio fraudulento, olhos feito cascalhos de ágata em seu rosto liso de leiteira envelhecendo. Como regra eu me comprazia em me adiantar e lhe devolver o sorriso descaradamente, mas, sob as luzes severas do hall, senti-me pegajoso e acabado, rebaixado de certa forma. "Acho que, hum, vou comer em casa esta noite, obrigado."

"Não está se sentindo bem?", perguntou falsamente o sr. Vogel — um careca do centro-oeste com óculos sem armação, empertigado em seu casaco de marinheiro. Ninguém ia querer atrasar a hipoteca se ele fosse o banqueiro. "Mas que pena."

"Ótimo ver você", disse a sra. Vogel, dando um passo à frente e colocando sua mão roliça sobre minha manga. "Gostou da visita de Pippa? Queria ter podido vê-la, mas estava tão ocupada com o namorado. O que você achou do — como era mesmo o nome dele?", perguntou, voltando-se para Hobie. "Elliot?"

"Everett", disse Hobie num tom neutro. "Bom garoto."

"É", falei, virando-me para tirar o casaco. A visão de Pippa recém-chegada de Londres com o tal Everett tinha sido um dos choques mais desagradáveis da minha vida. Contando os dias, as horas, trêmulo de insônia e entusiasmo, incapaz de parar de olhar o relógio a cada cinco minutos, pulando ao som da campainha e literalmente correndo para escancarar a porta — e lá estava ela, de mãos dadas com aquele inglês comum.

"E o que ele faz? É músico também?"

"Bibliotecário musical, na verdade", disse Hobie. "Não sei o que isso implica hoje, com os computadores e tudo o mais."

"Ah, tenho certeza de que Theo sabe tudo sobre isso", disse a sra. Vogel.

"Não, na verdade não."

"Ciberbibliotecário?", disse a sra. Vogel, com uma risada atipicamente alta e alegre. "É verdade o que dizem, que os jovens de hoje podem passar pela escola toda sem pôr uma única vez o pé numa biblioteca?", perguntou-me.

"Eu não saberia dizer." Um bibliotecário musical! Eu tinha precisado de cada gota de autocontrole para manter minha expressão vazia (coragem desmoronando, o fim de tudo) e aceitar sua mão inglesa úmida. *Olá, sou Everett. Você deve ser Theo, ouvi falar muito de você*, blá-blá-blá, enquanto eu ficava paralisado na soleira da porta feito um ianque baionetado olhando pro estranho que tinha me transpassado com a morte. Ele era um sujeitinho franzino, de olhos arregalados, inocente, insosso, exasperadamente alegre. Vestia-se de jeans e moletom com capuz feito um adolescente; e seu sorriso rápido de desculpa quando ficamos sozinhos na sala tinha me deixado lívido de raiva.

Cada momento da visita deles tinha sido uma tortura. De alguma forma sobrevivi aos tropeços. Embora tenha tentando ficar longe deles o máximo possível (por maior que fosse minha habilidade em dissimular, eu mal e mal conseguia ser cortês; tudo nele, sua pele rosada, sua risada nervosa, o pelo brotando pelos punhos das mangas da camisa, me fazia querer saltar pra cima dele e quebrar seus dentes equinos ingleses; e que surpresa não seria, eu pensava sombrio, encarando-o do outro lado da mesa, se o velho quatro-olhos do antiquário aqui não o pegasse de jeito e lhe desse um murro na fuça?), mas ainda assim, por mais que tenha me esforçado, não fora capaz de ficar longe de Pippa, e ficara rodeando de maneira importuna, e me odiei por isso, tão dolorosamente animado que estava por sua proximidade: seus pés descalços no café da manhã, suas pernas nuas, sua voz. Um vislumbre inesperado das axilas brancas quando tirou o suéter pela cabeça. A agonia da sua mão na minha manga. "Oi, querido." Chegando por trás de mim, cobrindo meus olhos com as mãos: surpresa! Ela queria saber tudo sobre mim, tudo o que eu estava fazendo. Apertando-se ao meu lado na namoradeira Queen Anne, de modo que nossas pernas se tocavam — Deus. O que eu estava lendo? Ela podia ver meu iPod? Onde é que eu tinha arranjado aquele relógio fantástico? Toda vez que sorria para mim o céu se abria. E, no entanto, sempre que eu inventava algum pretexto pra pegá-la sozinha, lá vinha ele, tum-tum-tum, sorrisinho encabulado, braço no ombro dela, arruinando tudo. Conversas no quarto ao lado, uma explosão de risada: será que os dois estavam falando de mim? Colocando as mãos na cintura dela! Chamando-a de Pips! O único momento apenas vagamente tolerável ou divertido da visita dele foi quando Popchik — territorial na sua velhice — levantou num salto sem ser provocado e mordeu seu dedão. "Nossa!" Hobie correndo pra pegar o álcool, Pippa preocupada, Everett tentando ser simpático, mas visivelmente aborrecido — claro, cachorros são ótimos! Adoro eles! A gente só não tinha um porque minha mãe era alérgica. Ele era o "parente pobre" (sua frase) de uma antiga colega de escola dela; mãe americana, numerosos irmãos, pai que ensinava algo incompreensível de matemática/filosofia em Cambridge; como ela, era um vegetariano "quase vegano"; para meu desespero, ficamos sabendo que os dois estavam dividindo um apartamento (!) — ele tinha, é claro, dormido no quarto dela durante a visita; e por cinco noites, todo o tempo em que esteve lá, eu ficara acordado, bilioso de raiva e tristeza; os ouvidos atentos a cada farfalhar de lençol, a cada suspiro e sussurro vindo da porta ao lado.

E, no entanto — acenando um tchau para Hobie e os Vogel, *Divirtam-se!*, eles virando as costas rispidamente —, o que eu poderia ter esperado? Enfurecera-me, machucara-me, o tom cauteloso e gentil que ela tinha assumido comigo perto de "Everett". "Não", respondi educado, quando ela me perguntou se eu estava saindo com alguém, "na verdade não", embora (fiquei orgulhoso disso de um jeito lúcido e sombrio) estivesse saindo com duas garotas diferentes, sem que uma soubesse da outra. Uma delas tinha um namorado em outra cidade e a outra tinha um noivo de quem estava cansada, cujas ligações ignorava quando estávamos juntos na cama. Ambas eram muito bonitas e a garota com o noivo corno era realmente linda — uma Carole Lombard novinha —, mas nenhuma delas era real para mim; eram apenas substitutas para ela.

Eu estava irritado com como me sentia. Ficar sentado de coração partido (a primeira expressão, infelizmente, que me veio à mente) era idiota, piegas, desprezível e fraco — Ah, ela está em Londres, ela está com outra pessoa, vá pegar um vinho e foder Carole Lombard, esquece isso. Mas a ideia dela provocava em mim tal angústia contínua que eu não tinha como esquecê-la, como uma dor de dente. Era algo involuntário, irremediável, compulsivo. Por anos Pippa tinha sido a primeira coisa que eu lembrava ao acordar, a última coisa que atravessava minha mente quando ia dormir, e durante o dia ela me vinha de forma intrusiva, obsessiva, sempre com um choque doloroso: que horas eram em Londres? Sempre somando e subtraindo, calculando a diferença entre os fusos, compulsivamente verificando o tempo em Londres no meu celular, onze graus, dez e doze da noite, precipitação leve. Parado na esquina da Greenwich com a Sétima Avenida perto do St. Vincent's fechado com tábuas, indo para Downtown encontrar meu traficante. E quanto a Pippa, onde ela estava? No assento de trás de um táxi, num jantar, bebendo com pessoas que eu não conhecia, dormindo numa cama que eu jamais tinha visto. Queria desesperadamente ver fotos de seu apartamento, para poder acrescentar um detalhe muito necessário às minhas fantasias, mas tinha vergonha demais para pedir. Com uma pontada de dor pensava nas roupas de cama dela, em como deviam ser, um tom escuro de quarto de dormitório, derrubadas, sujas, o ninho de uma estudante, seu pálido rosto sardento contra um travesseiro vinho ou roxo, chuva inglesa tamborilando contra a janela. Suas fotos, decorando o corredor do lado de fora do meu quarto — muitas Pippas diferentes, em muitas idades diferentes — eram um tormento diário, sempre inesperadas, sempre novas; e apesar de eu tentar manter os olhos longe, parecia sempre que olhava sem querer e lá estava ela, rindo da piada de alguém ou sorrindo pra alguém que não era eu, sempre uma dor nova, um golpe direto no coração.

E o estranho era: eu sabia que a maior parte das pessoas não a via como eu a via — ao contrário, elas a achavam um pouco esquisita com seu passo torto e sua palidez ruiva fantasmagórica. Por algum motivo idiota eu sempre me orgulhara de ser a única pessoa no mundo que realmente a apreciava — que Pippa ia ficar chocada, comovida e talvez até passasse a se ver de um jeito todo diferente se simplesmente soubesse quão linda era para mim. Mas isso nunca tinha acontecido. Com raiva, eu me concentrava nas suas falhas, estudando deliberadamente as fotos que a pegavam em idades embaraçosas e em ângulos menos lisonjeiros — nariz comprido, bochechas magras, olhos (apesar da cor estonteante) nus com seus cílios claros, ordinária à maneira de Huck Finn. Mas todos esses aspectos eram, para mim, tão ternos e particulares que me levavam ao desespero. Com uma garota bonita eu poderia ter me consolado pensando que ela estava fora do meu alcance; o fato de eu ser tão assombrado e atormentado até pelo que havia de simples nela sugeria, agourentamente, um amor mais forte do que a afeição física, um poço de piche da alma onde eu podia me jogar e me deixar ficar por anos.

Pois na parte mais profunda e inabalável de mim a razão era inútil. Pippa era o reino faltando, a parte não ferida de mim que perdera com minha mãe. Tudo sobre ela era uma tempestade de neve de fascínio, dos cartões antigos do Dia de São Valentim e casacos chineses bordados que colecionava aos minúsculos frascos perfumados da Neal's Yard Remedies; sempre tinha havido algo de brilhante e mágico sobre sua vida remota desconhecida: Vaud Suisse, 23 Rue de Tombouctou, Blenheim Crescent W11 2EE, quartos mobiliados em países que eu nunca tinha visto. Claramente aquele Everett ("Pobre como um rato de igreja", ele mesmo dizia) estava vivendo às custas dela, ou melhor, do tio Welty, a velha Europa rapinando a jovem América, para usar uma frase que eu tinha empregado no meu ensaio sobre Henry James no último semestre da escola.

Será que poderia lhe dar um cheque pra que a deixasse em paz? Sozinho na loja, nas tardes lentas e frias, o pensamento passara pela minha cabeça: *cinquenta mil se for embora esta noite, cem se jamais voltar a vê-la*. O dinheiro era um problema para ele, claramente; durante a visita, ele ficava sempre remexendo ansioso os bolsos, paradas constantes no caixa eletrônico, sacando vinte dólares por vez, santo Deus.

Era um caso perdido. Simplesmente não havia como ela pudesse significar pro sr. Biblioteca Musical metade do que significava para mim. Tínhamos sido feitos um para o outro; havia uma precisão e uma mágica de sonho nisso indiscutível; a ideia dela enchia de luz cada canto da minha mente e inundava de brilho sótãos miraculosos que eu nem sabia que estavam lá, vistas que definitivamente não pareciam existir exceto em relação a ela. De novo e de novo eu escutava seu Arvo Pärt favorito, como uma forma de estar com ela; e Pippa só precisava mencionar um romance recentemente lido pra que eu o agarrasse avidamente, para estar nos pensamentos dela, uma espécie de telepatia. Certos objetos que passavam pela loja — um piano Pleyel; um estranho camafeu russo pequeno e arranhado — pareciam ser artefatos tangíveis da vida que ela e eu, por direito, deveríamos estar vivendo juntos. Escrevi e-mails de trinta páginas pra ela que apaguei sem enviar, optando pela fórmula matemática que eu tinha concebido pra me impedir de fazer um papel de bobo grande demais: sempre três linhas a menos que o e-mail que ela tinha enviado, sempre um dia a mais do que o que eu esperara pela resposta dela. Às vezes na cama — perdido nos meus devaneios suspirosos, drogados, eróticos — entabulava longas conversas francas com ela: *Somos inseparáveis*, eu nos imaginava dizendo (melodramaticamente) um para o outro, cada um com a mão no rosto do outro, *jamais poderemos nos separar*. Como um stalker, guardei um punhado de cabelo que tinha recuperado do lixo depois que ela aparara a franja no banheiro — e, de forma ainda mais macabra, uma blusa suja, ainda inebriante do seu suor vegetariano com cheiro de feno.

Era um caso perdido. Mais do que perdido: humilhante. Sempre deixando a porta do meu quarto parcialmente aberta quando ela vinha visitar, um convite não tão sutil. Até a arrastada adorável do seu passo (como a pequena sereia, frágil demais para andar na terra) me deixava louco. Ela era o fio de ouro atravessando tudo, uma lente que ampliava a beleza de modo que o mundo inteiro ficava transfigurado em relação a ela, e só a ela. Por duas vezes tentei beijá-la: uma vez bêbado num táxi; outra no aeroporto, desesperado com a ideia de que não ia vê-la de novo durante meses (ou, vai saber, anos). "Desculpe", falei, um pouquinho tarde demais.

"Tudo bem."

"Não, sério, eu..."

"Escuta..." — doce sorriso fora de foco — "está tudo bem. Mas logo eles vão chamar meu voo pra embarcar." Não era verdade. "Tenho que ir. Se cuida, tá?"

Se cuida. O que ela via naquele "Everett"? Eu só podia pensar em quão chato ela devia me achar pra preferir uma gosma morna de homem a mim. *Um dia, quando tivermos filhos...* — embora ele tivesse dito meio de brincadeira, meu sangue tinha gelado. Ele era bem o tipo de panaca que você podia ver arrastando uma bolsa de fraldas e um monte de equipamento acolchoado de bebê... Eu me censurava por não ser mais enérgico com ela, embora a verdade é que não havia como persegui-la com ainda mais insistência sem pelo menos um tantinho de encorajamento da parte dela. A situação já era constrangedora o bastante. A discrição de Hobie toda vez que ela vinha, o apagamento cauteloso na voz. Mas meu desejo por ela era como um resfriado que perdurara por anos apesar da minha convicção de que eu certamente ia me recuperar a qualquer momento. Até uma bruxa como a sra. Vogel podia ver. Não era como se Pippa tivesse dado corda — muito pelo contrário; se ela se importasse um pouco que fosse comigo teria voltado para Nova York em vez de permanecer na Europa terminada a escola; e ainda assim, por qualquer motivo idiota, eu não conseguia deixar pra lá a forma como ela tinha me olhado na minha primeira visita, sentado ao lado da cama. A lembrança daquela tarde da infância tinha me dado forças por anos; era como se — doente de saudade da minha mãe — eu tivesse me apegado a ela como um animal órfão; quando, na verdade, a grande ironia para mim é que ela estava dopada, abalada e candidamente lelé por causa de uma lesão na cabeça, pronta para atirar os braços em volta do primeiro estranho que aparecesse.

Os meus "ópios", como Jerome os chamava, ficavam numa velha lata de tabaco. Sobre o tampo de mármore da cômoda esmaguei uma óxi que eu tinha guardado, cortei-a e dividi-a em carreiras com meu cartão da Christie's. Enrolando a nota mais nova da minha carteira, inclinei-me para a frente, os olhos úmidos de antecipação: ponto zero, bum, gosto amargo no fundo da garganta e então a rajada de alívio, caindo pra trás na cama enquanto o doce e velho soco me atingia direto no coração: puro prazer, doloroso e brilhante, longe do tinido de lata da tristeza.

VII

Na noite do jantar na casa dos Barbour chovia muito e o clima estava tempestuoso, com ventos soprando tão forte que eu mal conseguia manter o guarda-chuva erguido. Na Sexta Avenida não havia táxis à vista, pedestres de cabeça baixa e se acotovelando sob a chuva caindo de lado; na plataforma úmida tipo bunker do metrô, gotas pingavam enfadonhamente do teto de concreto.

Quando saí, a Lexington Avenue estava deserta, gotas de chuva dançando e formigando nas calçadas, uma chuva esmagadora que parecia amplificar todos os sons da rua. Táxis passavam a toda com espirros sonoros de água. A algumas portas depois da estação eu me precipitei pra dentro de um mercado pra comprar flores — lírios, três cachos, já que um era muito franzino; na minúscula loja superaquecida, a fragrância me atingiu e só no caixa fui entender por quê: seu aroma tinha a mesma doçura doentia e nociva do funeral da minha mãe. Enquanto arremetia de volta à rua e corria pela calçada inundada até a Park Avenue — as meias encharcadas, chuva gelada escorrendo pelo rosto —, arrependi-me de tê-las comprado e estive a ponto de jogá-las numa lata de lixo, mas as rajadas de chuva estavam tão fortes que não havia como diminuir o passo, nem por um momento.

Enquanto estava no vestíbulo — meu cabelo colado à cabeça, minha capa de chuva supostamente à prova d'água ensopada como se eu a tivesse mergulhado na banheira — a porta abriu subitamente para um tipo universitário grande e de expressão franca diante do qual precisei de um ou dois segundos pra reconhecer Toddy. Antes que eu pudesse me desculpar pela água escorrendo de mim, ele me envolveu num abraço sólido com um tapinha nas costas.

"Ah, meu Deus", ele estava dizendo enquanto me conduzia à sala. "Deixa eu pegar seu casaco — e as flores, mamãe vai adorá-las. Que fantástico ver você! Quanto tempo faz?" Ele era maior e mais robusto que Platt, com um cabelo não Barbour de um tom loiro mais escuro e cor de papelão, e um sorriso bem não Barbour no rosto também — ansioso e alegre, sem nenhuma ironia.

"Bem..." Sua simpatia, que parecia supor alguma antiga intimidade alegre que não tínhamos, me deixara constrangido. "Faz um bom tempo. Você deve estar na faculdade agora, certo?"

"Sim, Georgetown. Vim passar o fim de semana. Estou estudando ciência política, mas espero na verdade trabalhar com gestão de organizações sem fins lucrativos, talvez algo relacionado a jovens." Com seu sorriso fácil de grêmio estudantil ele claramente crescera para se tornar o grande realizador que

Platt tinha prometido ser. "E, tipo, espero que não seja muito esquisito eu dizer isso, mas tenho que agradecer em parte a você por isso."

"Como?"

"Bem, querer trabalhar com jovens desfavorecidos. Você me causou uma impressão e tanto, sabe, naquela época em que ficou aqui com a gente há tantos anos. Foi realmente um abrir de olhos, sua situação. Porque, mesmo estando na terceira série ou algo assim, você me fez pensar que era isso o que eu queria fazer um dia, sabe, algo relacionado a ajudar crianças."

"Nossa", falei, ainda preso à parte do *desfavorecido*. "Hum. Que ótimo."

"E, tipo, é realmente empolgante, porque há tantas formas de ajudar os jovens aí fora passando necessidade. Quer dizer, não sei quão familiarizado você está com Washington, mas há muitos bairros carentes. Estou envolvido num projeto de tutoria em leitura e matemática com crianças em situação de risco, e neste verão vou pro Haiti com a Habitat para a Humanidade..."

"É ele?" Batida decorosa de saltos no soalho, pontas de dedo leves na minha manga, e no momento seguinte Kitsey tinha os braços em volta de mim e eu estava sorrindo em seu cabelo loiro.

"Nossa, você está completamente encharcado", ela disse, segurando-me com o braço esticado. "Olhe pra você. Como é que chegou aqui? Veio nadando?" Ela tinha o nariz comprido e delicado do sr. Barbour e seu olhar vivo e quase pateta de tão luminoso — praticamente igual a quando era uma garota de nove anos de cabelo bagunçado e uniforme escolar, ruborizada e lutando com sua mochila, só que, quando olhou pra mim, fiquei branco ao ver quão impessoal e friamente bonita ela tinha se tornado.

"Eu..." Para disfarçar minha confusão, olhei de volta para Toddy, ocupado com a capa de chuva e as flores. "Desculpe, isso é tão estranho. Quero dizer, você especialmente", eu disse para Toddy. "Quantos anos tinha na última vez que nos vimos? Sete? Oito?"

"Eu sei", disse Kitsey, "o ratinho, ele está com cara de gente agora, não é? Platt..." Ele tinha entrado preguiçosamente na sala, a barba malfeita, calça de tweed e um suéter de Donegal grosseiro, feito um pescador melancólico numa peça de Synge. "Para onde devemos ir?"

"Humm..." Ele parecia envergonhado, esfregando os pelinhos curtos do rosto. "No quarto dela, na verdade. Você não se importa, não é?", perguntou para mim. "Etta arrumou uma mesa lá."

Kitsey franziu a testa. "Ah, droga. Bem, sem problema, acho. Por que você não coloca os cachorros na cozinha? Venha...", disse, agarrando-me pela mão e me arrastando pelo corredor com uma puxada pra frente, estouvada e oscilante. "Temos que pegar uma bebida pra você, vai precisar de uma." Havia algo de Andy na fixidez do seu olhar, e também na sua falta de fôlego

— o olhar boquiaberto asmático dele reconfigurado, encantadoramente, em lábios entreabertos e numa espécie de jeito sussurrante de aspirante a estrela. "Achei que fôssemos comer na sala de jantar ou pelo menos na cozinha, é tão macabro lá na toca dela. O que você vai beber?", perguntou, virando-se para o bar perto da despensa onde taças e um balde estavam separados.

"Um pouco daquela Stolichnaya seria ótimo. Com gelo, por favor."

"Sério? Tem certeza? Nenhum de nós bebe isso. Papai sempre comprava *desse* tipo" — erguendo a garrafa de Stoli — "porque gostava do rótulo... bem Guerra Fria... Como é que se fala mesmo?"

"Stolichnaya."

"Soa *bem* autêntico. Não vou nem tentar. Sabe", disse ela, voltando os olhos acinzentados pra mim, "eu estava com medo de que você não viesse."

"Não está tão ruim assim lá fora."

"Sim, mas..." — duas piscadas — "achei que você nos odiasse."

"Odiasse vocês? Não."

"Não?" Quando ela riu, foi fascinante ver a palidez leucêmica de Andy, nela remodelada e embelezada, o brilho de algodão-doce de uma princesa da Disney. "Mas eu era tão desagradável!"

"Eu não me importava."

"Que bom." Depois de uma pausa longa demais, ela se virou novamente para as bebidas. "Fomos horríveis com você", disse, sem rodeios. "Todd e eu."

"Que nada. Vocês dois eram pequenos."

"Sim, mas..." Ela mordeu o lábio inferior. "Não devíamos. Especialmente depois do que tinha acontecido com você. E agora... quer dizer, com papai e Andy..."

Esperei, já que parecia que estava tentando formular um pensamento, mas em vez disso ela apenas tomou um gole de vinho (branco; Pippa bebia tinto) e depois tocou meu pulso. "Mamãe está esperando você", disse ela. "Passou o dia todo muito animada. Podemos ir?"

"Certamente." Leve, bem de leve, pus a mão no cotovelo dela, como tinha visto o sr. Barbour fazer com convidadas "da persuasão feminina", e a conduzi corredor adentro.

VIII

A noite foi uma mistura surreal entre passado e presente: um mundo da infância miraculosamente intacto em alguns aspectos, dolorosamente alterado em outros, como se o Fantasma do Natal Passado e o Fantasma do Natal Futuro tivessem se juntado para organizar a noite. Mas, apesar do ruído contínuo e desagradável da ausência de Andy (*Andy e eu... Lembra quando Andy...?*) e de tudo o mais parecer tão estranho e encolhido (empadas numa mesa dobrável no quarto da sra. Barbour?), a parte mais esquisita da noite foi a sensação incrivelmente profunda e irracional de voltar para casa. Até Etta, quando fui à cozinha para dar um oi, desatou o avental e correu para me abraçar: *Eu tinha a noite de folga, mas quis ficar pra ver você.*

Toddy ("É Todd agora, por favor") tinha subido ao posto do pai de capitão da mesa, conduzindo a conversa com um charme que parecia ligeiramente automático, mas que era evidentemente sincero, embora a sra. Barbour não estivesse interessada em conversar com ninguém além de mim — sobre Andy, um pouco, mas principalmente sobre a mobília da sua família, da qual algumas peças tinham sido compradas de Israel Sack na década de 1940, mas cuja maioria viera da sua família dos tempos coloniais —, erguendo-se da mesa em dado momento no meio da refeição e me conduzindo pra fora pela mão pra me mostrar um jogo de cadeiras e uma cômoda baixa de mogno — Queen Anne, Salém, Massachusetts — que estavam na família da mãe dela desde os anos 1760. (Salém?, pensei. Será que os ancestrais dela queimavam bruxas? Ou *eram* bruxas? Com exceção de Andy — críptico, isolado, autossuficiente, incapaz de desonestidade e completamente carente tanto de malícia quanto de carisma —, todos os outros Barbour, até mesmo Todd, tinham algo de ligeiramente misterioso, um amálgama ardiloso e alerta de decoro e malícia que fazia com que fosse fácil imaginar seus antepassados se reunindo na floresta à noite, lançando fora seus trajes puritanos pra se divertir na fogueira pagã.) Kitsey e eu não conversamos muito — não conseguimos, graças à sra. Barbour; mas quase todas as vezes que olhei de relance na direção dela eu estava ciente dos seus olhos sobre mim. Platt — a voz grossa depois de cinco (seis?) doses grandes de gim com limão, puxou-me pro lado no bar depois do jantar e disse: "Ela está tomando antidepressivos".

"Ah é?", falei, pego de surpresa.

"Kitsey, quero dizer. Mamãe não quer nem tocar neles."

"Bem..." Seu tom baixo me deixou desconfortável, como se quisesse que eu opinasse de alguma forma. "Espero que façam mais efeito nela do que fizeram em mim."

Platt abriu a boca e então pareceu reconsiderar. "Ah..." — oscilando um pouquinho pra trás — "acho que ela está suportando. Mas tem sido difícil pra Kits. Ela era muito próxima de ambos — mais próxima de Andy do que qualquer um de nós, eu diria."

"Sério?" *Próxima* não teria sido minha descrição da relação deles na infância, embora ela, mais do que os irmãos de Andy, sempre estivesse por ali, mesmo que só pra choramingar ou provocar.

Platt suspirou, uma baforada intoxicada de gim que quase me derrubou pra trás. "É. Ela está de licença da Wellesley. Não tenho certeza se vai voltar, talvez faça umas disciplinas na New School, talvez arranje um emprego. É muito difícil pra ela ficar em Massachusetts, depois de, você sabe. Eles se viam pra caramba em Cambridge — ela se sente um lixo, é claro, pelo fato de não ter ido lá cuidar do papai. Era melhor com ele que qualquer um de nós, mas havia uma festa, ela ligou pra Andy e implorou pra que ele fosse no lugar dela... bem."

"Putz." Fiquei ali no bar, parado e chocado, uma pinça de gelo na mão, sentindo-me doente só de pensar em outra pessoa arruinada pelo mesmo veneno de *por que eu não* e *se ao menos* que tinha destruído minha própria vida.

"Pois é", disse Platt, servindo-se de outra dose generosa de gim. "Troço difícil."

"Bem, ela não deve se culpar. Não pode. Isso é loucura. Quer dizer", falei, nervoso com o olhar lacrimejante e sem vida que Platt estava me lançando por cima da bebida, "se estivesse naquele barco seria *ela* quem estaria morta agora, não ele."

"Não, não seria", disse Platt categoricamente. "Kits é uma marinheira excelente. Bons reflexos, entendendo tudo desde que era bem pequena. Andy... Andy estava pensando nas suas ressonâncias órbita com órbita ou qualquer outra merda computacional que estava fazendo em casa no seu laptop e surtou na hora do aperto. Típico pra caralho. Em todo caso", continuou calmamente, sem parecer perceber meu assombro diante dessa observação, "ela está um pouco à toa agora. Você devia convidá-la pra jantar ou algo assim, deixaria mamãe empolgadíssima."

IX

Quando por fim saí, depois das onze, a chuva tinha parado e as ruas estavam brilhantes da água. Kenneth, o vigia da noite (os mesmos olhos pesados e cheiro de bebida, a única diferença sendo a barriga um pouco maior), estava na porta. "Não suma, hein?", disse ele, a mesma coisa que dizia quando eu era pequeno e minha mãe ia me buscar — a mesma voz frouxa, meio segundo atrasada. Mesmo em alguma Manhattan cheia de fumaça pós-apocalíptica dava para imaginá-lo balançando-se jovialmente na porta com os trapos do uniforme, os Barbour lá em cima no apartamento queimando velhas *National Geographic* pra se aquecer, vivendo de gim e carne de caranguejo enlatada.

Embora tenha impregnado cada aspecto da noite como uma substância tóxica a fogo brando, a morte de Andy ainda era grande demais para ser apreendida. Também era estranho o quanto parecia inevitável olhando para trás, como era estranhamente previsível, quase como se Andy sofresse de algum defeito congênito fatal. Mesmo com seis anos de idade — sonhador, tropeçando, asmático, incorrigível —, o estigma do azar e do fracasso precoce estivera perfeitamente visível sobre sua frágil pessoinha, marcando-o com um aviso cósmico de ME CHUTE preso às costas.

E, no entanto, era extraordinário o quanto seu mundo tinha prosseguido, claudicante, sem ele. Estranho, pensei, enquanto saltava sobre uma grande poça de água no meio-fio, como algumas poucas horas podem mudar tudo — ou melhor, descobrir que o presente continha um estilhaço tão brilhante do passado vivo, danificado e erodido mas não destruído. Andy fora bom comigo quando eu não tinha mais ninguém. O mínimo que eu podia fazer era ser amável com sua mãe e sua irmã. Não tinha me ocorrido na época, embora certamente me ocorra agora, que já fazia anos desde que eu tinha despertado do meu estupor de miséria e autoabsorção; em meio a anomia e transe, inércia, parêntesis e autocorrosão, havia muitos pequenos gestos amáveis e fáceis do cotidiano que eu tinha deixado passar; e até mesmo a palavra *amável* era como sair da inconsciência pra certa percepção hospitalar de vozes, de pessoas, do barulho intermitente de máquinas.

X

Um hábito de dia sim, dia não ainda era um hábito, como Jerome com frequência lembrava, especialmente quando eu não me mantinha muito fiel à parte do dia não. Nova York estava cheia de todo tipo de horror diário de metrô e multidão; a brusquidão da explosão jamais me deixara, eu estava sempre procurando algum acontecimento, procurando-o com o canto dos olhos, e certas configurações de pessoas em espaços públicos podiam acionar o gatilho, uma urgência de guerra, alguém cortando meu caminho da forma errada ou andando rápido demais num ângulo específico era o suficiente pra me atirar pra um estado de taquicardia e pânico potente, do tipo que me fazia ir tropeçando até o banco do parque mais próximo; e os analgésicos do meu pai, que tinham começado como um alívio pra minha ansiedade incontrolável noite adentro, forneciam um escape tão arrebatador que logo comecei a usá-los como prêmio: primeiro só de fim de semana, depois pós-escola, depois a felicidade vibrante e etérea que me acolhia sempre que eu me sentia infeliz ou entediado (coisa que, infelizmente, acontecia muito); em dado momento fiz a descoberta avassaladora de que as minúsculas pílulas que eu tinha ignorado por serem tão insignificantes e parecerem tão fracas eram literalmente dez vezes mais fortes que os Vicodins e Percocets que eu vinha metendo goela abaixo aos punhados — óxis, oitenta miligramas, fortes o bastante pra matar alguém sem tolerância, o que àquela altura eu definitivamente não era; e quando por fim meu achado aparentemente infinito de narcóticos orais acabou, pouco antes de eu completar dezoito anos, fui obrigado a começar a comprar na rua. Até os traficantes censuravam as somas que eu gastava, milhares de dólares a cada poucas semanas; Jack (o antecessor de Jerome) tinha me repreendido por causa disso repetidas vezes, mesmo enquanto ficava sentado no seu pufe imundo de onde conduzia seus negócios, contando minhas notas de cem frescas da janela do caixa. "É como queimar dinheiro, irmão." Heroína era mais barata — quinze dólares o papelote. Mesmo se eu não a injetasse — Jack, arduamente, tinha feito as contas pra mim na parte interna de uma embalagem do McDonald's — eu estaria diante de uma despesa muito mais razoável, algo em torno de quatrocentos e cinquenta dólares por mês.

Mas heroína eu só usava quando me ofereciam — um tiro aqui, outro ali. Por mais que amasse e constantemente ansiasse por ela, nunca comprava. Jamais haveria um motivo pra parar. Com fármacos, por outro lado, a despesa era um fator útil, já que não só mantinha meu hábito sob controle como me dava um excelente motivo pra que eu descesse todo dia e fosse vender mobília. É um mito a ideia de que não se pode funcionar à base de narcóticos: injetar era uma coisa, mas pra alguém como eu — pulando diante de pombos esvoaçando na calçada, sofrendo de estresse pós-traumático praticamente a ponto de ter espasmos — as pílulas eram a chave pra que fosse não só competente mas altamente funcional. Álcool deixa as pessoas piegas e sem foco: era só olhar pra Platt Barbour sentado no J. G. Melon às três da tarde com pena de si mesmo. Quanto a meu pai, mesmo depois de ter largado a bebida ele tinha mantido a falta de jeito de um boxeador nocauteado, atrapalhando-se com um telefone ou um cronômetro de cozinha, síndrome de Korsakov, o dano mental de beber pesado, um troço neurológico que jamais passava. Seu raciocínio fora seriamente prejudicado, e ele nunca conseguia se manter em qualquer tipo de emprego a longo prazo. Eu — bem, talvez não tivesse uma namorada nem amigos não drogados com quem conversar, mas trabalhava doze horas por dia, nada me estressava, usava ternos Thom Browne, socializava sorrindo com pessoas que não suportava, nadava duas vezes por semana e jogava tênis de vez em quando, ficava longe de açúcar e alimentos processados. Era descontraído e bem-apessoado, magro, não me entregava à autopiedade ou a pensamentos negativos de qualquer tipo, era um excelente vendedor — todos diziam — e os negócios iam tão bem que o que gastava em drogas mal fazia falta.

Não que eu não tivesse tido alguns lapsos — deslizes imprevisíveis em que as coisas saíam subitamente de controle por umas poucas piscadas sinistras feito uma derrapada no gelo numa ponte, nas quais eu via o quanto as coisas poderiam dar errado, quão rapidamente. Não era uma questão de dinheiro — era mais uma questão de doses se intensificando, esquecendo que eu tinha vendido peças ou me esquecendo de enviar contas, Hobie me olhando de um jeito estranho quando eu exagerava e descia um pouco apático e aéreo. Jantares, clientes... Desculpe, você estava falando comigo, você disse algo agora mesmo? Não, só um pouco cansado, devo estar ficando doente, acho que eu vou pra cama um pouco mais cedo, pessoal. Eu tinha herdado os olhos claros da minha mãe, o que, sem óculos de sol na abertura de exposições, tornava praticamente impossível esconder pupilas contraídas — não que alguém da turma de Hobie parecesse perceber, exceto (às vezes) alguns dos mais novos, com mais frequência caras gays por dentro de tudo. "Você é um menino mau", o namorado fisiculturista de um cliente tinha sussurrado no meu ouvido num jantar formal, deixando-me completamente apavorado. E eu temia ir ao departamento de contabilidade de uma das casas de leilão porque um dos caras lá — mais velho, britânico, ele próprio um viciado — vivia dando em cima de mim. É claro que acontecia com mulheres também: uma das garotas com quem dormia — a estagiária de moda — eu tinha conhecido na pequena área para cachorros na Washington Square com Popchik, ficando rapidamente claro para ambos depois de trinta segundos no banco do parque que compartilhávamos da mesma condição. Sempre que as coisas começavam a sair demais do controle eu pegava mais leve e até tinha parado totalmente algumas vezes — a mais longa tendo durado seis semanas. Nem todo mundo era capaz de fazer isso, dizia a mim mesmo. Era simplesmente uma questão de disciplina. Mas, àquela altura, na primavera dos meus vinte e seis anos, eu não ficava mais de três dias seguidos limpo havia mais de três anos.

Tinha pensado numa forma de parar de vez, se quisesse: uma redução abrupta, sete dias no total, muita loperamida; suplementos de magnésio e aminoácidos livres para repor os neurotransmissores queimados; proteína em pó, eletrólito em pó, melatonina (e maconha) pra dormir, assim como vários extratos e poções de ervas que a estagiária jurava que funcionavam, raiz de alcaçuz e cardo de leite, urtigas, lúpulos, óleo de semente de cominho preto, raiz de valeriana e extrato de escutelária. Eu tinha uma sacola de uma loja de produtos naturais com todas as coisas de que precisava no fundo do meu armário havia um ano e meio. A maioria das coisas estava praticamente intacta, com exceção da maconha, que havia tempos já tinha acabado. O problema (como eu tinha aprendido, repetidamente) era que, durante trinta e seis horas, com seu corpo em plena rebelião e o restante da sua vida sem narcóticos se estendendo sobriamente à sua frente feito um corredor de prisão, você precisava de um motivo bastante persuasivo pra continuar avançando escuridão adentro, em vez de cair de volta no colchão de penas maravilhoso que tinha tão tolamente abandonado.

Naquela noite, quando voltei da casa dos Barbour, tomei um comprimido de morfina de ação prolongada, meu hábito sempre que acontecia de eu chegar em casa cheio de remorso e sentindo que precisava me recuperar: dose baixa, menos do que a metade do que eu precisava pra sentir qualquer coisa, só o suficiente somado à bebida pra me impedir de ficar agitado demais pra dormir. Na manha seguinte, perdendo a coragem (pois, geralmente, acordando enjoado nessa fase do pontapé inicial do plano, eu me acovardava muito rapidamente), esmaguei trinta e depois sessenta miligramas de roxicodona no tampo de mármore do criado-mudo, inalei com um canudo cortado e então, não querendo jogar na descarga o restante das pílulas (no valor de mais de dois mil dólares), levantei, me vesti, lavei o nariz com soro fisiológico e, depois de esconder mais algumas das morfinas de ação prolongada para o caso de as "derrapadas", como Jerome as chamava, incomodarem demais, guardei a lata de Redbreast Flake no bolso e — às seis da manhã, antes que Hobie acordasse — peguei um táxi até o armazém.

O armazém — aberto vinte e quatro horas por dia — era como um complexo funerário maia, exceto pelo funcionário de olhar perdido vendo TV na recepção. Nervoso, fui na direção dos elevadores. Eu tinha botado o pé no local apenas três vezes — sempre com medo, nunca me aventurando a subir lá em cima até o armário em si, mas apenas dando um pulo rápido na entrada para pagar a mensalidade, em dinheiro: dois anos de aluguel de cada vez, o máximo permitido pela lei estadual.

O elevador de carga requeria uma chave magnética, que felizmente eu tinha me lembrado de levar. Infelizmente, não a coloquei do jeito certo; e — por vários minutos, torcendo pra que o recepcionista estivesse chapado demais pra perceber — fiquei no elevador aberto tentando deslizar delicadamente o cartão até que as portas de aço chiassem e fechassem. Sentindo-me nervoso e observado, fazendo o melhor que podia pra desviar o rosto da minha sombra indistinta no monitor, fui até o oitavo andar, 8D, 8E, 8F, 8G, paredes de concreto e fileiras de portas sem rosto como uma eternidade pré-fabricada onde não havia nenhuma cor além do bege e nenhuma poeira se acumularia pelo resto do tempo.

No 8R, duas chaves e uma combinação de cadeado, 7522, os últimos quatro dígitos do telefone de Boris em Vegas. O cadeado abriu com um rangido metálico. Lá estava a sacola de compras da Paragon Sporting Goods —etiqueta da barraca pendurada, KING KANOPY $ 43,99, tão intacta e com cara de nova quanto no dia em que a comprei tantos anos antes. E embora a textura da fronha aparecendo pra fora da sacola tenha me provocado um curto-circuito desagradável, feito um estalo elétrico na têmpora, acima de tudo fui atingido pelo cheiro — pois o odor de plástico de revestimento de piscina da fita-crepe tinha aumentado de forma esmagadora por ficar confinado num espaço tão pequeno, um odor emocionalmente evocativo de que eu não lembrava, ou no qual não pensava havia anos, um fedor de polivinila característico que me atirou direto para a infância e para meu quarto em Vegas: químicos e carpete novo, dormindo e acordando toda manhã com a pintura colada atrás da minha cabeceira e o mesmo cheiro adesivo nas narinas. Eu não a tinha desembrulhado corretamente fazia anos; só pra abrir seriam necessários dez ou quinze minutos com um estilete, mas enquanto ficava ali aturdido (derrapagem e confusão, quase como na vez em que tinha despertado, sonâmbulo, na porta do quarto de Pippa, não sabendo no que estava pensando ou o que deveria fazer) fui tomado por um desejo que era quase um delírio: pois tê-la novamente só um palmo pra fora, depois de tanto tempo, era me encontrar de repente numa espécie de limite perigoso e sôfrego que eu não sabia que estava ali. Na sombra o embrulho mumificado — o pouco que estava visível — tinha um aspecto desigual, pungente, estranhamente pessoal, menos como um objeto inanimado e mais como uma pobre criatura presa e impotente na escuridão, incapaz de gritar e sonhando com o resgate. Eu não ficava tão perto da pintura desde que tinha quinze anos de idade, e por um momento foi só o que consegui fazer pra me impedir de agarrá-la e enfiá-la debaixo do braço e sair dali com ela. Mas eu podia sentir as câmeras de segurança zunindo às minhas costas, e — movimento espasmódico rápido — atirei minha lata de Redbreast Flake na sacola da Bloomingdale's, fechei a porta e virei a chave. "Jogue na descarga se algum dia realmente quiser parar", a namorada extremamente sexy de Jerome, Mya, tinha me aconselhado, "do contrário sua bunda vai correr pra onde quer que esteja às duas da manhã", mas, enquanto eu me afastava da porta, tonto e com os ouvidos zunindo, as drogas eram a última coisa na minha mente. Só a visão da pintura embrulhada, solitária e patética afetara-me da cabeça aos pés, como se um sinal de satélite do passado tivesse irrompido e bloqueado todas as outras transmissões.

XI

Embora meus (eventuais) dias limpos tivessem impedido que minha dose se intensificasse demais, as recuadas ficavam desconfortáveis mais rápido do que eu esperava, e mesmo com as pílulas que eu tinha guardado pra redução eu passava os dias seguintes me sentindo bastante abatido: enjoado demais pra comer, incapaz de parar de espirrar. "Só um resfriado", falei pra Hobie. "Estou bem."

"Se você está mal do estômago, é gripe", disse Hobie, lúgubre, recém-chegado da Bigelow com mais Benadryl e Imodium, além de bolacha e refrigerante do Jefferson Market. "Não há nenhum outro motivo — saúde! Se eu fosse você, ia até o médico e acabava com o drama."

"Olha, é só um mal-estar." Hobie tinha uma saúde de ferro; toda vez que ele próprio pegava alguma coisa, bebia Fernet-Branca e seguia em frente.

"Talvez, mas você mal come há dias. Não faz sentido ficar se arrastando aqui embaixo se sentindo mal."

Mas trabalhar desviava minha mente do desconforto. Os calafrios vinham em espasmos de dez minutos e depois eu ficava suando. Nariz escorrendo, olhos lacrimejando, contrações elétricas surpreendentes. O tempo tinha virado, a loja estava cheia de gente, murmúrio e oscilação; as árvores floridas nas ruas do lado de fora eram estalos brancos de delírio. Minhas mãos permaneciam firmes na caixa registradora, na maior parte do tempo, mas por dentro eu me contorcia. "O primeiro rodeio não é o pior", Mya tinha me dito. "É lá pelo terceiro ou quarto que vai começar a desejar estar morto." Meu estômago despencava e se retorcia feito um peixe no anzol; dores, músculos nervosos, eu não conseguia ficar imóvel e confortável na cama, e à noite, depois de ter fechado a loja, sentava corado e espirrando numa banheira quase intoleravelmente quente, um copo de refrigerante com gelo na maior parte derretido pressionado contra a têmpora, enquanto Popchik — rígido e travado demais pra ficar com as patas na borda da banheira, como outrora gostava de fazer — ficava sentado no tapete do banheiro me observando ansioso.

Nada disso era tão ruim quanto eu tinha temido. Mas o que eu não esperava que fosse me atingir com nem um quarto da força com que me atingiu foi o que Mya chamava de "o lance metal", que era interminável, uma cortina preta encharcada de horror. Mya, Jerome, a estagiária — a maioria dos meus amigos drogados estava nisso havia mais tempo que eu; e quando estavam chapados e ficavam falando sobre como era parar (que era aparentemente o único momento em que suportavam falar sobre parar), todos tinham me avisado repetidas vezes que os sintomas físicos não eram a parte difícil, que mesmo com um hábito de bebê como o meu a depressão não seria como "nada com que eu já tivesse sonhado", e eu sorria educado enquanto me inclinava sobre o espelho e pensava: *Quer apostar?*

Mas *depressão* não era a palavra certa. Aquilo era um mergulho que encerrava tristeza e repulsa muito além do pessoal: uma náusea doentia e encharcada contra toda a humanidade e todo o esforço humano desde o princípio dos tempos. A repugnância sofredora da ordem biológica. Velhice, doença, morte. Ninguém escapava. Até os belos eram como frutas macias prestes a estragar. E mesmo assim de alguma forma as pessoas ainda continuavam fodendo e se reproduzindo e atirando nova forragem no túmulo, produzindo mais e mais novos seres para sofrer desse jeito como se fosse algo redentor, ou bom, ou até moralmente admirável: arrastando mais criaturas inocentes para o jogo em que se perde de um jeito ou de outro. Bebês se contorcendo e mamães complacentes e drogadas arrastando os pés. *Ah, ele não é uma gracinha? Ohhh.* Crianças gritando e escorregando no parquinho sem a menor ideia de que infernos futuros as esperam: empregos maçantes, hipotecas desastrosas, casamentos ruins, perda de cabelo, prótese de quadril, xícaras solitárias de café numa casa vazia e uma bolsa de colostomia no hospital. A maioria das pessoas parecia satisfeita com o fino esmalte decorativo e a ardilosa iluminação de palco que, às vezes, fazia a atrocidade intrínseca de a desagradável situação humana parecer de certa forma mais misteriosa ou menos repugnante. As pessoas apostavam, jogavam golfe, plantavam jardins, negociavam ações. faziam sexo, compravam carros novos, praticavam ioga, trabalhavam, rezavam, redecoravam a casa, ficavam abaladas pelas notícias, preocupavam-se à toa com os filhos, fofocavam sobre os vizinhos, debruçavam-se sobre críticas de restaurantes, fundavam instituições de caridade, apoiavam candidatos, iam ao U.S. Open, jantavam, viajavam, distraíam-se com todo tipo de dispositivo, atolando-se incessantemente com informações, textos, mensagens, entretenimento vindo de todas as direções para tentar se forçar a esquecer: onde estamos, o que somos. Mas sob a luz forte não havia como disfarçar as coisas. Aquilo estava podre da cabeça aos pés. Dedicar seu tempo ao escritório; gerar obedientemente sua prole de dois ou três; sorrir educadamente na festa de aposentadoria; mastigar os lençóis e sufocar com pêssego em calda no asilo. Era melhor nunca ter nascido — nunca ter desejado nada, nunca ter esperado nada. E todos esses assaltos e debates mentais se misturavam a imagens recorrentes, quase sonhos, de Popchik deitado fraco e magro de um lado com as costelas subindo e descendo — eu o tinha esquecido em algum lugar, o tinha deixado sozinho e me esquecido de alimentá-lo, ele estava morrendo — de novo e de novo, mesmo quando ele estava no quarto comigo, estalos súbitos em que eu me sobressaltava com culpa. Cadê Popchik? E isso por sua vez se misturava a flashes repentinos da fronha embrulhada, trancada em seu caixão de aço. Qualquer que tenha sido o motivo para armazenar a pintura tantos anos atrás — para, pra começo de conversa, ter ficado com ela; para tê-la tirado do museu — eu agora não conseguia lembrar. O tempo o turvara. Ela era parte de um mundo que não existia — ou, melhor, era como se eu vivesse em dois mundos, e o armazém era parte do mundo imaginário, em vez do real. Era fácil esquecê-lo, fingir que não estava lá; eu meio que esperava abri-lo e descobrir que a pintura sumira, embora soubesse que isso não aconteceria, que ela ainda estaria trancada na escuridão esperando por mim independentemente do tempo que eu a deixasse lá, como o corpo de uma pessoa que eu tinha assassinado e jogado num porão em algum lugar.

Na oitava manhã acordei encharcado de suor depois de quatro horas de sono ruim, vazio até o âmago e mais desesperado do que jamais estivera na vida, mas estável o bastante pra levar Popchik pra passear em volta da quadra e ir até a cozinha tomar o café da manhã de convalescente — ovo pochê e muffin inglês — que Hobie me empurrou.

"E estava na hora." Ele tinha terminado o café e estava recolhendo a louça sem pressa. "Branco feito um lírio — eu também estaria, uma semana de bolacha salgada e mais nada. Um pouco de sol é o que você precisa, um pouco de ar. Você e o cachorrinho deviam sair pra dar um bom passeio."

"Certo." Mas eu não tinha nenhuma intenção de ir pra qualquer lugar exceto a loja, onde era quieto e escuro.

"Não incomodei você, estava tão pra baixo..." Seu tom de de-volta-aos-negócios, junto com a inclinação amigável da cabeça, me fez desviar o olhar, desconfortável, e baixar os olhos para meu prato. "Mas enquanto você esteve fora da ativa recebeu algumas ligações no telefone da casa."

"Ah é?" Eu tinha desligado meu celular e o deixado numa gaveta; não tinha nem olhado pra ele por medo de encontrar mensagens de Jerome.

"Uma garota muito simpática..." Ele consultou o bloco de notas, olhando por cima dos óculos. "Daisy Horsley?" Era o nome real de Carole Lombard. "Ela disse que estava ocupada com o trabalho." Código para *Noivo por perto, fique longe*. "É pra você mandar mensagem pra ela se quiser entrar em contato."

"Certo, ótimo, obrigado." O casamento grande e importante de Daisy na Catedral Nacional, se de fato saísse, seria em junho, e então ela se mudaria pra Washington com o *namô*, como ela o chamava.

"O sr. Hildesley ligou também, sobre a cômoda alta de cerejeira — não a com abertura na parte superior, a outra. Respondeu com uma boa oferta — oito mil. Aceitei, espero que você não se importe, aquela cômoda não vale três mil na minha opinião. Além disso, um sujeito ligou duas vezes. Um tal de Lucius Reeve."

Quase engasguei com o café — o primeiro que conseguia tomar em dias —, mas Hobie não pareceu notar.

"Deixou um número. Disse que você saberia o assunto. Ah..." — ele sentou subitamente, batucando na mesa com a palma da mão — "e um dos Barbour ligou!"

"Kitsey?"

"Não..." Ele tomou um gole do chá. "Platt? É isso?"

XII

A ideia de lidar com Lucius Reeve sóbrio foi o suficiente pra me mandar de volta pro armazém. Quanto aos Barbour, eu também não estava lá muito ansioso pra falar com Platt, mas para meu alívio foi Kitsey quem atendeu.

"Vamos fazer um jantar pra você", disse ela de imediato.

"Como?"

"Não te falamos? Ah. Talvez eu devesse ter ligado! Em todo caso, mamãe gostou *muito* de ver você. Ela quer saber quando volta."

"Bem..."

"Precisa de um convite?"

"Bem, mais ou menos."

"Sua voz está estranha."

"Desculpe, eu estava, hã, com gripe."

"Sério? Ah, meu Deus. Nós estamos perfeitamente bem, não acho que tenha pegado de nós — como?", ela disse para uma voz indistinta nos fundos. "Aqui... Platt vai atender. A gente se fala."

"Oi, irmão", disse Platt quando entrou na linha.

"Oi", falei, esfregando a têmpora, tentando não pensar em quão estranho era Platt me chamar de *irmão*.

"Eu..." Passos; uma porta fechando. "Quero ir direto ao ponto."

"Sim?"

"Sobre os móveis", disse ele cordialmente. "Alguma chance de você vender alguns pra nós?"

"Claro." Sentei. "Que peças ela está pensando em vender?"

"Bem", disse Platt, "a questão é, eu realmente não gostaria de incomodar mamãe com isso, se possível. Não tenho certeza se ela gostaria, se é que você me entende."

"Ah."

"Bem, tipo, é só que ela tem tantos... coisas lá no Maine e armazenadas Fora que ela nunca mais vai ver de novo, sabe? Não só móveis. Prata, uma coleção de moedas... algumas cerâmicas que acho que devem ser grande coisa, mas que, sinceramente, parecem uma bosta. Não digo no sentido figurado. Quero dizer literalmente bolos de bosta de vaca."

"Acho que minha pergunta seria: por que você quer vender isso?"

"Bem, não há nenhuma *necessidade* de vender", disse ele rapidamente. "Mas a questão é: ela é tão obstinada com essas velharias absurdas."

Esfreguei o olho. "Platt..."

"Tipo, o negócio está simplesmente parado lá. Todo esse lixo. Sendo que a maior parte é minha, as moedas e algumas armas antigas e tal, porque vovó deixou pra mim. Quer dizer..." — secamente — "vou ser sincero com você. Ando fazendo negócio com outro cara, mas sinceramente preferia trabalhar com você. Você nos conhece, conhece mamãe, e sei que pagaria um preço justo."

"Certo", falei, inseguro. A isso se seguiu uma pausa expectante e aparentemente infinita, como se seguíssemos um script e ele estivesse esperando confiante que eu dissesse o resto da minha fala. Eu estava me perguntando como dissuadi-lo quando meus olhos pousaram no nome e no número de Lucius Reeve rabiscados com a letra aberta e expressiva de Hobie.

"Bem, hum, é bastante complicado", falei. "Quer dizer, eu teria que ver as coisas pessoalmente antes de poder dizer qualquer coisa de fato. Certo, certo..." — ele tentava me interromper com algo sobre fotos — "mas fotos não servem. Além disso, eu não trabalho com moedas nem com o tipo de cerâmica de que você está falando. Sobretudo no caso das moedas, você precisa ir a um especialista. Mas nesse meio-tempo", falei, ele ainda tentando me atravessar, "se a questão é levantar alguns milhares de dólares acho que posso te ajudar."

Aquilo o fez calar direitinho. "Sim?"

Enfiei a mão debaixo dos óculos e apertei a ponte do nariz. "O negócio é o seguinte. Estou tentando estabelecer uma procedência pra uma peça. É um verdadeiro pesadelo, o cara não me deixa em paz. Tentei comprar a peça de volta, mas ele parece decidido a armar um barraco. Por que motivo não sei. Em todo caso ia me ajudar, acho, se eu conseguisse arranjar um recibo de venda provando que comprei essa peça de outro colecionador."

"Bem, mamãe acha que você é deus", disse Platt num tom amargo. "Tenho certeza de que vai fazer o que você quiser."

"Bem, a questão é..." Hobie estava lá embaixo com a tupia ligada, mas mesmo assim baixei o tom de voz. "Estamos falando em total privacidade, certo?"

"Certo."

"Realmente não vejo nenhum motivo pra envolver sua mãe. Posso fazer um recibo de venda pra você, e antedatá-lo. Mas se o sujeito tiver qualquer dúvida, e talvez tenha, gostaria de encaminhá-lo a você. Passar seu número, o filho mais velho, mãe de luto, blá-blá-blá..."

"Quem é esse cara?"

"Lucius Reeve. Já ouviu falar dele?"

"Não."

"Bem, só pra que você saiba, talvez ele conheça sua mãe ou a tenha encontrado em algum momento."

"Isso não deve ser um problema. Mamãe quase não vê ninguém hoje em dia." Uma pausa; eu podia ouvi-lo acendendo um cigarro. "Então, esse cara liga e...?"

Descrevi a cômoda. "Posso encaminhar uma foto por e-mail. A particularidade dela é a fênix esculpida no tampo. *Você* só precisa dizer a ele, se ligar, que a peça estava lá na casa de vocês no Maine até sua mãe vendê-la pra mim há uns dois anos. Ela a comprou de um vendedor que fechou as portas, sabe, algum velho que faleceu já faz alguns anos, você não consegue lembrar o nome, ah, merda, vai ter que verificar. Se ele pressionar..." — era surpreendente, eu tinha aprendido, o quanto manchas de chá e alguns minutos torrando no forno, em baixas temperaturas, podia envelhecer ainda mais os recibos em branco do talão da década de 1960 que eu tinha comprado no mercado de pulgas — "também posso facilmente providenciar o recibo de venda pra você."

"Entendi."

"Certo. Em todo caso..." Tateei em busca de um cigarro que não tinha. "Se cuidar das coisas do seu lado — sabe, se você se comprometer a confirmar minha história caso o sujeito *realmente* ligue — eu te dou dez por cento sobre o valor da peça."

"Que seria quanto?"

"Sete mil dólares."

Platt riu — uma risada estranhamente alegre e aparentemente despreocupada. "Papai sempre dizia que os antiquários eram todos uns trambiqueiros."

XIII

Desliguei o telefone, sentindo-me bobo de alívio. A sra. Barbour tinha sua cota de antiguidades de segunda e terceira categorias, mas também possuía tantas peças importantes que me incomodava pensar em Platt vendendo tudo pelas costas dela sem a menor ideia do que estava fazendo. Quanto a tê-lo nas minhas mãos, se alguém exalava o aroma de estar metido em algum tipo de problema mal definido e em curso era Platt. Embora não pensasse na sua expulsão havia anos, as circunstâncias tinham sido tão diligentemente abafadas que parecia provável que tivesse feito algo bastante grave, que em circunstâncias menos controladas poderia ter envolvido a polícia: coisa que, de um jeito estranho, me tranquilizava, no que se referia a confiar nele para pegar o dinheiro e ficar de boca fechada. Além do mais — alegrava o meu coração pensar nisso —, se havia alguém vivo que poderia passar por cima de ou intimidar Lucius Reeve era Platt: um esnobe e valentão de primeira classe por seus próprios méritos.

"Sr. Reeve?", falei formalmente quando ele atendeu o telefone.

"Lucius, por favor."

"Certo, então, Lucius." Sua voz tinha me deixado gelado de raiva; mas a consciência de que eu tinha Platt ao meu lado me tornou mais arrogante do que eu tinha motivo pra ser. "Retornando sua ligação. O que tem em mente?"

"Provavelmente não o que você pensa", foi a resposta imediata.

"Não?", falei, suficientemente tranquilo, embora seu tom de voz tenha me pegado de surpresa. "Certo, então. Me atualize."

"Acho que você vai preferir falar ao vivo."

"Tudo bem. Que tal em Downtown", falei rapidamente, "já que fez a gentileza de me levar ao seu clube na última vez?"

XIV

O restaurante que escolhi ficava em Tribeca — descendo o suficiente em Downtown pra que eu não tivesse de me preocupar com a possibilidade de esbarrar com Hobie ou qualquer um dos seus amigos, e com um público jovem o bastante (eu esperava) pra deixar Reeve desnorteado. Barulho, luzes, conversas, pressão implacável de corpos: com meus sentidos frescos e afiados os cheiros eram irresistíveis, vinho, alho, perfume e suor, chapas escaldantes de frango ao molho de capim-limão saindo às pressas da cozinha, e as banquetas turquesas e o brilhante vestido laranja da garota perto de mim eram como químicos esguichando direto nos meus olhos. Meu estômago fervia de nervoso, e eu estava mastigando um antiácido do pote no meu bolso quando ergui os olhos e vi uma recepcionista que parecia uma girafa lindamente tatuada — sem expressão e indolente — indicando com indiferença minha mesa para Lucius Reeve.

"Olá", falei, sem me erguer para cumprimentá-lo. "Bom vê-lo."

Ele estava lançando olhares em volta, desgostoso. "Precisamos realmente sentar aqui?"

"Por que não?", perguntei com brandura. Tinha escolhido de propósito uma mesa no meio do movimento — não tão alto que tivéssemos de gritar, mas o bastante pra incomodar; além disso, eu tinha deixado livre uma cadeira que ia fazer com que o sol ficasse nos olhos *dele*.

"Isso é ridículo."

"Ah. Sinto muito. Se não está satisfeito aqui..." Apontei com a cabeça para a jovem girafa absorta consigo mesma, de volta ao seu posto, balançando-se distraída.

Resignado quanto ao local — o restaurante estava lotado —, ele sentou. Embora fosse rígido e elegante na fala e nas maneiras, e seu terno tivesse um corte da moda para um homem da sua idade, seu comportamento me fazia pensar num baiacu — ou, melhor, num personagem fortão de desenho animado inchado por uma bomba de bicicleta: covinha no queixo, nariz tipo bola, boca que era uma fenda tensa, tudo agrupado no centro de um rosto rechonchudo que reluzia num tom rosa inflamado de pressão arterial.

Depois que a comida chegou — mistura asiática, com montes de arcobotantes crocantes de *wonton* e cebolinha desidratada, que pela sua expressão não eram muito do seu agrado — esperei que ele fosse rodeando até chegar ao que queria me dizer. O carbono do recibo de venda falso, que eu tinha feito numa página em branco de um dos velhos talões de Welty, colocando uma data de cinco anos atrás, estava no bolso da minha camisa, mas eu não pretendia revelá-lo enquanto não precisasse.

Ele tinha pedido um garfo; de seu prato ligeiramente alarmante de "camarão escorpião" puxou vários filamentos arquitetônicos de matéria vegetal e empurrou-os pro lado. Depois olhou para mim. Seus olhos pequenos e penetrantes eram bem azuis em seu rosto rosa-presunto. "Eu sei sobre o museu", disse.

"Sabe o quê?", perguntei, depois de uma hesitação de surpresa.

"Ah, por favor. Sabe muito bem do que estou falando."

Senti uma pontada de medo na base da espinha, embora tivesse o cuidado de manter os olhos no meu prato: arroz branco e legumes refogados, a coisa mais suave do cardápio. "Bem, se você não se importa. Prefiro não falar sobre isso. É um assunto doloroso."

"Sim, posso imaginar."

Ele disse isso num tom tão zombeteiro e provocativo que ergui os olhos rispidamente. "Minha mãe morreu, se é disso que está falando."

"Sim, ela morreu." Pausa longa. "Welton Blackwell também."

"Isso mesmo."

"Bem, quero dizer. Saiu nos jornais, pelo amor de Deus. Uma questão pública. Mas..." — ele passou a ponta da língua sobre o lábio superior — "eis a minha dúvida. Por que James Hobart saiu repetindo aquela história pra todo mundo na cidade? Você aparecendo na porta dele com o anel do sócio? Porque, se ele tivesse ficado de boca fechada, ninguém jamais teria feito a ligação."

"Não entendo o que você quer dizer."

"Você sabe muito bem o que eu quero dizer. Você tem algo que eu quero. Que muita gente quer, na verdade."

Parei de comer, os pauzinhos a meio caminho da boca. Meu impulso imediato e impensado foi me levantar e sair do restaurante, mas quase tão depressa pensei em quão tolo isso seria.

Reeve recostou-se na cadeira. "Você não está dizendo nada."

"É porque você não está fazendo nenhum sentido", retruquei rispidamente, baixando os pauzinhos, e por um instante — algo na rapidez do gesto — meus pensamentos se voltaram para meu pai. Como ele lidaria com isso?

"Parece bastante perturbado. Por que será?"

"Acho que não estou entendendo o que isso tem a ver com a cômoda. Porque eu tinha a impressão de que era por isso que estamos aqui."

"Você sabe muito bem do que estou falando."

"Não..." Soltei uma risada incrédula, soando autêntica. "Receio não saber."

"Você quer que eu fale com todas as letras? Bem aqui? Tá bem, eu falo. Você estava com Welton Blackwell e sua sobrinha, vocês três estavam na galeria 32, e *você*..." — sorriso lento, debochado — "foi a única pessoa que saiu andando de lá. E nós sabemos o que mais saiu da galeria 32, não sabemos?"

Era como se todo o meu sangue tivesse escorrido pros pés. À nossa volta, por todo o lugar, ruído de talheres, risadas, eco de vozes batendo contra as paredes azulejadas.

"Está vendo?", disse Reeve, presunçoso. Ele tinha voltado a comer. "Muito simples. Quer dizer, certamente", disse ele, num tom de repreensão, pousando o garfo, "você deve ter imaginado que alguém ia juntar as peças. Você pegou a pintura e, quando levou o anel para o sócio de Blackwell, você lhe deu a pintura também, por que motivo não sei. Sim, sim", disse ele, enquanto eu tentava falar por cima, mudando ligeiramente a posição da cadeira, erguendo a mão para proteger os olhos do sol, "você acabou ficando sob a custódia de James Hobart, pelo amor de Deus, acabou como o tutelado dele, e ele anda terceirizando aquela sua pequena lembrancinha aqui e ali e usando-a pra arrecadar dinheiro desde então."

Arrecadar dinheiro? Hobie? "*Terceirizando?*", falei, e, então, lembrando a mim mesmo: "Terceirizando o quê?"

"Olha, essa sua atitude de quem não sabe o que está acontecendo está começando a ficar um pouco cansativa."

"Não, estou falando sério. Do que você está falando?"

Reeve franziu os lábios, parecendo muito satisfeito consigo mesmo.

"É uma pintura magnífica", disse ele. "Uma linda e pequena anomalia, absolutamente única. Jamais vou esquecer a primeira vez que a vi na Mauritshuis… realmente muito diferente de qualquer outra obra de lá, ou de qualquer outra obra da sua época, na minha opinião. Difícil acreditar que foi pintada no século XVII. Uma das pequenas pinturas mais incríveis de todos os tempos, não concorda? Como foi mesmo…" — ele parou, debochado — "como foi mesmo que o colecionador disse? Você sabe, o crítico de arte, o francês, que a redescobriu. Encontrou-a enterrada na despensa de algum nobre lá pela década de 1890, e daquele ponto em diante empreendeu 'esforços desesperados'" — fazendo aspas com os dedos — "para adquiri-la. 'Não esqueça, preciso conseguir esse pequeno pintassilgo a qualquer preço.' Mas é claro que não é dessa citação que estou falando. Refiro-me àquela famosa. Certamente a conhece. Depois de todo esse tempo, deve estar bem familiarizado com a pintura e sua história."

Larguei meu guardanapo. "Não sei do que está falando." Não havia nada que eu podia fazer além de não ceder e continuar dizendo isso. *Negue, negue, negue*, conforme meu pai — na sua única ponta importante no cinema, como advogado da máfia — tinha aconselhado seu cliente na cena logo antes daquela em que ele era baleado.

Mas eles me viram.
Deve ter sido outra pessoa.
Há três testemunhas oculares.
Não ligue. Todas estão enganadas. "Não fui eu."
Eles vão ficar trazendo gente pra testemunhar contra mim o dia todo.
Tudo bem. Que venham.

Alguém tinha fechado uma veneziana, atirando uma sombra tigrada sobre nossa mesa. Reeve, olhando-me presunçoso, espetou um camarão laranja brilhante e o comeu.

"Bem, eu tenho pensado a respeito", disse ele. "Talvez você possa me ajudar. Que outra pintura do mesmo tamanho chegaria perto da classe dela? Talvez aquela adorável do Velázquez, você sabe, do jardim da Villa Medici. É claro que raridade nem entra na questão."

"Diga mais uma vez, do que estamos falando? Porque eu realmente não tenho certeza do que está insinuando."

"Bem, continue se quiser", disse Reeve, afável, limpando a boca com o guardanapo. "Não está enganando ninguém. Embora eu deva dizer que é irresponsável confiá-la a esses tontos, deixá-los lidar com ela e sair penhorando por aí."

Para meu espanto, que era perfeitamente genuíno, vi um clarão do que poderia ter sido surpresa atravessar o rosto dele. Mas tão rapidamente quanto apareceu ele se foi.

"Pessoas como essas não podem ser deixadas com algo tão valioso", disse ele, mastigando ativamente. "Bandidos de rua. Ignorantes."

"Você não está fazendo absolutamente nenhum sentido", disparei.

"Não?" Ele pousou o garfo. "Bem. O que eu quero — se é que você pretende entender do que estou falando — é comprar a coisa de você."

O zumbido nos meus ouvidos — velho eco da explosão — tinha começado, como com frequência acontecia em momentos de estresse, um ronco agudo como o de um avião se aproximando.

"Quer que eu te dê um número? Bem. Acho que meio milhão deve bastar, considerando que posso muito bem fazer uma ligação neste momento..." — ele retirou o celular do bolso e o colocou na mesa ao lado do copo de água — "e pôr um ponto final nessa empreitada de vocês."

Fechei os olhos, depois os abri novamente. "Olha, quantas vezes tenho que dizer? Eu realmente não sei o que está pensando, mas..."

"Vou te dizer exatamente o que estou pensando, Theodore. Estou pensando em conservação, preservação. Preocupações que claramente não foram primordiais pra você ou pras pessoas com quem trabalha. Certamente vai perceber que é a coisa mais sábia a fazer — pra você, e pra pintura também. É óbvio que fez uma fortuna, mas é algo irresponsável, você não concorda, deixá-la correndo por aí em condições tão precárias?"

Mas minha confusão não fingida diante disso pareceu me servir de algo. Depois de um atraso estranho e incomum, ele enfiou a mão no bolso do seu paletó.

"Está tudo bem?", perguntou nosso garçom-modelo, aparecendo de repente.

"Sim, sim, tudo bem."

O garçom desapareceu, deslizando pela sala para ir falar com a linda recepcionista. Reeve, de seu bolso, tirou várias folhas dobradas, que empurrou sobre a toalha da mesa na minha direção.

Era uma página da internet impressa. Passei os olhos rapidamente: FBI... agências internacionais... batida policial fracassada... investigação...

"Mas que porra é essa?", falei, tão alto que a mulher na mesa ao lado deu um pulo. Reeve — concentrado no almoço — não disse nada.

"Não, estou falando sério. O que isso tem a ver comigo?" Correndo irritado os olhos pela página — processo por morte por negligência... Carmen Huidobro, empregada de uma agência de empregos temporários de Miami, morta a tiros por agentes que invadiram a casa —, eu estava prestes a perguntar de novo o que aquele artigo tinha a ver comigo quando parei de repente.

> Uma pintura de um Velho Mestre que se acreditava destruída (*O pintassilgo*, Carel Fabritius, 1654) foi utilizada, segundo boatos, como garantia no acordo com Contreras, mas infelizmente ela não foi recuperada na batida feita ao complexo de South Florida. Embora obras de arte roubadas sejam muitas vezes utilizadas como títulos de crédito para o fornecimento de capital de risco para o tráfico de drogas e o comércio de armas, a DEA defendeu-se contra as críticas do que a divisão de crimes contra a arte do FBI chamou de atuação "fracassada" e "amadora" na situação, emitindo uma declaração pública em que pede desculpas pela morte acidental da sra. Huidobro e ao mesmo tempo explica que seus agentes não são treinados para identificar ou recuperar obras de arte roubadas. "Em situações de pressão como esta", disse Turner Stark, porta-voz da assessoria de imprensa da DEA, "nossa prioridade máxima será sempre a segurança de agentes e civis enquanto asseguramos o julgamento de graves violações das leis americanas para substâncias controladas." O furor que se seguiu, especialmente como consequência do processo pela morte da sra. Huidobro por negligência, resultou num apelo a uma maior cooperação entre as agências federais. "Apenas uma ligação teria bastado", disse Hofstede von Moltke, porta-voz da divisão de crimes contra a arte da Interpol, numa coletiva de imprensa ontem em Zurique. "Mas essas pessoas estavam preocupadas unicamente com prendê-la e conseguir sua condenação, e isso é lamentável, porque agora essa pintura entrou na clandestinidade e pode levar décadas até que seja vista novamente."
> Estima-se que o tráfico de pinturas e esculturas roubadas movimente uma indústria de 6 bilhões de dólares no mundo todo. Embora sua aparição não tenha sido confirmada, detetives acreditam que a rara obra-prima holandesa já tenha sido levada para fora do país, possivelmente para Hamburgo, onde é provável que tenha trocado de mãos por uma fração dos muitos milhões que alcançaria num leilão...

Larguei o papel. Reeve, que tinha parado de comer, estava me observando com um meio sorriso felino. Talvez tenha sido a afetação daquele sorrisinho no rosto em forma de pera dele, mas inesperadamente desatei a rir: a risada acumulada de terror e alívio, assim como Boris e eu tínhamos rido quando o segurança gordo do shopping correndo atrás de nós (e prestes a nos alcançar) escorregou no azulejo molhado da praça de alimentação e caiu com tudo de bunda.

"Sim?", disse Reeve. Ele estava com uma mancha laranja na boca, dos camarões, o velho jaguadarte. "Achou graça em alguma coisa?"

Mas só o que eu podia fazer era balançar a cabeça e olhar em volta para o restaurante. "Cara", falei, enxugando os olhos. "Não sei o que dizer. Claramente você sofre de alucinações ou... não sei."

Reeve, a seu favor, não pareceu perturbado, embora claramente não estivesse contente.

"Não, sério", falei, balançando a cabeça. "Desculpe. Eu não devia rir. Mas esta é a coisa mais absurda que eu já vi."

Reeve dobrou seu guardanapo e o pousou na mesa. "Você é um mentiroso", disse ele calmamente. "Acha que pode blefar pra se safar desta, mas não pode."

"Processo por morte por negligência? Complexo na Flórida? O quê? Você realmente acha que isso tem alguma coisa a ver comigo?"

Reeve me avaliou ferozmente com seus olhos azuis minúsculos e brilhantes. "Seja razoável. Estou te dando uma saída."

"Uma *saída*?" Miami, Hamburgo, até os nomes dos lugares me faziam cair num acesso incrédulo de riso. "Uma saída do quê?"

Reeve limpou os lábios no guardanapo. "Fico feliz que ache isso tão divertido", disse ele tranquilo. "Já que estou totalmente preparado para ligar para este cavalheiro da divisão de crimes contra a arte que mencionam e lhe contar exatamente o que eu sei sobre você e James Hobart e o esquema que estão organizando juntos. O que você diria disso?"

Atirei o papel, empurrei minha cadeira pra trás. "Eu diria: vá em frente e ligue pra ele. Fique à vontade. Quando quiser conversar sobre a outra questão, me ligue."

XV

Saí tão rápido do restaurante que mal me dei conta de pra onde estava indo; mas assim que já tinha me afastado três ou quatro quadras comecei a tremer tão violentamente que tive de parar no pequeno parque imundo logo ao sul da Canal Street e sentar num banco, hiperventilando, a cabeça entre os joelhos, as axilas do terno Turnbull & Asser encharcadas de suor, parecendo (para as babás jamaicanas rabugentas e os velhos italianos se abanando com jornais me olhando desconfiados) um *trader* novato drogado que tinha apertado o botão errado e perdido dez milhões.

Havia uma farmácia familiar do outro lado da rua. Assim que minha respiração voltou ao normal fui até lá — sentindo-me pegajoso e isolado na brisa generosa da primavera —, comprei uma Pepsi da máquina e fui embora sem pegar meu troco, voltando para a sombra das folhas no parque, para o banco salpicado de fuligem. Pombas no alto batendo as asas. Carros passando ruidosamente na direção do túnel, de outros distritos, outras cidades, shoppings e alamedas, vastos fluxos impessoais de comércio interestadual. Havia uma solidão grandiosa e sedutora no zum-zum, uma intimação quase, como o apelo do mar, e pela primeira vez entendi o impulso que tinha levado meu pai a esvaziar sua conta, pegar suas camisas na lavanderia, encher o tanque e sair da cidade sem dizer uma palavra. Rodovias tomadas de sol, mostradores girados no rádio, silos de grãos e gases de escapamento, vastas extensões de terra se desenrolando como um vício secreto.

Inevitavelmente meus pensamentos se voltaram para Jerome. Ele morava na Adam Clayton Powell, a algumas quadras da última parada da linha 3, mas havia um bar chamado Brother J's na rua 110 onde às vezes nos encontrávamos: uma espelunca de operários com Bill Withers tocando no jukebox e um piso grudento, alcoólatras profissionais debruçados sobre seu terceiro bourbon às duas da tarde. Mas Jerome não vendia fármacos em doses de menos de mil dólares, e embora eu soubesse que ele ficaria contente em me passar alguns saquinhos de heroína parecia muito mais fácil se eu simplesmente seguisse em frente e pegasse um táxi direto até a Brooklyn Bridge.

Velhinha com um chihuahua; criancinhas pequenas disputando um picolé. Pela Canal Street acima corria um delírio remoto de sirenes, uma nota formal de bastidores que entrava em conflito com o zumbido nos meus ouvidos: certo som mecânico de guerra naquilo, o ronco contínuo de mísseis se aproximando.

Com as mãos pressionadas contra os ouvidos (o que não ajudava em nada a diminuir o zumbido, se é que não o amplificava), fiquei sentado muito imóvel e tentei pensar. Minhas maquinações infantis sobre a cômoda agora me pareciam ridículas — eu simplesmente teria que ir até Hobie e admitir o que tinha feito: nada divertido, bastante desagradável na verdade, mas era melhor se ficasse sabendo por mim. Como ele reagiria eu não conseguia imaginar; antiguidades eram só o que eu conhecia, eu teria dificuldade pra arranjar outro emprego na área de vendas, mas era habilidoso o bastante pra conseguir uma vaga numa oficina se precisasse, dourando molduras ou cortando bobinas; restaurações não pagavam bem, mas tão poucas pessoas sabiam consertar antiguidades num nível minimamente decente que alguém com certeza me aceitaria. Quanto ao artigo: eu estava confuso com o que tinha lido, quase como se tivesse entrado no meio do filme errado. Por um lado estava bastante claro: algum vigarista empreendedor tinha falsificado meu pintassilgo (em termos de tamanho e técnica, uma obra que não era tão difícil assim de falsificar) e a cópia estava circulando por aí em algum lugar, sendo oferecida como garantia no tráfico de drogas e erroneamente identificada por vários chefões do tráfico e agentes federais sem a menor noção de nada. Mas por mais fantasiosa e sem fundamento que a história fosse, por mais irrelevante para a pintura ou para mim, a ligação que Reeve tinha feito era real. Vai saber pra quantas pessoas Hobie tinha contado que eu aparecera na sua casa? Ou pra quantas pessoas essas pessoas tinham contado? Mas até então ninguém, nem mesmo Hobie, tinha feito a ligação de que o anel de Welty me colocava *na* galeria com a pintura. Esse era o ponto crucial da questão, como meu pai teria dito. Essa era a história que poderia me colocar atrás das grades. O ladrão francês de arte que tinha entrado em pânico, que tinha *queimado* um monte de pinturas que roubara (Cranach, Watteau, Corot) pegou apenas vinte e seis meses de prisão. Mas isso foi na França, logo depois do Onze de Setembro; e, sob a nova rubrica das leis federais de combate ao terrorismo, os roubos a museus acarretavam uma acusação adicional e mais séria de "saques de artefatos culturais". As penalidades tinham ficado muito mais duras, especialmente na América. E minha vida pessoal não resistiria a um exame muito minucioso. Mesmo se tivesse sorte eu estaria diante de no mínimo cinco a dez anos.

Coisa que — se fosse honesto — eu merecia. Como pude pensar que conseguiria mantê-la escondida? Por anos tive a intenção de lidar com a pintura, devolvê-la para onde pertencia, e, no entanto, de alguma forma continuei de novo e de novo encontrando motivos para não fazê-lo. Pensar nela embrulhada e trancada em Uptown fazia eu me sentir apagado, travado, como se enterrá-la longe tivesse apenas aumentado seu poder e lhe dado uma forma mais vital e terrível. De certo modo, mesmo coberta e sepultada no armazém, ela tinha conseguido se libertar e entrar numa narrativa pública fraudulenta, um brilho que irradiava sobre a mente do mundo.

XVI

"Hobie", falei, "estou numa enrascada."

Ele ergueu os olhos da cômoda com verniz japonês que estava retocando: galos e garças, pagodes dourados sobre preto. "Posso ajudar?" Estava delineando a asa de uma garça com um acrílico à base d'água — bastante diferente do original à base de goma-laca, mas a regra número um das restaurações, conforme ele tinha me ensinado logo no início, era que você nunca fazia o que não podia reverter.

"Na verdade, a questão é que eu meio que meti você numa enrascada. Sem querer."

"Bem..." O traçado do pincel não vacilou. "Se você disse a Barbara

Guibbory que vamos ajudá-la com aquela casa que está decorando em Rhinebeck, é por sua conta e risco. 'Cores dos chacras.' Eu nunca ouvi falar numa coisa dessas."

"Não..." Tentei pensar em algo engraçado ou leve pra dizer — a sra. Guibbory, apropriadamente apelidada de Biruta, era de modo geral uma fonte de comédia —, mas me deu um branco total. "Receio que não."

Hobie endireitou-se, enfiou o pincel atrás da orelha, secou a testa com um lenço roxo de padrão selvagem e psicodélico, como se uma violeta-africana tivesse vomitado nele, algo que provavelmente tinha encontrado entre os bens de uma velhinha louca em uma das suas vendas no norte do estado. "O que foi, então?", perguntou ele num tom sensato, pegando um dos pires onde misturava a tinta. Agora que eu estava na casa dos vinte, a formalidade de gerações entre nós tinha desaparecido, de modo que éramos colegas de um jeito que era difícil me imaginar sendo com meu pai caso estivesse vivo — eu sempre com os nervos à flor da pele, tentando adivinhar quão fodido ele estava e quais eram minhas chances de tentar obter qualquer tipo de resposta direta.

"Eu..." Apalpei para me certificar de que a cadeira atrás de mim não estava grudenta antes de sentar. "Hobie, eu cometi um erro idiota. Não, um erro realmente idiota", falei, diante do seu gesto bondoso de pouco caso.

"Bem..." Ele estava pingando um pigmento chocolate no pires com um conta-gotas. "Não sei o que você quer dizer com idiota, mas posso te dizer que arruinou totalmente o meu dia na semana passada ver aquela broca perfurando o tampo da mesa da sra. Wasserman. Aquela era uma boa mesa William e Mary. Sei que ela não vai ver a emenda, mas, acredite, foi um mau momento."

Sua maneira semiatenta só piorou as coisas. Rapidamente, com uma espécie de deslize doentio e onírico, entrei de cabeça no assunto de Lucius Reeve e da cômoda, deixando de fora Platt e o recibo antedado no bolso da minha camisa. Uma vez tendo começado foi como se eu não pudesse parar, como se a única coisa a fazer fosse continuar falando e falando feito um assassino de rodovia discorrendo num tom monótono sob uma lâmpada numa delegacia de polícia rural. Em algum momento, Hobie parou de trabalhar e enfiou o pincel atrás da orelha. Ele escutou pacientemente, com certo olhar carregado e ártico de lagópode voltando-se para si mesmo que eu conhecia bem. Então tirou o pincel de zibelina de trás da orelha e o umedeceu num pouco d'água antes de secá-lo numa flanela.

"Theo", disse ele, erguendo uma mão, fechando os olhos. Eu tinha enguiçado, falando de novo e de novo sobre o cheque não descontado, beco sem saída, péssima posição. "Pare, eu já entendi."

"Sinto muito", eu estava balbuciando. "Jamais devia ter feito isso. *Jamais.*

Mas é um verdadeiro pesadelo. Ele está uma fera e rancoroso, e parece que quer nos prejudicar por algum motivo. Sabe, algum outro motivo, além disso."

"Bem." Hobie tirou os óculos. Eu podia ver sua confusão pelo modo tão cauteloso com que tateava em volta na pausa que se seguiu, tentando formular sua resposta. "O que está feito está feito. Não faz sentido piorar as coisas. Mas..." Ele parou e pensou. "Não sei quem esse cara é, mas se ele achou que aquela cômoda era um Affleck tem mais dinheiro do que bom senso. Pagar setenta e cinco mil — foi isso que ele te deu?"

"Sim."

"Bem, ele precisa ter a cabeça examinada, é só o que posso dizer. Peças daquela qualidade surgem uma ou duas vezes numa década, *e olhe lá*. E não aparecem assim do nada."

"Sim, mas..."

"Além disso, *qualquer* imbecil sabe que um Affleck real valeria muito mais. Quem compra uma peça dessas sem fazer a lição de casa? Um idiota. Além do mais", continuou ele, falando por cima de mim, "você fez a coisa certa quando exigiu explicações. Tentou reembolsá-lo e ele não aceitou, foi isso que disse?"

"Não me ofereci para reembolsá-lo. Tentei comprar a peça de volta."

"Por um preço muito maior do que o que ele pagou! E como é que isso vai parecer se ele entrar na Justiça? O que, eu posso te dizer, ele não vai fazer."

No silêncio que se seguiu, sob o brilho clínico da luminária de trabalho dele, eu estava ciente de quão inseguros nós dois estávamos quanto a como prosseguir. Popchyk — cochilando na toalha dobrada que Hobie tinha arrumado pra ele entre os pés em garra de uma mesa de canto — estremeceu e grunhiu em seu sono.

"Quer dizer", disse Hobie, que tinha limpado o preto das mãos e estava pegando seu pincel com uma espécie de fixidez de aparição, feito um fantasma concentrado em sua tarefa, "a parte comercial nunca foi minha praia, você sabe disso, mas estou neste negócio há um bom tempo. E..." — disparada rápida do pincel — "o limiar entre exaltação exagerada e fraude é bastante nebuloso."

Esperei, inseguro, meus olhos sobre a cômoda envernizada. Era uma beleza, um prêmio para a casa de um capitão do mar aposentado no remanso de Boston: marfim trabalhado e búzios, mostruários de pontos do Antigo Testamento bordados em ponto-cruz por irmãs solteiras, o cheiro de óleo de baleia queimando à noite, a quietude de envelhecer.

Hobie pousou o pincel de novo. "Ah, Theo", disse ele, meio zangado, esfregando a testa com o dorso da mão e deixando uma mancha escura. "Você espera que eu fique aqui ralhando com você? Você mentiu pro cara. Tentou consertar. Mas ele não quer vender. O que mais pode fazer?"

"Não é a única peça."

"Quê?"

"Eu jamais devia ter feito isso." Não conseguia olhar pra ele. "Fiz isso primeiro pra pagar as contas, tirar a gente do vermelho, e então eu acho — quer dizer, algumas daquelas peças são *incríveis*, elas me enganaram, estavam simplesmente paradas lá no depósito..."

Eu estava esperando incredulidade, vozes alteradas, indignação de algum tipo. Mas foi pior. Com uma explosão eu teria sabido lidar. Em vez disso ele não disse uma palavra, apenas me olhou com uma espécie de atarracamento aflito, aureolado por sua luminária de trabalho, ferramentas arrumadas nas paredes atrás dele feito ícones maçônicos. Hobie me deixou dizer o que eu tinha que dizer, e escutou em silêncio. Quando finalmente falou, sua voz estava mais calma que o normal e sem nenhum calor.

"Está bem." Ele parecia uma figura de uma alegoria: carpinteiro místico de avental preto, parcialmente na sombra. "Certo. Então como você sugere lidar com isso?"

"Eu..." Essa não era a resposta que eu esperava. Temendo sua raiva (pois Hobie, embora de boa índole e tardio na ira, definitivamente tinha um temperamento forte), eu tinha todo tipo de justificativa e desculpa preparada, mas diante da sua serenidade macabra era impossível me defender. "Faço o que você quiser." Eu não me sentia assim tão envergonhado ou humilhado desde que era criança. "A culpa é minha — assumo toda a responsabilidade."

"Bem. As peças estão por aí." Ele parecia estar se decidindo conforme prosseguia, parcialmente falando consigo mesmo. "Ninguém mais entrou em contato com você?"

"Não."

"Há quanto tempo isso vem acontecendo?"

"Ah..." Cinco anos, no mínimo. "Um ano, dois?"

Ele estremeceu. "Jesus. Não, não", disse ele, engolindo as palavras, "só fico feliz porque você foi honesto comigo. Mas vai ter que pôr mãos à obra, entrar em contato com os clientes, dizer que tem dúvidas — não precisa entrar a fundo na questão, apenas diga que uma dúvida surgiu, a procedência é suspeita — e se oferecer pra comprar as peças de volta pelo preço que pagaram. Se não aceitarem a proposta, tudo bem. Você ofereceu. Mas, se aceitarem, você vai ter que ir até o fim, entende?"

"Certo." O que eu não tinha dito — e não podia dizer — é que não havia dinheiro suficiente pra reembolsar nem um quarto dos clientes. Estaríamos falidos em um dia.

"Você falou em peças. Que peças? Quantas?"

"Não sei."

"Você não *sabe*?"
"Bem, eu sei, é só que eu..."
"Theo, por favor." Ele estava com raiva agora; era um alívio. "Já chega disso. Seja honesto comigo."
"Bem, fiz as transações por fora. Em dinheiro. E, tipo, não havia como você descobrir, mesmo se conferisse os livros-caixa..."
"Theo. Não me faça insistir na pergunta. Quantas peças?"
"Ah..." Suspirei. "Umas doze? Talvez", acrescentei quando vi a expressão chocada no rosto de Hobie. Na verdade, era três vezes isso, mas eu tinha certeza absoluta de que a maioria das pessoas que eu enganara era ignorante demais pra descobrir, ou rica demais pra se importar.
"Santo Deus, Theo", disse Hobie, depois de um silêncio estupefato. "*Doze peças?* Não nesses preços? Não como o Affleck?"
"Não, não", respondi rapidamente (embora a verdade é que eu tinha vendido algumas pelo dobro daquilo). "E nenhum dos nossos clientes regulares." Essa parte, pelo menos, era verdade.
"Pra quem então?"
"Gente da Costa Oeste. Do cinema, da tecnologia. Wall Street também, mas esses caras jovens, sabe, que arriscam alto. Dinheiro burro."
"Você tem uma lista de clientes?"
"Não uma lista, lista, mas eu..."
"Consegue entrar em contato com eles?"
"Bem, é complicado, porque..." Eu não estava preocupado com as pessoas que acreditavam que tinham desenterrado um Sheraton genuíno por pechinchas e que saíram correndo com suas cópias achando que tinham passado a perna em mim. A velha regra *caveat emptor* mais do que se aplicava aqui. Eu jamais tinha afirmado que aquelas peças eram genuínas. O que me preocupava eram as pessoas pra quem eu tinha deliberadamente vendido — deliberadamente mentido.
"Você não manteve um registro."
"Não."
"Mas tem uma ideia. Conseguiria encontrá-las."
"Mais ou menos."
"*Mais ou menos*? Não sei o que isso quer dizer."
"Há recibos e formulários de transporte. Posso cruzar os dados."
"Podemos comprar todas elas de volta?"
"Bem..."
"Podemos? Sim ou não?"
"Hum..." Não havia como eu lhe dizer a verdade, que era não. "Ficaríamos apertados."

Hobie esfregou o olho. “Bem, apertados ou não, temos que fazer isso. Não temos escolha. Reduzir os gastos. Mesmo se for difícil por um tempo, mesmo se tivermos de negligenciar os impostos. Porque”, ele disse, quando continuei olhando, “não podemos ter uma dessas coisas por aí se passando por verdadeiras. Santo Deus...” Ele balançou a cabeça incrédulo. “Como você fez isso? Não são nem cópias boas! Alguns dos materiais que eu usei — qualquer coisa que tinha à mão, remendados de qualquer jeito...”

“Na verdade...” A verdade era que o trabalho de Hobie tinha sido bom o bastante pra enganar alguns colecionadores bastante sérios, embora provavelmente não fosse boa ideia mencionar isso.

“E, veja, a questão é: se uma dessas peças que você vendeu como sendo genuínas estiver errada — *todas* elas estão erradas. *Tudo* passa a ser questionado. Cada pedaço de móvel que algum dia saiu desta loja. Não sei se você pensou nisso.”

“Hã...” Eu tinha pensado nisso, e muito. Vinha pensando nisso praticamente sem parar desde o almoço com Lucius Reeve.

Hobie ficou tão quieto, por tanto tempo, que comecei a ficar nervoso. Mas ele apenas suspirou, esfregou os olhos e então se virou parcialmente, debruçando-se de volta sobre seu trabalho.

Fiquei em silêncio, observando o traço preto e brilhante do pincel delinear um ramo de cerejeira. Tudo era novo agora. Hobie e eu tínhamos uma empresa juntos, fazíamos nossa declaração de renda juntos. Eu era o executor do seu testamento. Em vez de me mudar e comprar meu próprio apartamento, eu tinha escolhido permanecer no andar de cima e lhe pagar um aluguel que mal era simbólico, umas poucas centenas de dólares por mês. O que eu tinha de lar, de família, era ele. Quando descia e o ajudava com a parte de colar, não era tanto porque realmente precisava de mim, e mais pelo prazer de tatear à procura de grampos e gritar um com o outro por cima do Mahler tocando alto; e às vezes, quando perambulávamos até o White Horse à noite para tomar uma bebida e comer um sanduíche no bar, com muita frequência aquela era pra mim a melhor parte do dia.

“Sim?”, disse Hobie, sem se virar do trabalho, ciente de que eu continuava parado atrás dele.

“Desculpe. Eu não queria que isso chegasse tão longe.”

“Theo.” O pincel parou. “Sei muito bem que muita gente estaria te dando tapinhas nas costas agora. E, vou ser sincero com você, parte de mim sente a mesma coisa, porque, juro por Deus, não sei como realizou uma proeza dessas. Até Welty — Welty era como você, os clientes o amavam, ele conseguia vender qualquer coisa, mas até ele tinha sérias dificuldades pra vender as peças mais refinadas. Autênticos Hepplewhite, Chippendale! Não conseguia se livrar das coisas! E você ali em cima, se desfazendo desse lixo por uma fortuna!"

"Não é lixo", falei, feliz por estar dizendo a verdade ao menos uma vez. "Muito do trabalho está realmente bom. Me enganou. Acho que, como foi você mesmo que fez, não consegue enxergar isso. Quão convincente é."

"Sim, mas..." Ele parou, parecendo perdido. "É difícil fazer pessoas que não conhecem mobília gastar tanto dinheiro com mobília."

"Eu sei." Tínhamos uma cômoda alta e imponente estilo Queen Anne, que na época das vacas magras eu tinha tentado desesperadamente vender pelo preço correto, o qual ficava, por baixo, na faixa de duzentos mil. Mas apesar de algumas ofertas justas terem sido feitas recentemente rejeitei todas — simplesmente porque uma peça tão impecável parada na entrada bem iluminada da loja lançava um brilho lisonjeiro sobre as fraudes enterradas nos fundos.

"Theo, você é um prodígio. É um gênio no que faz, nenhuma dúvida quanto a isso. Mas..." — seu tom ficou inseguro de novo; eu podia senti-lo tentando tatear pelo caminho adiante — "bem, quer dizer, vendedores dependem da reputação. É o código de honra. Nada que você não saiba. Os boatos se espalham. Então, quer dizer..." — molhando o pincel, olhando míope para a cômoda — "é difícil provar uma fraude, mas, se você não cuidar disso, é praticamente certo que vai reaparecer e se voltar contra nós em algum momento." Sua mão estava firme; sua pincelada, segura. "Uma peça fortemente restaurada... esqueça a luz negra, você ficaria surpreso, alguém a leva pra uma sala bem iluminada... até a câmera capta diferenças na granulação que você jamais veria a olho nu. Assim que alguém mandar fotografar uma dessas peças ou, Deus nos livre, decidir colocá-la na Christie's ou na Sotheby's numa venda de artefatos americanos importantes..."

Houve um silêncio, que — conforme ia se estendendo entre nós — foi ficando mais e mais sério, impreenchível.

"Theo." O pincel parou, e depois recomeçou. "Não estou tentando arranjar desculpas pra você, mas não pense que eu não sei, fui eu mesmo quem te colocou nessa posição. Largando você lá em cima sozinho. Esperando que realizasse o milagre da multiplicação. Você é muito jovem, sim", disse ele secamente, virando-se de lado quando tentei interromper, "você é, e é muito muito talentoso em todos os aspectos do negócio com que eu não gosto de lidar, e foi tão brilhante nos colocando de volta no azul que pra mim foi muito, muito conveniente virar o rosto. Para o que se passava lá em cima. Então sou tão culpado por isso quanto você."

"Hobie, eu juro. Eu nunca..."

"Porque..." Ele pegou o frasco aberto de tinta, olhou pro rótulo como se não conseguisse lembrar por que ele estava ali, pousou-o de novo. "Bem, era bom demais pra ser verdade, não era? Todo esse dinheiro entrando, maravilhoso de ver. E eu fui investigar de perto? Não. Não pense que não sei — se você não tivesse se ocupado lá em cima com seus truques provavelmente estaríamos alugando este espaço neste exato momento e saindo à caça de um novo lugar pra viver. Então escuta aqui — vamos começar do zero, limpar bem a mesa, e venha o que vier. Uma peça de cada vez. É só o que podemos fazer."

"Olha, eu quero deixar claro..." — sua calma tinha me abalado — "a responsabilidade é minha. Se chegar a esse ponto. Só quero que você saiba."

"Claro." Quando ele deu sua pincelada, sua destreza era treinada e reflexiva, estranhamente inquietante. "Ainda assim, vamos deixar isso pra lá por enquanto, está bem? Não", disse ele, quando tentei falar outra coisa, "por favor. Quero que você cuide disso e vou fazer o que puder pra te ajudar se houver alguma coisa específica, mas caso contrário não quero mais falar sobre isso. Tá bem?"

Lá fora, chuva. Estava úmido no porão, um frio subterrâneo desagradável. Fiquei parado a observá-lo, sem saber o que fazer ou dizer.

"Por favor. Não estou com raiva, só quero retomar isso logo. Vai ficar tudo bem. Agora vá lá pra cima, sim?", disse ele, quando continuei parado ali. "É um trabalhinho complicado, realmente preciso me concentrar se não quiser fazer um estrago aqui."

XVII

Subi a escada em silêncio, os degraus rangendo alto, passando pelo corredor polonês com as fotos de Pippa, pras quais eu não suportava olhar. Ao vir pra casa, eu tinha pensado em dar a notícia fácil primeiro e depois passar para o problema mais grave. Mas, sujo e desleal como eu me sentia, não podia fazê-lo. Quanto menos Hobie soubesse sobre a pintura, mais seguro ele estaria. Era errado em todos os níveis arrastá-lo para aquilo.

E, no entanto, eu desejava que houvesse alguém com quem pudesse falar, alguém em quem eu confiasse. A cada intervalo de anos, parecia haver outro artigo de jornal sobre as obras-primas desaparecidas, que junto com meu pintassilgo e dois Van der Ast incluíam algumas peças medievais valiosas e uma série de antiguidades egípcias; estudiosos tinham escrito artigos acadêmicos, até livros; havia uma menção entre os dez maiores crimes contra a arte no site do FBI; antes, tinha me consolado bastante o fato de que a maioria das pessoas supunha que quem quer que tivesse fugido com os Van der Ast das galerias

29 e 30 também tinha roubado minha pintura. Quase todos os corpos da galeria 32 estavam concentrados perto da porta desmoronada; de acordo com investigadores, teria havido dez segundos, talvez até trinta, antes da verga da porta cair, tempo suficiente pra que algumas pessoas escapassem. Os destroços da galeria 32 tinham sido vasculhados com luvas brancas e espanadores, com um cuidado fanático — e apesar de a moldura de *O pintassilgo* ter sido encontrada, intacta (e ter sido pendurada vazia na parede da Mauritshuis, em Haia, "como um lembrete da perda irreparável do nosso patrimônio cultural"), nenhum fragmento da pintura em si, nenhuma lasca dela tinha sido encontrada. Mas como fora pintada sobre madeira, havia que se considerar (e um historiador fanfarrão célebre, a quem eu era grato, o fez de modo incisivo) que *O pintassilgo* podia ter se soltado da moldura e caído no fogo bastante alastrado queimando na loja de recordações, o epicentro da explosão. Eu o vira num documentário da PBS, andando de um lado pro outro de forma significativa diante da moldura vazia na Mauritshuis, olhando fixamente para a câmera com seu olhar poderoso, acostumado com a mídia. "O fato de que essa pequena obra-prima tenha sobrevivido à explosão de pólvora em Delft apenas para enfrentar seu fado, séculos depois, em outra explosão provocada pelo homem, é uma daquelas reviravoltas mais estranhas que a vida de O. Henry ou Guy de Maupassant."

Quanto a mim, a história oficial — publicada em várias fontes, aceita como verdade — era a de que estava várias salas longe de *O pintassilgo* quando a bomba explodiu. Ao longo dos anos uma série de escritores tinha tentado me entrevistar e despachei todos; mas muitas pessoas, testemunhas oculares, tinham visto minha mãe nos seus últimos momentos na galeria 24, a linda mulher de cabelo escuro com gabardina de cetim, e muitas dessas testemunhas me colocaram do lado dela. Quatro adultos e três crianças tinham morrido na galeria 24 — e na versão pública da história, eu era apenas mais um desses corpos no chão, inconsciente e esquecido no tumulto.

Mas o anel de Welty era uma prova física do meu paradeiro. Felizmente para mim, Hobie não gostava de falar sobre a morte dele, mas de vez em quando — com pouca frequência, geralmente tarde da noite depois que já tinha tomado alguns drinques — era arrastado para as reminiscências. "Dá pra imaginar como eu me senti? Não é um milagre que…?" Algum dia, alguém certamente faria a ligação. Eu sempre soube disso e, no entanto, na minha neblina drogada, fui me deixando levar, ignorando o perigo durante anos. Talvez ninguém estivesse prestando atenção. Talvez ninguém jamais fosse saber.

Eu estava sentado na beira da minha cama, olhando pela janela para a rua 10 — pessoas voltando do trabalho, saindo pra jantar, acessos estridentes de riso. Uma chuva fina e cerrada caía inclinada no círculo branco de luz do poste do lado de fora da minha janela. Tudo parecia débil e duro. Eu queria desesperadamente uma pílula, e estava prestes a me levantar e ir me servir de uma bebida quando — logo depois do foco de luz, incomum para o movimento de vaivém da rua — reparei numa figura de pé desacompanhada e imóvel na chuva.

Passado meio minuto com ele ainda parado ali, desliguei a luz e fui até a janela. Num gesto de resposta a silhueta se afastou bem da luz do poste; embora suas feições não estivessem claras na escuridão, tive uma ideia boa o bastante dele: ombros altos curvados, pernas um tanto curtas e grosso tronco irlandês. Jeans e moletom com capuz, botas pesadas. Por um tempo ficou imóvel, uma silhueta de operário deslocada na rua àquela hora, assistentes de fotógrafo e casais bem vestidos, universitários alegres dirigindo-se para jantares românticos. Então ele se virou. Estava se afastando com uma impaciência rápida; quando avançou para o próximo foco de luz eu o vi enfiando a mão no bolso, discando um número no celular, a cabeça baixa, distraído.

Soltei a cortina. Tinha praticamente certeza de que estava vendo coisas. Na verdade eu via coisas o tempo todo, fazia parte de morar numa cidade moderna, esse grão quase invisível de terror, desastre, saltando diante de alarmes de carro, esperando que algo acontecesse, o cheiro de fumaça, vidro quebrado. E ao mesmo tempo queria estar cem por cento certo de que aquilo era imaginação minha.

Tudo estava mortalmente silencioso. A luz do poste através das cortinas de renda projetava distorções aracnídeas nas paredes. O tempo todo, eu soube que era um erro ficar com a pintura, e mesmo assim fiquei. Nada de bom poderia vir daquilo. Não era nem como se aquilo me tivesse feito algum bem ou me dado algum prazer. Em Las Vegas, eu podia olhar pra ela sempre que quisesse, quando estava doente, com sono ou triste, cedo pela manhã e no meio da noite, outono, verão, conforme o clima e o sol. Ver a pintura num museu era uma coisa, mas vê-la em todas aquelas luzes, estados de espírito e estações era vê-la de mil maneiras diferentes, e mantê-la encerrada na escuridão — uma coisa feita de luz, que só vivia de luz — era errado de mais formas do que eu conseguia explicar. Mais do que errado: era loucura.

Peguei um copo de gelo na cozinha, fui até o aparador e me servi de vodca, então voltei para o quarto, peguei o iPhone no bolso da jaqueta e depois de teclar por reflexo os três primeiros números de Jerome desliguei e liguei pros Barbour.

Etta atendeu. "Theo", disse ela, parecendo feliz, a televisão da cozinha ecoando nos fundos. "Ligou pra falar com Katherine?" Apenas a família e amigos muito íntimos a chamavam de Kitsey; para todos os outros ela era Katherine.

"Ela está?"

"Chega depois do jantar. Sei que estava esperando que você ligasse."

"Humm..." Não podia deixar de me sentir lisonjeado. "Diz pra ela que eu liguei então?"

"Claro. Quando você vem de novo nos visitar?"

"Logo, espero. Platt está por aí?"

"Não. Ele saiu também. Pode deixar que vou dizer a ele que ligou. Volte logo pra nos visitar, sim?"

Desliguei o telefone e fiquei sentado na beira da cama bebendo minha vodca. Era reconfortante saber que podia ligar pra Platt se precisasse — não pra falar da pintura, eu definitivamente não confiava nele a esse ponto, mas no que se referia a lidar com Reeve e à cômoda. Era um mau sinal o fato de Reeve não ter dito nem uma palavra sobre ela.

E, no entanto, o que ele poderia fazer? Quanto mais eu pensava nisso, mais parecia que Reeve tinha apostado alto demais, confrontando-me tão abertamente. De que lhe serviria vir atrás de mim por causa da mobília? O que ele ia ganhar se eu fosse preso, a pintura recuperada, deixada longe do seu alcance para sempre? Se ele a queria não havia nada que pudesse fazer além de se afastar e deixar que eu o levasse até ela. A única coisa a meu favor — a única coisa — era que Reeve não sabia onde ela estava. Ele podia contratar quem quisesse pra pôr no meu encalço, mas, contanto que eu ficasse longe do armazém, não tinha como localizá-la.

10. O idiota

I

"Ah, Theo!", disse Kitsey numa sexta-feira à tarde pouco antes do Natal, pegando um dos brincos de esmeralda da minha mãe e o segurando contra a luz. Tínhamos almoçado demoradamente no Fred's depois de passar a manhã inteira na Tiffany vendo prataria e porcelana. "São lindos! É só que..." Ela franziu a testa.

"O quê?" Eram três horas; o restaurante ainda estava barulhento e lotado. Assim que ela tinha saído pra fazer uma ligação eu tinha tirado os brincos do bolso e os colocado sobre a toalha da mesa.

"Bem, é só que... não sei." Ela juntou as sobrancelhas como se diante de um par de sapatos que não sabia se queria comprar. "Quer dizer, eles são magníficos! Obrigada! Mas... será que são realmente a opção certa? Pro grande dia?"

"Bem, você decide", falei, pegando meu bloody mary e tomando um grande gole pra disfarçar minha surpresa e irritação.

"Esmeraldas." Ela segurou um brinco contra a orelha, apertando os olhos pensativamente pro lado enquanto o fazia. "Adoro esmeraldas! Mas..." — segurando-o novamente no alto para cintilar, na luminosidade difusa do teto — "esmeraldas realmente não são para mim. Acho que ficam parecendo um pouco pesadas, sabe? Com branco. E a minha pele. *Eau de Nil!* Mamãe também não pode usar verde."

"Você é quem sabe."
"Ah, agora você está irritado."
"Não, não estou."
"Sim, você está! Magoei você!"
"Não, só estou cansado."
"Você parece estar péssimo."
"Por favor, Kitsey, estou cansado." Andávamos despendendo um esforço heroico à procura de um apartamento, um processo frustrante que estávamos aguentando bem na maior parte do tempo, embora os espaços nus e os recintos vazios assombrados pelas vidas abandonadas de outras pessoas despertassem (em mim) muitos ecos desagradáveis da infância, caixas de mudança, cheiros de cozinha e quartos cheios de sombra, todos sem vida, mas, mais do que isso, pulsando por tudo, uma espécie de zumbido mecânico e agourento audível (aparentemente) apenas para mim, apreensões respirando pesadamente que as vozes dos corretores, ressoando animadas contra as superfícies polidas enquanto saíam ligando as luzes e apontando para os utensílios de inox, pouco afugentavam.

E por que era assim? Nem todos os apartamentos que vimos tinham sido desocupados por motivos de tragédia, como de certa forma eu acreditava. O fato de que sentia o cheiro de divórcio, falência, doença e morte em quase todos os espaços que víamos era claramente ilusório — e, além disso, de que forma os problemas desses antigos inquilinos, reais ou imaginários, poderiam fazer mal a Kitsey ou a mim?

"Não desanime", disse Hobie (que, como eu, era hipersensível às almas de quartos e objetos, às emanações deixadas pelo tempo). "Olhe para isso como se fosse um trabalho. Procurando por uma caixa de miudezas complicadas. Você vai acabar encontrando a coisa certa desde que fique firme e continue procurando."

E ele tinha razão. Eu tinha sido um bom companheiro em todo o tempo, assim como ela, enfrentando visita após visita as casas sombrias do pré-guerra assombradas pelos fantasmas de velhinhas judias solitárias e as monstruosidades gélidas de vidro com as quais eu sabia que jamais poderia viver sem ficar com a sensação de que havia rifles apontados pra mim do outro lado da rua. Ninguém esperava que a busca por apartamento fosse divertida.

Em contraste, a perspectiva de ir com Kitsey fazer nossa lista de casamento na Tiffany parecia uma distração agradável. Encontrar com a consultora de lista, indicar o que gostávamos e depois sair alegremente de mãos dadas pra um almoço de Natal. Em vez disso — de modo bastante inesperado — eu fora atingido em cheio pelo estresse de navegar por uma das lojas mais movimentadas de Manhattan numa sexta-feira perto do Natal: elevadores cheios, escadarias cheias, despejando cardumes de turistas, clientes de feriado se acotovelando em filas de cinco ou seis pessoas nos balcões pra comprar relógios, echarpes, bolsas de mão, relógios carriage em bronze, livros de etiqueta e todo tipo de produto irrelevante embalado nas caixas de cor azul Robin's Egg. Ficamos penando no quinto andar durante horas, arrastados por uma consultora de casamento que estava dando um duro tão grande pra nos fornecer um serviço impecável e nos assessorar pra que fizéssemos nossas escolhas com confiança que não pude deixar de me sentir um pouco acossado ("Uma porcelana estampada deve falar algo de vocês dois. 'É assim que nós somos, como casal.' É uma declaração importante do estilo de vocês") enquanto Kitsey ia passando de jogo em jogo: a borda dourada! Não, a azul! Espera... qual era a primeira? Será que o octogonal é um pouco demais? E a consultora entrava na conversa com sua exegese prestativa: geométricos urbanos, florais românticos, elegância atemporal, toque de extravagância... e embora eu continuasse dizendo claro, esse tá bom, aquele também, pra mim tanto faz, você decide Kits, a consultora continuava nos mostrando mais e mais jogos, claramente esperando me induzir a alguma demonstração mais forte de preferência, explicando-me gentilmente os traços elegantes de cada um, o *vermeil* aqui, as bordas pintadas à mão ali, até eu ser obrigado a morder a língua pra não dizer o que realmente pensava: que, apesar da arte na louça, não fazia absolutamente a menor diferença se Kitsey escolhesse o padrão X ou Y, já que, pra mim, eram todas praticamente iguais: novas, sem charme, sem vida, pra não falar do gasto: oitocentos dólares por um prato feito ontem. Um prato? Havia jogos lindos do século XVIII que podiam ser comprados por uma fração do preço desse troço frio, brilhante e recém-cunhado.

"Mas você não pode gostar de tudo *exatamente* do mesmo jeito! E, sim, sem dúvida alguma, toda hora eu volto pro déco", disse Kitsey para nossa vendedora pacientemente nos rodeando, "mas, por mais que eu adore, talvez não seja bem a opção certa para nós", e, então, para mim: "O que você acha?"

"O que você quiser. Tanto faz. Sério", falei, enfiando a mão nos bolsos e desviando o olhar quando ela continuou piscando respeitosamente para mim.

"Você está muito inquieto. Queria que me dissesse do que gosta."

"Sim, mas..." Eu já tinha desencaixotado tanta porcelana de vendas de funeral e de famílias desfeitas que havia algo quase indescritivelmente triste nas amostras impecáveis e reluzentes, com sua garantia tácita de que louça nova e brilhante prometia um futuro igualmente brilhante e livre de tragédia.

"Estilo chinês? Ou pássaros do Nilo? Sei que você deve preferir um dos dois."

"Não tem como errar com nenhum deles. Ambos são divertidos e sofisticados. E esse aqui é simples, para o dia a dia", disse a consultora num tom prestativo, *simples* obviamente sendo na sua cabeça uma palavra-chave pra lidar com noivos angustiados e mal-humorados. "Realmente muito simples e neutro." Parecia ser do protocolo de lista de casamento que se deveria deixar o noivo escolher a porcelana informal (suponho que para todas aquelas festas de Super Bowl que eu ia dar pros rapazes, haha), enquanto a louça formal deveria ser deixada para as especialistas: as mulheres.

"Tá ótimo", falei, mais secamente do que pretendia, quando percebi que elas estavam esperando que eu dissesse alguma coisa. Louça simples, branca e moderna não era algo com que eu conseguia me entusiasmar muito, especialmente quando custava quatrocentos dólares o prato. Aquilo me fez pensar nas velhinhas simpáticas de vestido Marimekko que eu às vezes ia ver no Ritz Tower: viúvas de voz grossa, de turbante e braceletes de pantera, querendo se mudar pra Miami, seus apartamentos cheios de móveis em vidro fumê e aço cromado que, na década de 1970, elas tinham comprado através de seus decoradores pelo preço de boa mobília Queen Anne — mas (eu era responsável por lhes dizer, relutantemente) que não tinham mantido seu valor e não podiam ser revendidos nem pela metade do que tinham pagado.

"Porcelana", a consultora de casamento disse, correndo um dedo com esmalte neutro pela borda do prato. "Como gosto que meus casais pensem sobre prataria boa, cristais e porcelanas boas. É o ritual de fim do dia. Vinho, diversão, família, o estar junto. Um bom jogo de porcelana é uma ótima forma de colocar um pouco de estilo e romance permanentes no seu casamento."

"Tá", falei de novo. Mas o sentimentalismo tinha me horrorizado; e os dois bloody marys que eu tomara no Fred's não tinham apagado totalmente seu gosto.

Kitsey estava olhando para os brincos, aparentemente em dúvida. "Olha, eu *vou* usá-los no casamento. São lindos. E sei que eram da sua mãe."

"Quero que você use o que quiser."

"Vou te dizer o que *eu* acho." Brincando, ela se esticou sobre a mesa e pegou minha mão. "Acho que está precisando de um cochilo."

"Com toda a certeza", falei, apertando sua palma contra meu rosto, lembrando quão sortudo eu era.

II

Tinha acontecido muito rápido. Passados dois meses do jantar na casa dos Barbour, Kitsey e eu já estávamos nos vendo praticamente todos os dias — longas caminhadas e jantares (às vezes Match 65 ou Le Bilboquet, às vezes sanduíches na cozinha) e falando sobre os velhos tempos: sobre Andy, domingos chuvosos com o tabuleiro de Banco Imobiliário ("Vocês dois eram *tão* malvados... era como Shirley Temple contra Henry Ford e J. P. Morgan..."), o dia em que ela chorou quando a fizemos assistir *Hellboy* em vez de *Pocahontas*, as noites excruciantes de paletó e gravata — excruciantes para os garotos novos em todo caso, sentados rigidamente no Yacht Club, coca com limão, o sr. Barbour olhando inquieto para o salão em volta à procura de Amadeo, seu garçom favorito, com quem insistia em praticar seu espanhol ridículo de Xavier Cugat —, amigos da escola, festas, sempre alguma coisa sobre o que conversar, lembra isso, lembra aquilo, lembra quando a gente... não como com Carole Lombard, em que era só bebida, cama e pouca coisa a dizer um pro outro.

Não que Kitsey e eu não fôssemos pessoas muito diferentes, mas isso não era um problema. Afinal, conforme Hobie tinha destacado de forma bastante sensata, o casamento não era pra ser uma união de opostos? Não era pra eu trazer novos desafios para a vida dela e ela para a minha? E, além disso (eu disse a mim mesmo), não estava na hora de Seguir em Frente, Deixar pra Lá, dar as costas para o jardim que estava fechado para mim? Viver o Presente, Focar no Agora, em vez de ficar lamentando o que eu jamais poderia ter? Durante anos tinha chafurdado numa estufa de tristeza inútil: Pippa, Pippa, Pippa, euforia e desespero, não acabava nunca, incidentes praticamente insignificantes me atiravam às estrelas ou me arrastavam para depressões atônitas, seu nome no meu celular ou um e-mail assinado "Com amor" (que era como Pippa assinava todos os e-mails, para todo mundo) me deixavam nas alturas durante dias, ao passo que, se, ao ligar pra Hobie, ela não pedisse pra falar comigo (e por que deveria?), eu ficava arrasado para além de qualquer perspectiva razoável. Eu estava iludido, e sabia. Pior: meu amor por Pippa estava enlameado abaixo da linha de flutuação junto com minha mãe, com a morte dela, com tê-la perdido e não ser capaz de recuperá-la. Toda aquela sede cega e infantil de salvar e ser salvo, de repetir o passado e torná-lo diferente, tinha de alguma forma se ligado, vorazmente, a ela. Havia uma instabilidade naquilo, uma doença. Eu via coisas que não estavam lá. Estava só a um passo de me tornar algum solitário de trailer perseguindo uma garota que ele tinha visto no shopping. Pois a verdade era: Pippa e eu nos víamos talvez duas vezes por ano; trocávamos e-mails e mensagens, embora sem muita regularidade; quando ela estava na cidade emprestávamos livros um para o outro e íamos ao cinema; éramos amigos; nada mais. Minhas esperanças de um relacionamento com ela eram totalmente irreais, enquanto minha miséria permanente e minha frustração eram uma realidade por demais horrível. Fazia algum sentido desperdiçar o resto da minha vida numa obsessão infundada, impossível e não correspondida?

Tinha sido uma decisão consciente de me libertar. Exigira tudo o que eu tinha, como um animal roendo um membro pra escapar de uma armadilha. E de alguma forma eu tinha conseguido; ali do outro lado estava Kitsey, olhando para mim com os olhos acinzentados e alegres.

Nós nos divertíamos juntos. Dávamo-nos bem. Era o primeiro verão dela na cidade, "em toda a minha vida". A casa no Maine estava bem fechada, tio Harry e os primos tinham ido pro Canadá pras Ilhas da Madalena, "Eu estou um pouco à toa aqui, com mamãe, e — ah, *por favor*, faça alguma coisa comigo. Não quer ir até a praia neste fim de semana?". Então nos fins de semanas íamos pra East Hampton, onde ficávamos na casa de amigos dela que estavam passando férias na França; e durante a semana nos encontrávamos em Downtown depois que eu saía do trabalho, bebíamos vinho morno em cafés ao ar livre, noites desertas em Tribeca com calçadas fervendo de calor, vento quente soprando das saídas de ar do metrô, arrancando faíscas da ponta do meu cigarro. Os cinemas eram sempre mais frescos, o salão de King Cole, o Oyster Bar na Grand Central. Duas tardes por semana — de chapéu, luva, tênis Jack Purcell e saias bem-arrumadas, com protetor solar passado da cabeça aos pés (pois ela, como Andy, era alérgica ao sol), Kitsey dirigia sozinha até Shinnecock ou Maidstone no seu Mini Cooper preto que tinha sido especialmente equipado na parte de trás para transportar um jogo de tacos de golfe. Ao contrário de Andy, ela tagarelava e vibrava, ria nervosamente das próprias piadas, com um eco das energias dispersas do pai, mas sem o ar de distância, a ironia. Dava para empoá-la e pintar uma marquinha charmosa no seu rosto, e ela poderia ter sido uma dama de companhia em Versalhes, com sua pele branca e suas bochechas rosadas, sua exuberância gaguejante. Usava minúsculos vestidos soltos de linho, no campo e na cidade, com bolsas vintage de couro de crocodilo da avó, e deixava seu nome e endereço numa fita colada dentro de sapatos Christian Louboutin excruciantemente altos sobre os quais ela se equilibrava ("Sapatos malvados!"), para o caso de tirá-los pra dançar ou nadar e esquecer onde os tinha deixado: sapatos prateados, bordados, com fitas e de bico, mil dólares o par. "Seu tonto!", ela gritou escada abaixo quando — às três da madrugada, torto de rum e coca — finalmente desci cambaleando pra pegar um táxi porque tinha que trabalhar no dia seguinte.

Foi ela quem me pediu em casamento. A caminho de uma festa. Chanel nº 19, vestido azul-bebê. Tínhamos descido para a Park Avenue — ambos um pouco alegres de drinques na casa dela —, e as luzes da rua tinham acendido no instante em que botamos o pé pra fora da porta. Paramos na hora e olhamos um pro outro: fomos *nós* que fizemos isso? A situação foi tão engraçada que ambos começamos a rir histericamente — era como se a luz estivesse saindo de nós, como se pudéssemos acender a Park Avenue. E quando Kitsey pegou a minha mão e disse: "Sabe o que eu acho que a gente devia fazer, Theo?", eu sabia exatamente o que ela ia dizer.

"Deveríamos?"

"Sim, por favor! Você não acha? Ia deixar mamãe tão feliz."

Não tínhamos nem definido a data. Ela vivia mudando, em função da disponibilidade da igreja, da disponibilidade de certos membros indispensáveis à festa, a competição de alguém, o nascimento de um filho ou sei lá o quê. Como foi que o casamento se transformou numa coisa tão importante — centenas na lista de convidados, custo de muitos milhares, todo vestido e coreografado feito uma peça da Broadway —, como numa produção daquele porte, eu não sabia ao certo. Às vezes, a mãe da noiva levava a culpa por casamentos fora de controle, mas naquele caso não dava pra apontar o dedo pra sra. Barbour, que dificilmente podia ser arrancada do seu quarto e da sua cesta de bordado, que nunca atendia ligações e não aceitava convites, que nem mesmo ia à cabeleireira, ela que antigamente arrumava o cabelo dia sim dia não, sem falta, um compromisso às onze horas de longa data, antes de sair para almoçar.

"Mamãe vai ficar *tão* contente, não?", Kitsey tinha sussurrado, cutucando minha costela com seu pequeno cotovelo pontudo, enquanto subíamos correndo de volta até o quarto da sra. Barbour. E a lembrança da alegria dela com a notícia (*Você conta pra ela*, Kitsey tinha dito. *Ela vai ficar ainda mais feliz se ouvir de você*) foi um momento que vivi e revivi, e que nunca me cansava: seus olhos assombrados, depois o deleite aflorando desprevenido no rosto frio e cansado. Uma mão estendida para mim e outra para Kitsey, mas aquele lindo sorriso — jamais vou esquecê-lo — fora todo para mim.

Quem diria que estava em meu poder fazer alguém tão feliz? Ou que eu mesmo poderia ser tão feliz? Meu estado de espírito era como um estilingue; depois de ficar trancado e anestesiado durante anos, meu coração estava disparando e batendo descontrolado feito uma abelha num copo, tudo brilhante, nítido, confuso, errado — mas era uma dor limpa em comparação com a miséria insípida que tinha me atormentado durante anos sob as drogas feito um dente podre, a dor suja e doentia de algo estragado. A claridade era emocionante; era como se eu tivesse tirado óculos sujos que embaçavam tudo o que eu via. Durante todo o verão estive praticamente delirante: tremendo de emoção, abobalhado, cheio de energia, vivendo de gim e coquetel de camarão e do *pou* revigorante das bolas de tênis. E só o que eu conseguia pensar era Kitsey, Kitsey, Kitsey!

Quatro meses tinham se passado, e era dezembro, manhãs agitadas e um repique de Natal no ar; Kitsey e eu estávamos noivos, e quão sortudo eu era? Mas, embora tudo fosse perfeito demais, corações e flores, o final de uma comédia musical, eu me sentia doente. Por razões desconhecidas, a rajada de energia que me varrera e me carregara durante todo o verão tinha me derrubado com força, em meados de outubro, numa garoa de tristeza que se estendia infinitamente em todas as direções. Com algumas poucas exceções (Kitsey, Hobie, sra. Barbour), eu odiava estar perto de gente, não conseguia prestar atenção no que ninguém dizia, não conseguia conversar com os clientes, não conseguia etiquetar minhas peças, não conseguia andar de metrô, toda atividade humana parecia inútil, incompreensível, um formigueiro fervilhando sombriamente na selva, não havia uma única fresta de luz pra onde quer que eu olhasse. Os antidepressivos que eu vinha tomando obedientemente havia oitos semanas não tinham ajudado nem um pouco, assim como os que eu tomara antes desses (mas aí, também, já tinha tentado todos; aparentemente estava entre os vinte por cento de desgraçados que não alcançavam os campos de margaridas e as borboletas, só as fortes dores de cabeça e os pensamentos suicidas); e, embora a escuridão às vezes se erguesse apenas o suficiente de modo que eu pudesse identificar meu entorno, figuras familiares ganhando forma como móveis de quarto ao amanhecer, meu alívio nunca era mais do que temporário, porque de algum modo a manhã plena nunca chegava, as coisas sempre escureciam antes que eu pudesse me orientar, e lá estava eu de novo como com tinta turvando minha visão, arrastando-me miserável no escuro.

Por que exatamente me sentia tão perdido eu não sabia. Eu não tinha superado Pippa e sabia disso, talvez nunca a superasse, e era algo com que eu teria de viver, a tristeza de amar alguém que eu não podia ter; mas também sabia que minha dificuldade mais imediata estava aumentando com um ritmo social maior e (eu achava, em todo caso) desconfortavelmente crescente. Kitsey e eu já não desfrutávamos mais de tantas das nossas noites restauradoras à deux, os dois de mãos dadas no mesmo lado de um reservado escuro de restaurante. Em vez disso, quase todas as noites eram de jantares e mesas de restaurante ocupadas pelos amigos dela, ocasiões extenuantes em que (nervoso, não dopado ou chapado até a última sinapse) era difícil aparentar o devido ardor social, especialmente quando estava cansado depois do trabalho — e o mesmo valia pros preparativos do casamento, uma avalanche de trivialidades na qual se esperava que eu me interessasse com tanto entusiasmo quanto ela, chuvas brilhantes em papel de seda de folhetos e mercadorias. Para ela, aquilo assumiu proporções de um emprego em tempo integral: visitando papelarias e floriculturas, procurando fornecedores e vendedores, acumulando amostras de tecido, caixas de docinhos e porções de bolo, surtando e me pedindo repetidas vezes pra ajudá-la a escolher entre tons praticamente idênticos de marfim e lavanda numa cartela de cores, coordenando uma série de noites do pijama com suas damas de honra e um "fim de semana dos rapazes" para mim (organizado por Platt?? Pelo menos eu podia contar com a bebida), e então os planos da lua de mel, pilhas de livretos brilhantes (Fiji ou Nantucket? Míconos ou Capri?). "Fantástico", eu dizia sempre, na minha nova voz afável falando-com-Kitsey, "tudo parece ótimo", embora, dados sua família e seu histórico com água, realmente parecia estranho que não estivesse interessada em Viena, Paris, Praga ou qualquer destino que não fosse literalmente uma ilha no meio do oceano.

Ainda assim, nunca tinha sentido tanta certeza quanto ao futuro; e quando eu me lembrava da justeza do meu curso, como com frequência tinha a oportunidade de fazer, meus pensamentos se voltavam não só para Kitsey, mas também para a sra. Barbour, cuja felicidade fazia eu me sentir reconfortado e acalentado em canais do coração que tinham permanecido horrivelmente secos durante anos. Nossa notícia a tinha animado e fortalecido de forma visível; ela começara a circular pelo apartamento, andava passando um tiquinho de batom, e até suas interações mais banais comigo eram coloridas por uma luz constante, estável e pacífica que alargava o espaço à nossa volta e iluminava calmamente todos os meus cantos mais escuros.

"Nunca pensei que fosse ser tão feliz de novo", ela tinha me confidenciado baixinho, uma noite no jantar, quando Kitsey saltou muito subitamente e correu para atender o telefone, como tinha o costume de fazer, e ficamos só os dois na mesa de jogos no seu quarto, remexendo desconfortáveis nossos aspargos e filés de salmão. "Porque... você sempre foi tão bom com Andy, apoiando-o, melhorando sua autoconfiança. Sem dúvida alguma você conseguia fazê-lo se sentir ótimo, sempre. E estou tão feliz que você vai ser oficialmente parte da família, que vamos tornar isso legal agora, porque — ah, suponho que não deveria dizer isso, espero que não se importe se eu falar com o coração por um momento, mas sempre pensei em você como um dos meus, sabia disso? Mesmo quando era um garotinho."

Esse comentário me chocou e me comoveu tanto que reagi como um bobo — gaguejando embaraçado —, de modo que ela teve pena e desviou a conversa para outro rumo. Mas toda vez que eu me lembrava da situação ela vinha impregnada de uma onda de calor. Uma lembrança igualmente gratificante (embora ignóbil) foi a ligeira pausa chocada de Pippa quando lhe dei a notícia pelo telefone. Muitas e muitas vezes revivi aquela pausa na minha mente, saboreando-a, seu silêncio atônito. "Ah." E, então, recuperando-se: "Ah, Theo, que maravilha! Mal posso esperar para conhecê-la!".

"Ah, ela é *incrível*", falei maldosamente. "Sou apaixonado por ela desde que éramos crianças."

Coisa que — como eu ainda estava percebendo — era mais do que verdade. A interação entre passado e presente era loucamente erótica: eu obtinha um prazer infinito com a lembrança do desprezo da Kitsey de nove anos pelo meu eu nerd de treze (revirando os olhos, fazendo beicinho quando tinha que sentar do meu lado no jantar). E apreciava ainda mais o choque não disfarçado de gente que tinha nos conhecido quando criança. *Você e Kitsey Barbour? Sério? Ela?* Eu amava a diversão e a perversidade daquilo, a enorme improbabilidade: entrando de fininho no quarto dela depois que sua mãe dormia — o mesmo quarto que mantinha fechado para mim quando éramos crianças, o mesmo papel de parede rosa, inalterável desde os tempos de Andy, avisos feitos à mão, MANTENHA DISTÂNCIA, NÃO PERTURBE — eu a apoiando, Kitsey trancando a porta atrás de nós, colocando o dedo na minha boca, passando-o pelos meus lábios, aquela primeira tombada deliciosa na cama dela, mamãe está dormindo, shhh!

Todos os dias tinha diversas ocasiões para me lembrar de quão sortudo era. Kitsey nunca ficava cansada; Kitsey nunca ficava infeliz. Ela era atraente, entusiasmada, afetuosa. Era linda, com um jeito luminoso branco-açúcar que fazia cabeças virarem na rua. Eu admirava quão sociável era, quão compromissada com o mundo, quão divertida e espontânea — "pequena tolinha!", como Hobie a chamava, com ternura —, o sopro de ar fresco que era! Todos a amavam. E apesar de toda aquela sua leveza de espírito contagiante, eu sabia que era um problema extremamente insignificante o fato de que Kitsey nunca parecia *tocada* por nada. Até a velha Carole Lombard ficava com lágrimas nos olhos por ex-namorados e animais maltratados no noticiário e o fechamento de certos bares da velha guarda em Chicago, sua cidade. Mas nada nunca parecia atingir Kitsey de modo particularmente urgente, emocional ou mesmo surpreendente. Nesse sentido, ela lembrava a mãe e o irmão — e no entanto o comedimento da sra. Barbour, e de Andy, era de alguma forma bastante diferente do jeito com que Kitsey fazia um comentário irreverente ou banalizante sempre que alguém mencionava algo sério. ("Nada divertido", eu a ouvia dizer com um suspiro zombeteiro, torcendo o nariz, quando as pessoas lhe perguntavam sobre sua mãe.) Mas aí também — sentia-me mórbido e nauseado só de pensar nisso — eu vivia procurando alguma evidência de tristeza por Andy e seu pai, e estava começando a me perturbar o fato de que não a encontrava. A morte deles não a tinha afetado nem um pouco? Não deveríamos pelo menos conversar sobre isso em algum momento? Por um lado, eu admirava sua coragem: cabeça erguida, seguindo em frente em face da tragédia ou qualquer coisa do tipo. Talvez só fosse muito, muito resguardada, realmente fechada, erguendo uma fachada magistral. Mas aqueles baixios azuis e cintilantes — tão atraentes à primeira vista — ainda não tinham apresentado nenhuma profundidade, de forma que às vezes eu tinha a sensação desconcertante de estar andando com a água pelo joelho, esperando pisar num declive, um lugar fundo o bastante para se nadar.

Kitsey cutucava meu pulso. "Quê?"

"*Barneys*. Quero dizer, já que estamos aqui? Talvez a gente deva passar pela seção de casa. Sei que mamãe não vai adorar se fizermos uma lista lá, mas talvez seja divertido escolher algo um pouco menos tradicional pro dia a dia."

"Não..." — pegando meus óculos, tomando o que restava num gole — "eu realmente preciso voltar, se pra você tudo bem. Preciso encontrar um cliente."

"Você vem pra Uptown à noite?" Kitsey dividia um apartamento no Central Park Leste com duas colegas, não muito longe do escritório da organização de promoção à arte onde trabalhava.

"Não tenho certeza. Talvez tenha que ir jantar. Saio se puder."

"Drinques? Por favor? Ou uma bebida pós-janta, pelo menos? Todo mundo vai ficar tão desapontado se você não der nem uma *passadinha*. Charles e Bette..."

"Vou tentar. Prometo. Não os esqueça", falei, apontando com a cabeça para os brincos, que ainda estavam sobre a toalha da mesa.

"Ah! Não! Claro que não!", disse ela culpada, agarrando-os e jogando-os na bolsa como um punhado de trocados.

III

Enquanto saíamos juntos para a multidão de Natal, senti-me inseguro e infeliz; os prédios envoltos em laços e o brilho das janelas apenas aumentaram a tristeza opressiva: céus escuros de inverno, cânion cinzento de joias e peles e todo o poder e melancolia da riqueza.

Qual era o meu problema?, pensei, enquanto Kitsey e eu atravessávamos a Madison Avenue, seu sobretudo Prada rosa balançando exuberante na multidão. Por que eu me ressentia ao ver que ela não parecia atormentada por Andy e seu pai, que seguia em frente com sua vida?

Mas — tocando no cotovelo de Kitsey, sendo recompensado com um sorriso radiante — eu me senti momentaneamente aliviado e distraído das minhas preocupações. Tinham se passado oito meses desde que eu deixara Reeve naquele restaurante em Tribeca; ninguém tinha entrado em contato comigo sobre nenhuma das peças falsas que eu vendera, embora estivesse totalmente preparado para admitir meu erro se o fizessem: inexperiente, novo no negócio, aqui está seu dinheiro de volta, senhor, aceite minhas desculpas. À noite, deitado acordado, eu me tranquilizava pensando que, se as coisas ficassem feias, pelo menos eu não tinha deixado um rastro muito grande: tentara não documentar as vendas mais do que o necessário e nas peças menores tinha oferecido um desconto para pagamento em dinheiro.

Mas ainda assim. Ainda assim. Era só uma questão de tempo. Quando um cliente desse um passo à frente, haveria uma avalanche. E já seria ruim o bastante se eu destruísse a reputação de Hobie, mas no momento em que houvesse tantas queixas que eu não tivesse mais como reembolsar o dinheiro das pessoas, haveria processos judiciais: nos quais Hobie, sócio da loja, seria envolvido. Seria difícil convencer um juiz de que ele não sabia o que eu estava fazendo, principalmente em algumas das minhas vendas de artefatos americanos importantes — e, se chegasse a esse ponto, eu não tinha certeza nem se Hobie falaria adequadamente em sua própria defesa se isso significasse me abandonar. Muitas das pessoas pras quais eu tinha vendido tinham tanto dinheiro que não davam a mínima. Mas ainda assim. Ainda assim. Quando alguém ia decidir olhar embaixo dos assentos daquelas cadeiras de jantar Hepplewhite (por exemplo) e perceber que elas não eram todas iguais? Que a granulação estava errada, que as pernas não combinavam? Ou levar uma mesa para uma avaliação independente e descobrir que o folheado era de um tipo não usado na década de 1770, ou simplesmente inventado? Todos os dias, eu me perguntava quando e como a primeira fraude poderia vir à tona: uma carta de um advogado, uma ligação do departamento de mobília americana da Sotheby's, um decorador ou colecionador arremetendo-se loja adentro para me confrontar, Hobie vindo do porão — escuta, temos um problema, você tem um minuto?

Se o conhecimento dos meus problemas viesse à tona antes do casamento, eu não tinha certeza do que ia acontecer. Era mais do que suportava pensar. A cerimônia poderia nem ser realizada. No entanto — em consideração a Kitsey e a sua mãe — parecia ainda mais cruel se viesse à tona depois, especialmente porque os Barbour nem de longe estavam tão bem como antes da morte do sr. Barbour. Havia problemas de fluxo de caixa. O dinheiro estava sob custódia. A sra. Barbour tinha reduzido o horário de alguns funcionários para meio período e mandado o restante embora. E o sr. Barbour — conforme Platt tinha me confidenciado, numa tentativa de fazer eu me interessar por outras antiguidades do apartamento — tinha ficado um pouco maluco no final e investido mais de cinquenta por cento de sua carteira no VistaBank, um banco comercial gigantesco, por "razões sentimentais" (o tataravô do sr. Barbour tinha sido presidente de um dos primeiros bancos em Massachusetts, há muito destituído do nome após a fusão com o Vista). Infelizmente o VistaBank tinha parado de pagar dividendos e falido pouco antes da morte do sr. Barbour. Daí o apoio drasticamente reduzido da sra. Barbour às instituições de caridade com as quais outrora tinha sido tão generosa; daí o emprego de Kitsey. E a posição editorial de Platt na pequena editora de bom gosto que, conforme ele vivia me lembrando quando bebia, pagava menos do que a sra. Barbour pagara nos velhos tempos para a empregada. Se as coisas ficassem ruins, eu tinha certeza de que a sra. Barbour faria o possível para ajudar; e Kitsey, como minha esposa, seria obrigada a isso, querendo ou não. Mas seria um golpe baixo meu, especialmente desde que o elogio generoso de Hobie tinha convencido todos (Platt em especial, preocupado com os recursos minguando da família) de que eu era uma espécie de mágico das finanças vindo ao resgate de Kitsey. "Você sabe *fazer* dinheiro", ele tinha dito, sem rodeios, quando me falou sobre quão empolgados todos estavam porque Kitsey ia se casar comigo e não com algum dos vagabundos com quem ela costumava sair. "Ela não."

Mas acima de tudo o que me preocupava era Lucius Reeve. Embora eu jamais tivesse ouvido outro pio dele sobre a cômoda, tinha começado a receber no verão uma série de cartas perturbadoras: escritas à mão, sem assinatura, em papel de carta de borda azul com seu nome impresso no topo: **LUCIUS REEVE**

Já faz três meses desde que fiz, de qualquer ponto de vista, uma proposta justa e sensata. Como concluiu que minha oferta é tudo menos razoável?

E depois:

Mais oito semanas se passaram. Você deve entender meu dilema. O nível de frustração aumenta.

E, então, três semanas depois dessa, uma única linha:

Seu silêncio não é aceitável.

Eu me angustiava com essas cartas, embora tentasse tirá-las da mente. Toda vez que me lembrava delas — o que acontecia com frequência e de forma imprevisível, durante uma refeição, o garfo a meio caminho da boca — era como ser acordado de um sonho com uma bofetada. Em vão, eu tentava lembrar a mim mesmo que as alegações de Reeve no restaurante eram delirantemente infundadas. Responder de qualquer forma que fosse seria tolice. A única coisa a fazer era ignorá-lo como se fosse um mendigo agressivo na rua.

Mas nisso duas coisas perturbadoras aconteceram numa rápida sucessão. Eu tinha subido pra perguntar se Hobie queria sair pra almoçar — "Claro, em um minuto", disse ele; estava verificando sua correspondência diante do aparador, os óculos empoleirados na ponta do nariz. "Humm", disse Hobie, virando um envelope para olhar a frente. Ele abriu e viu o cartão, segurando-o com o braço esticado para fitá-lo por cima dos óculos, depois trazendo-o mais para perto.

"Veja isso", disse ele. Estendeu-me o cartão. "Do que se trata?"

O cartão, na letra por demais familiar de Reeve, tinha apenas duas frases. Nenhum título, nenhuma assinatura.

Até que ponto esta demora é injustificada? Será que não podemos dar seguimento àquilo que propus ao seu jovem sócio, já que não há qualquer vantagem para nenhum de vocês em continuar nesse impasse?

"Ah, meu Deus", falei, largando o cartão sobre a mesa e desviando o olhar. "Pelo amor."

"O quê?"

"É ele. O cara da cômoda."

"Ah, ele", disse Hobie. Ajeitou os óculos, avaliou-me em silêncio. "Chegou a descontar aquele cheque?"

Passei a mão pelo cabelo. "Não."

"Qual é a proposta dele? Do que está falando?"

"Olha..." Fui até a pia para pegar um copo de água, um velho truque do meu pai quando ele precisava de um momento para se recompor. "Eu não queria te incomodar, mas esse cara tem sido uma grande amolação. Comecei a jogar as cartas fora sem abri-las. Se receber outra, sugiro que faça o mesmo."

"O que ele quer?"

"Bem..." A torneira fazia barulho; enchi meu copo. "Bem." Virei, passei a mão na testa. "É uma coisa maluca. Eu dei um cheque pela peça, como falei. Valor maior do que o que ele pagou."

"Então qual é o problema?"

"Ah..." Tomei um gole da água. "Infelizmente, ele tem outra coisa em mente. Ele acha, hã, ele acha que temos uma linha de montagem aqui embaixo, e está tentando se meter no rolo. Em vez de descontar meu cheque, ele arranjou uma idosa, enfermeiras vinte e quatro horas por dia, e o que ele quer é que a gente use o apartamento dela pra, hã..."

As sobrancelhas de Hobie se ergueram. "Plantar?"

"É", falei, feliz por ter sido ele a dizer a palavra. "Plantar" era um golpe no qual antiguidades falsas ou inferiores eram colocadas em casas privadas —

casas que geralmente pertenciam a idosos — para serem vendidas a abutres se amontoando sobre o leito de morte: parasitas tão ávidos em depenar a velhinha com a máscara de oxigênio que não percebiam que eles próprios estavam sendo roubados. "Quando tentei devolver o dinheiro, essa foi a contraproposta dele. Nós fornecemos as peças. Cinquenta por cento pra cada um. Ele vem me assediando desde então."

Hobie ficou branco. "Isso é absurdo."

"Sim..." Fechei os olhos, apertei o nariz. "Mas ele é muito insistente. É por isso que aconselho você a..."

"Quem é essa mulher?"

"Esposa, parente idosa, sei lá."

"Qual é o nome dela?"

Segurei o copo contra a têmpora. "Não sei."

"Aqui? Na cidade?"

"Acredito que sim." Eu não estava gostando do interrogatório. "Em todo caso, jogue esse troço no lixo. Desculpe por não ter falado antes, mas eu realmente não queria te preocupar. Uma hora ele vai se cansar disso se o ignorarmos."

Hobie olhou para o cartão, depois para mim. "Vou ficar com isso. Não", disse ele rispidamente quando tentei interrompê-lo, "isso é mais do que o suficiente pra ir até a polícia se precisarmos. Não me importo com a cômoda — não, não", disse ele, erguendo uma mão para me silenciar, "não adianta, você tentou consertar as coisas e ele está tentando te forçar a participar de um crime. Há quanto tempo isso vem acontecendo?"

"Não sei. Uns dois meses?" Falei, quando Hobie continuou me olhando.

"Reeve." Ele estudou o cartão com a testa franzida. "Vou perguntar a Moira." Era o primeiro nome da sra. DeFrees. "Você me avisa se ele escrever de novo?"

"Claro."

Eu não queria nem pensar no que poderia acontecer se por acaso a sra. DeFrees conhecesse Lucius Reeve ou tivesse ouvido falar dele, mas felizmente não houve mais nenhuma palavra a esse respeito. Parecia pura sorte o fato de a carta para Hobie ser tão ambígua. Mas a ameaça por trás dela era clara. Era tolo eu me preocupar que Reeve levasse adiante sua intimidação de ligar pra polícia, já que — eu ficava me lembrando disso de novo e de novo — sua única chance de obter a pintura era me deixar em liberdade.

E, no entanto, perversamente, isso apenas me fazia desejar ainda mais ter a pintura à mão, para olhá-la sempre que quisesse. Embora soubesse que era impossível, mesmo assim pensava nisso. Pra onde quer que olhasse, em cada apartamento que Kitsey e eu íamos visitar, via esconderijos em potencial: armários de cozinha altos, lareiras falsas, vigas largas que só podiam ser alcançadas com uma escada bem alta, tábuas de assoalho que poderiam ser facilmente removidas. À noite eu ficava deitado olhando para a escuridão, fantasiando sobre um armário à prova de fogo especialmente construído onde eu pudesse trancá-la em segurança ou — ainda mais absurdo — um compartimento secreto ao melhor estilo Barba Azul, com temperatura controlada e cadeado com segredo.

Minha, minha. Medo, idolatria, acúmulo. A delícia e o terror do fetichista. Plenamente consciente da minha burrice, tinha baixado fotos dela no meu computador e no meu celular pra que pudesse me vangloriar com a imagem quando estivesse sozinho — pinceladas expressas digitalmente, um fragmento de luz solar do século XVII reduzido a pontos e pixels, mas quanto mais pura a cor, quanto mais rica a sensação de impasto, mais eu ansiava pela coisa em si, o objeto insubstituível, glorioso, banhado de luz.

Ambiente livre de poeira. Segurança vinte e quatro horas por dia. Embora tentasse não pensar no austríaco que tinha mantido a mulher trancada num porão durante vinte anos, infelizmente era essa a metáfora que vinha à minha mente. E se eu morresse? E se fosse atropelado por um ônibus? Será que o embrulho poderia ser confundido com lixo e jogado no incinerador? Três ou quatro vezes eu tinha feito ligações anônimas para o armazém para me assegurar do que tinha aprendido entrando obsessivamente no site: temperatura e umidade garantidas dentro da escala de conservação aceitável para obras de arte. Às vezes, quando acordava à noite, a coisa toda parecia um sonho, embora não demorasse muito para lembrar que não era.

Era impossível pensar em ir até lá com Reeve feito um gato esperando que eu saísse correndo da toca. Tinha que ficar quieto no meu canto. Infelizmente, o aluguel do armazém vencia dali a três meses; e com tudo o que andava acontecendo, pra mim não fazia nenhum sentido ir até lá pagá-lo pessoalmente. O negócio era pedir pra Grisha ou um dos rapazes pagar para mim, em dinheiro, coisa que eu tinha certeza de que eles fariam sem mais perguntas. Mas então a segunda coisa ruim aconteceu: apenas alguns dias antes da data Grisha me chocou completamente ao entrar de mansinho na loja com a cabeça inclinada pro lado enquanto eu estava sozinho somando minhas receitas no final da semana e disse: "*Mazhor*, preciso falar com você".

"Ah é?"

"Tudo limpeza?"

"Como?" Entre xingamentos em iídiche e russo, misturados com uma série de insultos à melhor forma do Brooklyn e gírias tiradas de raps, às vezes as expressões idiomáticas de Grisha não faziam sentido em nenhum tipo de inglês que eu conseguia entender.

Grisha bufou ruidosamente. "Acho que não está me entendendo direito, campeão. Estou perguntando se tá tudo certo com você. Com a lei."

"Só um momento", falei. Eu estava no meio de uma coluna de números. Tirei os olhos da calculadora. "Do que você está falando?"

"Você, meu irmão, não tô condenando ou julgando. Só preciso saber, tá bem?"

"Por quê? O que aconteceu?"

"Tem umas pessoas rondando a loja, ficando de olho. Sabe alguma coisa sobre isso?"

"Quem?" Olhei de relance pra janela. "O quê? Quando foi isso?"

"Eu queria te perguntar. Tô com medo de dirigir até o Borough Park pra encontrar meu primo Genka por causa de uns negócios que tão rolando. Com medo de que esses caras colem em mim."

"Em você?" Sentei.

Grisha deu de ombros. "Quatro, cinco vezes agora. Ontem, saindo do meu caminhão, vi um deles rondando na frente de novo, mas ele atravessou a rua rápido. Jeans, mais velho, roupa bem casual. Genka, ele não sabe nada sobre isso, mas está apavorado. Como eu disse, tá rolando uns lances, ele me pediu pra perguntar o que você sabe. Nunca fala, só fica parado e espera. Queria saber se não tem alguma coisa a ver com seus negócios com Shvatzah", disse ele discretamente.

"Não." Shvatzah era Jerome; havia meses que eu não o via.

"Bem, então. Odeio ter que dizer isso, mas acho que talvez seja polícia farejando o ambiente. Mike — ele também reparou. Achou que era por causa da pensão do filho. Mas o cara simplesmente fica rondando e não faz nada."

"Há quanto tempo isso vem acontecendo?"

"Sei lá. Um mês, pelo menos. Mike diz que faz mais tempo."

"Da próxima vez, quando você vir o cara, mostra pra mim?"

"Talvez seja detetive particular."

"Por que você acha isso?"

"Porque ele parece mais um ex-policial. Mike acha isso — irlandeses, eles reconhecem policiais. Mike disse que ele parecia mais velho, como um policial aposentado."

"Certo", falei, pensando no sujeito meio corpulento que eu tinha visto da janela. Eu o tinha avistado quatro ou cinco vezes, ou alguém que parecia com ele, deixando-se ficar diante da loja durante o horário comercial — sempre quando eu estava com Hobie ou um cliente, num momento inconveniente para confrontá-lo —, embora tivesse uma aparência tão inócua, moletom com capuz e botas de trabalhador de construção, que era difícil ter certeza. Certa vez — isso tinha me assustado, e muito — vi um cara que se parecia com ele demorando-se na frente do prédio dos Barbour, mas quando olhei melhor tive certeza de que estava enganado.

"Ele anda rondando já faz um tempo. Mas isso..." — Grisha fez uma pausa — "normalmente eu não diria nada, talvez não seja nada, mas ontem..."

"O quê? Fala", respondi, quando ele massageou o pescoço e olhou culpado pro lado.

"Outro cara. Diferente. Já tinha visto rondando antes. Do lado de fora. Mas ontem ele entrou na loja perguntando por você. E não gostei nem um pouco da figura."

Recostei-me abruptamente na cadeira. Eu vinha me perguntando quando Reeve ia decidir dar uma passada pessoalmente.

"Não falei com ele. Eu estava fora..." Apontou com a cabeça. "Lá. Carregando o caminhão. Mas vi o cara entrar. O tipo em quem você repara. Bem vestido, mas não como um cliente. Você estava almoçando e Mike estava na loja sozinho. O cara entra, pergunta: Theodore Decker? Bem, ele não está, Mike disse. Onde ele está? Um monte de perguntas sobre você, tipo, se trabalha aqui, mora aqui, há quanto tempo, onde está, todo tipo de coisa."

"Onde Hobie estava?"

"Ele não quis falar com Hobie. Queria você. Nisso..." — ele traçou uma linha sobre a escrivaninha com o dedo — "ele sai. Anda em torno da loja. Olha aqui, olha ali. Olha em volta. Eu vi de onde estava, do outro lado da rua. Pareceu estranho. E Mike não mencionou essa visita pra você porque disse que talvez não fosse nada, algo pessoal, melhor não se meter, mas eu vi o cara também e achei que você devia saber. Porque, ei, um malandro reconhece outro, se é que você me entende."

"Como ele era?", perguntei, e então, quando Grisha não respondeu, "Sujeito mais velho? Atarracado? Cabelo branco?"

Grisha bufou, exasperado. "Não, não, não." Balançou a cabeça com uma firmeza resoluta. "Esse cara não era nenhum vovozinho."

"Como ele era, então?"

"Era o tipo de cara com quem você não ia querer brigar, era assim que ele era."

No silêncio que se seguiu, Grisha acendeu um Kool e me ofereceu outro. "Então, o que devo fazer, *Mazhor*?"

"Como?"

"Eu e Genka precisamos nos preocupar?"

"Acho que não. Tá", falei, batendo um pouco sem jeito na palma triunfante que ele estendeu pra mim, "certo, mas você me faz um favor? Vem e me chama se vir qualquer um dos dois de novo?"

"Pode deixar." Ele fez uma pausa, olhando-me com um ar de crítica. "Você tem certeza de que eu e Grisha não precisamos nos preocupar?"

"Bem, eu não sei o que vocês estão fazendo, sei?"

Grisha puxou um lenço sujo do bolso e esfregou seu nariz arroxeado com ele. "Não gosto dessa sua resposta."

"Só tome cuidado. Pra garantir."

"*Mazhor*, devo dizer o mesmo pra você."

IV

Eu tinha mentido para Kitsey; não tinha nada pra fazer. Diante da Barneys, demos um beijo de despedida na esquina da Quinta antes de ela voltar para a Tiffany para olhar os cristais — não tínhamos conseguido chegar nessa seção — e eu saí pra pegar a linha 6 do metrô. Mas em vez de me juntar ao fluxo de consumidores derramando-se pela escada da estação me senti tão vazio e distraído, tão perdido, cansado e indisposto, que parei diante da janela suja do Subway Inn, logo em frente à entrada de mercadorias da Bloomingdale's, um túnel do tempo saído de *Farrapo humano* e inalterável desde os dias de bebedeira do meu pai. Do lado de fora, neon de filme noir. Dentro, as mesmas paredes vermelhas encardidas, mesas pegajosas, ladrilhos quebrados no chão, cheiro forte de Clorox e um barman côncavo com um trapo sobre o ombro servindo uma bebida pra um solitário de olhos injetados no bar. Lembrei-me de uma vez em que minha mãe e eu perdemos meu pai de vista na Bloomingdale's e de como — de forma misteriosa para mim, na época — ela soube que devia sair da loja e ir direto até o outro lado da rua para encontrá-lo ali, entornando doses de quatro dólares com um velho caminhoneiro ofegante e um sujeito mais velho de bandana que parecia um sem-teto. Eu tinha ficado esperando do lado de fora, dominado pelo bafo de cerveja velha e fascinado com a escuridão calorosa e reservada do lugar, o brilho de *Além da imaginação* do jukebox e o fliperama de *Buck Hunter* piscando ao longe nos fundos — "Ah, o cheiro de velhos e desespero", minha mãe tinha dito ironicamente, torcendo o nariz quando saía do bar com suas sacolas de compra e me pegava pela mão.

Uma dose de Black Label, pelo meu pai. Duas talvez. Por que não? Os recantos escuros do bar pareciam quentes, fraternais, aquela aura sentimental de cerveja que fazia você se esquecer por um momento de quem era e como tinha acabado ali. Mas, no último segundo, estando prestes a entrar pela porta e fazer com que o barman voltasse os olhos para mim, eu me virei e continuei andando.

Lexington Avenue. Vento úmido. A tarde estava triste e fria. Passei pela estação da rua 51 e pela da 42, e mesmo assim continuei andando para organizar meus pensamentos. Prédios acinzentados. Hordas de pessoas na rua, árvores de Natal iluminadas brilhando no alto em sacadas de coberturas, músicas complacentes de Natal vindo das lojas. Enquanto eu entrava e saía da multidão tive a estranha sensação de já estar morto, de estar me movendo por um cinza de calçada mais vasto do que o que a rua ou mesmo a cidade podia abarcar, minha alma desconectada do meu corpo, deslocando-se em meio a outras almas numa névoa entre passado e presente, verde, vermelho, pedestres sobressaindo de forma estranhamente isolada e solitária diante dos meus olhos, rostos vazios ligados a fones de ouvido e olhando fixamente para a frente, lábios movendo-se em silêncio, e o barulho da cidade atenuado e ensurdecido sob céus esmagadores como granito que abafavam o barulho da rua, lixo e jornal, concreto e garoa, um cinza sujo de inverno que pesava como pedra.

Tendo escapado com sucesso do bar, eu tinha pensado em ver um filme — talvez a solidão de um cinema me pusesse nos trilhos, uma matinê quase vazia de um filme saindo de cartaz. Mas quando, tonto e fungando do frio, cheguei ao cinema na Segunda Avenida com a rua 32, o filme policial francês que eu queria ver já tinha começado, assim como o thriller de identidade trocada. Só o que restava era uma série de filmes de Natal e comédias românticas insuportáveis: pôsteres de noivas esfarrapadas, damas de honra lutando, um pai consternado com um gorro de Papai Noel segurando dois bebês aos berros.

Os táxis estavam começando a encerrar o expediente. Bem no alto na rua, na tarde escura, havia luzes acesas em escritórios solitários e torres de apartamentos. Afastando-me, continuei rumando para o sul, sem ideia muito clara de pra onde estava indo ou por quê, e enquanto andava tive a sensação estranhamente atraente de que estava me desfazendo, desenrolando-me fio a fio, trapos e farrapos caindo de mim no próprio ato de atravessar a rua 32 e ir deslizando em meio aos pedestres da hora do rush, passando do momento seguinte para o outro.

No cinema seguinte, dez ou doze quadras adiante, foi a mesma coisa: o filme da CIA já tinha começado, assim como a biografia bem avaliada de uma estrela do cinema da década de 1940; o filme policial francês só começava dali a uma hora e meia; e a não ser que eu quisesse o filme de psicopata ou o drama familiar torturante, coisa que não queria, eram mais noivas, despedidas de solteiro, gorros de Papai Noel e Pixar.

Quando por fim cheguei ao cinema na rua 17 nem sequer parei na bilheteria. Continuei andando. De alguma forma, misteriosamente, no processo de atravessar a Union Square, arrastado por um redemoinho escuro que me atingira do nada, decidira ligar pra Jerome. Havia uma alegria mística na ideia, uma mortificação santa. Será que ele teria fármacos assim de uma hora pra outra ou teria de comprar as drogas comuns de rua? Eu não me importava. Não usava drogas havia meses, mas, por algum motivo, uma noite assentindo inconsciente no meu quarto na casa de Hobie tinha começado a parecer uma resposta perfeitamente razoável para as luzes de Natal, a multidão de Natal, os incessantes sinos de Natal com seu tom mórbido de funeral, o caderno rosa-chiclete de Kitsey da Kate's Paperie com divisórias intituladas MINHAS DAMAS DE HONRA, MEUS CONVIDADOS, MEUS ASSENTOS, MINHAS FLORES, MEUS VENDEDORES, MEU CHECKLIST, MEUS FORNECEDORES.

Recuando rápido — o sinal de pedestres tinha fechado, quase entrei na frente de um carro —, eu me desequilibrei e por pouco não caí. Não fazia sentido insistir no horror irracional a um grande casamento público — espaços fechados, claustrofobia, movimentos bruscos, gatilhos de fobia pra todos os lados. Por algum motivo o metrô não me incomodava tanto, tinha mais a ver com prédios cheios de gente, sempre esperando que algo acontecesse, o sopro de fumaça, o homem correndo rápido na margem da multidão. Eu não suportava nem permanecer num cinema se houvesse mais de dez ou quinze pessoas dentro: dava as costas com o ingresso pago e saía sem pestanejar. E, no entanto, de alguma forma a cerimônia gigantesca e abarrotada na igreja me trazia a imagem de um flash mob. Tomaria uns Xanax e aguentaria suando até o fim.

Eu esperava que a estrondosa escalada social que vinha vivendo como um barco num furacão diminuísse após o casamento. Só queria voltar aos dias tranquilos de verão, quando eu tinha Kitsey só para mim: jantares sozinhos, vendo filmes na cama. Os constantes convites e encontros me esgotavam: turbilhões de amigos dela passando, noites cheias de gente e fins de semana agitados que eu enfrentava de olhos fechados e me agarrando pra salvar minha preciosa vida. Linsey? Não, Lolly? Desculpe... E essa é...? Frieda? Oi, Frieda, e... Trev? Trav? Bom te ver! Eu ficava educadamente em volta das mesas antigas de fazenda, embebedando-me num estupor enquanto conversavam sobre suas casas de campo, o condomínio, seus distritos escolares, suas rotinas de academia — isso mesmo, transição suave da amamentação, embora tenhamos passado por umas mudanças grandes nos horários de cochilo recentemente, nosso mais velho recém entrou no prezinho e a cor de outono em Connecticut é impressionante, ah sim, claro, todos nós fazemos a viagem anual com as meninas mas sabe aquelas viagens que a gente faz com os garotos duas vezes por ano, lá pra Vail, pro Caribe, ano passado fomos pescar com mosca na Escócia e demos com uns campos de golfe realmente incríveis, mas, ah, é verdade, Theo, você não joga golfe, você não esquia, você não veleja, não é?

Desculpe, de fato não. A mente coletiva era tal (piadas internas e perplexidade, todo mundo amontoado sobre vídeos de férias no iPhone) que era difícil imaginar qualquer um deles indo a um cinema por conta própria ou comendo sozinho num bar; às vezes, o senso de camaradagem entre os homens em particular me dava a leve sensação de estar sendo entrevistado para um emprego. E todas aquelas mulheres grávidas? "Ah, Theo! Ele não é adorável?" Kitsey me empurrando inesperadamente um recém-nascido de uma amiga — eu num horror todo sincero saltando pra trás como se fosse um fósforo aceso.

"Ah, às vezes leva um tempo pra nós homens", disse complacente Race Goldfarb, observando meu desconforto, erguendo a voz acima dos bebês aos berros e tropeços numa área da sala supervisionada pela babá. "Mas deixa eu te dizer, Theo, quando segurar o seu próprio toquinho nos braços pela primeira vez..." — acariciando a barriga da mulher grávida — "seu coração simplesmente amolece. Porque na primeira vez em que vi o pequeno Blaine" — rosto pegajoso, cambaleando ao redor desajeitadamente — "e olhei praqueles grandes olhos azuis, praqueles lindos olhinhos de bebê... eu fui *transformado*. Fiquei *apaixonado*. Foi, tipo, ei, amiguinho! Você está aqui para me ensinar tudo! E, estou te dizendo, diante daquele primeiro sorriso eu simplesmente me derreti todo, como acontece com todos nós, não é, Lauren?"

"Certo", falei educado, indo até a cozinha e me servindo de uma grande dose de vodca. Meu pai também ficava absurdamente melindroso perto de mulheres grávidas (tinha na verdade sido despedido por causa de um de muitos comentários imprudentes; tiradas sobre procriação não eram muito bem aceitas no escritório) e, longe da sabedoria convencional de se "derreter todo", nunca tinha conseguido suportar crianças ou bebês, muito menos toda a cena de pais corujas, mulheres sorrindo tolamente enquanto acariciavam a própria barriga e homens com crianças amarradas contra o peito. Ele simplesmente saía pra fumar ou então se esquivava sombrio pra um canto, parecendo um traficante aliciador de menores toda vez que era obrigado a participar de qualquer tipo de evento escolar ou festa infantil. Aparentemente eu tinha herdado isso dele e talvez de vovô Decker também, essa violenta aversão procriadora zunindo alto na minha corrente sanguínea; parecia algo congênito, de fábrica, genético.

Assentindo a noite toda. A felicidade extrema delas, escura na garganta. Não, obrigado, Hobie, já comi, acho que vou direto pra cama com meu livro. As coisas sobre as quais essas pessoas conversavam, inclusive os homens... Só de pensar naquela noite na casa dos Goldfarb tinha vontade de ficar tão bêbado que não conseguisse andar direito.

Conforme eu me aproximava de Astor Place — bateristas africanos, bêbados discutindo, nuvens de incenso de um vendedor de rua —, senti meu ânimo aumentar. Sem dúvida minha tolerância estava bem baixa — um pensamento reconfortante. Apenas uma ou duas pílulas por semana, para me ajudar a passar pelo pior da socialização, e só quando eu realmente, realmente precisasse delas. No lugar dos fármacos andava bebendo demais e isso realmente não estava funcionando pra mim; com os narcóticos eu ficava relaxado, era tolerante, topava tudo, conseguia aguentar bem-humorado e durante horas situações insuportáveis, escutando qualquer merda cansativa ou ridícula sem querer sair dali e estourar meus miolos.

Mas eu não ligava pra Jerome fazia um bom tempo e, quando me postei na entrada de uma loja de skate pra fazer a ligação, ela caiu direto na caixa postal — uma mensagem eletrônica que não parecia ser dele. Será que tinha mudado de número?, pensei, começando a me preocupar depois da segunda tentativa. Gente como Jerome — tinha acontecido com Jack, antes dele — podia sumir do mapa bem de repente mesmo se você mantivesse contato regular.

Sem saber o que fazer, comecei a descer pela St. Mark's na direção da Tompkins Square. ABERTO 24 HORAS POR DIA. SÓ PARA MAIORES. Ali em Downtown, longe da muralha de arranha-céus, o vento cortava com mais força, mas o céu também era mais aberto, ficando mais fácil respirar. Caras musculosos conduzindo pit bulls emparelhados, garotas estilo Bettie Page tatuadas e com vestidos colados, bêbados com calças com a bainha arrancada, dentes de abóbora de Halloween e sapatos remendados com fita adesiva. Diante das lojas, barraquinhas de óculos de sol, pulseiras de caveira e perucas de travesti multicoloridas. Havia um ponto de venda em algum lugar, talvez mais de um, mas eu não tinha certeza de onde; caras de Wall Street compravam na rua o tempo todo, diziam, mas eu não era escolado o bastante pra saber aonde ir ou quem abordar, e além disso quem ia vender pra mim, um estranho com óculos de armação de tartaruga e um corte de cabelo de Uptown, vestido pra escolher porcelana com Kitsey?

Coração inquieto. O fetichismo do segredo. Essas pessoas entendiam — como eu — os becos da alma, sussurros e sombras, dinheiro passando de mão em mão, a senha, o código, o outro eu, todas as consolações ocultas que elevavam a vida acima do normal e faziam com que valesse a pena vivê-la.

Parei na calçada diante de um restaurante japonês barato pra me orientar. Jerome tinha me falado de um bar, toldo vermelho, perto da St. Mark's. Avenida A talvez? Ele estava sempre vindo de lá, ou passando por lá a caminho de me encontrar. A bartender atendia atrás do balcão os clientes que não se importavam em pagar o dobro pra não ter que comprar na rua. Jerome vivia fazendo entregas pra ela. Seu nome — eu lembrava, até — Katrina! Mas todas as outras fachadas da rua pareciam ser de bares.

Peguei a avenida A na direção da Primeira; entrei no primeiro bar que vi com um toldo vagamente vermelho — cor de fígado, mas poderia ter sido vermelho um dia — e perguntei: "Katrina trabalha aqui?".

"Não", disse a ruiva desbotada no bar, sem nem erguer os olhos pra mim enquanto servia um chope.

Senhoras com carrinhos dormindo com a cabeça apoiada em pacotes. Vitrine com imagens brilhantes de Nossa Senhora e figuras do Dia dos Mortos. Bandos cinza de pombos esvoaçando em silêncio.

"Você sabe que tá pensando naquilo, você sabe que tá pensando naquilo", disse uma voz baixa no meu ouvido.

Virei e me deparei com um sujeito negro mais velho, corpulento, exibindo um sorriso largo com um dente de ouro na frente, que enfiou um cartão na minha mão: TATUAGENS-BODY ART-PIERCING.

Ri. Ele também, uma risada sonora de corpo todo, nós dois compartilhando a piada. Enfiei o cartão no bolso e continuei andando. Mas no instante seguinte lamentei por não ter lhe perguntado onde poderia encontrar o que queria. Mesmo se ele não me dissesse, tinha cara de que saberia.

BODY PIERCING. MASSAGEM NOS PÉS COM ACUPRESSÃO. COMPRO OURO. COMPRO PRATA. Muitas crianças pálidas, e então, mais adiante — sozinha —, uma garota de dread abatida com um filhote imundo e um cartaz de papelão tão gasto que não consegui lê-lo. Eu estava enfiando culposamente a mão no bolso pra pegar algum dinheiro — a carteira que Kitsey tinha me dado era apertada demais, eu estava tendo sérias dificuldades pra tirar as notas, apanhando-as atrapalhado, ciente de todo mundo me olhando, e então: "Ei!", gritei, recuando, quando o cachorro rosnou e avançou, saltando e agarrando minha calça com seus dentes pontudos.

Todo mundo estava rindo — as crianças, um vendedor de rua, um cozinheiro com uma rede no cabelo sentado num degrau falando no celular. Soltando a calça com um puxão — mais risadas —, eu me virei e, para me recuperar do choque, entrei no próximo bar que vi — toldo preto com um pouco de vermelho — e perguntei ao barman: "Katrina trabalha aqui?".

Ele parou de secar o copo. "Katrina?"

"Sou amigo de Jerome."

"Katrina? Não seria Katya?" Os homens no bar — europeus orientais — tinham parado de falar.

"Talvez...?"

"Qual é o sobrenome dela?"

"Hum..." Um sujeito de jaqueta de couro tinha erguido o queixo e se virado totalmente no banquinho pra me lançar um olhar de Bela Lugosi.

O barman me encarava fixamente. "Essa garota que você procura. O que é que quer com ela?"

"Bem, na verdade, eu..."

"Qual é a cor do cabelo dela?"

"Hum... loiro? Ou..." Claramente, com base na expressão dele, eu estava prestes a ser atirado pra fora, ou pior; meus olhos caíram sobre o taco Louisville Slugger atrás do balcão. "Eu me enganei, deixa pra lá..."

Eu já tinha saído do bar e andado um bom tanto na rua quando ouvi um grito atrás de mim: "*Potter!*".

Fiquei paralisado. Ouvi-o gritar de novo. Então, incrédulo, eu me virei. Quando continuei parado, incapaz de acreditar naquilo, pessoas passando à nossa volta de ambos os lados, ele riu, avançou e atirou os braços em torno de mim.

"Boris." Sobrancelhas pretas pontudas, olhos pretos alegres. Ele estava mais alto, o rosto mais chupado, casaco preto longo, a mesma velha cicatriz sobre o olho além de algumas novas. "Uau."

"E uau pra você!" Ele me segurou com o braço esticado. "Haha! Olha só pra você! Quanto tempo, hein?"

"Eu..." Estava surpreso demais pra falar. "O que está fazendo aqui?"

"E eu deveria perguntar..." — recuando para dar uma olhada em mim, depois gesticulando na direção da rua como se ela lhe pertencesse — "o que *você* está fazendo aqui. A que devo essa surpresa?"

"Como?"

"Passei na sua loja outro dia!" Tirou o cabelo do rosto. "Pra ver você!"

"Era você?"

"Quem mais poderia ser? Como sabia onde me encontrar?"

"Eu..." Balancei a cabeça, incrédulo.

"Você não estava me procurando?" Deu um passo pra trás surpreso. "Não? Foi um acidente? Mero acaso? Incrível! E por que está com essa cara branca?"

"Como?"

"Você está horrível!"

"Vá se foder."

"Ah", disse ele, atirando o braço em volta do meu pescoço. "Potter, Potter! Que olheiras!" Correu a ponta de um dedo sob um olho. "Mas belo terno. E ei..." — ele me soltou, tocou minha têmpora com o polegar e o indicador — "os mesmos óculos? Você nunca trocou?"

"Eu..." Só podia balançar a cabeça.

"Que foi?" Boris estendeu as mãos. "Não pode me culpar, por estar feliz em ver você!"

Eu ri. Não sabia por onde começar. "Por que não deixou um número?", perguntei.

"Então você não está bravo comigo? Não me odeia?" Embora ele não estivesse sorrindo, estava mordendo o lábio inferior deliciado. "Você não..." — ele virou a cabeça na direção da rua — "não quer brigar comigo ou algo assim?"

"Oi", disse uma mulher esguia com olhos de aço, o quadril fino num jeans preto, chegando bem de repente do lado de Boris de um jeito que me fez achar que era sua namorada ou mulher.

"O famoso Potter", disse ela, estendendo uma mão branca e comprida cheia até o nó dos dedos de anéis de prata. "Prazer. Ouvi tudo sobre você." Ela era ligeiramente mais alta que ele, com um longo cabelo solto e um corpo comprido todo vestido de preto, como um píton. "Sou Myriam."

"Myriam? Oi! Meu nome é Theo, na verdade."

"Eu sei." Sua mão estava fria. Reparei num pentagrama azul tatuado no pulso dela. "Mas ele te chama de Potter."

"Boris fala de mim? O que ele diz?" Ninguém me chamava de Potter havia anos, mas a sua voz suave tinha me trazido à mente uma palavra esquecida daqueles velhos livros, a língua de cobras e bruxos das trevas: ofidioglossia.

Boris, que estava com o braço no meu ombro, tinha me soltado quando ela se aproximou, como se um código tivesse sido pronunciado. Eles trocaram um olhar — cuja importância reconheci de imediato dos nossos tempos de furto de loja, quando éramos capazes de dizer *Vamos nessa* ou *Aí vem ele* sem articular uma palavra —, e Boris, parecendo agitado, passou as mãos pelo cabelo e me olhou atentamente.

"Você vai estar por aqui?", perguntou ele, andando pra trás.

"Por aqui onde?"

"Na região."

"Posso ficar."

"Eu quero..." Ele parou, o cenho franzido, e olhou por cima da minha cabeça, para a rua. "Quero conversar com você. Mas agora..." — parecia preocupado — "não é um bom momento. Daqui a uma hora talvez?"

Myriam, olhando para mim, disse algo em ucraniano. Houve uma breve troca de palavras. Então ela passou o braço pelo meu de um jeito curiosamente íntimo e começou a me conduzir rua abaixo.

"Lá." Ela apontou. "Siga por ali, quatro ou cinco quadras. Há um bar, saindo da Segunda Avenida. Polonês. Ele vai te encontrar ali."

V

Quase três horas depois eu ainda estava sentado num reservado de vinil vermelho no bar polonês, luzes de Natal piscando, mistura irritante de punk rock e polca natalina buzinando no jukebox, farto de esperar e me perguntando se ele ia ou não aparecer, e se eu devia simplesmente ir pra casa. Não tinha nenhuma forma de entrar em contato com ele — tudo acontecera muito rápido. No passado eu tinha pesquisado Boris no Google só por curiosidade, sem encontrar nada. Mas daí também jamais tinha imaginado Boris tendo qualquer tipo de vida que poderia ser rastreada on-line. Ele podia estar em qualquer lugar, fazendo qualquer coisa: limpando um chão de hospital, carregando uma arma em alguma selva estrangeira, apanhando bitucas de cigarro da rua.

O happy hour estava chegando ao fim, um punhado de estudantes e tipos artísticos se misturando aos velhos poloneses barrigudos e punks grisalhos na casa dos cinquenta. Eu tinha acabado de terminar minha terceira vodca; eles serviam doses grandes, era tolice pedir outra; sabia que devia comer alguma coisa, mas não estava com fome e meu humor ficava cada vez mais soturno e sombrio. Pensar que ele tinha furado comigo depois de tantos anos era incrivelmente deprimente. Se fosse filosofar a respeito, pelo menos tinha sido desviado da minha missão narcotizante: não tinha me dopado, não estava vomitando em uma lata de lixo, não tinha sido roubado ou pego por tentar comprar de um policial disfarçado.

"Potter." Lá estava ele, vindo na minha direção, puxando o cabelo num gesto que trouxe o passado reverberando de volta.

"Eu estava prestes a sair."

"Desculpe." O mesmo sorrisinho charmoso. "Tinha uma coisa pra fazer. Myriam não explicou?"

"Não, ela não explicou."

"Bem. Não é como se eu trabalhasse num escritório de contabilidade. Olha", disse ele, inclinando-se para a frente, palmas sobre a mesa, "não fique bravo! Não estava esperando esbarrar em você! Vim o mais rápido que pude! Corri, praticamente!" Boris esticou-se sobre a mesa com a mão em concha e bateu de leve no meu rosto. "Meu Deus! Quanto tempo faz! Estou feliz em ver você! Não está feliz em me ver também?"

Sua aparência era muito boa. Mesmo na sua fase mais mirrada e magricela sempre teve certa sagacidade, olhos vivos e uma inteligência rápida, mas tinha perdido aquele ar rude de morto de fome, e todo o resto estava em seu devido lugar. Sua pele estava maltratada, mas suas roupas caíam bem, suas feições eram aguçadas e fortes, um herói de cavalaria na pele de um pianista clássico; seus minúsculos dentes tortos e cinza — eu vi — tinham sido substituídos por uma fileira de dentes brancos bem americanos.

Boris me viu olhando e tocou num incisivo vistoso com a unha do polegar. "Dentes novos."

"Percebi."

"Um dentista na Suécia que fez", disse ele, fazendo sinal pra chamar um garçom. "Custou uma fortuna. Minha mulher ficou no meu pé — Borya, sua boca, que vergonha! Eu disse que de jeito nenhum faria isso, mas foi o melhor dinheiro que já gastei."

"Quando você se casou?"

"Hein?"

"Ela podia ter vindo junto."

Ele pareceu perplexo. "Tá falando da Myriam? Não, não..." Colocou a mão no bolso do paletó, mexeu no celular. "Ela não é minha mulher! Esta..." — ele me estendeu o celular — "*esta* é a minha mulher. O que você está bebendo?", disse ele, antes de se virar para falar com o garçom em polonês.

A foto no iPhone era de um chalé coberto de neve. Do lado de fora, na frente, uma linda loira sobre esquis. Ao lado dela, também sobre esquis, havia duas criancinhas loiras encasacadas de sexo indeterminado. Parecia menos uma fotografia do que um anúncio de algum produto suíço saudável, tipo iogurte ou granola.

Olhei pra Boris assombrado. Ele desviou os olhos, com um gesto russo dos velhos tempos: eh, bem, fazer o quê?

"Sua *mulher*? Sério?"

"Aham", disse ele, com uma sobrancelha erguida. "E meus filhos. Gêmeos."

"Porra."

"Sim", disse ele com pesar. "Nasceram quando eu era muito novo — novo demais. Não era uma época boa, mas ela quis ficar com eles. 'Borya, como você pode?' O que eu poderia dizer? Pra ser sincero, não conheço eles muito bem. Na verdade o menorzinho — ele não está na foto — eu ainda nem conheci. Acho que tem o quê? Seis semanas?"

"Como?" Olhei para a foto de novo, esforçando-me para conciliar aquela família nórdica certinha com Boris. "Você é divorciado?"

"Não, não, não..." A vodca tinha chegado, garrafa gelada e dois copos pequenos, ele serviu uma dose para cada um. "Astrid e as crianças ficam a maior parte do tempo em Estocolmo. Às vezes ela vem pra Aspen no inverno, pra esquiar — ela foi campeã de esqui, conseguiu o índice olímpico quando tinha dezenove anos..."

"Ah é?", falei, fazendo o possível pra não soar incrédulo. As crianças, como ficava bem evidente numa olhada mais de perto, eram loiras e bonitas demais pra ter qualquer traço de Boris.

"Sim, sim", disse ele, muito enérgico, com um aceno vigoroso de cabeça. "Ela sempre tem que estar onde dá pra esquiar e — você me conhece, eu odeio neve, haha! O pai dela era bem de direita — um nazista, basicamente. Não é à toa que Astrid tem problemas de depressão com um pai daqueles! Que velho babaca odioso! Mas eles são muito infelizes, todos eles, esses suecos. Num minuto estão rindo e bebendo e no seguinte — escuridão, nem uma palavra. *Dzi kuj*", ele disse ao garçom, que tinha voltado com uma bandeja com pratinhos: pão preto, salada de batata, dois tipos de arenque, pepinos com creme de leite, couve recheada e ovos em conserva.

"Eu não sabia que serviam comida aqui."

"Não servem", disse Boris, passando manteiga numa fatia de pão preto e polvilhando sal. "Mas estou morrendo de fome. Pedi pra trazerem algo do restaurante ao lado." Ele bateu seu copo contra o meu. "*Sto lat!*", disse — sua velha forma de brindar.

"*Sto lat.*" A vodca tinha um aroma e um sabor de alguma erva amarga que não consegui identificar.

"Então", falei, servindo-me de um pouco de comida. "Myriam?"

"Hein?"

Estendi as palmas abertas no nosso velho gesto da infância. *Por favor, explique.*

"Ah, Myriam! Ela trabalha pra mim! Meu braço direito, vocês diriam. Vou te dizer, ela é melhor que qualquer homem que se possa encontrar. Que mulher, meu Deus. São poucas como ela, vou te dizer. Vale seu peso em ouro. Aqui, aqui", disse ele, enchendo de novo meu copo e empurrando-o para mim. "*Za vstrechu!*" Ergueu seu próprio copo para mim. "Ao nosso encontro!"

"Não está na minha vez de brindar?"

"Sim, está..." Ele bateu no meu copo. "Mas estou com fome e você está esperando há muito tempo."

"Ao nosso encontro, então."

"Ao nosso encontro! E à sorte! Por reunir nós dois de novo!"

Assim que tínhamos bebido, Boris atirou-se imediatamente à comida.

"E o que exatamente é isso que você faz?", perguntei.

"Isso, aquilo." Ele ainda comia com a inocente fome devoradora de uma criança. "Muitas coisas. Me viro, sabe?"

"E onde você mora? Estocolmo?", perguntei, quando Boris não respondeu.

Ele balançou uma mão expansivamente. "Em toda a parte."

"Por exemplo?"

"Ah, você sabe. Europa, Ásia, América do Norte e do Sul..."

"Isso cobre bastante território."

"Bem", disse ele, a boca cheia de arenque, limpando uma mancha de creme de leite do queixo, "também sou um pequeno empresário, se é que você me entende."

"Como?"

Boris engoliu o arenque com um grande gole de cerveja. "Sabe como é. Meu negócio oficial, digamos, é uma agência de faxina. Funcionários da Polônia, principalmente." Ele mordeu um ovo em conserva.

"Então você morou nos Estados Unidos esse tempo todo?"

"Ah, não!" Ele tinha servido pra nós dois uma nova dose de vodca e estava erguendo seu copo para mim. "Viajo muito. Fico aqui talvez por seis, oito meses no ano. E o resto do tempo..."

"Rússia?", falei, entornando minha vodca, limpando a boca com o dorso da mão.

"Não muito. Europa setentrional. Suécia, Bélgica. Alemanha às vezes."

"Achei que você tinha voltado."

"Hein?"

"Porque... bem. Nunca tive notícias suas."

"Ah." Boris esfregou o nariz encabulado. "Foi uma época confusa. Lembra aquela última noite na sua casa?"

"É claro."

"Bem. Eu nunca tinha visto tanta droga na minha vida. Tipo quinze gramas de cocaína e eu não vendi nem um pingo, nem mesmo um quarto de grama. Dei um monte, claro — fiquei muito popular na escola, haha! Todos me amavam! Mas a maior parte — direto pro meu nariz. Os saquinhos que a gente encontrou, com comprimidos de todo tipo, lembra? Aqueles verdinhos? Eram umas pílulas bem sérias para paciente terminal de câncer. Seu pai devia ser loucamente viciado se tomava aquele troço."

"É, eu acabei ficando com algumas delas também."

"Bem, então você sabe! Nem mesmo fazem mais daquelas! Agora eles têm isso de impedir o vício e você não consegue mais injetar nem cheirar! Mas o seu pai... Tipo, passar da bebida *praquilo*? Melhor um bêbado na rua, em qualquer época que fosse. A primeira que eu usei — desmaiei antes de conseguir cheirar minha segunda carreira. Se Kotku não estivesse lá..." Ele passou um dedo pela garganta. "*Puff*."

"Sim", falei, lembrando-me da minha própria felicidade tola, caindo de cabeça na escrivaninha no andar de cima da casa de Hobie.

"Em todo caso..." Boris tomou sua vodca num gole e serviu outra dose pra nós dois. "Xandra estava vendendo a droga. Não *aquilo*. Aquilo era do seu pai. Ele usava. Mas a outra, ela estava distribuindo. Aquele casal, Stewart e Lisa? Aquela gente supercertinha com cara de corretor? Eles a estavam financiando."

Larguei meu garfo. "Como você sabe disso?"

"Porque ela me disse! E acho que ficaram uma fera quando ela deu mancada. Tipo o sr. Advogado e a sra. Bolsa de Pano muito simpáticos e amáveis na sua casa... passando a mão na cabeça dela... 'O que podemos fazer?' 'Pobre Xandra...' 'Sentimos muito...' Daí as drogas somem e já era. Outra história! Eu me senti realmente mal pelo que fizemos, quando ela me contou! Problemão pra ela! Mas, nisso..." — apertando o nariz — "já estava tudo aqui. Baubau."

"Espera. Xandra te disse isso?"

"Sim. Depois que você foi embora. Quando eu estava lá morando com ela."

"Você vai ter que voltar um pouquinho."

Boris suspirou. "Bem, tá certo. É uma longa história. Mas não nos vemos já faz um tempão."

"Você morou com Xandra?"

"Indo e vindo, sabe? Quatro ou cinco meses talvez. Antes de ela voltar pra Reno. Perdemos contato depois disso. Meu pai tinha voltado pra Austrália, e Kotku e eu estávamos brigados..."

"Deve ter sido bem estranho."

"Bem, mais ou menos", disse ele agitado. "Veja..." — recostando-se, fazendo sinal para o garçom de novo — "eu estava em péssimo estado. Tinha ficado alto por dias. Sabe como é quando você pega pesado na cocaína — terrível. Eu estava sozinho e realmente assustado. Sabe aquela doença na alma — respiração acelerada, muito medo, tipo a Morte vai estender a mão e pegar você? Magro, sujo, tremendo apavorado. Tipo um gatinho quase morto! E era Natal, todo mundo fora! Liguei pra um monte de gente, ninguém atendia. Fui até onde um cara chamado Lee morava, eu tinha ficado na casinha da piscina um tempo, mas ele não estava, a porta trancada. Andando e andando — cambaleando quase. Com frio e medo! Ninguém em casa! Então passei pela casa de Xandra. Kotku não estava falando comigo na época."

"Cara, você tinha uns nervos do cão. Eu não teria voltado lá nem por um milhão de dólares."

"Eu sei, precisei tomar coragem, mas estava *tão* solitário e doente. Balbuciando sem parar. Tipo, quando você quer ficar deitado, olhando pra um relógio e contando seus batimentos cardíacos? Só que sem lugar pra deitar. E sem um relógio. Quase chorando! Não sabia o que fazer! Não sabia nem se ela ainda estava lá. Mas as luzes estavam acesas — as únicas luzes da rua —, dei a volta até a porta de vidro e lá estava ela, com a mesma camisa dos Dolphins, na cozinha preparando margaritas."

"O que foi que ela fez?"

"Haha! Não queria me deixar entrar no começo! Ficou na porta e gritou um bom tempo — me xingou, me chamou de tudo que é nome! Mas daí eu comecei a chorar. E quando perguntei se podia ficar com ela" — ele deu de ombros — "Xandra disse que sim."

"Como?", falei, pegando a dose que ele tinha me servido. "Tipo, ficar ficar?"

"Eu estava com medo! Ela me deixou dormir no quarto dela! Com a TV ligada em filmes de Natal!"

"Humm." Dava pra ver que ele queria que eu pedisse mais detalhes, só que com base na sua expressão alegre eu não tinha tanta certeza se acreditava nele na parte de dormir no quarto dela. "Bem, que bom que deu certo pra você, acho. Ela disse alguma coisa sobre mim?"

"Bem, sim, um pouco." Boris riu. "Muito na verdade! Porque, tipo, não fique bravo, mas coloquei um pouco da culpa em você."

"Fico feliz por ter ajudado."

"Claro!" Ele bateu seu copo contra o meu, extasiado. "Muitíssimo obrigado! Você faria o mesmo, eu não me importaria. Mas, sinceramente, coitada da Xandra, acho que ela ficou feliz em me ver. Em ver *qualquer* pessoa. Tipo..." — ele tomou sua dose num gole — "foi uma loucura... aqueles amigos horríveis... ela estava complemente sozinha lá. Bebendo um monte, com medo de ir pro trabalho. Algo poderia ter acontecido com ela, fácil fácil — nenhum vizinho, realmente sinistro. Porque Bobo Silver — bem, Bobo na verdade não era um cara tão ruim assim. O Mensch? Não é por nada que o chamam assim. Xandra estava morrendo de medo dele, mas o cara não foi atrás dela por causa da dívida do seu pai, não de verdade, em todo caso. Não mesmo. E seu pai estava devendo um monte. Provavelmente ele percebeu que ela estava falida — seu pai tinha fodido com ela direitinho também. Poderia muito bem ser decente no negócio. Não dava pra tirar leite de pedra. Mas aquelas outras pessoas, seus supostos amigos, eram mesquinhos como banqueiros. Sabe? 'Você me deve', um troço *realmente* grave, altas ligações, assustador. Pior que ele! Uma soma não tão grande até, mas ela ainda estava bem mal de grana e eles foram horríveis, tipo..." — uma inclinada zombeteira de cabeça, dedo agressivamente apontado — "'*Foda-se*, não vamos esperar, é melhor você dar um jeito.' Tipo isso. Em todo caso, foi bom que eu voltei, porque daí pude ajudar."

"Ajudar como?"

"Devolvendo o dinheiro que a gente pegou."

"Você guardou?"

"Bem, não", disse ele sensatamente. "Gastei. Mas tinha outro lance rolando, sabe? Logo depois que o pó acabou, levei o dinheiro pro Jimmy na loja de armas e comprei mais. Eu estava comprando pra mim e pra Amber — só pra nós dois. Garota muito, muito linda, muito inocente e especial. Muito nova também, tipo, só catorze anos! Mas naquela única noite no MGM Grand, nós tínhamos ficado muito próximos, sentados no piso do banheiro a noite toda na suíte do pai de KT conversando. Nem nos beijamos! Conversa, conversa, conversa! Quase chorei com aquilo. Realmente abrimos o coração um pro outro. E...” — mão no peito — “fiquei tão triste quando o dia nasceu, tipo, por que aquilo tinha que acabar? Porque a gente podia ter ficado sentado ali conversando pra sempre um com o outro! E foi tão perfeito e feliz! Pra você ter uma ideia de como a gente ficou próximo, sabe, em apenas uma noite. Em todo caso, foi por isso que eu fui até Jimmy. Ele tinha um pó bem ruinzinho, não valia nem metade do pó de Stewart e Lisa. Mas todo mundo sabia, entende? Todo mundo tinha ouvido falar daquele fim de semana no MGM Grand, eu com todo aquele pó. Então as pessoas vieram até mim. Tipo, dezenas de pessoas no meu primeiro dia de volta à escola. Jogando dinheiro em mim. Arranja um pouco pra mim... arranja um pouco pra mim... arranja um pouco pro meu irmão... tenho déficit de atenção, preciso pra lição de casa... Não demorou muito e eu estava vendendo pra jogadores de futebol americano e pra metade do time de basquete. Muitas garotas também... amigos de Amber e KT... amigos de Jordan... universitários da UNLV! Perdi dinheiro nas primeiras levas que vendi — não sabia quanto pedir, vendia muito por pouco, queria que todo mundo gostasse de mim e tal. Mas depois que entendi como funcionava — fiquei rico! Jimmy me dava um desconto enorme, ele também estava ganhando uma grana preta. Eu estava fazendo um favorzão pra ele, vendendo drogas pra garotos com medo demais pra comprar por conta própria — com medo de gente como Jimmy, que vendia o bagulho. KT... Jordan... aquelas garotas tinham muito dinheiro! *Sempre* dispostas a pagar adiantado. Pó não é como ecstasy — eu vendia ecstasy também, mas eram altos e baixos, um monte e depois nada durante dias, mas com pó eu tinha um monte de clientes fixos que ligavam duas ou três vezes por semana. Quer dizer, só KT...”

“Uau.” Mesmo depois de tantos anos o nome dela ainda me arrepiava.

“Sim! À KT!” Erguemos nossos copos e bebemos.

“Como ela era linda!” Boris bateu o copo com força na mesa. “Eu ficava tonto perto dela. Só de respirar o mesmo ar.”

“Você transou com ela?”

“Não... meu Deus, eu tentei... mas ela me pagou um boquete no quarto do irmão mais novo numa noite em que estava chapada e num humor muito bom.”

“Cara, sem dúvida fui embora na hora errada.”

"Certeza. Gozei antes que ela pudesse abrir o zíper. E a mesada de KT..." Ele pegou meu copo vazio. "Dois mil por mês! Isso ela recebia só pra comprar roupa! Só que KT já tinha tanta roupa que era, tipo, por que precisaria comprar mais? Em todo caso, lá pelo Natal eu estava vivendo como nos filmes em que eles têm grana alta. O telefone não parava de tocar. Melhor amigo de todo mundo! Garotas que eu nunca tinha visto antes me beijando, me dando joias de ouro do próprio pescoço! Eu estava usando todas as drogas que conseguia, drogas todo dia, toda noite, carreiras tão compridas quanto a minha mão, e mesmo assim dinheiro pra todo lado. Eu era tipo o Scarface da nossa escola! Um cara me deu uma moto — outro cara, um carro usado. Eu ia pegar minhas roupas do chão — centenas de dólares caindo dos bolsos, nenhuma ideia de onde tinha vindo."

"É muita informação, rápido demais."

"Bem, eu que o diga! É assim que eu aprendo. Dizem que a experiência é o melhor professor, e geralmente isso é verdade, mas tive sorte de essa experiência não ter me matado. De vez em quando... quando bebo umas cervejas às vezes... cheiro uma ou duas carreiras. Mas em geral não gosto mais. Acabou comigo. Se tivesse me visto há uns cinco anos... Eu estava todo..." — sugando as bochechas. "Mas..." — o garçom tinha voltado com mais arenque e cerveja — "já estou farto disso tudo. Você..." — ele me olhou de cima a baixo — "como é? Parece que vai bem."

"Vou, acho."

"Haha!" Ele se recostou com o braço sobre o encosto do assento. "Mundinho engraçado, né? Comércio de antiguidades? A bicha velha? Foi ele que te colocou nisso?"

"Isso mesmo."

"Negócio importante, ouvi dizer."

"Isso mesmo."

Ele me olhou de cima a baixo. "Tá feliz?", perguntei.

"Não muito."

"Então escuta! Tenho uma ótima ideia! Vem trabalhar pra mim!"

Desatei a rir.

"Não, não estou brincando! Não, não", disse ele, silenciando-me autoritário enquanto eu tentava falar por cima, servindo-me uma nova dose, empurrando o copo sobre a mesa para mim, "quanto ele tá pagando? Sério. Eu dou o dobro."

"Eu gosto do *trabalho*..." Eu estava enfatizando demais as palavras. Será que estava tão bêbado quanto soava? "Gosto do que *faço*."

"Ah é?" Ele ergueu seu copo para mim. "Então por que não está feliz?"

"Não quero falar sobre isso."

"E por que não?"

Balancei a mão num gesto de desdém. "Porque..." Eu tinha perdido a conta de quantas doses tinha tomado. "Porque sim."

"Se não é pelo emprego então o que é?" Boris tinha entornado sua própria dose, jogando a cabeça magnificamente pra trás, e começado a comer o novo prato de arenque. "Problemas com dinheiro? Garota?"

"Nenhum dos dois."

"Garota então", disse ele num tom triunfante. "Eu sabia."

"Escuta..." Bebi o resto da minha vodca, bati na mesa — que gênio eu era, não conseguia parar de sorrir, tinha tido a melhor ideia em anos! "Chega disso. Venha, vamos sair daqui! Tenho uma surpresa muito, muito grande pra você."

"*Sair?*", disse Boris, visivelmente incomodado. "Sair pra onde?"

"Venha comigo. Você vai ver."

"Quero ficar aqui."

"Boris..."

Ele se recostou. "Deixa pra lá, Potter", disse, colocando as mãos pra cima. "Vamos curtir."

"Boris!" Olhei para a multidão no bar, como se esperando uma indignação em massa, e depois de volta para ele. "Estou cansado disso! Já estou aqui *faz horas*."

"Mas..." Ele estava irritado. "Deixei a noite toda livre pra ficar com você! Eu tinha coisas pra fazer! Está indo embora?"

"Sim! E você vem comigo. Porque..." — atirei os braços pra frente — "você tem que ver a surpresa!"

"Surpresa?" Ele jogou o guardanapo enrolado na mesa. "Que surpresa?"

"Você vai descobrir." Qual era o problema dele? Tinha esquecido como se divertir? "Agora venha, vamos dar o fora daqui."

"Por quê? Agora?"

"Porque sim!" O bar era um estrondo escuro; eu nunca tinha me sentido tão seguro de mim na vida, tão satisfeito com minha própria inteligência. "Venha. Bebe aí!"

"Precisamos mesmo fazer isso?"

"Você vai gostar. Prometo. Venha!", falei, estendendo a mão e sacudindo seu ombro de forma amigável. "Tipo, sem brincadeira, é uma surpresa que você não imagina como é boa."

Ele se recostou de braços cruzados e me observou desconfiado. "Acho que você está bravo comigo."

"Boris, mas que porra!" Eu estava tão bêbado que tropecei ao me erguer e tive de me segurar na mesa para recuperar o equilíbrio. "Não discuta. Vamos e pronto."

"Acho que é um erro ir a algum lugar com você."

"Hã?" Olhei para ele com um olho semicerrado. "Você vem ou não?"

Boris me olhou com frieza. Então ele apertou a ponte do nariz e disse: "Você não vai me dizer pra onde vamos?".

"Não."

"Você não se importa se meu motorista nos levar então?"

"Seu motorista?"

"Claro. Ele está esperando a umas duas quadras daqui."

"Porra." Desviei os olhos e ri. "Você tem um *motorista*?"

"Você não se importa se formos com ele, então?"

"Por que eu me importaria?", falei, depois de uma breve pausa. Bêbado como eu estava, seus modos tinham me pegado de surpresa. Boris estava me olhando com um ar peculiar, calculado e inflexível que eu nunca tinha visto antes.

Ele tomou o resto da vodca e se levantou. "Muito bem", disse, girando frouxamente um cigarro apagado na ponta dos dedos. "Vamos logo acabar com essa bobagem, então."

VI

Boris deixou-se ficar tão pra trás enquanto eu destrancava a porta da frente da casa de Hobie, como se pensasse que minha chave na fechadura detonaria uma explosão gigantesca no sobrado. Seu motorista estava estacionado em fila dupla, soltando nuvens de fumaça ostensiva. Uma vez no carro, toda a conversa entre ele e o motorista tinha se dado em ucraniano: nada que eu tivesse conseguido captar mesmo com meus dois semestres de conversação em russo na faculdade.

"Entre", falei, mal conseguindo conter um sorriso. O que ele achava, o idiota, que eu ia atacá-lo, sequestrá-lo ou algo assim? Mas Boris ainda estava na rua, as mãos nos bolsos do sobretudo, olhando pra trás por cima do ombro para o motorista, cujo nome era Genka, Gyuri, Gyorgi ou alguma outra merda que eu tinha esquecido.

"Qual é o problema?", perguntei. Se estivesse menos bêbado, sua paranoia poderia ter me deixado com raiva, mas eu a achava hilária apenas.

"Me diz mais uma vez, por que temos que vir aqui?", perguntou ele, ainda bem atrás.

"Você vai ver."

"Você mora aqui?", disse ele, desconfiado, olhando pra dentro do salão. "Essa é sua casa?"

Eu tinha feito mais barulho do que pretendia com a porta. "Theo?", Hobie chamou dos fundos da casa. "É você?"

"Sim." Ele estava vestido pra jantar, terno e gravata — merda, pensei, será que temos visita? Com um leve sobressalto percebi que já tinha passado da hora do jantar. Tinha a impressão de que eram umas três da manhã.

Boris tinha entrado cautelosamente atrás de mim, as mãos nos bolsos do sobretudo, deixando a porta da frente escancarada atrás dele, os olhos sobre as grandes urnas de basalto e o lustre.

"Hobie", falei. Ele tinha se aventurado até o hall, as sobrancelhas erguidas, a sra. DeFrees andando apreensiva na ponta dos pés atrás dele. "Oi, Hobie, você lembra que te falei sobre..."

"Popchik!"

O pequeno pacotinho branco — seguindo obedientemente pelo corredor até a porta da frente — paralisou. Então, com um grito estridente, começou a correr o mais rápido que podia (o que não era nem um pouco rápido, não mais) e Boris, gargalhando sem parar, caiu de joelhos.

"Ah!" Agarrou-o, enquanto Popchik se contorcia e lutava. "Você ficou gordo! Ele ficou gordo!", disse Boris indignado enquanto Popchik pulava e lambia seu rosto. "Você deixou ele engordar! Sim, olá, *poustyshka*, sua bolinha de pelo, olá! Você se lembra de mim, não lembra?" Boris tinha caído de costas, estava estirado e rindo, enquanto Popchik — ainda latindo de alegria — pulava em cima dele. "Ele se lembra de mim!"

Hobie, ajeitando os óculos, assistia àquilo divertido — a sra. DeFrees, não tão divertida, estava parada atrás dele, franzindo ligeiramente a testa diante do espetáculo do meu convidado cheirando a vodca rolando e caindo com o cachorro no tapete.

"Não me diga", disse ele, colocando as mãos nos bolsos do paletó. "Que este seria...?"

"Exatamente."

VII

Não ficamos muito tempo. Hobie tinha ouvido falar muito sobre Boris ao longo dos anos, queria tomar uma bebida, e Boris parecia muito interessado, e curioso, quanto eu teria ficado se Judy de Karmeywallag ou alguma outra pessoa mítica do seu passado tivesse aparecido — mas estávamos bêbados e alvoroçados demais, e senti que talvez incomodássemos a sra. DeFrees, que embora estivesse sorrindo educadamente permanecera sentada imóvel numa cadeira do hall com suas minúsculas mãos cheias de anéis cruzadas no colo, sem dizer muita coisa.

Então saímos — Popchik junto, patinando animado ao nosso lado, Boris gritando alegre, fazendo sinal para que o carro desse a volta na quadra e nos pegasse: "Sim, *poustyshka*, sim!", ele dizia para Popper. "Aquele é o nosso! Nós temos um carro!"

De uma hora para a outra parecia que o motorista de Boris falava inglês tão bem quanto ele, e ficamos os três amigos — quatro, contando com Popper, que estava sobre as pernas de trás com as patas apoiadas no vidro da janela olhando muito sério para as luzes da West Side Highway enquanto Boris tagarelava com ele e o afagava e o beijava na nuca, ao mesmo tempo que explicava para Gyuri (o motorista) tanto em inglês quanto em russo quão maravilhoso eu era, o amigo da sua infância, sangue do seu sangue! (Gyuri esticou-se sobre o assento com a mão esquerda estendida para apertar solenemente minha mão no banco de trás.) E quão preciosa era a vida por fazer com que dois amigos assim, num mundo tão grande, se encontrassem de novo depois de uma separação tão longa?

"Sim", disse Gyuri, sombrio, enquanto fazia uma curva tão fechada para entrar na Houston Street que escorreguei até a porta, "era a mesma coisa comigo e Vadim. Todos os dias lamento sua perda — tanto que acordo à noite para lamentar. Vadim era meu irmão..." — ele olhou de relance pra mim; pedestres se afastando enquanto freava em cima da faixa, rostos assustados diante de vidros escuros — "mais chegado que um irmão. Como Borya e eu. Mas Vadim..."

"Foi uma coisa terrível", Boris disse baixinho para mim, então, para Gyuri: "Sim, sim, terrível..."

"Vimos Vadim descer à terra cedo demais. É verdade, a música da rádio, você conhece? O mesmo cantor de 'Piano Man'? Só os bons morrem jovens."

"Ele vai estar esperando por nós lá", disse Boris num tom de consolo, esticando-se sobre o assento para dar um tapinha no ombro de Gyuri.

"Sim, foi exatamente o que eu disse pra ele fazer", murmurou Gyuri, cortando um carro tão subitamente que fui jogado contra o cinto e Popchyk saiu voando. "Essas coisas são profundas. Não podem ser honradas em palavras. A língua humana não consegue expressar. Mas no final, quando enterrei Vadim, falei com ele com a minha alma. 'Até mais, Vadim. Segure os portões abertos para mim, irmão. Guarde um lugar pra mim aí onde você está.' Só que Deus..." — por favor, pensei, tentando manter uma expressão serena enquanto colocava Popchyk no meu colo, pelo amor de Deus olhe pra estrada, cacete — "Fiódor, por favor me ajude, tenho duas grandes perguntas sobre Deus. Você é professor universitário" — quê? — "então talvez possa me responder. Primeira pergunta..." — os olhos encontrando os meus no espelho retrovisor, segurando um dedo apontado — "Deus tem senso de humor?

Segunda pergunta: Deus tem senso de humor *cruel*? Por exemplo: Deus gosta de brincar conosco e nos torturar para a sua própria diversão, como uma criança maldosa com um inseto que achou no jardim?"

"Hã", falei, alarmado com a forma intensa com que olhava para mim e não para a curva a seguir. "Bem, talvez, não sei, certamente espero que não."

"Este não é o homem certo a quem fazer essas perguntas", disse Boris, oferecendo-me um cigarro e então estendendo outro pra Gyuri. "Deus torturou bastante Theo. Se o sofrimento enobrece, então ele é um príncipe. Agora, Gyuri..." — reclinou-se em nuvens de fumaça — "um favor."

"Qualquer coisa."

"Você cuida do cachorro depois de nos deixar? Leva ele pra passear por aí no assento de trás, pra onde ele quiser ir?"

O clube ficava no Queens, eu não saberia dizer onde. No hall de entrada com carpete vermelho, que bem poderia ser um lugar onde cumprimentar o avô depois de ter sido solto da prisão, grandes grupos de beberrões em cadeiras estilo Luís XVI comiam, fumavam, gritavam e batiam nas costas um do outro ao redor de mesas adornadas com um tecido dourado. Atrás, nas paredes vermelho-laca, guirlandas de Natal e enfeites de fim de ano da era soviética com lâmpadas acesas e alumínio colorido — galos, pássaros no ninho, estrelas vermelhas, naves espaciais e foices e martelos com slogans kitsch em cirílico (*Feliz Ano-Novo, querido Stálin*) — estavam pendurados numa decoração exuberante e aparentemente improvisada. Boris (ele próprio bem chapado; ficara bebendo de uma garrafa no banco de trás) tinha passado o braço em volta de mim e, em russo, me apresentava pra jovens e velhos como seu irmão, coisa que suponho que entendiam literalmente, a julgar por todos os homens e mulheres que me abraçaram, beijaram e tentaram me servir doses de garrafas de vodca de um litro e meio em baldes de gelo de cristal.

De alguma forma, por fim conseguimos chegar à parte de trás: cortinas pretas de veludo guardadas por brutamontes de cabeça raspada e olhos de víbora tatuados até o maxilar em cirílico. A sala dos fundos estava pulsando com música e recendendo a suor, loção pós-barba, maconha e fumaça de Cohiba: Armani, agasalhos, Rolex de diamante e platina. Eu nunca tinha visto tantos homens usando tanto ouro — anéis de ouro, correntes de ouro, dentes de ouro. Tudo era como um sonho estrangeiro, confuso, brilhantemente reluzente; e eu estava no estágio incômodo da bebedeira em que não conseguia focar os olhos ou fazer nada além de assentir, ziguezaguear e deixar que Boris me arrastasse pela multidão. Em algum momento da noite Myriam reapareceu como uma sombra; depois de me cumprimentar com um beijo no rosto que pareceu sombrio e macabro, congelado no tempo como um gesto cerimonial, ela e Boris desapareceram, deixando-me numa mesa cheia de russos bêbados fumando freneticamente, os quais pareciam saber, todos eles, quem eu era ("Fiódor!"), dando-me tapinhas nas costas, servindo-me doses, oferecendo-me comida, oferecendo-me Marlboros, gritando amigavelmente comigo em russo sem nenhuma expectativa aparente de resposta.

Mão no meu ombro. Alguém estava tirando meus óculos. "Olá?", falei para a estranha mulher que de uma hora pra outra estava sentada no meu colo.

Zhanna. Oi, Zhanna! O que você está fazendo agora? Nada de mais. E você? Estrela pornô, bronzeada artificialmente, seios siliconados saindo pelo decote. A profecia está no meu sangue: posso ler sua mão? Ei, claro. Seu inglês era muito bom, embora fosse difícil entender o que ela dizia com a algazarra no clube.

"Vejo que é filósofo por natureza." Correndo um dedo com uma unha rosa de Barbie pela minha palma. "Muito, muito inteligente. Altos e baixos. Já fez um pouco de tudo na vida. Mas é solitário. Sonha em encontrar uma garota pra ficar com ela pelo resto da vida, não é verdade?"

Então Boris reapareceu, sozinho. Ele puxou uma cadeira e sentou. Uma conversa breve e curiosa em ucraniano deu-se entre ele e minha nova amiga, que acabou com ela colocando meus óculos no meu rosto e saindo, mas não sem antes filar um cigarro de Boris e beijá-lo no rosto.

"Você a conhece?", perguntei a Boris.

"Nunca a vi na minha vida", disse ele, acendendo um cigarro para si próprio. "Podemos ir agora, se quiser. Gyuri está esperando lá fora."

VIII

Nisso já era tarde. O assento de trás do carro era um alívio depois de toda a confusão do clube (brilho íntimo do console, rádio ligado baixinho) e ficamos andando durante horas com Popchik dormindo pesado no colo de Boris, rindo e conversando — Gyuri entrando na conversa também com histórias gritadas roucamente sobre crescer no Brooklyn, no que ele chamava de "os tijolos" (os condomínios populares), enquanto Boris e eu bebíamos vodca morna da garrafa e cheirávamos pó do saquinho que ele tinha tirado do bolso do sobretudo, Boris passando-o pra Gyuri de vez em quando. Apesar de o ar estar ligado, estava muito quente no carro; o rosto de Boris estava suado e suas orelhas queimavam. "Sabe", ele disse. Já tinha tirado o casaco; estava tirando as abotoaduras, jogando-as no bolso, arregaçando as mangas da camisa. "Foi seu pai quem me ensinou a me vestir direito. Sou grato a ele por isso."

"É, meu pai ensinou muita coisa a nós dois."

"Sim", disse ele com sinceridade. Um aceno vigoroso de cabeça, sem ironia, limpando o nariz com o lado da mão. "Ele sempre parecia um cavalheiro. Tipo, um monte desses caras no clube — casaco de couro, blusa de veludo, saídos direto da imigração, parece. Muito melhor se vestir sem exagero, como seu pai. Jaqueta boa, relógio bom, mas *klássnyy*. Simples, sabe? Tentar se encaixar."

"Certo." Sendo meu trabalho reparar nessas coisas, eu já tinha visto o relógio de Boris — suíço, vendido talvez por cinquenta mil, um relógio de playboy europeu —, chamativo demais pro meu gosto, mas extremamente discreto comparado aos manequins de ouro e platina que eu tinha visto no clube. Havia uma estrela de davi azul tatuada na parte interna do seu antebraço.

"O que é isso?", perguntei.

Ele ergueu o pulso para que eu inspecionasse. "IWC. Um bom relógio é como dinheiro no banco. Você sempre pode penhorar ou usar em caso de emergência. Esse é de ouro branco, mas parece de inox. Melhor ter um relógio que parece menos caro do que realmente é."

"Não, a tatuagem."

"Ah." Ele ergueu a manga e olhou para o braço com pesar, mas eu não estava mais olhando pra tatuagem. A luz não estava muito boa no carro, mas eu reconhecia marcas de agulha quando as via. "A estrela? Longa história."

"Mas..." Eu sabia que não devia perguntar sobre as marcas. "Você não é judeu."

"Não!", disse Boris indignado, abaixando a manga. "Claro que não!"

"Bem, nesse caso acho que a pergunta seria por que..."

"Porque eu disse a Bobo Silver que era judeu."

"Quê?"

"Porque eu queria que ele me contratasse! Então eu menti."

"Não diga."

"Sim! É verdade! Ele passava um monte pela casa de Xandra. Bisbilhotando a rua de cima a baixo, tentando farejar algo podre, tipo, talvez seu pai não estivesse morto. E um dia tomei coragem e fui falar com ele. Me ofereci pra trabalhar. As coisas estavam saindo do controle — tinha problemas na escola, algumas pessoas foram pra reabilitação, outras foram expulsas... Eu precisava romper o vínculo com Jimmy, fazer outra coisa por um tempo. E, sim, meu sobrenome é todo errado, mas Boris, na Rússia, é o primeiro nome de muitos judeus, então pensei: por que não? Como ele vai saber? Achei que a tatuagem seria uma boa ideia — para convencê-lo, sabe, de que podia confiar em mim. Fiz com um cara que estava me devendo cem paus. Inventei uma história triste, minha mãe judia polonesa, família em campo de concentração, buá-buá — burrice minha, não sabia que tatuagens eram contra a lei judaica. Por que você está rindo?", disse ele na defensiva. "Alguém como eu...

era útil pra ele, sabe? Falo inglês, russo, polonês, ucraniano. Sou educado. Em todo caso, ele sabia muito bem que eu não era judeu, riu na minha cara, mas mesmo assim me aceitou e foi muito gentil da parte dele."

"Como você pôde trabalhar pro cara que queria matar meu pai?"

"Ele não queria matar seu pai! Isso não é verdade nem justo. Só queria assustar! Mas, sim, eu trabalhei pra ele, durante quase um ano."

"O que você fez pra ele?"

"Nada sujo, acredite ou não! Fui só assistente dele — garoto de recados, fazia serviço de rua de um lado pro outro, esse tipo de coisa. Levava os cachorrinhos dele pra passear! Buscava roupa na lavanderia! Bobo foi um amigo bom e generoso comigo em uma época ruim — um pai quase, posso te dizer isso com a mão no coração e com sinceridade. Certamente mais pai pra mim do que meu próprio pai. Sempre foi justo comigo. Mais do que justo. Amável. Aprendi muito com ele, observando-o em ação. Então não me importo muito em usar esta estrela pra ele. E isso..." — ele ergueu a manga até o bíceps, rosa cheia de espinhos, inscrição em cirílico — "isso é pra Katya, o amor da minha vida. Eu a amei mais do que qualquer outra mulher que conheci."

"Você fala isso de todas."

"Sim, mas com Katya é verdade! Andaria em cacos de vidro por ela! Atravessaria o inferno, o fogo! Daria minha vida, de bom grado! Jamais vou amar outra pessoa na Terra como Katya de novo — nem de longe. Ela era única. Eu morreria e ficaria feliz só por um dia com ela. Mas..." — abaixou a manga — "você jamais deve tatuar o nome de uma pessoa em você, porque aí a perde. Eu era jovem demais pra saber disso quando fiz a tatuagem."

IX

Eu não cheirava pó desde que Carole Lombard tinha deixado a cidade, e não havia a menor chance de conseguir dormir. Às seis e meia da manhã Gyuri estava dando voltas pelo Lower East Side com Popchik no banco de trás ("Vou levá-lo pra lanchonete! Pra comer um sanduíche de bacon, ovo e queijo!") e nós estávamos chapados, batendo papo em algum bar aberto vinte e quatro horas na avenida C, com paredes rabiscadas de grafite e estopa sobre as janelas pra deixar o nascer do sol do lado de fora, Ali Baba Club, doses a três dólares, happy hour das dez da manhã à meia-noite, tentando nos acalmar um pouco bebendo cerveja.

"Sabe o que fiz na faculdade?", disse a Boris. "Conversação em russo por um ano. Totalmente por sua causa. Eu me saí bem mal, na verdade. Nunca consegui ficar bom o bastante pra ler, sabe, pra pegar o *Eugênio Oneguin* — tem que ler em russo, dizem, a tradução não dá conta. Mas eu pensava tanto em você! Costumava me lembrar de coisinhas que você dizia, todo tipo de coisa. Ah, uau, escuta, eles estão tocando 'Comfy in Nautica', tá ouvindo? Panda Bear! Eu tinha me esquecido completamente desse álbum. Bom, eu escrevi um ensaio de fim de semestre sobre *O idiota* pra minha disciplina de literatura russa — literatura russa traduzida. Tipo, o tempo todo que eu estava lendo eu pensava em você, lá no meu quarto fumando os cigarros do meu pai. Era tão mais fácil me lembrar dos nomes se eu imaginasse você dizendo na minha cabeça... na verdade, era como se ouvisse o livro todo na sua voz! Lá em Vegas você ficou lendo *O idiota* por uns seis meses, lembra? Em russo. Por um bom tempo foi só o que fez. Lembra como você não podia descer por causa de Xandra, e eu tinha que levar comida pra você, tipo Anne Frank? Bom, li em inglês *O idiota*, mas queria chegar lá também, a esse ponto, sabe, em que meu russo fosse bom o bastante. Mas nunca cheguei."

"Toda essa escola", disse Boris, claramente não impressionado. "Se quer falar russo, venha pra Moscou comigo. Vai estar falando em dois meses."

"Então, você vai me dizer o que faz?"

"Já disse. Isso e aquilo. Só o suficiente pra sobreviver." Então, chutando-me debaixo da mesa: "Você parece melhor agora, hein?".

"Hã?" Havia apenas outras duas pessoas no salão da frente conosco — lindos, de uma palidez sobrenatural, um homem e uma mulher de cabelo escuro e curto, os olhos fixos um no outro, ele segurando a mão dela sobre a mesa, mordiscando o pulso dela. *Pippa*, pensei, com uma pontada de angústia. Já estava quase na hora do almoço em Londres. O que ela estava fazendo?

"Quando topei contigo, parecia que estava indo se atirar no rio."

"Foi um dia difícil."

"Mas arranjo legal aquele seu", Boris estava dizendo. Ele não podia ver o casal de onde estava sentado. "Vocês dois são parceiros?"

"Não! Não desse jeito."

"Não falei isso!" Boris me olhou com um ar de crítica. "Jesus, Potter, não seja tão sensível! De qualquer forma, aquela era a mulher dele, não era?"

"Sim", falei, incomodado, recostando-me na cadeira. "Bem, mais ou menos." O relacionamento entre Hobie e a sra. DeFrees ainda era um profundo mistério, assim como o casamento ainda existente dela com o sr. DeFrees. "Achei que ela era viúva há séculos, mas não é. Ela..." Inclinei-me pra frente, esfreguei o nariz. "Veja, ela mora em Uptown e ele mora em Downtown, mas eles ficam juntos o tempo todo... Ela tem uma casa em Connecticut, às vezes vão passar o fim de semana lá. Ela é casada, mas nunca vi o marido dela. Ainda não entendi. Pra falar a verdade, acho que eles provavelmente são apenas bons amigos. Desculpe, estou matraqueando. Realmente não sei por que estou te dizendo isso tudo."

"E ele te ensinou seu ofício! Parece um sujeito bem gente fina. Verdadeiro cavalheiro."

"Hã?"

"Seu chefe."

"Ele não é meu chefe! Somos sócios." O brilho das drogas estava passando; o sangue corria nos meus ouvidos, zumbido estridente como grilos cantando. "Na verdade, eu cuido de praticamente toda a parte comercial do negócio."

"Foi mal!", disse Boris, erguendo as mãos. "Não precisa se irritar. É só que eu estava falando sério quando te chamei pra trabalhar comigo."

"E como eu deveria responder a isso?"

"Olha, quero te retribuir. Deixar você participar de todas as coisas boas que aconteceram comigo", disse ele, interrompendo-me. "Eu te devo tudo. Tudo de bom que já me aconteceu na vida, Potter, aconteceu por causa sua."

"Quê? Eu te coloquei no tráfico de drogas? Nossa, então tá", falei, acendendo um dos seus cigarros e empurrando o maço de volta pra ele. "É bom saber, isso realmente faz eu me sentir bem, obrigado."

"Tráfico de drogas? Quem falou em tráfico de drogas? Quero consertar as coisas com você! Pelo que fiz. Estou te dizendo, é uma ótima vida. Íamos nos divertir à beça juntos."

"Você está administrando um serviço de acompanhantes? É isso?"

"Olha, posso te falar uma coisa?"

"Por favor."

"Realmente sinto muito pelo que fiz com você."

"Esquece. Eu não me importo."

"Por que você não deveria aproveitar esses ótimos lucros que tive por sua causa? Colher um pouco também?"

"Escuta, posso falar uma coisa, Boris? Não quero me envolver em nada desonesto. Sem ofensa", falei, "mas estou dando um duro danado pra me livrar de um troço e, como eu disse, estou noivo agora, as coisas são diferentes, realmente não acho que..."

"Então por que não deixa eu te ajudar?"

"Não é disso que estou falando. É só que — bem, prefiro não entrar em detalhes, mas eu fiz umas coisas que não deveria ter feito, quero consertá-las. Ou seja, estou tentando descobrir como."

"É difícil consertar as coisas. Você nem sempre tem essa chance. Às vezes tudo o que pode fazer é não ser pego."

O lindo casal tinha se erguido para sair, de mãos dadas, puxando pro lado a cortina de contas, afastando-se lentamente para o fraco e gélido amanhecer. Fiquei vendo as contas repicando e ondulando atrás deles, balançando com o gingado do quadril da moça.

Boris recostou-se. Ele tinha os olhos fixos nos meus. "Estou tentando recuperá-la pra você", disse ele. "Quem me dera se eu pudesse."

"Quê?"

Ele franziu o cenho. "Bem — foi por isso que passei na loja. Você sabe. Tenho certeza de que ficou sabendo, o negócio em Miami. Estava preocupado com o que você ia pensar quando desse com as notícias. E, sinceramente, estava com um pouco de medo de que eles chegassem até você, através de mim, sabe? Não mais, não tanto, mas ainda assim. Estava até o pescoço nisso, é claro, mas eu *sabia* que o rolo era ruim. Devia ter confiado nos meus instintos. Eu..." Ele mergulhou sua chave pra dar outra cheirada rápida; éramos as únicas pessoas no lugar; a pequena garçonete tatuada, ou hostess, ou fosse lá o que fosse, tinha desaparecido na sala suspeita dos fundos onde — com base no meu breve vislumbre — pessoas em sofás de venda de garagem pareciam estar reunidas pra uma exibição de pornô dos anos 1970. "Bem, foi terrível. Eu devia saber. Eu falhei e pessoas se machucaram, mas aprendi uma lição valiosa com isso. Sempre um erro — aqui, espera, deixa eu cheirar com o outro lado. Como eu estava dizendo, *sempre* um erro lidar com gente que você não conhece." Ele apertou o nariz e passou o saco por baixo da mesa para mim. "É aquilo, sabe, que você sempre esquece. Nunca lide com estranhos nas coisas grandes! Nunca! As pessoas dizem 'Ah, essa pessoa é confiável'. Eu quero acreditar, é a minha natureza. Mas coisas ruins acontecem de uma hora pra outra. Veja, eu conheço meus amigos. Mas amigos dos meus amigos? Não tão bem! É assim que as pessoas pegam aids, né?"

Era um erro — eu sabia, mesmo enquanto o fazia — cheirar mais pó; já tinha exagerado, mandíbula cerrada e sangue pulsando nas têmporas mesmo quando o mal-estar do efeito passando tinha começado a me atravessar, uma fragilidade de placa de vidro a tremer.

"Em todo caso", Boris continuava dizendo. Ele estava falando muito rápido, o pé batendo e balançando nervoso debaixo da mesa. "Venho tentando pensar num jeito de recuperá-la. Penso, penso, penso! É claro que eu mesmo não posso mais. Já me queimei feio. Mas" — ele mudou de posição, irrequieto — "não foi por isso que eu vim ver você, não exatamente. Em parte queria me desculpar. Dizer que sinto muito ao vivo. Porque, sinceramente, eu sinto. E em parte, também, com todo esse negócio nos jornais — eu queria falar pra você não se preocupar, porque talvez esteja pensando... bem, eu não sei o que você está pensando. É só que não me agradava pensar em você ouvindo tudo isso, ficando com medo, não entendendo. Pensando que talvez pudessem chegar em você. Fez eu me sentir muito mal. E era por isso que queria conversar. Pra dizer que te deixei fora disso — ninguém sabe da nossa relação. E pra te dizer também que estou tentando recuperá-la, de verdade. Tentando mesmo. Porque...” — três pontas de dedo contra a testa — “fiz uma fortuna com ela, e realmente gostaria que você a tivesse só pra você de novo. A coisa em si, em nome dos velhos tempos, apenas tê-la, realmente sua, guardar no armário ou sei lá o quê, tirá-la e olhá-la, como nos velhos tempos, sabe? Porque sei o quanto você a amava. Eu mesmo cheguei a ponto de amá-la, na verdade.”

Fiquei olhando para ele. No clarão fresco da droga, o que estava dizendo tinha começado, finalmente, a fazer sentido. “Boris, do que você está falando?”

“Você sabe.”

“Não, eu não sei.”

“Não me faça dizer em voz alta.”

“Boris...”

“Eu tentei te contar. Implorei pra que não fosse embora. Eu a teria devolvido se tivesse esperado apenas um dia.”

A cortina de contas ainda estava repicando e ondulando na corrente de ar. Ondinhas vítreas sinuosas. Olhando para ele, fiquei paralisado com a leve e obscura sensação de um sonho colidindo com outro: barulho de talheres ao meio-dia ensolarado do restaurante em Tribeca, Lucius Reeve sorrindo presunçoso para mim do outro lado da mesa.

“Não”, falei, empurrando a cadeira pra trás numa onda fria de suor, colocando as mãos sobre o rosto. “Não.”

“O que, você achou que seu pai tinha pegado? Eu meio que esperava que pensasse isso. Porque ele estava tão endividado. E roubando de você já.”

Arrastei as mãos pelo rosto e olhei para ele, incapaz de falar.

“Eu a troquei. Sim. Fui eu. Achei que você soubesse. Olha, desculpa!”, disse Boris quando continuei sentado olhando boquiaberto para ele. “Deixei no meu armário da escola. De brincadeira, sabe? Bem...” — ele sorria fracamente — “talvez não. Uma espécie de brincadeira. Mas, escuta...” — batendo de leve na mesa pra chamar minha atenção — “eu juro, não ia ficar com ela. Não era o plano. Como eu ia saber sobre seu pai? Se você ao menos tivesse passado a noite...” Ele atirou os braços pra cima. “Eu teria devolvido, juro que teria. Mas não consegui fazer você ficar. Tinha que ir embora! Naquele exato minuto! ‘Tenho que ir! Agora, Boris, agora!’ Não podia esperar nem até de manhã! ‘Tenho que ir, tenho que ir, neste exato segundo!’ E eu estava com medo de te contar o que tinha feito.”

Fiquei olhando para ele. Minha garganta estava tão seca e meu coração tinha começado a bater tão rápido que só conseguia pensar em ficar bem parado e esperar que ele desacelerasse.

"Agora você está com raiva", disse Boris, resignado. "Quer me matar."

"O que você está tentando me dizer?"

"Eu..."

"Como assim, você *trocou*?"

"Olha..." Boris olhou em volta nervoso. "Eu sinto muito! Sabia que não era uma boa ideia ficarmos chapados juntos. Sabia que isso ia dar merda de alguma forma! Mas..." — inclinou-se pra frente pra pôr a palma das mãos sobre a mesa — "eu me senti muito mal com isso, de verdade. Teria vindo ver você, se não fosse assim? Gritado seu nome na rua? E, quando digo que quero te pagar de volta, falo sério. Vou compensar as coisas pra você. Porque aquela pintura fez a minha fortuna, fez a minha..."

"O que está naquele pacote que eu deixei em Uptown então?"

"Quê?", disse ele, as sobrancelhas baixando, e então recuando na cadeira e me olhando com o queixo puxado pra trás: "Você está brincando comigo. Todo esse tempo e você nunca...?"

Mas eu não conseguia responder. Meus lábios estavam se movendo, mas nenhum som saía.

Boris bateu na mesa. "Seu idiota. Quer dizer que você nunca o abriu? Como você pôde não...?"

Quando continuei sem responder, o rosto nas mãos, ele se esticou sobre a mesa e me sacudiu pelo ombro.

"Sério?", Boris disse num tom de urgência, tentando me olhar nos olhos. "Você nunca abriu para olhar?"

Da sala dos fundos, um grito fraco de mulher, fútil e vazio, seguido por guinchos igualmente fúteis de risada de homem. Depois, alto como uma serra circular, um liquidificador começou a soar no bar e pareceu continuar por um tempo excessivamente longo.

"Você não sabia?", disse Boris, quando a barulheira finalmente parou. Na sala dos fundos, risadas e palmas. "Como pôde não...?"

Mas eu não conseguia dizer uma palavra. Grafite em várias camadas na parede, adesivos e rabiscos, bêbados com cruzes nos olhos. Nos fundos, uma torcida rouca começara a gritar *Vai, vai, vai*. Tantas coisas estavam pipocando na minha cabeça ao mesmo tempo que eu mal conseguia respirar.

"Todos esses anos?", disse Boris, franzindo a testa. "E você nunca nem uma vez...?"

"Ah, Deus."

"Você está bem?"

"Eu..." Balancei a cabeça. "Como você ficou sabendo que eu a tinha? Como soube?", repeti, quando ele não respondeu. "Mexeu no meu quarto? Nas minhas coisas?"

Boris me olhou. Ele então passou ambas as mãos pelo cabelo e disse: "Você é um bêbado amnésico, Potter, sabia?".

"Dá um tempo", falei, depois de uma pausa incrédula.

"Não, estou falando sério", disse ele suavemente. "Sou alcoólatra. Eu sei disso! Sou alcoólatra desde os dez anos de idade, quando tomei minha primeira bebida. Mas você, Potter, você é como meu pai. Ele bebe e fica inconsciente, sai andando por aí, faz coisas que não consegue lembrar. Bate o carro, me surra, se mete em brigas, acorda com o nariz quebrado ou numa cidade totalmente diferente, deitado num banco de estação ferroviária..."

"Não faço esse tipo de coisa."

Boris suspirou. "Certo, certo, mas perde a memória. Assim como ele. E, não estou dizendo que fez algo ruim, ou violento — você não é violento como ele —, mas, sabe, tipo, ah, aquela vez que fomos brincar no parquinho do McDonald's, e você estava tão bêbado no negócio inflável que a mulher chamou a polícia por sua causa, e eu te tirei de lá rápido, parado meia hora no Walmart, fingindo que olhava lápis, e depois de volta ao ônibus, de volta ao ponto, e naquela noite mesmo você já não lembrava nada. Nem um momento. 'McDonald's, Boris? Que McDonald's?' Ou", continuou ele, fungando alto, falando por cima de mim, "ou, naquele dia que você estava chumbado, *mamado*, e me faz ir com você 'dar uma volta no deserto'. Tá bom, vamos dar uma volta. Tudo bem. Só que você estava tão bêbado que mal conseguia andar e estava fazendo quarenta graus. Aí você ficou cansado de andar e deitou na areia. E me pediu pra te deixar ali pra morrer. 'Me deixa, Boris, me deixa.' Lembra?"

"Vá direto ao ponto."

"O que eu posso dizer? Você era infeliz. Bebia até ficar inconsciente o tempo todo."

"Assim como você."

"Sim, eu lembro. Desmaiando sob as estrelas, caindo de cara, lembra? Acordando no chão, a quilômetros de casa, os pés pra fora de um arbusto, nenhuma ideia de como tinha ido parar ali... Porra, uma vez eu mandei um e-mail pra Spirsetskaya no meio da noite, e-mail doido de bêbado, dizendo que ela era linda e que eu a amava, coisa que na época era verdade. No dia seguinte na escola, todo de ressaca: 'Boris, Boris, preciso falar com você'. Bem, o que foi? E lá está ela toda gentil e amável, tentando me desapontar com jeitinho. E-mail? Que e-mail? Nenhuma lembrança! Parado lá com a cara vermelha enquanto ela me dava um xerox de um livro de poesia e me dizia que devia gostar de garotas da minha idade! É claro — eu fiz muita idiotice. Mais idiotice que você! Mas eu", disse ele, brincando com um cigarro, "estava tentando me divertir e ser feliz. Você queria morrer. É diferente."

"Por que eu tenho a impressão de que você está tentando mudar de assunto?"

"Não tô julgando você! É só que... nós fizemos coisas doidas naquela época. Coisas que acho que você talvez nem lembre. Não, não!", disse ele rapidamente, balançando a cabeça, quando viu a expressão na minha cara. "Não *aquilo*. Embora, devo dizer, você foi o único garoto com quem já fui pra cama!"

Minha risada explodiu raivosa, como se eu tivesse tossido ou engasgado com alguma coisa.

"Aquilo..." Boris recostou-se desdenhosamente na cadeira, apertou as narinas. "Pfft. Acho que acontece nessa idade às vezes. Éramos novos, e precisávamos de garotas. Você pode ter pensado que era algo mais. Mas, não, espera", disse ele rapidamente, sua expressão mudando. Eu tinha empurrado minha cadeira pra trás pra sair. "Espera", disse ele de novo, agarrando minha manga, "não, por favor, escuta o que estou tentando te dizer, você não lembra nada sobre a noite em que vimos *Dr. No*?"

Eu estava pegando meu casaco do encosto da cadeira. Mas, com isso, parei.

"Você lembra?"

"Eu devia lembrar? Por quê?"

"Eu *sei* que não lembra. Porque testava você. Mencionava *Dr. No*, fazia piadas. Pra ver o que diria."

"O que tem o *Dr. No*?"

"Não foi muito tempo depois que te conheci!" Seu joelho subia e descia freneticamente. "Acho que você não estava acostumado com vodca — nunca sabia quanto devia tomar. Chegou com um copo enorme, tipo, tipo um copo de água, e eu pensei: merda! Você não lembra?"

"Foram muitas noites assim."

"Você não lembra. Eu limpava seu vômito, jogava suas roupas na máquina. Você nem sabia. Chorava e me dizia todo tipo de coisa."

"Que tipo de coisa?"

"Tipo..." Ele fez uma careta de impaciência. "Ah, é sua culpa que sua mãe morreu, queria que tivesse sido você, se estaria com ela, juntos na escuridão... Não há por que entrar nisso, não quero fazer você se sentir mal. Você era fodido, Theo. Boa companhia, na maior parte do tempo! Topava qualquer coisa! Mas fodido. Provavelmente devia estar em hospital psiquiátrico. Subindo no telhado, pulando na piscina... Podia ter quebrado o pescoço, era loucura! Deitava de costas na estrada à noite, nenhuma luz, era impossível te ver, esperando que um carro viesse e te atropelasse, eu tinha que brigar pra te erguer e te arrastar pra dentro de casa..."

"Eu teria ficado deitado naquela porra de estrada de fim de mundo um bom tempo antes que um carro passasse. Podia pegar no sono lá. Pegar meu saco de dormir."

"Não vou discutir isso. Você era maluco. Podia ter matado nós dois. Uma noite, você pegou fósforos e tentou botar fogo na casa, lembra?"

"Eu estava só brincando", falei, incomodado.

"E o carpete? O buraco de queimado no sofá? Foi brincadeira? Eu virei as almofadas pra que Xandra não visse."

"Aquela merda era tão barata que não era nem antichamas."

"Certo, certo. Como você quiser. Em todo caso, naquela noite específica. Estávamos vendo *Dr. No*, que eu nunca tinha visto, mas você sim, e eu estava gostando bastante, mas você estava completamente *v gavno*. E ele estava na ilha dele, e tudo legal, e ele apertava o botão e mostrava a pintura que roubou, lembra?"

"Ah, meu Deus."

Boris gargalhou. "Você fez isso! Meu Deus! Foi ótimo. Tão bêbado que cambaleava. 'Tenho uma coisa pra te mostrar! Uma coisa maravilhosa! A melhor coisa do mundo!' Se enfiando na frente da televisão. 'Não, sério!' Eu vendo o filme, a melhor parte, e você não calava a boca. 'Sai fora!' Enfim, lá foi você, furioso pra cacete. 'Vá se foder', fazendo *todo* aquele barulho. Bam-bam-bam. E então você desce com a pintura." Ele riu. "Engraçado — eu tinha certeza de que você estava me sacaneando. Obra mundialmente famosa de museu? Dá um tempo. Mas era real. Qualquer um podia ver."

"Não acredito em você."

"Bem, é verdade. Eu *realmente* soube. Porque, se fosse possível pintar falsificações que ficassem daquele jeito, Las Vegas seria a cidade mais bonita na história! Em todo caso — tão engraçado! Lá estava eu, todo orgulhoso de te ensinar a roubar maçãs e doces do armazém, enquanto você tinha roubado uma obra-prima."

"Eu não roubei."

Boris riu. "Não, não. Você explicou. Preservando-a em segurança. Grande missão importante na vida. Você está me dizendo", disse ele, inclinando-se pra frente, "que realmente não abriu e olhou pra ela? Todos esses anos? Qual é o seu problema?"

"Não acredito em você", falei de novo. "*Quando* a pegou?", perguntei. Ele revirou os olhos. "Como?"

"Olha, como eu disse..."

"Como você espera que eu acredite numa palavra disso?"

Boris revirou os olhos de novo. Enfiou a mão no bolso do casaco; acessou uma foto no iPhone. Depois o estendeu por cima da mesa para mim.

Era o verso da pintura. Era possível encontrar uma reprodução da frente em qualquer lugar. Mas a parte de trás era tão distinta quanto uma impressão digital: ricas gotas de lacre de cera, marrons e vermelhas; miscelânea irregular de etiquetas europeias (algarismos romanos; assinaturas tortuosas à pena) que tinha um quê de baú de viagem ou de algum tratado internacional antigo. Os amarelos e marrons se desintegrando, sobrepostos com uma riqueza quase orgânica, como folhas mortas.

Boris guardou o celular de volta no bolso. Ficamos sentados um bom tempo em silêncio. Então pegou um cigarro.

"Acredita em mim agora?", disse ele, soltando um fio de fumaça pelo canto da boca.

Os átomos na minha cabeça estavam se separando em giros; o brilho da colisão já tinha começado a virar, apreensão e inquietação se movendo sutilmente como ar escuro antes de uma tempestade. Por um longo e sombrio momento ficamos olhando um para o outro: alta frequência química, solidão com solidão, feito dois monges tibetanos no topo de uma montanha.

Então eu me ergui sem dizer uma palavra e peguei meu casaco. Boris levantou-se num salto também.

"Espera", disse ele, enquanto eu passava empurrando-o com o ombro. "Potter? Não vá com raiva. Quando disse que ia compensar as coisas pra você eu estava falando sério..."

"Potter?", ele chamou de novo enquanto eu atravessava a cortina ruidosa de contas e saía para a rua, para a luz cinzenta e suja do amanhecer. A avenida C estava vazia, exceto por um táxi solitário que pareceu tão feliz em me ver quanto eu em vê-lo e foi imediatamente até mim. Antes que Boris pudesse dizer outra palavra, entrei e fui embora, deixando-o ali, parado com seu sobretudo ao lado de uma fileira de latas de lixo.

x

Eram oito e meia da manhã quando cheguei ao armazém, com a mandíbula dolorida de ranger os dentes e o coração prestes a explodir. Luz do dia burocrática, estrondo matinal de pedestres, brilhantemente ameaçador. Às quinze pras dez eu estava sentado no chão do meu quarto na casa de Hobie com a mente rodando como um peão, oscilando e virando de um lado pro outro. Jogados no carpete à minha volta havia duas sacolas de compras, uma barraca nunca usada, uma fronha de percal bege que ainda cheirava como meu quarto em Vegas, uma lata cheia de roxicodonas e morfinas que eu sabia que devia jogar na privada, e um emaranhado de fita adesiva que tinha cortado, a duras penas, com um estilete, vinte minutos de trabalho delicado, a pulsação latejando na ponta dos dedos, morrendo de medo de cortar com força demais e retalhar a pintura sem querer, finalmente conseguindo abrir a lateral, descolando a fita tira por tira, com mãos trêmulas: apenas para encontrar — imprensado em papelão e embrulhado em jornal — um livro didático de educação cívica rabiscado (*Democracia, diversidade e você!*).

Alegre multidão multicultural. Na capa, crianças asiáticas, latinas, afro-americanas, indígenas, uma garota muçulmana com um lenço na cabeça e um garoto branco numa cadeira de rodas sorriam e davam as mãos diante de uma bandeira americana. Dentro, em meio ao animado mundo tolo de boa cidadania do livro, onde pessoas de diferentes etnias participavam alegremente de suas comunidades e garotos de centros decadentes apareciam perto de seu condomínio popular com um regador, cuidando de uma árvore num vaso com ramos que ilustravam os diferentes poderes do governo, Boris tinha desenhado adagas com seu nome nelas, rosas e corações em volta das iniciais de Kotku e uma série de olhos espiando, voltados maliciosamente para um lado, acima de um teste de exercício semipreenchido:

> Por que o homem precisa de governo? *Para impor ideologias, punir malfeitores e promover igualdade e fraternidade entre os povos.*
> Quais são os deveres do cidadão americano? *Votar, celebrar a diversidade e lutar contra os inimigos do Estado.*

Hobie, felizmente, não estava. As pílulas que eu tomara não tinham funcionado, e depois de duas horas me virando e me debatendo na cama num estado tortuoso e cadente próximo do sonho — pensamentos soltos, exausto das batidas tão aceleradas do coração, a voz de Boris ainda ecoando na minha mente — eu me forcei a me levantar, limpar a bagunça espalhada pelo quarto, tomar banho e fazer a barba — cortando-me no processo, já que meu lábio superior estava quase dormente em nível de cadeira de dentista do sangramento nasal que eu tinha sofrido. Depois fiz um bule de café pra mim, encontrei um bolinho amanhecido na cozinha e me forcei a comê-lo. Estava na loja e a postos para atender ao meio-dia — bem a tempo de interceptar a mulher do correio em sua capa de chuva de plástico (parecendo um pouco alarmada, mantendo-se bem afastada do meu eu remelento com meu lábio cortado e meu lencinho ensanguentado), embora, enquanto estendia a correspondência pra mim com luvas de látex, eu tenha me dado conta: pra que isso? Reeve podia escrever pra Hobie o quanto quisesse — ligar pra Interpol — não importava mais.

Estava chovendo. Pedestres amontoados e correndo. Chuva batendo forte contra a janela, atingindo os sacos plásticos com lixo na calçada. Ali na escrivaninha, na minha poltrona mofada, tentei me refugiar ou pelo menos tirar algum conforto das sedas desbotadas e da penumbra da loja, sua melancolia agridoce como chuvosas salas de aula escuras da infância, mas a dopamina tinha me derrubado com força e me deixado com os pré-temores de algo que se parecia muito com a morte — uma tristeza que você sentia primeiro no estômago, batendo por dentro da testa, toda a escuridão que eu tinha calado voltando estrondosamente.

Visão de túnel. Todos esses anos eu tinha vagado apático e isolado demais pra que qualquer tipo de realidade pudesse passar: um delírio que tinha me arrastado girando em sua lenta e relaxante onda desde a infância, alto e deitado no carpete em Vegas rindo do teto do ventilador, só que não estava mais rindo, Rip van Winkle estremecendo e segurando a cabeça no chão uns cem anos atrasado.

Havia como consertar as coisas? Não. De certa forma Boris tinha me feito um favor ao pegar o negócio — pelo menos, eu sabia, era assim que a maioria das pessoas veria isso; eu estava fora de perigo; ninguém podia pôr a culpa em mim; a maior parte dos meus problemas tinha sido resolvida de uma só vez, mas, ao mesmo tempo que eu sabia que alguém em sã consciência ficaria aliviado em se livrar da pintura, mesmo assim nunca tinha me sentido tão arrasado, desesperado, desprezado, envergonhado.

A loja estava quente e cansativa. Eu não conseguia ficar parado; ergui-me e sentei, fui até a janela e voltei. Tudo estava encharcado de horror. Um polichinelo em biscuit me olhava com despeito. Até a mobília parecia enjoativa e desproporcional. Como pude acreditar que era uma pessoa melhor, uma pessoa mais sábia, uma pessoa mais elevada e valorosa, digna de viver com base no meu segredo em Uptown? Mas eu tinha. A pintura fez com que eu me sentisse menos mortal, menos ordinário. Era base e justificação; apoio e consistência. Era a pedra angular que tinha mantido toda a catedral de pé. E era horrível descobrir, com seu desaparecimento tão súbito, que durante toda a minha vida adulta eu tinha sido secretamente sustentado por essa grande e secreta alegria cruel: a convicção de que toda a minha vida estava equilibrada sobre um segredo que a qualquer momento poderia lançá-la pelos ares.

XI

Quando Hobie chegou em casa, por volta das duas, entrou pela porta da rua com um toque de sinos, como um cliente.

"Bem, certamente foi uma surpresa a noite passada." Ele estava com o rosto corado da chuva, tirando sua capa, sacudindo a água; estava vestido pra casa de leilão, gravata com nó Windsor e um dos belos ternos antigos. "Boris!" Ele tinha se saído bem no leilão, dava pra ver pelo humor; embora não tendesse a dar lances altos ele sabia o que queria e às vezes, numa sessão lenta, quando não havia ninguém disputando com ele, saía com uma pilha de coisas bonitas. "Imagino que tiveram uma noite e tanto."

"Ah." Eu estava curvado num canto, bebericando chá, com uma dor de cabeça feroz.

"Engraçado conhecê-lo depois de ouvir falar tanto sobre ele. É como conhecer um personagem de livro. Sempre o imaginei como o Trapaceiro Astuto de *Oliver* — ah, você sabe, o garotinho, o maltrapilho, como é mesmo o nome do ator? Jack alguma coisa. Casaco esfarrapado. Mancha de sujeira no rosto."

"Acredite, ele era sujo o bastante naquela época."

"Bem, você sabe, Dickens não nos diz o que aconteceu com o Trapaceiro. Se tornou um homem de negócios respeitável, quem sabe? E Popper não estava fora de si? Nunca tinha visto um animal tão feliz.

"Ah, sim..." Virou de lado, ocupado com o casaco; ele não tinha me visto paralisando ao nome de Popper. "Antes que eu esqueça, Kitsey ligou."

Não respondi; não podia. Não tinha pensado em Popper uma única vez.

"Meio tarde, umas dez. Disse a ela que você tinha topado com Boris, tinha dado uma passada e depois saído, espero que tudo bem."

"Claro", falei, depois de uma pausa penosa, lutando para organizar meus pensamentos, que estavam galopando em várias direções muito ruins ao mesmo tempo.

"Do *que* eu devo te lembrar?" Hobie colocou o dedo contra os lábios. "Recebi uma incumbência. Me deixe pensar.

"Não lembro", disse ele, depois de um leve sobressalto, balançando a cabeça. "Você vai ter que ligar pra ela. Jantar hoje à noite, é isso, na casa de alguém. Jantar às oito! Isso eu lembro. Mas não onde."

"Na casa dos Longstreet", falei, meu coração afundando.

"Acho que é isso. Mas, enfim, Boris! Muito divertido, encantador. Quanto tempo ele fica na cidade? Quanto tempo fica aqui?", repetiu num tom amigável quando não respondi. Hobie não podia ver meu rosto, olhando horrorizado para a rua. "Devíamos chamá-lo pra jantar, não acha? Por que não pede pra ele passar algumas noites livres conosco? Isto é, se você quiser", disse ele, quando não respondi. "Você que sabe. Me avise."

XII

Cerca de duas horas depois — exausto, os olhos lacrimejando por causa da dor de cabeça —, eu ainda estava desesperadamente pensando em como recuperar Popper, ao mesmo tempo que inventava, e rejeitava, explicações para sua ausência. Eu o tinha deixado amarrado na frente de uma loja? Alguém o pegara? Uma mentira óbvia: para além do fato de que estava chovendo a cântaros, Popper estava tão velho e ficava tão irritado na coleira que eu mal conseguia arrastá-lo até o hidrante. Tosa? A tosadora de Popper, uma velhinha com cara de necessitada chamada Cecelia, que trabalhava no próprio apartamento, sempre o trazia de volta às três. Veterinário? Popper não estava doente (e por que eu não teria mencionado se ele estivesse?) e ia ao mesmo veterinário dos tempos de Welty e Chessie. O consultório do dr. McDermott ficava logo ali na rua. Por que eu o teria levado pra algum outro lugar?

Soltei um gemido, ergui-me, fui até a janela. De novo e de novo eu ia parar no mesmo beco sem saída, Hobie vindo atordoado, como certamente acabaria fazendo dali a uma ou duas horas, procurando pela loja: "Cadê o Popper? Você o viu?". E isso seria tudo: loop infinito; nenhum alt+tab de escape. Poderia forçar o desligamento, encerrar o computador, reiniciar e executá-lo novamente, e o jogo ainda estaria travado e congelado no mesmo lugar. "Cadê o Popper?" Nenhum código de cheat. Fim de jogo. Não havia como ultrapassar esse momento.

A chuva torrencial e irregular tinha abrandado e virado uma garoa, calçadas brilhando e água pingando dos toldos, e todo mundo na rua parecia ter aproveitado o momento pra colocar uma capa de chuva e dar uma corrida até a esquina com o cachorro: cachorros pra onde quer que eu olhasse, pastor inglês saltitando estabanado, poodle preto, vira-lata meio terrier, vira-lata meio retriever, um velho buldogue francês e dois bassês cheios de si com o queixo no ar, soberbamente atravessando juntos a rua. Irrequieto, voltei para a minha cadeira, sentei, peguei o catálogo de vendas da Christie's e comecei a folheá-lo agitado — aquarelas modernistas horríveis, dois mil dólares por um feio bronze vitoriano de dois búfalos lutando, um absurdo.

O que eu ia dizer a Hobie? Popper estava velho e surdo, e às vezes pegava no sono em lugares fora do caminho onde não nos ouvia de imediato quando chamávamos, mas logo estaria na hora do jantar e eu ia ouvir Hobie andando lá em cima, procurando por ele atrás do sofá, no quarto de Pippa e em todos os lugares em que ficava. "Popski? Aqui, garoto! Hora do jantar!" Eu conseguiria simular ignorância? Fingir que procurava pela casa também? Coçar a cabeça perplexo? Desaparecimento misterioso? Triângulo das Bermudas? Eu já tinha retornado, com o coração pesado, à ideia da tosadora quando o sino da loja tocou.

"Eu ia ficar com ele."

Popper — molhado, mas com exceção disso não parecendo nem um pouco pior com a aventura — enrijeceu as pernas um tanto formalmente enquanto Boris o colocava no chão e depois veio até mim, erguendo a cabeça no alto pra que eu pudesse coçá-lo debaixo do queixo.

"Ele não sentiu nem um pouco sua falta", disse Boris. "Tivemos um dia muito agradável juntos."

"O que vocês fizeram?", perguntei, depois de um longo silêncio, pois não conseguia pensar em mais nada pra dizer.

"Dormimos, principalmente. Gyuri nos deixou" — ele esfregou os olhos com olheiras escuras e bocejou — "e tiramos uma soneca muito agradável juntos, nós dois. Sabe como ele costumava se enroscar? Feito um chapéu de pele na minha cabeça?" Popper nunca tinha gostado de dormir com o queixo apoiado na minha cabeça daquele jeito, só na de Boris. "Depois acordamos, e eu tomei um banho e levei ele pra dar uma volta — não muito longe, ele não queria ir longe. Fiz umas ligações, comemos um sanduíche de bacon e voltamos de carro. Olha, eu sinto muito!", disse ele impulsivamente quando não respondi, passando a mão por seu cabelo bagunçado. "Sério. E vou reparar isso, e direito, vou mesmo."

O silêncio entre nós era esmagador.

"Você se divertiu pelo menos um pouco ontem à noite? *Eu* me diverti. Grande noite fora! Mas não estava tão empolgado esta manhã. Por favor, diga alguma coisa", disparou ele quando não respondi. "Passei o dia todo me sentindo muito, muito mal por causa disso."

Popper tinha atravessado a sala resfolegando até sua vasilha de água. Tranquilamente, começou a beber. Por um longo tempo não houve nenhum som além das lambidas e sorvidas monótonas.

"Sério, Theo" — a mão no coração —, "eu me sinto péssimo. Meus sentimentos, minha vergonha — não tenho palavras pra descrever", disse ele, com mais seriedade, quando continuei sem responder. "E, sim, eu admito, parte de mim fica se perguntando: 'Por que você estragou tudo, Boris, por que foi abrir sua boca grande?'. Mas como eu poderia mentir? Você me dá esse crédito, pelo menos?", disse ele, esfregando as mãos, agitado. "Não sou covarde. Eu te disse. Admiti. Não queria que você se preocupasse, sem saber o que estava acontecendo. E vou compensar pra você, de alguma forma, prometo."

"Por que..." Hobie estava ocupado lá embaixo com o aspirador de pó, mas mesmo assim diminuí o tom de voz, o mesmo sussurro raivoso de quando Xandra estava no andar de baixo e não queríamos que ela nos ouvisse brigando. "Por que..."

"Por que o quê?"

"Por que você a pegou?"

Boris piscou, um tanto hipócrita. "Porque a máfia judia estava na sua casa!"

"Não, não foi por isso."

Boris suspirou. "Bem, foi em parte por isso — um pouco. Ela estava segura na sua casa? Não! Nem na escola. Peguei meu velho livro didático, enrolei em jornal e deixei com a mesma grossura..."

"Eu perguntei *por que* você a pegou."

"O que eu posso dizer? Sou um ladrão."

Popper ainda bebia ruidosamente a água. Exasperado me perguntei se Boris tinha pensado em colocar uma tigela pra ele no seu dia tão agradável juntos.

Ele deu de ombros levemente. "E eu a queria. Sim. Quem não ia querer?"

"Você a queria? Por dinheiro?", perguntei, quando ele não respondeu.

Boris fez uma careta. "Claro que não. Não dá pra vender uma coisa dessas. Embora, tenho que admitir, quase a vendi uma vez que estava em apuros, quatro, cinco anos atrás, a um preço bem baixo, dando de graça quase, só pra me livrar dela. Ainda bem que não fiz isso. Eu estava num sufoco e precisava de dinheiro. Mas..." — ele fungou alto, limpando o nariz — "tentar vender uma obra daquelas é a forma mais rápida de ser pego. Você sabe disso. Como instrumento negociável — outra história. Eles a retém como garantia — te adiantam a mercadoria. Você vende a mercadoria, o que for, recupera o capital, paga a parte deles, a pintura volta pra você, fim de jogo. Entende?"

Não falei nada. Comecei a folhear o catálogo da Christie's de novo, que ainda estava aberto sobre a escrivaninha.

"Você sabe o que dizem." Sua voz era ao mesmo tempo triste e bajuladora. "A ocasião faz o ladrão. Quem sabe disso melhor do que você? Fui até seu armário procurando dinheiro pro almoço e pensei: Quê? Hã? O que é isso? Foi fácil surrupiá-la e escondê-la. Depois levei meu velho livro até a sala de artes de Kotku, mesmo tamanho, mesma espessura, mesma fita e tudo o mais! Ela me ajudou a fazer. Mas eu não disse por que estava fazendo aquilo. Não dava pra contar aquele tipo de coisa pra Kotku."

"Ainda não posso acreditar que você a roubou."

"Olha. Eu não vou inventar desculpas. Eu peguei. Mas..." — ele sorriu triunfante — "sou desonesto? Menti?"

"Sim", falei, depois de uma pausa incrédula. "Sim, você mentiu."

"Você nunca me perguntou diretamente! Se tivesse, eu teria contado!"

"Boris, isso é conversa fiada. Você mentiu."

"Bem, não estou mentindo agora", disse ele, olhando em volta resignado. "Achei que já teria descoberto a essa altura! Anos atrás! Achei que soubesse que tinha sido eu!"

Afastei-me até a escada, seguido por Popchik; Hobie tinha desligado o aspirador de pó, deixando um silêncio gritante, e eu não queria que ele nos ouvisse.

"Não tenho muita certeza..." — Boris assoou o nariz com força, inspecionou o conteúdo do lenço, estremeceu — "mas acho bem provável que esteja na Europa em algum lugar." Ele amassou o lenço e o enfiou no bolso. "Gênova, chance remota. Mas meu palpite é Bélgica ou Alemanha. Holanda, talvez. Vão conseguir um preço melhor porque as pessoas ficam mais impressionadas com ela lá."

"Isso não reduz muito as possibilidades."

"Bem, escuta! Fique feliz que não está na América do Sul! Porque, daí, eu te garanto, nenhuma chance de você vê-la de novo."

"Achei que tivesse dito que ela tinha sumido."

"Não estou dizendo nada exceto que acho que talvez consiga descobrir onde está. *Talvez*. Isso é muito diferente de saber como recuperá-la. Eu nunca tinha lidado com essas pessoas antes."

"Que pessoas?"

Boris, inquieto, permaneceu em silêncio, lançando os olhos sobre o chão em volta: estatuetas de buldogue em ferro, livros empilhados, muitos tapetes pequenos.

"Ele não faz xixi nas antiguidades?", perguntou, apontando com a cabeça para Popchik. "Toda essa boa mobília?"

"Não."

"Ele costumava fazer o tempo todo na sua casa. O tapete inteiro lá de baixo cheirava a xixi. Acho que talvez porque Xandra não era muito boa em levá-lo para fora antes de chegarmos lá."

"Que pessoas?"

"Hã?"

"Que pessoas são essas com quem você nunca lidou?"

"É complicado. Eu te explico se quiser", Boris apressou-se em acrescentar, "é só que eu acho que nós dois estamos cansados e agora não é o momento. Mas vou fazer umas ligações e te dizer o que eu descobri, tá bem? E, quando isso acontecer, vou voltar e te dizer, prometo. A propósito..." Ele bateu de leve no lábio superior com o dedo.

"O quê?", perguntei, sobressaltado.

"Uma mancha. Debaixo do nariz."

"Me cortei fazendo a barba."

"Ah." Parado ali, Boris parecia inseguro, como se estivesse prestes a soltar outro pedido de desculpas ou desabafo ainda mais acalorado, mas o silêncio que pairava entre nós tinha um ar decididamente conclusivo, e ele enfiou as mãos nos bolsos. "Bem."

"Bem."

"A gente se vê, então."

"Claro." Mas, quando ele saiu pela porta e eu fiquei na janela observando-o desviar das gotas do toldo e se afastar devagar — seu passo ficando mais relaxado e leve assim que achou que estava fora da minha vista —, senti que havia uma boa chance de aquela ser a última vez que o via.

XIII

Considerando como eu me sentia, que era basicamente próximo da morte, sofrendo de uma enxaqueca insuportável e envolvido por tal mal-estar que eu não conseguia nem enxergar, não fazia muito sentido manter a loja aberta. Então, apesar de o sol ter saído e de as pessoas estarem aparecendo na rua, virei o aviso de FECHADO e — com Popper me seguindo ansioso — me arrastei até o andar de cima, meio doente da dor martelando atrás dos meus olhos, para desmaiar por algumas horas antes do jantar.

Kitsey e eu deveríamos nos encontrar no apartamento da mãe dela às quinze para as oito e ir de lá para a casa dos Longstreet, mas cheguei um pouco cedo — em parte porque queria vê-la sozinha por alguns minutos antes de ir para o jantar; em parte porque tinha algo para a sra. Barbour — um raro catálogo de exibição que eu tinha encontrado num dos lotes de espólio de Hobie: A *gravura na era de Rembrandt*.

"Não, não", disse Etta quando fui até a cozinha para lhe pedir que batesse na porta para mim. "Ela está de pé. Levei um chá pra ela não faz nem quinze minutos."

O que "estar de pé" significava, para a sra. Barbour, era pijama e pantufa mastigadas pelos cachorros com o que parecia um velho manto de ópera jogado por cima. "Ah, Theo!", disse ela, seu rosto se abrindo com uma franqueza comovente e desprevenida que me fez lembrar de Andy nas raras ocasiões em que realmente ficava contente com alguma coisa — como na chegada pelo correio da sua lente ocular Nagler vinte e dois milímetros para o telescópio ou quando da sua alegre descoberta do site pornô de LARP (um jogo de interpretação ao vivo) com garotas peitudas empunhando espadas trepando com cavaleiros, magos etc. "Mas como você é querido!"

"Você não tem?"

"Não..." Folheou encantada "Que perfeito! Você nunca, nunca vai acreditar, mas eu vi esta exposição em Boston quando estava na faculdade."

"Deve ter sido uma exposição e tanto", falei, acomodando-me numa poltrona. Eu estava me sentindo muito mais alegre do que, uma hora antes, teria achado possível. Mal por causa da pintura, por causa da dor de cabeça, desesperado diante da perspectiva de jantar com os Longstreet, perguntando-me como eu ia aguentar uma noite de pasta de caranguejo com Forrest dando opiniões sobre economia quando eu só queria estourar meus miolos. Tinha tentado ligar para Kitsey, com a intenção de implorar pra que alegasse que estava doente pra que pudéssemos matar o jantar e passar a noite no apartamento dela, na cama. Mas, como com frequência acontecia, de forma enervante, nos dias em que Kitsey saía com as amigas, minhas ligações ficaram sem retorno, minhas mensagens e e-mails, sem resposta. "Preciso de um celular novo", ela dizia mal-humorada, quando eu reclamava dessas frequentes interrupções na comunicação, "tem alguma coisa errada com este." E, embora eu a tivesse chamado várias vezes para ir até a loja da Apple ali perto pra comprar outro, ela sempre tinha uma desculpa: filas compridas demais, tinha que ir a algum lugar, não estava a fim, estava com fome, com sede, precisava fazer xixi, não podíamos fazer isso outra hora?

Sentado na beira da cama de olhos fechados, irritado por não conseguir falar com ela (como eu nunca parecia conseguir, quando realmente precisava), pensei em ligar para Forrest e dizer que estava doente. Mas por pior que me sentisse ainda assim queria vê-la, nem que fosse do outro lado da mesa num jantar com pessoas de que eu não gostava. Assim, para me forçar a sair da cama, ir até Uptown e encarar a noite fatal, eu tomara o que tinha sido, para mim, nos velhos tempos, uma dose leve de narcóticos. Mas mesmo não tendo acabado com minha dor de cabeça tinham me deixado de ótimo humor. Eu não me sentia tão bem havia meses.

"Você e Kitsey vão jantar fora hoje à noite?", perguntou a sra. Barbour, que ainda estava folheando alegremente o catálogo que eu tinha dado. "Forrest Longstreet?"

"Isso mesmo."

"Ele estudou com você e Andy, não?"

"Sim."

"Não era um daqueles garotos horríveis?"

"Bem..." A euforia tinha me deixado generoso. "Na verdade, não." Forrest, imbecil e tapado ("Senhor, árvores são consideradas plantas?"), nunca tinha sido inteligente o bastante pra perseguir Andy ou a mim de qualquer forma focada ou engenhosa. "Mas ele fazia parte daquele grupo. Temple, Tharp, Cavanaugh e Scheffernan."

"Sim. Temple. Eu certamente me lembro *dele*. E de Cable."

"Como?", perguntei, ligeiramente surpreso.

"*Ele* certamente acabou mal", disse a sra. Barbour sem erguer os olhos do catálogo. "Devendo pra todo mundo... não consegue manter um emprego... e algum problema com a polícia, ouvi dizer. Passou uns cheques sem fundo, aparentemente a mãe teve que se virar pra impedir que as pessoas prestassem queixa. E Win Temple", disse ela, erguendo os olhos, antes que eu pudesse explicar que Cable não tinha sido parte da turba agressiva. "Foi ele quem bateu a cabeça de Andy contra a parede nos chuveiros."

"Sim, foi ele." A principal lembrança que eu tinha dos chuveiros não era tanto de Andy sofrendo uma concussão, e sim de Scheffernan e Cavanaugh me derrubando e tentando enfiar um desodorante na minha bunda.

A sra. Barbour — enrolada delicadamente no seu casaco, um xale sobre o colo como se fosse de trenó até uma festa de Natal — ainda estava folheando o livro. "Sabe o que aquele Temple disse?"

"Como?"

"Temple." Seus olhos estavam no livro; sua voz soava enérgica como se ela estivesse falando com um estranho num coquetel. "Sabe qual foi a desculpa dele? Quando perguntaram por que deixou Andy inconsciente."

"Não, não sei."

"Ele disse: 'Porque esse garoto me dá nos nervos'. Ele é advogado agora, disseram. Certamente espero que controle seu gênio melhor no tribunal."

"Win não era o pior deles", falei, depois de uma pausa lânguida. "Nem de longe. Agora Cavanaugh e Scheffernan..."

"A mãe não estava nem ouvindo. Mandava mensagens no celular. Algum assunto urgente com um cliente."

Olhei para o punho da minha camisa. Eu tivera o cuidado de colocar uma limpa depois do trabalho — se havia algo que meus anos de narcóticos tinham me ensinado (para não falar dos meus anos de fraudes com antiguidades) era que camisas engomadas e ternos frescos da lavanderia eram muito, muito úteis para esconder uma multidão de pecados. Mas eu estava aéreo e descuidado por causa dos comprimidos de morfina, vagueando pelo quarto e cantarolando Elliott Smith enquanto me vestia, *sunshine... been keeping me up for days...* Percebi então que um dos meus punhos não estava arrumado corretamente. Além disso, as abotoaduras que eu tinha escolhido nem eram um par: uma era roxa, a outra azul.

"Podíamos ter processado", continuou a sra. Barbour distraída. "Não sei por que não fizemos. Chance disse que achava que isso tornaria as coisas mais difíceis para Andy na escola."

"Bem..." Não havia como arrumar discretamente o punho de novo. Isso teria que ficar pro táxi. "Aquilo no chuveiro foi culpa de Scheffernan na verdade."

"Sim, foi o que Andy disse, e Temple também, mas, quanto ao golpe em si, a concussão, não havia *dúvida*..."

"Scheffernan era um sujeito esperto. Ele empurrou Andy pra cima de Temple. Scheffernan já estava do outro lado do vestiário se matando de rir com Cavanaugh e os outros quando a briga começou."

"Bem, isso eu já não sei, mas David" — era o primeiro nome de Scheffernan — "não era nem um pouco como os outros, sempre todo gentil, tão educado. Nós o recebemos aqui várias vezes, e ele sempre era tão bom, incluindo Andy. Você sabe como muitas das crianças eram, com as festas de aniversário..."

"É, mas Scheffernan também tinha uma birra com Andy, sempre teve. Porque a mãe dele vivia lhe enfiando Andy goela abaixo. *Obrigando-o* a convidá-lo, *obrigando-o* a vir aqui."

A sra. Barbour suspirou e pousou a xícara. O chá era de jasmim; eu podia sentir o cheiro de onde estava sentado.

"Bem, Deus sabe, você conhecia Andy melhor do que eu", disse ela inesperadamente, se enrolando no xale. "Nunca o enxerguei como realmente era, e em alguns aspectos era meu filho preferido. Queria não ter ficado o tempo todo tentando transformá-lo em outra coisa. Certamente você foi capaz de aceitá-lo do jeito que era, mais do que seu pai e eu, ou, Deus sabe, o irmão. Olha", disse ela, praticamente no mesmo tom, no silêncio lúgubre que do contrário se seguiria a isso. Ainda estava folheando o livro. "Aqui está são Pedro. Afastando as criancinhas de Cristo."

Obedientemente eu me ergui e dei a volta por trás dela. Conhecia a obra, uma das mais incríveis e apaixonadas ponta-secas da Coleção da Biblioteca Morgan, a gravura dos cem florins, conforme era chamada: o preço que o próprio Rembrandt, segundo a lenda, tinha sido obrigado a pagar para comprá-la de volta.

"Ele é tão particular, Rembrandt. Até seus temas religiosos — é como se os santos descessem para posar para ele em vida. Estes dois são Pedros..." — ela apontou para o de pena e tinta na parede — "são obras completamente diferentes e separadas por anos, mas o mesmo homem, corpo e alma, você poderia reconhecê-lo numa fila de suspeitos, não é verdade? Aquela cabeça calva. O mesmo rosto, respeitoso, sério. A bondade estampada nele todo, mas ao mesmo tempo sempre aquele tique de preocupação e inquietação. Aquela sombra sutil do traidor."

Embora ela ainda estivesse contemplando o livro, peguei-me olhando para a foto de Andy e seu pai num porta-retratos de prata na mesa ao nosso lado. Era apenas um instantâneo, mas, por um senso de presságio, de transitoriedade e desgraça, nenhum mestre da pintura de gênero holandesa poderia ter criado tal composição com mais habilidade. Andy e o sr. Barbour contra um fundo escuro, velas apagadas nas arandelas na parede, a mão do sr. Barbour sobre um navio em miniatura. O efeito não poderia ter sido mais alegórico, ou macabro, se ele estivesse com a mão sobre um crânio. Em cima, em vez da ampulheta amada pelos pintores holandeses de vanitas, um relógio austero e ligeiramente sinistro com algarismos romanos. Ponteiros pretos: cinco para as doze. Tempo se esgotando.

"Mamãe..." Era Platt, entrando sem bater, parando subitamente quando me viu.

"Não precisa bater, querido", disse a sra. Barbour sem erguer os olhos do livro, "você é sempre bem-vindo."

"Eu..." Platt me olhou com olhos arregalados. "Kitsey." Ele parecia agitado. Enfiou as mãos nos bolsos de fole da sua jaqueta de campo. "Ela ficou presa", disse para a mãe.

A sra. Barbour pareceu sobressaltada. "Ah", disse ela. Trocaram um olhar e alguma coisa não dita pareceu passar entre eles.

"Presa?", perguntei num tom amável, olhando de um para o outro. "Onde?"

Não houve resposta para isso. Platt — os olhos fixos na mãe — abriu a boca e a fechou. Bastante calma, a sra. Barbour deixou seu livro de lado e disse, sem olhar para mim: "Bem, sabe, tenho a leve impressão de que ela tinha saído para jogar golfe hoje".

"Sério?", falei, ligeiramente surpreso. "O tempo não está ruim pra isso?"

"Tem trânsito", disse Platt ansioso, com um olhar de relance para a mãe. "Ela ficou presa. A rodovia está um caos. Ela ligou para Forrest", disse ele, virando-se para mim. "Vão atrasar o jantar."

"Talvez", disse a sra. Barbour, pensativamente, depois de uma pausa, "talvez você e Theo devam sair pra tomar uma bebida? Sim", disse ela num tom decidido, para Platt, como se a questão já estivesse definida, cruzando as mãos. "Acho que é uma excelente ideia. Vocês dois saem e vão tomar uma bebida. E você", disse ela, voltando-se para mim com um sorriso. "Que anjo você é! Muito obrigada pelo catálogo", disse ela, apertando minha mão. "O presente mais maravilhoso do mundo."

"Mas..."

"Sim?"

"Ela não vai precisar voltar aqui pra se arrumar?", perguntei, depois de uma pausa meio confusa.

"Como?" Os dois estavam olhando para mim.

"Se ela estava jogando golfe, ela não vai precisar se trocar? Não vai querer ir até a casa de Forrest com as roupas de golfe", acrescentei, olhando de um para o outro, e, então, quando nenhum deles respondeu: "Eu não me importo em esperar aqui."

Pensativa, a sra. Barbour comprimiu os lábios, com olhos que pareciam pesados — e de repente eu entendi. Ela estava cansada. Não esperava ter que ficar sentada me fazendo sala, só que era educada demais para dizê-lo.

"Embora", falei, erguendo-me, quando notei o que se passava, "esteja ficando tarde. Eu bem que gostaria de um drinque..."

Nisso o celular no meu bolso, que tinha permanecido em silêncio o dia todo, tocou alto: mensagem recebida. Atrapalhado — eu estava tão exausto que mal conseguia descobrir onde meu próprio bolso estava —, tateei à procura dele.

Naturalmente, era Kitsey, cheia de emoticons. ♥♥ Oi Popsy ♥ Vou chegar uma hora atrasada! ⊗!✘✐❁✽✌!!! Espero que ainda naum tenha saido! Forrest e Celia vao esperar pra jantar, te encontro la 9h, te amo mais que td! Kits ♥x♥x♥x♥

XIV

Cinco ou seis dias depois, eu ainda não tinha me recuperado totalmente da minha noite com Boris — em parte porque estava ocupado com clientes, leilões a ir, espólios a olhar, e em parte porque tinha compromissos extenuantes com Kitsey quase todas as noites: festas de fim de ano, jantar black tie, *Pelléas et Mélisande* no Met, de pé às seis da manhã e na cama bem depois da meia-noite, uma noite fora até as duas, quase nenhum momento para mim mesmo e (ainda pior) quase nenhum momento a sós com ela, o que normalmente teria me deixado doido, mas estava tão submerso lutando contra a fadiga que não tive muito tempo para pensar.

A semana toda esperei ansioso pela terça de Kitsey com as amigas — não porque não a quisesse ver, mas porque Hobie tinha um jantar fora e eu não via a hora de ficar sozinho, comer sobras da geladeira e ir pra cama cedo. No horário de fechar, sete da noite, eu ainda tinha algumas coisas para resolver na loja. Um decorador, milagrosamente, tinha vindo perguntar sobre uma cara peça de estanho, fora de moda e impossível de vender que estava juntando poeira em cima de um armário desde os tempos de Welty. Eu não entendia muito de estanho e estava procurando o artigo que queria numa edição antiga de *Antiques* quando Boris chegou correndo da calçada e bateu na porta de vidro, menos de cinco minutos depois de eu ter encerrado o expediente. Estava chovendo forte; no aguaceiro irregular ele era uma sombra num sobretudo, irreconhecível, mas a cadência da sua batida era distinta dos velhos tempos, quando dava a volta até o pátio da casa do meu pai e batia enérgico para que eu o deixasse entrar.

Ele se precipitou loja adentro e se chacoalhou violentamente fazendo a água sair voando. "Quer ir comigo até Uptown?", perguntou ele, sem preâmbulos.

"Estou ocupado."

"Ah é?", disse, numa voz ao mesmo tempo tão afetuosa, exasperada e magoada, de modo tão transparente e infantil que me virei da estante de livros. "Nem vai perguntar por quê? Acho que você talvez queira vir."

"Onde em Uptown?"
"Vou conversar com umas pessoas."
"E seria sobre...?"
"Sim", disse ele alegre, fungando e limpando o nariz. "Exatamente. Você não tem que vir, eu ia levar meu garoto Toly, mas achei que por diversos motivos poderia ser bom se você estivesse lá também. Popchyk, sim, sim!", disse ele, inclinando-se para pegar o cachorro, que tinha vindo se arrastando para cumprimentá-lo. "Bom te ver também! Ele gosta de bacon", Boris disse para mim, coçando Popper atrás das orelhas e esfregando o próprio nariz na nuca do cachorro. "Você faz bacon pra ele? Gosta de pão também, quando está empapado de gordura."
"Conversar com quem? Quem é essa pessoa?"
Boris tirou o cabelo pingando do rosto. "Um cara que eu conheço. Horst. Velho amigo de Myriam. Ele também foi prejudicado nesse negócio — sinceramente, não acho que possa nos ajudar, mas Myriam sugeriu que mal não faria falar com ele de novo. E acho que talvez ela tenha razão."

XV

A caminho de Uptown, no banco de trás do sedã, chuva caindo tão forte que Gyuri tinha que gritar pra que nós o ouvíssemos ("Que tempo de cão!"), Boris me atualizou baixinho sobre Horst. "História triste, triste. Ele é alemão. Cara interessante, muito inteligente e sensível. Família importante também... ele me explicou uma vez, mas esqueci. O pai era metade americano e deixou um monte de dinheiro pra ele, mas quando a mãe casou de novo..." — aqui ele falou um nome industrial mundialmente famoso, com um velho e sombrio eco nazista. "*Milhões*. Tipo, você não acreditaria em quanto dinheiro essas pessoas têm. Estão nadando em dinheiro. Cagando dinheiro."
"Sim, uma história triste, realmente."
"Bem, Horst é um viciado porra-louca. Você me conhece..." — dar de ombros filosófico — "eu não julgo ou condeno. Cada um faz o que quer, não ligo! Mas Horst — um caso muito triste. Ele se apaixonou por uma garota que usava e que o arrastou praquilo. Arrancou tudo o que podia dele. Quando o dinheiro acabou, ela foi embora. A família de Horst o renegou há muitos anos. E ainda assim ele sofre por causa dessa garota podre e horrível. Eu fico dizendo garota, mas ela deve ter quase quarenta. Ulrika é o nome dela. Toda vez que Horst consegue um dinheirinho — ela volta por um tempo. Depois o abandona de novo."
"O que ele tem a ver com isso tudo?"

"O sócio de Horst, Sascha, arranjou as coisas pro negócio. Conheci o cara — ele parece o.k., mas como vou saber? Horst me disse que nunca tinha trabalhado pessoalmente com o homem de Sascha, mas eu estava com pressa e não fui a fundo nisso como deveria e..." — ele atirou os braços pra cima — "puf! Myriam tinha razão. Ela sempre tem razão — eu devia ter dado ouvidos a ela."

Água escorria pelas janelas, imprevisivelmente pesada, isolando-nos dentro do carro, luzes piscando e se dissolvendo à nossa volta num estrondo que me fez lembrar das vezes em que Boris e eu ficávamos no banco de trás do Lexus em Vegas, quando meu pai passava pelo lava-rápido.

"Horst geralmente é um pouco exigente sobre com quem ele faz negócios, então achei que não haveria problema. Mas ele é muito contido, sabe? 'Incomum', é o que ele diz. 'Não convencional.' Bem, o que isso quer dizer? Então quando cheguei lá — essas pessoas são malucas. Malucas do tipo que atira em galinhas. E situações como essas — você quer que seja calmo e tranquilo! Era, tipo, será que eles viram muita TV ou algo assim? Quer dizer, isso é jeito de agir? Normalmente neste tipo de situação todo mundo é muito educado, sigiloso, tranquilo! Myriam disse: esquece as armas! E ela tinha razão. Que tipo de maluquice é essa? As pessoas criam galinhas em Miami? Até uma coisinha dessas — num bairro de casas com jacuzzi, quadras de tênis, entende, quem que cria galinhas? Você não vai querer um vizinho ligando pra dar queixa do barulho de galinha no quintal! Mas àquela altura..." — ele deu de ombros — "lá estava eu. Estava dentro. Disse a mim mesmo pra não me preocupar demais, mas no fim das contas eu tinha razão."

"O que aconteceu?"

"Realmente não sei. Recebi metade da mercadoria prometida — o resto viria em uma semana. Isso não é atípico. Mas daí eles foram presos e eu não recebi a outra metade nem a pintura. Horst — bem, Horst também gostaria de encontrá-la, ele também perdeu uma boa grana nisso. Em todo caso espero que tenha um pouco mais de informação do que na última vez em que nos falamos."

XVI

Gyuri nos deixou perto do parque, não muito longe da casa dos Barbour. "É aqui?", perguntei, sacudindo a água do guarda-chuva de Hobie. Estávamos na frente de uma das grandes townhouses perto da Quinta — portões pretos de ferro, aldrabas gigantescas de cabeça de leão.

"Sim, é a casa do pai dele. Os parentes estão tentando tirá-lo legalmente, mas boa sorte pra eles, haha."

Entramos e pegamos um elevador de gaiola até o segundo andar. Eu podia sentir o cheiro de incenso, maconha, molho de espaguete a cozinhar. Uma mulher loira e esguia — cabelo curto e um rosto sereno com olhos pequenos como de um camelo — abriu a porta. Ela estava vestida como um moleque de rua ou vendedor de jornal à moda antiga: calça pied-de-poule, botas de cano baixo, blusa térmica suja, suspensórios. Empoleirados na ponta do nariz havia uns óculos de armação metálica à la Benjamin Franklin.

Sem dizer uma palavra, ela abriu a porta para nós e se afastou, deixando-nos sozinhos numa sala escura, encardida e do tamanho de um salão de baile que era como uma versão abandonada de um cenário de alta sociedade num filme de Fred Astaire: pé-direito alto; gesso em ruínas; piano de cauda; lustre escurecido com metade dos cristais quebrados ou retirados; ampla escadaria de Hollywood cheia de bitucas de cigarro. Cântico sufista tocando baixo nos fundos: *Allãhu Allãhu Allãhu Haqq; Allãhu Allãhu Allãhu Haqq*. Alguém tinha desenhado na parede, em carvão, uma série de nus artísticos em tamanho natural acompanhando a escada como quadros num filme; e havia bem pouca mobília para além de um futon surrado e algumas cadeiras e mesas que pareciam ter sido tirados do lixo. Molduras vazias na parede, um crânio de carneiro. Na televisão, uma animação piscava e cuspia com vigor epiléptico, figuras geométricas a girar intercaladas por letras e imagens de carros de corrida reais. Além disso, e da porta por onde a loira tinha desaparecido, a única luz vinha de uma lâmpada que lançava um forte círculo branco sobre velas derretidas, cabos de computadores, garrafas de cerveja vazias e latas de butano, pastéis de óleo em caixa e soltos, muitos catálogos raisonnés, livros em alemão e inglês, incluindo *Desespero* de Nabokov e *Ser e tempo* de Heidegger com a capa arrancada, cadernos de rascunho, livros de arte, cinzeiros e papel-alumínio queimado, e um travesseiro de aspecto imundo onde um gato cinza malhado cochilava. Em cima da porta, como um troféu saído de alguma cabana na Floresta Negra, um suporte de chifres lançava sombras que se espalhavam e se ramificavam pelo teto com um ar nórdico perverso de conto de fadas.

Conversa na sala ao lado. As janelas estavam cobertas por lençóis presos com tachinhas e finos o bastante para deixar entrar um brilho violeta difuso da rua. Conforme eu olhava em volta, formas emergiam da escuridão e se transformavam com uma estranheza de sonho: a começar pela divisória improvisada da sala — que consistia de um tapete de cortiço preso no teto com linha de pesca — que sob um olhar mais atento era uma tapeçaria das boas, século XVIII ou mais antigo, quase idêntica a um Amiens que eu tinha visto num leilão avaliado em aproximadamente quarenta mil dólares. E nem todas as molduras na parede estavam vazias. Algumas traziam pinturas, e uma delas — mesmo na luz fraca — parecia um Corot.

Eu estava prestes a dar um passo à frente para olhar quando um homem que poderia ter qualquer idade entre trinta e cinquenta apareceu na porta: de aspecto cansado, esguio, com cabelo liso cor de areia penteado para trás, vestindo um jeans preto punk rasgado no joelho e um suéter sujo do Exército britânico com um paletó mal ajustado jogado por cima.

"Olá", disse ele a mim, voz britânica calma, com uma leve mordida de alemão, "você deve ser Potter." E, então, para Boris: "Que bom que apareceu. Vocês deveriam ficar pra depois. Candy e Niall estão fazendo o jantar com Ulrika".

Movimento atrás da tapeçaria, aos meus pés, que me fez recuar rapidamente: formas embrulhadas no chão, sacos de dormir, um cheiro de mendigo.

"Obrigado, não podemos ficar", disse Boris, que tinha pegado o gato e estava coçando atrás das orelhas dele. "Mas aceitamos um pouco desse vinho, obrigado."

Sem dizer uma palavra Horst passou sua própria taça para Boris e depois chamou em alemão na direção da sala ao lado. Para mim, ele disse: "Você é marchand, certo?". Sob a luz da televisão seus olhos claros de gaivota com pupilas contraídas brilhavam forte e sem piscar.

"Isso", falei, inquieto; e então: "Hã, obrigado". Outra mulher — morena com um corte chanel, botas de cano alto pretas, saia curta o bastante para revelar o gato preto tatuado numa coxa branca — tinha aparecido com uma garrafa e duas taças: uma para Horst, outra para mim.

"*Danke* querida", disse Horst. Para Boris, ele disse: "Vocês, cavalheiros, querem um pico?".

"Agora não", disse Boris, que tinha se inclinado para a frente para roubar um beijo da mulher de cabelo escuro enquanto estava saindo. "Mas queria saber. O que você conta de Sascha?"

"Sascha..." Horst afundou no futon e acendeu um cigarro. Com seu jeans rasgado e seu coturno era como uma versão malvestida de algum ator excêntrico e pouco famoso de Hollywood da década de 1940, um *mitteleuropäischer* menor, conhecido por representar violinistas trágicos e refugiados cultos e fatigados. "Irlanda é pra onde as coisas estão apontando. Uma boa notícia, na minha opinião."

"Isso não parece certo."

"Nem pra mim, mas conversei com algumas pessoas, e até agora confere." Ele falava com toda a calma arrítmica e descompassada de um viciado, mas sem o balbucio. "Então logo devemos ter mais notícias, espero."

"Amigos de Niall?"

"Não. Niall diz que nunca ouviu falar deles. Mas já é um começo."

O vinho era ruim: Syrah de supermercado. Como eu queria ficar bem longe dos corpos no chão, afastei-me para inspecionar um grupo de moldes numa mesa rústica: um torso masculino; uma Vênus vestida recostada contra uma rocha; um pé com sandália. Sob a luz fraca lembravam os moldes de gesso ordinários à venda na Pearl Paint — peças de estúdio pra servir de modelo pra estudantes —, mas quando passei um dedo sobre o topo do pé senti a suavidade de mármore, sedoso e não granulado.

"Por que iriam à Irlanda com ela?", Boris perguntava irrequieto. "Que tipo de mercado pra colecionadores tem lá? Eu achava que todo mundo tentava tirar as peças do país, não levá-las para ele."

"Sim, mas Sascha acha que o cara usou a pintura pra pagar uma dívida."

"Então ele tem ligações lá?"

"Evidentemente."

"Acho difícil acreditar nisso."

"No quê, nas ligações?"

"Não, na dívida. Esse sujeito — ele tem cara de quem estava roubando calotas na rua seis meses atrás."

Horst deu de ombros, levemente: olhos sonolentos, testa sulcada. "Vai saber. Não tenho certeza se isso é verdade, mas não estou disposto a confiar na sorte. Eu não colocaria minha mão no fogo", disse ele, batendo preguiçosamente as cinzas no chão.

Boris franziu para sua taça de vinho. "Ele era amador. Acredite. Se você mesmo o visse saberia."

"Sim, mas ele gosta de apostar, segundo Sascha."

"Você não acha que Sascha talvez saiba mais?"

"Não acho." Havia um distanciamento nas suas maneiras, como se estivesse falando consigo mesmo. "'Espere e verá.' Foi isso que ouvi. Uma resposta insatisfatória. Fedendo já de cara na minha opinião. Mas, como eu disse, não chegamos ao fundo disso ainda."

"E quando Sascha volta pra cidade?" A meia-luz da sala me mandou direto para a infância, Vegas, como o clima obscuro de um sonho persistindo depois do sono: névoa de fumaça de cigarro, roupas sujas no chão, o rosto de Boris branco depois azul sob a luz bruxuleante da tela.

"Semana que vem. Eu te ligo. Aí você mesmo pode falar com ele."

"Sim. Mas acho que deveríamos conversar com ele juntos."

"Sim. Também acho. Nós dois seremos mais espertos, no futuro... isso não precisava ter acontecido... mas em todo caso", disse Horst, que estava coçando o pescoço devagar, distraidamente, "você entende que fico receoso de forçar demais a barra com ele."

"Isso é muito conveniente para Sascha."

"Você tem uma desconfiança. Me diga."

"Acho..." Boris olhou de relance para a porta.

"Sim?"

"Acho que você está sendo muito frouxo com ele", disse, baixando a voz.

"Sim, sim..." — ergueu as mãos — "eu sei. Mas é muito conveniente o homem dele desaparecer, nem uma pista, ele não saber de nada!"

"Bem, talvez", disse Horst. Ele parecia desligado e parcialmente em outro lugar, como um adulto numa sala com crianças pequenas. "Isso está me incomodando — a todos nós. Quero chegar ao fundo disso tanto quanto você. Mas até onde sabemos o homem dele era policial."

"Não", disse Boris com convicção. "Ele não era. Não era. Eu sei."

"Bem, pra ser bem sincero com você, eu também não acho isso, tem mais coisa aí do que a gente sabe. Ainda assim, estou esperançoso." Horst tinha pegado uma caixa de madeira da mesa de desenho e estava remexendo nela. "Certeza que os cavalheiros não gostariam de uma coisinha?"

Desviei o olhar. Não queria mais nada. Gostaria de ver o Corot, só que não queria ter que passar pelos corpos no chão pra fazê-lo. Do outro lado da sala, tinha visto que havia várias outras pinturas apoiadas no lambril: uma natureza-morta, duas paisagens pequenas.

"Vá olhar, se quiser." Era Horst. "O Lépine é falso. Mas o Claesz e o Berchem estão à venda se estiver interessado."

Boris riu e esticou-se pra pegar um dos cigarros de Horst. "Ele não está no mercado."

"Não?", perguntou Horst amigavelmente. "Posso lhe fazer um bom preço no par. O vendedor precisa se livrar deles."

Dei um passo à frente para olhar: natureza-morta, vela e taça de vinho pela metade. "Claesz-Heda?"

"Não. Pieter. Embora..." Horst deixou a caixa de lado, depois se postou perto de mim e ergueu a luminária de mesa pelo cabo, jogando sobre as duas pinturas uma luz forte e formal. "Esta partezinha..." — traço no ar com a curva de um dedo — "o reflexo da chama aqui? E a borda da mesa, o drapeado? Dava quase pra ser Heda num dia ruim."

"Linda obra."

"Sim. Linda dentro do gênero." De perto ele cheirava a falta de banho e desleixo, com um odor forte e viciado de loja importada, como o interior de uma caixa chinesa. "Um pouco prosaica pro gosto moderno. Classicista. Encenado demais. Ainda assim, o Berchem é muito bom."

"Tem muitas falsificações de Berchem por aí", falei num tom neutro.

"Sim..." A luz da luminária projetada sobre a pintura de paisagem era azulada, misteriosa. "Mas este é muito bonito... Itália, 1655... Os ocres são lindos, não? O Claesz não é tão bom, eu acho, é da fase inicial, embora a procedência seja impecável em ambos os casos. Seria bom mantê-los juntos... nunca foram separados. Pai e filho. Vieram juntos por uma antiga família holandesa, acabaram na Áustria depois da guerra. Pieter Claesz..." Horst ergueu mais a luminária. "Claesz variava muito, sinceramente. Técnica maravilhosa, superfície maravilhosa, mas há alguma coisa destoando nesta aqui, não acha? A composição não se sustenta. Incoerente de alguma forma. Além disso..." Ele indicou com o polegar o brilho saindo da tela: excesso de verniz.

"Concordo. E aqui..." Acompanhei no ar o feio arco onde uma limpeza apressada demais tinha tirado a última camada de tinta ao esfregá-la.

"Sim." Seu olhar em resposta foi amigável e sonolento. "Tem toda a razão. Acetona. Quem quer que tenha feito isso deveria levar um tiro. Mas uma pintura de nível médio como esta, em condições ruins — mesmo uma obra anônima —, vale mais do que uma obra-prima, é essa a ironia da coisa, vale mais para *mim*, em todo caso. Paisagens em especial. Muito fácil de vender. Não recebem tanta atenção das autoridades... difícil de reconhecer com base numa descrição... e mesmo assim vale talvez uns duzentos mil dólares. Agora, o Fabritius..." — pausa longa e descontraída — "um nível completamente diferente. A obra mais extraordinária que já passou pelas minhas mãos, e posso dizer isso sem sombra de dúvida."

"Sim, e é por isso que queremos tanto recuperá-la", resmungou Boris das sombras.

"Extraordinária", continuou Horst, sereno. "Uma natureza-morta como esta..." — ele apontou para o Claesz, com um movimento lento (unhas pretas nos cantos, rede venosa marcada no dorso da mão) — "bem, um trompe-l'oeil tão insistente. Ótima habilidade técnica, mas refinado demais. Precisão obsessiva. Tem um quê de morte. Não é à toa que são chamadas de natureza-morta, né? Mas o Fabritius..." — passo para trás com o joelho frouxo. "Eu conheço a teoria sobre *O pintassilgo*, estou bem familiarizado com ela, as pessoas o consideram um trompe-l'oeil e de fato pode parecer assim de longe. Mas eu não ligo pro que dizem os historiadores da arte. Verdade: há partes trabalhadas como num trompe-l'oeil... a parede e o poleiro, o raio de luz sobre latão, e depois... o peito emplumado, o mais próximo da criatura possível. A penugem toda. Macia, macia. Claesz levaria esse acabamento e essa precisão ao extremo — um pintor como Van Hoogstraten iria ainda mais longe, até o último prego no caixão. Mas Fabritius... ele está fazendo um jogo com o gênero... uma resposta magistral a toda a ideia de trompe-l'oeil... porque em outras partes da obra — a cabeça, a asa — não é nem um pouco literal, ele desmonta a imagem de forma bem deliberada para nos mostrar como a pintou. Borrões e manchas, bem configurado e trabalhado à mão, a linha do pescoço especialmente, uma pintura sólida, bem abstrata. O que o torna um gênio mais da nossa época do que da dele. Há uma duplicidade. Você vê a marca, vê a tinta, e também o pássaro vivo."

"Sim, bem", grunhiu Boris, na escuridão, longe da luminária, fechando seu isqueiro com um estalo, "sem tinta, não haveria nada para ver."

"Exatamente." Horst virou-se, o rosto recortado pela sombra. "É uma piada, o Fabritius. Tem uma piada no âmago. E é isso o que todos os grandes mestres fazem. Rembrandt, Velázquez. Ticiano na fase final. Eles fazem piadas. Se divertem. Constroem a ilusão, o truque — mas, um passo à frente? Aquilo se desfaz em pinceladas. Abstrato, sobrenatural. Uma espécie totalmente diferente e muito mais profunda de beleza. A coisa e ao mesmo tempo a não coisa. Eu diria que aquela minúscula pintura coloca Fabritius entre os maiores pintores de todos os tempos. E com *O pintassilgo* ele opera o milagre num espaço tão pequenino. Embora, admito, fiquei surpreso..." — voltando-se para olhar para mim — "quando a segurei nas mãos pela primeira vez, com o peso dela."

"Sim..." Não pude deixar de ficar satisfeito, de modo obscuro, por ele ter reparado nesse detalhe, estranhamente importante para mim, com sua própria rede de sonhos e associações da infância, um gatilho emocional. "O quadro é mais grosso do que parece. Há uma solidez nele."

"Solidez. Exatamente. E o fundo, bem menos amarelo do que quando o vi ainda garoto. A pintura passou por uma limpeza — no início dos anos 90, acredito. Depois da restauração, há mais luz."

"Difícil dizer. Não tenho nada com que compará-la."

"Bem", disse Horst. A fumaça do cigarro de Boris, saindo da escuridão onde ele estava sentado, dava ao círculo iluminado onde nos encontrávamos o ar de meia-noite de um palco de cabaré. "Posso estar errado. Eu tinha uns doze anos quando o vi pela primeira vez."

"Sim, eu também tinha mais ou menos essa idade quando o vi pela primeira vez."

"Bem", disse Horst, resignado, coçando uma sobrancelha, machucados do tamanho de uma moeda no dorso das mãos. "Aquela foi a única vez que meu pai me levou com ele numa viagem a negócios, pra Haia. Salas de reuniões gélidas. Nem uma folha soprando. Na nossa tarde de folga eu queria ir pra Drievliet, o parque de diversões, mas em vez disso ele me levou ao Mauritshuis. E — ótimo museu, pinturas excelentes, mas a única pintura que me lembro de ter visto é o seu pintassilgo. Uma pintura que atrai uma criança, né? *Der Distelfink*. Foi assim que o conheci primeiro, pelo nome em alemão."

"Ééé", disse Boris, da escuridão, num tom entediado. "Isso está parecendo o canal educativo da televisão."

"Você trabalha com arte moderna?", perguntei, no silêncio que se seguiu.

"Bem..." Horst fixou em mim seu olho invernal e drenado; *trabalhar* não era bem o verbo, ele pareceu divertido com minha escolha vocabular. "Às vezes. Estava com um Kurt Schwitters não faz muito tempo. Stanton Macdonald-Wright, você conhece? Ótimo pintor. Depende muito do que aparece pra mim. E você, vende pinturas?"

"Muito raramente. Os marchands especializados chegam antes de mim."

"É uma pena. A portabilidade é o que importa no meu negócio. Tem um monte de peças de nível médio que eu poderia vender às claras se tivesse papel que parecesse bom."

Cheiro de alho; barulho de panelas na cozinha; fraca corrente de ar de *souk* marroquino recendendo a urina e incenso. De novo e de novo o monótono zumbido sufista, flutuando e girando em espiral no escuro à nossa volta, cânticos incessantes para o divino.

"Ou este Lépine. Uma falsificação bem boa. Tem um sujeito — canadense, muito divertido, você ia gostar dele — que faz elas por encomenda. Pollock, Modigliani... Posso tranquilamente apresentá-lo a você, se quiser. Não ganho muito dinheiro com elas, mas daria pra fazer uma fortuna se uma aparecesse no espólio certo." Então, confiante, no silêncio que se seguiu: "No caso de obras mais antigas vejo muitas italianas, mas minhas preferências — elas se inclinam para o norte, como você pode ver. Agora, este Berchem é um exemplar muito bom que vale por si mesmo, mas é claro que essas paisagens italianizadas com as colunas quebradas e as simples leiteiras não se enquadram muito no gosto moderno, não é mesmo? Eu prefiro o Van Goyen ali. Infelizmente não está à venda".

"Van Goyen? Teria jurado que era um Corot."

"Daqui, dá pra pensar." Ele ficou satisfeito com a comparação. "Pintores muito parecidos — o próprio Vincent observou isso. Você conhece aquela carta? 'O Corot dos Holandeses'? A mesma ternura de névoa, aquela vastidão na neblina, sabe o que quero dizer?"

"Onde..." Quase fiz a típica pergunta de marchand: *onde você a conseguiu?* — mas me contive.

"Pintor maravilhoso. Muito prolífico. E este é um exemplar particularmente belo", disse Horst, com um orgulho de colecionador. "Muitos detalhes divertidos de perto — caçador minúsculo, cachorro ladrando. Além disso, bem típico, assinado na popa do barco. Encantador. Se não se importar..." Ele indicou, com um aceno de cabeça, os corpos atrás da tapeçaria. "Vá em frente. Não vai incomodá-los."

"Não, mas..."

"Não..." Ergueu uma mão. "Entendo perfeitamente. Trago ela pra você?"

"Sim, adoraria vê-la."

"Devo dizer, fiquei muito apegado a ela. Vou odiar vê-la partir. Ele mesmo vendia pinturas, Van Goyen. Muitos dos mestres holandeses faziam isso. Jan Steen. Vermeer. Rembrandt. Mas Jan van Goyen..." — ele sorriu — "era como nosso amigo Boris aqui. Um pé em cada coisa. Pinturas, imóveis, vendas futuras de tulipas."

Boris, no escuro, bufou descontente com isso e pareceu prestes a dizer alguma coisa quando de repente um garoto magricela e desgrenhado de talvez vinte e dois anos, com um termômetro antiquado de mercúrio na boca, veio cambaleando da cozinha, protegendo os olhos da luz da luminária com uma mão. Ele vestia um cardigã de lã grosso esquisito e meio feminino, que ia quase até os joelhos, como um roupão; parecia doente e desorientado, sua manga estava arregaçada, e ele esfregava o antebraço com dois dedos até que de uma hora para a outra seus joelhos vacilaram e ele caiu no chão, o termômetro quicando no soalho com um som de vidro, intacto.

"O que...?", disse Boris, apagando o cigarro, erguendo-se, o gato correndo do seu colo sombra adentro. Horst, franzindo o rosto, colocou a luminária no chão, a luz oscilando freneticamente sobre as paredes e o teto. "Ach", exclamou ele mal-humorado, tirando o cabelo dos olhos, caindo de joelhos para ver o rapaz. "Voltem", disse ele com uma voz irritada para as mulheres que tinham aparecido na porta com um brutamontes de cabelo preto e olhar frio e atento, e dois garotos adolescentes de olhos vidrados, que não deviam ter mais que dezesseis anos. E, então, quando todos continuaram encarando, Horst abanou a mão. "Pra cozinha, vocês! Ulrika", disse ele para a loira, "*halt sie zurück.*"

A tapeçaria estava se movendo; atrás dela, vultos enrolados em cobertores, vozes sonolentas. *Eh? Was ist los?*

"*Ruhe, schlaft weiter*", disse a loira, antes de se virar para Horst e começar a falar em disparada em alemão com um tom de urgência.

Bocejos; grunhidos; mais no fundo, um embrulho sentando, voz americana queixosa e grogue: "Hã? Klaus? O que foi que ela disse?".

"Cale a boca, querida, e volte à *schlafen.*"

Boris tinha pegado seu casaco e o estava vestindo. "Potter", disse ele, e então de novo, quando não respondi, olhando horrorizado para o chão, onde o garoto estava respirando com sons gorgolejantes: "Potter." Pegou meu braço. "Vem, vamos embora."

"Sim, desculpe. Vamos ter que conversar depois. *Scheiße*", disse Horst com pesar, sacudindo o ombro frouxo do garoto, com o tom não muito convincente de um pai dando bronca no filho. "*Dummer Wichser! Dummkopf!* Quanto ele tomou, Niall?", perguntou ao brutamontes que tinha reaparecido na porta e observava com um olhar crítico.

"Como é que eu vou saber?", disse o irlandês, com uma inclinada de cabeça agourenta.

"Venha, Potter", disse Boris, agarrando meu braço. Horst estava com o ouvido colado ao peito do garoto e a loira, que voltara, tinha caído de joelhos ao lado dele e estava conferindo sua respiração.

Enquanto conversavam agitados em alemão, mais barulho e movimento atrás do Amiens, que balançou de repente: flores desbotadas, uma *fête champêtre*, ninfas luxuriantes em meio a fontes e vinho. Eu olhava para um sátiro a espiá-las maliciosamente atrás de uma árvore quando, de forma inesperada — algo contra a minha perna —, recuei com violência enquanto uma mão se lançava por baixo e agarrava a barra da minha calça. Do chão, um dos embrulhos sujos — o rosto vermelho inchado apenas visível sob a tapeçaria — se dirigiu a mim com uma voz galante e sonolenta: "Ele é um marquês, meu querido, você sabia disso?".

Livrei a perna da calça com um puxão e dei um passo pra trás. O garoto no chão estava balançando a cabeça e fazendo sons como se estivesse se afogando.

"*Potter*." Boris tinha pegado meu casaco e o estava praticamente enfiando na minha cara. "Venha! Vamos embora! *Ciao*", ele disse na direção da cozinha com uma erguida de queixo (bela cabeça morena aparecendo na soleira, uma mão balançando: *Tchau, Boris! Tchau!*) enquanto me empurrava à sua frente e saía rápido atrás de mim pela porta. "*Ciao*, Horst!", disse ele, fazendo um gesto de *me liga*, com a mão no ouvido.

"*Tschau*, Boris! Desculpe por isso! Falamos em breve! Pra cima", disse Horst, enquanto o irlandês se aproximava e agarrava o rapaz por baixo do outro braço; juntos eles o ergueram, os pés frouxos e os dedos tocando o chão, e — em meio à agitação na soleira, os dois adolescentes recuando alarmados — o arrastaram pela porta iluminada da sala ao lado, onde a morena de Boris estava preparando uma seringa com um minúsculo frasquinho.

XVII

Descendo no elevador de gaiola fomos subitamente rodeados por quietude: o ranger das engrenagens, os estalos das polias.

Lá fora, o tempo tinha clareado. "Venha", disse Boris para mim, olhando nervosamente para a rua. Tirou o celular do bolso do casaco. "Vamos atravessar, venha..."

"O quê?" Teríamos tempo o suficiente pra passar, se nos apressássemos. "Você está ligando pra emergência?"

"Não, não", disse Boris distraído, limpando o nariz, olhando em volta. "Não quero ficar aqui esperando o carro, estou ligando pra ele nos pegar do outro lado do parque. A gente atravessa a pé. Às vezes esses garotos exageram na dose", disse ele, quando me viu olhando ansioso pra trás na direção do sobrado. "Não se preocupe. Ele vai ficar bem."

"Não parecia bem."

"Não, mas estava respirando, e Horst tem Narcan. Isso vai trazê-lo de volta num instante. Feito mágica, você já viu? Te coloca direto na abstinência. Você fica se sentindo um lixo, mas sobrevive."

"Deveriam levá-lo pro pronto-socorro."

"Por quê?", disse Boris num tom sensato. "O que o pessoal do pronto-socorro ia fazer? Dar Narcan, é isso o que fariam. Horst pode lhe dar mais rápido que eles. E, sim, ele vai começar a vomitar e sentir como se tivesse sido esfaqueado na cabeça, mas melhor lá do que na ambulância, BUM, camisa rasgada, máscara enfiada na cara dele, pessoas dando tapas no rosto pra acordá-lo, polícia envolvida, todo mundo muito grosso e julgando — acredite, Narcan é uma experiência muito violenta, você já se sente mal o bastante quando volta sem estar no hospital, com as luzes fortes e todo mundo com cara de desaprovação e sendo bem hostil, te tratando como lixo, viciado, overdose, todos aqueles olhares desagradáveis, às vezes não te deixando voltar pra casa quando você quer, ala psiquiátrica, assistente social vindo te dar o grande sermão de 'Há tanto por que viver', e talvez, além de tudo isso, a visitinha da polícia. Espere um pouco", disse ele, "um momento por favor", e começou a falar em ucraniano no celular.

Escuridão. Sob o halo nebuloso dos postes, bancos de parque lisos da chuva, pinga, pinga, pinga, árvores encharcadas e escuras. Trilhas molhadas cobertas de folhas, uns poucos empregados de escritório solitários voltando rápido pra casa. Boris — cabeça baixa, mãos enfiadas nos bolsos, olhando pro chão — tinha terminado sua ligação e estava resmungando consigo mesmo.

"O quê?", falei, olhando de lado pra ele.

Boris comprimiu os lábios, balançou a cabeça. "Ulrika", disse ele sombrio. "Aquela puta. Foi ela que abriu a porta pra nós."

Sequei minha testa. Eu me sentia nervoso e doente, e tinha começado a suar frio. "De onde você conhece essa gente?"

Boris deu de ombros. "Horst?", disse ele, levantando uma chuva de folhas com um chute. "A gente se conhece já faz anos. Conheci Myriam através dele — sou bastante grato por ter nos apresentado."

"E?"

"O quê?"

"O garoto no chão??"

"Ele? O que caiu?" Boris fez uma cara de quem não tinha como saber. "Vão cuidar dele, não se preocupe. Acontece. Eles sempre ficam bem. Sério", disse, num tom mais enérgico. "Porque — escuta, escuta", disse ele, cutucando-me com o cotovelo. "Horst vive recebendo esses garotos lá — muda muito, sempre uma turma nova, universitários, no ensino médio. Garotos ricos principalmente, vivendo do trust familiar, que às vezes recorrem a ele pra vender alguma obra de arte ou pintura que pegaram da família. Eles sabem que podem ir até ele. Porque..." — balançando a cabeça, tirando o cabelo dos olhos — "o próprio Horst, quando era garoto, sabe, há muito tempo, década de 90, 80, ele ficou durante um ano, ou dois, numa dessas escolas grã--finas de garotos da região onde te obrigam a usar uniforme. Lugar não muito longe daqui. Ele me mostrou uma vez, num táxi. Em todo caso..." — Boris fungou — "o garoto no chão? Ele não é nenhum pobre coitado da rua. E eles não vão deixar nada acontecer com ele. Espero que aprenda a lição. Muitos aprendem. Ele jamais vai se sentir tão mal na vida depois daquela injeção de Narcan. Além disso, Candy é enfermeira e vai cuidar dele quando voltar a si. Candy? A morena?", disse ele, cutucando-me nas costelas de novo quando não respondi. "Você a viu?" Ele riu com gosto. "Tipo..." Abaixou-se e passou a ponta do dedo acima do joelho para aludir ao comprimento das botas. "Ela é maravilhosa. Deus, se eu pudesse afastá-la daquele Niall, o irlandês... Fomos pra Coney Island um dia, só nós dois, e nunca me diverti tanto. Ela gosta de tricotar suéteres, dá pra imaginar?", disse ele, olhando-me furtivamente pelo canto do olho. "Uma mulher como aquela — você ia pensar que é do tipo que gosta de tricotar? Mas gosta! Se ofereceu pra fazer um suéter pra mim! E estava falando sério! 'Boris, posso tricotar um pra você quando você quiser. Apenas me diga a cor e eu faço!'"

Ele estava tentando me animar, mas eu ainda me sentia abalado demais pra conversar. Por um tempo ficamos os dois andando de cabeça baixa sem que houvesse nenhum ruído além dos nossos passos pela trilha do parque na escuridão, nossas passadas parecendo ecoar infinitamente e para além da enorme noite urbana à nossa volta, buzinas de carro e sirenes soando como se estivessem a um quilômetro de distância.

"Bem", disse Boris logo em seguida, lançando-me outro olhar de esguelha, "pelo menos sei o que aconteceu agora, né?"

"Quê?", falei, sobressaltado. Minha mente ainda estava no garoto e nas vezes em que eu próprio escapei por pouco: desmaiando no banheiro no andar de cima da casa de Hobie, a cabeça ensanguentada no ponto onde eu tinha batido na borda da pia; acordando no piso da cozinha da casa de Carole Lombard com ela me sacudindo e gritando, sorte que foram quatro minutos, eu ia ligar pra emergência se você não voltasse em cinco.

"Tenho certeza. Foi Sascha quem pegou a pintura."

"Quem?"

Boris me dirigiu um olhar irado. "O irmão de Ulrika, curiosamente", disse ele, cruzando os braços contra seu peito estreito. "E dois sapatos formam um par, se é que você me entende. Sascha e Horst são muito ligados. Horst jamais vai dar ouvidos a qualquer coisa contra ele. Bem, é difícil não gostar de Sascha — todo mundo gosta. Ele é mais simpático que Ulrika, mas nossas personalidades sempre se chocaram. Horst era todo certinho, não tem quem não diga, até se meter com esses dois. Estudando filosofia... prestes a dirigir a empresa do pai... e é assim que ele está agora. Dito isso, nunca achei que Sascha iria contra Horst, nem em um século. Você acompanhou tudo o que falamos lá?"

"Não."

"Bem, Horst acha que a palavra de Sascha vale ouro, mas eu não tenho tanta certeza. E não acho que a pintura esteja na Irlanda. Nem Niall, o irlandês, acha isso. Odeio que ela tenha voltado, Ulrika. Não posso falar claramente o que eu penso. Porque..." — as mãos no fundo dos bolsos — "estou um pouco surpreso que Sascha se atreva a esse ponto, e não ouso dizer isso a Horst, mas não vejo nenhuma outra explicação. Acho que todo o péssimo negócio, a prisão, os policiais, aquilo tudo, foi uma desculpa pra Sascha fugir com a pintura. Dezenas de pessoas dependem de Horst — ele é bonzinho demais, tem um coração mole, sabe, acredita no melhor das pessoas. Bem, ele pode deixar Sascha e Ulrika roubarem dele, tudo bem, mas não vou deixar roubarem de mim."

"Humm." Eu não tivera tanto contato com Horst, mas ele não me pareceu ter um coração particularmente mole.

Boris fechou a cara, chutando as poças. "Mas o único problema, o homem de Sascha, aquele que ele me apresentou... Não faço ideia do verdadeiro nome dele. Disse que se chamava Terry, o que não é verdade. Eu também não uso meu nome verdadeiro, mas Terry, canadense, dá um tempo, porra! Ele era tcheco, eu tenho tanto de Terry White quanto ele! Acho que é um criminoso de rua, recém-saído da prisão. Não sabe nada, inculto, um grosseirão. Acho que Sascha o pegou em algum lugar, pra usar como isca, e lhe prometeu uma fatia pra que armasse o negócio — uma fatia mísera, provavelmente. Mas sei como Terry é e sei que tem ligações na Antuérpia. Vou ligar pro meu garoto Cherry e colocá-lo nisso."

"Cherry?"

"Sim, é o *kliytchka* de Victor, a gente chama ele assim porque seu nariz é vermelho, mas também porque seu nome russo, Vitya, é parecido com a palavra russa pra cereja. Além disso, há uma novela famosa na Rússia, *Cereja de inverno* — bem, difícil de explicar. Eu provoco Vitya por causa desse programa, ele fica muito irritado. Em todo caso, Cherry conhece todo mundo, sabe de tudo, escuta cada conversa privada. Duas semanas antes de acontecer, você fica sabendo de tudo por Cherry. Então não precisa se preocupar com seu pássaro, tá bem? Vamos descobrir onde está."

"Como assim *descobrir*?"

Boris fez um som exasperado. "Porque isso é um círculo fechado, entende? Horst tem razão quanto ao dinheiro. *Ninguém vai comprar essa pintura*. Impossível vender. Mas no mercado negro, como moeda de troca... Dá pra entregar e recuperar eternamente! Valiosa, portátil. Quartos de hotel... fica indo e voltando. Drogas, armas, garotas, dinheiro, o que você quiser."

"Garotas?"

"Garotas, garotos, o que for. Olha", disse ele, erguendo uma mão, "não estou envolvido com nada desse tipo. Eu mesmo estive muito perto de ser vendido quando era garoto — esse tipo de gente estava por toda a Ucrânia, ou costumava estar, em cada esquina e estação de trem, e posso dizer que se você é novo e infeliz o bastante parece um bom negócio. Um sujeito com cara de normal te promete emprego em um restaurante em Londres ou algo assim, fornece passagem de avião e passaporte — haha. Quando menos você espera acorda acorrentado pelo pulso em algum porão. Jamais me envolveria com algo assim. É errado. Mas acontece. E agora que a pintura está fora das minhas mãos e das de Horst — vai saber pelo que está sendo negociada? Um grupo fica com ela, depois outro. A questão é..." — indicador erguido — "sua pintura não vai desaparecer na coleção de algum oligarca obcecado por arte. Ela é famosa demais. Ninguém vai querer comprá-la. Por que fariam isso? O que podem fazer com ela? Nada. A não ser que a polícia a encontre — e ela *não* a encontrou, disso a gente sabe..."

"Eu quero que a polícia a encontre."

"Bem..." Boris esfregou o nariz com força. "Sim, muito nobre. Mas, por ora, o que eu *sei* é que ela *vai* se mover, e só se move numa rede relativamente pequena. Victor Cherry é grande amigo e me deve muito. Então, se anime!", disse ele, agarrando meu braço. "Não fique assim tão pálido e doente! Voltamos a nos falar logo, prometo."

XVIII

Parado sob um poste de luz onde Boris tinha me deixado ("Não posso te levar pra casa! Estou atrasado! Tenho que ir!"), eu estava tão abalado que tive de olhar em volta pra me orientar — a fachada cinza espumosa do

Alwyn, como uma excrescência do barroco —, e as luzes sobre os bordados, os enfeites de Natal na porta da Petrossian, trouxeram-me uma lembrança profundamente enraizada: dezembro, minha mãe com um gorro de inverno. *Aqui, meu bem, vou dar uma passadinha depois da esquina pra comprar uns croissants pro café da manhã...*

Eu estava tão distraído que me choquei com tudo contra um homem dobrando rápido a esquina: "Cuidado!".

"Foi mal", falei, tremendo. Embora o acidente tenha sido culpa do outro cara — ocupado demais matraqueando no celular pra prestar atenção no caminho —, várias pessoas na calçada tinham dirigido seus olhares desaprovadores para mim. Sentindo-me sem ar e confuso, tentei pensar no que fazer. Podia pegar o metrô até a casa de Hobie, se estivesse no clima, mas o apartamento de Kitsey era mais perto. Ela e suas amigas Francie e Em tinham saído para a noite das garotas (não adiantava mandar mensagem ou ligar, como eu sabia por experiência; elas geralmente iam ao cinema), mas eu tinha uma chave e podia entrar, pegar uma bebida e deitar enquanto esperava Kitsey voltar pra casa.

O tempo tinha clareado, a lua de inverno nítida em uma brecha nas nuvens de tempestade, e comecei a ir na direção leste de novo, parando de vez em quando para tentar chamar um táxi. Eu não tinha o hábito de passar pelo apartamento de Kitsey sem ligar antes, principalmente porque não gostava muito das amigas dela nem elas de mim. No entanto, apesar de Francie e Em e das nossas amabilidades forçadas na cozinha, o apartamento era um dos poucos lugares onde eu me sentia realmente seguro em Nova York. Ninguém podia me localizar ali. Havia sempre uma sensação de que era algo temporário; Kitsey não deixava muitas roupas lá e vivia basicamente com uma mala sobre um suporte aos pés da cama; e por razões inexplicáveis eu gostava do anonimato vazio e sossegado do apartamento, que era alegre, mas esparsamente decorado com tapetes de padrões abstratos e móveis modernos de uma loja de decoração acessível. Sua cama era confortável, o abajur de leitura era bom, e havia uma televisão de plasma de tela grande, de modo que podíamos ficar deitados e ver filmes na cama se estivéssemos a fim; a geladeira de inox estava sempre bem abastecida com comida de garota: homus e azeitona, bolo e champanhe, montes de saladas prontas e meia dúzia de sorvetes diferentes.

Tateei procurando a chave no bolso, depois destranquei a porta distraído (pensando no que encontraria pra comer — será que teria que pedir alguma coisa? Kitsey já teria jantado, não fazia sentido esperar) e quase bati o nariz quando a porta travou na corrente.

Fechei a porta e fiquei parado por um minuto, intrigado; abri-a de novo e ela novamente travou com um som metálico: sofá vermelho, gravuras geométricas emolduradas e uma vela queimando na mesinha de centro.

"Olá?", chamei, e então de novo: "Olá?", mais alto, quando ouvi movimentação dentro.

Eu estava batendo forte o bastante pra chamar os vizinhos quando Emily, depois do que pareceu bastante tempo, veio até a porta e me olhou pela fresta. Ela estava vestindo um suéter surrado de ficar em casa e o tipo de calça com estampa escandalosa que deixava sua bunda parecendo muito maior. "Kitsey não está", disse secamente sem tirar a corrente da porta.

"Eu sei", falei irascível. "Não tem problema."

"Não sei quando ela volta." Emily, que eu conheci quando era uma menina de nove anos de cara rechonchuda batendo a porta na minha cara no apartamento dos Barbour, nunca tinha tentado disfarçar o fato de que achava que eu não era bom o bastante pra Kitsey.

"Bem, posso entrar, por favor?", falei, irritado. "Quero esperar por ela."

"Sinto muito. Não é uma boa hora." Em ainda usava seu cabelo castanho curto e com franja, igualzinho a quando era criança, e a posição da sua mandíbula me fez pensar em Andy, no quanto ele sempre a odiara.

"Isso é ridículo. Vamos. Me deixe entrar", falei de novo, irritadiço, mas ela ficou parada ali impassível, sem me olhar direto nos olhos, focando algum ponto ao lado do meu rosto. "Olha, Em, eu só quero ir pro quarto dela e deitar..."

"Acho melhor você voltar depois. Sinto muito", disse ela, no silêncio incrédulo que se seguiu a isso.

"Não ligo pro que você está fazendo..." Francie, a outra colega, pelo menos tentava se mostrar sociável. "Não quero te incomodar, só quero..."

"Desculpe. Acho que é melhor você ir embora. Porque, olha, eu moro aqui e ...", disse ela, erguendo a voz acima da minha.

"Inacreditável. Você não pode estar falando sério."

Ela estava piscando desconfortável. "... esta é a minha casa e você não pode simplesmente chegar sem mais nem menos a hora que quiser."

"Dá um tempo!"

"E... e..." Ela estava contrariada também. "Olha, não posso te ajudar, realmente não é um bom momento agora, acho melhor você ir embora. Tá bem? Sinto muito." Em ia fechar a porta na minha cara. "Te vejo na festa."

"Quê?"

"Sua festa de *noivado*?", disse, reabrindo uma frestinha e me olhando, de modo que vi seu olho azul agitado por um momento antes de fechar a porta de novo.

XIX

Por alguns instantes fiquei parado no corredor na quietude abrupta que tinha se seguido, encarando o olho mágico na porta fechada, e no silêncio imaginei que podia ouvir Em a centímetros de distância do outro lado respirando tão forte quanto eu.

Bem, é isso, você está fora da lista de damas de honra, pensei, virando-me e descendo as escadas fazendo um monte de barulho ostensivo e me sentindo ao mesmo tempo furioso e estranhamente animado com o incidente, que mais do que confirmava cada pensamento pouco caridoso que eu alimentara sobre Em. Kitsey tinha se desculpado mais de uma vez pela "brusquidão" dela, mas isso, nas palavras de Hobie, era a gota d'água. Por que não estava no cinema com as outras? Será que estava com algum cara ali dentro? Apesar de ter um tornozelo grosso e não ser muito atraente, Em tinha um namorado, um inútil chamado Bill que era executivo e trabalhava no Citibank.

As ruas estavam escuras e brilhantes. Uma vez fora do hall, enfiei-me na soleira da porta da floricultura ao lado pra conferir minhas mensagens e mandar uma pra Kitsey antes de me dirigir a Downtown, só pra garantir; se ela estivesse saindo do cinema, eu poderia encontrá-la pra jantar ou tomar uma bebida (sozinho, sem as amiguinhas — a estranheza do incidente parecia pedir isso) e, definitivamente, ter uma conversa especulativa e bem-humorada sobre o comportamento de Em.

Janela iluminada. Brilho mortuário do expositor refrigerado. Do outro lado do vidro gotejando da neblina condensada, ramos alados de orquídeas tremulavam com a corrente de ar do ventilador: branco-fantasma, lunar, angelical. Bem na frente ficavam as espécies mais exóticas, algumas das quais eram vendidas por milhares de dólares: cabeludas e venosas, com pintas e presas, salpicos de sangue e cara de diabo, em cores que iam de mofo de cadáver a magenta de machucado — havia até uma orquídea preta magnífica com raízes cinza serpenteando pra fora do vaso forrado de musgo. ("Por favor querido", Kitsey tinha dito, intuindo corretamente meus planos para o Natal, "nem pense nisso. Elas são maravilhosas demais e morrem no momento em que toco nelas.")

Nenhuma mensagem nova. Rapidamente, escrevi para ela (Me liga, tenho que falar com vc, algo hilario acabou de acontecer e, só para ter certeza de que ainda não tinha saído do cinema, liguei novamente pro número dela. Mas, enquanto a ligação caía na caixa postal, vi um reflexo no vidro, nas profundezas verdes de selva no fundo da loja e, incrédulo, me virei.

Era Kitsey, cabeça baixa, com seu sobretudo Prada rosa, de braço dado e sussurrando para um homem que reconheci. Fazia anos que não o via, mas soube quem era na hora — a mesma postura de ombros e o mesmo passo relaxado. Tom Cable. Seu cabelo castanho e crespo ainda estava comprido; ele usava as mesmas roupas que maconheiros ricos da nossa escola costumavam usar (sapato Tretorn, enorme suéter de malha grosso sem sobretudo) e carregava uma sacola de uma loja de vinhos pendurada no ombro, a mesma pra onde Kitsey e eu às vezes corríamos juntos pra comprar uma garrafa. Mas o que me surpreendeu foi: Kitsey, que sempre segurava a *minha* mão a uma ligeira distância, arrastando-me atrás de si, balançando encantadoramente meu braço como uma criança dançando uma ciranda, estava aninhada ao seu lado de forma profunda e pesarosa. Enquanto eu observava, pálido diante dessa visão insondável, eles esperavam o sinal fechar, ônibus passando rápido, envolvidos demais um no outro pra reparar em mim. Cable, que estava falando baixinho com ela, bagunçou seu cabelo, depois se virou, puxou-a contra si e a beijou, um beijo que ela respondeu com uma ternura triste maior do que em qualquer beijo que já tivesse me dado.

Eles estavam atravessando a rua; rapidamente me virei de costas; podia vê-los perfeitamente pela janela da loja iluminada enquanto entravam pela porta da frente do prédio de Kitsey a apenas alguns metros de mim — Kitsey estava chateada, ela estava sussurrando, numa voz baixa e rouca de emoção, inclinando-se para Cable com o rosto pressionado contra sua manga enquanto ele apertava amorosamente o braço dela; e, embora não conseguisse entender o que ela dizia, o tom da sua voz era claro demais — apesar da sua tristeza, sua alegria com ele, e a dele com ela, era indisfarçável. Qualquer estranho na rua poderia ver isso. E — enquanto eles passavam por mim, na janela escura, dois fantasmas afetuosos inclinando-se um contra o outro — eu a vi erguer a mão rapidamente para secar uma lágrima do rosto, e me peguei piscando assombrado diante dessa visão. De alguma forma, de modo improvável, era a primeira vez que Kitsey chorava.

XX

Passei boa parte da noite acordado; quando desci para abrir a loja no dia seguinte estava tão absorto que fiquei sentado olhando pro vazio durante meia hora antes de perceber que tinha me esquecido de virar o aviso de FECHADO.

As viagens de Kitsey duas vezes por semana até os Hamptons. Estranhos números piscando, rápidas desligadas. Ela franzindo o cenho para o celular no meio do jantar e desligando-o. Ah, é só Em. Ah, é só a mamãe. Ah, é só um operador de telemarketing, eles me colocaram em alguma lista. Mensagens chegando no meio da noite, bipes de submarino, pulso sonar azulado nas paredes, Kitsey levantando de um salto da cama com a bunda à mostra pra desligar o troço, pernas brancas reluzindo no escuro. Ah, número errado. Ah, só o Toddy, ele tá bêbado em algum lugar.

E, quase tão desolador quanto, a sra. Barbour. Eu estava bem ciente do tato que tinha para situações complicadas — sua habilidade em lidar com questões delicadas nos bastidores. E, embora, até onde eu sabia, não tenha mentido diretamente para mim, sem dúvida tinha havido omissão e disfarce. Todo tipo de coisa voltava agora à minha mente, como o momento alguns meses antes em que flagrei a sra. Barbour falando pelo interfone com o porteiro num tom baixo e apreensivo, em resposta a uma chamada do saguão: *Não, não me importa, não o deixe subir, segurem-no aí embaixo.* E quando Kitsey, passados menos de trinta segundos, depois de conferir suas mensagens, ergueu-se num salto e anunciou inesperadamente que ia levar Tlim-Tlim e Clementine para dar uma volta na quadra! Eu não pensei duas vezes no assunto, apesar do desagrado gélido e inconfundível que atravessou o rosto da sra. Barbour e da amabilidade e da energia renovadas com que ela — quando a porta se fechou atrás de Kitsey — se virou para mim e pegou minha mão.

Era para nos encontrarmos naquela noite: eu ia acompanhá-la à festa de aniversário de uma das amigas, e depois, mais tarde, dar uma passada na festa de outra. Kitsey, embora não tivesse ligado, tinha me mandado uma mensagem cautelosa. Theo, o que aconteceu? Estou no trabalho. Me liga. Ainda estava olhando sem entender para essa mensagem, perguntando-me se deveria respondê-la ou não — o que eu poderia dizer? —, quando Boris irrompeu pela porta da frente da loja. "Tenho novidades."

"Ah é?", falei, depois de uma pausa distraída.

Ele secou a testa. "Podemos conversar aqui?", disse, olhando em volta.

"Hã..." Balancei a cabeça para desanuviá-la. "Claro."

"Estou meio sonolento hoje", disse Boris, esfregando o olho. Seu cabelo estava erguido em todas as direções. "Preciso de um café. Não, não tenho tempo", explicou, erguendo uma mão, os olhos turvos. "Não posso sentar. Vou ficar só um minuto. Mas — boa notícia: tenho uma pista boa sobre a pintura."

"Como assim?", perguntei, despertando bruscamente do meu nevoeiro de Kitsey.

"Bem, logo saberemos", disse ele, evasivo.

"Onde..." Lutei para me concentrar. "Ela está bem? Onde está guardada?"

"Essas são perguntas que não posso responder."

"Ela..." Eu estava tendo sérias dificuldades para organizar meus pensamentos; respirei fundo, risquei a mesa com o dedão para me recompor e ergui os olhos.

"Sim?"

"Ela precisa ficar em certas condições de temperatura e umidade — você sabe disso, né?" A voz de outra pessoa, não a minha. "Não podem simplesmente guardá-la numa garagem úmida ou num lugar qualquer."

Boris comprimiu os lábios no seu velho gesto de deboche. "Acredite, Horst cuidou daquela pintura como se fosse seu próprio bebê. Dito isso..." — ele fechou os olhos — "não posso garantir o mesmo sobre esses caras. Sinto informar que não são gênios. Precisamos torcer pra que tenham cérebro o suficiente pra não deixá-la atrás do forno de pizza ou algo do tipo. Brincadeira", disse ele com arrogância quando me viu encarando boquiaberto e horrorizado. "Embora, pelo que ouvi dizer, está guardada num restaurante, ou perto de um. No mesmo prédio, em todo caso. Falaremos sobre isso depois", disse, erguendo uma mão.

"Aqui?", perguntei, depois de outra pausa incrédula. "Na cidade?"

"Depois. Isso pode esperar. Mas aí vai o outro negócio", disse ele, num tom confidencial apreensivo enquanto olhava a loja em volta e acima da minha cabeça. "Escuta, escuta. Foi isso que vim te dizer realmente. Horst — ele não sabia que seu nome era Decker, não até me perguntar no telefone hoje. Você conhece um sujeito chamado Lucius Reeve?"

Sentei. "Por quê?"

"Horst disse pra ficar longe dele. Horst sabe que você tem um antiquário, mas não tinha ligado os pontos até saber o seu nome."

"Que pontos?"

"Ele não quis entrar em detalhes. Não sei qual é seu envolvimento com esse Lucius Reeve, mas Horst diz pra manter distância e achei que era importante que soubesse de imediato. O cara teve uma desavença feia com Horst por causa de uma questão qualquer, e Horst pôs Martin atrás dele."

"Martin?"

Boris balançou a mão. "Você não conheceu Martin. Acredite, lembraria se tivesse conhecido. Em todo caso, não é nada bom pra alguém no seu negócio se meter com esse tal de Lucius."

"Eu sei."

"Qual é sua relação com ele? Se me permite a pergunta."

"Eu..." Novamente balancei a cabeça, diante da impossibilidade de entrar nesse assunto. "É complicado."

"Bem, não sei o que ele tem contra você. Se precisar de ajuda, é claro que pode contar comigo, prometo. E com Horst também, arrisco dizer, porque ele gostou de você. Foi bom vê-lo tão envolvido e conversador ontem! Não acho que conheça muita gente com quem possa ser ele mesmo e compartilhar seus interesses. É triste. Muito inteligente, o Horst. Ele tem muito a dar. Mas..." — Boris deu uma olhada no relógio — "desculpe, não quero ser grosseiro, mas tenho que ir. Estou bem esperançoso em relação à pintura! Acho que temos chance de recuperá-la! Então..." — ele se ergueu, e bateu bravamente no peito com o punho — "coragem! Logo voltamos a nos falar."

"Boris?"

"Hã?"

"O que você faria se sua garota estivesse te traindo?"

Ele já estava se dirigindo para a porta, e teve que me olhar duas vezes. "Como é?"

"Se achasse que sua garota está te traindo."

Boris franziu a testa. "Você não tem certeza? Não tem nenhuma prova?"

"Não", falei, antes de perceber que não era verdade.

"Então você precisa perguntar a ela, diretamente", disse Boris, decidido. "Em algum momento agradável e desprevenido, em que ela não esteja esperando isso. Na cama talvez. Se pegá-la no momento certo, mesmo se ela mentir — você vai saber. Ela vai titubear."

"Não ela."

Boris riu. "Bem, então você encontrou uma mulher e tanto! Haha! Ela é bonita?"

"Sim."

"Rica?"

"Sim."

"Inteligente?"

"A maioria das pessoas diria que sim."

"Insensível?"

"Um pouco."

Boris riu. "E você a ama. Mas não muito."

"Por que diz isso?"

"Porque não está com raiva, maluco, ou arrasado! Não está gritando aos quatro ventos que vai esganá-la com as próprias mãos! O que significa que sua alma não está ligada à dela. E isso é bom. Aqui vai minha experiência. Fique longe das que você ama demais. Essas são as que vão te matar. O que você quer pra viver e ser feliz no mundo é uma mulher que tem sua própria vida e deixa você ter a sua."

Ele me deu duas batidinhas no ombro e depois saiu, deixando-me encarar o estojo de prata com uma sensação renovada de desespero diante da minha vida contaminada.

XXI

Quando abriu a porta para mim naquela noite, Kitsey não estava tão serena quanto poderia: ela ficou falando de várias coisas ao mesmo tempo, o vestido novo que queria comprar, provou, não conseguiu se decidir, deixou reservado, a tempestade lá no Maine, montes de árvores derrubadas, árvores antigas da ilha, tio Harry tinha ligado, que triste! "Ah querido", saracoteando de forma encantadora, erguendo-se na ponta dos pés pra pegar as taças de vinho, "você pega? Por favor?" De Em e Francie, as colegas de apartamento, não havia nem sinal, como se elas e seus namorados tivessem sabiamente se mandado antes da minha chegada. "Ah, não se preocupe, consegui. Escuta, tive uma ótima ideia. Vamos comer um curry antes de dar uma passada na casa de Cynthia. Estou morrendo de vontade. Qual era mesmo o nome daquela biboca na Lex aonde você me levou, de que você gosta? Como chama? Mahal alguma coisa?"

"Tá falando do pulgueiro?", falei friamente. Eu não tinha nem me dado ao trabalho de tirar o casaco.

"Como?"

"Com o rogan josh gorduroso. E os velhinhos que te deprimem. A turba de clientes da Bloomingdale's." O Jal Mahal Restaruant [sic] era um estabelecimento indiano decrépito e escondido no segundo andar de uma loja na Lex onde absolutamente nada tinha mudado desde que eu era criança: nem os paparis nem os preços nem o carpete rosa desbotado dos danos provocados pela água perto das janelas, nem mesmo os garçons: os mesmos rostos carregados, beatíficos e corteses de que eu me lembrava da infância, quando minha mãe e eu íamos lá depois do cinema pra comer samosas e tomar sorvete de manga. "Claro, por que não. 'O restaurante mais triste de Manhattan.' Que ótima ideia."

Ela se virou para mim, o cenho franzido. "Que seja. O Baluchi's é mais perto. Ou podemos fazer o que você quiser."

"Ah, é?" Fiquei de pé recostado contra o batente da porta com as mãos nos bolsos. Anos de convivência com um mentiroso de primeira classe tinham me deixado impiedoso. "O que *eu* quiser? Quanta generosidade."

"Desculpe. Achei que um curry seria uma boa. Esquece."

"Tudo bem. Pode parar agora."

Kitsey me olhou com um sorriso distraído no rosto. "Como?"

"Não me venha com essa. Sabe muito bem do que estou falando."

Ela nao disse nada. Uma ruga apareceu na sua bela testa.

"Talvez isso te ensine a deixar o celular ligado quando está com ele. Tenho certeza de que Em tentou ligar pra você."

"Desculpe, não sei do que...?"

"Kitsey, eu vi vocês."

"Ah, por favor", disse ela, piscando, depois de uma ligeira pausa. "Você só pode estar de brincadeira. Não está falando de Tom, né? Sério, Theo", disse ela, no silêncio mortal que se seguiu. "Ele é um velho amigo, de muito tempo, somos realmente próximos..."

"Sim, percebi."

"E ele é amigo de Em também, e... e... quero dizer", piscando furiosamente, com um ar de quem estava sendo injustamente perseguida, "sei o que pode ter parecido, *sei* que você não gosta de Tom e tem bons motivos pra isso. Eu sei sobre o lance de quando sua mãe morreu e, claro, ele se comportou muitíssimo mal, mas era só um garoto e se sente realmente péssimo por ter agido daquele jeito..."

"*Se sente péssimo?*"

"Mas ele tinha recebido más notícias ontem à noite", continuou ela rapidamente, como uma atriz interrompida no meio da fala, "uma história dele..."

"Você fala sobre mim com ele? Vocês dois ficam discutindo a minha vida e sentindo pena de mim?"

"...e Tom veio nos ver, Em e eu, nós duas, do nada, pouco antes da gente sair pro cinema, foi por isso que ficamos em casa e não saímos com as outras, você pode perguntar a Em se não acredita em mim, ele não tinha nenhum outro lugar pra ir, estava bem chateado, algo pessoal, só queria alguém pra conversar, e o que nós íamos..."

"Você não espera que eu acredite nisso, né?"

"Escuta. Não sei o que Em te disse..."

"Me diz uma coisa. A mãe de Cable ainda tem aquela casa em East Hampton? Lembro de como ela costumava despachá-lo por horas a fio pro clube de campo depois de ter despedido a babá, ou melhor, depois da babá ter se demitido. Aulas de tênis, aulas de golfe. Ele deve ter se tornado um golfista muito bom, hein?"

"Sim", disse ela friamente, "ele é muito bom."

"Eu poderia dizer algo baixo agora, mas não vou."

"Theo, não vamos fazer isso."

"Posso te falar minha teoria? Você se importa? Tenho certeza de que ela está errada em alguns detalhes, mas acho que é basicamente isso. Porque sei que você saía com Tom, Platt me contou praticamente no instante em que topei com ele na rua, e ele não estava lá muito empolgado com isso. E não precisa inventar desculpas", falei, quando ela tentou me interromper, num tom tão frio e sem vida quanto como eu me sentia. "As garotas sempre gostaram de Cable. Um cara engraçado, realmente divertido quando quer. Ainda que ultimamente tenha dado uns cheques sem fundo, roubado o pessoal do clube de campo ou qualquer outra coisa que ouvi por aí..."

"Isso não é verdade! É mentira! Ele nunca roubou nada de ninguém..."

"E mamãe e papai nunca gostaram muito de Tom, provavelmente nem um pouco, e depois que papai e Andy morreram você não pôde continuar, pelo menos não em público. Doloroso demais para mamãe. E, como Platt disse, inúmeras vezes..."

"Não vou mais vê-lo."

"Então você admite."

"Não achei que fosse importar até nos casarmos."

"Por quê?"

Ela tirou o cabelo dos olhos e não disse nada.

"Você não achou que fosse importar? Por quê? Achou que eu não ia descobrir?"

Raivosa, ela ergueu os olhos. "Você é um tipinho frio, sabia disso?"

"Eu?" Desviei o olhar e ri. "Sou eu que sou frio?"

"Ah, sim. A parte prejudicada. Princípios muito elevados."

"Mais elevados que os de alguns, pelo visto."

"Você está adorando isso."

"Acredite, não estou."

"Ah, não? Jamais imaginaria com esse seu sorrisinho."

"E o que eu deveria fazer? Não falar nada?"

"Já disse que não vou mais vê-lo. Na verdade eu disse isso a ele já faz um tempo."

"Mas ele é insistente. Ele te ama. Não aceita não como resposta."

Para minha surpresa, ela corou. "Sim."

"Pobre Kits."

"Não seja cruel."

"Pobrezinha", falei de novo, zombando, já que não conseguia pensar em mais nada pra dizer.

Ela remexia a gaveta à procura do saca-rolhas e virou-se para mim com um olhar de tristeza. "Escuta", disse ela. "Não espero que entenda, mas é duro estar apaixonada pela pessoa errada."

Fiquei em silêncio. Quando entrei, fiquei tão frio de raiva ao vê-la que tentei me convencer de que ela não tinha poder pra me machucar ou — Deus me livre — fazer com que eu sentisse pena dela. Mas quem sabia melhor do que eu o quanto havia de verdade no que estava dizendo?

"Escuta", disse Kitsey de novo, pousando o saca-rolhas. Ela tinha visto uma abertura e a estava aproveitando: como na quadra de tênis, implacável, atenta ao ponto fraco do adversário...

"Sai de perto de mim."

Acalorado demais. Tom errado. Não estava dando certo. Eu queria ser frio e ficar no controle das coisas.

"Theo. Por favor." Lá estava ela, a mão na minha manga. O nariz ficando vermelho, os olhos rosados de lágrimas: igual ao pobre e velho Andy com suas alergias sazonais, como uma pessoa qualquer que poderia realmente causar pena. "Sinto muito. De verdade. Com todo o meu coração. Não sei o que dizer."

"Ah, não?"

"Não. Eu te prestei um grande desserviço."

"Desserviço. É uma forma de dizer."

"E, tipo, eu sei que você não *gosta* de Tom..."

"O que isso tem a ver?"

"Theo. Isso realmente importa tanto assim pra você? Não, você sabe que não", disse ela rápido. "Não se você precisa pensar no assunto. Além disso..." — ela parou por um momento antes de se lançar — "não que eu queira te botar contra a parede, mas sei tudo sobre suas coisas e não ligo."

"*Coisas?*"

"Ah, por favor", disse ela com um ar de cansaço. "Saia com seus amigos maloqueiros, use quanta droga quiser. Eu não ligo."

Ao fundo, o aquecedor começou a estalar e fazer uma enorme algazarra.

"Olha", ela continuou. "Somos perfeitos um pro outro. Este casamento é a coisa certa para nós dois. Você sabe disso e eu sei disso. Porque, tipo, olha, eu *sei*. Você não precisa me contar. E, além disso, as coisas melhoraram pra você desde que começamos a nos ver, não é verdade? Você se emendou bastante."

"Ah é? *Me emendei?* O que é que isso quer dizer?"

"Olha..." Ela suspirou exasperada. "Você não tem por que fingir, Theo. Martina, Em, Tessa Margolis... lembra dela?"

"Merda." Não achei que alguém soubesse sobre Tessa.

"Todo mundo tentou me dizer. 'Fique longe dele. Ele é legal, mas é um viciado.' Tessa disse a Em que parou de te ver depois que te pegou cheirando heroína na mesa da cozinha dela."

"Não era heroína", falei, enérgico. Eram comprimidos de morfina esmagados e tinha sido uma péssima ideia cheirá-los, total desperdício. "E, de qualquer forma, Tessa certamente não tinha nenhum escrúpulo com *pó*. Costumava me pedir o tempo todo pra arranjar pra ela..."

"Olha, é diferente e você sabe. Mamãe", disse ela, me interrompendo.

"Ah, é? Diferente?" Eu falava mais alto que ela. "Diferente como? Como?"

"Mamãe, eu juro — me escuta, Theo —, mamãe te ama tanto. *Tanto*. Você salvou a vida dela quando apareceu. Ela conversa, come, se interessa pelas coisas, caminha no parque, fica ansiosa pra ver você, não pode *imaginar* como estava antes. Você é parte da família", disse Kitsey, aproveitando sua vantagem. "De verdade. Porque, quer dizer, Andy..."

"*Andy?*" Eu ri com pesar. Andy não alimentava nenhuma ilusão quanto à sua família desequilibrada.

"Olha, Theo, não seja assim." Ela tinha se recuperado agora. Estava amigável e razoável, algo do pai na sua franqueza. "É a coisa certa a fazer. Casar. Formamos uma boa dupla. Faz sentido para todos os envolvidos, a começar por nós."

"Ah, é? Todo mundo?"

"Sim." Kitsey estava perfeitamente serena. "Não seja assim, você sabe o que quero dizer. Por que deveríamos deixar isso estragar as coisas? No fim das contas, somos pessoas melhores quando estamos juntos, não somos? Nós dois. E..." — um sorriso fraco, a mãe ali — "formamos um bom casal. Gostamos um do outro. Nos damos bem."

"A cabeça e não o coração, então."

"Se é assim que você quer ver, sim", disse ela, olhando-me com uma compaixão e um afeto tão evidentes que — de forma bem inesperada — senti minha raiva se dissipar: diante da sua inteligência fria, toda própria, clara como um sino de prata. "Agora..." — esticando-se na ponta dos pés para me dar um beijo no rosto — "vamos ser bons, sinceros e amáveis um com o outro, e vamos ser felizes juntos e nos divertir sempre."

XXII

Então passei a noite lá. Pedimos algo pra comer, mais tarde, e fomos pra cama. Embora por um lado fosse relativamente fácil fingir que tudo continuava igual (pois, de certa forma, nós dois já não estávamos fingindo esse tempo todo?), por outro eu me sentia quase sufocado pelo peso esmagador de tudo o que não se sabia e não fora dito entre nós, e mais tarde, quando ela ficou enrolada contra mim dormindo, permaneci acordado olhando para a janela, sentindo-me completamente sozinho. Os silêncios da noite (culpa minha, não de Kitsey — mesmo *in extremis* ela nunca ficava sem palavras) e a distância aparentemente intransponível entre nós tinham me lembrado de forma muito vívida de quando eu tinha dezesseis e não fazia a menor ideia do que falar ou fazer perto de Julie, que embora definitivamente não pudesse ser chamada de namorada foi a primeira mulher em quem pensei assim. Tínhamos nos conhecido na frente de uma loja de bebidas em Hudson quando eu estava parado do lado de fora com dinheiro na mão querendo que alguém entrasse e comprasse uma garrafa de alguma coisa pra mim, e lá veio ela virando a esquina, com um traje com jeito de morcego e futurista incongruente, o passo firme e o ar de garota de fazenda, o rosto simples e agradável de uma esposa camponesa do início do século XX. "Aqui, garoto..." — tirando uma garrafa de vinho do pacote. "E aqui está o troco. Não, sério. Não há de quê. Você vai ficar aqui fora no frio e beber isso?" Ela tinha vinte e sete, era quase doze anos mais velha que eu, o namorado terminando a faculdade de administração na Califórnia, e nunca houve dúvida de que quando ele voltasse eu não devia mais ir até lá ou entrar em contato novamente. Nós dois sabíamos. Ela não teve que dizer. Galgando os cinco lances de escada até seu estúdio, nas raras tardes (pra mim) em que podia vê-la, eu sempre estava repleto de palavras e sentimentos grandes demais para conter em mim, mas todas as coisas que tinha planejado dizer a ela sempre desapareciam no instante em que ela abria a porta, e, em vez de conseguir entabular uma conversa nem que fosse por dois minutos como uma pessoa normal, eu ficava mudo e desesperado três passos atrás dela, as mãos enfiadas nos bolsos, odiando a mim mesmo, enquanto ela andava descalça pelo estúdio parecendo moderna, falando sem esforço, desculpando-se pelas roupas sujas no chão e por esquecer de pegar um engradado de seis latas de cerveja — eu queria que ela desse uma corrida lá embaixo? —, até o momento em que eu quase literalmente me atirava sobre ela no meio de uma frase e a derrubava no sofá-cama, com tanta violência às vezes que meus óculos saíam voando. Aquilo tudo tinha sido tão maravilhoso que achei que fosse morrer, mas, enquanto ficava deitado acordado depois, eu me sentia nauseado de tão vazio, seu braço branco sobre a colcha, as luzes acendendo na rua, temendo as oito horas do relógio que significariam que ela teria de levantar e se vestir pro trabalho, num bar em Williamsburg, onde eu não tinha idade suficiente pra entrar e visitá-la. E eu não tinha nem amado Julie. Eu a tinha admirado, ficado obcecado por ela, invejado sua confiança, e até sentido um pouquinho de medo dela; mas não a amara realmente, não mais do que ela me amou. Eu também não tinha tanta certeza se amava Kitsey (pelo menos não do jeito que outrora desejei amá-la), mas ainda assim era surpreendente quão mal me sentia, considerando que eu já tinha passado por isso antes.

XXIII

Todo o lance com Kitsey tirara temporariamente a visita de Boris da minha mente, mas — assim que peguei no sono — tudo voltou de forma indireta em sonhos. Por duas vezes acordei sentando de supetão: na primeira, diante de uma porta abrindo macabramente para o armazém, enquanto mulheres de lenço brigavam por uma pilha de roupas usadas do lado de fora; na segunda, tendo adormecido novamente e entrado num estágio diferente do mesmo sonho, o armazém era como um espaço acortinado e frágil a céu aberto, paredes de tecido ondulando que não eram compridas o bastante para tocar a grama. Mais adiante havia uma vista de campos verdes e garotas em vestidos brancos e longos: uma imagem carregada (misteriosamente) de tal sensação de morte e horror ritualístico que acordei ofegante.

Conferi meu celular: quatro da manhã. Depois de meia hora miserável, sentei na cama com o peito nu e — tateando no escuro como um bandido num filme francês — acendi um cigarro e fiquei olhando para a Lexington Avenue, que estava praticamente vazia àquela hora: táxis começando o expediente, ou encerrando. Mas o sonho, que parecera profético, recusava-se a se dissipar e continuava pairando como um vapor venenoso, meu coração ainda batendo com força do perigo impregnado no ar, a sensação de vastidão e risco.

Merece levar um tiro. Eu já me preocupava o bastante com a pintura quando acreditava que estava sendo mantida a salvo o ano todo (conforme tinham me garantido, no folheto do armazém, num tom prático e profissional) em condições aceitáveis de conservação de vinte e um graus e cinquenta por cento de umidade. Não dava pra simplesmente guardar uma coisa dessas em qualquer lugar. Ela não tolerava frio, calor, umidade ou luz solar direta. Precisava de um ambiente controlado, como as orquídeas da floricultura. Imaginá-la metida atrás de um forno de pizza era o suficiente para fazer meu coração de idólatra bater com uma versão diferente, mas parecida, do terror que eu tinha sentido quando achei que a motorista ia botar o pobre Popper pra fora do ônibus: na chuva, no meio do nada, ao relento, à beira da estrada.

Afinal, por quanto tempo realmente Boris tinha ficado com a pintura? Boris? Até mesmo Horst, amante confesso da arte, não me parecera excessivamente exigente com questões de conservação naquele seu apartamento. Possibilidades desastrosas abundavam: *Tempestade no mar da Galileia*, de Rembrandt, a única marinha que ele chegou a pintar, arruinada, segundo boatos, por ter sido inadequadamente armazenada. A obra-prima *A carta de amor*, de Vermeer, arrancada dos tensores por um garçom de hotel, lascada e vincada por ter ficado imprensada debaixo de um colchão. *Pobreza*, de Picasso, e *Paisagem taitiana*, de Gauguin, danificadas pela água depois de terem sido escondidas por algum idiota num banheiro público. Nas minhas leituras obsessivas, a história que mais me marcou era a de *Natividade com são Francisco e são Lourenço*, de Caravaggio, roubada do oratório de San Lorenzo e cortada da moldura de forma tão descuidada que o colecionador que tinha encomendado o roubo irrompeu em lágrimas quando a viu e se recusou a ficar com ela.

O celular de Kitsey, percebi, não estava no lugar habitual: o carregador no parapeito da janela, onde o pegava assim que abria os olhos de manhã. Às vezes eu acordava no meio da noite e via a luz da tela brilhando azul na escuridão do seu lado da cama, sob as cobertas, no ninho secreto de lençóis dela. "Ah, só conferindo a hora", ela dizia, se eu me aproximava sonolento para perguntar o que estava fazendo. Imaginei-o desligado e enterrado no fundo da bolsa de couro de crocodilo junto com a bagunça dela de brilho labial, cartões de visita, amostras de perfume e dinheiro solto, notas de vinte amassadas caindo toda vez que ia pegar a escova de cabelo. Ali, naquela confusão perfumada, Cable estaria ligando repetidas vezes durante a noite, deixando múltiplas mensagens de texto e de voz para que ela visse ao acordar de manhã.

Sobre o que conversavam? O que diziam um para o outro? Curiosamente, era fácil imaginar a interação deles. Conversa animada, uma sensação de cumplicidade maliciosa. Cable a chamando de apelidos bobos e fazendo cócegas até ela gritar.

Apaguei o cigarro. Nenhuma forma, nenhum sentido, nenhum significado. Kitsey não gostava quando eu fumava no quarto, mas eu duvidava que teria algo a dizer quando encontrasse a bituca de cigarro amassada no porta-joias Limoges sobre a cômoda. Para entender o mundo de fato, às vezes só o que você podia fazer era focar numa pequena parte dele, olhar bem atentamente para o que estava mais à mão e fazê-lo valer pelo todo; mas, desde que a pintura tinha desaparecido de debaixo de mim, eu me sentia afogado e aniquilado por vastidão — não só a vastidão previsível do tempo e do espaço, mas as distâncias intransponíveis entre as pessoas, mesmo quando estavam ao alcance do braço uma da outra, e com uma onda de vertigem eu pensava em todos os lugares em que tinha estado e em todos os que não tinha, um mundo perdido, vasto e incognoscível, labirinto sujo de cidades e ruelas, cinzas se espalhando ao longe e imensidões hostis, relações perdidas, coisas extraviadas e nunca mais encontradas, minha pintura sendo arrastada nessa poderosa corrente, flutuando por aí em algum lugar: um minúsculo fragmento de espírito, uma fraca faísca boiando num mar escuro.

XXIV

Como eu não conseguia mais pegar no sono, saí sem acordar Kitsey, na hora negra e gelada antes de o sol nascer, tremendo enquanto me vestia no escuro; uma das colegas de apartamento tinha chegado e estava tomando banho, e a última coisa que eu queria era topar com qualquer uma delas enquanto saía.

Quando desci da linha F do metrô, o céu já estava clareando. Arrastando-me pra casa no frio amargo — deprimido, morto de cansaço, abrindo a porta lateral, subindo lentamente até meu quarto, óculos sujos, cheirando a fumaça, sexo, curry e ao Chanel nº 19 de Kitsey, parando para saudar Popchik, que tinha vindo correndo pelo corredor e dava voltas aos meus pés com uma animação incomum, tirando minha gravata enrolada do bolso para pendurá-la no suporte atrás da porta —, senti o sangue gelar quando ouvi uma voz vindo da cozinha: "Theo? É você?".

A cabeça ruiva apareceu no corredor. Era ela, uma xícara de café na mão.

"Desculpe, assustei você? Não foi minha intenção." Fiquei paralisado, perplexo, enquanto lançava os braços na minha direção com uma espécie de cantarolar alegre, Popchik ganindo e pulando animado aos nossos pés. Ela ainda estava de pijama, calça listrada e uma camiseta de manga longa com um velho casaco de Hobie por cima. Ainda cheirava a lençóis remexidos e a cama. Ah, Deus, pensei, fechando os olhos e apertando o rosto contra o ombro dela, com uma onda de alegria e medo, uma rápida amostra do céu, ah, Deus.

"Que alegria ver você!" Ali estava ela. Seu cabelo, seus olhos. Ela. Unhas roídas até a carne como as de Boris e um amuo no lábio inferior como uma criança que tinha chupado muito o dedo, a cabeça ruiva desgrenhada como uma dália. "Como está? Eu estava com saudade!"

"Eu..." Todas as minhas resoluções se desvaneceram num segundo. "O que está fazendo aqui?"

"Eu estava indo a Montreal!" Risada estridente de uma garota muito mais nova, uma risada rouca de parquinho. "Pra passar uns dias com Sam e depois encontrar Everett na Califórnia." (Sam?, pensei.) "Em todo caso, mudaram a rota do meu voo..." Ela tomou um gole de café, ofereceu-me a xícara sem dizer palavra — *Quer um pouco? Não?* —, deu outro gole. "Fiquei presa em Newark, daí pensei, por que não?, deixo pra uma próxima e venho até a cidade ver vocês."

"Hã... Isso é ótimo." *Vocês*. Eu também.

"Pensei que seria divertido dar uma passada, já que não vou estar aqui no Natal. E também porque sua festa é amanhã. Vai ser um homem casado! Parabéns!" Ela estava com a ponta dos dedos no meu braço e, quando se esticou na ponta dos pés para me dar um beijo no rosto, eu o senti atravessar todo o meu corpo. "Quando vou ter a chance de conhecê-la? Hobie diz que é maravilhosa. Está animado?"

"Eu..." Estava tão aturdido que pus a mão no ponto onde seus lábios tinham me tocado, onde ainda sentia sua pressão em brasa, e então, quando percebi como poderia parecer, retirei-a rapidamente. "Sim. Obrigado."

"É bom te ver. Está com uma cara boa."

Pippa não parecia perceber quão estupefato, tonto, absolutamente surpreso eu estava diante da visão dela. Ou talvez tivesse percebido, mas não quisesse magoar meus sentimentos.

"Cadê o Hobie?", perguntei. Eu não estava perguntando porque me importava, mas porque era um pouco bom demais pra ser verdade estar sozinho com ela na casa, e um pouco assustador também.

"Ah..." Pippa revirou os olhos. "Ele insistiu em ir até a padaria. Eu disse que não precisava se incomodar, mas você sabe como ele é. Gosta de me trazer aqueles biscoitos de mirtilo que mamãe e Welty compravam pra mim quando eu era pequena. Não dá pra acreditar que ainda fazem aquilo — mas não todo dia, ele disse. Tem certeza de que não quer um pouco de café?" Ela se dirigiu até o fogão, só um resquício manco no andar.

Era extraordinário — eu mal conseguia ouvir uma palavra do que ela estava dizendo. Era sempre assim quando ficava no mesmo ambiente que Pippa; ela dominava tudo: sua pele, seus olhos, sua voz enferrujada, o cabelo cor de fogo e uma inclinação de cabeça que às vezes parecia como se estivesse cantarolando consigo mesma; e a luz na cozinha estava toda misturada com a luz da presença dela, com cor, frescor e beleza.

"Tenho alguns CDs que gravei pra você!" Virou-se para me olhar por cima do ombro. "Queria ter trazido. Mas eu não sabia que ia passar por aqui. Te mando sem falta pelo correio quando voltar pra casa."

"E tenho alguns CDs pra você." Havia uma pilha deles no meu quarto, coisas que tinha comprado porque me faziam lembrar dela, tantos que fiquei com receio de enviá-los. "E livros." *E joias*, me abstive de dizer. *E lenços e pôsteres e perfume e discos de vinil e um kit para fazer sua própria pipa e um pagode de brinquedo. Um colar de topázio do século* XVIII. *Uma primeira edição de* Ozma de Oz. Comprar aquelas coisas tinha sido sobretudo uma forma de pensar nela, de estar com ela. Algumas eu tinha dado para Kitsey, mas ainda assim era impensável sair do meu quarto com a pilha gigantesca que eu tinha comprado para Pippa ao longo dos anos, pois ia parecer uma loucura.

"Livros? Ah, ótimo. Terminei o meu no avião, preciso de outra coisa. Podemos trocar."

"Claro." Pés descalços. Orelhas rosa. A pele branco-pérola perto do decote canoa da camiseta.

"*Os anéis de Saturno*. Everett achou que você poderia gostar. Ele mandou um oi, aliás."

"Ah, certo, oi." Eu odiava essa pretensão dela, de que Everett e eu éramos amigos. "Eu estou... hã..."

"Sim?"

"Na verdade..." Minhas mãos tremiam e eu nem de ressaca estava. Só podia torcer pra que ela não visse. "Na verdade vou só dar uma corrida até meu quarto um segundo, tá?"

Ela pareceu surpresa, tocou a testa com a ponta dos dedos: *Como sou boba*. "Ah, sim, desculpe! Estarei aqui."

Não voltei a respirar até estar no quarto com a porta fechada. Meu terno estava razoável, sendo do dia anterior, mas meu cabelo estava sujo e eu precisava de um banho. Será que deveria fazer a barba? Trocar de camisa? Ou ela ia perceber? Poderia parecer que tinha corrido pra tentar me arrumar pra ela? Será que conseguiria ir até o banheiro escovar os dentes sem que ela percebesse? Mas, então, subitamente, senti uma onda de pânico por estar sentado no meu quarto com a porta fechada, desperdiçando momentos preciosos com ela.

Levantei novamente e abri a porta. "Ei", gritei no corredor.

Sua cabeça apareceu de novo. "Ei."

"Quer ir ao cinema comigo hoje à noite?"

Ligeira pausa de surpresa. "Claro. Ver o quê?"

"Um documentário sobre Glenn Gould. Estou morrendo de vontade de ver." Na verdade, eu já tinha visto, e ficado sentado o tempo todo no cinema fingindo que ela estava comigo: imaginando sua reação a várias partes, a conversa fantástica que teríamos sobre o filme depois.

"Parece ótimo. Que horas?"

"Umas sete. Vou confirmar."

XXV

Passei o dia todo praticamente fora de mim de tão animado diante da perspectiva da noite por vir. Lá embaixo, na loja (onde me mantive ocupado demais com clientes de Natal para dedicar uma atenção exclusiva aos meus planos), pensei sobre o que ia vestir (algo casual, não um terno, nada muito estudado) e aonde ia levá-la pra jantar — nada muito chique, nada que a deixasse receosa ou parecesse calculado da minha parte mas ao mesmo tempo um lugar realmente especial, e charmoso e silencioso o bastante para conversarmos, não muito longe do Film Forum —, já fazia um tempo que ela estava fora da cidade, provavelmente ia gostar de ir pra algum lugar novo ("Ah, este cantinho? Sim, é ótimo, que bom que você gostou, é um achado realmente"), mas para além de tudo isso (e *silencioso* era o principal, mais do que a comida ou a localização, eu não queria ir a nenhum lugar onde tivéssemos que gritar), teria que ser um lugar onde eu pudesse conseguir uma mesa pra nós rapidamente — e aí também havia a questão vegetariana. Algum lugar adorável. Não muito caro para não despertar suspeitas. Não podia parecer que eu tivera muito trabalho; tinha que parecer algo impensado, não planejado. Como ela podia estar morando com aquele palerma do Everett? Com suas roupas feias, seus dentes de coelho, seus olhos sempre arregalados? Alguém cuja ideia de um bom encontro parecia ser arroz integral e algas marinhas no balcão nos fundos da loja de produtos naturais?

E assim o dia foi se arrastando; de repente eram seis horas, e Hobie tinha chegado em casa do seu dia fora com Pippa e estava enfiando a cabeça loja adentro.

"Então", disse ele, depois de uma pausa, num tom alegre e cauteloso, que me fez lembrar (agourentamente) do tom que minha mãe usava com meu pai quando voltava pra casa e o encontrava movendo-se freneticamente, prestes a ter uma recaída. Hobie sabia como eu me sentia em relação a Pippa — eu jamais tinha dito, jamais soltara uma palavra sobre isso, mas ele sabia; e, mesmo se não soubesse, era perfeitamente visível para ele (ou para qualquer estranho chegando da rua) que eu estava praticamente soltando faíscas pela cabeça. "Como estão as coisas?"

"Ótimas! Como foi seu dia?"

"Ah, maravilhoso!", disse, com alívio. "Consegui uma mesa pra nós na Union Square, almoçamos no bar, queria que você estivesse lá com a gente. Depois subimos até a casa de Moira, e fomos os três andando até a Asia Society, e agora ela está fazendo umas comprinhas de Natal. Pippa disse que você, hã, que vocês vão se encontrar mais tarde esta noite?" Casual, mas com o desconforto de um pai se perguntando se um adolescente inconstante realmente ia ficar bem saindo com o carro. "Film Forum?"

"Isso", falei, nervoso. Eu não queria que ele soubesse que ia levá-la pra ver o filme sobre Glenn Gould, pois ele sabia que eu já tinha assistido.

"Ela disse que vocês dois vão ver o filme sobre Glenn Gould."

"Bem, hum, eu estava morrendo de vontade de ver de novo. Não conta pra ela que eu já...", falei por impulso; e então: "Você... hã...?"

"Não, não..." Ele respondeu de imediato, erguendo-se. "Não contei."

"Bem... hum..."

Hobie esfregou o nariz. "Escuta, tenho certeza de que é ótimo. Estou morrendo de vontade de ver também. Mas não hoje", apressou-se em acrescentar. "Outra hora."

"Ah..." Esforcei-me arduamente pra parecer triste, fazendo um péssimo trabalho.

"Em todo caso... Quer que eu cuide da loja pra você? Caso queira subir pra tomar um banho e se arrumar. Você devia sair daqui no máximo seis e meia se planeja ir à pé até lá, sabe?"

No caminho, não pude deixar de cantarolar e sorrir. Quando dobrei a esquina e a vi parada na frente do cinema, fiquei tão nervoso que tive de parar e me recompor por um momento antes de correr para cumprimentá-la, ajudando-a com as sacolas (ela carregada de compras, tagarelando sobre o dia), felicidade mais do que perfeita ao ficar esperando na fila com ela, os dois bem próximos porque estava frio, e depois dentro, o tapete vermelho e a noite toda diante de nós, ela batendo palmas com suas mãos enluvadas: "Ah, você quer pipoca?". "Claro!" Disparei até o balcão. "A pipoca é ótima aqui..." E, então, entrando no cinema juntos, eu tocando casualmente suas costas, as costas aveludadas do casaco dela, um casaco marrom perfeito, um chapéu verde perfeito, a cabecinha ruiva mais do que perfeita. "Aqui — corredor? Você prefere corredor?" Já tínhamos ido juntos ao cinema o suficiente (cinco vezes) pra que eu tomasse cuidadosamente nota de onde ela gostava de sentar, e, além disso, eu sabia muito bem por Hobie depois de anos questionando-o discretamente até onde ia minha ousadia sobre os gostos dela, o que preferia e do que não gostava, seus hábitos, soltando as perguntas de modo casual, uma de cada vez, durante quase uma década. Ela gosta disso? Ela gosta daquilo? E ali estava ela, virando e sorrindo para mim, para mim! Havia gente demais no cinema, pois era a sessão das sete, bem mais gente do que o tanto com que eu me sentia confortável, dada minha ansiedade generalizada e meu ódio a lugares lotados, e mais uns gatos pingados entrando depois que o filme já tinha começado, mas eu não me importei, poderia ter sido uma trincheira no Somme sendo bombardeada pelos alemães, e só o que importaria era ela ao meu lado no escuro, seu braço colado ao meu. E a música! Glenn Gould no piano, cabelo desgrenhado, exuberante, a cabeça jogada pra trás, emissário do reino dos anjos, arrebatado e tomado pelo sublime! Toda hora eu olhava de relance para ela, incapaz de me conter; mas levou pelo menos meia hora até eu ter a coragem de me virar e olhá-la abertamente, o perfil banhado de branco sob o brilho da tela — e perceber, com horror, que ela não estava gostando do filme. Estava entediada. Não — ela estava irritada.

Passei o resto do filme infeliz, mal vendo. Ou melhor, eu estava vendo, mas de uma perspectiva totalmente diferente: não o prodígio extasiado; não o místico, o solitário, heroicamente abandonando o palco no auge da fama para se recolher na neve do Canadá — mas o hipocondríaco, o recluso, o isolado. O paranoico. O dependente de remédios. Não — o viciado. O obsessivo, sempre de luva, com fobia de germes, enrolado o ano todo em lenços, cheio de tiques, torturado por compulsões. O esquisitão noturno curvado tão inseguro sobre como travar até as relações mais básicas com as pessoas que (numa entrevista que eu de repente estava achando torturante) tinha pedido a um engenheiro de som se não poderiam ir a um advogado ser declarados irmãos legalmente — uma versão trágica de Tom Cable e eu apertando o polegar cortado no pátio escuro dos fundos da casa dele, ou — ainda mais estranho — Boris agarrando a mão sangrando com que eu o socara no parquinho e apertando-a contra sua própria boca ensanguentada.

XXVII

"Você ficou chateada", falei impulsivamente quando estávamos saindo do cinema. "Sinto muito."

Ela me olhou de relance como se chocada por eu ter percebido. Tínhamos saído para um mundo azulado com uma luz de sonho — a primeira neve da estação, quinze centímetros de altura.

"Poderíamos ter saído."

Em resposta ela apenas balançou a cabeça num gesto meio que de surpresa. Neve caindo magicamente em rodopios, como uma ideia pura do norte, o norte puro do filme.

"Bem, não", disse ela relutante. "Quer dizer, não é que eu não tenha *gostado*..."

Deslizando na rua. Nenhum de nós estava com o sapato apropriado. O som dos nossos passos esmagando a neve era alto e eu fiquei escutando atento, esperando que ela continuasse, pronto para agarrar seu cotovelo num instante se ela escorregasse. Quando Pippa se virou para me olhar, só o que ela disse foi: "Ah, Deus. Jamais vamos conseguir pegar um táxi, né?".

Mente em disparada. E quanto ao jantar? O que fazer? Ela queria ir pra casa? Merda! "Não é tão longe."

"Ah, eu sei, mas... ah, aí vem um!", gritou ela. Meu coração deu um pulo quando vi, agradecido, que alguém o tinha pegado.

"Ei", eu disse. Estávamos perto da Bedford Street — luzes, cafés. "E se formos ali?"

"Pegar um táxi?"

"Não, comer alguma coisa." (Ela estava com fome? Por favor, Deus, que ela estivesse com fome.) "Ou tomar, pelo menos."

XXVIII

De alguma forma — como se um por um arranjo prévio dos deuses —

o bar de vinhos semivazio no qual tínhamos nos lançado, por impulso, era aquecido, dourado, iluminado por velas e muito, muito melhor do que qualquer um dos restaurantes que eu tinha cogitado.

Mesa minúscula. Meu joelho contra o dela. Será que Pippa estava ciente disso? Tão ciente quanto eu? O calor da vela no rosto dela, a chama reluzindo metálica no seu cabelo, tão brilhante que parecia prestes a pegar fogo. Tudo resplandecia, tudo era doce. Tinham botado canções antigas de Bob Dylan pra tocar, mais do que perfeito pras ruas estreitas do Village perto do Natal, a neve rodopiando em grandes flocos emplumados, o tipo de inverno em que você quer andar por uma rua urbana com o braço em volta de uma garota como a da capa do disco — pois Pippa era exatamente aquela garota, não a mais bonita, mas a garota sem maquiagem e de aparência comum do lado de quem ele tinha escolhido ser feliz, e de fato aquela foto era um ideal de felicidade à sua própria maneira, os ombros erguidos dele e o sorriso ligeiramente tímido dela, aquela aura ilimitada como se pudessem sair vagando juntos pra qualquer lugar que quisessem. E ali estava ela! Ela! E ela estava falando sobre si mesma, carinhosa e despretensiosa, perguntando-me sobre Hobie, a loja, meu estado de espírito, o que eu estava lendo, o que eu estava ouvindo, muitas e muitas perguntas, mas também parecendo ansiosa para compartilhar sua vida comigo, seu apartamento gelado, caro pra aquecer, a luz deprimente e o cheiro de umidade no ar, roupas baratas na rua principal mais perto e tantas redes americanas em Londres agora que aquilo estava parecendo um shopping center, e que remédios eu estava tomando, e que remédios ela estava tomando (nós dois tínhamos transtorno de estresse pós-traumático, uma moléstia que na Europa tinha iniciais diferentes, ao que parecia, e se você não se cuidasse podia acabar num hospital pra veteranos do Exército); seu minúsculo jardim, que ela dividia com meia dúzia de pessoas, e a inglesa maluca que o enchera de tartarugas doentes que tinha contrabandeado do sul da França ("Todas elas morrem, de frio e desnutrição. É realmente cruel. Ela não as alimenta direito, farelo de pão, dá pra imaginar, eu compro comida de tartaruga pra elas no pet shop sem dizer a ela."), e o quanto ela queria um cachorro, mas é claro que era difícil em Londres com a quarentena que também tinham na Suíça, como é que foi acabar morando em todos aqueles lugares hostis a cães? E, uau, havia anos ela não me via tão bem, tinha sentido saudade de mim, muita saudade, que noite incrível. E nós estávamos lá havia horas, rindo de bobagens, mas sendo sérios também, bem sérios, ela ao mesmo tempo generosa e receptiva (esse era outro detalhe sobre Pippa: ela escutava, sua atenção era fascinante — nunca tive a sensação de que outras pessoas chegavam a me escutar nem com metade daquela atenção; eu me sentia uma pessoa diferente na companhia dela, uma pessoa melhor, podia dizer coisas que não dizia a mais ninguém, certamente não a Kitsey, que tinha um jeito irritante de esvaziar comentários sérios fazendo uma piada, ou mudando de assunto, ou interrompendo, ou simplesmente fingindo que não tinha ouvido), e era um prazer supremo estar com ela, eu a amei durante cada minuto de cada dia, coração, mente, alma e tudo o mais, e estava ficando tarde e eu queria que o lugar não fechasse nunca, nunca.

"Não, não", ela estava dizendo, correndo um dedo pela borda da taça de vinho — o formato das suas mãos me comovia intensamente, o sinete de Welty no indicador, eu podia olhar para suas mãos do jeito que jamais poderia olhar para seu rosto sem parecer lunático. "Amei o filme, na verdade. E a música..." Ela riu, e a risada, para mim, tinha toda a alegria da música por trás dela. "Me deixou sem fôlego. Welty o viu tocar uma vez, no Carnegie. Uma das grandes noites da vida dele, disse. É só que..."

"Sim?" O cheiro do vinho. A mancha avermelhada na boca. Era uma das grandes noites da minha vida.

"Bem..." Ela balançou a cabeça. "As cenas de concerto. O aspecto daquelas salas de ensaio. Porque, sabe..." — ela esfregou os braços — "foi realmente, *realmente* difícil. Treinar, treinar, treinar, seis horas por dia, meus braços doendo de segurar a flauta no alto. E, bem, tenho certeza de que você já ouviu bastante disso também, aquela baboseira de pensamento positivo que é tão fácil pra professores e fisioterapeutas ficarem falando — 'Ah, você consegue!' ou 'Acreditamos em você!' —, e caindo nesse papo e dando duro e dando mais duro e se odiando porque você não está dando duro o suficiente, achando que é culpa sua por não se sair melhor e dando ainda mais duro e então — bem."

Fiquei em silêncio. Eu sabia de tudo por Hobie, que tinha falado longamente sobre aquilo, e em grande aflição. Parecia que tia Margaret tinha agido bem ao mandá-la para a escola suíça de malucos com todos os médicos e a terapia. Embora pelos padrões normais ela tenha se recuperado completamente do acidente, ainda assim havia um pequeno dano neurológico, só o suficiente pra importar num nível avançado, ligeira perda de habilidades motoras finas. Era sutil, mas estava lá. Para quase qualquer outra vocação ou ocupação — cantor, ceramista, tratador de zoológico, qualquer médico com exceção de cirurgião — isso não teria importado. Mas pra ela importava.

"E, não sei, eu escuto muita música em casa, durmo com o iPod toda noite, mas... quando foi a última vez que fui a um concerto?", disse ela com tristeza.

Dormindo com o iPod? Será que isso significava que eles não estavam fazendo sexo? "E por que você não vai a concertos?", perguntei, arquivando esse tantinho de informação para mais tarde. "A plateia te incomoda? A multidão?"

"Sabia que você entenderia."

"Bem, tenho certeza de que já te sugeriram isso antes, porque certamente já me sugeriram..."

"O quê?" Qual era o encanto daquele sorriso triste? Como se poderia quebrá-lo? "Xanax? Betabloqueadores? Hipnose?"

"Todos os citados."

"Bem, se fosse um ataque de pânico, talvez. Mas não é. Remorso. Pesar. Inveja — isso é o pior de tudo. Quer dizer, tem uma garota chamada Beta — é um nome idiota, Beta, não é? Intérprete realmente medíocre, não quero soar arrogante, mas ela mal conseguia acompanhar quando éramos crianças, e agora está na Cleveland Philharmonic e isso me chateia mais do que eu admitiria pra qualquer pessoa. Mas eles não têm uma droga pra nada disso, têm?"

"Hã..." Na verdade eles tinham, e Jerome, lá na Adam Clayton Powell, estava ganhando uma grana preta com ela.

"A acústica, a plateia — isso aciona um gatilho. Eu vou pra casa, odeio todo mundo, fico falando sozinha, tenho discussões comigo mesma em vozes diferentes, fico chateada por dias. E, bem, eu te disse, ensinar, eu tentei, não era para mim." Pippa não tinha que trabalhar graças ao dinheiro da tia Margaret e do tio Welty (Everett também não trabalhava, pelo mesmo motivo — o lance de "bibliotecário musical", eu adivinhei, embora a princípio tenha sido apresentado como uma escolha de carreira promissora, ia na verdade muito mais na linha de um estágio não remunerado, com Pippa pagando as contas). "Adolescentes — bem, não vou nem me aventurar a descrever a tortura que é isso, vê-los indo pro conservatório ou pra Cidade do México no verão pra tocar na orquestra sinfônica. E as crianças mais novas não são sérias o bastante. Fico irritada com elas por serem crianças. Para mim, é como se estivessem pegando leve demais, desperdiçando o que têm."

"Bem, ensinar é um trabalho de merda mesmo. Eu também não ia querer fazer isso."

"Sim, mas..." — um gole de vinho — "se não posso tocar, o que me resta? Porque eu respiro música, mais ou menos, com Everett, e continuo indo pra escola e continuo fazendo cursos — mas sinceramente nem gosto tanto assim de Londres, é escuro e chuvoso, e eu não tenho muitos amigos lá, e no meu apartamento às vezes escuto alguém chorando à noite, um pranto repentino horrível vindo da porta ao lado, e eu — tipo, você encontrou algo que gosta de fazer, e eu fico muito feliz, porque às vezes realmente me pergunto o que estou fazendo com a minha vida."

"Eu..." Tentei desesperadamente pensar na coisa certa a dizer. "Volte pra casa."

"Pra casa? Quer dizer aqui?"

"Claro."

"E quanto a Everett?"

Eu não tinha nada a dizer sobre isso.

Ela me olhou com um ar de crítica. "Você não gosta dele, né?"

"Hum..." Pra que mentir? "Não."

"Bem, se você o conhecesse melhor, ia gostar. Ele é um cara legal. Muito tranquilo e constante — muito estável."

Também não tinha nada a dizer sobre isso. Eu não era nada dessas coisas.

"Além disso, Londres — quero dizer, já *pensei* em voltar pra Nova York..."

"Já pensou?"

"Claro. Sinto saudade de Hobie. Muita. Ele brinca sobre como poderia alugar um apartamento pra mim aqui só com o que gastamos em telefone. É claro que ainda está pensando como antigamente, em que ligações de longa distância pra Londres custavam cinco dólares o minuto ou sei lá o quê. Quase toda vez que nos falamos, ele tenta me convencer a voltar... bem, você conhece Hobie, ele nunca fala diretamente, mas você sabe, constantes indiretas, sempre me falando sobre oportunidades de emprego, vagas na Columbia e tudo o mais..."

"Ele faz isso?"

"Bem — de certa forma não consigo conceber morar tão longe. Welty era quem me levava pras aulas de música e pra orquestra sinfônica, mas Hobie era quem estava sempre em casa, sabe, quem subia pra me fazer um sanduíche depois da escola e me ajudava a plantar calêndulas pro meu projeto de ciências. Até hoje, quando tenho uma gripe forte, quando não consigo lembrar como cozinhar alcachofras ou como tirar cera de vela da toalha de mesa, pra quem que eu ligo? Pra ele. Mas..." — será que era imaginação minha ou o vinho a estava deixando um pouco emocionada? — "pra falar a verdade, sabe por que não volto mais? Em Londres..." — ela estava prestes a chorar? — "eu não diria isso pra todo mundo, mas em Londres pelo menos eu não fico pensando *cada segundo* naquilo. 'Foi por aqui que voltei pra casa no dia anterior.' 'Foi aqui que Welty, Hobie e eu jantamos na penúltima vez.' Pelo menos lá eu não penso tanto: deveria virar à esquerda aqui? deveria virar à direita? Todo o meu destino dependendo de pegar a linha F ou 6 do metrô. Premonições horríveis. Tudo petrificado. Quando venho pra cá volto a ter treze anos — e não digo isso de um jeito bom. Tudo parou naquele dia, literalmente. Parei até de crescer. Você sabia? Não cresci nem um centímetro a mais depois daquilo, nem um."

"Sua altura é perfeita."

"Bem, é bastante comum", disse ela, ignorando meu elogio pateta. "Crianças lesionadas ou traumatizadas frequentemente não chegam a uma altura normal." Pippa ficava indo e voltando, inconscientemente, para sua voz de dr. Camenzind — mesmo nunca tendo conhecido o dr. Camenzind, eu podia sentir os momentos em que ele assumia o controle, uma espécie de mecanismo frio de distanciamento. "Recursos são desviados. O sistema de crescimento para de funcionar. Havia uma garota na minha escola — uma princesa saudita que foi sequestrada quando tinha, sei lá, doze anos. Os caras que fizeram isso foram executados. Mas — eu a conheci quando ela tinha dezenove, uma garota legal, mas minúscula, tipo um metro e cinquenta ou algo assim, ela ficou tão traumatizada que nunca mais cresceu nenhum centímetro depois do dia que a raptaram."

"Uau. Aquela garota da cela subterrânea? Ela estava na mesma escola que você?"

"Mont-Haefeli era esquisita. Havia garotas que tinham levado um tiro enquanto fugiam do palácio presidencial, mas outras eram mandadas pra lá porque os pais queriam que perdessem peso ou treinassem pras Olimpíadas de Inverno."

Pippa aceitou minha mão na dela, sem dizer nada — toda agasalhada, não tinha deixado ninguém levar seu casaco. Manga longa no verão, sempre com meia dúzia de lenços, como um inseto num casulo de várias camadas — cobertura de proteção pra uma garota que tinha se quebrado e sido costurada e parafusada de volta. Como pude ser tão cego? Não era de estranhar que o filme a chateara: Glenn Gould encolhido em sobretudos pesados o ano todo, frascos de remédio se acumulando, palcos de concerto abandonados, a neve à sua volta cada ano mais alta.

"Porque, tipo, já te ouvi falar sobre isso, sei que é tão obcecado quanto eu. Mas fico voltando de novo e de novo praquilo também." A garçonete tinha discretamente servido mais vinho pra ela, enchido sua taça até o topo sem que Pippa pedisse ou parecesse perceber: *querida garçonete*, pensei, *que Deus te abençoe, vou te dar uma gorjeta que vai te deixar sem fala*. "Se ao menos eu tivesse me inscrito pra fazer a audição na terça ou na quinta. Se ao menos tivesse deixado Welty me levar pro museu quando ele queria... ele vinha tentando me levar praquela exposição havia semanas, estava decidido a me mostrar antes que acabasse... Mas eu sempre tinha alguma coisa melhor pra fazer. Era mais importante ir ao cinema com minha amiga Lee Ann ou sei lá o quê. Amiga que, aliás, sumiu do mapa depois do acidente — nunca mais a vi depois daquela tarde no filme idiota da Pixar. Todos aqueles sinaizinhos que eu ignorei, ou não reconheci totalmente. Tudo poderia ter sido diferente se ao menos eu estivesse prestando atenção — Welty estava se esforçando *tanto* pra me levar lá antes, devia ter pedido uma dúzia de vezes, era como se ele próprio tivesse um pressentimento, algo ruim ia acontecer, foi culpa minha o fato de estarmos lá naquele dia..."

"Pelo menos você não foi expulsa da escola."

"Você tinha sido expulso?"

"Suspenso. Ruim o bastante."

"É estranho pensar, se aquilo nunca tivesse acontecido. Se nós dois não estivéssemos lá naquele dia. Talvez nunca tivéssemos nos conhecido. O que você acha que estaria fazendo agora?"

"Não sei", respondi, um pouco assustado. "Não consigo nem imaginar."

"É, mas você deve ter uma ideia."

"Eu não era como você. Não tinha um talento."

"O que fazia pra se divertir?"

"Nada muito interessante. O normal. Jogos de computador, ficção científica. Quando as pessoas me perguntavam o que eu queria ser, geralmente dava uma de engraçadinho e dizia que queria ser um caçador de androides ou algo do tipo."

"Meu Deus, aquele filme me marcou tanto. Penso muito na sobrinha de Tyrell."

"Como assim?"

"Aquela cena em que ela está olhando pras fotos sobre o piano. Quando tenta descobrir se suas lembranças pertencem a ela ou à sobrinha de Tyrell. Eu também volto pro passado, procurando sinais, sabe? Coisas que deveria ter percebido, mas que deixei passar."

"Escuta, você tem razão, eu também penso assim. Presságios, sinais, um conhecimento parcial, não há nenhuma forma lógica que te permita..." Por que eu nunca conseguia soltar uma frase direito perto dela? "Posso simplesmente dizer quão sem pé nem cabeça isso soa? Especialmente quando outra pessoa diz? Se culpar por não prever o futuro?"

"Bem, talvez, mas o dr. Camenzind diz que todos nós fazemos isso. Acidentes, catástrofes — algo em torno de setenta e cinco por cento das vítimas de desastre ficam convencidas de que havia sinais de alerta que ignoraram ou não interpretaram corretamente, e no caso de menores de idade a porcentagem é ainda maior. Mas isso não significa que os sinais não estivessem lá, né?"

"Não penso assim. Quando se olha pra trás, claro. Mas acho que talvez seja mais como uma coluna de números em que você adiciona dois números errados no início e altera o total. Se refizer o percurso, pode enxergar o erro — o ponto onde obteria um resultado diferente."

"Sim, mas isso é quase tão ruim quanto, não é? Enxergar o erro, o ponto onde se desviou, e não ser capaz de voltar e consertar isso. Minha audição" — um grande gole de vinho — "orquestra pré-universitária na Juilliard, meu professor de solfejo tinha me dito que eu poderia conseguir uma segunda cadeira, mas que, se eu tocasse realmente bem, talvez tivesse uma chance pra primeira. E acho que isso era grande coisa, mais ou menos. Mas Welty..." Sim, definitivamente, lágrimas, os olhos brilhando à luz do fogo. "Eu sabia que estava errada ao insistir pra que ele fosse até Uptown comigo, não havia *nenhum motivo* pra ele ir. Welty me mimava horrores mesmo quando minha mãe estava viva. Mas depois que ela morreu ele passou a me mimar mais, e era um dia importante pra mim, claro, mas será que era tão importante quanto fiz parecer? Não. Porque" — ela estava chorando agora, um pouquinho — "eu nem queria ir ao museu, só queria que ele fosse até Uptown comigo porque sabia que me levaria pra almoçar antes da audição, onde eu quisesse. Ele devia ter ficado em casa naquele dia, tinha outras coisas pra fazer, nem mesmo deixavam a família ver, ele teria que esperar no corredor..."

"Welty sabia o que estava fazendo."

Pippa me olhou como se eu tivesse dito a coisa errada, mas eu sabia que era a coisa certa se conseguisse articular direito.

"O tempo todo em que ficamos juntos, ele falou sobre você. E..."

"E o quê?"

"Nada!" Fechei os olhos, tomado pelo vinho, por ela, pela impossibilidade de explicar. "É só que — os últimos momentos dele na Terra, sabe? E o espaço entre a minha vida e a dele foi muito muito pequeno. Não havia *nenhum* espaço. Foi como se algo tivesse se aberto entre nós. Como um grande clarão do que era real, do que importava. Não eu, não ele. Éramos a mesma pessoa. Os mesmos pensamentos — não precisávamos conversar. Foram só alguns minutos, mas poderiam ter sido anos, poderíamos muito bem ainda *estar* lá. E, hum, eu sei que isso soa estranho..." — na verdade, era uma analogia completamente lunática, maluca, insana, mas eu não sabia nenhuma outra forma de chegar ao que queria dizer — "mas sabe a Barbara Guibbory, que dá aqueles seminários em Rhinebeck, aqueles lances de regressão a vidas passadas? Reencarnação e laços cármicos, e aquilo tudo? Almas que estão juntas há muitas vidas? Eu sei, eu *sei*", disse, quando vi a expressão surpresa (e ligeiramente alarmada) no rosto dela, "toda vez que encontro Barbara ela me diz que preciso entoar 'um' ou 'rum', ou sei lá o quê pra curar, tipo, os chacras bloqueados — 'muladhara deficiente', não estou brincando, foi esse o diagnóstico dela pra mim, 'desenraizado', 'constrição do coração', 'campo de energia fragmentado'. Eu estava simplesmente parado lá tomando um drinque e cuidando da minha própria vida e lá vem ela me falando de um monte de comidas que eu precisava comer pra criar raízes..." Eu estava perdendo Pippa, podia ver. "Desculpe, estou desviando um pouco do assunto, é só que, bem, nós tivemos essa discussão, todo aquele troço me irrita pra caramba. Hobie estava parado lá também bebendo uma boa dose de uísque e ele disse: 'E quanto a mim, Barbara? Devo comer tubérculos também? Ficar de ponta-cabeça?'. E ela apenas deu um tapinha no braço dele e disse: 'Ah, não se preocupe, James, você é um ser avançado'."

Isso arrancou uma risada dela.

"Mas Welty, ele também era. Um ser avançado. Sem brincadeira. Sério. Totalmente. Aquelas histórias que Barbara conta — um guru colocando a mão na cabeça dela na Birmânia e naquele minuto ela foi inundada por conhecimento e se tornou uma pessoa diferente..."

"Bem, quer dizer, Everett — é claro que ele nunca *conheceu* Krishnamurti, mas..."

"É, é." Everett — por que isso me incomodava tanto eu não sabia — tinha estudado numa espécie de internato baseado nos preceitos de um guru no sul da Inglaterra onde as salas tinham nomes do tipo Cuide do Planeta e Pense nos Outros. "Mas, digamos, é como se a energia de Welty, ou o campo de força — meu Deus, isso soa tão piegas, mas não sei de que outra forma chamar — estivesse comigo desde então. Eu estava lá para ele e ele estava lá para mim. É algo meio que permanente." Eu nunca tinha expressado isso antes, pra ninguém, embora fosse algo que sentia muito profundamente. "Eu penso nele, ele está presente, sua personalidade está comigo. Quer dizer, praticamente no segundo em que fui ficar com Hobie, eu me vi lá na loja, aquilo me capturou, só uma coisa instintiva, não tenho como explicar. Porque — se eu estava interessado em antiguidades? Não. Por que estaria? Mas lá estava eu. Examinando seu inventário. Lendo suas anotações nas margens de catálogos de leilão. Seu mundo, suas coisas. Tudo lá em cima me atraía como uma chama. Não que estivesse procurando isso — é mais como se isso estivesse me procurando. E, assim, antes dos dezoito, ninguém me ensinou, era como se já soubesse, eu estava lá em cima sozinho e fazendo o *trabalho* de Welty. Sei lá..." — cruzei as pernas, inquieto — "você já pensou como é estranho o fato de ele ter me mandado pra sua casa? Acaso, talvez. Mas pra mim não pareceu. Foi como se visse quem eu era, e estava me mandando exatamente pra onde eu precisava estar, com quem eu precisava estar. Então, hã..." Voltei um pouco a mim; eu estava falando rápido demais. "Hã. Desculpe. Não foi minha intenção ficar matraqueando."

"Tudo bem."

Silêncio. Seus olhos nos meus. Mas, ao contrário de Kitsey, que estava sempre ao menos parcialmente em outro lugar, que abominava conversas sérias, que numa situação parecida estaria olhando em volta à procura da garçonete ou fazendo qualquer observação leve e/ou cômica que lhe ocorresse para impedir que o momento ficasse intenso demais, Pippa estava escutando, ela estava ali comigo, e eu podia ver bem demais quão triste se sentia pela minha condição, uma tristeza apenas piorada pelo fato de que realmente gostava de mim: tínhamos muito em comum, uma ligação mental e emocional, ela gostava da minha companhia, confiava em mim, queria o meu bem, queria acima de tudo ser minha amiga; e, enquanto algumas mulheres poderiam ter se envaidecido ou se regozijado com meu sofrimento, não era divertido para ela ver o quão louco eu estava por ela.

XXIX

No dia seguinte — que era o dia da festa de noivado —, toda a intimidade da noite anterior sumira; e só o que restou (no café da manhã, nos nossos rápidos ois no corredor) foi a frustração de saber que eu não a teria para mim de novo; ficávamos sem graça na presença um do outro, esbarrando-nos nas idas e vindas, falando um pouco alto e alegremente demais, e me lembrei (com bastante tristeza) da sua visita no verão anterior, quatro meses antes de aparecer com Everett, e da conversa animada e apaixonada que tivéramos na varanda, só nós dois, ao entardecer: encolhidos lado a lado ("como dois velhos vagabundos"), meu joelho contra o dela, meu braço roçando no seu, e nós dois olhando pras pessoas na rua e conversando sobre todo tipo de coisa: infância, idas em grupo ao Central Park, patinar no Wollman Rink (será que alguma vez tínhamos nos visto nos velhos tempos? Passado um pelo outro no gelo?), sobre *Os desajustados*, que tínhamos visto com Hobie, sobre Marilyn Monroe, que nós dois amávamos ("um pequenino fantasma da primavera") e sobre o pobre e arruinado Montgomery Clift andando com punhados de comprimidos nos bolsos (um detalhe que eu não sabia e sobre o qual não fiz nenhum comentário) e sobre a morte de Clark Gable e quão terrivelmente culpada Marilyn tinha se sentido, quão responsável — o que de alguma forma, estranhamente, nos levou a falar sobre destino, o oculto e adivinhação: será que os aniversários tinham alguma coisa a ver com sorte, ou a falta de? Maus trânsitos; estrelas num alinhamento infeliz? O que uma quiromante diria? Alguma vez já leram sua mão? Não, e a sua? Talvez a gente deva ir até a loja Psychic Healer na Sexta Avenida, com as luzes roxas e as bolas de cristal, parece que fica aberta vinte e quatro horas por dia. Ah, sim, tá falando do lugar com os abajures de lava e aquela romena louca que fica na porta arrotando? Conversamos até ficar tão escuro que mal conseguíamos nos ver, sussurrando embora não houvesse motivo pra fazê-lo. Você quer entrar? Não, ainda não. E a lua gorda de verão brilhando branca e pura no céu. O meu amor por ela era realmente puro daquele jeito, tão simples e constante quanto a lua. Mas então finalmente tivemos que entrar e quase no mesmo instante que o fizemos o encanto se quebrou, e sob a claridade do corredor ficamos constrangidos e formais, quase como se tivessem ligado as luzes ao final de uma peça e toda a nossa proximidade fosse exposta pelo que era: um faz de conta. Durante meses tentei desesperadamente recuperar aquele momento; e — no bar, por uma ou duas horas —, consegui. Mas tudo era irreal de novo, tínhamos voltado ao ponto de partida, e eu tentei dizer a mim mesmo que era suficiente, tê-la só para mim por algumas horas. Só que não era.

XXX

Anne de Larmessin — madrinha de Kitsey — estava organizando nossa festa num clube particular em que Hobie jamais tinha botado o pé, mas sobre o qual sabia tudo: sua história (venerável), seus arquitetos (ilustres) e seus sócios (célebres, indo de Aaron Burr aos Wharton). "É um dos melhores interiores do início da arquitetura neogrega do estado de Nova York", ele tinha nos informado com um prazer fervoroso. "As escadarias, os lintéis... Será que vão nos deixar entrar na sala de leitura? O gesso é original, me disseram, algo a se ver realmente."

"Quantas pessoas vão estar lá?", perguntou Pippa. Ela tinha sido obrigada a ir até a Morgane Le Fay comprar um vestido, já que não tinha vindo preparada para a festa.

"Umas duzentas." Talvez quinze desses convidados (incluindo Pippa, Hobie, o sr. Bracegirdle e a sra. DeFrees) fossem meus; cem eram de Kitsey e o restante eram pessoas que ela mesma dizia não conhecer.

"Incluindo o prefeito", disse Hobie. "E dois senadores. E o príncipe Albert de Mônaco, não é verdade?"

"Eles *convidaram* o príncipe Albert. Duvido que ele vá."

"Ah, só uma coisa íntima então. Pra família."

"Olha, eu só vou aparecer e fazer o que me mandarem." Foi Anne de Larmessin quem assumiu o alto comando do casamento na "crise" (palavra dela) de indiferença da sra. Barbour. Era Anne de Larmessin quem estava negociando a igreja certa, o pastor certo; era Anne de Larmessin quem ia definir a lista de convidados (impressionante) e o mapa de assentos (inacreditavelmente complicado) e quem, no fim das contas, ao que parecia, teria a última palavra sobre tudo, da almofada das alianças ao bolo. Foi Anne de Larmessin quem conseguiu entrar em contato com o designer perfeito para o vestido, e foi Anne de Larmessin quem tinha oferecido sua propriedade em St. Barth's para a lua de mel; era pra ela que Kitsey ligava toda vez que surgia uma dúvida (o que acontecia múltiplas vezes por dia); e que tinha (nas palavras de Toddy) firmemente se instalado como o Obergruppenführer do casamento.

O que tornava tudo isso tão cômico e perverso é que Anne de Larmessin se sentia tão incomodada comigo que mal suportava olhar pra mim. Eu estava a mundos de distância do par que ela tinha esperado para sua afilhada. Até meu nome era vulgar demais para ser pronunciado. "E o que *o noivo* acha?" "Será que *o noivo* vai me providenciar sua lista de convidados logo?" Claramente um casamento com alguém como eu (um vendedor de mobília!) era um destino semelhante — mais ou menos — à morte; daí a pompa e o espetáculo dos preparativos, a sensação sombria da cerimônia, como se Kitsey fosse alguma princesa perdida de Ur a ser festejada e adornada com elegância e — com tocadores de tamborim e servas — levada num cortejo esplendoroso para o submundo.

XXXI

Como eu não via nenhum motivo para estar particularmente alerta na festa, certifiquei-me de ficar bem chapado antes de sair e enfiei uma oxicodona de emergência no bolso do meu melhor Turnbull & Asser, só pra garantir.

O clube era tão bonito que lamentei a multidão de convidados, que dificultavam a visualização dos detalhes arquitetônicos, os retratos pendurados lado a lado — alguns deles muito bons — e os livros raros nas prateleiras. Festões de veludo vermelho, guirlandas de abeto natalinas — será que aquelas velas na árvore eram de verdade? Fiquei parado aturdido no topo da escada, sem querer cumprimentar ou falar com as pessoas, sem querer estar ali.

Mão na minha manga. "O que foi?", perguntou Pippa.

"Como?" Eu não conseguia olhá-la nos olhos.

"Você parece tão triste."

"Eu estou", falei, mas não tive certeza se ela ouviu ou não. Eu mesmo quase não me ouvi falar, pois exatamente no mesmo momento Hobie — sentindo que tínhamos ficado pra trás — tinha dado meia-volta para nos encontrar na multidão, gritando: "Ah, *aí* estão vocês...".

"Vá, vá receber seus convidados", disse ele, dando-me um empurrãozinho paternal e amigável, "está todo mundo perguntando por você!" Entre os estranhos, ele e Pippa eram duas das raras pessoas realmente únicas ou que pareciam interessantes ali: ela como uma fada no seu vestido verde diáfano de manga transparente; ele, elegante e cativante com seu terno trespassado azul meia-noite, seus belos sapatos antigos Peal & Co.

"Eu..." Desanimado, olhei em volta.

"Não se preocupe conosco. Alcançamos você depois."

"Certo", falei, armando-me de coragem. Mas, ao deixá-los para estudar um retrato de John Adams perto do guarda-volumes, onde estavam esperando a sra. DeFrees guardar seu casaco de visom, e abrir caminho pelas salas cheias de gente, não reconheci ninguém além da sra. Barbour, a qual realmente não me sentia em condições de encarar, mas ela me viu antes que eu pudesse passar direto e me pegou pela manga. Estava afastada, na soleira de uma porta com seu gim com limão, escutando um senhor melancólico e vigoroso com um rosto vermelho severo, uma voz límpida e forte e um tufo de cabelo cinza atrás de cada orelha.

"Ah, Medora", ele estava dizendo, balançando-se pra trás sobre os calcanhares. "Ainda um encanto constante. Velha amiga querida. Rara e impressionante. Beirando os noventa! Sua família da mais pura estirpe Knickerbocker, é claro, como ela gosta de lembrar. Ah, você devia tê-la visto, toda enérgica com os atendentes..." — aqui ele se permitiu uma risadinha indulgente —"isso é horrível, minha querida, mas tão divertido, pelo menos penso que você vai achar... agora eles não podem contratar atendentes *de cor*, é esse o termo agora, não é? *De cor?* Porque Medora tem uma grande tendência, digamos, ao *patoá da sua juventude*. Especialmente quando estão tentando contê-la ou colocá-la na banheira. Ela luta que é uma beleza quando fica de mau humor, ouvi dizer! Saiu atrás de uma das assistentes afro-americanas com um atiçador de lareira. Hahaha! Bem... você sabe... 'Só pela graça de Deus.' Ela era o que acredito que poderíamos chamar de geração 'Cabana no céu'. E o pai possuía aquela propriedade da família em Virgínia — Condado de Goochland, não é? Claramente um casamento de conveniência. Ainda assim o filho — você chegou a conhecê-lo, não? — *foi* uma grande decepção. Com a bebida. E a *filha*. Um fracasso social. Bem, isso pra usar um eufemismo. Muito acima do peso. Colecionando gatos, se é que você me entende. Agora, o irmão de Medora, Owen — Owen era um homem muito, muito querido, morreu de um ataque cardíaco no vestiário do Athletic Club... durante um *momento de intimidade* no vestiário do Athletic Club... Homem encantador, Owen, mas sempre foi um pouco perdido, sinto que deixou de viver sem nunca ter se encontrado no mundo realmente."

"Theo", disse a sra. Barbour, estendendo a mão para mim de forma bem repentina enquanto eu tentava escapar de fininho, como uma pessoa presa num carro pegando fogo poderia agarrar no último minuto o pessoal do resgate. "Theo, quero que você conheça Havistock Irving."

Havistock Irving virou-se para fixar em mim um olhar agudo — e, a meu ver, pouco agradável — de interesse. "Theodore Decker."

"Receio que sim", falei, tomado de surpresa.

"Pois sim." Eu estava gostando cada vez menos do olhar dele. "Está surpreso que eu saiba seu nome? Bem, conheço seu estimado sócio, o sr. Hobart. E o estimado sócio dele antes de você, o sr. Blackwell."

"É mesmo?", falei, com uma inexpressividade determinada; no comércio de antiguidades, eu tinha diariamente ocasião de lidar com senhores cheios de insinuações do tipo dele, e a sra. Barbour, que não tinha soltado minha mão, apenas a apertou com mais força.

"Descendente direto de Washington Irving", disse ela prestativamente. "Está escrevendo uma biografia sobre ele."

"Que interessante."

"Sim, é bastante interessante", disse Havistock, sereno. "Embora na academia moderna Washington Irving tenha perdido um pouco sua importância. Marginalizado", disse ele, feliz por ter lhe ocorrido a palavra. "Não é uma voz genuinamente americana, dizem os estudiosos. Um pouco cosmopolita demais — europeu demais. O que é de esperar, imagino, já que Irving aprendeu a maior parte do seu ofício com Addison e Steele. Em todo caso, meu ilustre antepassado certamente aprovaria minha rotina diária."

"Que é...?"

"Trabalhar em bibliotecas, ler jornais velhos, estudar os registros antigos do governo."

"Por que registros do governo?"

Ele balançou uma mão com ar de pouco caso. "Eles me interessam. E interessam mais ainda a um amigo próximo meu, que às vezes consegue descobrir muitas informações interessantes no curso das coisas... Acredito que vocês dois se conheçam."

"Quem seria?"

"Lucius Reeve."

No silêncio que se seguiu, o falatório da multidão e o tilintar de copos se transformaram num estrondo muito alto, como se uma rajada de vento tivesse varrido a sala.

"Sim. Lucius." Sobrancelha divertida. Lábios comprimidos, aflautados. "Exatamente. Sabia que o nome dele não seria estranho a você. Você lhe vendeu uma cômoda muito interessante, como deve se lembrar."

"Isso mesmo. E eu adoraria comprá-la de volta se conseguisse persuadi-lo."

"Ah, tenho certeza de que sim. Só que ele não está disposto a vendê-la", disse ele, fazendo-me calar maliciosamente, "como eu também não estaria. Tendo em vista a outra peça ainda mais interessante."

"Bem, receio que vai ter que esquecer isso tudo", falei num tom agradável. Meu sobressalto diante do nome de Reeve tinha sido puro reflexo, um salto impensado diante de um cabo de extensão enrolado ou um pedaço de corda no chão.

"Esquecer?" Havistock se permitiu uma risada. "Ah, não acho que ele vá esquecer isso."

Apenas sorri em resposta. Mas Havistock pareceu ainda mais convencido.

"É realmente muito surpreendente o quanto se pode descobrir pelo computador hoje em dia", disse ele.

"Ah, é?"

"Bem, sabe, Lucius recentemente conseguiu encontrar algumas informações sobre outras peças interessantes que você vendeu. Na verdade eu não acho que os compradores saibam realmente o quanto são interessantes. Doze cadeiras de jantar *Duncan Phyfe* para Dallas?", disse ele, bebericando seu champanhe. "Todo aquele *importante Sheraton* para um comprador em Houston? E muito mais coisas assim em Los Angeles."

Tentei não deixar minha expressão se alterar.

"*Peças com qualidade de museu*. É claro..." — incluindo a sra. Barbour na conversa aqui — "todos nós sabemos, não é? *Qualidade de museu* realmente depende de que tipo de museu você está falando. Hahaha! Mas Lucius realmente fez um trabalho muito bom seguindo o rastro de algumas das suas vendas recentes mais ousadas. E, assim que acabarem as festas, ele está pensando em fazer uma viagem até o Texas pra... ah!", disse ele, virando-se com um passinho de dança habilidoso quando Kitsey, num vestido de cetim azul-gelo, passou para nos cumprimentar. "Uma incorporação bem-vinda e decorativa realmente! Você está linda, minha querida", disse ele, inclinando-se para dar um beijo nela. "Estava justamente conversando com seu encantador futuro marido. Realmente muito espantoso, os amigos que temos em comum!"

"É?" Foi só quando ela se virou totalmente para mim — para me olhar de frente, para me dar um beijinho na bochecha — que percebi que Kitsey não estivera cem por cento certa de que eu ia aparecer. Seu alívio ao me ver era palpável.

"E você está contando a Theo e mamãe todos os escândalos?", disse ela, voltando-se para Havistock.

"Ah, Kitsey, como você é má." Todo cheio de intimidade, passou um braço pelo dela e com o outro deu um tapinha na sua mão: um homem pequeno com cara de puritano, magro, amigável e vivaz. "Agora, minha querida, vejo que está precisando de uma bebida, assim como eu. Vamos nos debandar só nós dois" — outro olhar de relance para mim — "e encontrar um cantinho onde possamos dar uma boa e longa fofocada sobre seu noivo."

XXXII

"Graças a Deus ele se foi", murmurou a sra. Barbour depois que os dois se afastaram na direção da mesa de bebidas. "Conversa fiada me cansa terrivelmente."

"A mim também." O suor escorria. Como ele tinha descoberto? Todas as peças que mencionou tinham sido enviadas pela mesma transportadora. Ainda assim — eu precisava desesperadamente de uma bebida — como poderia saber?

A sra. Barbour, percebi, tinha acabado de falar alguma coisa. "Como?"

"Isso não é extraordinário? Estou *espantada* com toda essa turba de gente." Ela estava vestida com bastante simplicidade — vestido preto, salto alto preto e o magnífico broche de floco de neve, mas preto não era a cor dela e lhe dava um aspecto entregue de doença e luto. "Será que eu *devo* me misturar? Imagino que sim. Ah, Deus, olha, lá está o marido de Anne, que chateação. É horrível demais da minha parte dizer que queria estar em casa?"

"Quem era aquele homem agora mesmo?", perguntei.

"Havistock?" Ela passou a mão pela testa. "Fico aliviada por ser tão insistente em relação ao nome, pois do contrário eu teria sérias dificuldades para apresentá-lo a você."

"Fiquei com a impressão de que era um grande amigo seu."

Ela piscou infeliz, com um desconforto que fez com que eu me sentisse culpado pelo tom que tinha usado com ela.

"Bem", disse ela, resoluta. "Ele é muito atrevido. Tem um jeito muito atrevido, quero dizer. Ele é assim com todo mundo."

"De onde você o conhece?"

"Ah, Havistock faz trabalho voluntário para a New York Historical Society. Sabe tudo, conhece todo mundo. Embora, cá entre nós, eu realmente não acredite que ele seja descendente de Washington Irving."

"Não?"

"Bem, de modo geral ele é encantador. Conhece absolutamente todo mundo... alega um parentesco com Astor também, e quem vai contrariá-lo? Para alguns de nós parece curioso que muitas das ligações que invoca sejam com pessoas já mortas. Mas ele é adorável, ou *sabe* ser. É muito bom visitando velhinhas — bem, você o ouviu falando agora mesmo. Um verdadeiro poço de informação sobre a história de Nova York — datas, nomes, genealogias. Antes de você chegar, ele estava me contando a história de *cada* um dos prédios de um lado e do outro da rua — todos os velhos escândalos, assassinato da alta sociedade no sobrado ao lado, lá por 1870. Ele sabe absolutamente tudo. Num almoço alguns meses atrás, estava entretendo a mesa com uma história totalmente caluniosa sobre Fred Astaire que pra mim é *impossível* que seja verdade. Fred Astaire! Xingando feito um marinheiro, tendo um ataque de nervos! Bem, eu não me importo em dizer a você que simplesmente não acreditei — nenhum de nós acreditou. A avó de Chance conhecia Fred Astaire de quando trabalhava em Hollywood e ela dizia que ele era simplesmente o homem mais encantador na face da Terra. Nunca ouvi um pio em contrário. Algumas daquelas antigas estrelas eram realmente horríveis, claro, e já ouvimos todas essas histórias também. Ah", disse ela em desespero, no mesmo tom, "como estou me sentindo cansada e faminta."

"Aqui..." Senti pena dela e a guiei até uma cadeira vazia. "Sente-se. Quer que eu vá buscar algo para você comer?"

"Não, por favor. Quero que fique comigo. Embora suponha que não deva te monopolizar", disse ela, num tom pouco convincente. "É o convidado de honra."

"Não vai levar nem um minuto." Meus olhos correram pela sala em volta. Bandejas com canapés circulavam e havia uma mesa com comida na sala ao lado, mas eu precisava urgentemente falar com Hobie. "Volto o mais rápido que puder."

Por sorte, Hobie era tão alto — mais alto que praticamente todo mundo — que não tive dificuldade em avistá-lo, um farol de segurança na multidão.

"Ei", disse alguém, pegando meu braço quando eu estava quase chegando nele. Era Platt, num paletó de veludo verde que cheirava a naftalina, parecendo desgrenhado e ansioso, e já meio bêbado. "Tudo bem entre vocês dois?"

"Como?"

"Você e Kits se acertaram?"

Eu não sabia ao certo como responder a isso. Depois de alguns momentos de silêncio, Platt colocou um punhado de cabelo loiro-acinzentado atrás da orelha. Seu rosto estava rosado e inchado de uma meia-idade prematura, e eu pensei, não pela primeira vez, em como não houvera nenhuma liberdade para Platt na sua recusa em crescer, no como ao ficar de bobeira por tempo demais ele tinha conseguido destruir cada último lampejo do seu privilégio hereditário; e agora ele ia sempre ficar rodeando à margem com seu gim com limão enquanto seu irmãozinho Toddy — ainda na faculdade — conversava num grupo que incluía o presidente de uma faculdade da Ivy League, um financista bilionário e o editor de uma importante revista.

Platt ainda estava olhando para mim. "Escuta", disse ele, "sei que não é da minha conta, mas você e Kits..."

Dei de ombros.

"Tom não a ama", disparou ele impulsivamente. "Você aparecer foi a melhor coisa que aconteceu a Kitsey, e ela sabe disso. Você não imagina o jeito como ele a trata! Ela estava com ele no fim de semana em que Andy morreu. Esse foi o grande motivo por que ela mandou Andy cuidar de papai, mesmo ele não tendo o menor jeito com papai, o motivo por que ela mesma não foi. Tom, Tom, Tom. Tudo por causa de Tom. E, sim, aparentemente, ele é todo 'amor sem fim' com ela, 'meu único amor', ou pelo menos é o que ela diz, mas acredite, a história é outra pelas costas. Porque..." — ele fez uma pausa, frustrado — "o jeito como ele a iludiu — sugando dinheiro constantemente, saindo com outras garotas e mentindo — me dava nojo, a mamãe e papai também. Porque, basicamente, ela é um ganha-pão pra ele. É assim que ele a vê. Mas, não me pergunte por quê, ela era doida por ele. Completamente maluca."

"Ainda é, ao que parece."

Platt fez uma careta. "Ah, fala sério. É com você que ela está casando."

"Cable não me parece o tipo de pessoa pra casar."

"Bem..." Ele tomou um grande gole do seu drinque. "Quem quer que se *case* com Tom, vou sentir pena dela. Kits pode ser impulsiva, mas não é burra."

"Não." Kitsey estava longe de ser burra. Ela não só tinha arranjado o casamento que mais agradaria sua mãe como estava transando com a pessoa que realmente amava.

"Jamais daria certo. Como disse mamãe. 'Mero encanto. Uma ilusão.'"

"Ela me disse que o ama."

"Bem, as garotas sempre amam idiotas", disse Platt, sem se dar ao trabalho de discutir isso. "Já reparou?"

Não, pensei desanimado, *não é verdade*. Do contrário por que Pippa não me amava?

"Você precisa de uma bebida, amigão. Na verdade..." — tomou num gole o resto da sua — "eu mesmo bem que precisava de outra."

"Olha, tenho que ir falar com uma pessoa. Além disso, sua mãe..." — virei e apontei na direção onde eu a tinha feito sentar — "precisa de uma bebida também e de algo pra comer."

"*Mamãe*", disse Platt, parecendo como se eu tivesse acabado de lembrá-lo de uma chaleira deixada fervendo no fogão, e saiu apressado.

XXXIII

"Hobie?"

Ele pareceu sobressaltado com o toque da minha mão na sua manga e virou-se rapidamente. "Está tudo bem?", perguntou de imediato.

Senti-me melhor só de estar ao lado dele, só de respirar o ar limpo de Hobie. "Escuta", falei, olhando nervosamente em volta, "se pudéssemos ter uma rápida..."

"Ah, e este é o noivo?", interrompeu uma mulher do grupo ansioso a rodeá-lo.

"Sim, parabéns!" Mais estranhos avançando.

"Como ele parece jovem! Como você parece jovem." Uma senhora loira, na casa dos cinquenta, apertava minha mão. "E como é bonito!", virando-se para sua amiga. "O príncipe encantado! Será que tem mais de vinte e dois?"

Cortês, Hobie me apresentou para o grupo — gentil, discreto, sem pressa, um leão social da espécie mais mansa.

"Hum", falei, olhando pela sala em volta, "desculpe te arrastar pra longe, Hobie, mas espero que você não me ache grosseiro se..."

"Uma palavrinha em particular? Claro. Vocês me dão licença?"

"Hobie", falei, assim que chegamos a um canto relativamente silencioso. O cabelo nas minhas têmporas estava úmido de suor. "Você conhece um homem chamado Havistock Irving?"

As sobrancelhas marrom-claras abaixaram. "Quem?", disse ele, e então, me olhando mais atentamente, "Você tem certeza de que está bem?"

Seu tom, e sua expressão, me fizeram perceber que ele sabia mais sobre meu estado mental do que vinha revelando. "Claro", falei, empurrando os óculos para a ponte do nariz. "Estou bem. Mas, escuta, Havistock Irving, esse nome te lembra alguma coisa?"

"Não. Deveria?"

De forma um tanto errática — eu estava doido por uma bebida; tinha sido burrice minha não parar no bar no caminho — expliquei. Enquanto eu falava, o rosto de Hobie foi ficando cada vez mais pálido.

"Quem é?", perguntou ele, perscrutando as cabeças na multidão. "Está vendo ele?"

"Hum..." A multidão amontoada perto do bufê, rios de gelo picado, garçons enluvados descascando ostras junto ao balde. "Lá."

Hobie — míope sem seus óculos — piscou duas vezes e apertou os olhos. "Quem?", perguntou, "aquele com os..." — ergueu as mãos uma de cada lado da cabeça, para simular os dois tufos de cabelo.

"Sim, ele mesmo."

"Bem." Ele cruzou os braços, com uma naturalidade rude e sem prática que me fez ver por um instante o Hobie alternativo: não o dono de antiquário com terno sob medida, mas o policial ou o padre durão que poderia ter sido na sua antiga vida em Albany.

"Você o conhece? Quem é ele?"

"Ah." Hobie, desconfortável, deu uma batidinha no bolso à procura de um cigarro que não lhe permitiriam fumar.

"Você o conhece?", repeti num tom mais urgente, incapaz de parar de olhar para o bar, na direção de Havistock. Às vezes era difícil arrancar informações de Hobie em questões delicadas — ele tendia a mudar de assunto, fechar-se, responder com evasivas, e o pior lugar possível para perguntar qualquer coisa a ele era uma sala cheia de gente onde algum conhecido afável poderia se aproximar e interromper.

"Não diria que o conheço. Já nos encontramos. O que ele está fazendo aqui?"

"É amigo da noiva", respondi, e recebi um olhar espantado diante do tom com que falei isso. "De onde o conhece?"

Ele piscou rápido. "Bem", disse, algo relutante, "não sei qual é seu nome verdadeiro. Welty e eu o conhecemos como Sloane Griscam. Mas seu nome verdadeiro deve ser algo bem diferente."

"Quem é ele?"

"Um charlatão", disse Hobie secamente.

"Certo", falei, depois de uma pausa surpresa. Um charlatão, no nosso negócio, era uma ave de rapina que se utilizava de seu charme para entrar na casa de pessoas idosas: para extorquir objetos valiosos delas e às vezes roubá-las na cara dura.

"Eu..." Hobie balançou-se sobre os calcanhares, desviou o olhar constrangido. "Boas presas aqui pra ele, com certeza. Vigarista de primeira classe — ele e o parceiro. Muito espertos, aqueles dois."

Um homem calvo de colarinho clerical com um sorriso radiante estava abrindo caminho na nossa direção; cruzei os braços e tentei me colocar de costas pra ele, bloqueando sua aproximação, esperando que Hobie não o visse e interrompesse sua história para cumprimentá-lo.

"Lucian Race. Pelo menos era esse o nome que dizia ter. Ah, eles formavam uma bela dupla. Veja — Havistock, ou Sloane, ou seja lá como ele está se chamando agora, passava uma conversa em mulheres de idade e em homens também, ficava sabendo onde moravam, ia fazer uma visitinha... ele os perseguia em jantares beneficentes, funerais, leilões de artefatos americanos importantes, por toda a parte. Enfim..." — estudou sua bebida — "passava pra fazer uma visita com seu encantador amigo, o sr. Race, e enquanto os pobres velhinhos estavam ocupados... sério, era terrível. Joias, pinturas, relógios, prataria, tudo em que conseguissem botar as mãos. Bem", disse ele num tom alterado. "Faz muito tempo."

Eu queria tanto uma bebida que era difícil não ficar toda hora olhando de relance para o bar. Já podia ver Toddy me apontando para um casal idoso sorrindo esperançoso para mim, como se estivessem prestes a vir vacilando se apresentar, e virei de costas obstinado. "Velhinhos?", repeti para Hobie, na esperança de arrancar um pouquinho mais dele.

"Sim. Lamento dizer isso, mas eles rapinaram algumas pessoas realmente indefesas. Qualquer um que abrisse a porta para eles. E muitas nem tinham tanta coisa, eles faziam a limpa de uma só vez, mas se houvesse uma bolada de fato em jogo — ah, eles continuavam com as cestas de frutas, as conversas íntimas e os tapinhas na mão durante semanas..."

O padre, ou ministro, ou quem quer que fosse, tinha visto que eu estava ocupado e erguido uma mão amistosamente — depois! — enquanto passava direto por nós na multidão, e eu lhe sorri agradecido. Será que era ele o bispo episcopal que supostamente ia nos casar? Ou um dos padres católicos da St. Ignatius com quem a sra. Barbour falava depois que Andy e o sr. Barbour morreram?

"Muito, muito ligeiros. Às vezes fingiam ser avaliadores de mobília oferecendo cotações gratuitas, era assim que entravam. Ou, nos casos realmente terríveis — com gente acamada, um pouco biruta —, enganavam as enfermeiras e fingiam ser da família. Mas enfim..." Hobie balançou a cabeça. "Você comeu alguma coisa?", perguntou no seu tom de mudando-de-assunto.

"Sim", falei, embora não tivesse comido, "obrigado, mas me diga..."

"Ah, que bom!", com alívio. "Tem ostras lá, e caviar. O negócio com caranguejo também está gostoso. Você não subiu pra almoçar hoje. Deixei um prato de guisado pra você, vagens e salada — mas você não comeu, vi que ainda estava na geladeira..."

"Que relação você e Welty tinham com ele?"

Hobie piscou. "Como?", disse Hobie, do seu jeito distraído. "Ah..." — apontando com a cabeça na direção de Griscam — "ele?"

"Isso." O brilho de Natal da sala — luzes, espelhos, lareiras acesas e lustres cintilando — tinha me deixado com uma sensação de pesadelo de estar sendo pressionado e observado de todos os lados.

"Bem..." Hobie desviou o olhar. Tinham acabado de trazer uma travessa de caviar fresco; já estava virado na direção do bufê, mas cedeu. "Ele apareceu na loja com um monte de joias e prataria pra vender, já faz anos agora. Coisa de família, disse. Só que, no caso de um saleiro — era algo antigo, importante, e Welty o conhecia porque sabia quem era a senhora pra quem o tinha vendido. E sabia que ela tinha sido enganada por dois charlatões que haviam se aproximado fingindo arrecadar livros antigos pra caridade. Em todo caso, Welty pegou as peças em consignação e ligou pra senhora e chamou a polícia. E eu, bem, da minha parte..." Hobie secou a testa com o lenço florido do Liberty que tirou do bolso. Ele estava falando tão baixo que eu mal conseguia ouvi-lo, mas não tive coragem de pedir que erguesse a voz. "Dezoito meses antes eu tinha comprado um *espólio* do sujeito, deveria ter imaginado que havia algo errado. Mas nada que eu pudesse apontar de imediato, não totalmente. Prédio novinho no Upper East Side — estranha coleção de objetos americanos empilhados de qualquer jeito no meio da sala, caixotes de chá, relógios, estatuetas, cadeiras Windsor suficientes pra montar uma escola — mas nenhum tapete, nenhum sofá, nada com que *comer*, nenhum lugar pra *dormir*. Bem, tenho certeza de que você teria descoberto antes de mim. Nenhum espólio, nenhuma tia. Apenas um apartamento que ele tinha alugado às pressas pra armazenar seus ganhos ilícitos. E a questão também, e foi isso que me abalou, é que eu o conhecia de reputação porque na época tinha sua própria lojinha, só uma vitrine, um cubículo na Madison, não muito longe do antigo Parke-Burnet. Um lugar muito bonito, atendimento só com hora marcada. Chevallet Antiguidades. Umas coisas francesas realmente de primeira — não era a minha praia. Toda vez que passava por lá, estava fechada, e eu costumava dar uma espiada pela janela. Nunca soube quem era o dono até ele entrar em contato por causa desse espólio."

"E?", falei, virando de costas mais uma vez, telepaticamente desejando que Platt, conduzindo com um ar triunfal o chefe da sua editora para vir me conhecer, ficasse longe de mim.

"E..." — Hobie suspirou — "resumindo, isso foi parar na Justiça, e Welty e eu tivemos que depor. Sloane — o *delapidateur*, como Welty o chamava — já tinha sumido do mapa àquela altura — a loja esvaziada do dia pra noite, 'reforma', nunca mais abriu de novo, é claro. Mas Race, acredito, foi preso."

"Quando foi isso?"

Hobie mordeu a lateral do indicador e pensou. "Ah, meu Deus, deve fazer... trinta anos? Trinta e cinco, talvez?"

"E Race?"

Suas sobrancelhas abaixaram. "*Ele* está aqui?" Perscrutando a multidão de novo.

"Não que eu tenha visto."

"Cabelo até aqui." Hobie o mediu com a ponta do dedo, logo abaixo da nuca. "Sobre o colarinho. Como os ingleses usam. Ingleses de certa idade."

"Cabelo branco?"

"Não na época. Talvez agora. E uma boca pequena e seca..." — Hobie comprimiu os lábios — "tipo isso."

"É ele."

"Bem..." Hobie enfiou a mão no bolso para pegar sua lupa com lanterna, antes de parecer se dar conta de que a ocasião não a pedia. "Você lhe ofereceu seu dinheiro de volta. Então se realmente *for* Race — não entendo por que está pressionando, pois definitivamente não está na posição de causar problemas ou fazer exigências, está?"

"Não", falei, depois de uma longa pausa, embora essa fosse uma mentira tão grande que mal consegui forçar a palavra para fora da boca.

"Bem, então, não fique com essa cara tão preocupada", disse Hobie, claramente aliviado por ter encerrado o assunto. "Esta definitivamente é a última coisa que deveria estragar sua noite. Embora..." — ele me deu um tapinha no ombro; estava olhando em volta, procurando pela sra. Barbour — "você certamente deva avisar Samantha. Não pode deixar aquele salafrário entrar na casa dela. Por nenhum motivo que seja. Olá", disse ele, virando-se para encontrar o casal idoso que tinha finalmente conseguido se aproximar e estava sorrindo cheio de expectativa atrás de nós. "James Hobart. Posso apresentá-los ao noivo?"

XXXIV

A festa ia das seis às nove. Sorri, suei, tentei abrir caminho até o bar apenas para ser interrompido, bloqueado e algumas vezes fisicamente arrastado pra trás pelo braço como Tântalo, morrendo de sede bem diante do alívio — "E *aqui* está ele, o homem da vez!" "A alegria em pessoa!" "Parabéns!" "Aqui, Theodore, você *precisa* conhecer o primo de Harry, Francis! Os Longstreet os Abernathy estão ligados pelo lado paterno, o ramo de Boston da família, o avô de Chance, sabe, foi o primeiro primo de... Francis? Ah, vocês dois já se conhecem? Perfeito! E aqui está... Ah, Elizabeth, aí está você, deixa eu te roubar por um momento, mas você está encantadora, este azul cai muito bem em você, gostaria muito de te apresentar...". Por fim desisti da ideia de bebida (e comida) e — cercado pela aglomeração inconstante de estranhos — fiquei agarrando taças de champanhe dos garçons que às vezes passavam por perto, de vez em quando um canapé, minúsculos quiches, blinis em miniatura com caviar, estranhos indo e vindo, preso e assentindo educadamente em meio à multidão de bem-nascidos, ricos e poderosos...

(*Nunca esqueça que você não é um deles*, meu colega viciado do departamento de contabilidade tinha sussurrado no meu ouvido quando me viu socializando entre clientes importantes num leilão de arte impressionista e moderna.)

... paralisando e me virando para sorrir com grupos aleatórios quando o fotógrafo passava, detido em fragmentos de conversas extremamente tediosas à minha volta sobre jogos de golfe, política, esportes das crianças, escolas das crianças, terceira, quarta e quinta casa em Hyères, Hyannis, Paris, Londres, Jackson Hole e Júpiter e não eram hediondas as *construções* que tinham feito em Vail, lembra quando era apenas um vilarejo adorável... Onde você esquia, Theo? Você esquia? Bem, nesse caso, você e Kitsey *definitivamente* têm que vir conosco para nossa casa em...

Embora eu tivesse ficado de olho em Hobie e Pippa, mal os vi. Alegremente, Kitsey arrastava pessoas para me apresentar e então desaparecia tão rápido quanto um pássaro levantando voo de um parapeito de janela. De Havistock, felizmente, não vi nem sinal. Por fim as coisas deram ares de se acalmar, mas não muito; as pessoas tinham começado a se mover na direção do guarda-volumes e os garçons estavam começando a recolher o bolo e os pratos de sobremesas do bufê quando — preso numa conversa com um grupo de primos de Kitsey — olhei em volta à procura de Pippa (como vinha fazendo compulsivamente a noite toda, tentando avistar sua cabeça ruiva, a única coisa interessante ou importante na sala) — e, para minha grande surpresa, vi-a com Boris. Conversando animadamente. Ele a estava rodeando, braço relaxado em volta dela, cigarro apagado pendendo dos dedos. Sussurrando. Rindo. Estava mordendo a orelha dela?

"Com licença", falei, e abri caminho rapidamente pela sala até eles, perto da lareira — onde, em perfeita harmonia, eles se viraram e estenderam os braços para mim.

"Oi!", disse Pippa. "Estávamos falando de você!"

"Potter!", disse Boris, atirando o braço em torno de mim. Embora estivesse vestido para a ocasião, num terno azul risca de giz (com frequência tinham me espantado as hordas de russos ricos na Ralph Lauren da Madison), de alguma forma não havia como deixá-lo com cara de limpo: suas olheiras escuras lhe faziam parecer tempestuoso e infame, e embora seu cabelo não estivesse tecnicamente sujo dava a impressão de sujeira. "Que alegria ver você!"

"Pra mim também." Eu tinha convidado Boris sem nem sonhar que ele fosse aparecer — não sendo de sua natureza se lembrar de coisas enfadonhas como datas, endereços, ou chegar na hora certa quando acontecia de comparecer. "Você sabe quem é ele, não sabe?", falei, virando-me para Pippa.

"É claro que ela sabe quem eu sou! Ela sabe tudo sobre mim! Já somos grandes amigos! Agora..." — para mim, com um falso tom oficial — "uma palavrinha em particular. Você nos dá licença?", pediu a Pippa.

"Mais conversas em particular?" Ela chutou brincalhona meu sapato com sua sapatilha.

"Não se preocupe! Vou trazê-lo de volta! Tchau pra você!" Boris atirou-lhe um beijo no ar. Então, no meu ouvido, enquanto nos afastávamos, disse: "Ela é linda. Deus, adoro uma ruiva".

"Eu também, mas não é com ela que vou casar."

"Não?" Ele pareceu surpreso. "Mas ela me cumprimentou! Pelo nome!

Ah", disse Boris, olhando-me mais de perto, "você está corando! Sim, você está, Potter!", alardeou ele. "Corando! Feito uma garotinha!"

"Cala a boca", sibilei, olhando de relance pra trás com medo de que Pippa tivesse ouvido.

"Não é ela então? Não é a ruivinha? Que pena, hein?" Boris estava olhando em volta pela sala. "Quem é então?"

Apontei na direção dela. "Lá."

"Ah! No vestido azul-celeste?" Ele me deu um beliscão afetuoso no braço. "Meu Deus, Potter! *Ela?* A mulher mais linda da sala! Divina! Uma deusa!", fazendo como se fosse se prostrar no chão.

"Não, não..." Agarrei-o pelo braço, puxando-o bruscamente para cima.

"Um anjo! Direto do paraíso! Pura como uma lágrima de bebê! Boa *demais* pra alguém como você..."

"Sim, acredito que essa seja a opinião geral."

"Embora..." Ele pegou meu copo de vodca e tomou um grande gole antes de devolvê-lo. "Um pouco fria demais na aparência, não? Eu particularmente gosto das mais quentes. Ela é um lírio, um floco de neve! Menos gélida a dois, espero."

"Você ficaria surpreso."

Suas sobrancelhas se ergueram. "Ah. E... foi ela que...?"

"Sim."

"Ela admitiu?"

"Sim."

"E por isso você não está com ela. Está irritado."

"Mais ou menos."

"Bem..." Boris passou uma mão no cabelo. "Você precisa ir lá falar com ela agora."

"Por quê?"

"Porque temos que ir."

"Ir? Por quê?"

"Porque preciso que você venha comigo."

"Por quê?", falei, olhando pela sala em volta, desejando que não tivesse me arrastado para longe de Pippa, desesperado para encontrá-la de novo. As velas e o brilho laranja do fogo da lareira perto de onde ela estava me fizeram pensar no aconchego do bar, como se a luz em si pudesse ser uma passagem de volta à noite anterior e à mesinha de madeira onde tínhamos sentado, joelho com joelho, seu rosto banhado pela mesma luz tingida de laranja. Tinha que haver um jeito com que eu pudesse atravessar a sala, agarrar sua mão e levá-la de volta para aquele momento.

Boris tirou o cabelo dos olhos. "Vamos. Você vai se sentir ótimo quando ouvir o que tenho pra te dizer! Mas vai precisar passar em casa. Pegar seu passaporte. E tem uma questão de dinheiro também."

Por cima do ombro de Boris, rostos imperturbáveis de mulheres estranhas e frias. A sra. Barbour de perfil, ligeiramente voltada para a parede, apertando a mão do clérigo alegre que não parecia mais tão alegre.

"Quê? Você tá me ouvindo?" Ele sacudiu meu braço. A mesma voz que tinha me puxado de volta à Terra muitas vezes, de céus fractais pós-cheirada de cola em que eu ficava deitado de olhos abertos e inerte na cama, olhando fixamente para as impressionantes explosões azuis no teto.

"Venha! Conversamos no carro. Vamos lá. Tenho uma passagem pra você..."

Ir? Olhei para ele. Foi tudo o que ouvi.

"Explico depois. Não me olhe com essa cara! Tá tudo bem. Não se preocupe. Mas, antes de mais nada, você precisa dar um jeito de ficar fora uns dois dias. Três, no máximo. Então..." — balançando uma mão — "vá, vá combinar com Floco de Neve e vamos dar o fora. Não posso fumar aqui, posso?", disse ele, olhando em volta. "Ninguém tá fumando?"

Dar o fora. Foram as únicas palavras ditas a mim a noite toda que fizeram sentido.

"Você precisa ir pra casa *imediatamente*." Ele estava se esforçando para fazer contato visual comigo de um jeito familiar. "Pegar seu passaporte. E dinheiro. Quanto tem à mão?"

"Bem, no banco...", comecei, empurrando meus óculos para a ponte do nariz, estranhamente sóbrio diante de seu tom.

"Não estou falando do banco. Ou de amanhã. Estou falando do que você tem à mão. Agora."

"Mas..."

"Vou devolver, estou te falando. Mas não podemos ficar aqui parados nem mais um minuto. Precisamos ir agora. Imediatamente. Vai andando, vai", disse ele, com um pontapé amigável na minha canela.

XXXV

"Aí está você querido", disse Kitsey, passando o braço pelo meu cotovelo e se esticando na ponta dos pés para me dar um beijo no rosto — um beijo clicado, simultaneamente, pelos fotógrafos a rodeá-la: um da coluna social, o outro contratado para a noite por Anne. "Não é esplêndido? Está cansado? Espero que minha família não tenha te sugado demais! Annie querida..." — ela estendeu uma mão para Anne de Larmessin, cabelo loiro duro, vestido de tafetá duro, pescoço enrugado que não combinava com a firmeza esticada do rosto esculpido — "está tudo absolutamente perfeito... Acha que poderíamos tirar uma foto de família? Só você, eu e Theo? Nós três?"

"Olha", falei impaciente, assim que nossa constrangedora foto tinha sido tirada e Anne de Larmessin (que claramente não me considerava nem perto de família) tinha se afastado para dar tchau a outros convidados mais importantes. "Estou indo."

"Mas..." Ela pareceu confusa. "Acho que Anne reservou uma mesa em algum lugar..."

"Bem, você vai ter que inventar uma desculpa para mim. Isso não deve ser um problema pra você, né?"

"Theo, por favor, não seja cruel."

"Sua *mãe* também vai embora, tenho certeza disso." Era quase impossível levar a sra. Barbour pra jantar num restaurante, a não ser que fosse em algum lugar em que ela tinha certeza de que não ia topar com alguém que conhecia. "Diz que fui levar ela pra casa. Diz que não está se sentindo bem. Diz que *eu* não estou me sentindo bem. Use sua imaginação. Você vai pensar em alguma coisa."

"Você está indisposto comigo?" Linguagem da família: *indisposto*. Uma palavra que Andy tinha usado comigo quando éramos crianças.

"Indisposto? Não." Agora que tinha caído a ficha e eu me acostumara à ideia (Cable? Kitsey?), aquilo era quase como uma fofoquinha indecente que não tinha nada a ver comigo. Ela estava usando os brincos da minha mãe, percebi — o que era estranhamente tocante, já que tinha toda a razão: não combinavam nem um pouco com ela —, e com uma pontada de dor estendi a mão e os toquei, e então toquei o rosto dela.

"Ahhh", gritaram alguns espectadores no fundo, satisfeitos de finalmente verem algum carinho entre o feliz casal. Kitsey — captando na hora — agarrou minha mão e a beijou, provocando outra bateria de cliques.

"Tá bem?", falei no ouvido dela quando se inclinou. "Se alguém perguntar, viajei a negócios. Uma velhinha me ligou pra dar uma olhada num espólio."

"Claro." Eu tinha que reconhecer: ela era bem legal. "Quando você volta?"

"Ah, logo", falei, sem muita convicção. Teria ficado feliz em sair daquela sala e continuar andando durante dias e meses até chegar a alguma praia do México, talvez alguma costa isolada onde poderia vagar sozinho e usar as mesmas roupas até se desintegrarem e ser o gringo doido com óculos de armação de tartaruga que vivia de consertar cadeiras e mesas. "Se cuide. E mantenha esse Havistock longe da casa da sua mãe."

"Bem..." Sua voz estava tão baixa que eu mal podia ouvi-la. "Ele tem sido uma peste ultimamente. Liga *direto*, querendo passar por lá, levar flores, chocolates, o pobrezinho. Mamãe se recusa a vê-lo. Me sinto um pouco culpada por enrolá-lo."

"Bem, ela não deve recebê-lo. Mantenha-o longe. Ele é um golpista. Então, tchau", falei alto, beijando-a no rosto (mais cliques de câmeras; esta era a foto pela qual os fotógrafos vinham esperando a noite toda) e indo falar a Hobie (examinando alegremente um retrato, inclinando-se pra frente com o nariz a centímetros da tela) que eu ia ficar fora um tempinho.

"Certo", disse ele, cauteloso, voltando-se para mim. O tempo todo em que eu tinha trabalhado com ele mal tirara férias, e certamente nunca pra sair da cidade. "Você e..." Ele apontou para Kitsey com a cabeça.

"Não."

"Está tudo bem?"

"Claro."

Ele me olhou; olhou para Boris, do outro lado da sala. "Sabe, se precisar de alguma coisa", disse inesperadamente. "Pode pedir quando quiser."

"Sim", falei, tomado de surpresa, sem saber ao certo o que ele queria dizer ou como responder. "Obrigado."

Hobie deu de ombros, parecendo constrangido, e voltou-se para o retrato. Boris estava no bar bebendo uma taça de champanhe e devorando sobras de blinis com caviar. Ao me ver, bebeu num trago o resto e indicou a porta com a cabeça: *vamos dar o fora!*

"Até logo", falei para Hobie, apertando sua mão (coisa que eu não costumava fazer) e deixando-o a olhar minhas costas com alguma perplexidade. Eu queria dar tchau para Pippa, mas não a via em lugar nenhum. Onde estava? Na biblioteca? No banheiro? Estava determinado a vê-la por um instante mais uma vez — só mais uma vez — antes de sair. "Sabe onde ela está?", perguntei a Hobie, depois de dar meia-volta rapidamente; ele apenas balançou a cabeça. Então fiquei parado, ansioso, perto do guarda-volumes durante vários minutos, esperando ela voltar, até que finalmente Boris — a boca cheia de canapés — me agarrou pelo braço e me arrastou escada abaixo e porta afora.

V

Temos a arte para não morrer com a verdade.

Nietzsche

11. O Canal do Cavalheiro

I

O Lincoln Town Car estava dando a volta na quadra — mas, quando o motorista parou pra nos pegar, não era Gyuri, e sim um cara que eu nunca tinha visto, com um corte de cabelo que parecia ter sido feito na cela dos bêbados e olhos azul-polar penetrantes.

Boris nos apresentou em russo. "*Privet! Myenya zovut Anatoly*", disse o sujeito, estendendo uma mão manchada de coroas e raios índigos como os desenhos de ovos de Páscoa ucranianos.

"Anatoly?", perguntei cauteloso. "*Ochyen' priyatno?*" Seguiu-se uma torrente de palavras russas, das quais não entendi uma só, e virei-me desesperado para Boris.

"Anatoly", disse Boris, afável, "não fala um pingo de inglês. Não é, Toly?"

Em resposta, Anatoly nos lançou um olhar sério pelo espelho retrovisor e fez outro discurso. As tatuagens no nó dos dedos certamente tinham significados relacionados à prisão: faixas pintadas indicando tempo de pena, tempo cumprido, o tempo marcado como os anéis de uma árvore.

"Ele diz que você fala bonito", comentou Boris com ironia. "É educado e tem boas maneiras."

"Onde está Gyuri?"

"Ah, ele viajou ontem", disse Boris. Tateando no bolso do paletó.

"Viajou? Pra onde?"
"Antuérpia."
"Minha pintura está lá?"
"Não." Boris tinha tirado dois papéis do bolso, que examinou sob a luz fraca antes de passar um para mim. "Mas meu apartamento fica na Antuérpia, e meu carro. Gyuri foi pegar o carro e algumas coisas e vai dirigindo até nós."
Segurando o papel contra a luz, vi que era um e-ticket impresso:

CONFIRMADO
DECKER, THEODORE DL2334
NEWARK LIBERTY INTL (**EWR**) PARA AMSTERDAM, HOLANDA (**AMS**)
HORÁRIO DE EMBARQUE **00h45**
DURAÇÃO TOTAL DO VOO 7h44

"Da Antuérpia para Amsterdam são apenas três horas de carro", disse Boris. "Vamos chegar ao Schiphol mais ou menos na mesma hora — eu, talvez, uma hora depois de você. Pedi pra Myriam nos colocar em voos diferentes. O meu faz conexão em Frankfurt. O seu vai direto."
"Esta noite?"
"Sim. Bem, como você pode ver, não nos resta muito tempo..."
"E por que é que estou indo?"
"Porque posso precisar de ajuda e não quero colocar mais ninguém nisso. Bem, além de Gyuri. Mas não falei nem pra Myriam o propósito da viagem. Ah, sim, eu *poderia* ter dito", disse ele, interrompendo-me. "É só que — quanto menos gente souber, melhor. Em todo caso, você precisa correr pegar seu passaporte e quanto dinheiro puder. Toly vai nos levar até Newark. Eu..." — ele deu uma batidinha na mala de mão, que só então percebi estar no banco de trás — "já estou pronto. Vou esperar você no carro."
"E o dinheiro?"
"O que você tiver."
"Devia ter me falando antes."
"Não era necessário. O dinheiro..." — ele estava vasculhando à procura de um cigarro — "bem, eu não me mataria de preocupação por causa disso. O que você tiver, o que for conveniente. Porque não é importante. É mais pra impressionar."
Tirei os óculos, limpei-os na manga da camisa. "Como?"
"Porque..." — bateu com o nó dos dedos no lado da cabeça, seu velho gesto de *imbecil* — "eu planejo pagá-los, mas não tudo o que pediram. *Recompensá-los* por roubarem de mim? Se for assim por que não me roubariam

e enganariam sempre que quisessem? Que tipo de lição é essa? 'Este homem é fraco.' 'Podemos fazer o que quiser com ele.' Mas..." — cruzou as pernas de forma espasmódica, remexendo os bolsos à procura de um isqueiro — "quero que pensem que estamos dispostos a pagar tudo. Talvez você queira parar num caixa eletrônico e pegar dinheiro — podemos fazer isso no caminho, ou no aeroporto. Passariam uma boa impressão, as notas novas. Acho que você só pode levar dez mil em dinheiro pra Europa. Mas faço um maço com o restante e levo na minha mala. Além disso..." — ele me ofereceu um cigarro — "não acho que seja justo você entrar com a soma toda. Vou entrar com mais dinheiro quando chegarmos lá. Meu presente pra você. E letra de câmbio, também. Um papel que passe por letra de câmbio, em todo caso. Comprovante de depósito falso, cheque falso. De um banco de fachada no Caribe. Parece bom, bem legítimo. Não sei bem o quanto essa parte vai dar certo. Vamos ter que improvisar. Ninguém em sã consciência aceitaria letra de câmbio em vez de dinheiro numa coisa dessas! Mas acho que são inexperientes, e estão desesperados, então..." — ele cruzou os dedos — "estou esperançoso. Veremos!"

II

Enquanto Anatoly dava voltas na quadra, corri até a loja e agarrei todo o dinheiro disponível sem contá-lo, algo em torno de dezesseis mil. Depois corri até o andar de cima e — enquanto Popper ficava me rodeando pra lá e pra cá, ganindo ansioso — atirei algumas coisas na minha mala: passaporte, escova de dentes, gilete, meias, cuecas, a primeira calça social que encontrei, duas camisas extras, um suéter. A lata de Redbreast Flake estava no fundo da minha gaveta de meias e eu a peguei também, mas depois a joguei de volta e fechei rápido a gaveta.

Quando estava atravessando às pressas o corredor, com o cachorro no meu encalço, as galochas de Pippa diante da porta do seu quarto me fizeram estacar bruscamente: seu verdor brilhante de verão se fundiu na minha mente com ela e com felicidade. Por um momento fiquei parado, inseguro. Depois voltei para meu quarto, peguei a primeira edição de *Ozma de Oz* e rabisquei um bilhete tão rápido que não tive tempo de pensar duas vezes. *Boa viagem. Amo você. De verdade.* Soprei-o para secar a tinta e enfiei-o no livro, que coloquei no chão ao lado da sua bota. O quadro resultante sobre o carpete (Cidade das Esmeraldas, galochas verdes, a cor de Ozma) era quase como se eu tivesse deparado com um haicai ou outra combinação perfeita de palavras para explicar a ela o que significava para mim. Por um momento fiquei perfeitamente imóvel — relógio tiquetaqueando, lembranças submersas da infância, portas se abrindo para velhos devaneios brilhantes em que caminhávamos juntos sobre gramados de verão — antes de, resoluto, voltar até meu quarto para pegar o colar que me atraíra num leilão como se tivesse o nome dela: tirando-o da sua caixa de veludo azul-profundo e, cuidadosamente, colocando-o em volta de uma das botas, fazendo refletir um raio dourado contra a luz. Ele era de topázio, do século XVIII, um colar para uma fada rainha, girandôle com um laço de diamante e pedras grandes e claras cor de mel: o exato tom dos olhos dela. Enquanto eu me afastava, evitando olhar para a parede oposta com as fotos de Pippa, e corria escada abaixo, senti quase o mesmo antigo terror e a emoção infantil de ter atirado uma pedra numa janela. Hobie saberia exatamente quanto o colar tinha custado. Mas quando Pippa o encontrasse e visse o bilhete eu já estaria bem longe.

III

Íamos sair de terminais diferentes, então nos despedimos no meio-fio, onde Anatoly tinha me deixado. As portas se abriram deslizando com um arquejo sem fôlego. Dentro, passada a inspeção de segurança, sobre o piso brilhante do saguão pré-amanhecer, consultei os monitores e continuei andando, passando por lojas escuras com os portões de metal abaixados, Brookstone, Tie Rack, cachorros-quentes Nathan's, música alegre dos anos 1970 penetrando na minha consciência (*love... love will keep us together... think of me babe whenever...*), passando por portões fantasmagóricos e frios com a passagem impedida, vazios exceto por garotos universitários cochilando esparramados sobre quatro bancos cada um, passando pelo único bar, que ainda estava aberto, pela única sorveteria e pelo único free shop, onde, seguindo a recomendação repetida e um tanto urgente de Boris, parei pra comprar uma garrafa de vodca ("melhor prevenir do que remediar... só tem bebida nas lojas controladas pelo Estado... talvez você queira comprar duas"), e depois seguindo até o final para meu próprio (e lotado) portão, cheio de famílias étnicas apáticas, mochileiros no chão de pernas cruzadas e homens de negócios rançosos e de cara oleosa, curvados sobre laptops, parecendo acostumados com a rotina.

O voo estava cheio. Enquanto me arrastava, com montes de gente no corredor (classe econômica, assento do meio numa fileira de cinco), fiquei me perguntando como Myriam tinha conseguido um lugar pra mim. Felizmente eu estava cansado demais para pensar muito e já tinha pegado no sono quase antes de o aviso de cinto de segurança apagar — perdendo as bebidas, perdendo o jantar, perdendo os filmes a bordo —, acordando apenas quando as janelas já estavam abertas, a luz enchendo a cabine, as aeromoças empurrando seu carrinho com o café da manhã embalado: cacho de uva gelado; copo de suco gelado; croissant gorduroso e amarelado enrolado em papel celofane; café ou chá à nossa escolha.

Tínhamos combinado de nos encontrar na esteira de bagagem. Homens de negócios agarravam silenciosamente suas malas e se mandavam — para seus encontros, seus planos de marketing, suas amantes, vai saber. Garotos maconheiros falando alto com adesivos de arco-íris nas mochilas se acotovelavam e tentavam apanhar sacos de lona alheios, discutindo sobre qual era o melhor café pra primeira tragada do dia — "Ah, galera, o Bluebird, *definitivamente*...".

"Não, espera — Haarlemmerstraat? Não, sério, eu escrevi isso? Neste papel? Não, espera, escutem, vamos direto pra lá? Porque eu não consigo lembrar o nome, mas abre cedo e tem um *café da manhã* incrível. Panqueca, suco de laranja, Apollo 13, narguilé, tudo na mesa."

E lá foram eles em bando — eram quinze ou vinte, despreocupados, o cabelo lustroso, rindo, erguendo suas mochilas e discutindo sobre a forma mais barata de chegar à cidade. Apesar de eu não ter despachado bagagem, fiquei na esteira durante bem mais de uma hora, vendo uma mala pesadamente fechada com fita adesiva girar e girar solitária até que Boris chegou por trás de mim e me cumprimentou atirando o braço em volta do meu pescoço num mata-leão, tentando pisar na parte de trás dos meus sapatos.

"Venha", disse ele, "você está com uma cara horrível. Vamos arranjar alguma coisa pra comer e conversar! Gyuri está esperando com o carro lá fora."

IV

O que de alguma forma eu não tinha esperado era uma cidade enfeitada para o Natal: ramos de abeto e penduricalhos, ornamentos raiados nas janelas de lojas e um vento gelado e cortante vindo dos canais, lareiras, barracas de feira e pessoas de bicicleta, brinquedos, cores e doces, confusão natalina e brilho. Cachorrinhos, criancinhas, curiosos e observadores, pessoas carregando pacotes, palhaços de cartola e sobretudo militar e um pequeno bufão dançando em roupas de Natal à la Avercamp. Eu ainda não estava bem acordado e nada daquilo parecia mais real do que o sonho fugaz que tivera com Pippa no avião, em que eu a avistava num parque com muitas fontes altas e um planeta com anéis de Saturno pendendo baixo e majestoso no céu.

"Nieuwmarkt", disse Gyuri quando chegamos a um grande círculo com um castelo de torres saído de um conto de fadas e, à sua volta, um mercado a céu aberto, sempre-vivas cortadas e ligeiramente cobertas de neve, vendedores enluvados pisando forte, uma ilustração de livro infantil. "Ho, ho, ho."

"Sempre muita polícia aqui", disse Boris num tom sombrio, escorregando até a porta enquanto Gyuri fazia uma curva fechada.

Por diversos motivos eu estava apreensivo quanto às acomodações, pronto para dar minhas desculpas caso envolvessem qualquer coisa parecida com condições precárias ou dormir no chão. Felizmente Myriam tinha reservado um hotel pra mim num edifício de frente pro canal, na parte antiga da cidade. Deixei minhas malas lá, guardei o dinheiro no cofre e voltei para a rua para encontrar Boris. Gyuri tinha ido estacionar o carro.

Boris deixou o cigarro cair na calçada e pisou nele com o calcanhar. "Já faz tempo que não venho aqui", disse ele, sua respiração saindo branca, enquanto olhava apreciativo em volta para os pedestres sobriamente vestidos na rua. "Meu apartamento na Antuérpia — bem, é por questões de negócios que estou lá. Bela cidade também — mesmas nuvens marinhas, mesma luz. Um dia a gente vai lá. Mas sempre esqueço o quanto gosto daqui também. Está morrendo de fome?", perguntou ele, dando-me um soco no braço. "Se importa de andar um pouco?"

Fomos vagando por ruas estreitas, ruelas úmidas apertadas demais para carros, lojinhas obscuras e ocres cheias de gravuras antigas e porcelanas empoeiradas. Passarela sobre o canal: água marrom, pato marrom solitário. Copo de plástico boiando e balançando. O vento era cortante e úmido, arrastando um granizo que pinicava na pele, e o espaço à nossa volta parecia cerrado e frio.

"Os canais não congelam no inverno?", perguntei.

"Sim, mas..." — limpando o nariz — "aquecimento global, imagino." Com seu sobretudo e o terno da festa da noite anterior Boris parecia ao mesmo tempo totalmente deslocado e totalmente em casa. "Que tempo do cão! Vamos entrar aqui? O que você acha?"

O bar sujo junto ao canal, ou café, ou o que quer que fosse, era de madeira escura e tinha um tema marítimo, remos e coletes salva-vidas, velas vermelhas queimando fracamente mesmo de dia, e uma atmosfera nebulosa e desolada. Luz abafada e fumacenta. Gotas de água condensadas no interior das vidraças. Nenhum cardápio. Nos fundos havia um quadro-negro rabiscado com pratos ininteligíveis para mim: *dagsoep, draadjesvlees, kapucijnerschotel, zuurkoolstamppot*.

"Aqui, deixa que eu faço o pedido", disse Boris, fazendo-o, surpreendentemente, em holandês. O que veio foi uma refeição típica de Boris, com cerveja, pão, salsicha, batata, carne de porco e chucrute. Boris — devorando alegremente — estava lembrando sua primeira e única tentativa de andar de bicicleta na cidade (tombo, desastre) e também o quanto gostava do novo arenque que vendiam em Amsterdam, que por sorte não estava na temporada, já que aparentemente você o comia segurando-o pela cauda e suspendendo-o acima da boca para engoli-lo, mas eu me sentia desorientado demais pelo entorno para escutar com muita atenção, e com os sentidos quase dolorosamente aguçados misturei as batatas com o garfo e senti a estranheza da cidade me oprimindo por toda a volta, cheiro de tabaco, malte e noz-moscada, as paredes do café de um marrom melancólico de livro velho com capa de couro, e depois, mais adiante, passagens escuras e água salobra marulhando, céu baixo e prédios antigos encostados um no outro com ar ranzinza, poético e apocalíptico, a solidão de paralelepípedos de uma cidade que parecia — para mim, em todo caso — o tipo de lugar aonde você iria pra deixar a água se fechar sobre sua cabeça.

Não demorou muito e Gyuri se juntou a nós, afogueado e ofegante. "Estacionar — um probleminha aqui", disse ele. "Desculpe." Estendeu a mão para mim. "Bom te ver!", disse, abraçando-me com um calor que pareceu genuíno e que me surpreendeu, como se fôssemos velhos amigos há muito separados. "Tudo bem?"

Boris, a essa altura na segunda cerveja, estava discorrendo sobre Horst. "Não sei por que ele não se muda pra Amsterdam", disse, mordiscando alegremente um naco de salsicha. "Vive reclamando de Nova York! Odeia, odeia, odeia! Enquanto tudo o que ele ama..." — estendeu uma mão para abarcar o canal do lado de fora da janela embaçada — "está aqui. Até a língua. Se realmente quiser ser feliz no mundo, ter qualquer tipo de vida alegre ou feliz, devia pagar vinte mil pra voltar pro centro de desintoxicação rápida e depois vir pra cá fumar Buddha Haze e ficar num museu o dia todo."

"Horst?", perguntei, olhando de um para o outro.

"O que tem?"

"Ele sabe que você está aqui?"

Boris tomou sua cerveja. "Não. Ele não sabe. Vai ser muito, muito mais fácil se Horst ficar sabendo disso tudo depois. Porque..." — lambeu um pingo de mostarda do dedo "minhas suspeitas estavam corretas. Foi o filho da puta do Sascha que roubou o negócio. *O irmão de Ulrika*", disse ele num tom urgente. "O que coloca Horst numa posição ruim. Então é muito melhor eu cuidar disso sozinho, entende? Estou fazendo um favor a Horst — que ele não vai esquecer."

"Como assim, *cuidar disso*?"

Boris suspirou. "É..." Ele olhou em volta para se certificar de que ninguém estava ouvindo, ainda que fôssemos as únicas pessoas no local. "Bem, é complicado, eu poderia ficar falando durante três dias, mas também posso te dizer em três frases o que aconteceu."

"Ulrika sabe que ele a pegou?"

Revirar de olhos. "Vai saber." Uma expressão que eu tinha ensinado a Boris anos antes, farreando na minha casa depois da escola. *Vai saber. Já chega.* Crepúsculo enfumaçado do deserto, venezianas fechadas. *Decida-se. Convenhamos. Nem pensar.* As mesmas sombras no rosto dele. Luz dourada refletindo nas portas da piscina.

"Acho que Sascha teria que ser muito idiota pra contar a Ulrika", disse Gyuri, com uma expressão preocupada no rosto.

"Não sei o que Ulrika sabe ou não sabe. Não faz diferença. É mais ao irmão que a Horst, conforme demonstrou muitas e muitas vezes antes. Era de pensar..." — fez gestos largos para que a garçonete trouxesse uma cerveja para Gyuri — "que Sascha teria o bom senso de segurá-la um tempo, pelo menos! Mas não. Não consegue um empréstimo com ela em Hamburgo ou Frankfurt por causa de Horst — porque ele ficaria sabendo na hora. Por isso a trouxe pra cá."

"Bem, olha, se você sabe quem está com ela deveríamos simplesmente ligar pra polícia."

O silêncio que se seguiu a isso, assim como a cara de paisagem dos dois, foi como se eu tivesse mostrado uma lata de gasolina e sugerido que ateássemos fogo em nós mesmos.

"Bem, quero dizer", falei na defensiva, depois que a garçonete tinha vindo com a cerveja de Gyuri, colocado-a na mesa e saído de novo, e nem Gyuri nem Boris tinham dito uma palavra. "Não é a forma mais segura? E mais fácil? Se a polícia a recuperar e vocês não tiverem nada a ver com isso?"

Sineta de bicicleta, mulher passando ruidosamente na calçada, barulho metálico das rodas, capa preta de bruxa esvoaçando atrás dela.

"Porque..." — olhando de um para o outro — "quando se pensa em tudo por que a pintura passou — no que *deve* ter passado — não sei se você entende, Boris, quanto cuidado é necessário até pra *transportar* uma pintura? Só pra *embalá-la* corretamente. Pra que correr riscos?"

"É exatamente isso que penso."

"Uma ligação anônima. Pro pessoal de crimes contra a arte. Eles não são como os policiais normais — não têm nenhuma relação com eles. Só se importam com a pintura. Vão saber o que fazer."

Boris recostou-se na cadeira. Olhou em volta, depois para mim.

"Não", disse. "Essa não é uma boa ideia." Seu tom era o de alguém falando com uma criança de cinco anos. "E quer saber por quê?"

"Pense nisso. É a forma mais fácil. Você não teria que fazer nada."

Boris pousou seu copo de cerveja cuidadosamente.

"Eles têm mais chances de conseguir recuperá-la ilesa. Mas se *eu* fizer isso, se *eu* ligar pra eles... Porra, posso pedir pra Hobie ligar pra eles..." — coloquei as mãos na cabeça — "vendo por qualquer ângulo, vocês não estariam correndo nenhum risco. Ou seja" — eu estava cansado demais, desorientado demais; com dois pares de olhos penetrantes a me atravessar, não conseguia pensar direito — "se *eu* fizer isso, ou outra pessoa que não seja parte da sua, hã, organização..."

Boris soltou uma gargalhada. "*Organização?* Bem..." Ele balançou a cabeça com tanto vigor que seu cabelo caiu sobre os olhos. "Imagino que se trata de uma organização, mais ou menos, já que somos três ou mais. Mas não somos muitos ou muito organizados, como você pode ver."

"Você devia comer alguma coisa", disse Gyuri para mim, na pausa tensa que se seguiu, olhando para meu prato intacto de carne de porco com batata. "Ele devia comer", disse então a Boris. "Diga pra ele comer."

"Que morra de fome se quiser. Em todo caso", disse Boris, pegando um pedaço de carne de porco do meu prato e atirando-o na boca.

"Uma ligação. Eu faço."

"Não", disse Boris, fechando a cara de repente e jogando-se pra trás na cadeira. "Você não vai ligar. Não, não, vá se foder, cala a boca, você *não vai*", disse, erguendo o queixo de forma agressiva enquanto eu tentava falar mais alto que ele — e então subitamente senti a mão de Gyuri no meu pulso, um toque que eu conhecia bem demais, a velha linguagem esquecida de Vegas de quando meu pai estava na cozinha arengando. De quem era a casa? Quem pagava as contas?

"E", disse Boris num tom autoritário, aproveitando a trégua na minha resposta, que ele não estava esperando, "quero que você pare agora mesmo de falar desse negócio idiota de ligação. 'Ligação, ligação'", disse ele, quando não obteve nenhuma resposta de mim, balançando a mão no ar num gesto ridículo, como se "ligação" fosse uma palavra infantil absurda como "unicórnio" ou "reino das fadas". "Sei que está tentando ajudar, mas não é uma sugestão útil. Então esquece. Sem mais 'ligação'. Em todo caso", disse ele num tom amigável, derramando parte da própria cerveja no meu copo pela metade. "Como eu estava explicando, já que Sascha está com tanta pressa, será que está pensando com clareza? Será que está calculando suas jogadas, uma que seja? Não. Sascha é de fora. As relações aqui são venenosas para ele. Precisa de dinheiro. E está se esforçando tanto pra ficar fora do radar de Horst que acabou topando direto comigo."

Não falei nada. Seria relativamente fácil eu mesmo ligar pra polícia. Não havia por que envolver Boris ou Gyuri em nada.

"Golpe de sorte fantástico, não? E nosso amigo, o georgiano — homem muito rico, mas tão distante do mundo de Horst e tão longe de ser um colecionador de arte que nem conhecia a pintura pelo nome. Só um pássaro, um pequeno pássaro amarelo. Mas Cherry acredita que ele está dizendo a verdade quando afirma que a viu. Sujeito muito poderoso no setor imobiliário, aqui e na Antuérpia. Cheio da grana e quase um pai pra Cherry, mas não teve grande educação, se é que você me entende."

"Onde ela está agora?"

Boris esfregou o nariz vigorosamente. "Não sei. Eles não vão nos dizer, né? Mas Vitya entrou em contato pra dizer que sabe de um comprador. E um encontro foi marcado."

"Onde?"

"Não definiram ainda. Já mudaram o local meia dúzia de vezes. Paranoicos", disse ele, fazendo um gesto de louco com a mão do lado da cabeça. "Talvez nos façam esperar um ou dois dias. Talvez a gente só fique sabendo uma hora antes."

"Cherry", falei, e então parei. Vitya era a abreviação do nome russo de Cherry, Viktor, mas Cherry era só um apelido, e eu não sabia nada sobre Sascha: nem sua idade, nem seu sobrenome, nem sua aparência, absolutamente nada exceto que era irmão de Ulrika — e até isso era incerto em termos literais, considerando quão livremente Boris se utilizava da palavra.

Boris chupou um pouco de gordura do dedo. "Minha ideia era marcar algo no seu hotel. Sabe como é, você, americano, figurão, interessado na pintura. Eles..." — baixou o tom de voz enquanto a garçonete substituía seu copo de cerveja vazio por um cheio. Gyuri assentia educadamente, inclinando-se para a frente. "Eles iriam até seu quarto. É assim que é feito geralmente. Tudo muito profissional. Mas..." — um leve dar de ombros — "são novos nisso, e paranoicos. Querem definir o local."

"Que seria?"

"Ainda não sei! Não acabei de dizer? Eles mudam de ideia toda hora. Se querem que a gente espere, a gente espera. Temos que deixar acharem que mandam. Agora, desculpe", disse ele, espreguiçando-se e bocejando, esfregando com a ponta de um dedo um olho rodeado por um círculo escuro, "estou cansado! Quero tirar um cochilo!" Virou-se e disse alguma coisa em ucraniano para Gyuri, depois voltou-se novamente para mim. "Desculpe", disse ele, inclinando-se para a frente e pondo o braço no meu ombro. "Você consegue encontrar o caminho de volta até o hotel?"

Tentei me soltar sem dar a impressão de que o fazia. "Aham. Onde vocês estão?"

"Apartamento da namorada — Zeedijk."

"Perto de Zeedijk", disse Gyuri, erguendo-se, com um ar educado e vagamente militar. "Bairro chinês antigo."

"Qual é o endereço?"

"Não lembro. Você me conhece. Não consigo lembrar endereços de cabeça e esse tipo de coisa. Mas..." — deu uma batidinha no seu bolso — "seu hotel."

"Certo." Em Vegas, se acontecia de nos separarmos, fugindo dos seguranças de shopping, os bolsos cheios de cartões de presente roubados, minha casa era sempre o ponto de encontro.

"Então te encontro lá. Você tem meu celular, e eu tenho o seu. Ligo quando souber de mais alguma coisa. Agora..." — deu um tapinha atrás da minha cabeça — "pare de se preocupar, Potter! Não fique aí com essa cara tão infeliz! Perdendo ou ganhando estamos no lucro! Tá tudo bem! Você sabe que direção pegar pra voltar, né? Só seguir por ali, depois virar à esquerda quando chegar ao Singel. Sim, por ali. Falamos em breve."

V

Fiz uma curva errada a caminho do hotel e durante várias horas fiquei vagando sem rumo, lojas decoradas com bolas de vidro e vielas cinza de sonho com nomes impronunciáveis, budas dourados e bordados asiáticos, mapas antigos, cravos antigos, lojas baças marrom-charuto com louças, cálices e antigas jarras Dresden. O sol tinha saído e havia algo de intenso e radiante junto aos canais, um brilho respirável. Gaivotas se atiravam e berravam. Um cachorro passou correndo com um caranguejo vivo na boca. No meu estado de tontura e fadiga, que fazia eu me sentir drasticamente fora de mim como se estivesse observando tudo de longe, passei por confeitarias, cafés e lojas com brinquedos antigos e azulejos Delft de 1800 e pouco, espelhos antigos e prataria reluzindo sob a rica luz cor de conhaque, armários franceses marchetados e mesas no estilo da corte francesa com guirlandas entalhadas e um trabalho de verniz que teria feito Hobie exclamar admirado — de fato, todo o ambiente nebuloso, amigável e refinado da cidade, com floriculturas, padarias e *antiekhandels*, me fazia lembrar de Hobie, não só por sua rica abundância em antiguidades, mas porque havia um quê de integridade à sua maneira no lugar, como um livro de imagens infantil em que comerciantes de avental varrem o chão e gatos malhados cochilam em janelas ensolaradas.

Mas havia coisas demais para ver, e eu estava abalado, exausto e com frio. Finalmente, depois de abordar estranhos para perguntar o caminho (donas de casa rosadas com braçadas de flores, hippies com manchas de tabaco e óculos de armação metálica), refiz o percurso sobre as pontes do canal e pelas ruas estreitas com iluminação de conto de fadas de volta ao meu hotel, onde imediatamente troquei alguns dólares na recepção, subi pra tomar um banho num banheiro que era só vidros curvos e acessórios voluptuosos, mistura de art nouveau com algum futuro de ficção científica glacial e oval, e peguei no sono de bruços na cama — onde fui despertado, horas depois, por meu celular girando na mesa de cabeceira, o toque conhecido me fazendo achar, por um momento, que eu estava em casa.

"Potter?"

Sentei e peguei meus óculos. "Hum..." Eu não tinha fechado as cortinas antes de pegar no sono, e reflexos do canal tremulavam pelo teto no escuro.

"O que foi? Você está chapado? Não me diga que foi até um café."

"Não, eu..." Atordoado, corri os olhos em volta — trapeiras e vigas, armários e inclinações e — pela janela, quando me ergui, esfregando a cabeça — pontes de canal com ornatos iluminados e reflexos arqueados na água negra.

"Bem, estou subindo. Você não está com nenhuma garota aí em cima, né?"

VI

Para chegar a meu quarto saindo da recepção, era necessário pegar dois elevadores diferentes e andar um pouco, de modo que fiquei surpreso com a rapidez com que bateram na porta. Gyuri, discretamente, foi até a janela e ficou virado de costas pra nós enquanto Boris dava uma olhada em mim. "Vista-se", disse ele. Eu estava descalço, com o roupão do hotel e o cabelo arrepiado pra um lado, por ter dormido com ele molhado. "Precisa se arrumar. Vá — arrume o cabelo e faça a barba."

Quando saí do banheiro (onde tinha deixado meu terno pendurado pra tirar os amassados), Boris comprimiu os lábios com um ar de crítica e disse: "Você não tem nada melhor que isso?".

"É um terno Turnbull & Asser."

"Sim, mas parece que você dormiu nele."

"Já faz um tempo que eu o estou usando. Mas tenho uma camisa melhor."

"Bem, então vista." Ele estava abrindo uma pasta aos pés da cama. "Pegue o seu dinheiro e traga aqui."

Quando voltei, ajeitando as abotoaduras, estaquei subitamente no meio do quarto ao vê-lo parado com a cabeça inclinada à beira da cama, concentrado em montar uma pistola: inserindo uma cavilha com uma competência perspicaz, como Hobie quando em ação na oficina, deslizando a corrediça com um jeito vigoroso e realista, com um clique.

"Boris", falei, "mas que porra...?"

"Calma", disse ele para mim, com um olhar de esguelha. Apalpando os bolsos, pegando um carregador e encaixando-o na arma — estalo. "Não é o que você está pensando. Não mesmo. É só pra impressionar!"

Olhei para as costas largas de Gyuri, perfeitamente impassível, com a mesma surdez profissional que eu às vezes assumia na loja, virando-me quando casais começavam a discutir sobre se deveriam ou não comprar um móvel.

"É só que..." Ele estava movendo uma peça pra frente e pra trás na arma, habilmente, testando-a, depois erguendo-a na altura do olho e mirando, gestos surreais de alguma subcamada profunda do cérebro onde filmes em preto e branco tremulavam vinte e quatro horas por dia. "Vamos encontrá-los no terreno deles, e eles vão estar em três. Bem, na verdade só dois. Dois que *contam*. E posso te dizer agora — eu estava um pouco preocupado que Sascha estivesse aqui. Porque daí não poderia ir com você. Mas no fim das contas tudo se resolveu perfeitamente, e aqui estamos!"

"Boris..." Parado ali, a ficha caiu subitamente, com uma velocidade doentia — a idiotice em que eu tinha me metido.

"Não se preocupe! Já me preocupei por você." Ele me deu um tapinha no ombro. "Sascha está nervoso demais. Está com medo de dar as caras em Amsterdam, com medo de que isso vai chegar a Horst. Com razão. E essa é uma notícia muito, muito boa pra nós.

"Então." Ele fechou a arma: prata cromada, preto, com uma densidade suave que distorcia negramente o espaço à sua volta como uma gota de óleo de motor num copo d'água.

"Não me diga que vai levar isso", falei, no silêncio incrédulo que se seguiu.

"Bem, sim. Pra pôr no coldre — só pra *deixar* no coldre. Mas, espera, espera", disse ele, erguendo uma palma, "antes que você comece..." Eu não estava falando, estava apenas parado ali, olhando horrorizado. "Quantas vezes vou ter que dizer? É só pra fazer cena."

"Você só pode estar de brincadeira."

"Fachada", disse ele enérgico, como se eu não tivesse falado. "Puro faz de conta. Assim eles vão recear fazer alguma coisa se me virem com ela, tá bem?", acrescentou, quando continuei encarando. "Medida de segurança! Porque... porque...", disse ele acima de mim, "você é o cara rico, e nós somos os guarda-costas, e é assim que as coisas são. Eles contam com isso. Tudo muito civilizado. E se afastamos o casaco só um tantinho..." — ele tinha um coldre escondido na cintura — "vão ser respeitosos e não tentar nada. É *mui-*

to mais perigoso chegar tipo..." — ele revirou os olhos pelo quarto em volta imitando uma garota tapada.

"Boris." Eu me sentia pálido e tonto. "Não posso fazer isso."

"Não pode fazer o quê?" Recuou o queixo e olhou para mim. "Não pode sair do carro e ficar comigo durante cinco minutos enquanto pego sua maldita pintura pra você? É isso?"

"Não, estou falando sério." A arma jazia sobre a colcha; o olho era atraído para ela; parecia cristalizar e magnificar toda a energia ruim zunindo no ar. "Não posso. Sério. Vamos esquecer isso."

"Esquecer?" Boris fez uma careta. "Não faça isso! Viemos até aqui e agora você me põe contra a parede." Ele atirou um braço em volta. "No último minuto, começa a impor condições, fica repetindo que é perigoso e me dizendo como devo fazer as coisas? Você não confia em mim?"

"Sim, mas..."

"Então, tá. Confie em mim nisso aqui, por favor. Você é o comprador", disse ele impaciente, quando não respondi. "Essa é a história. Já foi acertado."

"Devíamos ter conversado sobre isso antes."

"Ah, fala sério", disse ele exasperado, pegando a arma da cama e enfiando-a no coldre. "Por favor, não discuta comigo, vamos acabar nos atrasando. Você jamais teria botado os olhos nela, se tivesse ficado mais dois minutos no banheiro! Jamais saberia que eu tinha uma! Porque — Potter, me escuta. Vai me escutar, por favor? Eis tudo o que vai acontecer. Nós entramos, cinco minutos, esperamos, esperamos, esperamos, falamos tudo o que há pra falar, falamos *apenas*, você pega sua pintura, todo mundo fica feliz, saímos e vamos jantar em algum lugar. Tá bem?"

Gyuri, que tinha se afastado da janela, estava me olhando de cima a baixo. Com um cenho franzido de preocupação, disse alguma coisa em ucraniano para Boris. Uma troca de palavras obscuras se seguiu. Então Boris colocou a mão no pulso e começou a soltar seu relógio.

Gyuri disse alguma outra coisa, balançando a cabeça vigorosamente.

"Certo", disse Boris. "Você tem razão." Então, para mim, com um aceno de cabeça: "Pegue o dele."

Rolex Presidente de Platina. Mostrador com diamantes incrustados. Eu estava tentando pensar em alguma forma educada de recusar quando Gyuri tirou o enorme diamante chanfrado do mindinho e — esperançoso, como uma criança entregando um presente feito em casa — estendeu-o para mim com as duas mãos abertas.

"Sim", disse Boris quando hesitei. "Ele tem razão. Você não parece rico o bastante. Quem me dera se tivéssemos uns sapatos melhores pra você", disse ele, olhando criticamente para meus clássicos sapatos pretos com fivela, "mas esses vão ter que servir. Agora, colocamos o dinheiro nesta bolsa aqui..." — pasta de couro, cheia de notas empilhadas — "e vamos." Boris trabalhava rápido, mãos ágeis, feito uma camareira arrumando uma cama. "As mais altas no topo. Todas estas belas notas de cem. Muito bonitas."

VII

Lá fora na rua, esplendor e delírio de fim de ano. Reflexos dançavam e tremeluziam na água negra: arcadas rendadas sobre a rua, grinaldas de luz sobre os barcos do canal.

"Isso tudo vai ser muito fácil e tranquilo", disse Boris, que estava mexendo no rádio, passando por Bee Gees, por notícias em holandês e em francês, tentando encontrar uma música. "Estou contando com o fato de que vão querer o dinheiro rapidamente. Quanto antes se livrarem da pintura, menos chances de cruzarem com Horst. Eles não vão olhar com muita atenção praquela letra de câmbio ou pro comprovante de depósito. Só vão ter olhos pra cifra de seiscentos mil."

Eu estava sentado sozinho no banco de trás do carro com a pasta de dinheiro. ("Você precisa ir se acostumando, senhor, a ser passageiro distinto!", Gyuri tinha dito quando deu a volta e abriu a porta de trás do carro pra que eu entrasse.)

"Veja, o comprovante de depósito é perfeitamente legítimo. É isso que eu espero que vá enganá-los", disse Boris. "Assim como a letra de câmbio. O único porém é que é de um banco ruim. Anguilla. Russos na Antuérpia — aqui também, na P. C. Hooftstraat. Eles vêm pra cá pra investir, lavar dinheiro, comprar arte, haha! Esse banco estava bem há seis semanas, mas agora não está mais."

Tínhamos deixado os canais pra trás, a água. Na rua, anjos de neon multicoloridos, de perfil, inclinando-se no topo de prédios como figuras de proa de navio. Lantejoulas azuis, brancas, raios de luz, cascatas de luzes brancas e estrelas natalinas, resplandecendo, impenetráveis, tão alheias a mim quanto o diamante rosa implausível cintilando na minha mão.

"Veja, o que eu tenho que te dizer", falou Boris, deixando o rádio pra lá e virando-se para mim no banco de trás, "é pra não se preocupar. De todo o coração", disse ele, juntando as sobrancelhas e estendendo a mão encorajadoramente para chacoalhar o meu ombro. "Tá tudo bem."

"Vai ser moleza!", disse Gyuri, sorrindo radiante para o espelho retrovisor, feliz por ter contribuído com a frase.

"Aqui vai o plano. Quer saber qual é o plano?"

"Suponho que devo dizer que sim."

"Vamos deixar o carro. Saindo um pouco da cidade. Daí Cherry vai nos encontrar lá e nos levar pro local de encontro no carro *dele*."

"E tudo isso vai ser pacífico."

"Com toda a certeza. E sabe por quê? Você tem o dinheiro! Isso é tudo o que eles querem. E mesmo com falsa letra de câmbio é um bom negócio pra eles. Quarenta mil dólares por nenhum trabalho? Ou quase nenhum! Depois Cherry vai nos levar de volta até o estacionamento, com a pintura, e então nós vamos embora! Saímos pra comemorar!"

Gyuri resmungou alguma coisa.

"Ele está reclamando do estacionamento. Só pra você saber. Acha que é uma má ideia. Mas eu não quero ir no meu próprio carro, e a última coisa que a gente precisa é levar uma multa por parar na rua."

"Onde é o encontro?"

"Bem — uma dor de cabeça. Vamos ter que sair da cidade e depois voltar. Eles insistiram em fazer em local próprio e Cherry concordou, porque — bem, de fato, é melhor. Pelo menos, no terreno deles, podemos contar que não haverá interferência da polícia."

Tínhamos entrado num trecho mais solitário da estrada, reto e desolado, onde o trânsito era escasso e os postes estavam mais espaçados, e o ruído e o brilho estimulantes da velha cidade, seu arrendado iluminado, seu desenho escondido — patins prateados, crianças alegres debaixo da árvore — tinham dado lugar a uma desolação urbana mais familiar: Fotocadeau, Locksmith Sleutelkluis, placas em árabe, Shoarma, Tandoori Kebab, portões abaixados, tudo fechado.

"Esta é a Overtoom", disse Gyuri. "Não muito interessante ou divertida."

"Este estacionamento é do meu garoto Dima. Ele colocou a placa de lotado pra que ninguém nos incomode. Vamos ficar na área de longa — Ah!", gritou ele, "*blyad*", enquanto uma van buzinando nos cortava do nada, forçando Gyuri a desviar e meter o pé no freio.

"Às vezes as pessoas aqui são um pouco agressivas sem motivo", disse Gyuri, num tom sombrio enquanto ligava a seta e fazia a curva pra entrar no estacionamento.

"Me dê seu passaporte", disse Boris.

"Por quê?"

"Porque vou trancá-lo no porta-luvas. Melhor não levá-lo com você, só pra garantir. Vou colocar o meu também", disse ele, erguendo-o para que eu pudesse vê-lo. "E o de Gyuri. Gyuri é um honesto cidadão americano de nascença — sim", disse ele, por cima das risadas de Gyuri, "tudo muito fácil pra você, mas pra mim? Muito, muito difícil conseguir um passaporte americano, e realmente não quero perder esse negócio. Você sabe, não sabe, Potter", disse ele, olhando para mim, "que agora exigem por lei nos Países Baixos que você carregue sua identidade o tempo todo? Verificações aleatórias na rua, desacato punido. Quero dizer, Amsterdam? Que tipo de lance de estado policial é esse? Quem ia acreditar? *Aqui?* Eu nunca. Nem em cem anos. Em todo caso..." fechando e trancando o porta-luvas — "melhor pagar uma multa e passar uma conversa pra se livrar disso do que estar com os documentos originais se formos parados."

VIII

Dentro do estacionamento, que vibrava de um jeito deprimente com uma luz verde-oliva, havia uma série de vagas livres na área de longa permanência, apesar da placa de lotado. Enquanto embicávamos um homem de jaqueta esportiva recostado contra um Range Rover branco atirou seu cigarro no chão com um chuvisco de brasas laranja e veio andando na direção do carro. Seus cabelos ralos, seus óculos de aviador coloridos e seu torso militar rijo lhe davam o aspecto batido de um piloto aposentado, um homem que monitorava instrumentos delicados em algum local de testes nos montes Urais.

"Victor", disse ele, quando saímos do carro, esmagando minha mão na sua. Gyuri e Boris receberam um soco nas costas. Depois de curtas preliminares em russo, um adolescente com cara de bebê e cabelo encaracolado apareceu e foi saudado, por Boris, com um tapinha na bochecha e uma canção alegre assobiada em sétima nota: *On the Good Ship Lollipop*.

"Este é Shirley T", disse ele a mim, bagunçando os cachos do garoto. "Shirley Temple. Todos nós o chamamos assim. Consegue adivinhar por quê?" Boris ria enquanto o garoto, incapaz de evitar, sorria constrangido, exibindo covinhas profundas.

"Não se engane pela aparência dele", disse Gyuri baixinho para mim. "Shirley parece bebê, mas tem tantas bolas quanto qualquer um de nós aqui."

Educadamente, Shirley assentiu para mim — será que falava inglês? Não parecia ser o caso — e abriu a porta de trás do Range Rover para nós. Entramos — Boris, Gyuri e eu —, enquanto Victor Cherry sentava na frente e falava conosco do banco do passageiro.

"Isso deve ser fácil", disse ele para mim num tom formal enquanto saíamos do estacionamento e voltávamos para a Overtoom. "Penhora rápida." De perto seu rosto era largo e astuto, com uma pequena boca afetada e uma expressão alerta irônica que de alguma forma fez com que eu me sentisse menos agitado com a lógica da noite, ou a falta de: as trocas de carro, a ausência de direção e informação, o pesadelo do desconhecido. "Estamos fazendo um favor a Sascha, e por isso ele vai se comportar bem com a gente."

Prédios baixos e compridos. Luzes desconectadas. Eu tinha a sensação de que aquilo não estava acontecendo, de que era com alguém que não eu.

"Por acaso Sascha pode ir até um banco e pegar um empréstimo com a pintura?", Victor continuava num tom pedante. "Não. Por acaso Sascha pode ir até uma casa de penhores e pegar um empréstimo com a pintura? Não. Por acaso Sascha pode recorrer a qualquer um dos seus contatos normais via Horst e pegar um empréstimo com a pintura? Não. Portanto Sascha está extremamente aliviado com o surgimento do americano misterioso — você — com quem o botei em contato."

"Sascha usa heroína como eu e você respiramos", disse Gyuri baixinho para mim. "Um tantinho de dinheiro e já vai no automático comprar grande carregamento de droga."

Victor Cherry ajeitou os óculos. "Exato. Ele não é amante de arte e não é exigente. Está utilizando a pintura como um cartão de crédito de juros altos, ou assim ele pensa. Investimento pra você, dinheiro pra ele. Você adianta o dinheiro — fica com a pintura como garantia — e ele compra *schmeck*, fica com metade, dilui o resto e vende, e retorna em um mês com o dobro do seu dinheiro pra pegar a pintura. E se em um mês ele não retorna com o dobro do seu dinheiro? A pintura é sua. Como eu disse. Uma simples penhora."

"Só que não é tão simples..." Boris se espreguiçou e bocejou. "Porque quando você desaparece e a letra de câmbio é falsa, o que ele pode fazer? Se for correndo até Horst pedir ajuda vai ter o pescoço quebrado."

"Fiquei feliz por terem mudado o local de encontro tantas vezes. É um pouco ridículo. Ajudou que era sexta", disse Victor, tirando seus óculos e limpando-os na camisa. "Fiz eles pensarem que você estava dando pra trás. Porque toda hora ficavam cancelando e mudando o plano — você não tinha nem chegado antes de hoje, mas eles não sabiam disso —, e eu disse a eles que você estava cansado e nervoso de ficar parado em Amsterdam com mala cheia de verdinhas esperando notícias deles, então tinha recolocado o dinheiro no banco e estava voltando pros Estados Unidos. Não gostaram de ouvir isso. Então..." — ele apontou com a cabeça para a pasta — "o fim de semana está aí, e os bancos estão fechados, e você está levando tudo o que tem à mão, e — bem, eles falaram um monte comigo, várias ligações, e eu também já os encontrei uma vez num bar no Red Light, mas eles concordaram em trazer a pintura e fazer a troca esta noite mesmo sem terem te encontrado antes, pois eu falei que seu avião parte amanhã, e como eles foderam as coisas do lado deles o saldo vai ser letra de câmbio ou nada. Coisa que — bem, eles não gostaram, mas aceitaram como explicação válida pra justificar a letra de câmbio. Facilita as coisas."

"Se facilita", disse Boris. "Eu não tinha certeza se a letra de câmbio ia funcionar. Melhor se acharem que é culpa deles por ficarem dando uma de besta enrolando."

"Onde vai ser?"

"Um café. De Paarse Koe."

"Vaca Roxa em holandês", explicou Boris prestativamente. "Lugar hippie. Perto do Red Light."

Rua comprida e solitária — lojas de ferragens fechadas, pilhas de tijolos à beira do asfalto, tudo isso importante e significativo de alguma forma, ainda que passasse rápido demais na escuridão para que fosse visto.

"A comida é ruim demais", disse Boris. "Brotos e umas torradas de trigo duras de tão passadas. Você poderia achar que há garotas gostosas por lá, mas só vão mulheres velhas de cabelo branco e gordas."

"Por que lá?"

"Porque a rua é tranquila à noite", disse Victor Cherry. "Esse tipo de lugar fecha de madrugada, mas como é meio público nada vai sair do controle, entende?"

Por toda a parte, estranheza. Sem perceber, eu tinha deixado a realidade pra trás e cruzado a fronteira para alguma terra de ninguém em que nada fazia sentido. Fantasia, fragmentação. Rolos de arame e pilhas de entulho com lona de plástico esvoaçando.

Boris estava falando com Victor em russo e, quando percebeu que eu estava olhando para ele, virou-se para mim.

"Só estávamos comentando que Sascha está em Frankfurt esta noite", disse ele, "dando uma festa num restaurante pra algum amigo que acabou de sair da prisão, e nós todos temos confirmação disso de três fontes diferentes, Shirley também. Ele acha que está sendo esperto, se mantendo fora da cidade. Se Horst ficar sabendo o que aconteceu aqui esta noite quer poder levantar as mãos e dizer 'Quem, eu? Não tive nada a ver com isso'."

"Você", disse Victor a mim, "mora em Nova York. Eu disse a eles que é um marchand, preso por falsificação, e que agora dirige uma operação como a de Horst — numa escala muito menor em termos de pinturas, muito maior em termos de dinheiro."

"Horst — abençoado seja", disse Boris. "Seria o homem mais rico de Nova York se não desse tudo o que tem, cada centavo. Sempre fez isso. Sustenta muita gente além dele próprio."

"Ruim pros negócios."

"Sim. Mas ele gosta de companhia."

"Filantropo dependente, haha", disse Victor. Pronunciou filántropo. "Felizmente morrem de tempos em tempos, do contrário vai saber quantos viciados estariam amontoados naquela espelunca com ele. Em todo caso, quanto menos você disser lá, melhor. Eles não esperam uma conversa educada. São negócios. Vai ser rápido. Dê a letra de câmbio pra ele, Borya."

Boris disse alguma coisa áspera em ucraniano.

"Não, ele mesmo deve apresentá-la. Deve sair da mão dele."

Tanto a letra de câmbio quanto o comprovante de depósito traziam impressas as palavras Farruco Frantisek, Citizen Bank Anguilla, o que só aumentou a sensação de trajetória de sonho, um percurso sendo feito rápido demais pra que desacelerasse.

"Farruco Frantisek? Sou eu?" Dadas as circunstâncias aquela parecia uma pergunta importante — como se de alguma forma eu tivesse desencarnado ou pelo menos cruzado certo horizonte onde estava livre de fatos básicos como minha identidade.

"Não escolhi o nome. Tive que aceitar o que tinha."

"Devo me apresentar com esse nome?" Havia algo de errado com o papel, que era fino demais, e o fato de que em ambos estava escrito Citizen Bank e não Citizen's Bank fazia-nos parecer totalmente errados.

"Não, Cherry vai apresentar você."

Farruco Frantisek. Testei o nome em silêncio, enrolei a língua pronunciando-o. Embora fosse difícil de lembrar, ele era forte e estrangeiro o bastante para comportar a hiperdensidade de perdido no espaço das ruas escuras, dos trilhos de bonde, mais paralelepípedos e anjos de neon — de volta à cidade velha agora, histórica e incognoscível, canais, bicicletários e luzes natalinas tremulando na água negra.

"Quando você ia dizer a ele?", Victor Cherry perguntou a Boris. "Ele precisa saber o próprio nome."

"Bem, agora sabe."

Ruas desconhecidas, curvas incompreensíveis, distâncias anônimas. Eu tinha parado até de tentar ler as placas da rua ou acompanhar o caminho que fazíamos. De tudo o que havia à minha volta — de tudo o que podia ver — o único ponto de referência era a lua, pairando alta acima das nuvens, que apesar de estar brilhante e cheia parecia de alguma forma estranhamente instável, livre de gravidade, não a lua pura e ancorada do deserto, mais um truque de festa que poderia sumir com a piscada de um mágico ou sair voando escuridão adentro, para fora do campo de visão.

IX

O Vaca Roxa ficava numa rua de mão única não utilizada e apenas larga o bastante pra deixar passar um carro. Todos os outros comércios em volta — farmácia, padaria, loja de bicicleta — estavam fechados, com exceção de um restaurante indonésio mais ao longe. Shirley Temple nos deixou na frente. Na parede oposta, grafite — carinhas sorridentes e setas, aviso radioativo, estêncil de relâmpago com a palavra Shazam, letras pingando de filme de terror, FIQUE DE BOA!

Olhei pela porta de vidro. O lugar era comprido, estreito e — à primeira vista — estava vazio. Paredes roxas; luminárias de teto tipo vitral; mesas e cadeiras não combinando pintadas com cores de jardim de infância e luzes baixas exceto por uma área de balcão com uma grelha e por um expositor refrigerado brilhando nos fundos. Plantas caseiras murchas; foto em preto e branco autografada de John e Yoko; quadro de avisos forrado de panfletos e flyers de *satsangs*, aulas de ioga e modalidades holísticas variadas. Na parede havia um mural com os arcanos do tarô e, na janela, um cardápio malfeito impresso no computador com uma série de pratos integrais estilo Everett: sopa de cenoura, sopa de urtiga, purê de urtiga, torta de lentilha com nozes — nada muito apetitoso, mas aquilo me fez lembrar que a última refeição real que eu tinha feito, com mais do que algumas mordidas, tinha sido o curry na cama de Kitsey.

Boris me viu olhando o cardápio. "Também estou com fome", disse ele, num tom bastante formal. "Vamos sair depois pra jantar juntos num lugar realmente bom. No Blake's. Vinte minutos."

"Você não vai entrar?"

"Ainda não." Ele estava postado ligeiramente pro lado, fora da vista das portas de vidro, olhando pra um lado e pro outro da rua. Shirley Temple dava a volta na quadra. "Não fique aqui falando comigo. Vá com Victor e Gyuri."

O homem que veio até a porta de vidro do café era um sujeito na casa dos sessenta, esquelético, esquisito e cheio de tiques, com rosto alongado e estreito, cabelo comprido de maluco passando dos ombros e boina jeans saída direto de Soul Train 1973. Ele parou ali com o molho de chaves e olhou para além de Victor, para mim e Gyuri, e pareceu indeciso quanto a nos deixar entrar. Seus olhos juntos, suas espessas sobrancelhas grisalhas e seu volumoso bigode grisalho lhe davam um aspecto de velho schnauzer desconfiado. Nisso outro sujeito apareceu, bem mais novo e bem maior, uns trinta centímetros mais alto até que Gyuri, malásio ou indonésio, com o rosto tatuado, diamantes impressionantes nas orelhas e um topete preto que o fazia parecer um dos arpoadores de *Moby Dick*, caso acontecesse de um dos arpoadores de *Moby Dick* usar calça de veludo e jaqueta de beisebol de cetim cor de pêssego.

O velho dos tiques estava fazendo uma ligação no celular. Ele esperou, os olhos cautelosamente fixos em nós o tempo todo. Depois fez outra ligação, virou de costas e foi andando na direção dos fundos do café, falando, a palma pressionada contra a bochecha e a orelha à maneira de uma dona de casa histérica, enquanto o indonésio ficava parado diante da porta de vidro e nos observava, anormalmente imóvel. Houve uma rápida troca de palavras e então o velho dos tiques retornou, e com um cenho franzido e uma relutância visível ele mexeu atrapalhado no molho de chaves e girou uma na fechadura. No minuto em que entramos começou a se queixar com Victor Cherry e a atirar os braços pro alto, enquanto o indonésio se afastava devagar e se recostava contra a parede com os braços cruzados, ouvindo.

Alguma confusão, definitivamente. Desconforto. Que língua eles estavam falando? Romeno? Tcheco? Eu não fazia ideia do que estavam discutindo, mas Victor Cherry parecia frio e irritado, enquanto o velho dos tiques grisalho ficava cada vez mais agitado — bravo? Não. Insatisfeito, frustrado, implorando até, um tom de queixa penetrando sua voz. O tempo todo o indonésio manteve os olhos fixos em nós com a imobilidade perturbadora de uma anaconda. Fiquei uns três metros pra trás e — apesar de Gyuri, com a pasta de dinheiro, estar perto demais de mim — afetei uma cara de paisagem, fingindo examinar as placas e avisos na parede: GREENPEACE, ZONA SEM PELES, ALIADO DOS VEGANOS, PROTEGIDO POR ANJOS! Tendo vasta prática em comprar drogas em situações suspeitas (apartamentos cheios de baratas no Spanish Harlem, escadarias cheirando a mijo nos condomínios populares de St. Nicholas), eu sabia o bastante para não parecer interessado, já que — na minha experiência, em todo caso — transações dessa natureza eram praticamente iguais. Você se fazia de tranquilo e desligado, não falava a menos que fosse necessário e quando o fazia era num tom monótono, e assim que conseguia o que tinha ido buscar saía.

"Protegido por anjos meu cu", disse Boris no meu ouvido, tendo se esgueirado silenciosamente até o meu lado.

Não falei nada. Mesmo depois de todos aqueles anos, ainda era fácil demais para nós cair no hábito de ficar sussurrando com a cabeça colada como na aulas da Spirsetskaya, o que parecia não ser uma boa dinâmica na situação.

"Chegamos na hora", disse Boris. "Mas um dos homens não apareceu. É por isso que o cara ali com pinta de Greateful Dead ali está tão nervosinho. Querem que a gente espere até ele chegar. A culpa é toda deles por ficar mudando tantas vezes o local de encontro."

"O que está acontecendo ali?"

"Deixa que Vitya cuida disso", disse ele, cutucando com o sapato uma bola de pelo dessecada no chão — um rato morto?, pensei, com um sobressalto, antes de perceber que era um brinquedo de gato mastigado, um de vários espalhados pelo chão com uma caixa de areia escurecida por xixi que estava apenas parcialmente escondida, com cocô e tudo o mais, aos pés de uma mesa pra quatro.

Eu me perguntava como é que uma caixa de areia suja num lugar onde clientes provavelmente botariam o pé poderia ser conveniente em termos de logística alimentícia (para não falar na questão estética, de saúde ou mesmo legal) quando percebi que ninguém mais estava falando e que os dois tinham se virado para mim e Gyuri — Victor Cherry, o velho dos tiques com um olhar ansioso e alerta, dando um passo à frente, seus olhos disparando de mim para a pasta na mão de Gyuri. Diligentemente Gyuri deu um passo à frente, abriu-a, deixou-a com uma inclinação servil de cabeça e recuou para que o velho a examinasse.

O velho deu uma espiada, míope; seu nariz se crispou. Com uma exclamação rabugenta ergueu os olhos para Cherry, que continuou impassível. Seguiu-se outra troca obscura de palavras. O velho parecia descontente. Então fechou a pasta, levantou-se e olhou para mim, num átimo.

"Farruco", falei nervoso, tendo esquecido meu sobrenome e torcendo pra que não me perguntassem.

Cherry me lançou um olhar: *os papéis*.

"Certo, certo", falei, enfiando a mão no bolso superior interno do meu paletó pra pegar a letra de câmbio e o comprovante de depósito. Desdobrei-os, no que esperei ser um jeito casual, conferindo-os antes de entregá-los.

Frantisek. Mas bem quando eu estava estendendo a mão — bam, aconteceu como uma rajada de vento que atravessa a casa e faz uma porta bater alto em um lugar que você não está esperando — Victor Cherry impeliu-se pra trás do velho e bateu na sua cabeça com a coronha da pistola, tão forte que derrubou sua boina e fez ele dobrar os joelhos e cair com um grunhido. O indonésio, ainda recostado preguiçosamente contra a parede, pareceu tão surpreso com isso quanto eu: ele se endireitou, nossos olhos se comunicando com um choque brusco de *mas que porra?* que foi quase como um olhar trocado entre amigos, e eu não conseguia entender por que ele não estava se movendo até que olhei pra trás e, para meu horror, vi que tanto Boris quanto Gyuri apontavam armas para ele: Boris com a coronha da pistola perfeitamente apoiada na mão esquerda em concha e Gyuri só com uma mão, segurando a pasta de dinheiro, recuando na direção da porta da frente.

Flash desconexo, alguém vindo correndo da cozinha nos fundos: mulher asiática novinha — não, um garoto; pele clara, olhos assustados e inexpressivos varrendo a sala, lenço com estampado ikat, cabelo longo voando, desaparecendo tão rápido quanto tinha surgido.

"Tem alguém lá atrás", falei depressa, olhando em volta, pra todas as direções, a sala girando à minha volta como um brinquedo de parque de diversões, meu coração batendo num ritmo tão frenético que não conseguia articular as palavras direito, não tendo certeza nem se alguém ouvira o que eu dissera — ou se, em todo caso, Cherry ouvira, já que ele estava erguendo o velho pelas costas da sua jaqueta jeans, segurando-o num mata-leão, pistola na têmpora, gritando com ele em fosse lá que língua do Leste Europeu e empurrando-o para os fundos enquanto o indonésio se desencostava da parede, com habilidade e cuidado, e olhava para Boris e para mim pelo que pareceu um longo tempo.

"Vocês, putas, vão se arrepender disso", disse ele num tom baixo.

"Mãos, mãos", disse Boris educadamente. "Onde eu possa vê-las."

"Não tenho arma."

"Mesmo assim."

"Pois não", disse o indonésio, tão educado quanto Boris. Ele me olhou de cima a baixo com as mãos pra cima — memorizando meu rosto, conforme percebi com um calafrio, a imagem indo direto pro banco de dados — e depois olhou para Boris.

"Eu sei quem você é", disse ele.

Brilho de submarino da geladeira dos sucos. Eu podia ouvir o ar da minha própria respiração entrando e saindo, entrando e saindo. Tinido de metal na cozinha. Gritos indistintos.

"Abaixe-se, por favor", disse Boris, apontando para o chão com a cabeça.

Obedientemente o indonésio se ajoelhou e — bem devagar — esticou-se todo no chão. Mas ele não parecia abalado ou com medo.

"Eu conheço você", disse ele de novo, a voz ligeiramente abafada.

Movimento impetuoso rápido no canto do olho, tão rápido que levei um susto: um gato, preto-demônio, como uma sombra viva, escuridão fugindo para a escuridão.

"E quem sou eu, então?"

"Borya da Antuérpia, não é?" Não era verdade que ele não tinha uma arma; até eu podia vê-la assomando protuberante na axila. "Borya, o polaco? Borya da erva? Camarada de Horst?"

"E se for eu?", disse Boris num tom amável.

O homem ficou em silêncio. Boris, jogando o cabelo pra trás com um movimento de cabeça, fez um som de escárnio e pareceu prestes a dizer alguma coisa sarcástica, mas bem nessa hora Victor Cherry voltou dos fundos, sozinho, tirando do bolso o que aparentavam ser algemas flexíveis — e meu coração deu um salto quando vi, debaixo do braço dele, um embrulho do tamanho e da espessura corretos, enrolado em feltro branco e amarrado com um barbante. Ele apoiou um joelho nas costas do indonésio e começou a passar as algemas nos pulsos dele.

"Saia", disse Boris para mim, e então de novo — meus músculos tinham travado e endurecido. Ele me deu um empurrãozinho. "Vá! Entre no carro."

Olhei em volta perdido — não conseguia ver a porta, não havia uma, e então lá estava ela, e saí aos tropeços tão rápido que escorreguei e quase caí num brinquedo de gato, indo para o Range Rover a bufar no meio-fio. Gyuri estava vigiando na frente, na rua, sob a leve garoa que começara a cair — "Vem, vem", sibilou ele, deslizando para o banco de trás e acenando pra que entrasse, bem na hora em que Boris e Victor Cherry saíram a toda do restaurante e entraram num salto também. E lá fomos nós, numa velocidade sedativa e anticlímax.

x

No carro, já na estrada principal de novo, tudo era alegria: risadas e toca-aqui, enquanto meu coração batia com tanta força que eu mal conseguia respirar. "O que está acontecendo?", grasnei, várias vezes, ofegando e olhando pra trás e pra frente, de um pro outro, quando continuaram a me ignorar, tagarelando numa mistura percussiva de russo e ucraniano, todos os quatro, incluindo Shirley Temple. "*Angliyski!*"

Boris virou-se para mim, enxugando os olhos, e atirou o braço em volta do meu pescoço. "Mudança de planos", disse. "Aquilo foi tudo de improviso. Não poderia ter sido melhor. O terceiro homem não apareceu."

"Pegamos eles com falta de pessoal."

"Desprevenidos."

"De calça arriada! Cagando!"

"Você..." Eu tinha que respirar fundo pra fazer as palavras saírem. "Você disse que não ia usar a arma."

"Bem, ninguém se machucou, não é? Que diferença faz?"

"Por que não pagamos simplesmente?"

"Porque demos sorte!" Jogou os braços pra cima. "Uma oportunidade única na vida! E nós aproveitamos! O que eles iam fazer? Estavam em dois, e nós éramos quatro. Se tivessem qualquer juízo, jamais deveriam ter nos deixado entrar. E, sim, eu sei, eram só quarenta mil, mas por que eu deveria pagar um centavo por roubarem o que era meu?" Boris riu. "Vocês viram a cara que ele fez? O defunto Greateful Dead? Quando Cherry arrancou ele do trono?"

"Sabe do que ele estava reclamando, o bode velho?", disse Victor, virando-se eufórico para mim. "Queria em euros! 'O quê, dólares?'", imitando sua expressão rabugenta. "'Você me trouxe dólares?'"

"Aposto que ele queria ter esses dólares agora."
"Aposto que queria ter ficado de bico calado."
"Gostaria de ouvir aquela ligação pra Sascha."
"Quem me dera saber o nome do cara. Que furou com eles. Queria pagar uma bebida pra ele."
"Onde será que ele está?"
"Provavelmente em casa, no chuveiro."
"Fazendo a lição da igreja."
"Vendo *Um conto de Natal* na televisão."
"Esperando no lugar errado, muito provavelmente."
"Eu..." Minha garganta estava tão fechada que tinha que engolir saliva para falar. "E quanto à criança?"
"Hein?" Estava chovendo, uma chuva leve tamborilando no para-brisa. Ruas escuras e reluzentes.
"Que criança?"
"Menino. Menina. Auxiliar de cozinha, sei lá."
"Como?" Cherry virou-se, ainda sem fôlego, respirando forte. "Não vi ninguém."
"Também não."
"Bem, eu vi."
"Como ela era?"
"Nova." Eu ainda podia ver a imagem congelada do jovem rosto fantasmagórico, a boca ligeiramente aberta. "Casaco branco. Parecia japonesa."
"Sério?", perguntou Boris curioso. "Você consegue saber só de olhar? Tipo, de onde são? Japão, China, Vietnã?"
"Não consegui olhar direito. Era asiático."
"Ele ou ela?"
"Acho que só trabalham meninas lá na cozinha", disse Gyuri. "Macrobiótica. Arroz integral, esse tipo de coisa."
"Eu..." Realmente não tinha certeza.
"Bem..." Cherry passou a mão pelo topo do cabelo curto. "Fico feliz que tenha fugido, quem quer que seja, porque sabem o que mais encontrei lá trás? Uma Mossberg 500 serrada."
Risos e assobios se seguiram.
"Putz."
"Onde estava? Grozdan não...?"
"Não. Num..." — ele gesticulou para indicar um suporte — "não sei como chama. Debaixo da mesa, numa espécie de pano. Simplesmente vi ali por acaso quando me abaixei no chão. Ergui os olhos e lá estava, bem em cima da minha cabeça."

"Você não deixou lá, deixou?"

"Não! Eu não me importaria em levá-la, só que era grande demais e eu estava com as mãos ocupadas. Eu a peguei, retirei a cavilha e a joguei no beco. E também..." — ele tirou do bolso uma pistola prateada de cano curto, passando-a para Boris — "isto!"

Boris ergueu-a contra a luz e examinou-a.

"Bom revólver de armação pequena pra carregar escondido. Colocar num coldre no tornozelo com aquelas calças boca de sino! Mas pro azar dele não foi rápido o suficiente."

"Algemas flexíveis", disse Gyuri para mim, com a cabeça ligeiramente inclinada. "Vitya é prevenido."

"Bem..." Cherry secou o suor da sua testa larga. "Elas são leves e pequenas pra carregar, e já me salvaram várias vezes. Não gosto de machucar ninguém sem necessidade."

Cidade medieval, ruas sinuosas, luzes pendendo de pontes e iluminando canais salpicados por chuva, dissolvendo-se na garoa. Infinidade de lojas anônimas, vitrines cintilando, lingerie e cintas-ligas, utensílios de cozinha dispostos como instrumentos cirúrgicos, palavras estrangeiras por toda a parte. *Snel bestellen, Retro-stijl, Showgirl-Sexboetiek.*

"A porta dos fundos estava aberta pro beco", disse Cherry, tirando desajeitadamente sua jaqueta esportiva e dando grandes goles numa garrafa de vodca que Shirley T tinha pegado debaixo do banco da frente — as mãos um pouco trêmulas e o rosto, o nariz em especial, brilhando com um vermelho flagrante e acentuado, como o da Rena do Nariz Vermelho. "Eles devem ter deixado aberta pra que ele — o terceiro homem — entrasse por trás. Eu a fechei e tranquei — fiz Grozdan fechá-la e trancá-la, a arma na cabeça dele, gemendo e chorando feito um bebê..."

"Aquela Mossberg", Boris disse pra mim, aceitando a garrafa sendo passada sobre o banco da frente. "Coisa do mal. Serrada? Dispara balas daqui até Hamburgo. Você pode mirar errado pra cacete e mesmo assim acertar metade das pessoas na sala."

"Bom truque, não?", disse Victor Cherry num tom filosófico. "Dizer que o terceiro homem não estava lá? 'Esperem cinco minutos, por favor.' 'Desculpe, houve um mal-entendido.' 'Ele já chega.' Enquanto o tempo todo ele está lá atrás com a espingarda. Boa manobra, se tivessem pensado nisso..."

"Talvez tenham pensado. Por que outro motivo deixariam a arma lá atrás?"

"Acho que foi por pouco, é o que eu acho..."

"Teve um carro que parou na frente, assustou Shirley e eu", disse Gyuri, "enquanto todos vocês estavam lá dentro, dois caras, achamos que estávamos ferrados, mas eram só dois gays, franceses, procurando um restaurante..."

"Ninguém nos fundos, graças a Deus, fiz Grozdan se abaixar no chão e o algemei ao aquecedor", Cherry continuava dizendo. "Ah, mas antes!" Ele ergueu o embrulho enrolado em feltro. "Isso. Pra você."

Estendeu-o sobre o banco para Gyuri, que — cuidadosamente, com a ponta dos dedos, como se fosse uma bandeja e pudesse derramar algo — o passou para mim. Boris — dando seu trago, secando a boca com o dorso da mão — me bateu alegremente no braço com a garrafa enquanto cantarolava *We wish you a merry Christmas, we wish you a merry Christmas.*

Embrulho nos meus joelhos. Correndo minhas mãos por toda a borda. O feltro era tão fino que senti de imediato a justeza dela com a ponta dos dedos: a textura e o peso eram perfeitos.

"Vá em frente", disse Boris, assentindo, "melhor abrir, ter certeza de que não é o livro de educação cívica desta vez! Onde estava?", perguntou a Cherry enquanto eu começava a mexer atrapalhado no barbante.

"Num armário sujo de vassouras. Numa maleta de plástico vagabunda. Grozdan me levou direto até ela. Achei que poderia ficar de enrolação, mas a arma na cabeça foi suficiente. Não fazia sentido levar um tiro com todo aquele delicioso bolo de erva à disposição."

"Potter", disse Boris, tentando chamar minha atenção, e depois de novo: "Potter."

"Sim?"

Erguendo a pasta. "Estes quarenta vão pra Gyuri e Shirley T. Um prêmio. Pelos serviços prestados. Porque é graças a estes dois que não pagamos *nem um centavo* a Sascha pelo favor de roubar sua propriedade. E Vitya..." — esticando-se para apertar a mão dele — "estamos mais do que quites agora. Sou eu que fico te devendo."

"Não, jamais posso retribuir o que devo a você, Borya."

"Esquece. Não é nada."

"Nada? *Nada?* Não é verdade, Borya, porque só estou vivo esta noite por sua causa, e em todas as noites até a última noite..."

Era uma história interessante a que ele estava contando, se eu tivesse ouvidos para ela. Alguém tinha acusado Cherry de um crime indeterminado e aparentemente bem grave que ele não tinha cometido, nada a ver com ele, totalmente inocente, o cara o tinha dedurado pra poder reduzir sua pena, e a não ser que Cherry, por sua vez, estivesse disposto a dedurar seus superiores ("Coisa não aconselhável, se eu quisesse continuar respirando"), pegaria dez anos de prisão. E Boris, Boris salvou o dia, porque Boris localizou o trouxa, na Antuérpia, em liberdade sob fiança, e a história de como ele fez isso era bastante complicada e emocionante, e Cherry estava ficando com a voz embargada e fungando um pouco. E ainda havia mais, e parecia envolver incêndio e derramamento de sangue e alguma coisa com uma serra elétrica, mas àquela altura eu já não estava ouvindo nem uma palavra, porque tinha conseguido desamarrar o barbante e luzes da rua e reflexos aguados da chuva estavam escorrendo sobre a superfície da minha pintura, meu pintassilgo, que — eu sabia indiscutivelmente, sem sombra de dúvida, antes mesmo de virá-la para olhar o verso — era real.

"Viu?", disse Boris, interrompendo Vitya bem no clímax da história. "Está bom, não está, seu *zolotaia ptitsa*? Eu te disse que cuidamos dele, não disse?"

Correndo a ponta do dedo incrédulo pelas bordas do quadro, como o Tomé cético com a palma da mão de Cristo. Como qualquer antiquário sabia, ou, aliás, o próprio são Tomé, era mais difícil enganar o tato do que a visão, e mesmo depois de tantos anos minhas mãos se lembravam da pintura tão bem que meus dedos foram direto para as marcas de prego, na base do painel, os minúsculos buracos onde (outrora, segundo se dizia) a pintura tinha sido pregada como placa de taverna, parte de um armário pintado, ninguém sabia.

"Ele ainda tá vivo aí atrás?", perguntou Victor Cherry.

"Acho que sim." Boris me deu uma cotovelada nas costelas. "Diz alguma coisa."

Mas eu não podia. Era verdadeira; eu sabia, mesmo no escuro. Faixa de tinta amarela em relevo na asa e penas riscadas com a ponta do pincel. Uma lasca no canto superior esquerdo que não estava lá antes, um estrago minúsculo com menos de dois milímetros, mas, do contrário, perfeita. Eu estava diferente, mas ela não estava. E, enquanto a luz tremulava listrada sobre ela, tive a sensação nauseante de que minha própria vida, em comparação, era uma rajada de energia sem padrão e passageira, um sibilo de estática biológica tão aleatório quanto as luzes dos postes brilhando rápido por nós.

"Ah, lindo", disse Gyuri num tom amigável, inclinando-se à minha direita para olhar. "Tão puro! Como uma margarida. Sabe o que estou tentando expressar?", disse ele, cutucando-me, quando não respondi. "Uma simples flor, sozinha num campo? É só..." Ele gesticulou: *Aqui está! Incrível!* "Sabe do que eu estou falando?", perguntou, cutucando-me de novo, mas eu estava aturdido demais para responder.

Nesse ínterim Boris estava murmurando meio em inglês, meio em russo para Vitya sobre o *ptitsa* e também sobre alguma outra coisa que não consegui captar direito, algo sobre uma mãe e um bebê, um lindo amor. "Ainda queria ter ligado pra polícia, hein?", disse ele, passando o braço em volta do meu ombro com a cabeça perto da minha, exatamente como quando éramos garotos.

"Ainda podemos ligar", disse Gyuri, com uma gargalhada, dando-me um soco no outro braço.

"É isso mesmo, Potter! Ligamos? Não? Talvez não seja mais uma ideia tão boa, hein?", disse Boris, para Gyuri, me cortando, com uma sobrancelha erguida.

XI

Quando entramos no estacionamento e saímos do carro todo mundo ainda estava agitado, rindo e recontando pedaços da emboscada em múltiplas línguas — todos menos eu, a mente em branco, tomado de choque, cenas rápidas e movimentos súbitos ainda reverberando para mim da escuridão, atordoado demais para dizer uma palavra.

"Olhem só pra ele", disse Boris, interrompendo bruscamente o que estava dizendo e batendo no meu braço. "É como se tivesse acabado de ganhar o melhor boquete da vida dele."

Todos estavam rindo de mim, até Shirley Temple; o mundo todo era de risada repicando fractal e metálica nas paredes azulejadas, delírio e fantasmagoria, uma sensação de que o mundo estava se expandindo e inchando como um balão fabuloso soprado planando e se afastando no ar rumo às estrelas, e eu também estava rindo e nem sabia direito por quê, já que ainda estava tão abalado que tremia da cabeça aos pés.

Boris acendeu um cigarro. Seu rosto parecia esverdeado sob a luz subterrânea. "Embale isso", disse ele num tom afável, apontando para a pintura com a cabeça, "e depois vamos metê-la no cofre do hotel e sair pra arranjar um boquete de verdade pra você."

Gyuri franziu a testa. "Achei que íamos comer primeiro."

"Você tem razão. Estou morrendo de fome. Jantar, depois boquete."

"Blake's?", perguntou Cherry, abrindo a porta do passageiro do Land Rover. "Daqui a uma hora?"

"Pode ser."

"Não suporto ir assim", disse Cherry, puxando a gola da camisa, que estava transparente e grudenta de suor. "Mas preciso de um conhaque. Um daqueles de cem euros. Podia pedir uma garrafa agora mesmo. Shirley, Gyuri..." Ele disse alguma coisa em ucraniano.

"Ele está dizendo", disse Boris, em meio às gargalhadas que se seguiram, "ele está dizendo a Shirley e Gyuri que eles vão pagar o jantar esta noite. Com..." Gyuri erguendo triunfalmente a pasta.

Então, uma pausa. Gyuri pareceu preocupado. Ele disse alguma coisa a Shirley Temple, e Shirley — rindo dele, covinhas profundas cor de pêssego

— dispensou-o com um gesto, dispensou a pasta que Gyuri tentou oferecer, e revirou os olhos quando Gyuri ofereceu de novo.

"*Ne syeiychas*", disse Victor Cherry irritável. "Agora não. Dividam depois."

"Por favor", disse Gyuri, oferecendo a pasta mais uma vez.

"Ah, vamos lá. Dividam depois ou então ficaremos aqui a noite toda."

"*Ya khochu chto-by Shirli prinyala eto*", disse Gyuri, uma sentença tão clara e enunciada tão seriamente que até eu, com meu russo capenga, entendi. *Quero que Shirley a leve.*

"De jeito nenhum!", disse Shirley, em inglês, e — incapaz de resistir — disparou um olhar de relance para mim para garantir que eu o ouvira, como uma criança orgulhosa por saber a resposta na escola.

"Vamos *lá*." Boris — mãos no quadril — olhou pro lado, exasperado. "Faz diferença quem leva a mala no carro? Algum de vocês vai fugir com ela? Não. Somos todos amigos aqui. O que vão fazer?", perguntou, quando nenhum deles fez menção de se mexer. "Deixar no chão pra que Dima a encontre? Um de vocês se decida, por favor."

Houve um longo silêncio. Shirley, parado de braços cruzados, balançou a cabeça com firmeza diante da insistência repetida de Gyuri e então, com uma expressão preocupada, fez uma pergunta a Boris.

"Sim, sim, por mim tudo bem", disse Boris, impaciente. "Vá em frente", ele disse a Gyuri. "Vocês três vão juntos."

"Tem certeza?"

"Sim, tenho. Já trabalhou o suficiente esta noite."

"Você vai se virar?"

"Não", disse Boris. "Nós dois vamos andando! É claro, é claro", disse ele, calando a objeção de Gyuri, "vamos nos virar, pode ir." Todos rimos enquanto Vitya, Shirley e Gyuri nos davam tchau (*Davaye!*), entravam no Range Rover e saíam, rampa acima e Overtoom afora novamente.

XII

"Ah, que noite", disse Boris, coçando a barriga. "Tô morrendo de fome! Vamos dar o fora daqui. Apesar de que..." Ele olhou de relance pra trás, franziu o cenho, vendo o Range Rover se afastar. "Bem, não importa. Vamos ficar bem. Coisa rápida. Do seu hotel até o Blake's é um pulo. E você", disse ele para mim, assentindo, "descuidado! Devia amarrar essa coisa de novo! Não fique carregando embalada de qualquer jeito."

"Certo", falei, "certo." Dei a volta até a frente do carro, de modo que pudesse apoiá-la no capô enquanto me atrapalhava pra pegar o barbante no bolso.

"Posso vê-la?", perguntou Boris, chegando por trás de mim.

Puxei o feltro e por um momento ficamos ambos parados meio sem jeito como dois flamengos da pequena nobreza pairando à margem de uma pintura de natividade.

"Tanta trabalheira..." Boris acendeu um cigarro, soprou a fumaça de lado, longe da pintura. "Mas vale a pena, né?"

"Sim", respondi. Falávamos num tom brincalhão, mas baixo, como dois garotos inquietos na igreja.

"Fui eu que fiquei com ela mais tempo", disse Boris. "Se for contar em dias." E, então, num tom diferente: "Lembre: se quiser, também consigo arranjar um esquema por dinheiro. Uma única transação e você pode se aposentar."

Mas apenas balancei a cabeça. Eu não tinha como expressar o que sentia em palavras, embora fosse algo profundo e primário que Welty tinha compartilhado comigo, e eu com ele, no museu havia tantos anos.

"Só estava brincando. Bem, mais ou menos. Mas não, sério", disse ele, esfregando o nó dos dedos na minha manga, "é sua. Totalmente. Por que não fica com ela um tempo e aproveita, antes de devolver pro pessoal do museu?"

Fiquei em silêncio. Eu já estava me perguntando exatamente como ia tirá-la do país.

"Vamos lá, embale. Precisamos dar o fora daqui. Depois você olha o quanto quiser. Ah, me dá aqui", disse ele, arrancando o fio das minhas mãos atrapalhadas; eu ainda estava me debatendo, tentando encontrar as pontas. "Vamos, deixa que eu faço, senão vamos ficar aqui a noite toda."

XIII

Boris enfiou a pintura embalada e amarrada debaixo do braço, deu uma última tragada no cigarro, foi até o lado do motorista e estava prestes a entrar no carro quando, atrás de nós, uma voz americana informal e soando amigável disse: "Feliz Natal".

Eu me virei. Eles estavam em três: dois homens de meia-idade num passo preguiçoso se aproximando um tanto perplexos com o ar de quem tinha vindo nos fazer um favor. Era a Boris que eles estavam se dirigindo, não a mim. Pareciam felizes em vê-lo. Correndinho, na frente deles, estava o garoto asiático. Seu casaco branco não tinha nada de avental de auxiliar de cozinha — era uma coisa assimétrica, feita de lã branca, com cerca de dois centímetros e meio de espessura, e ele tremia e tinha os lábios quase roxos de pavor. Estava desarmado, ou parecia estar, o que era bom, já que o principal que notei nos outros dois — sujeitos grandes, pose profissional — foi um brilho azulado e metálico de arma sob as desagradáveis luzes fluorescentes. Mesmo assim não entendi — a voz amigável tinha me desconcertado; achei que tinham pegado o garoto e o trazido para nós — até que olhei para Boris e vi quão imóvel ele tinha ficado, quão branco.

"Desculpe fazer isso com você", disse o americano para Boris, embora não soasse arrependido, se é que não estava satisfeito. Ele tinha ombros largos e parecia entediado, vestia um casaco cinza macio, e apesar da sua idade havia algo de petulante e angelical nele, maduro demais, mãos brancas e macias, uma monotonia suave de chefe.

Boris ficou paralisado, com o cigarro na boca. "Martin."

"Pois é, oi!", disse Martin num tom alegre, enquanto o outro cara — capanga loiro de casaco de marinheiro, feições rudes saídas do folclore nórdico — ia direto até Boris e, depois de apalpar sua cintura, pegava sua arma e a passava para Martin. Confuso, olhei para o garoto de casaco branco, mas era como se ele tivesse sido atingido na cabeça com um martelo, não parecendo nem um pouco mais por dentro da situação do que eu estava.

"Sei que é horrível pra você", disse Martin, "mas... Uau." O tom de voz suave contrastava fortemente com os olhos dele, que eram como os de uma surucucu. "Ei, é horrível pra mim também. Frits e eu estávamos no Pim's, não esperávamos ter que sair. Tempinho ruim, hein? Cadê nosso Natal branco?"

"O que você está fazendo aqui?", perguntou Boris, que apesar do seu jeito excessivamente calmo estava mais assustado do que eu jamais o vira.

"O que acha?" Martin deu de ombros, divertido. "Estou tão surpreso quanto você, se faz alguma diferença. Nunca pensei que Sascha teria coragem de recorrer a Horst. Mas... Uma cagada dessas, pra quem mais ele poderia ligar? Vamos lá", disse ele, com um gesto amistoso de arma para Boris, e foi com uma onda de horror que percebi que ele estava de fato apontando a arma para Boris, gesticulando com ela para o embrulho enrolado em feltro. "Vamos. Me dê aqui."

"Não", disse Boris rispidamente, sacudindo o cabelo dos olhos.

Martin piscou, um tanto perplexo. "O que foi que você disse?"

"*Nao*."

"Quê?" Martin riu. "*Não?* Tá tirando com a minha cara?"

"Boris! Dê pra eles!", gaguejei, paralisado de horror, enquanto o sujeito chamado Frits colocava a pistola na cabeça de Boris e depois o agarrava pelo cabelo e puxava sua cabeça pra trás com tanta força que ele gemeu.

"Eu sei", disse Martin amigavelmente, com um olhar de colegial para mim, como se dissesse: *Ah, esses russos... Todos doidos, não é mesmo?* "Vamos", disse ele a Boris. "Me dê aqui."

Boris gemeu de novo, enquanto o cara dava outro puxão brusco no seu cabelo, e do outro lado do carro ele me lançou um olhar inconfundível, que entendi tão claramente quanto se ele tivesse articulado as palavras em voz alta, uma olhada urgente e bem específica saída direto dos nossos dias de furto de loja: *Corre, Potter, vai.*

"Boris", falei, depois de uma pausa incrédula, "por favor, dê pra eles e pronto", mas Boris apenas gemeu de novo, em desespero, enquanto Frits cravava a arma com força no seu queixo e Martin dava um passo à frente para tomar a pintura.

"Excelente. Obrigado por isso", disse ele, perturbado, enfiando sua arma debaixo do braço e começando a tirar e puxar o barbante, que Boris tinha amarrado com um nozinho firme. "Legal." Seus dedos não estavam respondendo muito bem e, de perto, quando ele se aproximou pra pegar a pintura, eu vi por quê: estava megachapado. "Em todo caso..." Martin olhou de relance pra trás, como se quisesse incluir amigos ausentes na piada, depois olhou de volta com outro dar de ombros confuso. "Desculpe. Leve eles ali, Frits", disse, ainda ocupado com a pintura, apontando com a cabeça para um canto sombrio tipo masmorra, mais escuro que o resto da garagem, e quando Frits virou-se parcialmente de Boris para mim para gesticular com a arma — *Vamos, vamos, você também* —, entendi, com um calafrio de horror, o que Boris soube que ia acontecer desde o instante em que os viu, e por que ele queria que eu fugisse, ou pelo menos tentasse.

Mas na fração de segundo em que Frits apontou para mim com a arma, perdemos Boris de vista. Seu cigarro saiu voando com uma chuva de brasas. Frits gritou e deu um tapa no próprio rosto, depois cambaleou pra trás agarrando o colarinho, onde o cigarro tinha se alojado contra seu pescoço. No mesmo instante Martin — distraído com a pintura, bem na minha frente — ergueu os olhos, e eu ainda estava olhando inexpressivo para ele sobre o teto do carro quando escutei, à minha direita, três disparos rápidos que fizeram nós dois nos virarmos rapidamente para o lado. Com o quarto (encolhendo-me, os olhos fechados), um jato quente de sangue espirrou sobre o teto do carro e me atingiu no rosto, e quando abri os olhos de novo o garoto asiático recuava horrorizado, passando uma mão no corpo e deixando uma marca ensanguentada como num avental de açougueiro, e eu me vi olhando para uma placa iluminada que dizia **Betaalautomaat op** onde Boris tinha estado; sangue escorria debaixo do carro e Boris estava no chão, apoiado sobre os cotovelos, os pés patinando, tentando se levantar, eu não sabia se ele estava ferido ou não, e devo ter corrido até ele sem pensar, pois no momento seguinte já estava do outro lado do carro tentando erguê-lo, sangue pra todo lado, Frits estava um caos, tombado contra o carro com um buraco do tamanho de uma bola de beisebol num dos lados da cabeça, e eu tinha acabado de reparar na arma dele caída no chão quando ouvi Boris exclamar bruscamente alguma coisa e lá estava Martin, olhos bem fechados e sangue na camisa, agarrando o braço com uma mão e lutando para erguer a arma.

Aconteceu antes mesmo de acontecer, como um salto num DVD me atirando pra frente no tempo, pois não tenho absolutamente nenhuma lembrança de ter pegado a arma do chão, apenas de um recuo tão forte que lançou meu braço no ar, eu realmente não ouvi o estrondo antes de sentir o recuo e o estojo do cartucho sair voando pra trás e me atingir no rosto, e eu atirei de novo, olhos semicerrados diante do barulho e braço sacudindo a cada disparo, o gatilho oferecia certa resistência, uma rigidez, era como puxar um ferrolho de porta pesado demais, janelas do carro estalando e Martin erguendo um braço, vidro blindado explodindo e pedaços de concreto sendo arrancados de uma coluna, e eu tinha acertado Martin no ombro, o tecido cinza macio estava encharcado e escuro, uma mancha escura se alastrando, cheiro de pólvora e um eco ensurdecedor que entrou tão profundamente no meu crânio que foi menos como se o som real tivesse atingido meus tímpanos e mais como se uma parede tivesse desmoronado na minha mente e me levado de volta pra alguma densa escuridão interna da infância, e os olhos de víbora de Martin encontraram os meus e ele estava caído pra frente com a arma apoiada no teto do carro quando atirei de novo e o atingi acima do olho, uma explosão vermelha que me fez estremecer, e então, em algum lugar atrás de mim, ouvi o som de passos correndo batendo no concreto — o garoto, casaco branco correndo para a rampa de saída com a pintura debaixo do braço, ele estava subindo a rampa na direção da rua, ecos reverberando no espaço azulejado, e eu quase atirei nele só que de alguma forma era um momento completamente diferente, e eu me vi de costas para o carro, estava curvado com as mãos nos joelhos e a arma estava no chão, não me lembrava de tê-la deixado cair embora o som estivesse lá, ela retinia no chão e continuou retinindo, e eu ainda ouvia os ecos e sentia a vibração da arma no meu braço, nauseado e curvado, com o sangue de Frits deslizando e rolando na minha língua.

Escuridão afora, o som de pés correndo, e de novo não consegui ver nada, ou me mover, tudo preto nas margens, e eu caía mesmo sem cair, pois de alguma forma estava sentado num trecho baixo de parede azulejada com a cabeça entre os joelhos olhando pra um cuspe ou vômito vermelho-claro no concreto lustroso pintado com epóxi entre meus pés, e Boris, lá estava Boris, sem fôlego e sangrando, correndo, sua voz chegando de um milhão de quilômetros de distância. *Potter, você tá bem? Ele se foi, não consegui alcançá-lo, ele escapou.*

Passei a palma pelo rosto e olhei para a mancha vermelha na minha mão.

Boris ainda estava falando comigo com certa urgência, mas mesmo que estivesse sacudindo meu ombro quase tudo se resumia a movimentos de boca e coisas sem sentido através de vidro à prova de som. A fumaça da arma disparada tinha estranhamente o mesmo cheiro estimulante de amônia das tempestades de Manhattan e do asfalto úmido da cidade. Pintas de ovo de tordo na porta de um Mini Cooper azul-claro. Mais perto, saindo escura de debaixo do carro de Boris, uma poça acetinada e brilhante de um metro de largura estava se alastrando e avançando lentamente como uma ameba, e eu me perguntei quanto tempo levaria para ela alcançar meu sapato e o que deveria fazer quando isso acontecesse.

Com força, mas sem raiva, Boris me deu um soco no lado da cabeça com o punho fechado: uma bofetada impessoal, sem qualquer exaltação. Era como se ele estivesse realizando uma reanimação cardiorrespiratória.

"Vamos", disse ele. "Seus óculos." Fez um leve aceno de cabeça.

Meus óculos — manchados de sangue, intactos — jaziam no chão junto ao meu pé. Eu não me lembrava deles caindo.

Boris pegou-os, limpou-os na manga da camisa e estendeu-os para mim.

"Vamos", disse ele, pegando-me pelo braço e me erguendo. Sua voz soava calma e tranquilizadora, embora ele estivesse salpicado de sangue e eu pudesse sentir suas mãos tremendo. "Já acabou agora. Você nos salvou." Os tiros tinham desencadeado meu zumbido como um enxame nos ouvidos. "Você fez bem. Agora, aqui. Rápido."

Ele me conduziu para trás do escritório envidraçado, que estava trancado e escuro. Meu casaco de pelo de camelo estava manchado de sangue, e Boris o tirou de mim como um atendente de guarda-volumes, virou-o do avesso e o pendurou numa estaca de concreto.

"Você vai ter que se livrar desse negócio", disse ele, estremecendo violentamente. "Da camisa também. Agora não, depois. Agora..." — abriu uma porta, empurrou-me por trás, acendendo uma luz — "vamos."

Banheiro úmido, fedendo a desodorizante de mictório e urina. Nenhuma pia, apenas uma torneira e um ralo no chão.

"Rápido, rápido", disse Boris, abrindo a torneira no máximo. "Não é o ideal. Apenas... ui!" Fez uma careta enquanto enfiava a cabeça debaixo d'água, jogando-a no rosto, esfregando-a com a palma da mão.

"Seu braço", eu me peguei dizendo. Ele o segurava numa posição estranha.

"Sim, sim..." Água gelada espirrava pra todo lado, Boris saía pra respirar. "Ele me atingiu, nada grave, só de raspão. Ah, Deus..." Boris cuspia e gaguejava. "Eu devia ter te ouvido. Você tentou avisar! Boris, você disse, tinha alguém lá atrás! Na cozinha! Mas eu escutei você? Prestei atenção? Não. Aquele merdinha — o garoto chinês — era o namorado de Sascha! Woo, Goo, não consigo lembrar seu nome. Aah…" Enfiou a cabeça debaixo da torneira de novo, balbuciando por um momento, enquanto a água escorria por seu rosto. "Brr! você nos salvou, Potter, achei que íamos morrer…"

Endireitando-se, ele esfregou as mãos no rosto, vermelho-vivo e pingando. "Certo", disse, secando a água dos olhos, chacoalhando-a, depois me levando pra torneira aberta, "agora você. Mete a cabeça — sim, sim, tá gelada!" Ele me empurrou pra baixo d'água quando recuei. "Desculpe! Eu sei! Mãos, rosto…"

Água feito gelo, sufocando-me, entrando no meu nariz. Eu nunca tinha sentido tanto frio, mas aquilo fez com que despertasse um pouco.

"Rápido, rápido", disse Boris, erguendo-me. "Terno escuro — não aparece. Nada a se fazer com a camisa. Erga o colarinho, aqui, deixa que eu faço. O cachecol está no carro, né? Você pode enrolá-lo em volta do pescoço? Não, não, esquece…" Eu estava tremendo, querendo pegar meu casaco, os dentes batendo de frio, toda a parte de cima do corpo encharcada. "Bem, vá em frente, ou você vai congelar, apenas mantenha-o do avesso."

"Seu braço." Embora o casaco dele fosse escuro e a luz estivesse fraca, vi a marca no bíceps, lã preta pegajosa de sangue.

"Esquece isso. Não é nada. Meu Deus, Potter…" Tinha começado a voltar para o carro, meio correndo, eu apressando o passo para acompanhá-lo, em pânico diante da ideia de perdê-lo, de ser deixado. "Martin! Aquele filho da puta é um diabético grave, há anos que eu esperava que ele morresse. Greateful Dead, também te devo essa!", disse ele, guardando a pistola de cano curto no bolso e depois pegando, no bolso da frente do terno, um saquinho de pó branco que abriu e jogou no chão.

"Pronto", disse ele, limpando as mãos e dando um passo cambaleante pra trás; estava muito pálido, com as pupilas fixas, e mesmo quando ergueu os olhos pra mim pareceu não me ver. "Isso é tudo o que eles vão procurar. Martin devia ter também, estava drogado, você reparou? É por isso que estava tão lento — ele e Frits. Não estavam esperando a ligação — não iam sair pra trabalhar esta noite. *Deus*…" — ele fechou os olhos com força — "tivemos sorte." Suado, com uma palidez mortal, secou a testa. "Martin me conhece, ele sabe o que carrego, não esperava que eu tivesse aquela outra arma e você… eles não estavam nem pensando em você. Entre no carro", disse Boris. "Não, não…" Agarrou meu braço; eu o estava seguindo até o lado do motorista como um sonâmbulo. "Aqui não, tá um caos. Ah…" Boris parou bruscamente, uma eternidade passando sob a luz esverdeada e bruxuleante, antes de ir cambaleando pegar sua própria arma no chão. Limpou-a com um lenço e, segurando cuidadosamente, ainda com o lenço, soltou-a no chão.

"Ufa", disse ele, tentando recuperar o fôlego. "Isso vai confundi-los. Vão ficar tentando rastrear esse troço por anos." Parou, segurando o braço atingido com uma mão; ele me olhou de cima a baixo. "Você pode dirigir?"

Não consegui responder. Estava vidrado, tonto, tremendo. Meu coração, depois da colisão e da paralisia momentânea, tinha começando a bater com pancadas fortes, duras e dolorosas, como um punho golpeando no centro do meu peito.

Rapidamente, Boris balançou a cabeça, fez um som de *tsc-tsc*. "Outro lado", disse ele, quando eu, os pés se movendo por conta própria, o segui de novo. "Não, não..." Conduziu-me por trás até o outro lado, abrindo a porta do passageiro e me dando um empurrãozinho.

Encharcado. Tiritando. Nauseado. No chão, papel de chiclete Stimorol. Mapa rodoviário de Frankfurt Offenbach Hanau.

Boris rodeou o carro, conferindo seu estado. Depois, cuidadosamente, voltou para o lado do motorista — desviando um pouco, tentando não pisar no sangue — e sentou atrás do volante, agarrando-o com as duas mãos e respirando fundo.

"Certo", disse ele, exalando longamente, falando consigo mesmo como um piloto prestes a decolar numa missão. "Cinto. Você também. Luzes de freio funcionando? Luzes traseiras?" Apalpou os bolsos, puxou o assento pra frente, ligou o aquecedor no máximo. "Gasolina suficiente — bom. Assentos aquecidos também — vão nos esquentar. Não podemos ser parados", explicou ele. "Porque não posso dirigir."

Todo tipo de sons minúsculos, ruído do assento de couro, água pingando da minha manga molhada.

"Não pode dirigir?", perguntei, no silêncio ressonante e intenso.

"Bem, eu *posso*." Na defensiva. "Eu *tenho que*. Eu..." — dando a partida no carro, saindo de ré com o braço sobre o banco — "bem, por que você acha que tenho um motorista? Sou tão fresco assim? Não. Acontece que eu *tive*..." — dedo erguido — "a carteira suspensa por dirigir embriagado."

Fechei os olhos pra não ver a massa ensanguentada caída enquanto passávamos do lado.

"Então, entende, se eu for parado eles vão me prender e é bem isso que não queremos que aconteça." Eu mal conseguia ouvir o que ele estava dizendo acima do zumbido feroz na minha cabeça. "Você vai ter que me ajudar. Fique de olho em placas de trânsito e não me deixe entrar em faixas de ônibus. As ciclovias são vermelhas aqui, não se deve dirigir nelas, então me ajude a prestar atenção nisso também."

Novamente na Overtoom, voltando na direção de Amsterdam. Locksmith Sleutelkluis, Vacatures, Digitaal Printen, Haji Telecom, Onbeperkt Genieten, letras arábicas, luzes passando, era como um pesadelo, eu jamais ia conseguir sair daquela rua.

"Deus, é melhor eu reduzir", disse Boris num tom sombrio. Ele tinha um olhar sem vida e parecia acabado. "*Trajectcontrole*. Me ajude a prestar atenção nas placas."

Mancha de sangue no punho da minha manga. Gotas grandes e gordas.

"*Trajectcontrole*. Isso significa que alguma máquina avisa a polícia que você está passando do limite. Eles usam carros não identificados, e às vezes te seguem um tempo antes de te pararem, embora — estamos com sorte — haja pouco trânsito por aqui esta noite. Fim de semana, acho, e feriado. Essa região aqui não é a mais Feliz Natal do mundo, se é que você me entende. Percebeu o que acabou de acontecer, né?", perguntou Boris, lutando para respirar e esfregando o nariz com força com um som ofegante.

"Não." Outra pessoa falando, não eu.

"Bem, Horst. Aqueles dois caras trabalhavam pra ele. Frits talvez seja a única pessoa em Amsterdam pra quem ele sabia que podia ligar tão em cima da hora, mas Martin... porra." Ele estava falando muito rápido e de forma errática, tão rápido que mal conseguia articular as palavras direito, e seu olhar estava apagado e fixo. "Quem é que sabia que Martin estava na cidade? Você sabe como Horst e Martin se conheceram, não sabe?", disse ele, olhando-me de lado. "No hospício! Um hospício chique da Califórnia! Hotel Califórnia, era como Horst chamava o lugar! Isso foi na época em que ele e a família ainda se falavam. Horst tinha ido pra reabilitação, mas Martin estava lá porque é realmente, totalmente, maluco. Digamos, maluco do tipo que apunhala olhos. Já vi Martin fazer coisas sobre as quais não gosto nem um pouco de falar. Eu..."

"Seu braço." Aquilo o estava machucando; eu podia ver as lágrimas reluzindo nos seus olhos.

Boris fez uma careta. "Não é nada. Besteira. Aah", disse ele, erguendo o cotovelo de modo que eu pudesse enrolar o cabo do carregador do celular em volta do seu braço — eu o arranquei, passei-o duas vezes acima do ferimento, amarrei o mais firme que pude — "você é esperto. Boa precaução. Obrigado! Embora não seja necessário, realmente. Só um arranhão — mais machucado que o resto, acho. Que bom que esse casaco é tão grosso! Uma limpeza, antibiótico e algo pra dor — e vou ficar bem. Eu..." — Boris respirou fundo e estremeceu — "preciso encontrar Gyuri e Cherry. Espero que tenham ido direto pro Blake's. Dima precisa ser avisado também, sobre aquela bagunça. Ele não vai ficar feliz — a polícia vai chegar, uma grande dor de cabeça —, mas vai parecer aleatório. Não há nada que o ligue a isso."

Faróis passando rápido. Sangue martelando nos meus ouvidos. Não havia muitos carros na estrada, mas cada um que cruzava conosco me fazia estremecer.

Boris gemeu e passou a palma pelo rosto. Ele estava falando alguma coisa, muito rápido e agitado. "Quê?"

"Eu disse que é uma confusão. Ainda estou tentando entender." Voz em staccato e falhando. "Porque o que eu estou pensando agora é — talvez eu esteja errado, talvez esteja paranoico. Mas será que Horst sabia o tempo todo? Que Sascha pegou a pintura? Mas daí Sascha tira a pintura da Alemanha e tenta pegar dinheiro emprestado com ela pelas costas de Horst. E, então, quando as coisas dão errado, Sascha entra em pânico e pra quem mais poderia ligar? Claro, só estou pensando em voz alta, talvez Horst *não* soubesse que Sascha tinha pegado, talvez jamais ficasse sabendo se Sascha não tivesse sido tão descuidado e idiota a ponto de… Puta que pariu esse rodoanel de merda", disse Boris de repente. Tínhamos saído da Overtoom e estávamos dando voltas. "Que direção eu quero? Liga o GPS."

"Eu…" Mexendo atrapalhado, palavras incompreensíveis, menu que eu não conseguia ler, Geheugen, Plaats, girando o botão, menu diferente, Gevarieerd, Achtergrond.

"Ah, droga. Vamos tentar esta aqui. Deus, foi por pouco", disse Boris, fazendo a curva um pouco rápido e descuidado demais. "Você tem nervos de aço, Potter. Frits — Frits estava mais pra lá do que pra cá, praticamente só mexendo a cabeça, mas Martin, meu Deus. Então você… Se mostrando tão corajoso… Uau! Nem pensei em você lá. Mas lá estava você! Quer dizer que nunca tinha segurado uma arma antes?"

"Não." Ruas pretas e úmidas.

"Bem, posso te falar uma coisa que pode parecer estranha? Mas é um elogio. Você atira como uma garota. Sabe por que é um elogio? Porque", disse Boris, com uma voz arrastada, tonta e febril, "em situação de ameaça, com homens que nunca dispararam arma antes e mulheres que nunca dispararam arma antes — as mulheres, Bobo costumava dizer, têm muito mais chances de acertar o alvo. A maioria dos homens quer parecer durão, viu filmes demais, fica muito impaciente e dispara muito rápido. Merda", disse Boris de repente, pisando com tudo no freio.

"Que foi?"

"Não queremos isso."

"Não queremos o quê?"

"Esta rua está fechada." Voltamos de ré, saindo da rua.

Construção. Cercas com escavadeiras atrás, prédios vazios com lonas de plástico azul nas janelas. Pilhas de canos, blocos de concreto, grafite em holandês.

"O que vamos fazer?", perguntei, no silêncio paralisado que se seguiu, depois de entrar numa rua diferente que parecia não ter nenhum poste.

"Bem, não há nenhuma ponte aqui para atravessar. Nesse caso é um beco sem saída, então..."

"Não, quero dizer o que nós vamos *fazer*."

"Sobre o quê?"

"Eu..." Meus dentes rangiam tão forte que mal conseguia enunciar as palavras. "Boris, estamos fodidos."

"Não! Não estamos. A arma de Grozdan..." Ele deu uma batidinha sem jeito no bolso do casaco. "Eu vou jogar no canal. Eles não têm como ligá-la a mim, se não puderem ligá-la a ele. E mais nada nos compromete. A minha arma? Limpa. Sem número de série. Até os pneus do carro são novos! Vou levá-lo até Gyuri e ele vai trocá-los esta noite. Olha", disse Boris, quando não respondi, "não se preocupe! Estamos a salvo! Quer que eu repita? A S-A-L-V-O" (soletrando atrapalhado).

Passando por um buraco, estremeci, inconscientemente, um sobressalto, as mãos voando até o rosto.

"E por quê, acima de tudo? Porque somos velhos amigos. Porque confiamos um no outro. E porque — ah, meu Deus, tem um policial lá, deixa eu reduzir."

Fiquei olhando para os meus sapatos. Sapatos, sapatos, sapatos. Era só o que eu conseguia pensar, tendo os colocado algumas horas antes, quando ainda não havia matado ninguém.

"Porque, Potter, Potter, pense nisso. Escute um momento, por favor. E se eu fosse um estranho, alguém que você não conhecia ou em quem não confiasse? E se você estivesse saindo de um estacionamento agora com um estranho? Então sua vida estaria ligada pra sempre à vida de um estranho. Você ia precisar tomar muito, muito cuidado com essa pessoa enquanto vivesse."

Mãos geladas, pés gelados. Lanchonete, mercado, pirâmides iluminadas de frutas e doces, Verkoop Gestart!

"Sua vida, sua liberdade, dependendo da lealdade de um estranho? Nesse caso? Sim. Preocupação. Sem dúvida. Você estaria bem encrencado. Mas ninguém além de nós sabe disso. Nem mesmo Gyuri!"

Incapaz de falar, neguei vigorosamente com a cabeça, tentando recuperar o fôlego.

"Quem? Chinesinho?" Boris fez um som de nojo. "Pra quem ele vai contar? Ele é menor de idade e não está aqui legalmente. Não sabe falar nenhuma língua direito."

"Boris" — inclinei-me ligeiramente para a frente; eu sentia que ia vomitar. "Ele pegou a pintura."

"Ah." Boris fez uma careta de dor. "*Isso* já era, acho."

"Como?"

"Pra sempre, talvez. Estou de saco cheio disso — de coração. Porque, odeio ter que dizer, mas Woo, Goo, como é mesmo o nome dele? Depois do que viu? Ele só vai pensar em si próprio. Apavorado! Pessoas mortas! Deportação! Não vai querer se envolver. Esquece a pintura. Ele não tem a menor ideia do seu verdadeiro valor. E se ele se encontrar em qualquer tipo de encrenca com a polícia, em vez de passar um único dia na prisão... Ele vai querer é se livrar daquilo. Então..." Deu de ombros, zonzo. "Vamos torcer pra que ele *de fato* escape, o merdinha. Do contrário a chance é grande do *ptitsa* acabar sendo jogado no canal, queimado."

Luzes de postes reluzindo nos capôs de carros estacionados. Eu me sentia desencarnado, separado de mim mesmo. Não conseguia imaginar qual seria a sensação de estar de volta ao meu corpo. Tínhamos retornado à cidade velha, sacolejando nos paralelepípedos, cena monocromática noturna saída direto de Aert van der Neer do século XVII, pressionando em ambos os lados, moedas de prata dançando na água negra do canal.

"Aff, está fechada", resmungou Boris, parando bruscamente de novo, dando ré, "precisamos encontrar outro caminho."

"Você sabe onde estamos?"

"Sim, claro", disse Boris, com uma espécie de alegria desconexa assustadora. "Aquele lá é o seu canal. O Herengracht."

"Que canal?"

"Amsterdam é uma cidade fácil pra se localizar", disse Boris, como se eu não tivesse falado nada. "Na cidade velha só o que você tem que fazer é seguir os canais até — ah, Deus, eles fecharam essa também."

Gradações de tom. Sombras estranhamente intensificadas. A pequena lua fantasmagórica acima dos campanários era tão minúscula que parecia ser de outro planeta, enevoada e oculta, nuvens assombradas iluminadas com o mais leve tom de azul e marrom.

"Não se preocupe, isso vive acontecendo. Estão sempre construindo alguma coisa por aqui. Uma bagunça. Isso tudo — acho que é pra uma nova linha de metrô ou coisa do tipo. Todo mundo está irritado com isso. Muitas acusações de fraude e coisa e tal. Mesma história em toda cidade, né?" Sua voz soava tão confusa que ele parecia bêbado. "Obras por toda parte, políticos enriquecendo... É por isso que todo mundo anda de bicicleta, é mais rápido, só que, sinto muito, não vou a lugar algum de bicicleta uma semana antes do Natal. Ah não..." Ponte estreita, parada brusca atrás de uma fila de carros. "Não está andando?"

"Eu..." Estávamos parados sobre uma faixa de pedestres. Gotas visíveis nas janelas respingadas de chuva. Pessoas passando de um lado e do outro a menos de meio metro de distância.

"Saia do carro e olhe. Ah, espera", disse ele impaciente antes que eu pudesse me recompor; colocando o carro em ponto morto, ele próprio saindo. Vi suas costas iluminadas pelos faróis, com um aspecto formal e teatral em meio a nuvens de fumaça de escapamento.

"Van", disse ele, jogando-se de volta pra dentro do carro. Bateu a porta. Respirou fundo, esticando os braços contra o volante.

"O que ele está fazendo?" Eu olhava de um lado para o outro, em pânico, quase esperando que algum pedestre reparasse nas manchas de sangue, corresse até o carro, batesse nas janelas, abrisse a porta com tudo.

"Como é que eu vou saber? Tem carro demais nesta porra de cidade. Olha", disse Boris, suando e pálido sob as fortes luzes traseiras do carro à nossa frente; mais carros tinham encostado atrás, estávamos presos. "Vai saber quanto tempo vamos ficar aqui! Estamos a apenas algumas quadras do seu hotel. Melhor você sair e ir a pé."

"Eu..." Será que eram as luzes do carro à nossa frente que faziam as gotas de água no para-brisa parecerem tão vermelhas?

Boris fez um movimento rápido e impaciente com a mão. "Potter, vá", disse ele. "Não sei o que está acontecendo com essa van ali. Talvez os guardas de trânsito apareçam. Melhor pra nós dois se não ficarmos juntos agora. Herengracht — você não tem como errar. Os canais aqui formam círculos, você sabe disso, não sabe? Apenas siga naquela direção" — ele apontou — "e você vai encontrá-lo."

"E quanto ao seu braço?"

"Não é nada! Eu tiraria meu casaco pra te mostrar, mas vai dar muito trabalho. Agora vá. Tenho que falar com Cherry." Tirando o celular do bolso. "Talvez eu tenha que sair da cidade por um tempinho..."

"Quê?"

"Mas se ficarmos sem nos falar por um tempo, não se preocupe, sei onde você está. Melhor se não tentar me ligar ou entrar em contato. Volto assim que puder. Vai ficar tudo bem. Vá, limpe-se. Ponha o cachecol em volta do pescoço, bem alto. Logo nos falamos. Não fique com essa cara pálida e doente! Você tem alguma coisa com você? Precisa de algo?"

"O quê?"

Vasculhou o bolso. "Aqui, pegue isso." Um envelope de papel vegetal com um selo borrado. "Não use demais, é muito, muito puro. Uma cabeça de fósforo. Nada mais. E, quando você acordar, não vai ser tão ruim assim. Agora, lembre..." — discando no celular; eu bem consciente da sua respiração pesada — "mantenha o cachecol bem alto no pescoço e ande no lado escuro da rua o máximo que puder. Vá!", gritou ele quando continuei sentado ali, tão alto que vi um homem na via de pedestres da ponte se virar para ver. "Depressa! *Cherry*", disse ele, jogando-se pra trás no assento com um alívio visível e começando a tagarelar asperamente em ucraniano enquanto eu saía do carro — sentindo-me estranho e exposto sob a luz desagradável dos faróis dos veículos parados — e voltava pela ponte, na direção que tínhamos vindo. Na minha última visão dele, estava falando no celular com o vidro abaixado e se inclinava pra fora, em nuvens extravagantes de fumaça de escapamento, tentando ver o que estava acontecendo com a van parada lá na frente.

XIV

A hora ou as horas seguintes, vagando pelas ruas dos canais à procura do meu hotel, foram tão desagradáveis quanto qualquer outra da minha vida, o que por si só já significa alguma coisa. A temperatura tinha despencado, meu cabelo estava úmido, minhas roupas estavam encharcadas, meus dentes batiam de frio; as ruas estavam escuras o bastante a ponto de parecerem todas iguais, mas ao mesmo tempo não estavam escuras o bastante pra eu ficar perambulando com roupas manchadas com o sangue de um homem que eu tinha acabado de matar. Pelas ruas negras eu andei, rápido, com passadas que soavam estranhamente confiantes, sentindo-me tão inquieto e exposto quanto alguém andando pelado num pesadelo, mantendo-me longe das luzes dos postes e fazendo um grande esforço para me tranquilizar, com um sucesso cada vez menor, de que meu casaco do avesso parecia perfeitamente normal, nada de incomum nele. Havia pedestres na rua, mas não muitos. Com medo de ser reconhecido, tirei os óculos, já que sabia por experiência que eles eram meu traço mais marcante — o que as pessoas percebiam primeiro, do que se lembravam —, e embora isso não ajudasse em termos de encontrar meu caminho me trouxe uma sensação irracional de segurança e disfarce: placas de rua ilegíveis e halos de postes enevoados pairando isolados acima da escuridão, faróis e luzes natalinas embaçados, uma sensação de estar sendo visto por perseguidores por uma lente fora de foco.

O que aconteceu foi: eu tinha passado direto pelo meu hotel e estava duas quadras à frente. Além disso, não estava acostumado com os hotéis europeus, em que você tinha que tocar a campainha pra poder entrar depois de certa hora, e quando finalmente cheguei, chapinhando, fungando e tiritando e encontrei a porta fechada, fiquei parado por um período indefinido de tempo girando a maçaneta como um zumbi, de um lado e do outro, de um lado e do outro, com uma tolice concentrada e rítmica de metrônomo, abalado demais pelo frio para entender por que não podia entrar. Desanimado, espiei o hall através do vidro, olhando para o balcão polido e escuro da recepção: vazio.

Então, vindo apressado dos fundos, sobrancelhas arqueadas, um homem de cabelo preto aprumado num terno escuro apareceu. Houve um instante horrível em que seus olhos encontraram os meus e eu me dei conta da impressão que devia causar, e nisso ele já estava desviando o olhar, mexendo atrapalhado na chave.

"Desculpe, senhor, trancamos a porta depois das onze", disse ele. Ainda desviava os olhos. "É para a segurança dos clientes."

"Fiquei preso na chuva."

"É claro, senhor." Ele estava — percebi — olhando para o punho da minha camisa, manchado com uma gota de sangue amarronzada do tamanho de uma moeda. "Temos guarda-chuvas na recepção, caso o senhor precise."

"Obrigado." Então, sem a menor lógica: "Derramei calda de chocolate em mim mesmo".

"Lamento por isso, senhor. Podemos tentar tirar a mancha na lavanderia, se quiser."

"Seria ótimo." Será que ele não sentia o cheiro em mim, o sangue? No salão aquecido eu fedia a ferrugem e sal. "É minha camisa favorita. Profiteroles." *Cala a boca, cala a boca*. "Mas estava delicioso."

"Fico feliz em saber, senhor. Podemos reservar uma mesa para o senhor num restaurante amanhã à noite se quiser."

"Obrigado." Sangue na minha boca, o cheiro e o gosto dele por toda parte, eu só podia torcer pra que ele não pudesse senti-lo tão fortemente no ar quanto eu. "Seria ótimo."

"Senhor?", disse ele, enquanto eu ia na direção do elevador.

"Sim?"

"Acredito que precise da sua chave." Moveu-se atrás do balcão, selecionando uma chave num escaninho. "Vinte e sete, não é?"

"Isso", falei, ao mesmo tempo grato por ele ter dito o número do meu quarto e alarmado que o soubesse tão prontamente, de cabeça.

"Boa noite, senhor. Tenha uma ótima estadia."

Dois elevadores diferentes. Corredor infinito, acarpetado de vermelho. Ao entrar, acendi todas as luzes — luminária da escrivaninha, abajur da cama, lustre reluzente; joguei meu casaco no chão e fui direto para o banheiro, desabotoando minha camisa ensanguentada no caminho, tropeçando como um monstro de Frankenstein diante de forcados. Amassei a bagunça pegajosa de pano e atirei-a no fundo da banheira, abrindo a água no máximo de potência e calor, riachos rosa correndo por baixo dos meus pés, esfregando-me com o gel de banho com fragrância de lírios até ficar cheirando como uma coroa de flores e sentir a pele arder.

A camisa era um caso perdido: manchas marrons encrespadas e irregulares na altura da garganta muito tempo depois de a água voltar a ficar limpa. Deixando-a de molho na banheira, voltei-me para o cachecol e depois para o paletó — também manchado de sangue, embora fosse escuro demais pra que aparecesse — e então, desvirando-o o mais cuidadosamente possível (por que fui usar o de pelo de camelo na festa? Por que não o azul-marinho?), concentrei-me no casaco. Uma lapela não estava tão ruim e a outra estava bastante ruim. Os salpicos vinho-escuro carregavam uma animação intempestiva que me fez reviver a força do disparo: o recuo, o estouro, a trajetória das gotas. Enfiei a lapela debaixo da torneira e derramei xampu nela e esfreguei e esfreguei com uma escova de sapato do armário; depois que o xampu acabou, e o gel de banho também, passei sabonete na mancha e esfreguei mais um pouco, como um servo desgraçado num conto de fadas condenado a realizar uma tarefa impossível antes do amanhecer, senão morreria. Por fim, as mãos trêmulas de cansaço, usei minha escova de dentes e a pasta — o que, curiosamente, funcionou melhor do que tudo o mais que eu já tinha tentado, mas ainda assim não resolveu o problema.

Finalmente desisti e pendurei o casaco pingando na banheira: o fantasma encharcado do sr. Pavlikovski. Eu tivera o cuidado de manter o sangue longe das toalhas; com papel higiênico, que eu compulsivamente amassava e atirava no vaso a cada pouco, enxuguei, a duras penas, as manchas e gotas cor de ferrugem dos azulejos. Usei minha escova de dentes nos rejuntes. Brancura clínica. Paredes espelhadas brilhando. Múltiplas solidões refletidas. Muito tempo depois de o último resquício rosa ter sumido, continuei a limpeza — lavando de novo e de novo as toalhas de mão que eu tinha sujado, ainda com um tom avermelhado suspeito — e, então, cambaleando de tão cansado, entrei no chuveiro e deixei a água correr bem quente, quase insuportável, esfregando-me todo de novo, da cabeça aos pés, esmagando o sabonete no cabelo e chorando com a espuma que entrava nos olhos.

XV

Fui despertado, em alguma hora indeterminada, por uma campainha tocando alto na minha porta, fazendo-me levantar num pulo como se tivessem jogado água quente em mim. Os lençóis estavam revirados e molhados de suor, e as persianas estavam abaixadas, de forma que eu não fazia ideia de que horas eram ou mesmo se era dia ou noite. Ainda estava meio dormindo. Vestindo o robe de qualquer jeito, abrindo a porta com a corrente posta, falei: "Boris?".

Uma mulher uniformizada de rosto úmido. "Lavanderia, senhor."

"Como?"

"Recepção, senhor. Eles disseram que você pediu serviço de lavanderia para esta manhã."

"Hã..." Olhei de relance para a maçaneta da porta. Como, depois de tudo, pude deixar de colocar o aviso de NÃO PERTURBE? "Só um momento."

Na minha mala peguei a camisa que eu tinha vestido na festa de Anne — a que Boris disse que não era boa o suficiente pra Grozdan. "Aqui", falei, passando-a para ela pela porta, e então: "Espere".

Paletó. Cachecol. Ambos pretos. Será que eu me atrevia? Estavam em péssimo estado e úmidos ao toque, mas quando liguei a luminária da escrivaninha e examinei-os minuciosamente — de óculos, com meu olho treinado por Hobie, o nariz a centímetros do tecido — não havia sangue à vista. Peguei um lenço de papel branco e fui pressionando para ver se havia algum resquício rosa. Havia, mas só o mais leve traço.

Ela ainda estava esperando e de certo modo isso era um alívio, ter que me apressar: decisão rápida, sem hesitar. Tirei dos bolsos minha carteira, a oxicodona úmida, mas incrivelmente intacta que eu tinha enfiado no bolso antes da festa de Anne de Larmessin (Em algum momento achei que ficaria grato por essa matriz de liberação prolongada? Não) e o gordo envelope de papel vegetal de Boris antes de entregar também o terno e o cachecol.

Ao fechar a porta, fui tomado de alívio. Mas menos de trinta segundos depois um murmúrio de preocupação se insinuou, preocupação que aumentou em instantes num crescendo gritante. Juízo repentino. Loucura. Onde é que eu estava com a cabeça?

Deitei. Levantei. Deitei de novo e tentei voltar a dormir. Depois sentei na cama e com uma precipitação onírica, incapaz de me conter, peguei-me ligando para a recepção.

"Sim, sr. Decker, em que posso ajudar?"

"Hã..." Apertando os olhos com força, por que fui pagar o quarto com cartão de crédito? "Eu só estava pensando — acabei de mandar um terno pra lavanderia e gostaria de saber se ainda está nas dependências."

"Como?"

"A lavanderia é aqui dentro? Ou é terceirizada."

"Fazemos fora, senhor. A empresa que usamos é bastante confiável."

"Você teria como ver se já foram embora? Acabei de me dar conta de que vou precisar do terno pra um evento esta noite."

"Vou verificar, senhor. Só um momento."

Desesperançado, esperei, olhando fixamente para o saquinho de heroína na mesa de cabeceira, estampado com uma caveira com as cores do arco-íris e a palavra **AFTERPARTY**. Passado um momento o recepcionista voltou. "Pra que horas o senhor precisa do terno?"

"Cedo."

"Receio que já tenha ido. O carro acabou de sair. Mas a lavanderia faz o serviço para o mesmo dia. O senhor certamente vai recebê-lo esta tarde até às cinco. Posso ajudar em mais alguma coisa, senhor?", perguntou ele, no silêncio que se seguiu.

XVI

Boris tinha razão sobre essa droga, quão pura era — puramente branca, tanto que uma dose normal me derrubou, de modo que por um intervalo indeterminado fiquei me equilibrando agradavelmente à beira da morte. Cidades, séculos. Deslizava pra dentro e pra fora de momentos lentos, deliciosos, persianas fechadas, sonhos de nuvens vazias e sombras em mutação, uma imobilidade como a dos maravilhosos troféus de caça de Jan Weenix, aves mortas com penas manchadas de sangue e penduradas por um pé, e em qualquer centelha de consciência que restava em mim senti que entendia a grandeza secreta de morrer, todo o conhecimento ocultado de toda a humanidade até o fim derradeiro: nenhuma dor, nenhum medo, distanciamento magnífico, deitado sobre a barca da morte e me afastando para as imensidões grandiosas como um imperador, longe, longe, observando todos os apressados distantes na costa, livre de todas as velhas trivialidades humanas de amor, medo, pesar e morte.

Quando a campainha penetrou estridente nos meus sonhos, horas depois — poderiam ter sido centenas de anos depois —, eu nem mesmo pisquei. Levantei bem-humorado — balançando alegremente no ar, apoiando-me em pedaços de móveis enquanto andava, e sorri para a garota na porta: loira, aspecto tímido, estendendo minhas roupas embrulhadas em plástico.

"Sua roupa, sr. Decker." Como todos os holandeses faziam, ou pareciam fazer, ela pronunciou meu sobrenome como se fosse "Decca", como em Decca Mitford, conhecida da sra. DeFrees. "Nossas desculpas."

"Como?"

"Espero que não tenha havido nenhum inconveniente." Adorável! Aqueles olhos azuis! Seu sotaque era encantador.

"Como é?"

"Prometemos entregá-las às cinco. A recepção disse para não cobrar."

"Ah, tudo bem", respondi, perguntando-me se deveria lhe dar uma gorjeta, e percebendo que dinheiro, e contar dinheiro, era demais pra minha cabeça, e então, fechando a porta, soltando as roupas aos pés da cama e indo vacilante até a mesa de cabeceira, conferi o relógio de Gyuri: seis e vinte, o que me fez sorrir. Contemplar a preocupação excruciante de que a droga tinha me salvado — uma hora e vinte minutos de angústia! Desesperado, ligando pra recepção! Imaginando policiais lá embaixo! — me encheu de uma serenidade védica. Preocupação? Que perda de tempo! Todos os livros sagrados tinham razão. Claramente "preocupação" era a marca de uma pessoa primitiva e espiritualmente não desenvolvida. Como era mesmo aquele verso de Yeats, sobre os sábios chineses confucionistas? Todas as coisas caem e são construídas de novo. Antiquíssimos olhos brilhantes. Isso era sabedoria. As pessoas vinham esbravejando, chorando e destruindo coisas havia séculos e se lamuriando de suas insignificantes vidas individuais, quando — pra que tudo isso? Toda aquela dor inútil? *Olhai para os lírios do campo*. Por que alguém se preocupava com o que quer que fosse? Não tínhamos sido, como seres sencientes, colocados na Terra para ser felizes, no curto período de tempo concedido a nós?

Sem dúvida alguma. E foi por esse motivo que não surtei com o bilhete insolente pré-impresso que o serviço de limpeza tinha colocado debaixo da minha porta (*Prezado hóspede, fizemos uma tentativa de atender seu quarto mas infelizmente não conseguimos ter acesso a...*), foi por isso que fiquei mais do que feliz em me aventurar de roupão no corredor e abordar a camareira carregando uma pilha sinistra de toalhas encharcadas — todas as toalhas do meu quarto estavam molhadas, eu tinha esfregado meu casaco nelas numa tentativa de enxugá-lo, algumas com marcas rosadas que eu realmente não tinha percebido antes — toalhas limpas? Claro! Ah, o senhor esqueceu sua chave? Ficou trancado pra fora? Ah, um momento, quer que eu abra pro senhor? E foi por esse motivo que, mesmo depois desse incidente, não pensei duas vezes antes de pedir serviço de quarto, indulgentemente permitindo que o funcionário entrasse nos meus aposentos e empurrasse a mesinha *até os pés da cama* (sopa de tomate, salada, sanduíche duplo, batatas fritas, a maior parte do que consegui vomitar meia hora depois, o vômito mais agradável do mundo, tão divertido que me fez rir: oops! Melhor droga da face da Terra!), eu estava doente, sabia, horas com roupas molhadas em temperaturas abaixo de zero tinham me deixado com febre alta e calafrios, e, no entanto, eu estava grandiosamente distanciado demais disso tudo pra me importar. Era assim que o corpo era: falível, suscetível de padecer. Doença, dor. Por que as pessoas se estressavam tanto com isso? Vesti cada peça de roupa que tinha na minha mala (duas camisas, suéter, calça extra, dois pares de meias) e sentei bebericando Coca-Cola do frigobar e — ainda chapado e voltando aos poucos — fiquei entrando e saindo de delírios vívidos: diamantes brutos, brilhantes insetos pretos, um sonho particularmente intenso com Andy, todo encharcado, tênis chapinhando, entrando no quarto deixando um rastro de água atrás de si alguma coisa um pouco fora nele alguma coisa estranha parecendo um pouco esquisito que conta de novo Theo?

nada de mais, e você?

nada de mais ei fiquei sabendo que você e Kits vão se casar papai me contou

legal

é, legal, mas não vamos poder ir, papai tem um compromisso no yacht club

poxa que pena

e nisso já estávamos indo juntos pra algum lugar Andy e eu com malas pesadas nós iríamos de barco pelo canal só que Andy estava daquele jeito não vou entrar nem a pau nesse barco e eu claro eu entendo então desmontei o veleiro parafuso por parafuso e coloquei as peças na minha mala, íamos levá-lo por terra, velas e tudo o mais, esse era o plano, só o que você tinha que fazer era seguir os canais e eles te levariam bem pra onde você queria ir ou talvez apenas de volta ao ponto exato de que partiu mas era um trabalho maior do que eu tinha imaginado, desmontar um barco, era diferente de desmontar uma mesa ou uma cadeira e as peças eram grandes demais pra caber na mala e havia uma hélice enorme que eu estava tentando enfiar junto com minhas roupas e Andy estava entediado e afastado jogando xadrez com uma pessoa de quem não gostei e ele disse bem se você não consegue planejar de antemão simplesmente vai ter que ir resolvendo no caminho.

XVII

Acordei com um tremor na cabeça, enjoado e com coceira por todo o corpo, como se formigas rastejassem sob minha pele. Com a droga deixando meu organismo, o pânico tinha voltado com estrondo e duas vezes mais forte, já que eu claramente estava doente, febre e suores, não havia mais como negar. Depois de cambalear até o banheiro e vomitar de novo (dessa vez não uma vomitada divertida de drogado, mas a experiência desagradável de sempre), voltei para meu quarto e contemplei meu terno e meu cachecol no plástico aos pés da cama e pensei, com um calafrio, na sorte que tinha. Deu tudo certo (deu?), mas poderia não ter sido esse o caso.

Atrapalhado, retirei o terno e o cachecol do plástico — o piso abaixo de mim tinha uma ondulação náutica e entorpecente que fazia eu me agarrar à parede para não perder o equilíbrio — e peguei meus óculos, sentando na cama para examinar as roupas contra a luz. O tecido parecia gasto, mas do contrário tudo certo. Mas eu também não tinha certeza. O tecido era preto demais. Eu via manchas, e depois não via mais. Meus olhos ainda não estavam funcionando direito. Talvez fosse um truque — talvez se eu descesse até o saguão encontraria policiais esperando por mim — mas não. Repeli esse pensamento, ridículo. Eles ficariam com as roupas se encontrassem algo suspeito nelas, não? Certamente eles não iam devolvê-las limpas e passadas.

Eu ainda estava meio fora de órbita — não era eu mesmo. De alguma forma meu sonho sobre o veleiro tinha escorrido e infectado o quarto de hotel, de forma que era um quarto, mas também a cabine de um navio: armários embutidos (sobre a minha cama e sob o beiral) perfeitamente encaixados com puxadores de latão incrustrados e um verniz brilhante bem náutico. Carpintaria de navio; convés balançando e, lambendo a madeira, a água negra do canal. Delírio: sem rumo e à deriva. Lá fora, a neblina era espessa, nem um sopro de vento, a luz dos postes iluminando com uma imobilidade difusa, abatida e pálida, mitigada e embaçada até virar cerração.

Coceira, coceira. Pele pegando fogo. Náusea e dor de cabeça lancinante. Quanto mais suntuosa a droga, mais profunda a angústia — mental e física — quando passava o efeito. Eu estava de volta ao pedaço de carne sendo arrancado da testa de Martin, só que num nível mais íntimo, quase dentro dele, cada pulsação e jorro, e — ainda pior, um ponto de congelamento total mais profundo — a pintura, perdida. Casaco manchado de sangue, os pés do garoto fugindo. Blecaute. Desastre. Para os humanos — aprisionados na biologia — não havia misericórdia: vivemos por um tempo, fazemos um pouquinho de cena e morremos, apodrecemos no chão como lixo. O tempo logo destrói todos nós. Mas destruir, ou perder, uma coisa imortal — quebrar vínculos mais fortes que os temporais — era um desacoplamento metafísico único, um gosto novo e surpreendente de desespero.

Meu pai na mesa de bacará, na meia-noite de ar condicionado. *Há sempre mais coisas em jogo, um nível oculto.* A sorte nos seus humores e manifestações mais sombrios. Consultando as estrelas, esperando pra fazer as grandes apostas quando Mercúrio estivesse em retrocesso, tentando alcançar um conhecimento logo além do conhecido. Preto era a cor da sorte, nove era o número da sorte. Bate aqui de novo, amigão. *Há um padrão e nós somos parte dele.* No entanto, se você fosse bem a fundo nessa ideia de padrão (coisa que pelo visto ele nunca tinha se dado ao trabalho de fazer), alcançava um vazio tão escuro que destruía, categoricamente, tudo o que você já tinha visto ou considerado como luz.

12. O ponto de encontro

I

Os dias que antecederam o Natal foram um borrão, já que graças à doença e ao equivalente a um confinamento de solitária logo perdi a noção do tempo. Permaneci no quarto; o aviso de NÃO PERTURBE permaneceu na porta; e a televisão — em vez de fornecer nem que fosse um falso murmúrio de normalidade — apenas intensificou a confusão e o deslocamento multiformes: nenhuma lógica, nenhuma estrutura, o que ia passar a seguir não se sabia, podia ser qualquer coisa, *Vila Sésamo* em holandês, holandeses conversando numa mesa, mais holandeses conversando numa mesa, e embora eu tivesse acesso ao Sky News e à CNN e à BBC, nenhum dos noticiários locais era em inglês (nada que importasse, nada relacionado a mim ou ao estacionamento), embora em dado momento tivera um mau indício nesse sentido quando, ao passar por um canal exibindo uma antiga série policial americana, parei estupefato diante da visão do meu pai aos vinte e cinco anos: um dos seus muitos papéis sem fala, um entusiasta pairando atrás de um candidato político numa entrevista coletiva, assentindo com a cabeça para as promessas de campanha do sujeito e por um instante sinistro lançando um olhar para a câmera, atravessando o oceano e o futuro até chegar a mim. As múltiplas ironias daquilo eram tão complexas e obscuras que fiquei olhando boquiaberto, horrorizado. A não ser por seu corte de cabelo e por sua constituição mais pesada (musculoso de levantar peso: ele ia muito à academia naquela época), poderia ter sido meu irmão gêmeo. Mas o maior choque foi quão direito ele pareceu — o meu pai (por volta de 1985) já desonesto e flertando com o alcoolismo. Nada do seu caráter, ou do seu futuro, estava visível no seu rosto. Em vez disso ele parecia determinado, atencioso, um exemplo de certeza e promessa.

Depois disso, desliguei a televisão. Cada vez mais, meu principal contato com a realidade passou a ser o serviço de quarto, que eu só pedia nas horas mais escuras antes do amanhecer, quando os entregadores estavam vagarosos e sonolentos. "Não, quero os jornais holandeses, por favor", falei (em inglês) para o carregador que só sabia holandês e tinha me trazido o *International Herald Tribune* com meu café e meus bolinhos, meu presunto e meus ovos, e um sortimento do chef de queijos holandeses. Mas, como mesmo assim ele continuou trazendo o *Tribune*, passei a descer pela escada dos fundos antes do amanhecer pra pegar os jornais locais, que ficavam convenientemente espalhados numa mesa logo ao lado da escada, onde eu não tinha que passar pela recepção.

Bloedend. Moord. O sol não parecia nascer antes das nove da manhã mais ou menos, e mesmo então era enevoado e sombrio, projetando uma luz baixa e fraca de purgatório como um efeito teatral de alguma ópera alemã. Aparentemente a pasta de dente que eu tinha usado na lapela do meu casaco continha peróxido ou algum outro agente branqueador, já que o ponto esfregado desbotara deixando um halo branco do tamanho da minha mão, cercando o fantasma quase invisível do plasma cranial de Frits. Por volta de três da tarde a luz começava a diminuir; às cinco já estava tudo escuro. Então, se não houvesse muita gente na rua, eu erguia as lapelas do casaco e enrolava bem firme meu cachecol no pescoço e — tendo o cuidado de manter a cabeça abaixada — me lançava na escuridão e ia até um mercadinho minúsculo asiático a algumas centenas de metros do hotel, onde, com o que restava dos meus euros, comprava sanduíches prontos, maçãs, uma escova de dentes nova, pastilhas pra tosse, aspirina e cerveja. *Is alles?*, perguntou a velhinha num holandês que não soava natural. Contando minhas moedas com uma lentidão enervante. Plim, plim, plim. Embora eu tivesse cartões de crédito, estava decidido a não usá-los — outra regra arbitrária do jogo que eu tinha concebido para mim, uma precaução completamente irracional, pois a quem eu estava enganando? Que diferença fariam alguns sanduíches numa loja de conveniência quando tinham meu cartão no hotel?

Era em parte o medo e em parte a doença que ofuscava meu julgamento, já que qualquer que fosse a gripe ou o resfriado que eu tinha pegado não ia embora. A cada hora, parecia, minha tosse ficava mais forte e meus pulmões doíam mais. Era verdade o que diziam sobre os holandeses e a limpeza: o mercadinho tinha uma seleção impressionante de produtos nunca vistos antes, e eu voltei pro quarto com uma garrafa que trazia um cisne branco contra uma montanha coberta de neve e uma etiqueta de caveira sobre ossos cruzados atrás. Mas, embora o produto fosse forte o bastante pra tirar as listras da minha camisa, não foi o suficiente pra remover as manchas no colarinho, que tinham perdido sua cor escura de fígado e adquirido contornos sobrepostos sinistros como fungos. Pela quarta ou quinta vez eu a enxaguei, lágrimas escorrendo dos olhos, depois a dobrei e guardei em sacos plásticos que fechei e enfiei no fundo de um armário alto. Sem nada pra servir de peso, eu sabia que ela ia flutuar se a jogasse no canal, e estava com medo de levá-la até a rua e jogá-la numa lata de lixo — alguém ia me ver, eu seria pego, era assim que aconteceria, eu sabia disso de forma profunda e irracional, como um conhecimento de sonho.

Um tempinho. Quanto era um tempinho? Três dias no máximo, Boris tinha dito na festa de Anne de Larmessin. Mas ele não estava contando com Frits e Martin.

Sinos e guirlandas, estrelas do Advento nas vitrines de lojas, fitas e nozes douradas. À noite eu dormia de meia, sobretudo manchado e suéter de gola alta por baixo da coberta, já que o botão do aquecedor girado na posição anti-horária, conforme indicado no livreto com capa de couro do hotel, não esquentava o quarto suficientemente para aliviar as dores e os calafrios da minha febre. Penas de ganso brancas, cisnes brancos. O quarto recendia a água sanitária como uma banheira Jacuzzi barata. Será que as camareiras podiam sentir o cheiro do corredor? Não me dariam mais de dez anos por roubo de arte, mas com Martin eu tinha atravessado uma fronteira para outro país — um caminho de mão única, sem volta.

Mas de alguma forma eu tinha criado uma forma suportável de pensar na morte dele, ou melhor, de passar por cima desse pensamento. O ato — sua eternidade — tinha me lançado num mundo tão diferente que para todos os efeitos práticos eu já estava morto. Tinha a sensação de estar longe de tudo, de olhar para trás, para a terra, de um bloco de gelo boiando no mar. O que estava feito jamais poderia ser desfeito. Eu era passado.

E isso não era um problema. No longo prazo, eu não importava muito, nem Martin. Seríamos facilmente esquecidos. Era, no mínimo, uma lição social e moral. Mas durante todo o tempo previsível por vir — enquanto a história fosse escrita, enquanto as calotas de gelo não derretessem e as ruas de Amsterdam não fossem inundadas — a pintura seria lembrada e chorada. Quem sabia ou dava a mínima para os nomes dos turcos que explodiram o teto do Partenon? Dos mulás que tinham mandado destruir os Budas de Bamiyan? Mas estivessem eles vivos ou mortos seus atos permaneciam. Era o pior tipo de imortalidade. Intencionalmente ou não, eu tinha extinguido uma luz no coração do mundo.

Caso de força maior — era esse o nome que as companhias de seguros davam, catástrofes tão aleatórias ou arcanas que do contrário não haveria outra forma de apreender sua dimensão. Probabilidade era uma coisa, mas alguns acontecimentos desviavam tanto das tábuas de mortalidade que até as seguradoras eram forçadas a recorrer ao sobrenatural para explicá-los — *má sorte*, como meu pai tinha dito com tristeza numa noite à beira da piscina, o crepúsculo chegando com tudo, fumando Viceroy após Viceroy para afugentar os pernilongos, uma das poucas vezes em que ele tinha tentado conversar comigo sobre a morte da minha mãe, por que coisas ruins acontecem, por que eu, por que ela, lugar errado e hora errada, apenas um garoto num acaso infeliz, um em um milhão, de forma alguma uma evasiva ou resposta pronta, mas sim — tive de reconhecer, vindo dele — uma profissão de fé e a melhor resposta que tinha para me dar, no mesmo nível de "estava escrito por Alá" ou "era a vontade de Deus", uma reverência sincera ao Fado, o maior deus que ele conhecia.

Se ele estivesse no meu lugar. Isso quase me fez rir. Eu podia imaginá-lo perfeitamente, entocado e andando de um lado pro outro, encurralado e agitado, saboreando o drama do aperto, um policial inocente incriminado e preso interpretado por Farley Granger. Mas o que eu também podia imaginar tão bem quanto era seu fascínio de segunda mão pela minha situação, suas voltas e reviravoltas tão aleatórias quanto qualquer virada de carta, podia imaginá-lo bem demais no seu meneio pesaroso de cabeça. *Alinhamento ruim dos planetas. Há uma lógica nessa coisa, um padrão maior. Se estamos falando apenas de mais uma história, filho, é isso aí.* Ele estaria fazendo sua numerologia ou sei lá o quê, consultando seu livro *Escorpião*, jogando cara ou coroa, sondando as estrelas. Podia-se dizer tudo sobre meu pai, menos que ele não tinha uma visão coesa de mundo.

O hotel estava enchendo por causa dos feriados. Casais. Soldados americanos conversando nos corredores com uma monotonia militar, o posto e a autoridade audíveis na voz. Na cama, em minhas febres opiáceas, eu sonhava com montanhas cobertas de neve, puras e assustadoras, vistas alpinas de documentários sobre Berchtesgaden, grandes ventos que se cruzavam e sopravam sobre mares agitados na pintura a óleo acima da minha escrivaninha: minúsculo veleiro a balançar, sozinho nas águas escuras.

Meu pai: Larga esse controle quando estou falando com você.

Meu pai: Bem, eu não diria desastre, mas fracasso.

Meu pai: Ele tem que comer com a gente, Audrey? Ele tem que sentar à mesa com a gente toda noite? Custa pedir pra Alameda dar de comer a ele antes de eu chegar em casa?

Uno, Batalha Naval, Lousa Mágica, Ligue Quatro. Alguns soldadinhos verdes e insetos rastejantes de borracha de dar medo que eu tinha ganhado na minha meia de Natal.

Sr. Barbour: Sinal de duas bandeiras. Victor: Solicito auxílio. Echo: Estou guinando para estibordo.

O apartamento na Sétima Avenida. Cinza de dia chuvoso. Muitas horas gastas soprando monotonamente de um lado pro outro numa gaita de brinquedo, de um lado pro outro, de um lado pro outro.

Na segunda-feira, ou talvez tenha sido na terça, quando finalmente tomei coragem para erguer as persianas, tão no fim da tarde que já estava quase escuro, havia uma equipe de televisão na rua em frente ao hotel abordando turistas natalinos. Vozes em inglês, vozes americanas. Concertos de Natal na Sint Nicolaaskerk e barracas de temporada vendendo *oliebollen*. "Quase fui atropelado por uma bicicleta, mas com exceção disso tem sido divertido." Meu peito doía. Desci as persianas de novo e me demorei num banho quente, deixando a água correr até minha pele ficar ardendo. O bairro inteiro cintilava com restaurantes decorados com pisca-pisca, lindas lojas expondo casacos de caxemira, suéteres pesados tricotados à mão e todas as roupas quentes que eu tinha me esquecido de trazer. Mas não me atrevia nem a ligar lá pra baixo pra pedir um bule de café graças aos jornais em holandês que eu ficara revirando desde bem antes do amanhecer naquele dia, um deles trazendo na capa uma foto do estacionamento com uma fita policial na saída.

Os papéis estavam espalhados do outro lado da minha cama, como um mapa pra algum lugar horrível ao qual eu não queria ir. Repetidas vezes, incapaz de me conter, entre cochilos e conversas febris que não estava tendo, com pessoas que não estavam falando comigo, eu voltava e os esquadrinhava de novo e de novo, à procura de palavras cognatas em holandês e inglês que apareciam rara e espaçadamente. *Amerikaan dood aangetroffen. Heroïne, cocaïne. Moord*: mortalidade, mordaz, mórbido, morto. *Drugsgerelateerde criminaliteit*: *Frits Aaltink afkomstig uit Amsterdam en Mackay Fiedler Martin uit Los Angeles. Bloedig*: ensanguentado. *Schotenwisseling*: mas vai saber, *schoten*: será que isso significava tiros? *Deze moorden kwamen als en schok voor* — quê?

Boris. Fui até a janela e parei, depois voltei novamente. Mesmo na confusão da ponte eu lembrava que tinha me instruído a não ligar. Ele tinha sido bem específico nesse ponto, embora tenhamos nos separado com tanta pressa que eu não sabia ao certo se ele tinha explicado por que eu deveria esperar que entrasse em contato comigo, e em todo caso já não tinha mais certeza se isso importava. Boris também foi bem enfático sobre não estar machucado, ou pelo menos era o que eu continuava repetindo para mim mesmo, ainda que no pântano de lembranças indesejadas daquela noite que me bombardeavam eu continuasse vendo o buraco queimado na manga do casaco dele, lã preta pegajosa sob a série de lâmpadas de sódio. Muito provavelmente, os guardas de trânsito o tinham pegado na ponte e o detido por dirigir sem carteira: um desfecho bem infeliz de fato, se é que esse era o caso, mas bem melhor do que algumas das outras possibilidades que me vinham à mente.

Twee doden bij bloedige... Aquilo não parou. Havia mais. No dia seguinte, e no outro, junto com meu tradicional café da manhã holandês, havia mais sobre as mortes na Overtoom: centímetros de coluna menores, mas informações mais densas. *Twee dodelijke slachtoffers. Nog een of meer betrokkenen. Wapengeweld in Nederland.* A foto de Frits, com as fotos de alguns outros caras com nomes holandeses e um artigo relativamente longo que eu não tinha a menor esperança de conseguir ler. *Dodelijke schietpartij nog onopgehelderd*... Preocupava-me que tivessem parado de falar de drogas — a pista falsa de Boris — e se voltado para outras possibilidades. Eu tinha desencadeado essa situação, e agora isso estava à solta no mundo, pessoas estavam lendo sobre o assunto por toda a cidade, conversando sobre ele numa língua que não era a minha.

Anúncio enorme da Tiffany no *Herald Tribune*. Beleza e arte atemporais. Boas festas da Tiffany & Co.

O acaso prega peças, meu pai gostava de dizer. Sistemas, crises generalizadas.

Onde estava Boris? Na minha névoa de febre eu tentava, sem sucesso, me divertir ou pelo menos me distrair com pensamentos sobre como era muito provável ele aparecer quando você menos esperava. Estalando os dedos, dando um susto nas garotas. Chegando meia hora depois do início do nosso teste de proficiência, risada geral da turma diante da sua expressão perplexa pelo vidro reforçado com tela da porta trancada: *Ah, nosso futuro brilhante*, ele tinha dito com desdém quando, a caminho de casa, tentei explicar a ele o que eram os testes padronizados.

Nos meus sonhos eu não conseguia chegar aonde precisava estar. Havia sempre alguma coisa me impedindo.

Boris tinha me mandado uma mensagem me passando seu número antes de sairmos dos Estados Unidos, e embora tivesse receio de mandar outra pra ele (sem saber qual era sua situação, ou se a mensagem poderia ser rastreada até mim de alguma forma), continuamente me lembrava de que poderia entrar em contato, se precisasse. Ele sabia onde eu estava. No entanto, madrugada adentro, ficava deitado discutindo comigo mesmo: tédio implacável, debatendo-me, e se, e se, que mal haveria? Por fim, em dado momento desorientado — o abajur aceso, meio sonhando, fora de mim —, não resisti, peguei o telefone na mesa de cabeceira e mandei uma mensagem para ele antes que pudesse pensar duas vezes: **Onde vc ta?**

Fiquei acordado ao longo das duas ou três horas seguintes num estado de ansiedade quase incontrolável, deitado com o antebraço no rosto para me proteger da luz, ainda que não houvesse nenhuma. Infelizmente, quando acordei do meu sono empapado de suor, já perto do amanhecer, o telefone estava morto, pois eu havia esquecido de desligá-lo e — não querendo falar com a recepção, perguntar se tinham um carregador pra emprestar —, hesitei durante horas até que finalmente, no meio da tarde, cedi.

"Certamente, senhor", disse o recepcionista, mal olhando para mim. "Americano?"

Graças a Deus, pensei, tentando não apressar demais o passo enquanto subia a escada. O celular era velho, e lento, e depois de tê-lo conectado e ficado um tempo olhando, cansei de esperar que a marca da Apple aparecesse e fui até o frigobar, preparei um drinque pra mim e voltei, olhando pra ele um pouco mais até que finalmente a tela de bloqueio surgiu, uma foto antiga que tinha escaneado de brincadeira, jamais eu me sentira tão feliz em ver uma foto, Kitsey aos dez anos saltando no ar numa cobrança de pênalti. Mas bem quando eu estava prestes a digitar a senha a tela inicial apagou, depois zumbiu por cerca de dez segundos, listras pretas e cinzas que mudavam de posição e se desmembravam em partículas, até que ouvi um tinido decrescente perturbador e a tela ficou preta.

Quatro e quinze da tarde. O céu estava ficando azul-ultramarino sobre os campanários do outro lado do canal. Eu estava sentado no carpete de costas para a cama e com o cabo do carregador na mão, tendo tentado, metodicamente, duas vezes, todas as tomadas do quarto — eu tinha ligado e desligado o telefone umas cem vezes, segurando-o contra a luz pra ver se por acaso ele estava ligado e apenas a tela tinha apagado, tentado reiniciá-lo, mas o telefone estava queimado: nada acontecendo, tela preta e fria, morto e enterrado. Claramente eu tinha provocado um curto-circuito nele; na noite do estacionamento tinha molhado — gotas visíveis de água na tela quando o tirei do bolso —, mas, embora eu tenha experimentado um ou dois minutos de tensão esperando que ligasse, ele pareceu estar funcionando relativamente bem, até o momento em que tentei conectar um carregador nele. Eu tinha o backup de tudo no meu laptop em casa, exceto da única coisa que eu precisava: o número de Boris, que ele tinha me passado por mensagem no carro a caminho do aeroporto.

Reflexos da água tremulando no teto. Lá fora, em algum lugar, fraquíssima música de Natal com carrilhão e coristas cantando fora de tom. *O Tannenbaum, O Tannenbaum, wie treu sind deine Blätter.*

Eu não tinha uma passagem de volta. Mas tinha um cartão de crédito. Poderia pegar um táxi até o aeroporto. *Você pode pegar um táxi até o aeroporto*, eu disse a mim mesmo. Schiphol. Primeiro avião partindo. Kennedy, Newark. Eu tinha dinheiro. Estava falando comigo mesmo como uma criança. Não sabia onde Kitsey estava — nos Hamptons, muito provavelmente —, mas a assistente da sra. Barbour, Janet (que tinha mantido seu antigo emprego apesar de a sra. Barbour não ter mais muita coisa que necessitasse de assistência), era o tipo de pessoa que podia te colocar num avião saindo de qualquer lugar em poucas horas, mesmo na véspera de Natal.

Janet. Pensar em Janet era absurdamente reconfortante. Janet, que era um sistema eficiente e todo próprio de modos verbais, Janet gordinha e rosada com seus casacos de lã Shetland rosa e seus xadrezes madras como uma ninfa de Boucher vestida com J. Crew, Janet, que respondia a tudo com um ótimo! e bebia café numa caneca rosa que dizia *Janet*.

Era um alívio pensar com clareza. De que serviria a Boris, ou a quem quer que fosse, que eu ficasse esperando à toa? O frio e a umidade, a língua ilegível. Febre e tosse. A sensação de pesadelo de confinamento. Eu não queria ir embora sem Boris, sem saber se ele estava bem, era aquela confusão de filme de guerra de continuar correndo e deixar um amigo caído pra trás sem a menor ideia de pra que inferno pior você está correndo, mas ao mesmo tempo queria tanto sair de Amsterdam que conseguia me imaginar caindo de joelhos ao desembarcar em Newark, tocando a testa no piso do saguão do aeroporto.

Lista telefônica. Lápis e papel. Apenas três pessoas tinham me visto: o indonésio, Grozdan e o garoto asiático. E, embora fosse bem possível que Martin e Frits tivessem colegas em Amsterdam procurando por mim (outro bom motivo pra sair da cidade), eu realmente não tinha motivos pra achar que a polícia estava atrás de mim. Não havia nenhuma razão pra eles estarem de sobreaviso sobre meu passaporte.

Então — era como levar um soco na cara — estremeci. Por algum motivo eu ficara com a ideia de que meu passaporte estava lá embaixo, onde tive de apresentá-lo ao fazer o check in. Mas a verdade é que eu não tinha nem pensado mais nele, não desde que Boris o tirara de mim pra trancá-lo no porta-luvas do carro.

Muito, muito calmamente, soltei a lista telefônica, fazendo um esforço para largá-la de uma forma que pareceria casual e não estudada para algum observador neutro. Numa situação normal era bastante simples. Procurar o endereço, localizar o escritório, descobrir aonde ir. Ficar na fila. Esperar minha vez. Falar educada e pacientemente. Eu tinha cartões de crédito, identidade com foto. Hobie poderia passar minha certidão de nascimento por fax.

Impaciente, tentei afastar da mente uma anedota que Toddy Barbour tinha contado no jantar — como, ao perder seu passaporte (na Itália? Espanha?), exigiram que ele apresentasse uma testemunha de carne e osso para confirmar sua identidade.

O céu manchado de preto. Era cedo na América. Hobie acabando de parar pra almoçar, caminhando até o Jefferson Market, talvez fazendo compras pro almoço que ia dar no Natal. Será que Pippa ainda estava na Califórnia? Imaginei-a rolando numa cama de hotel e esticando a mão para pegar o telefone, os olhos ainda fechados. Theo, é você, aconteceu alguma coisa?

Melhor pagar uma multa e passar uma conversa pra se livrar disso se formos parados.

Eu me sentia doente. Apresentar-me ao consulado (ou sei lá o quê) pra uma série de entrevistas e papelada era ir atrás de bem mais problemas do que precisava. Não tinha definido um tempo limite de espera, e, no entanto, qualquer movimento — movimento aleatório, movimento inconsciente, movimento de inseto zumbindo ao redor de uma jarra — parecia preferível a ficar um só minuto a mais engaiolado no quarto, vendo espectros pelo canto do olho.

Outro anúncio enorme da Tiffany no *Tribune*, desejando boas-festas. Então, na página ao lado, um anúncio diferente, de câmeras digitais, rabiscado em letras pseudoartísticas e assinado por Joan Miró:

você pode olhar para uma imagem por uma semana e jamais pensar nela de novo. você também pode olhar para uma imagem por um segundo e pensar nela o resto da vida

Centraal Station. União Europeia, nenhum controle de passaporte nas fronteiras. Qualquer trem, qualquer lugar. Imaginei-me vagando em círculos sem rumo pela Europa: cataratas do Reno e desfiladeiros tiroleses, túneis e tempestades de neve cinematográficos.

Às vezes o negócio é jogar bem com uma mão fraca, eu lembrava meu pai dizendo sonolento, meio dormindo no sofá.

Olhando fixamente para o telefone, tonto de febre, fiquei sentado bem imóvel e tentei pensar. Boris, no almoço, tinha falado em pegar o trem de Amsterdam pra Antuérpia (e Frankfurt — eu não queria chegar nem perto da Alemanha), mas, também, pra Paris. Se eu fosse a um consulado em Paris pra requisitar um novo passaporte talvez fosse menos provável uma ligação com o lance de Martin. Mas não havia como escapar do fato de que o garoto chinês era uma testemunha ocular. Até onde eu sabia minha foto poderia estar em todos os computadores de autoridades policiais da Europa.

Fui ao banheiro para jogar água no rosto. Espelhos demais. Fechei a torneira e peguei uma toalha para secar o rosto. Ações metódicas, uma de cada vez. Era ao anoitecer, quando meu humor ficava mais sombrio, que eu começava a sentir medo. Copo de água. Aspirina pra febre. Sempre piorava depois que escurecia. Ações simples. Eu estava entrando em pânico e sabia. Não tinha ideia dos mandados que Boris tinha contra si, mas, embora fosse preocupante pensar que ele tinha sido preso, eu estava muito mais preocupado que a turma de Sascha tivesse mandado outra pessoa atrás dele. Esse era outro pensamento que não podia me permitir levar adiante.

II

No dia seguinte — véspera de Natal — me obriguei a tomar um gigantesco café da manhã de serviço de quarto mesmo não estando com vontade e joguei fora o jornal sem olhar pra ele, já que estava com medo de que se visse as palavras *Overtoom* ou *Moord* mais uma vez não conseguiria me forçar a fazer o que precisava. Depois de ter comido, apaticamente, juntei o acúmulo da semana de jornais em cima e em volta da minha cama, amassei-os e joguei-os no lixo; retirei do armário minha camisa podre de água sanitária e — depois de verificar se a sacola estava bem fechada — coloquei-a em outra sacola do mercado asiático (deixando-a aberta, pra carregar com mais facilidade, e também pro caso de eu avistar algum tijolo útil). Então, depois de erguer a gola do meu casaco e amarrar meu cachecol em volta, virei o aviso na porta para a camareira e saí.

O tempo estava horrível, o que ajudou. Granizo molhado, soprando de lado, caía sobre o canal. Caminhei por cerca de vinte minutos — fungando, sofrendo, congelando — até que topei com uma lata de lixo numa esquina particularmente deserta sem carro, pedestre, ou loja, apenas casas bem fechadas contra o vento.

Rapidamente atirei a camisa nela e continuei andando, com uma onda de euforia que me fez acelerar o passo muito rapidamente por quatro ou cinco ruas, apesar dos dentes batendo. Meus pés estavam molhados; as solas do sapato eram finas demais para os paralelepípedos e eu estava com muito frio. Quando recolhiam o lixo? Não importava.

A não ser que — balancei a cabeça para afastar o pensamento — o mercado asiático. A sacola de plástico trazia o nome do mercado asiático. A apenas algumas quadras do meu hotel. Mas era ridículo pensar assim e tentei argumentar comigo mesmo nesse sentido. Quem tinha me visto? Ninguém.

Charlie: Afirmativo. Delta: Estou manobrando com dificuldade.

Para com isso. Para com isso. Não havia volta.

Sem saber onde encontrar um ponto de táxi, fiquei me arrastando sem rumo durante vinte minutos ou mais até que finalmente consegui chamar um carro na rua. "Centraal Station", falei para o taxista turco.

Mas, quando ele me deixou na frente, depois de uma corrida por ruas cinzentas e assombradas como de documentários antigos, por um momento pensei que tinha me levado para o lugar errado, já que pela fachada o prédio parecia mais um museu — fantasia de tijolos vermelhos com empenas e torres, todo espetado na versão holandesa da era vitoriana. Entrei devagar, em meio à multidão de feriado, fazendo o melhor que podia para dar a impressão de que era só mais um, ignorando os policiais que pareciam estar em praticamente todos os lugares que eu olhava e me sentindo desconcertado e incomodado enquanto o grande mundo democrático passava em massa à minha volta outra vez: avós, estudantes, recém-casados exaustos e crianças pequenas arrastando mochilas; sacolas de compras e copos do Starbucks, repique de rodinhas de mala, adolescentes recolhendo assinaturas para o Greenpeace, de volta ao zum-zum de coisas humanas. Havia um trem para Paris à tarde, mas eu queria o último.

As filas eram infinitas, estendendo-se até a banca de jornal. "Esta noite?", perguntou a balconista quando finalmente cheguei ao guichê — uma mulher grandalhona e loira de meia-idade, estufada no peito e com a simpatia impessoal de uma alcoviteira numa pintura de gênero de segunda categoria.

"Isso mesmo", falei, esperando não parecer tão doente quanto me sentia.

"Quantas?", disse ela, mal olhando para mim.

"Só uma."

"Certo. Passaporte, por favor."

"Só um..." Voz rouca da doença, apalpando meus bolsos; eu tinha a esperança de que não fossem pedir. "Ah. Desculpe, não estou com ele agora, ficou no cofre do hotel. Mas..." Apresentei minha identidade americana, meus cartões de crédito, meu cartão do Seguro Social, empurrando tudo pelo guichê. "Aqui está."

"O senhor precisa de um passaporte para viajar."

"Ah, com certeza." Fazendo o melhor que podia para soar sensato, informado. "Mas só vou viajar esta noite. Tá vendo?" Indiquei o chão vazio aos meus pés: nenhuma bagagem. "Vim trazer minha namorada, e já que estou aqui pensei em aproveitar pra entrar na fila e comprar a passagem, se não houver problema."

"Bem..." A balconista olhou de relance para a tela. "O senhor tem tempo suficiente. Sugiro que espere e compre sua passagem quando retornar esta noite."

"Sim…" Apertei o nariz, para não respirar. "Mas preferiria comprar agora."

"Receio que não seja possível."

"Por favor. Seria de grande ajuda. Estou parado aqui há quarenta e cinco minutos e não sei como vão estar as filas hoje à noite." Eu tinha quase certeza de que me lembrava de ter ouvido de Pippa — que já tinha percorrido toda a Europa sobre trilhos — que eles não conferiam o passaporte no trem. "Só quero comprar agora pra ter tempo de resolver tudo na rua antes de voltar esta noite."

A balconista olhou bem pro meu rosto. Então ela pegou a identidade e olhou para a foto, depois para mim de novo.

"Olha", falei, quando ela hesitou, ou pareceu hesitar: "Você pode ver que sou eu. Tem meu nome, meu cartão do Seguro Social — aqui", falei, enfiando a mão no bolso para pegar papel e caneta. "Deixa eu repetir a assinatura pra você."

Ela comparou as duas, lado a lado. Novamente olhou para mim, depois para o cartão — e então, de uma hora para a outra, pareceu se decidir. "Não posso aceitar essa documentação." Empurrou meus cartões de volta pelo guichê.

"Por que não?"

A fila atrás de mim estava aumentando.

"Por quê?", repeti. "É perfeitamente legítima. É o que eu uso para voar nos Estados Unidos. As assinaturas batem", falei, quando ela não respondeu, "não vê?"

"Sinto muito."

"Quer dizer então…" Eu podia ouvir o desespero na minha voz; ela estava devolvendo meu olhar com agressividade, como se me desafiando a discutir. "Você está me dizendo que vou ter que voltar até aqui esta noite e pegar toda esta fila de novo?"

"Sinto muito, senhor. Não posso ajudá-lo. Próximo", disse a balconista, olhando sobre meu ombro para o próximo passageiro.

Enquanto eu me afastava, abrindo caminho aos empurrões pela multidão, alguém disse atrás de mim: "Ei. Ei, amigo?".

A princípio, desorientado com o episódio no guichê, achei que a voz fosse alucinação minha. Mas, quando me virei, agitado, vi um adolescente com cara de furão, olhos injetados e cabeça raspada, balançando-se pra cima e pra baixo sobre a ponta dos seus tênis gigantescos. Pela sua olhada de um lado pro outro achei que ia se oferecer pra me vender um passaporte, mas em vez disso ele se inclinou pra frente e disse: "Não tente".

"Como?", falei, inseguro, lançando um olhar para a policial parada atrás dele a menos de dois metros.

"Escuta, amigo. Viajei pra lá e pra cá uma centena de vezes quando estava com o negócio, e eles nunca me pediram nem uma vez. Mas na única ocasião em que eu não estava com ele, indo pra França, eles me prenderam, sabe, a polícia de imigração francesa, doze horas com sua comida lixo e sua atitude lixo, horrível. Cela suja horrível. Acredite, você vai querer estar com seus documentos em ordem. Não é brincadeira no seu caso também."

"É, valeu", falei. Eu suava no casaco, que não ousava desabotoar. No cachecol que não ousava desamarrar.

Calor. Dor de cabeça. Ao me afastar dele, senti o olhar furioso de uma câmera de segurança me atravessando; e tentei não parecer consciente disso enquanto costurava pela multidão, vacilante e tonto da febre, esmagando o número de telefone do consulado americano no meu bolso.

Demorei um tempo até encontrar um telefone público — no outro extremo da estação, numa área repleta de adolescentes esquisitos sentados no chão num conselho quase tribal — e demorei ainda mais pra descobrir como fazer a ligação propriamente.

Torrente animada de palavras em holandês. Em seguida fui saudado por uma agradável voz americana: bem-vindo ao consulado dos Estados Unidos na Holanda, gostaria de continuar em inglês? Mais menus, mais opções. Aperte um para isso, aperte dois para aquilo, por favor aguarde para ser atendido. Segui pacientemente as instruções e fiquei parado olhando para a multidão até que percebi que talvez não fosse uma ideia tão boa deixar que as pessoas vissem meu rosto, então virei para a parede.

O telefone tocou por tanto tempo que já estava flutuando num nevoeiro dissociado quando de repente ouvi um clique, uma voz americana tranquila soando fresca da praia de Santa Cruz: "Bom dia, Consulado Americano na Holanda, em que posso ajudar?".

"Oi", falei, aliviado. "Eu..." Tinha debatido quanto a dar ou não um nome falso, só pra conseguir a informação que eu queria, mas me sentia fraco e exausto demais pra me dar ao trabalho. "Estou num apuro. Meu nome é Theodore Decker e meu passaporte foi roubado."

"Poxa, sinto muito." Ela estava digitando alguma coisa, eu podia ouvi-la do outro lado da linha. Música natalina tocando ao fundo. "Época ruim do ano pra isso — todo mundo viajando, sabe? Você comunicou as autoridades?"

"Como?"

"O roubo do passaporte? Porque tem que comunicar o fato imediatamente. A polícia precisa ficar sabendo sem demora."

"Eu..." Amaldiçoei-me; por que tinha dito que fora roubado? "Não, desculpe, acabou de acontecer. Centraal Station" — olhei em volta —, "estou ligando de um orelhão. Pra falar a verdade não tenho certeza se foi roubado, pode ter caído do meu bolso."

"Bem..." — mais digitação — "perdido ou roubado, você tem que fazer um boletim de ocorrência."

"Sim, mas eu estava prestes a pegar um trem, sabe, e agora eles não vão me deixar entrar. E tenho que estar em Paris esta noite."

"Espere um segundo." Havia gente demais na estação de trem, lã molhada e cheiros abafados de multidão se acentuando horrivelmente no ambiente superaquecido. Passado um momento ela voltou pra linha. "Vou precisar de alguns dados seus..."

Nome. Data de nascimento. Data e cidade de emissão do passaporte. Suando no meu sobretudo. Corpos úmidos por toda a minha volta.

"Você tem algum documento que comprova sua cidadania?", ela estava dizendo.

"Como?"

"Um passaporte vencido? Certidão de nascimento ou de naturalização?"

"Tenho um cartão de Seguro Social. E uma identidade do estado de Nova York. Posso conseguir uma cópia por fax dos Estados Unidos da minha certidão de nascimento."

"Ah, ótimo. Isso deve ser suficiente."

Sério? Fiquei imóvel. Era só isso?

"Você tem acesso a um computador?"

"Hum..." O computador no hotel? "Claro."

"Bem..." Ela me passou um site. "Você vai precisar baixar, imprimir e preencher uma declaração juramentada de passaporte perdido e roubado e trazê-la aqui. Ao nosso escritório. Ficamos perto do Rijksmuseum. Sabe onde é?"

Eu estava tão aliviado que podia apenas ficar parado ali e deixar que os ruídos da multidão me rodeassem ininteligíveis num borrão psicodélico.

"Então — é isto que vou precisar de você", a garota da Califórnia estava dizendo, sua voz fresca me trazendo de volta do meu devaneio febril multicolorido. "A declaração juramentada. Os documentos enviados por fax. Duas cópias de uma foto cinco por cinco com fundo branco. E não esqueça da cópia do boletim de ocorrência."

"Perdão?", falei, sobressaltado.

"Como eu disse, no caso de passaportes perdidos ou roubados é necessário que faça um boletim de ocorrência."

"Eu..." Olhei para uma convergência misteriosa de mulheres árabes com véu, passando silenciosamente, usando preto da cabeça aos pés. "Não vou ter tempo pra isso."

"Como assim?"

"Não é como se eu estivesse indo para a América hoje. É só que..." — precisei de um momento para me recompor; meu acesso de tosse tinha me deixado com lágrimas nos olhos — "meu trem pra Paris sai daqui a duas horas. Então, não sei o que fazer. Não tenho certeza se vou conseguir reunir toda essa papelada a tempo e ainda ir até a delegacia."

"Bem..." — com pesar — "olha, na verdade, nosso escritório só fica aberto por mais quarenta e cinco minutos."

"Quê?"

"Fechamos mais cedo hoje. Véspera de Natal. E amanhã não teremos expediente, nem no fim de semana. Mas abriremos de novo às oito e meia na segunda-feira."

"*Segunda-feira?*"

"Olha, sinto muito", disse ela. Parecia resignada. "É um processo."

"Mas é uma emergência!" A voz rouca da doença.

"Emergência? Familiar ou médica?"

"Eu..."

"Porque em certas situações muito raras fornecemos sim apoio emergencial após o expediente." Ela não estava mais tão amigável; estava com pressa, recitando o roteiro, eu podia ouvir outra ligação tocando nos fundos como num programa de rádio com participação ao vivo. "Infelizmente isso é restrito a situações urgentes de vida ou morte e nossa equipe tem que determinar que a emergência doméstica é justificada antes de conceder uma dispensa de passaporte. Então, a não ser que circunstâncias de morte ou doença crítica exijam que você viaje a Paris esta tarde, e a não ser que possa providenciar informações que comprovem a emergência crítica, como uma declaração juramentada de um médico responsável, clérigo ou diretor funerário..."

"Eu..." Segunda-feira? Merda! Eu não queria nem pensar no boletim de ocorrência. "Ei, desculpe, escuta..." Ela estava tentando desligar.

"Pode trazer tudo na segunda às oito e meia. E então, sim, uma vez que tenha dado entrada na solicitação, vamos processá-la o mais rápido possível — desculpe, você me dá licença um segundo?" Clique. Sua voz, mais fraca. "Bom dia, Consulado dos Estados Unidos na Holanda, o senhor poderia aguardar um momento?" Imediatamente o telefone começou a tocar de novo. "Bom dia, Consulado dos Estados Unidos na Holanda, o senhor poderia aguardar um momento?"

"Quanto tempo isso leva?", perguntei, quando ela voltou pra linha.

"Ah, depois que der entrada devemos te entregar o passaporte em dez dias, no máximo. Dias úteis, no caso. Bem, normalmente eu faria o possível pra acelerar isso e te entregar em sete, mas com os feriados, tenho certeza de que você entende, o escritório está com um pouco de trabalho acumulado no momento, e nossos horários estão bem irregulares até o Ano-Novo. Então... Sinto muito", acrescentou ela, no silêncio chocado que se seguiu. "Pode demorar um pouco. Péssimas notícias, eu sei."

"O que eu devo fazer?"

"Você precisa de assistência ao viajante?"

"Não tenho certeza do que isso significa." Suor escorrendo. Ar aquecido rançoso, carregado de odores de multidão, mal e mal respirável.

"Transferência de dinheiro? Acomodações temporárias?"

"Como é que vou voltar pra casa?"

"Você mora em Paris?"

"Não, nos Estados Unidos."

"Bem, com um passaporte temporário — um passaporte temporário não tem nem o chip que você precisa pra entrar nos Estados Unidos, então não tenho certeza se realmente há algum atalho que vai te levar pra lá muito mais rápido do que..." Trim-trim-trim. "Só um momento, senhor, você poderia aguardar? Bom, meu nome é Holly. Gostaria que eu te passasse o número do meu ramal, só para o caso de ter algum problema ou precisar de alguma assistência durante sua estadia?"

III

Minha febre, por algum motivo, tendia a aumentar subitamente ao anoitecer. Mas, depois de eu ficar tanto tempo de pé no frio, tinha começado a disparar em saltos desiguais que lembravam os sacolejos de um objeto pesado sendo rebocado aos trancos e barrancos pela lateral de um prédio alto, de forma que no caminho de volta mal consegui entender por que estava me movendo ou por que não caía ou até como estava seguindo em frente, uma espécie de inconsciência aérea descabida que me carregou muito acima do meu próprio corpo por ruas chuvosas de canal e por alturas e correntes de ar desencarnadas onde eu parecia estar olhando do alto para mim mesmo; foi um erro não pegar um táxi na estação, eu não parava de ver a sacola de plástico na lata de lixo, o rosto rosado e brilhoso da balconista e Boris com lágrimas nos olhos e sangue na mão, apertando o ponto queimado da manga; o vento rugia, minha cabeça latejava e a intervalos irregulares eu estremecia diante de movimentos epilépticos escuros na borda do cotovelo — espirros, sobressaltos falsos, ninguém ali, ninguém na rua na verdade exceto — de vez em quando — algum ciclista ofuscado e curvado sob a garoa.

Cabeça pesada, garganta ruim. Quando, finalmente, consegui chamar um táxi na rua, eu já estava a apenas alguns minutos do hotel. A única coisa boa, quando voltei lá pra cima — congelando e tremendo — foi que eles tinham limpado o quarto e reabastecido o frigobar, que eu havia esvaziado, bebendo inclusive o Cointreau.

Retirei ambas as minigarrafas de gim e misturei-as com água quente da torneira, depois sentei na cadeira de brocado junto à janela, o copo balançando na ponta dos dedos, e fiquei vendo as horas passarem: mal e mal acordado, num estado próximo do sonho, a luz solene de inverno declinando de parede em parede em paralelogramos que deslizaram até o tapete e se estreitarem até desaparecer de vez e já estar na hora do jantar, meu estômago doía e minha garganta estava irritada de bile, e eu continuei ali sentado, no escuro. Não era nada em que já não tivesse pensado antes, bastante, e em circunstâncias bem mais leves; o impulso me sacudia com força e de forma imprevisível, um sussurro venenoso que nunca me deixava totalmente, que em alguns dias apenas pairava no limiar da minha audição, mas que em outros rugia incontrolável numa espécie de frenesi visionário chocante, o porquê eu não sabia ao certo, às vezes até um filme ruim ou um jantar horrível podiam desencadeá-lo, tédio no curto prazo e dor no longo prazo, pânico temporário e desespero permanente chegando de uma só vez e pegando fogo com uma luz cinzenta tão desoladora que eu via, realmente via, olhando para o passado com um desespero lúcido e eloquente, que o mundo e tudo o que havia nele era intolerável e permanentemente fodido, e nada nunca tinha estado bom ou razoável, claustrofobia insuportável da alma, o quarto sem janela, nenhuma saída, ondas de vergonha e horror, *me deixa em paz*, minha mãe morta num piso de mármore, *para com isso, para com isso*, resmungando alto comigo mesmo em elevadores, em táxis, *me deixa em paz, eu quero morrer*, uma fúria fria, inteligente e imolada que já tinha — mais de uma vez — me impulsionado até o andar de cima com uma resolução nebulosa de tomar indiscriminadamente combinações de qualquer que fossem a bebida e as pílulas que tivesse à mão: apenas por tolerância e incapacidade eu tinha fracassado, acordando com uma surpresa desagradável embora aliviado por Hobie não ter tido que me encontrar.

Melros. Céus cor de chumbo desastrosos saídos de Egbert van der Poel.

Levantei e acendi a luminária de mesa, vacilando no brilho fraco cor de urina. Havia a espera. Havia a fuga. Mas essas eram menos escolhas do que medidas de resistência — as inúteis corridas e paralisações de um rato num tanque de cobras, servindo apenas para prolongar o desconforto e o suspense. E havia também uma terceira opção, já que por vários motivos eu achava que um membro do consulado retornaria bem rápido minha ligação se eu deixasse uma mensagem pós-expediente declarando que era um cidadão americano querendo me entregar por homicídio em primeiro grau.

Ato de rebelião. Vida vazia, vã, insuportável. Que lealdade eu lhe devia? Absolutamente nenhuma. Por que não esmurrar primeiro o destino? Atirar o livro no fogo e acabar de uma vez com aquilo? Não havia qualquer perspectiva de fim para o horror presente, um horror externo e empírico mais do que suficiente pra se alinhar com meu próprio estoque endógeno; e, se tivesse heroína suficiente (inspecionando a mala, descobri que restava menos da metade), teria preparado alegremente uma carreira gorda e me atirado de cabeça — escuridão de alma grandiosa, explosão de estrelas.

Mas não havia o suficiente pra ter certeza de que ia acabar comigo. Eu não queria desperdiçar o que tinha em poucas horas de alheamento apenas para acordar de novo na minha gaiola (ou, pior, num hospital holandês sem nenhum passaporte). Mas daí também minha tolerância estava baixa e eu estava certo de que tinha o bastante pra dar conta do recado se ficasse bem bêbado antes e ainda completasse com minha pílula de emergência.

Garrafa de vinho branco gelada no frigobar. Por que não? Bebi o resto do gim e a abri, sentindo-me decidido e eufórico — eu estava com fome, eles tinham reposto os biscoitos e petiscos, mas aquilo ia funcionar muito melhor num estômago vazio.

O alívio era imenso. Recusa silenciosa. Alegria mais do que perfeita de jogar tudo fora. Encontrei uma estação de música clássica no rádio — cantochão natalino, lúgubre e litúrgico, menos uma melodia e mais um comentário espectral sobre o assunto — e pensei em preparar um banho de banheira para mim.

Mas o banho podia esperar. Em vez disso abri a escrivaninha e encontrei uma pasta com artigos de papelaria do hotel. Pedra cinza de catedral, hexacordes menores. *Rex virginum amator*. Entre a febre e a água do canal marulhando lá fora, o espaço à minha volta tinha silenciosamente adquirido uma duplicidade assombrada, uma zona de fronteira que era ao mesmo tempo um quarto de hotel e a cabine de um navio balançando suavemente. A vida em alto-mar. Morte por água. Andy, quando éramos crianças, contando-me com sua voz sinistra de garoto marciano que tinha ouvido no Learning Channel que Maria protegia os marinheiros, que uma das proteções do Rosário era que você jamais morreria por afogamento. *Maria Stella Maris*. Maria Estrela do Mar.

Pensei em Hobie na missa do galo, ajoelhando-se no banco com seu terno preto. O dourado se desgasta naturalmente. Numa porta de armário, no tampo de uma cômoda, geralmente há uma quantidade de minúsculos entalhes.

Objetos procurando seus legítimos donos. Tinham qualidades humanas. Eram mal-encarados ou honestos ou desconfiados ou bons.

Peças realmente extraordinárias não surgem do nada.

A caneta do hotel não era aquelas coisas, queria ter uma melhor, mas o papel era amarelo-claro e grosso. Quatro cartas. A de Hobie e a da sra. Barbour teriam que ser as mais longas, já que eles eram as pessoas que mais mereciam uma explicação, e também porque eram as únicas pessoas que, se eu morresse, iam realmente se importar. Mas eu também teria de escrever a Kitsey — para garantir que não era culpa dela. A carta de Pippa seria a mais curta. Eu queria que ela soubesse o quanto a amava e ao mesmo tempo dizer que ela não devia sentir nem uma partícula de culpa por não me amar de volta.

Mas eu não ia dizer isso. Eram pétalas de rosa que queria lançar, não um dardo envenenado. Eu deveria lhe dizer, brevemente, quão feliz ela tinha me feito, deixando de fora toda a parte mais óbvia.

Quando fechei os olhos, fui assaltado por flashes clinicamente nítidos de lembrança que a febre tinha feito irromper do nada, como balas disparando na selva, clarões de material altamente detalhado e emocionalmente complexo. Cordas de harpa de luz pelas janelas gradeadas do nosso antigo apartamento na Sétima Avenida, carpete de sisal áspero e a textura de waffle vermelha que ele deixava nas minhas mãos e nos meus joelhos quando eu brincava no chão. Um vestido de festa cor de tangerina da minha mãe com coisas brilhantes na saia que eu sempre queria tocar. Alameda, nossa antiga empregada, amassando bananas numa tigela de vidro. Andy me fazendo uma saudação antes de entrar aos tropeços no hall sombrio do apartamento dos seus pais: *Afirmativo, capitão.*

Vozes medievais, austeras e de outro mundo. A gravidade da música sem adornos.

Eu não me sentia triste realmente, essa era a questão. Em vez disso era mais como na última e pior das minhas obturações de canal, quando o dentista tinha se inclinado sob as lâmpadas e dito *Está quase acabando*.

24 de dezembro
Querida Kitsey,
Sinto muito por tudo, mas quero que você saiba que isso não tem nada a ver com você e nada a ver com ninguém da sua família. Sua mãe receberá uma carta separada que trará um pouco mais de informações, mas neste ínterim quero garantir a você, em particular, que minhas ações não foram influenciadas por nada que aconteceu entre nós, especialmente os episódios recentes.

De onde tinha saído esse tom frio, e essa letra anormalmente fria — incongruente com os aguaceiros de lembrança e a alucinação que me atingia de todos os lados —, eu não sabia. O granizo molhado açoitando as vidraças tinha uma espécie de peso histórico profundo, fome, exércitos marchando, uma garoa interminável de tristeza.

Como você bem sabe, e como você mesma me disse, tenho diversos problemas que começaram muito antes de te conhecer, e nenhum desses problemas é culpa sua. Se sua mãe tiver perguntas sobre seu papel nos acontecimentos recentes, insisto pra que você peça para ela falar com Tessa Margolis, ou, ainda melhor, Em, que ficarão mais do que encantadas em compartilhar suas opiniões sobre meu caráter. Além disso, mudando totalmente de assunto, insisto pra que você nunca mais deixe Havistock Irving entrar no apartamento de vocês.

Kitsey quando criança. Cabelo loiro caindo no rosto. *Calem a boca, seus idiotas. Parem com isso senão vou contar.*

Por último, mas não menos importante...

(Minha caneta ficou suspensa sobre essa linha.)

Por último, mas não menos importante, quero te dizer quão linda você estava na festa e quão tocado fiquei por ter usado os brincos da minha mãe. Ela era louca por Andy — teria te amado também, e teria adorado nos ver juntos. Sinto muito por não ter dado certo. Mas espero que as coisas deem certo pra você. De verdade.
Com amor,
Theo

Lacrada; endereçada; deixada de lado. Deviam ter selos na recepção.

Querido Hobie,
Esta é uma carta difícil de escrever e lamento por ter que fazê-lo.

Suores alternados com calafrios. Eu estava vendo pontos verdes. Minha febre estava tão forte que as paredes pareciam estar encolhendo.

Isso não tem nada a ver com as peças que vendi. Imagino que logo você vai ficar sabendo do que se trata.

Ácido nítrico. Fuligem. Mobília, como todas as criaturas vivas, adquiria marcas e cicatrizes ao longo do tempo.
Os efeitos do tempo, visíveis e invisíveis.

Não sei bem como dizer isso, mas acho que o pensamento que me vem à mente diz respeito a uma cadelinha doente que minha mãe e eu encontramos na rua em Chinatown. Ela estava deitada num vão entre duas latas de lixo. Era um filhote de pit bull. Fedida, suja. Pele e osso. Fraca demais para se erguer. As pessoas simplesmente passavam direto por ela. Eu fiquei triste e minha mãe me prometeu que a pegaríamos se ela ainda estivesse lá quando terminássemos de comer. Quando saímos do restaurante, ela ainda estava lá. Então chamamos um táxi, eu a peguei nos braços e quando chegamos em casa minha mãe colocou uma caixa pra ela na cozinha, e ela ficou tão feliz que lambeu nosso rosto e bebeu um monte de água e comeu a ração que compramos pra ela e vomitou tudo. Bem, resumindo, ela morreu. Não foi culpa nossa. Achamos que era. Nós a levamos ao veterinário e compramos comida especial pra ela, mas foi ficando cada vez mais doente. A essa altura nós dois já estávamos muito apegados a ela. E minha mãe levou-a de novo para uma consulta, com um especialista do Animal Medical Center. O veterinário disse: essa cadela tem uma doença (cujo nome eu esqueci), e ela já tinha quando vocês a encontraram, e eu sei que não é isso que você quer ouvir, mas vai ser muito melhor pra ela se você a sacrificar agora.

Minha mão voava pelo papel em saltos e arrancadas precipitados. Mas quando cheguei ao final da página e fui pegar outra folha, parei, horrorizado. O que eu tinha experimentado como pura leveza, uma espécie de deslizamento impetuoso de última chance, não era nem de longe a despedida eloquente e afetuosa que eu imaginara. A letra estava inclinada pra lá e pra cá por toda a página e não era inteligente, coerente ou mesmo legível. Tinha que haver uma forma muito mais breve, e mais simples, de agradecer a Hobie e dizer o que eu tinha pra dizer, que era que ele não deveria se sentir mal, sempre tinha sido bom comigo e fez o melhor que podia pra me ajudar, assim como minha mãe e eu tínhamos feito o melhor que podíamos pra ajudar aquele filhote de pit bull, que — este era na verdade um ponto pertinente, só que eu não queria dar voltas demais na história — apesar de todo o seu temperamento dócil tinha sido incrivelmente destrutiva nos dias que antecederam sua morte, ela tinha praticamente derrubado o apartamento inteiro e feito nosso sofá em pedacinhos.

Piegas, autoindulgente, insosso. Minha garganta parecia como se a pele interna tivesse sido arrancada com uma gilete.

Estofamento saindo. Olha aqui: temos caruncho. Vamos ter que tratar com Cuprinol.

Na noite em que sofri uma overdose no banheiro do andar de cima da casa de Hobie, esperando não acordar e acordando mesmo assim com a cara no velho ladrilho hexagonal psicodélico do chão, abri os olhos impressionado com quão radiante um banheiro do pré-guerra com acessórios brancos e simples podia ficar quando você o olhava da vida após a morte.

O começo do fim? Ou o fim do fim?

Fabelhaft. Divertindo-se como nunca.

Uma coisa de cada vez. Aspirinas. Água gelada do frigobar. As aspirinas passaram raspando e ficaram presas no meu peito, como se eu tivesse engolido cascalho, e bati no peito tentando fazê-las descer, a bebida piorara bastante meu estado, eu estava com sede, confuso, anzóis na garganta, água escorrendo absurdamente pelo meu rosto, arfando e resfolegando, eu tinha aberto o vinho como um mimo (supostamente), mas ele estava descendo como solvente queimando e dilacerando meu estômago, será que eu devia preparar um banho de banheira, será que devia ligar lá pra baixo pra pedir alguma coisa quente, algo simples, sopa ou chá? Não, o negócio era simplesmente terminar o vinho ou talvez apenas passar direto pra vodca; eu tinha lido em algum site que apenas dois por cento das tentativas de suicídio por overdose eram bem-sucedidas, o que parecia um número absurdamente baixo, embora infelizmente confirmado por experiência prévia. *Não vai mais chover.* Esse era o bilhete suicida de alguém. *Foi apenas uma farsa.* O marido de Jean Harlow, que tinha se matado na noite de núpcias deles. O de George Sanders tinha sido o melhor de todos, um clássico da antiga Hollywood, meu pai sabia de cor e gostava de citá-lo. *Querido mundo, estou indo embora porque estou entediado.* E, então, Hart Crane. Impulso e salto, a camisa inflando enquanto caía. *Adeus todo mundo!* Uma despedida gritada, atirando-se do navio.

Eu já não considerava meu corpo como sendo meu. Não me pertencia mais. Minhas mãos, movendo-se, pareciam independentes, flutuando por conta própria, e quando me levantei foi como manipular uma marionete, desdobrando-me, erguendo-me bruscamente em cordas.

Hobie tinha me dito que quando era jovem bebia Cutty Sark porque era o uísque de Hart Crane. Cutty Sark significa "camisa curta".

Paredes verde-claras na sala do piano, palmeiras e sorvete de pistache.

Janelas cobertas de gelo. Quartos não aquecidos da infância de Hobie.

Os Velhos Mestres, eles nunca estavam errados.

O que eu pensava, o que eu sentia?

Doía respirar. O saquinho de heroína estava na mesa de cabeceira do outro lado da cama. Embora meu pai, com seu amor inabalável pelo inferno do show business, provavelmente tivesse adorado o cenário completo — droga, cinzeiro sujo, bebida e tudo o mais —, eu não conseguia suportar a ideia de ser encontrado esparramado com meu robe de cortesia do hotel feito um ex-cantor de música lounge. Deveria me limpar, tomar banho, fazer a barba e pôr meu terno pra não parecer tão acabado quando me encontrassem, e só então, por fim, depois que as camareiras da noite terminassem seu turno, tirar o aviso de NÃO PERTURBE da porta — melhor se me encontrassem logo cedo, eu não queria ser descoberto por causa do cheiro.

Parecia que toda uma vida tinha se passado desde a minha noite com Pippa, e pensei em quão feliz tinha me sentido, correndo para encontrá-la na escuridão penetrante do inverno, minha euforia ao vê-la sob um poste de luz na frente do Film Forum, e como fiquei parado na esquina para saborear aquilo — a alegria de vê-la esperando por mim. Seu rosto expectante de perscrutar a multidão. Era por mim que ela estava esperando — por mim. E o choque no coração de acreditar, só por um momento, que poderia ter bem aquilo que jamais seria meu.

Terno do armário. Camisas todas sujas. Por que eu não tinha pensado em mandar lavar uma? Meus sapatos estavam encharcados e em ruínas, o que acrescentava um último toque lastimoso ao quadro — mas não (parando atarantado), eu ia deitar totalmente vestido, sapatos e tudo o mais, feito um cadáver sobre uma placa de mármore? Tinha começado a suar frio, tremores e calafrios novamente, o pacote completo. Precisava sentar. Talvez tivesse que repensar toda a apresentação. Rasgar as cartas. Fazer parecer um acidente. Muito melhor se ficasse parecendo que estava a caminho de alguma festa de gala misteriosa, só dando um tiro antes de sair — sentando à beira da cama, passando um pouco da conta, flashes e sons borbulhantes, desmaiando deliciosamente. Ops.

Asas brancas de tumulto. Salto correndo para o infinito.

Então — a um clangor de trombetas — tomei um susto. O canto litúrgico tinha dado lugar a uma explosão de orquestração inapropriadamente festiva. Melódica, metálica. Uma onda de frustração fervia dentro de mim. Suíte de *O quebra-nozes*. Tudo errado. Tudo errado. Um espetáculo natalino grandioso nem de longe era a trilha certa pra se partir, número orquestral galante, não sei qual marcha, e de repente senti o estômago revirar, um arremesso violento direto na minha garganta, parecia que eu tinha tomado um litro de suco de limão, e no instante seguinte, quase antes de conseguir correr até a lata de lixo, vomitei tudo com um jorro de ácido claro, onda após onda após onda amarelada.

Depois que acabou, fiquei sentado no carpete com a testa apoiada na borda de metal afiada da lata, a música de balé infantil ressoando irritante nos fundos — nem mesmo bêbado, isso era o pior de tudo, apenas enjoado. No corredor, eu podia ouvir um bando de americanos, casais, rindo, despedindo-se alto enquanto se separavam e iam para seus respectivos quartos, velhos amigos da faculdade, trabalhando no setor financeiro, cinco anos e pouco de direito empresarial e Fiona entrando no primeiro ano no outono, tudo vai bem em Oaklandia, bem boa noite então, meu Deus nós amamos vocês, uma vida que eu mesmo poderia ter tido mas que não queria. Essa foi a última coisa que me lembro de ter pensado antes de ir cambaleando desligar a música irritante e — estômago embrulhado — me atirar de bruços na cama como se estivesse me jogando de uma ponte, cada lâmpada do quarto ainda acesa quando mergulhei pra longe da luz, a escuridão se fechando sobre minha cabeça.

IV

Quando era garoto, depois que minha mãe morreu, eu sempre fazia um esforço enorme para retê-la na minha mente enquanto pegava no sono e assim talvez sonhar com ela, mas isso nunca acontecia. Ou melhor, eu sonhava com ela constantemente, mas como uma ausência, não como uma presença — uma brisa soprando numa casa recém-desocupada, sua letra num bloco de notas, o cheiro do seu perfume, ruas em estranhas cidades perdidas por onde eu sabia que ela tinha andado apenas um momento antes, mas acabara de desaparecer, uma sombra se desvanecendo numa parede iluminada pelo sol. Às vezes eu a avistava numa multidão, ou num táxi arrancando, e eu me alegrava com esses vislumbres apesar do fato de nunca conseguir alcançá-la. Sempre, em última instância, ela me escapava — eu sempre tinha acabado de perder sua ligação, ou perdido seu número; ou chegado correndo sem fôlego e arfando ao lugar onde ela deveria estar, apenas para descobrir que já tinha ido. Na vida adulta esses desencontros crônicos pulsavam com uma ansiedade mais confusa e muito mais dolorosa — eu ficava tomado de pânico ao descobrir, ou lembrar, ou ouvir de alguma pessoa implausível que ela estava morando do outro lado da cidade em algum barraco horrível aonde por razões inexplicáveis eu não tinha ido vê-la ou entrado em contato com ela durante anos. Em geral, quando acordava, eu estava tentando freneticamente chamar um táxi ou abrir caminho até ela. Esses cenários insistentes tinham um caráter repetitivo e brutal em sua iminência que me faziam lembrar do marido de Wall Street ferido de uma das clientes de Hobie que, quando ficava com certo humor, gostava de contar de novo e de novo as mesmas três histórias da sua experiência na guerra do Vietnã com as mesmas palavras e os mesmos gestos mecânicos: o mesmo ratatá de tiroteio, a mesma mão sendo decepada, sempre no mesmo ponto exato. Todo mundo ficava com a expressão bem paralisada durante os drinques pós-jantar, quando ele desandava a fazer seu número de sempre, que todos nós já tínhamos visto um milhão de vezes e que (como meu próprio ciclo cruel de buscas pela minha mãe, noite após noite, ano após ano, sonho após sonho) era rígido e invariável. Ele ia sempre tropeçar e cair na mesma raiz de árvore; jamais chegaria ao seu amigo Gage a tempo, assim como eu jamais conseguiria encontrar minha mãe.

Mas naquela noite, finalmente, eu a encontrei. Ou, sendo mais exato, ela me encontrou. Pareceu algo excepcional, embora talvez em alguma outra noite, em algum outro sonho, ela venha até mim novamente — talvez quando eu estiver morrendo, ainda que pareça quase como se fosse querer demais. Certamente eu teria menos medo da morte (não só da minha própria morte, mas da morte de Welty, da morte de Andy, da Morte de forma geral) se achasse que uma pessoa conhecida vinha nos receber, pois — ao escrever isso agora estou à beira das lágrimas — penso em como o pobre Andy me disse, com uma expressão de pavor, que minha mãe era a única pessoa que ele conhecia, e de quem gostava, que já tinha morrido. Então, talvez quando Andy subiu à tona cuspindo e tossindo no outro extremo da água, talvez tenha sido justo a minha mãe a pessoa que se ajoelhou ao lado dele para saudá-lo na costa estrangeira. Talvez seja tolo até articular essas esperanças. Mas, daí também, talvez seja mais tolo não fazê-lo.

Em todo caso — excepcional ou não — foi um presente; e se ela tinha apenas uma visita, se isso era tudo o que lhe concediam, ela a guardou para quando importasse. Porque, de repente, lá estava ela. Eu estava parado diante de um espelho olhando para a sala refletida atrás de mim, que era um interior muito parecido com a loja de Hobie, ou melhor, uma versão mais espaçosa da loja e com um ar de eterno, paredes marrons cor de violoncelo e uma janela aberta que era como um ponto de entrada para algum teatro muito maior e inimaginável de luz solar. O espaço atrás de mim na moldura não era tanto um espaço no sentido convencional, e sim uma harmonia perfeitamente serena, uma realidade mais ampla e de aspecto mais real cercada por um profundo silêncio, para além do som e da fala; um espaço onde tudo era calmaria e clareza e, ao mesmo tempo, como num filme executado de trás pra frente, também dava pra imaginar leite derramado lançando-se de volta pra dentro do jarro, um gato saltando pra trás e pousando silenciosamente numa mesa, uma estação intermediária onde o tempo não existia, ou, mais exatamente, existia ao mesmo tempo e em todas as direções, todas as histórias e movimentos ocorrendo de forma simultânea.

E quando desviei o olhar por um segundo e depois olhei de volta, vi seu reflexo atrás de mim, no espelho. Fiquei sem fala. De alguma forma eu sabia que não podia me virar — era contra as regras, quaisquer que fossem elas —, mas podíamos ver um ao outro, nossos olhos podiam se encontrar no espelho, e ela estava tão feliz em me ver quanto eu estava em vê-la. Ela era ela mesma. Uma presença encarnada. Havia realidade física nela, profundidade e informação. Ela estava entre mim e qualquer que fosse o lugar de onde tinha saído, qualquer que fosse a paisagem além. E tudo se resumiu ao momento em que nossos olhos se tocaram no vidro, surpresa e deleite, seus lindos olhos azuis com os anéis pretos em volta das íris, olhos azul-claros carregados de luz: oi! Ternura, inteligência, tristeza, humor. Havia movimento e imobilidade, imobilidade e modulação, e toda a carga de magia de uma grande pintura. Dez segundos, eternidade. Tudo era um círculo que voltava para ela. Era possível agarrá-lo num instante, viver nele para sempre — ela existia apenas no espelho, dentro do espaço da moldura, e embora não estivesse viva, não exatamente, também não estava morta, porque ainda não tinha nascido, e ao mesmo tempo nunca tinha deixado de nascer — como, de alguma forma, estranhamente, eu também não tinha. E sabia que ela podia me dizer tudo o que eu queria saber (vida, morte, passado, futuro) apesar de já estar ali, no seu sorriso, a resposta para todas as perguntas, o sorriso antes do Natal de alguém com um segredo maravilhoso demais para deixar escapar, não ainda: *Você vai ter que esperar pra ver, não é?* Mas bem quando ela estava prestes a falar — com um suspiro afetuoso de exasperação que eu conhecia muito bem, cujo som consigo ouvir até agora — eu acordei.

V

Quando abri os olhos, já era de manhã. Todas as luzes do quarto ainda estavam acesas, e eu me encontrava sob as cobertas sem nenhuma lembrança de como tinha ido parar debaixo delas. Tudo ainda estava banhado e saturado pela presença da minha mãe — mais elevada, mais ampla, mais profunda que a vida, um desvio de ótica que tinha criado uma borda de arco-íris, e me lembro de ter pensado que era assim que as pessoas deviam se sentir depois de terem visões de santos —, não que minha mãe fosse uma santa, mas a aparição dela tinha sido tão nítida e surpreendente quanto uma chama surgindo num quarto escuro.

Ainda meio dormindo, mergulhei nas cobertas, levado pela doçura do sonho que me lavava silenciosamente. Até os sons matinais do ambiente no corredor tinham adquirido a atmosfera e a cor da sua presença; pois, se eu escutasse com atenção, no meu estado próximo do sonho, parecia que podia ouvir o som particularmente leve e alegre dos passos dela misturado com o retinir de bandejas de serviço de quarto pra lá e pra cá no corredor e o estrépito dos cabos do elevador, o abrir e fechar das portas do elevador — um som bem urbano, que eu associava a Sutton Place, e a ela.

Então, de repente, precipitando-se nos últimos rastros de bioluminescência que ainda pairavam do sono, os sinos da igreja ali perto irromperam com um clangor tão violento que sentei subitamente em pânico, tateando à procura dos meus óculos. Eu tinha esquecido que dia era — Natal.

Vacilante, levantei e fui até a janela. Sinos, sinos. As ruas estavam brancas e desertas. Geada reluzia nas telhas das casas; lá fora, no Herengracht, a neve dançava e voava. Um bando de melros estava grasnando e arremetendo-se sobre o canal, o céu estava agitado com eles, grandes investidas de lado e ondulações como um único corpo inteligente indo de um lado pro outro, e seu movimento pareceu penetrar em mim quase num nível celular, céu branco, neve rodopiante e a feroz rajada de vento dos poetas.

Regra número um das restaurações. Nunca faça o que você não pode desfazer.

Tomei banho, fiz a barba e me vesti. Então, silenciosamente, organizei o quarto e arrumei minhas coisas. Eu teria que arranjar alguma forma de devolver o anel e o relógio de Gyuri, supondo que ainda estivesse vivo, coisa de que cada vez mais eu duvidava — só o relógio valia uma fortuna, um BMW série sete, uma entrada de apartamento. Eu ia enviá-los por FedEx a Hobie por questões de segurança e deixar o nome dele na recepção pra Gyuri, só pra garantir.

Vidraças cobertas de gelo, neve cobrindo os paralelepípedos, profunda e silenciosa, nenhum trânsito nas ruas, séculos sobrepostos, a década de 1940 passando pela de 1640.

Era importante não pensar demais. Deixar-me levar pela energia do sonho que tinha me acompanhado quando acordei. Como não falava holandês, iria até o consulado americano e pediria que alguém de lá ligasse para a polícia holandesa. Estragaria o Natal de algum membro do consulado, a festiva refeição familiar. Mas eu não confiava em mim mesmo para esperar. Possivelmente era uma boa ideia descer, olhar o site do Departamento de Estado e me informar sobre meus direitos como cidadão americano — certamente havia lugares muito piores no mundo pra se ficar preso do que a Holanda e talvez, se eu dissesse de cara tudo o que sabia (Horst e Sascha, Martin e Frits, Frankfurt e Amsterdam), poderiam localizar a pintura.

Mas não tinha como saber como as coisas se dariam. Eu não tinha certeza de nada exceto de que a ação evasiva tinha acabado. O que quer que acontecesse, eu não seria como meu pai, esquivando-se e conspirando até o último momento em que guinava o carro e colidia em chamas; eu ia me adiantar e aceitar o que viesse; e, assim, fui direto até o banheiro e joguei o envelope de papel vegetal na descarga.

E foi isso — rápido como Martin, e tão irrevogável quanto. O que era mesmo que meu pai gostava de dizer? *Arque com as consequências*. Nada que ele alguma vez tivesse feito.

Eu já tinha passado por cada canto do quarto, feito tudo o que havia pra fazer, exceto em relação às cartas. Até a letra me fazia estremecer. Mas — minha consciência me fez voltar — eu tinha *sim* que escrever a Hobie: não as hesitações autopiedosas da bebida, mas umas poucas linhas práticas, o paradeiro do talão de cheques, do livro-caixa, da chave do cofre. Provavelmente podia admitir também, por escrito, a fraude da mobília, deixando claro como água que ele não tinha nenhum conhecimento disso. Talvez eu pudesse pedir que testemunhassem e autenticassem isso no consulado americano; talvez Holly (ou quem quer que fosse) se compadecesse e chamasse alguém pra fazer isso antes de ligarem pra polícia. Grisha poderia confirmar minha história sem se incriminar — nós nunca tínhamos discutido isso, ele nunca tinha me questionado, mas sabia que aquilo não podia ser totalmente limpo, todas aquelas idas sigilosas ao armazém.

Com isso restavam Pippa e a sra. Barbour. Deus, as cartas que eu tinha escrito a Pippa e nunca enviado! Meu maior esforço, e o mais criativo, depois da visita desastrosa com Everett, tinha começado e terminado com o que eu sentia ser uma frase leve e comovente: *Partindo por um tempo*. Como um pretenso bilhete suicida ele tinha me parecido, na época, em termos de concisão pelo menos, uma pequena obra-prima. Infelizmente eu tinha calculado mal a dose e acordado doze horas depois com vômito por toda a colcha, e tive que cambalear escada abaixo ainda superenjoado para um encontro às dez da manhã com a Receita Federal.

Dito isso, um bilhete de "estou indo para a cadeia" era diferente, e melhor se não escrito. Pippa não tinha ilusões sobre quem eu era. Não tinha nada para lhe oferecer. Eu era doença, instabilidade, tudo de que ela queria fugir. A prisão apenas confirmaria o que já sabia. O melhor que eu podia fazer era cortar o contato. Se meu pai realmente tivesse amado minha mãe — realmente a amado do jeito que ele disse que tinha, em outros tempos — não teria feito o mesmo?

E, então, a sra. Barbour. Era um conhecimento de naufrágio, o tipo de coisa surpreendente que você não percebe sobre você mesmo até o último e derradeiro instante, até que os barcos salva-vidas sejam baixados e o navio esteja em chamas — mas, no fim das contas, quando eu pensava em me matar era ela quem realmente tornava a ideia insuportável.

Ao sair do quarto — indo pedir informação sobre o FedEx e ver o site do Departamento de Estado antes de ligar pro consulado — estaqui. Um saquinho minúsculo de doces preso com fita na maçaneta da porta, um bilhete escrito à mão: *Merry Christmas!* Em algum lugar pessoas riam, e um cheiro delicioso de café forte, açúcar queimado e pão saído do forno do serviço de quarto chegava flutuando pelo corredor. Eu vinha pedindo o café da manhã do hotel toda manhã, tomando-o forçosa e sombriamente — a Holanda não era famosa por seu café? Mas eu o tinha tomado todos os dias e nem sequer sentido seu gosto.

Guardei o saquinho de doces no bolso do paletó e fiquei parado no corredor respirando fundo. Até mesmo homens condenados podiam escolher uma última refeição, um tema de discussão que Hobie (cozinheiro infatigável, comedor alegre) tinha introduzido mais de uma vez ao final da noite segurando um armanhaque enquanto remexia nas coisas à procura de caixas de rapé vazias e pires extras pra servir de cinzeiro improvisado para seus convidados — para ele essa era uma questão metafísica, melhor considerada de estômago cheio, depois de todas as sobremesas terem acabado e o prato final de balas de jasmim estar sendo passado, porque — olhando realmente para o fim da coisa, para o fim da noite, fechando os olhos e dando adeus à Terra — o que você escolheria de fato? Algum lembrete reconfortante do passado? Um frango simples de algum jantar de domingo perdido da infância? Ou uma última oportunidade de luxo, a ponta extrema do horizonte, faisão e amoras, trufas brancas de Alba? Quanto a mim, nem sabia que estava com fome até botar o pé no corredor, mas naquele momento, parado ali com o estômago doendo, um gosto ruim na boca e a perspectiva do que seria minha última refeição livremente escolhida, pareceu-me que eu nunca tinha sentido um cheiro tão delicioso quanto aquele calor açucarado — café e canela, pãezinhos com manteiga do café da manhã continental. Engraçado, pensei, enquanto entrava de volta e pegava o cardápio do serviço de quarto — querer algo tão fácil, sentir tanto apetite pelo apetite em si.

"*Vrolijk Kerstfeest!*", disse o garoto da cozinha meia hora depois, um adolescente robusto e desgrenhado saído direto do pincel de Jan Steen, com uma coroa de ouropel na cabeça e um ramo de azevinho atrás de uma orelha.

Ergueu as tampas de prata das bandejas com um floreio. "Panetone holandês especial de Natal", disse, apontando ironicamente. "Só hoje." Eu havia pedido o Café da Manhã Festivo com Champanhe, que incluía meia garrafa de champanhe, ovos trufados e caviar, uma salada de frutas, um prato de salmão defumado, uma porção grande de patê e meia dúzia de pratos com molho, pepinos, alcaparras, condimentos e cebola em conserva.

Ele tinha aberto o champanhe e saído (depois de eu lhe dar uma gorjeta com quase todos os meus euros restantes) e eu tinha acabado de me servir de um pouco de café e estava provando-o com cuidado, perguntando-me se teria estômago pra ele (ainda me sentia enjoado e ele não estava com um cheiro tão delicioso, assim de perto), quando o telefone tocou.

Era o recepcionista. "Feliz Natal, sr. Decker", disse ele rapidamente. "Sinto muito, mas receio que tenha um visitante a caminho. Tentamos detê-lo na recepção..."

"Quê?" Paralisado. Xícara a meio caminho da boca.

"A caminho do seu quarto. Agora. Tentei detê-lo. Pedi pra esperar, mas ele se recusou. Isto é... meu colega pediu pra esperar. Começou a subir antes que eu pudesse telefonar..."

"Ah." Olhando para o quarto em volta. Toda a minha resolução dissipada num instante.

"Meu colega..." — voz abafada de lado — "acabou de sair pelas escadas atrás dele. Foi tudo muito rápido, achei que deveria..."

"Ele disse o nome?", perguntei, indo até a janela e me perguntando se conseguiria quebrá-la com uma cadeira. Eu não estava num andar alto e seria um salto curto, três metros e meio talvez.

"Não, senhor." Ele estava falando muito rápido. "Não conseguimos pegar... ele estava bastante determinado, passou direto pela recepção antes que..."

Comoção no corredor. Algo gritado em holandês.

"Estamos com menos funcionários esta manhã, tenho certeza de que o senhor entende..."

Batida determinada na porta — sacudida brusca nervosa, como o jorro interminável espirrando da testa de Martin, lançando meu café no ar. Merda, pensei, olhando para meu terno e minha camisa — em ruínas. Custava esperarem até depois do café? Mas daí, também, pensei, secando a camisa com um guardanapo, começando a ir sombriamente na direção da porta, talvez fossem os homens de Martin. Talvez fosse mais rápido do que eu tinha pensado.

Mas, em vez disso, quando abri a porta com tudo, mal pude acreditar. Ali estava Boris. Amarrotado, olhos vermelhos, parecendo esgotado. Neve no cabelo, neve nos ombros do casaco. Eu estava espantado demais para ficar aliviado. "O quê?", falei, enquanto ele me abraçava, e então, para o recepcionista de ar determinado no corredor, marchando rapidamente na nossa direção: "Não, está tudo bem."

"Tá vendo? Por que eu deveria esperar? Por que eu deveria esperar?", disse ele com raiva, atirando um braço para o recepcionista, que tinha estacado bruscamente para nos observar. "Eu não disse? Eu te disse que sabia onde ficava o quarto dele! Como eu poderia saber, se não fosse meu amigo?" Então, para mim: "Não sei por que todo esse drama. Ridículo! Fiquei parado lá uma eternidade e ninguém na recepção. Ninguém! Deserto do Saara!". Boris olhou fixamente para o recepcionista. "Esperando, esperando. Tocando a campainha! Então, no segundo que começo a subir, 'Espere, senhor'" — ele usava uma vozinha chorosa de bebê. "'Volte aqui.' E aí vem *ele* me perseguindo..."

"Obrigado", falei para o recepcionista, ou melhor, para as costas dele, já que depois de vários momentos olhando de um para o outro com surpresa e irritação ele tinha silenciosamente se virado para ir embora. "Muito obrigado. De verdade", falei alto para ele no corredor; era bom saber que barravam pessoas se precipitando e subindo por conta própria.

"Claro, senhor." Não se deu ao trabalho de olhar para trás. "Feliz Natal."

"Você vai me deixar entrar?", perguntou Boris, quando finalmente as portas do elevador se fecharam e ficamos sozinhos. "Ou será que vamos ficar aqui parados ternamente contemplando?" Ele fedia muito, como se não tomasse banho havia dias, e parecia ao mesmo tempo ligeiramente desdenhoso e bastante satisfeito consigo mesmo.

"Eu..." Meu coração batia acelerado, eu me sentia doente de novo. "Por um minuto, claro."

"Um minuto?" Uma olhada desdenhosa de cima a baixo. "Você tem algum lugar pra ir?"

"Pra falar a verdade, sim."

"Potter..." O tom meio jocoso, deixando a mala no chão, tocando minha testa com o nó dos dedos. "Você está com uma cara ruim. Está com febre. Parece que acabou de cavar o Canal do Panamá."

"Me sinto ótimo", falei secamente.

"Você não parece ótimo. Está branco feito um peixe. Por que está todo arrumado? Por que não atendeu minhas ligações? O que é isso?", disse ele, olhando por cima de mim, espiando a mesa de serviço de quarto.

"Vá em frente. Sirva-se."

"Bem, se você não se importa, vou mesmo. Que semana. Fiquei a noite toda viajando de carro. Que forma de merda de passar a véspera de Natal..." Ele se livrou do casaco com o ombro, deixando-o cair no chão. "Bem, verdade seja dita, tive outras muito piores. Pelo menos não havia trânsito. Paramos num lugar horrível na estrada, o único lugar aberto, um posto de gasolina, salsicha alemã com mostarda, geralmente eu gosto, mas, Deus do céu, meu estômago..." Ele tinha pegado uma taça no bar e se servia de champanhe.

"E você aqui." Balançando uma mão no ar. "Se divertindo, estou vendo. No bem-bom." Ele tinha atirado os sapatos, balançando os pés com meias molhadas. "Jesus, meus dedos do pé estão congelados. Muita lama nas ruas — a neve está toda virando água." Puxou uma cadeira. "Sente comigo. Coma alguma coisa. Cheguei bem na hora." Boris tinha erguido a tampa do réchaud, estava cheirando o prato de ovos trufados. "Delícia! Ainda quente! Que foi, que é isso?", perguntou ele, enquanto enfiava a mão no bolso e lhe estendia o relógio e o anel de Gyuri. "Ah, sim! Esqueci. Não se preocupe com isso. Você mesmo pode devolver a ele."

"Não, você pode fazer isso por mim."

"Bem, devíamos ligar pra ele. Esse banquete dá pra cinco pessoas. Por que a gente não liga lá pra baixo..." — ergueu o champanhe, olhou para o nível como se estudando uma tabela de finanças preocupantes — "por que a gente não liga pedindo outra desta, uma garrafa inteira, talvez duas, e mandamos trazer mais café ou um pouco de chá?" Aproximou a cadeira. "Eu estou morrendo de fome! Vou pedir pra ele" — ergueu um pedaço de salmão defumado, atirando-o na boca e devorando-o antes de pegar o celular no bolso — "largar o carro em algum lugar e vir até aqui, pode ser?"

"Tá." Algo em mim havia morrido quando o vi, quase como com meu pai quando eu era criança, longas horas sozinho em casa, a onda involuntária de alívio ao ouvir sua chave na fechadura, e então o coração afundando de imediato quando eu de fato o via.

"Que foi?" Lambendo os dedos ruidosamente. "Você não quer que Gyuri venha? Ele passou a noite toda dirigindo pra mim. Ficou sem dormir. Dê pelo menos um café da manhã pra ele." Boris já tinha passado pros ovos. "Muita coisa aconteceu."

"Muita coisa aconteceu comigo também."

"Aonde está indo?"

"Peça o que quiser." Pesquei a chave magnética no bolso, estendi-a para ele. "Ponha na conta do quarto."

"Potter..." Boris soltou o guardanapo, começou a ir atrás de mim e então parou no meio do caminho, para minha surpresa, rindo. "Vá então. Para seu novo amigo ou sua atividade tão importante!"

"Muita coisa aconteceu comigo."

"Bem..." — presunçoso — "não sei o que aconteceu com *você*, mas posso dizer que o que aconteceu *comigo* é pelo menos cinco mil vezes mais. Essa foi uma semana e tanto. Uma semana pra entrar pra história. Enquanto você estava se regalando em hotel, eu..." — dando um passo à frente, mão na minha manga — "espera." O telefone tinha tocado; ele se virou de lado, trocou rapidamente umas palavras em ucraniano antes de parar de falar e desligar subitamente ao me ver indo para a porta.

"Potter." Agarrou-me pelos ombros, olhando bem para as minhas pupilas, depois me virando e me conduzindo pelo quarto, fechando a porta atrás de si com um chute. "Mas que porra? Você tá que nem um zumbi. Como era mesmo aquele filme que a gente gostava? Aquele em preto e branco? Não *A noite dos mortos-vivos*, mas o poético...?"

"*Eu andei com um zumbi*. Val Lewton."

"Isso mesmo. Bem esse. Senta aí. Maconha é muito, muito forte aqui, mesmo se você já está acostumado, eu devia ter avisado..."

"Não fumei maconha."

"... porque, vou te contar, na primeira vez em que vim aqui, com vinte anos talvez, naquela época fumando três vezes por dia, achei que podia dar conta de qualquer coisa e — meu Deus. Minha própria culpa — fui um babaca com o cara do café. 'Me dá o mais forte que você tiver.' Bem, ele deu! Três puxadas e eu já não conseguia mais andar! Não conseguia me levantar! Era como se tivesse esquecido como mexer os pés! Visão de túnel, nenhum controle dos músculos. Desconexão total com a realidade!" Ele tinha me levado até a cama; estava sentado ao meu lado com o braço em volta dos meus ombros. "Você me conhece, mas — nunca! Coração batendo acelerado, como se correndo e correndo e o tempo todo sentado imóvel, nenhuma ideia de onde estava, escuridão terrível! Todo sozinho e chorando um pouco, sabe, falando com Deus na minha mente, 'O que foi que eu fiz?', 'Não mereço isso'. Não me lembro de ter saído do lugar! Como um sonho horrível. E isso é maconha, não esqueça! Maconha! Saí pra rua, as pernas bambas, me agarrando a um bicicletário perto da praça Dam. Achei que os carros estavam subindo na calçada e iam me atropelar. Finalmente consegui chegar no apartamento da minha namorada no Jordaan e fiquei deitado um bom tempo numa banheira sem nenhuma água dentro. Então..." Ele estava olhando desconfiado para a minha camisa manchada de café.

"Não fumei maconha."

"Eu sei, você disse! Só estava te contando uma história. Achei que pudesse te interessar um pouco. Bem, nada de mais", disse ele. "Que seja." O silêncio que se seguiu foi interminável. "Eu me esqueci de dizer" — ele estava me servindo um copo de água — "depois dessa vez que te contei, vagando pela Dam, fiquei me sentindo estranho durante três dias. Minha namorada disse: 'Vamos sair, Boris, você não pode continuar aqui deitado e desperdiçar o fim de semana todo'. Vomitei no Museu Van Gogh. Com muita classe."

A água fria, passando pela minha garganta inflamada, me provocou arrepios e me trouxe uma lembrança física visceral da infância — luz dolorosa do deserto, ressaca dolorosa de tarde, dentes batendo no frio do ar condicionado. Boris e eu tão enjoados que não parávamos de sentir ânsia de vômito, e rindo disso, o que nos fazia sentir ainda mais ânsia. Quase vomitando as bolachas velhas de uma caixa no meu quarto.

"Bem..." Ele me deu uma olhadela de lado. "Você está com alguma coisa. Se não fosse Natal, eu desceria e compraria um remédio. Aqui, aqui..." Ele jogou um pouco de comida num prato, empurrando-o para mim. Pegou a garrafa de champanhe do balde de gelo, olhou de novo o nível, depois serviu o resto no meu copo pela metade de suco de laranja (pela metade porque ele mesmo já o tinha bebido).

"Aqui", disse ele, erguendo sua taça de champanhe para mim. "Feliz Natal pra você! Vida longa a nós dois! Cristo nasceu, que Ele seja glorificado! Agora..." Boris tomava um grande gole. Tinha derrubado os pãezinhos sobre a toalha, estava fazendo um grande prato de comida pra si próprio na travessa de pães. "Sinto muito, sei que você quer ouvir tudo o que aconteceu, mas estou com fome e preciso comer antes."

Patê. Caviar. Panetone. Apesar de tudo, eu também estava com fome, e decidi ficar grato pelo momento e pela comida à minha frente, então comecei a comer e por um tempo nenhum de nós disse nada.

"Melhor?", perguntou ele logo depois, lançando-me um olhar. "Você está exausto." Servindo-se de mais salmão. "Tem uma gripe feia por aí. Shirley também pegou."

Não falei nada. Estava começando a me acostumar ao fato de que ele estava no quarto comigo.

"Achei que você tinha saído com alguma garota. Bem, vou te dizer onde Gyuri e eu estávamos", acrescentou ele, quando não respondi. "Em Frankfurt. Foram uma loucura esses dias! Mas..." Ele tinha terminado o champanhe e foi até o frigobar. Agachou-se para olhar dentro.

"Você está com meu passaporte?"

"Sim, eu estou com seu passaporte. Uau, tem um vinho bom aqui! E todas essas belas garrafinhas de Absolut!"

"Onde está?"

"Ah..." Boris marchou de volta até a mesa com uma garrafa de vinho tinto debaixo do braço e três garrafinhas de vodca do frigobar, que enfiou no balde de gelo. "Aqui." Pescou o passaporte no bolso, jogando-o de qualquer jeito na mesa. "Agora" — sentou-se — "vamos brindar?"

Fiquei sentado na beira da cama sem me mover, meu prato comido pela metade ainda no colo. Meu passaporte.

No longo silêncio que se seguiu, Boris esticou-se sobre a mesa e deu uma batidinha na borda da minha taça de champanhe com o dedo do meio, tinido agudo e cristalino como de uma colher num cálice após um jantar.

"Você pode me dar um minuto da sua atenção, por favor?", pediu ele ironicamente.

"Quê?"

"Brinde?" Inclinou o copo para mim.

Esfreguei a mão na testa. "E você pretende o quê, aqui?"

"Hein?"

"Vai brindar a quê, exatamente?"

"Ao Natal? À bondade de Deus? Isso serve?"

O silêncio entre nós, embora não exatamente hostil, foi adquirindo, à medida que se intensificava, um tom claramente gritante e intratável. Por fim Boris deixou-se cair pra trás na cadeira e apontou com a cabeça para meu copo, dizendo: "Odeio ficar perguntando, mas quando você terminar com as encaradas, acha que podemos...?".

"Vou ter que desvendar isso tudo em algum momento."

"Quê?"

"Acho que vou ter que organizar isso tudo na minha mente uma hora. Vai dar trabalho. Essa coisa pra lá... aquela pra cá. Duas pilhas diferentes. Três pilhas diferentes talvez."

"Potter, Potter, Potter..." Afetuoso, meio zombeteiro, ele se inclinou para a frente. "Você é um imbecil. Não tem o menor senso de gratidão ou beleza."

"Menor senso de gratidão. Posso brindar a isso, acho."

"Quê? Você não se lembra do nosso Natal aquela vez? Dias felizes que passaram? Pra nunca mais voltar? Seu pai..." — um gesto largo com a mão — "na mesa do restaurante? Nosso banquete e nossa alegria? Nossa celebração feliz? Você não honra essa memória no seu coração?"

"Pelo amor de Deus."

"Potter..." — respiração presa — "você é um caso sério. É pior que uma mulher. 'Rápido, rápido.' 'Levanta, vai.' Não viu minhas mensagens?"

"Quê?"

Boris — prestes a pegar sua taça — parou de repente. Ele lançou um olhar rápido para o chão e eu fiquei, subitamente, bem ciente da bolsa junto da sua cadeira.

Divertido, ele enfiou a unha do dedão nos dentes da frente. "Pode abrir."

As palavras ficaram suspensas sobre os destroços do café da manhã. Reflexos distorcidos na tampa abaulada da baixela de prata.

Peguei a bolsa e levantei; seu sorriso se desvaneceu quando comecei a ir na direção da porta.

"Espera!", disse ele.

"Espera o quê?"

"Você não vai abri-la?"

"Olha..." Eu me conhecia bem demais, não confiava em mim mesmo para esperar; não ia deixar a mesma coisa acontecer duas vezes.

"O que você está fazendo? Pra onde você tá indo?"

"Vou levar isso lá pra baixo. Pra que possam guardá-la no cofre." Eu nem sabia se havia um cofre, apenas que não queria a pintura perto de mim — estava mais segura com estranhos, num guarda-volumes, em qualquer lugar. Eu também ia ligar pra polícia no minuto em que Boris saísse, mas não antes; não havia motivo pra metê-lo naquilo.

"Você nem mesmo abriu! Nem sabe o que é!"

"Obrigado pela informação."

"O que quer dizer com isso?"

"Talvez eu não precise saber o que é."

"Ah, não? Talvez você precise. Não é o que está pensando", acrescentou ele, um tanto convencido.
"Não?"
"Não."
"Como é que você sabe o que estou pensando?"
"É claro que eu sei o que você pensa que é! E você está enganado. Lamento. Mas..." — erguendo as mãos — "é algo muito, muito melhor que isso."
"Melhor?"
"Sim."
"Como é que pode ser *melhor*?"
"Simplesmente é. Bem, bem melhor. Você vai ter que acreditar em mim. Abra e veja", disse ele, com um aceno brusco de cabeça.
"O que é?", perguntei depois de uns trinta segundos, atônito, erguendo um bolo de notas de cem — dólares — e depois outro.
"Isso não é tudo." Esfregando a parte de trás da cabeça com a palma da mão. "É uma parte."
Olhei pro dinheiro, depois pra ele. "Uma parte do quê?"
"Bem..." — um sorriso malicioso — "pensei que seria mais dramático em dinheiro."
Vozes de comédia abafadas vindo da porta ao lado, cadências articuladas de uma trilha de risadas de televisão.
"Uma surpresa pra você! Isso não é tudo, não esqueça. Moeda americana, pensei, mais conveniente pra levar de volta. O que trouxe e um pouco mais. Na verdade eles não pagaram ainda — nenhum dinheiro entrou até agora. Mas — logo, espero."
"Eles? Quem ainda não pagou? Pagou o quê?"
"Esse dinheiro é meu. Da minha própria conta. Do cofre. Parei na Antuérpia pra sacá-lo. Mais legal assim — mais legal você abrir, não? Manhã de Natal? Ho, ho, ho? Mas você vai receber bem mais ainda."
Virei a pilha de dinheiro e olhei, de novo e de novo. Em maços, direto do Citibank.
"'Obrigado, Boris.' 'Ah, de nada'," respondeu ele, ironicamente. "'O prazer foi meu.'"
Montes de dinheiro. Inesperado. Fresco na mão. Havia algum tipo de conteúdo ou emoção óbvio nisso tudo que eu não estava captando.
"Como eu disse — uma parte. Dois milhões de euros. Em dólares, muito, muito mais. Então, feliz Natal! Meu presente pra você! Posso abrir uma conta na Suíça pra colocar o resto e te dar uma caderneta bancária e assim — que foi?", disse ele, quase recuando, quando coloquei a pilha de notas de volta na bolsa, fechei o zíper e empurrei-a de volta pra ele. "Não! É seu!"

"Eu não quero."

"Acho que você não está entendendo! Me deixa explicar, por favor."

"Eu disse que não quero."

"Potter..." Ele cruzou os braços e me olhou com frieza, o mesmo olhar que tinha me lançado no bar polonês. "Outro homem sairia daqui rindo agora e nunca mais voltaria."

"Então por que você não faz isso?"

"Eu..." Olhou o quarto em volta, como se não soubesse o motivo. "Vou te falar por que não faço isso! Pelos velhos tempos. Ainda que você me trate como um criminoso. E por que quero te compensar..."

"Compensar como?"

"Quê?"

"Pelo quê, exatamente? Você poderia me explicar? De onde saiu esse dinheiro? Como é que isso conserta qualquer coisa?"

"Bem, na verdade, você não deveria se precipitar assim com..."

"Eu não ligo pro dinheiro!" Eu estava quase gritando. "Eu ligo pra pintura! Cadê a pintura?"

"Se você puder esperar um segundo e não perder a..."

"Pra que é esse dinheiro? De onde ele saiu? De que fonte, exatamente? Bill Gates? Papai Noel? A Fada dos Dentes?"

"Por favor. Você é igual ao seu pai no drama."

"Cadê? O que você fez com ela? Já era, não é mesmo? Foi barganhada? Vendida?"

"Não, é claro que eu... ei..." Ele arrastou rápido sua cadeira pra trás. "Jesus, Potter, se acalme. É claro que não a vendi. Por que eu faria uma coisa dessas?"

"Não sei! Como é que eu vou saber? Pra que foi isso tudo? Qual foi o objetivo da coisa toda? Por que é que eu vim aqui com você? Por que é que você tinha que me meter nisso? Você quis me trazer pra cá pra te ajudar a matar gente? É isso?"

"Nunca matei ninguém na minha vida", disse Boris com arrogância.

"Ah, Deus. Você disse isso mesmo? Espera que eu ria? Realmente acabei de ouvir que você nunca..."

"Aquilo foi autodefesa. Você sabe disso. Eu não saio por aí machucando gente só pra me divertir, vou me proteger se for preciso. E você", disse ele, falando autoritário para encobrir a minha voz, "com Martin, para além do fato de que eu não estaria aqui agora e muito provavelmente você também não..."

"Você me faz um favor? Se não pode calar a boca, pode ir até ali e ficar parado um minuto? Porque eu realmente não quero olhar pra você agora."

"... com Martin, a polícia, se eles soubessem, iam te dar uma medalha, e outros, inocentes, mortos graças a ele, também. Martin era..."

"Ou, na verdade, você poderia sair. Provavelmente é o melhor."

"Martin era um demônio. Não era bem humano. Não era totalmente culpa dele. Ele nasceu assim. Nenhum sentimento, sabe? Sei que já fez coisas muito piores com algumas pessoas do que atirar nelas. Não *com a gente*", ele se apressou em acrescentar, balançando a mão, como se essa fosse a resposta para todos os mal-entendidos. "Ele ia atirar na gente com educação, e nada das outras maldades e perversidades. Mas — se Martin era um homem bom? Um ser humano de fato? Não. Ele não era. Frits também não era nenhuma flor que se cheire. Então, esse remorso, essa dor — você deve ver com outros olhos. Deve ver como heroísmo a serviço do bem maior. Não dá pra ter sempre uma perspectiva tão sombria da vida o tempo todo, é muito ruim pra você."

"Posso te perguntar só uma coisa?"

"O que quiser."

"Cadê a pintura?"

"Olha..." Boris suspirou e desviou o olhar. "Foi o melhor que pude fazer. Sei o quanto você a queria. Não achei que fosse ficar tão chateado por não tê-la."

"Você pode simplesmente me dizer onde ela está?"

"Potter..." — mão no coração — "sinto muito por você estar tão bravo. Eu não esperava por isso. Mas você disse que de qualquer forma não ia ficar com ela. Ia devolvê-la. Não foi isso que você disse?", acrescentou quando continuei encarando.

"Desde quando essa é a coisa certa?"

"Bem, eu vou te dizer! Se você calar a boca e me deixar falar! Em vez de ficar arengando pra lá e pra cá com a boca espumando e estragando o nosso Natal!"

"Do que você está falando?"

"Idiota." Batendo na têmpora com o nó dos dedos. "De onde você acha que esse dinheiro veio?"

"Como é que eu vou saber, cacete?"

"Esse é o dinheiro da recompensa!"

"Recompensa?"

"Sim! Por devolução em segurança!"

Precisei de um momento. Eu estava de pé. Tive que sentar.

"Você está bravo?", perguntou Boris com cautela.

Vozes no corredor. Luz baça de inverno reluzindo no quebra-luz de bronze.

"Achei que você ia ficar contente. Não?"

Mas eu ainda não tinha me recuperado o suficiente pra falar. Só podia olhar fixamente, num estado de perplexidade.

Ao ver minha expressão, Boris sacudiu o cabelo pra tirá-lo do rosto e riu. "Foi você quem me deu a ideia. Não acho que sabia quão boa ela era! Genial! Quem me dera se eu mesmo tivesse pensado nisso. 'Liga pros policiais de arte, liga pros policiais de arte.' Bem — que loucura! Ou foi o que eu pensei na hora. Você fica um pouco maluco quando se trata desse assunto, sendo bem sincero. Só que daí..." — ele deu de ombros — "acontecimentos infelizes se seguiram, como você sabe muito bem, e depois que nos separamos na ponte eu falei com Cherry, o que fazer, o que fazer, torcendo um pouco as mãos, e nós pesquisamos e..." — erguendo o copo para mim — "bem, na verdade, era uma ideia genial! Por que eu deveria duvidar de você? Alguma vez? Você é o cérebro por trás disso tudo desde o início! Enquanto estou no Alasca, andando oito quilômetros até o posto de gasolina pra roubar uma barra Nestlé — bem, olhe só pra você. O mentor! Por que eu deveria duvidar de você? Pois fui me informar e..." — atirando os braços pra cima — "você tinha razão. Quem teria imaginado? Milhões de dólares por aí pela sua pintura como recompensa! Nem mesmo pela pintura! Por informação que leve à recuperação de pintura! Nenhuma pergunta! Dinheiro, livre e limpo!"

Lá fora, neve voava contra a janela. No quarto ao lado, alguém tossia alto, ou ria alto, eu não saberia dizer.

"Pra lá e pra cá, pra lá e pra cá, todos esses anos. Um jogo pra otários. Inconveniente, perigoso. E — pergunta o que eu faço pra mim mesmo agora — por que é que eu fui me incomodar? Com todo esse dinheiro legal totalmente à espera? Porque — você tinha razão — o negócio é bem direto com eles. Não fizeram nenhuma pergunta. Só o que importava pra eles era recuperar a pintura." Boris acendeu um cigarro e deixou cair o fósforo com um sibilo no seu copo d'água. "Eu mesmo não vi como foi, quem me dera ter visto — não achei que fosse uma boa ideia ficar de bobeira lá, se é que você me entende. Esquadrão da SWAT alemã! Coletes, armas. Larguem tudo! Abaixem! Grande comoção e multidão na rua! Ah, eu teria adorado ver a cara de Sascha!"

"Você ligou pra polícia?"

"Bem, não eu pessoalmente! Meu garoto Dima. Ele tá furioso com os alemães por causa do tiroteio no estacionamento. Completamente desnecessário, e uma grande dor de cabeça pra ele. Veja..." Inquieto, ele cruzou as pernas, soltou uma grande baforada de fumaça. "Eu tinha uma ideia de onde estava a pintura. Tem um apartamento lá em Frankfurt. Era de uma antiga namorada de Sascha. As pessoas guardavam coisas lá. Mas de jeito nenhum que eu ia conseguir entrar no lugar, nem com meia dúzia de caras. Chaves, alarmes, câmeras, senha. O único problema...” — bocejou e limpou a boca com o dorso da mão — “bem, tinha dois problemas. O primeiro é que a polícia precisa de causa provável pra fazer busca em apartamento. Não dá pra você simplesmente ligar com nome de ladrão, cidadão anônimo sendo prestativo, se é que você me entende. E o segundo — eu não conseguia lembrar o endereço exato do lugar. Bem, bem discreto. Eu só tinha ido lá uma vez, tarde da noite, e não no meu melhor estado. Mal conhecia o bairro... costumava ser todo de invasão, hoje em dia é bem ok... Pedi pra Gyuri ir dirigindo pelas ruas pra cima e pra baixo, pra cima e pra baixo. Levou uma eternidade do caramba. Finalmente, reduzi o campo de buscas a uma série de casas, mas ainda não estava cem por cento certo de qual era. Então saí do carro e andei por ali. Assustado como estava de ficar naquela rua — com medo de ser visto —, saí do carro e fui andando. Com meus próprios pés. Os olhos semicerrados. Fiquei um pouco hipnotizado, sabe, tentando lembrar o número de passos? Tentando sentir aquilo com o corpo? Mas, enfim, estou me adiantando.” Ele examinava infatigável os pães na toalha de mesa. “A cunhada do primo de Dima, ex-cunhada na verdade, casou com um holandês, e eles têm um filho chamado Anton — vinte e um talvez, vinte e dois, reputação impecável, sobrenome Van den Brink. Ele é cidadão holandês e cresceu falando holandês, então isso é útil pra nós, se é que você me entende. Anton...” — mordiscou um pãozinho, fez uma careta, cuspindo uma semente de centeio — “... Anton trabalha num bar frequentado por muita gente rica, saindo da P. C. Hooftstraat, na parte chique de Amsterdam — Gucci, Cartier. Um bom garoto. Fala inglês, holandês, só umas duas palavras de russo talvez. Em todo caso, Dima pediu pra Anton ligar pra polícia e informar que ele tinha visto dois alemães, um deles correspondendo à descrição exata de Sascha — óculos de vovó, camisa de *Os pioneiros*, tatuagem tribal na mão, que Anton foi capaz de desenhar perfeitamente, com base numa foto que fornecemos. Enfim, Anton ligou pra polícia de arte e disse a eles que tinha visto esses alemães caindo de bêbados no seu bar, discutindo, e eles estavam tão nervosos e irritados que tinham deixado pra trás — o quê? Uma pasta! Bem, é claro que é uma pasta falsa. Nós pensamos em colocar um celular, um celular falso, mas nenhum de nós era nerd suficiente pra ter certeza absoluta de que ele não ia ser rastreado. Então imprimi algumas fotos... a foto que eu mostrei pra você, mais algumas que eu tinha no celular... o quadro com uma edição relativamente recente de jornal para datar a coisa, sabe? Jornal de dois anos atrás, mas que seja. Anton simplesmente encontrou por acaso essa pasta, debaixo de uma cadeira, com alguns outros documentos do lance de Miami, pra relacionar com a aparição anterior da pintura. O endereço de Frankfurt foi convenientemente inserido, assim como o nome de Sascha. Tudo isso é ideia de Myriam, ela merece levar o crédito, você devia pagar um belo drinque pra Myriam quando voltar pra casa. Mandou algumas coisas por FedEx dos Estados Unidos — bem, bem convincente. Tem o nome de Sascha, tem…"

"Sascha está preso?"

"Sim." Boris soltou uma gargalhada. "Recebemos o resgate, o museu fica com a pintura, os policiais fecham o caso, a companhia de seguros recebe o dinheiro de volta, o público é recompensado, todo mundo sai ganhando."

"Resgate?"

"Bem, recompensa, resgate, sei lá como se chama."

"Quem pagou esse dinheiro?"

"Não sei." Boris fez um gesto de irritação. "Museu, governo, cidadão comum. Faz diferença?"

"Faz pra mim."

"Bem, não deveria. Você devia calar a boca e ser grato. Porque", disse ele, erguendo o queixo, falando mais alto que eu, "quer saber, Theo? Sabe de uma coisa? Adivinha! Adivinha quanta sorte nós tivemos! Eles não tinham só o seu pássaro lá, mas — quem teria imaginado? Muitas outras pinturas roubadas!"

"Quê?"

"Duas dúzias, ou mais! Desaparecidas há anos, algumas delas! Nem todas são tão encantadoras ou lindas como a sua — na verdade a maioria não é. Essa é a minha opinião pelo menos. Mas ainda assim há uma grande recompensa pra quatro ou cinco delas, mais alta que pra sua. E mesmo algumas das não tão famosas — pato morto, pintura sem graça de um sujeito desconhecido de cara gorda —, mesmo essas têm recompensas mais baixas — cinquenta mil aqui, cem mil ali. Quem diria? 'Informação que leve à recuperação.' Faz sentido. E eu espero", disse ele, com certa austeridade, "que você possa me perdoar por isso."

"Como é?"

"Porque, eles estão dizendo, foi 'uma das grandes recuperações de arte da história'. E essa é a parte que eu esperava que fosse te deixar feliz — talvez não, vai saber, mas era o que eu esperava. Obras-primas de museu, devolvidas à posse do público! Destaques do patrimônio cultural! Grande alegria! Todos os anjos estão cantando! Mas jamais teria acontecido se não fosse por você."

Fiquei sentado num assombro silencioso.

"É claro", acrescentou Boris, apontando com a cabeça para a bolsa aberta na cama, "isso não é tudo. Um bom presente de Natal pra Myriam, Cherry e Gyuri. E eu dei a Anton e Dima trinta por cento do total. Quinze por cento pra cada um. Anton foi quem fez todo o trabalho na verdade, então na minha opinião ele deveria ter ficado com vinte e Dima com dez. Mas isso já é muito dinheiro pra Anton, então ele está contente."

"Eles recuperaram outras pinturas. Não só a minha."

"Sim, você não ouviu o que eu acabei de dizer?"

"Que outras pinturas?"

"Ah, umas bem conhecidas e famosas! Desaparecidas há anos!"

"Por exemplo?"

Boris fez um som de irritação. "Ah, não sei os nomes, você sabe que não adianta me perguntar essas coisas. Umas pinturas modernas — bem importantes e caras, todo mundo muito empolgado, mas vou ser sincero, não entendo por que essa onda toda com algumas delas. Por que é que custa tanto, uma coisa saída tipo do jardim de infância? *Gosma feia. Vara preta entrelaçada.* Mas também muitas obras de importância histórica. Tinha um Rembrandt."

"Era uma marinha?"

"Não, pessoas numa sala escura. Um pouquinho sem graça. Um Van Gogh bonito, de uma costa. E depois... ah, não sei... aquela coisa de sempre. Maria, Jesus, muitos anjos. Até algumas esculturas. E obras de arte asiáticas também. Pra mim parecia que não valiam nada, mas acho que havia muitas." Boris apagou o cigarro com força. "O que me faz lembrar. Ele escapou."

"Quem?"

"O chinesinho de Sascha." Ele tinha ido até o frigobar, voltado com o saca-rolhas e duas taças. "Não estava no apartamento quando a polícia chegou, sorte a dele. E, se ele for esperto, coisa que é, ele não vai voltar." Ergueu dois dedos cruzados. "Vai encontrar outro homem rico pra sustentá-lo. É isso que ele faz. Bom trabalho se você consegue. Em todo caso..." — mordendo o lábio enquanto tirava a rolha, pop! — "quem me dera ter pensado nisso sozinho, anos atrás! Um cheque gordo e fácil! Dinheiro legal! Em vez de toda essa correria, durante tantos anos. Pra lá e pra cá..." — balançou o saca-rolhas, tique-taque — "pra lá e pra cá. De acabar com os nervos! Todo esse tempo, toda essa dor de cabeça, e todo esse dinheiro fácil do governo bem debaixo do meu nariz! Te digo uma coisa..." — esticou-se sobre a mesa, servindo-me um gole barulhento de vinho tinto — "em certos aspectos, Horst provavelmente está tão contente que as coisas acabaram assim quanto você. Ele gosta de ganhar um dinheirinho como todo mundo, mas também sente culpa, tem as mesmas ideias de bem comum, patrimônio cultural, blá-blá-blá."

"Não entendo como Horst se encaixa nisso."

"Nem eu, e jamais vamos saber", disse Boris com firmeza. "Tudo é muito cauteloso e discreto. E, sim, sim..." — impaciente, dando um gole rápido e furtivo no vinho — "eu estou bravo com Horst, um pouco, talvez não confie mais tanto nele como antes, talvez não tenha mais a menor confiança nele. Mas Horst disse que não teria mandado Martin se soubesse que éramos nós. E talvez esteja dizendo a verdade. 'Nunca, Boris, eu nunca faria isso.' Vai saber.

Sendo bem sincero — cá entre nós —, acho que talvez ele esteja dizendo isso só pra livrar a cara. Porque uma vez que a coisa toda desmoronou com Martin e Frits, o que mais ele poderia fazer? Além de recuar graciosamente? Alegar não ter nenhum conhecimento? Eu não tenho certeza disso, não esqueça", disse ele. "É só a minha teoria. Horst tem sua própria versão."

"Que é...?"

"Ele diz..." Boris suspirou. "Horst diz que não sabia que Sascha estava com a pintura, não até nós a apanharmos e Sascha ligar pra ele totalmente do nada pedindo ajuda pra recuperá-la. Pura coincidência Martin estar na cidade — veio pra cá de Los Angeles pros feriados. Amsterdam é um lugar bastante popular entre os viciados pra passar o Natal. E, sim, nessa parte..." — esfregou o olho — "bem, tenho praticamente certeza de que Horst está dizendo a verdade. Aquela ligação de Sascha *foi* uma surpresa. Implorando ajuda. Sem tempo pra conversar. Tendo que agir rápido. Como é que ele ia saber que éramos nós? Sascha nem em Amsterdam estava — ele estava ouvindo tudo em segunda mão, do china, que não fala lá aquelas coisas de alemão. Horst estava ouvindo por um terceiro. Tudo se encaixa se você olhar da forma certa. Dito isso..." Ele deu de ombros.

"O quê?"

"Bem, Horst definitivamente não sabia que a pintura estava em Amsterdam, nem que Sascha estava tentando arranjar um empréstimo com ela, não até Sascha entrar em pânico e ligar pra ele quando a pegamos. Disso estou certo. Mas Horst e Sascha desde o início conspiraram pra fazer a pintura desaparecer, em Frankfurt, com o negócio furado em Miami? Pode ser. Horst gostava muito, muito daquela pintura. *Muito* mesmo. Não te contei — ele sabia o que era, na primeira vez em que a viu. Já de cara. Nome do pintor e tudo o mais."

"É uma das pinturas mais famosas do mundo."

"Bem..." Boris deu de ombros. "Como eu disse, ele é culto. Cresceu cercado por beleza. Dito isso, Horst não sabe que fui eu que elaborei a pasta. Não ficaria muito contente. E no entanto" — ele riu alto — "será que algum dia passaria pela cabeça dele? Fico pensando. O tempo todo, essa grande recompensa esperando ali... Livre e legal! Brilhando em plena vista, como o sol! Sei que nunca tinha pensado nisso — não até agora. Felicidade e alegria no mundo inteiro! Obras-primas perdidas recuperadas! Anton, o grande herói, posando pra fotos, falando no Sky News! Ovação de pé na entrevista coletiva ontem à noite! Todos o amam — sabe aquele homem que pousou o avião no rio alguns anos atrás e salvou todo mundo, lembra dele? Mas, na minha mente, não é pra Anton que as pessoas estão batendo palmas — na verdade é pra você."

Havia tanta coisa a dizer a Boris que não consegui dizer nada. E, no entanto, senti apenas a gratidão mais abstrata. Talvez, pensei, enfiando a mão na mala, tirando uma pilha de dinheiro e olhando pra ele, talvez a boa sorte fosse como a má sorte no sentido de que levava um tempo para assimilá-la. Você não sentia nada de início. O sentimento chegava depois.

"Muito bom, não?", disse Boris, claramente aliviado por eu mudar de opinião. "Está feliz?"

"Boris, você precisa ficar com metade disso."

"Acredite, já cuidei de mim. Tenho o suficiente agora pra não precisar fazer nada que não queira por um tempo. Vai saber — talvez abra um bar em Estocolmo. Talvez não. Um pouco chato. Mas você — isso é tudo seu! E ainda tem mais. Lembra aquela vez que seu pai deu os quinhentos pra cada um? Voando como penas? Muito nobre e generoso? Bem, pra mim, naquela época, faminto metade do tempo, triste e sozinho, sem um tostão no bolso... Aquilo era uma fortuna! Mais dinheiro do que eu jamais tinha visto! E você" — seu nariz tinha ficado rosado; achei que ele estava prestes a espirrar — "sempre decente e bom, dividindo comigo tudo o que tinha, e o que foi que eu fiz?"

"Ah, Boris, fala sério", respondi, desconfortável.

"Roubei você. Foi isso que eu fiz." Brilho alcoólico nos olhos. "Peguei seu bem mais amado. E como pude te tratar tão mal quando só queria seu bem?"

"Para com isso. Não, sério, para", falei, quando vi que ele estava chorando.

"O que posso dizer? Você me perguntou por que eu a peguei, e o que eu posso responder? Só que... nunca é o que parece — totalmente bom, totalmente mau. Seria tão mais fácil se fosse assim. Até seu pai... me dando de comer, conversando comigo, matando o tempo, me dando um teto, me oferecendo a própria roupa... você odiava tanto seu pai, mas em alguns aspectos ele era um homem bom."

"Eu não diria bom."

"Bem, eu diria."

"Bem, você seria o único. E estaria enganado."

"Olha, eu sou mais tolerante que você", disse Boris, revigorado pela perspectiva de uma desavença e engolindo as lágrimas de uma só vez. "Xandra, seu pai — você sempre quis fazer eles parecerem tão perversos e maus. E sim... seu pai era destrutivo, irresponsável... uma criança. Muito sentimental. Ele sofria terrivelmente com isso! Mas quem mais machucou foi ele próprio. E, sim...", disse ele teatralmente, acima da minha objeção, "sim ele roubou de você, ou tentou, eu sei, mas quer saber? Eu também roubei de você e me safei. O que é pior? Porque te digo uma coisa..." — ele cutucou a mala com o dedão do pé — "o mundo é muito mais estranho do que a gente sabe ou imagina. E sei como você pensa, ou como gosta de pensar, mas talvez esse seja um exemplo em que não dá pra reduzir tudo a puro 'bem' ou 'mal', como você sempre quer fazer. Como suas duas pilhas separadas, mal aqui, bem ali. Talvez não seja assim tão simples. Porque, durante todo o trajeto pra cá, viajando a noite toda, luzes de Natal na rodovia, e não tenho vergonha de te dizer, eu fiquei emocionado, porque estava pensando, não podia evitar, naquela história bíblica, sabe, quando o administrador rouba a moeda da viúva, mas daí foge pra um país distante, investe sabiamente a moeda e traz de volta mil vezes mais dinheiro pra viúva de quem ele roubou. E com alegria ela o perdoa, e eles matam o novilho gordo e se regozijam."

"Acho que talvez isso não seja tudo da mesma história."

"Bem, escola bíblica, Polônia, foi há muito tempo. Ainda assim. O que eu estou tentando dizer, o que eu estava pensando no carro vindo da Antuérpia ontem à noite — o bem nem sempre resulta de boas obras, nem o mal de más obras, não é? Mesmo os sábios e bons não têm como ver o fim de todas as ações. Ideia assustadora! Lembra o príncipe Míchkin em *O idiota*?"

"Eu realmente não estou no clima pra uma conversa intelectual agora."

"Eu sei, eu sei, mas me deixa terminar de falar. Você leu *O idiota*, né? Então. Bem, foi um livro muito perturbador pra mim. Na verdade foi tão perturbador que nunca li realmente muitos outros livros de ficção depois, além daquela dos homens que não amam as mulheres ou sei lá o quê. Porque..." — eu estava tentando interromper — "bem, talvez você possa me falar disso depois, o que achou, mas deixa eu te dizer por que o livro foi perturbador pra mim. Porque Míchkin só fez o bem... desinteressado... ele tratava todas as pessoas com compreensão e compaixão, e qual foi o resultado dessa bondade? Assassinato! Desastre! Eu costumava me preocupar muito com isso. Ficava acordado à noite, preocupado! Por quê? Como era possível? Li aquele livro umas três vezes, achando que não estava entendendo direito. Míchkin era gentil, amava todo mundo, era sensível, sempre perdoava, nunca fez nada errado — mas ele confiava em todas as pessoas erradas, sempre tomava decisões ruins, machucava todo mundo à sua volta. Uma mensagem bem sombria nesse livro. 'Por que ser bom?' Mas foi isso que não saiu da minha cabeça ontem à noite, vindo pra cá de carro. E se for mais complicado que isso? E se o contrário também for verdade? Pois, se às vezes o mal pode vir de boas ações, onde é que está escrito que apenas o mal pode vir de más ações? Talvez às vezes a forma errada seja a forma certa. Você pode pegar o caminho errado e ainda assim chegar aonde quer estar. Ou, em outras palavras, às vezes você pode fazer tudo errado e ainda assim as coisas darem certo."

"Não tenho certeza se vejo aonde você quer chegar."

"Bem, devo dizer que pessoalmente nunca tracei uma linha tão fixa entre bem e mal como você. Para mim, essa linha muitas vezes é falsa. Os dois nunca estão desconectados. Um não pode existir sem o outro. Desde que eu esteja agindo por amor, sinto que estou fazendo o melhor. Mas você — cercado por julgamento, sempre lamentando o passado, se amaldiçoando, se culpando, perguntando 'e se', 'e se'. 'A vida é cruel.' 'Queria ter morrido em vez de...' Bem, pense nisso. E se todas as suas ações e escolhas, boas ou más, não fizerem a menor diferença pra Deus? E se o padrão estiver predeterminado? Não, não — espera. Essa é uma pergunta que vale a pena considerar a fundo. E se nossa maldade e nossos erros forem justo aquilo que define nosso destino e nos leva pro bem? E se, pra alguns de nós, não houver nenhuma outra maneira de chegar lá?"

"Chegar aonde?"

"Entenda, quando digo Deus, estou meramente usando Deus como referência pra um padrão de longo prazo que não podemos decifrar. Um sistema climático gigantesco que se move lentamente e vem na nossa direção de longe, nos arrastando de forma aleatória como..." Eloquente, ele golpeou o ar como se estivesse batendo numa folha soprada pelo vento. "Mas talvez não seja assim tão aleatório e impessoal, se é que você me entende."

"Desculpe, mas não estou gostando muito dessa sua lógica."

"Você não precisa de uma lógica. A lógica talvez seja que a lógica é grande demais pra que a gente a veja ou entenda por conta própria. Porque..." — lá vinha a sobrancelha arqueada como uma asa de morcego — "bem, se você não tivesse pegado a pintura no museu, e Sascha não a tivesse roubado de volta, e eu não tivesse pensado em pedir recompensa — bem, todas aquelas dúzias de outras pinturas não continuariam desaparecidas também? Pra sempre talvez? Embrulhadas em papel pardo? Ainda trancadas no apartamento? Sem ninguém pra olhar pra elas? Solitárias e perdidas para o mundo? Talvez uma precisasse se perder pra que as outras fossem achadas."

"Acho que isso vai mais na linha de 'ironia implacável' do que de 'providência divina'."

"Sim, mas pra que pôr um nome? Será que ambas não podem ser a mesma coisa?"

Olhamos um pro outro. E me ocorreu que, apesar de todos os seus defeitos, que eram numerosos e espetaculares, o motivo que me fez gostar de Boris e me sentir feliz perto dele quase desde o momento em que o conheci foi que ele nunca tinha medo. Você não conhece muita gente que se move livremente pelo mundo com tal desprezo veemente por ele e ao mesmo tempo com uma fé tão excêntrica e não frustrável no que, na infância, gostava de chamar de "o planeta da Terra".

"Então..." Boris entornou o resto do vinho e se serviu de um pouco mais. "Quais são seus planos tão grandiosos?"

"Quanto a quê?"

"Agora pouco você estava de saída. Por que não ficar aqui um tempo?"

"Aqui?"

"Não, não digo *aqui*, não em Amsterdam, concordo com você que é uma ótima ideia sair da cidade, e quanto a mim não vou me importar em ficar longe por um tempo. Mas por que você não relaxa um pouco e dá uma passeada antes de voltar? Venha pra Antuérpia comigo. Ver minha casa! Conhecer meus amigos! Escapar um pouco dos seus problemas com garotas."

"Não, eu vou pra casa."

"Quando?"

"Hoje, se puder."

"Tão cedo? Não! Venha pra Antuérpia! Tem um serviço fantástico lá, não é que nem no Red Light, duas garotas, dois mil euros, mas você tem que ligar com dois dias de antecedência. Tudo é dois. Gyuri pode nos levar. Eu sento na frente, você pode se esticar e dormir no banco de trás. O que me diz?"

"Na verdade, prefiro que me deixe no aeroporto."

"Na verdade, melhor não. Se eu vendesse as passagens, não ia deixar você entrar num avião. Parece que você está com gripe aviária ou pneumonia asiática." Ele estava desfazendo o laço dos sapatos encharcados, tentando enfiar os pés neles. "Aff! Você me explica uma coisa? Por que..." — ergueu o sapato arruinado — "me diz por que eu compro estes sapatos tão chiques de couro italiano quando acabo com eles em uma semana? Enquanto — minhas velhas botas do deserto, você lembra? Tão boas pra fugir rápido! Saltar de janelas! Duraram anos! Não ligo se ficariam horríveis com os ternos. Vou atrás de mais botas como aquela, e vou usá-las pelo resto da minha vida." Franzindo a testa para o relógio, ele disse: "Onde foi que Gyuri se meteu? Ele não devia estar tendo tantos problemas pra estacionar no dia de Natal".

"Você ligou pra ele?"

Boris deu um tapa na cabeça. "Não, esqueci. Merda! Provavelmente já tomou café da manhã. Ou então está no carro, morrendo de frio." Boris tomou o resto do vinho e enfiou as garrafinhas de vodca no bolso. "Você já fez a mala? Sim? Ótimo. Podemos ir então." Ele estava, percebi, embrulhando restos de pão e queijo num guardanapo de pano. "Pode descer e pagar a conta. Embora..." Boris olhou com um ar desaprovador para o casaco manchado jogado na cama. "Você realmente precisa se livrar desse troço."

"Como?"

"Ele apontou com a cabeça para o canal escuro do lado de fora da janela."

"Sério?"

"Por que não? Não tem nenhuma lei contra jogar um casaco no canal, tem?"

"Eu imaginaria que sim."

"Bem, vai saber. Não deve ser uma lei aplicada com muito rigor, na minha opinião. Você devia ver algumas das merdas que eu vi flutuando naquela coisa durante a greve dos lixeiros. Americanos bêbados vomitando, tudo que é coisa. Embora..." — ele lançou um olhar pra janela — "estou com você, melhor não fazer isso em plena luz do dia. Podemos levá-lo pra Antuérpia no porta-malas do carro e jogá-lo no incinerador. Você vai gostar bastante do meu apartamento." Pescou seu celular e teclou um número. "Apartamento de artista, sem a arte! E vamos sair pra comprar um casaco novo pra você quando as lojas abrirem."

VI

Voltei pra casa num voo de madrugada duas noites depois (após uma ressaca de Natal na Antuérpia que não teve nem festa nem serviço de acompanhante, e sim sopa enlatada, uma injeção de penicilina e alguns filmes antigos no sofá de Boris) e cheguei à casa de Hobie por volta das oito da manhã, a respiração saindo em nuvens brancas. Abri a porta da frente decorada com ramos de abeto, passando pelo salão com sua árvore de Natal apagada e quase nenhum presente, seguindo até os fundos da casa, onde encontrei um Hobie de cara inchada e olhos sonolentos, de roupão e chinelos, parado sobre uma escada dobrável guardando a sopeira e a tigela de ponche que tinha usado no almoço de Natal. "Oi", falei, largando minha mala no chão, ocupado com Popchik, que estava rodeando meus pés em oitos fiéis mas geriátricos como forma de cumprimento. Só quando olhei pra Hobie descendo a escada que percebi quão resoluto ele parecia — incomodado, mas com um sorriso firme e defensivo no rosto.

"Como você está?", perguntei, endireitando-me, tirando meu casaco novo e pendurando-o sobre uma cadeira da cozinha. "Novidades?"

"Não muitas", ele respondeu, sem olhar pra mim.

"Feliz Natal! Bem, um pouco atrasado. Como *foi* o Natal?"

"Bem. E o seu?", perguntou ele rigidamente alguns momentos depois.

"Nada mal, na verdade. Eu estava em Amsterdam", acrescentei, quando Hobie não disse nada.

"Ah é? Deve ter sido divertido." Ele parecia distraído, sem foco.

"Como foi o almoço?", perguntei depois de uma pausa cautelosa.

"Ah, foi ótimo. Tivemos um pouco de neve molhada, mas fora isso foi bom." Ele estava tentando com dificuldade fechar a escada dobrável. "Alguns presentes pra você ainda lá debaixo da árvore, se estiver a fim de abrir."

"Obrigado. Vou abrir hoje à noite. Estou um caco. Quer uma ajuda com isso?", perguntei, dando um passo à frente.

"Não, não, obrigado." O que quer que houvesse de errado transparecia em sua voz. "Pode deixar."

"Certo", falei, perguntando-me por que ele não tinha mencionado seu presente — um mostruário de pontos de bordado infantil, letras do alfabeto e números entrelaçados por ramos de videira, animais de fazenda estilizados, *Mostruário de Marry Sturtevant — 11 Anos — 1779*. Ele não tinha aberto? Eu o descobrira numa caixa de calça de poliéster de vovó no mercado de pulgas — não saiu barato pros padrões do mercado de pulgas, quatrocentos dólares, mas eu já tinha visto peças comparáveis vendidas em leilões de artefatos americanos por dez vezes mais. Em silêncio, eu o observei zanzar pela cozinha no piloto automático — andando em círculos, abrindo a porta da geladeira, fechando-a sem pegar nada, enchendo a chaleira pra fazer chá — o tempo todo envolto em seu casulo e se recusando a olhar pra mim.

"Hobie, o que está acontecendo?", perguntei por fim.

"Nada." Ele estava procurando uma colher, mas tinha aberto a gaveta errada.

"O quê? Você não quer me dizer?"

Ele se virou para olhar pra mim, um lampejo de incerteza nos olhos, antes de voltar-se para o fogão novamente e disparar: "Foi realmente inapropriado da sua parte dar aquele colar a Pippa".

"Quê?", falei, pego de surpresa. "Ela ficou chateada?"

"Eu..." Olhando para o chão, ele balançou a cabeça. "Não sei o que está acontecendo com você", disse. "Não sei mais o que pensar. Olha, não quero ficar censurando", continuou, quando permaneci sentado imóvel. "Realmente não quero. Na verdade preferiria nem falar sobre isso. Mas..." Ele pareceu estar buscando as palavras. "Você não vê que é preocupante e inadequado? Dar a Pippa um colar de trinta mil dólares? Na noite da sua festa de noivado? Simplesmente deixá-lo no sapato dela? Na frente da sua porta?"

"Eu não paguei trinta mil dólares por ele."

"Não, arrisco dizer que pagaria setenta e cinco mil se tivesse comprado numa loja. E além disso..." Muito subitamente ele puxou uma cadeira e sentou-se. "Ah, não sei o que fazer", disse num tom infeliz. "Não tenho a menor ideia de como começar."

"Como?"

"Por favor, me diga que toda aquela história não tem nada a ver com você."

"História?", perguntei cauteloso.

"Bem." Música clássica matinal no rádio da cozinha, sonata meditativa de piano. "Dois dias antes do Natal, recebi uma visita bastante estranha do seu amigo Lucius Reeve."

A sensação de queda foi imediata, sua rapidez e profundidade.

"Que veio com algumas acusações bem surpreendentes. Superando todas as expectativas." Hobie fechou os olhos comprimindo-os com o polegar e o indicador, e sentou por um momento. "Vamos deixar esse outro assunto de lado por um momento. Não, não", disse ele, afastando minhas palavras com um gesto de mão quando tentei falar. "Antes de tudo, sobre a mobília."

Seguiu-se entre nós um silêncio insuportável.

"Entendo que não facilitei muito as coisas pra que você viesse até mim. E entendo também que fui eu mesmo quem te colocou nessa posição. Mas..." — ele olhou em volta — "dois milhões de dólares, Theo?"

"Escuta, deixa eu dizer uma coisa..."

"Eu devia ter anotado. Ele tinha cópias, recibos de transporte, peças que nunca vendemos e nunca tivemos que vender, do nível de artefatos americanos importantes, inexistentes, eu não estava conseguindo calcular tudo na minha cabeça, em dado momento simplesmente parei de contar. Dezenas! Não fazia a menor ideia da dimensão daquilo. E você mentiu pra mim sobre a história de plantar. Nem de longe é isso que ele quer."

"Hobie, escuta." Ele estava olhando para mim sem me olhar realmente. "Sinto muito por ter que descobrir dessa forma, eu esperava consertar as coisas antes, mas — já cuidei disso, tá bem? Posso comprar tudo de volta agora, cada pedaço de madeira."

Mas, em vez de parecer aliviado, ele apenas meneou a cabeça. "Isso é terrível, Theo. Como pude deixar acontecer?"

Se Hobie estivesse um pouquinho menos abalado, eu teria argumentado que o único pecado que ele tinha cometido fora confiar em mim e acreditar no que eu dissera, mas ele parecia tão genuinamente desconcertado que não consegui me forçar a dizer nada.

"Como é que chegou a esse ponto? Como pude não saber? Ele tinha..." — Hobie desviou o olhar, balançou a cabeça rápido novamente, incrédulo — "sua letra, Theo. Sua assinatura. Mesa Duncan Phyfe... cadeiras de jantar Sheraton... sofá Sheraton na Califórnia... fui eu que fiz aquele sofá, Theo, com minhas próprias mãos, você me viu fazendo, ele não é mais Sheraton do que aquela sacola de compras do Gristedes ali. Armação toda nova. Até os apoios de braço são novos. Apenas duas das pernas são originais, você ficou ali comigo e me viu estriando as novas..."

"Desculpe Hobie. A Receita estava ligando todo dia, eu não sabia o que fazer..."

"Eu sei que não", disse ele, embora parecesse haver uma dúvida nos seus olhos mesmo enquanto dizia isso. "Foi uma Cruzada das Crianças ali embaixo. É só que..." — ele se jogou pra trás na cadeira, revirou os olhos para o teto — "por que você não parou? Por que continuou com aquilo? Ficamos gastando dinheiro que não tínhamos! Você nos meteu num buraco que vai quase até a China! Isso vem acontecendo há anos! Ainda que pudéssemos cobrir tudo, coisa que absolutamente não podemos fazer e você sabe disso..."

"Hobie, em primeiro lugar, eu *posso* cobrir isso, e em segundo..." Eu precisava de café, não estava bem desperto, mas não havia nada no fogão, e realmente não era o momento de me levantar e fazer. "Em segundo lugar, bem, não quero dizer que está tudo bem, porque, sem dúvida não está, eu só estava tentando tirar a gente do sufoco e pagar algumas dívidas, não sei como deixei sair tanto do controle. Mas — não, não, escuta", falei, apreensivo; eu podia vê-lo se afastando, cercando-se de uma névoa, como minha mãe tendia a fazer quando era obrigada a ficar sentada imóvel e aguentar alguma mentira complicada e improvável do meu pai. "O que quer que ele tenha dito, e eu não sei o que foi, eu tenho o dinheiro agora. Está tudo certo. Tá bem?"

"Suponho que não deva perguntar como você o conseguiu." Então, com tristeza, recostou-se na cadeira. "Onde você estava? Se não se importa que eu pergunte."

Cruzei e descruzei as pernas, esfreguei as mãos no rosto. "Amsterdam."

"Por que Amsterdam?" Então, quando me atrapalhei pra responder: "Não achei que fosse voltar".

"Hobie...", eu disse, ardendo de vergonha. Sempre tinha me esforçado tanto para ocultar meu eu traiçoeiro dele, para lhe mostrar apenas a versão melhorada e polida, nunca o eu maltrapilho vergonhoso que queria tão desesperadamente esconder, impostor, covarde, mentiroso, trapaceiro...

"*Por que* você voltou?" Ele estava falando rápido, num tom infeliz, como se quisesse arrancar as palavras da boca. Em sua agitação, Hobie se ergueu e começou a andar em volta, seus chinelos esmurrando o chão. "Achei que a gente nunca mais ia te ver. A noite passada toda — as últimas noites — deitado acordado tentando pensar no que fazer. Naufrágio. Catástrofe. Todos os jornais falando sobre essas pinturas roubadas. Que Natal. E você, sumido do mapa. Sem atender o telefone. Ninguém sabia onde você estava..."

"Ah, Deus", falei, sinceramente horrorizado. "Desculpe. E escuta, escuta", falei. Sua boca era uma linha fina. Hobie balançava a cabeça como se já tivesse se distanciado do que eu estava dizendo, como se não houvesse por que escutar. "Se é a mobília que te preocupa..."

"Mobília?" O Hobie plácido, tolerante, conciliatório fervia como uma caldeira prestes a explodir. "Quem falou em mobília? Reeve disse que você tinha fugido, caído fora, mas..." — ele se ergueu piscando rapidamente, tentando se recompor — "eu não acreditei que você faria isso, não podia acreditar, e estava com medo de que fosse algo muito pior. Ah, você sabe do que estou falando", disse ele meio com raiva quando não respondi. "O que eu ia pensar? O jeito como saiu voando da festa... Pippa e eu, você não imagina, houve uma cena com a anfitriã, 'Cadê o noivo?', snif, snif. Você foi embora tão rápido, nós não fomos convidados para o jantar pós-festa, então nos mandamos. E depois — imagina como me senti quando cheguei e encontrei a casa destrancada, a porta praticamente aberta, a caixa registradora saqueada... o colar é o de menos, mas aquele bilhete que você deixou pra Pippa foi tão estranho, ela ficou tão preocupada quanto eu..."

"Ela ficou?"

"É claro que ela ficou!" Atirando um braço no ar. Ele estava praticamente gritando. "O que a gente ia pensar? E, então, essa terrível visita de Reeve. Ele chegou bem quando eu estava fazendo massa de torta — jamais teria aberto a porta, pensei que fosse Moira —, nove da manhã e eu ali boquiaberto diante dele, todo coberto de farinha. Theo, por que você fez isso?", perguntou Hobie desesperado.

Sem saber do que exatamente ele estava falando — eu tinha feito tanta coisa —, só pude menear a cabeça e desviar o olhar.

"Era tão absurdo — como eu poderia acreditar? Pra falar a verdade, não acreditei. Porque eu entendo", disse ele, quando não respondi, "olha, eu entendo no caso da mobília, você fez o que tinha de fazer, acredite, eu sou grato, se não fosse por você eu estaria trabalhando pra alguém e morando em um ninho de rato. Mas..." — ele enfiou os punhos nos bolsos do roupão — "toda essa outra maluquice... Óbvio que não pude deixar de me perguntar onde você se encaixava nisso tudo. Especialmente depois de ter saído correndo quase sem dizer uma palavra, com seu amigo — que, odeio dizer, um rapaz muito encantador, mas com cara de que já viu o interior de uma ou duas celas..."

"Hobie..."

"Ah, Reeve. Você devia ter dado ouvidos a ele." Toda a energia parecia ter se esvaído dele; parecia esgotado e derrotado. "A velha víbora. E — quero que você saiba, nesse sentido — o roubo de arte? Eu te defendi com todas as letras. O que quer que você tivesse feito — eu tinha certeza de que você não tinha feito *aquilo*. E, então, menos de três dias depois, o que é que aparece nos jornais? Justo qual pintura? Junto com quantas outras? Ele estava dizendo a verdade?", perguntou Hobie, quando continuei sem responder. "Foi você?"

"Sim. Bem, quero dizer, tecnicamente não."

"Theo."

"Eu posso explicar."

“Por favor, explique”, disse ele, pressionando a base da mão contra o olho. “Sente-se.”

“Eu…” Desesperançado, Hobie olhou em volta, como se estivesse com medo de perder toda a determinação se sentasse à mesa comigo.

“Não, você devia sentar. É uma longa história. Vou torná-la o mais breve possível.”

VII

Ele não disse uma palavra. Nem mesmo atendeu o telefone quando tocou. Eu estava morto de cansaço e dolorido do avião, e embora tenha omitido a parte dos dois cadáveres, fiz a ele o melhor relato que podia do restante: frases curtas, diretas, sem tentar me justificar ou explicar. Quando terminei ele ficou sentado ali — eu abalado pelo seu silêncio, nenhum barulho na cozinha além do zum-zum monótono da velha geladeira. Mas, por fim, ele se recostou e cruzou os braços.

“As coisas realmente dão voltas estranhas às vezes, não dão?”, disse ele.

Fiquei em silêncio, sem saber o que dizer.

“É só que…” — esfregando o olho — “é só que eu entendo, conforme vou ficando mais velho. Quão engraçado é o tempo. Quantos truques e surpresas.”

A palavra *truque* foi só o que eu ouvi, ou entendi. Então, abruptamente, ele se levantou — com todo o seu um metro e noventa e cinco, algo de severo e pesaroso na sua postura, ou pelo menos foi o que me pareceu, fantasma ancestral do policial marchando com ginga ou talvez de um segurança prestes a te atirar pra fora de um bar.

“Pode deixar”, falei.

Ele piscou rápido. “Como?”

“Eu te faço um cheque que cubra todo o valor. Apenas o segure até que eu diga que pode descontá-lo, é só o que eu peço. Nunca quis te fazer nenhum mal, eu juro.”

Com um gesto de braço, ele rebateu minhas palavras. “Não, não. Espere aqui. Quero te mostrar uma coisa.”

Hobie ergueu-se e foi ruidosamente até o salão. Ele demorou um pouco pra voltar. Quando retornou, foi com um álbum de fotos caindo aos pedaços. Hobie sentou. Folheou por várias páginas. E, quando chegou numa página específica, empurrou o álbum pra mim sobre a mesa. “Aqui”, disse ele.

Um instantâneo desbotado. Um garoto minúsculo de nariz adunco como um passarinho sorria sentado num piano numa sala cheia de palmeiras estilo belle époque — não parisiense, não exatamente, mas cairota. Pares de floreiras, muitas estátuas de bronze francesas, muitos quadros pequenos. Um deles — flores num jarro — reconheci vagamente como um Manet. Mas meu olho escorregou e se deteve no duplo de uma imagem que me era muito mais familiar, um ou dois quadros acima.

Era, é claro, uma reprodução. Mas, mesmo na velha fotografia apagada, brilhava com uma luz própria, isolada e estranhamente moderna.

"Cópia do artista", disse Hobie. "O Manet também. Nada de especial, mas" — cruzando as mãos sobre a mesa — "aquelas pinturas foram uma parte importante da sua infância, a parte mais feliz, antes de ele ficar doente. Filho único, favorecido e mimado pelos empregados, figos e tangerinas e flores de jasmim na sacada. Ele falava árabe e francês, você sabia disso, né? E..." — Hobie cruzou os braços com força, deu uma batidinha nos lábios com o indicador — "ele costumava falar de como, com pinturas realmente grandes, é possível conhecê-las a fundo, habitá-las quase, mesmo por meio de cópias. Até Proust — há um trecho famoso em que Odette abre a porta com um resfriado, ela está mal-humorada, seu cabelo está solto e desarrumado, sua pele está manchada, e Swann, que até aquele momento nunca tinha ligado muito para ela, se apaixona, porque ela se parece com uma garota de Botticelli de um afresco ligeiramente deteriorado. Que o próprio Proust só conhecia de uma reprodução. Ele nunca viu o original, na Capela Sistina. Mas ainda assim — o romance todo de certa forma gira em torno daquele momento. E o defeito é parte da atração, as faces manchadas da pintura. Mesmo por meio de uma cópia Proust foi capaz de dar novo significado com aquela imagem, dar nova forma à realidade com ela, extrair algo todo seu dela e colocar isso no mundo. Porque a linha da beleza é a linha da beleza. Independente de ter passado cem vezes por uma copiadora."

"Sim", falei, embora eu não estivesse pensando na pintura, mas nas mutações de Hobie. Peças que ganhavam vida com seu toque, polidas até ficar parecendo que tinham recebido uma camada do puro tempo dourado, cópias que faziam você amar Hepplewhite, ou Sheraton, ainda que nunca tivesse visto ou pensado numa peça de Hepplewhite ou Sheraton na vida.

"Bem, eu mesmo sou só um velho copista falando. Você sabe o que Picasso diz. 'Maus artistas copiam, bons artistas roubam.' Ainda assim, com a grandeza real, há um choque na ponta do fio. Não importa quantas vezes você o agarre, ou quantas pessoas o agarraram antes de você. É o mesmo fio. Caído de uma vida superior. Ele ainda carrega algo do mesmo choque. E essas cópias...", ele disse, inclinando-se para a frente com as mãos cruzadas sobre a mesa, "essas cópias de artista com as quais ele cresceu se perderam quando a casa no Cairo pegou fogo, e pra falar a verdade se perderam para ele antes disso, quando ficou aleijado e foi mandado de volta pros Estados Unidos, mas — bem, ele era uma pessoa como nós, ele se afeiçoava a objetos, tinham personalidade e alma para ele, e embora tenha perdido quase tudo daquela vida, nunca perdeu essas pinturas, porque os originais ainda estavam por aí no mundo. Fez várias viagens para vê-las — na verdade, nós pegamos o trem até Baltimore pra ver o original do seu Manet quando ele estava sendo exibido lá, anos atrás, ainda na época em que a mãe de Pippa estava viva. Uma viagem e tanto para Welty. Mas ele sabia que jamais conseguiria voltar até o Musée d'Orsay. E no dia em que ele e Pippa foram até a exposição holandesa, que pintura você acha que ele a estava levando para ver?"

O interessante, na foto, era como o frágil garotinho de pernas tortas — sorrindo docemente, impecável na sua roupa de marinheiro — também era o velho homem que tinha agarrado minha mão quando estava morrendo — dois quadros distintos e sobrepostos da mesma alma. E a pintura, acima da sua cabeça, era o ponto imóvel de que tudo dependia: sonhos e signos, passado e futuro, sorte e destino. Não havia um único significado. Havia muitos significados. Era um enigma se expandindo mais e mais.

Hobie pigarreou. "Posso te perguntar uma coisa?"

"Claro."

"Como você a guardou?"

"Numa fronha."

"Algodão?"

"Bem... percal conta como algodão?"

"Nenhuma proteção? Nada?"

"Apenas papel e fita. Sim", falei, quando seus olhos se arregalaram alarmados.

"Você devia ter usado papel vegetal e plástico bolha!"

"Eu sei disso agora."

"Desculpe." Estremecendo; pondo uma mão na têmpora. "Ainda estou tentando fazer isso entrar na minha cabeça. Você voou pela Continental Airlines despachando aquela pintura na bagagem?"

"Como eu disse, eu tinha treze anos."

"Por que você simplesmente não me contou? Podia ter contado", reforçou ele, quando balancei a cabeça.

"Ah, claro", respondi, um pouco rápido demais, embora estivesse me lembrando do isolamento e do terror daquela época — meu medo constante da Assistência Social; o forte cheiro de sabão do meu quarto sem tranca, o frio drástico da área de recepção cinza onde esperei para ver o sr. Bracegirdle, meu medo de ser mandado pra longe.

"Eu teria pensado em alguma coisa. Embora, quando você chegou aqui desabrigado daquele jeito... bem, espero que você não se importe que eu diga, mas até seu advogado — bem, você sabe disso tanto quanto eu, a situação o deixava nervoso, ele não via a hora de te tirar daqui, e, além do mais, da minha parte também, vários amigos muito antigos me disseram: 'James, isso definitivamente é demais pra você...'. Bem, você pode imaginar por que pensariam isso", ele se apressou em acrescentar, quando viu a cara que fiz.

"Ah, sim, claro." Os Vogel, os Grossman, os Mildeberger, embora sempre educados, conseguiam transmitir silenciosamente (para mim, em todo caso) sua filosofia de que Hobie já tinha problemas suficientes.

"De certa forma foi loucura. Eu sei qual era a impressão que dava. E no entanto — bem, parecia uma mensagem clara, a maneira como Welty tinha te mandado pra cá, e então lá estava você, um pequeno inseto, voltando e voltando..." Ele pensou por um momento, o cenho franzido, uma versão mais profunda da sua perpétua expressão preocupada. "Vou te falar o que estou tentando dizer um tanto atrapalhado. Depois que minha mãe morreu, eu fiquei andando e andando, naquele horrível verão interminável. Fazia o caminho todo de Albany até Troy a pé às vezes. Ficando debaixo de toldos de lojas de ferragens na chuva. Qualquer coisa pra não ter que voltar praquela casa sem ela. Vagando a esmo como um fantasma. Eu ficava na biblioteca até eles me botarem pra fora e então pegava o ônibus pra Watervliet e depois perambulava um pouco mais. Eu era um garoto grande, doze anos e alto como um homem-feito, as pessoas achavam que eu era um vagabundo, donas de casa me expulsavam de sua porta me perseguindo com vassouras. Mas foi assim que fui parar na casa da sra. De Peyster — ela abriu a porta quando eu estava sentado na varanda dela e disse: 'Você deve estar com sede, gostaria de entrar?'. Retratos, miniaturas, daguerreótipos, velha tia Isso, velho tio Fulano de Tal. Aquela escadaria em espiral descendo. E lá estava eu, no meu barco salva-vidas. Eu o encontrara. Você tinha que se beliscar naquela casa às vezes pra se lembrar de que não estava em 1909. Algumas das peças americanas clássicas mais lindas que eu já vi na vida, e, meu Deus, aquele vidro Tiffany — isso foi antes de Tiffany ficar tão especial, as pessoas não ligavam pra ele, não estava na moda, provavelmente já saía por preços altos na cidade, mas naquela época você conseguia encontrá-lo em lojas de usados no norte do estado por uma bagatela. Não demorou muito e eu mesmo comecei a explorar essas lojas. Mas aquilo — aquilo tudo tinha vindo pela família dela. Cada peça tinha uma história. E ela adorava mostrar exatamente onde você deveria ficar, em que momento, para ver cada peça com a melhor luz. No fim da tarde, quando o sol dava um giro pela sala..." — ele estendeu os dedos, *pop, pop!* — "elas iam acendendo uma a uma como bombinhas num fio."

Da minha cadeira eu tinha uma visão clara da Arca de Noé de Hobie — casais de elefantes, zebras, animais esculpidos marchando de dois em dois, até chegar na pequena galinha com o galo, nos coelhos e, por último, nos camundongos. E a memória estava localizada ali, para além das palavras, uma mensagem codificada daquela primeira tarde — chuva escorrendo pela claraboia, a fila caseira de criaturas enfileiradas no balcão da cozinha esperando para serem salvas. Noé — o grande conservador, o grande guardador.

"E..." Ele tinha se erguido para fazer um pouco de café. "Imagino que seja vergonhoso passar a vida se dedicando tanto a *objetos*..."

"Quem disse?"

"Bem..." Virou-se do fogão. "Não é como se estivéssemos à frente de um hospital pra crianças doentes, ali embaixo, digamos assim. Onde está a nobreza em remendar um bando de mesas e cadeiras velhas? É corrosivo para a alma, muito provavelmente. Já vi espólios demais pra ignorar isso. Idolatria! Amar demais os objetos pode te destruir. Mas, se você ama uma coisa o suficiente, ela ganha vida própria, não ganha? E o objetivo todo das coisas — das coisas belas — não é te conectarem a uma beleza maior? Aquelas primeiras imagens que arrombam seu coração e você passa o resto da vida perseguindo, ou tentando recapturar, de uma forma ou de outra? Porque, quero dizer, consertar coisas velhas, preservá-las, cuidar delas — de certa forma não há nenhuma base racional pra isso..."

"Não há nenhuma 'base racional' pra nada que importa pra mim."

"Bem, verdade, pra mim também", disse ele num tom sensato. "Mas..." Ele espiou o pote de café, míope, e jogou uma colher de pó no bule. "Bem, desculpe por ficar me estendendo, mas daqui, de onde eu estou, parece uma fixação, sabe?"

"Como?"

Ele riu. "Vai saber. Grandes pinturas — pessoas vão vê-las em bandos, elas atraem multidões, são reproduzidas infinitamente em canecas de café, mousepads e o que mais você quiser. E, eu me incluo nisso, você pode muito bem passar a vida toda frequentando museus com sinceridade, zanzando pelo lugar e apreciando tudo e depois saindo e indo almoçar. Mas..." — deu a volta na mesa para sentar de novo — "se uma pintura realmente afeta e muda sua maneira de ver, de pensar, de sentir, você não pensa 'Ah, eu amo essa pintura porque ela é universal'. 'Eu amo essa pintura porque ela fala a toda a humanidade.' Não é por isso que alguém ama uma obra de arte. É um sussurro secreto vindo de um beco. *Psst, você. Ei, garoto. Sim, você.*" A ponta do dedo deslizou sobre a foto desbotada — o toque do conservador, um toque sem tocar, o espaço de uma hóstia entre a superfície e seu indicador. "Um choque individual no coração. Seu sonho, o sonho de Welty, o sonho de Vermeer. Você vê uma pintura, eu vejo outra, o livro de arte a apresenta ainda em outra perspectiva, a mulher comprando o cartão na loja de recordações do museu vê algo totalmente diferente, e isso pra não falar nas pessoas separadas de nós pelo tempo — quatrocentos anos antes de nós, quatrocentos anos depois de partirmos. Nunca vai afetar ninguém do mesmo jeito, e a grande maioria das pessoas nem vai afetar de forma profunda, mas... uma pintura realmente grande é fluida o bastante pra chegar até a mente e o coração por todo tipo de ângulo diferente, de maneiras que são únicas e muito particulares. *Sua, sua. Fui pintada para você.* E — ah, não sei, me interrompa se eu estiver divagando..." Ele passou uma mão pela testa. "Mas o próprio Welty costumava falar sobre objetos fatídicos. Todo marchand e dono de antiquário os reconhece. As peças que aparecem e reaparecem. Talvez pra alguma outra pessoa, não um marchand, não seria um objeto. Poderia ser uma cidade, uma cor, uma hora do dia. O prego onde seu destino está sujeito a travar e enroscar."

"Você parece meu pai falando."

"Bem, digamos de outro modo. Quem foi que disse que a coincidência era a forma de Deus de permanecer anônimo?"

"Agora você *realmente* parece meu pai falando."

"Vai saber se os jogadores realmente não entendem isso melhor que ninguém? Todas as coisas não merecem uma aposta? Será que o bem não pode chegar às vezes por estranhas portas dos fundos?"

VIII

E sim. Suponho que possa. Ou, para citar outra pérola paradoxal do meu pai, às vezes você tem que perder pra ganhar.

Porque já faz quase um ano agora e estive viajando a maior parte do tempo, onze meses gastos em grande medida em saguões de aeroporto, quartos de hotel e outros lugares de passagem, fique atento à bagagem de mão, bandejas de plástico e ar viciado pelas saídas da cabine que parecem brânquias de tubarão — e embora ainda não estejamos nem perto da Ação de Graças as luzes já foram colocadas e estão começando a tocar os clássicos natalinos fáceis de escutar, como "Tannenbaum" de Vince Guaraldi e "Greensleeves" de Coltrane, no Starbucks do aeroporto; e entre as muitas, muitas coisas sobre as quais eu tive tempo de pensar (como: pelo que vale a pena viver? Pelo que vale a pena morrer? O que é completamente tolo perseguir?), tenho pensado muito no que Hobie disse sobre aquelas imagens que te afetam no fundo da alma e fazem seu coração desabrochar como uma flor, imagens que se abrem para uma beleza muito, muito maior, que você pode passar a vida toda procurando e nunca encontrar.

E tem sido bom para mim, meu tempo sozinho na estrada. Um ano foi o tempo que precisei para discretamente viajar sozinho e comprar de volta as falsificações ainda espalhadas por aí, um processo delicado que descobri ser mais bem conduzido pessoalmente — três ou quatro viagens por mês, New Jersey, Oyster Bay, Providence e New Canaan, ou, indo mais longe, Miami, Houston, Dallas, Charlottesville, Atlanta, onde, a convite da minha adorável cliente Mindy, a esposa de um magnata de autopeças chamado Earl, passei três dias bastante agradáveis na casa de hóspedes de um *château* de pedras de coral brilhando de novo com seu próprio salão de bilhar, um "pub de cavalheiros" (com um autêntico barman inglês importado) e um campo de tiro coberto que tinha um sistema customizado de alvo sobre uma esteira. Alguns dos meus clientes pontocom e de hedge funds tinham segundas casas em lugares exóticos — para mim pelo menos —, Antígua, México, Bahamas, Monte Carlo, Juan-les-Pins e Sintra, interessantes vinhos locais e coquetéis em jardins de terraço com palmeiras, agaves e guarda-sóis brancos chicoteando junto da piscina como velas. Nesse meio-tempo, vivi numa espécie de estado de transição bardo, voando num estrondo cinza, subindo com janelas salpicadas de gotas rumo à luz solar raiada, descendo por nuvens de tempestade, chuva e escadas rolantes, e indo mais para baixo e mais para baixo até uma confusão de rostos na esteira de bagagem, uma espécie inquietante de vida após a morte, o espaço entre a terra e a não terra, o mundo e o não mundo, pisos extremamente polidos e ecos de catedral de tetos de vidro e todo o brilho anônimo do saguão, uma identidade de massa da qual eu não quero fazer parte e da qual de fato não faço parte, só que é quase como se eu tivesse morrido, eu me sinto diferente, eu *estou* diferente, e há certo prazer entorpecente em ficar entrando e saindo da mente coletiva, cochilando em cadeiras de plástico moldado e vagando por corredores reluzentes de free shop, e é claro que todo mundo é muitíssimo simpático quando você aterrissa, quadras de tênis cobertas e praias particulares, e — depois do tour obrigatório, tudo muito bonito, admirando o Bonnard, o Vuillard, almoço leve à beira da piscina — um cheque gordo e uma corrida de táxi de volta ao hotel de novo, um bom tanto mais pobre.

É uma grande mudança. Não sei bem como explicar. Entre querer e não querer, entre me importar e não me importar.

É claro que é muito mais do que isso também. Choque e aura. As coisas estão mais intensas e mais brilhantes, e eu me sinto à beira de algo inefável. Mensagens codificadas nas revistas de bordo. Escudo de energia. Cuidado absoluto. Eletricidade, cores, esplendor. Tudo é um letreiro que aponta para alguma outra coisa. E, deitado na cama em algum quarto de hotel frio e cor de bolacha em Nice, com uma sacada de frente para o Promenade des Anglais, observo as nuvens refletidas nas portas corrediças e fico maravilhado com como até mesmo minha tristeza pode me fazer feliz, como carpete de parede a parede, móveis imitando Biedermeier e um apresentador francês murmurando baixinho no Canal Plus podem de alguma forma parecer todos tão necessários e certos.

Preferiria esquecer de uma vez, mas não posso. É mais ou menos como o zunido de um diapasão. Simplesmente está ali. Comigo o tempo todo.

Ruído branco, estrondo impessoal. Incandescência entorpecedora dos terminais de embarque. Mas mesmo esses lugares cerrados e sem alma estão carregados de significado, cintilando e ressoando com ele. Sky Mall. Sistemas de som portáteis. Ilhas refletidas de Drambuie, Tanqueray e Chanel nº 5. Olho para os rostos inexpressivos dos outros passageiros — pegando suas pastas, suas mochilas, arrastando-se para desembarcar — e penso no que Hobie disse: a beleza altera a textura da realidade. E não paro de pensar também na sabedoria mais convencional — a saber, que a busca pela beleza pura é uma armadilha, o caminho mais rápido para a amargura e a tristeza, que a beleza tem que casar com algo mais significativo.

Mas que coisa é essa? Por que sou do jeito que sou? Por que me importo com todas as coisas erradas, e nem um pouco com as coisas certas? Ou, em outras palavras, como posso ver tão claramente que tudo o que amo ou com que me importo é ilusão e, ao mesmo tempo — para mim, pelo menos —, que tudo pelo que vale a pena viver está nesse encanto?

Um grande desgosto, e um que estou apenas começando a entender — não escolhemos nosso próprio coração. Não temos como nos forçar a querer o que é bom para nós ou o que é bom para outras pessoas. Não escolhemos ser as pessoas que somos.

Porque — já não é incutido em nós constantemente, desde a infância, um lugar-comum não questionado na cultura? De William Blake a Lady Gaga, de Rousseau a Rumi, passando pela *Tosca* e pelo sr. Rogers, é uma mensagem curiosamente uniforme, aceita de alto a baixo — quando em dúvida, o que fazer? Como sabemos qual é a coisa certa para nós? Qualquer psiquiatra, qualquer orientador vocacional, qualquer princesa da Disney sabe a resposta: "Seja você mesmo". "Siga seu coração."

Mas aí está o que eu realmente, realmente queria que alguém me explicasse. E se alguém por acaso tem um coração que não é confiável? E se o coração, por seus próprios motivos insondáveis, afasta deliberadamente a pessoa, e numa nuvem de esplendor indescritível, da saúde, da vida doméstica, da responsabilidade cívica, dos fortes vínculos sociais e de todas as virtudes comuns agradavelmente mantidas a leva em vez disso bem na direção de uma bela labareda de ruína, autoimolação, desastre? Kitsey tem razão? Se seu eu mais profundo está cantando e te atraindo direto para a fogueira, o melhor é se afastar? Tapar os ouvidos com cera? Ignorar toda a glória perversa que seu coração está gritando pra você? Pôr-se no rumo que vai te levar devidamente à norma, expediente razoável e checkups médicos regulares, relacionamentos estáveis e progressão fixa na carreira, *New York Times* e brunch no domingo, tudo com a promessa de ser de alguma forma uma pessoa melhor? Ou, como Boris, o melhor é se jogar de cabeça, rindo na fúria santa, gritando seu nome?

Não se trata de aparências externas, mas de significado interno. Uma grandeza *no* mundo, mas não *do* mundo, uma grandeza que o mundo não entende. Aquele primeiro vislumbre de alteridade pura, em cuja presença você floresce mais e mais e mais.

Um eu que não se quer. Um coração que não se pode evitar.

Embora meu noivado não tivesse terminado, não oficialmente pelo menos, me deram a entender — graciosamente, no jeito mais leve que o ar dos Barbour — que ninguém me prendia a nada. O que é perfeito. Nada foi dito e nada é dito. Quando sou convidado pra jantar (como com frequência acontece quando estou na cidade) tudo é muito agradável e descontraído, volúvel até, íntimo e sutil, e ao mesmo tempo nem um pouco pessoal; sou tratado como um (quase) membro da família, encorajado a aparecer quando quiser; já consegui persuadir a sra. Barbour a sair do apartamento um pouco, tivemos algumas tardes agradáveis fora, almoço no Pierre e um ou dois leilões; e Toddy, sem a menor indelicadeza, conseguiu até de forma casual e quase acidental deixar escapar o nome de um médico muito bom, nem de longe sugerindo que eu possivelmente precisaria de uma coisa daquelas.

[Quanto a Pippa, embora tenha levado o livro, deixou o colar, com uma carta que eu abri com tanta avidez que literalmente rasguei o envelope e a carta ao meio. A essência — depois que me ajoelhei para juntar os pedaços — era: ela tinha adorado me ver, nosso tempo na cidade tinha significado muito para ela, quem no mundo poderia ter escolhido um colar tão lindo? Era perfeito, mais do que perfeito, só que ela não podia aceitar, era simplesmente demais, ela sentia muito e — talvez estivesse se precipitando, e se fosse o caso esperava que eu a perdoasse, mas eu não deveria pensar que ela não me amava também, porque ela me amava, sim. (Você me ama?, pensei, espantado.) É só que era complicado, não estava pensando só em si própria, mas em mim também, já que nós dois tínhamos passado pelas mesmas coisas em tantos aspectos, ela e eu, e éramos muitíssimos parecidos — até demais. E como nós dois tínhamos sofrido traumas tão terríveis, e tão cedo, de forma violenta e irremediável que a maior parte das pessoas não entendia e não tinha como entender, não era algo um pouco… precário? Uma questão de autopreservação? Duas pessoas frágeis e impulsionadas pela morte que iam precisar se apoiar uma na outra com tanta frequência? Não era que ela não estivesse bem no momento, porque ela estava, mas tudo isso podia mudar num piscar de olhos com qualquer um de nós, não podia? A reversão, a queda brusca, e não era esse o perigo? Já que nossos defeitos e fraquezas eram tão parecidos, e um de nós podia derrubar o outro rápido demais? E embora isso tenha ficado um pouco no ar, percebi na hora, e com um assombro considerável, aonde ela queria chegar. (Burrice minha não ter visto antes, depois de todos os ferimentos, a perna esmagada, as múltiplas cirurgias; arrastada adorável na voz, arrastada adorável no passo, como ela se abraçava e a palidez, os lenços, os suéteres e as múltiplas camadas de roupas, o sorriso sonolento e vagaroso — ela própria, seu eu sonhador de infância, era sublimidade e desastre, o pirulito de morfina que eu tinha perseguido durante todos aqueles anos.)

Mas, conforme o leitor terá deduzido (se algum dia houver um leitor), a ideia de ser arrastado pra baixo não me causava o menor medo. Não que eu me importasse em arrastar outra pessoa comigo, mas — será que *eu* não posso mudar? Será que *eu* não posso ser o forte? Por que não?]

[Você pode ter qualquer uma dessas garotas que você quer, disse Boris, sentando no sofá comigo no seu apartamento na Antuérpia, quebrando pistaches com seus molares posteriores enquanto assistíamos a *Kill Bill*.

Não, eu não posso.

E por que não pode? Eu ficaria com Floco de Neve. Mas, se você quer a outra, por que não?

Porque ela tem um namorado?

E?

Que mora com ela?

E?

E é nisto que estou pensando também: E? E se eu for a Londres? E?

E essa pergunta ou é completamente catastrófica ou é a mais sensata que já me fiz na vida.]

Escrevi tudo isso, estranhamente, com a ideia de que Pippa fosse ver um dia — coisa que é claro que ela não vai fazer. Ninguém vai, por razões óbvias. Não escrevi de memória — aquele caderno em branco que meu professor de inglês me deu há tantos anos foi o primeiro de vários, e o início de um hábito errático, mas permanente dos treze em diante, começando com uma série de cartas formais, mas curiosamente íntimas para a minha mãe, cartas longas, obsessivas e saudosas que soam como se tivessem sido escritas para uma mãe viva, esperando ansiosamente notícias minhas, cartas descrevendo onde eu estava "ficando" (nunca morando) e as pessoas com quem eu estava "ficandodo", cartas detalhando de forma exaustiva o que eu comia, bebia, vestia e via na televisão, que livros eu lia, que jogos jogava, que filmes eu via, coisas que os Barbour faziam e diziam, coisas que meu pai e Xandra faziam e diziam — essas epístolas (datadas e assinadas, com uma letra cuidadosa, prontas para serem arrancadas do caderno e enviadas) se alternavam com acessos infelizes de Eu Odeio Todo Mundo e Queria Estar Morto, meses que passavam se arrastando com um ou dois rabiscos sem sentido, casa dos B, faz três dias que não vou à escola e já é sexta, minha vida em haicai, sou quase um zumbi, meu Deus, ficamos tão chapados ontem à noite que meio que apaguei, jogamos um jogo chamado Mentiroso e jantamos sucrilhos e pastilhas de hortelã.

E, no entanto, mesmo quando cheguei a Nova York, continuei escrevendo. "Por que é tão mais frio aqui do que me lembro, e por que esse abajur idiota de merda me deixa tão triste?" Descrevi jantares sufocantes; registrei conversas e relatei meus sonhos; fiz várias anotações cuidadosas do que Hobie me ensinou na oficina lá embaixo.

> Mogno do século XVIII mais fácil de acertar granulação do que nogueira — olho enganado pela madeira mais escura
> Quando feito artificialmente — resultado uniforme demais!
>
> 1. estante vai mostrar desgaste nas ripas inferiores onde junta poeira e a mão alcança, mas não nas do topo
> 2. em peças que trancam, procurar denteações e riscos abaixo do buraco da fechadura, onde a madeira é atingida quando se tenta abrir com uma chave num chaveiro

Intercalados no meio de tudo isso, havia anotações de resultados de leilões de vendas de artefatos americanos importantes ("Lote 77 espelho cvx girandole parcial eboniz. per. fed. $ 7500") e — cada vez mais — gráficos e tabelas sinistros que por algum motivo achei que seriam incompreensíveis pra uma pessoa que pegasse o caderno, mas que são na verdade bem claros:

1-8/12	320,5 mg
9-15/12	202,5 mg
16-22/12	171,5 mg
23-30/12	420,5 mg

Permeando esse registro diário, e elevando-se acima de si mesmo, está o segredo visível apenas para mim, florescendo na escuridão e não mencionado nem uma vez pelo nome.

Pois, se nosso segredo é o que nos define, em oposição à cara que mostramos ao mundo, então a pintura foi o segredo que me elevou acima da superfície da vida e me permitiu saber quem eu sou. E ele está lá — nos meus cadernos, em cada página, mesmo não estando. Sonho e mágica, mágica e delírio. A teoria do campo unificado. Um segredo sobre um segredo.

[Aquele carinha, disse Boris no carro a caminho da Antuérpia. Você sabe que o pintor o *viu*. Ele não estava pintando aquele pássaro de cabeça, sabe? Aquele é um carinha real, acorrentado à parede. Se eu o visse no meio de uma dúzia de outros pássaros, todos do mesmo tipo, conseguiria reconhecê-lo, sem dificuldade.]

E ele tem razão. Eu também conseguiria. E se pudesse voltar no tempo arrancaria a corrente num piscar de olhos e nem por um minuto me importaria com o fato de que o quadro jamais seria pintado.

Só que é mais complicado que isso. Vai saber por que realmente Fabritius pintou o pintassilgo? Uma pequena obra-prima isolada, única em todo o seu gênero. Ele era jovem, famoso. Tinha mecenas importantes (embora infelizmente quase nenhum dos trabalhos que fez pra eles tenha sobrevivido). Era de imaginá-lo como o jovem Rembrandt, inundado de encomendas grandiosas, seus estúdios resplandecendo com joias e machados de guerra, cálices, peles e armaduras, todo o poder e a tristeza das coisas terrenas. Por que esse tema? Um pássaro de estimação solitário? Que de forma alguma era característico da sua época ou do seu tempo, onde animais eram representados principalmente mortos, em troféus de caça suntuosos, lebres, peixes e aves frouxos em pilhas altas e destinados à mesa? Por que me parece tão significativo o fato de a parede ser lisa — nenhuma tapeçaria ou chifre de caça, nenhuma decoração de palco — e de ele ter tido tanto cuidado em gravar seu nome e o ano da pintura com tanto destaque, já que dificilmente poderia ter sabido (ou será que ele sabia?) que 1654, o ano em que ele fez a pintura, também seria o ano da sua morte? Há certa premonição horripilante nela, como se talvez ele intuísse que essa pequena obra misteriosa seria uma das poucas que lhe sobreviveria. A anomalia que representa me atormenta em todos os níveis. Por que não algo mais típico? Por que não uma marinha, uma paisagem, uma pintura histórica, um retrato encomendado de alguma pessoa importante, uma cena vulgar de bêbados numa taverna, um punhado de tulipas, pelo amor de Deus, em vez desse pequeno cativo solitário? Acorrentado ao poleiro? Vai saber o que Fabritius estava tentando nos dizer ao escolher esse pequeno tema? Ao apresentar esse pequeno tema? E se o que dizem é verdade — se toda grande pintura é no fundo um autorretrato — o que, de fato, Fabritius está tentando dizer sobre si mesmo? Um pintor visto como extraordinariamente grande pelos maiores da sua época, que morreu tão jovem, há tanto tempo, e sobre quem não sabemos quase nada? Sobre si mesmo como pintor, ele está dizendo muito. Seus traços falam por si só. Asas resistentes; plumagem nova riscada. A velocidade do pincel é visível, a segurança da mão, tinta aplicada grossa. E, no entanto, ao lado das vivas pinceladas pastosas, também há trechos translúcidos, feitos com tanto carinho que criam um contraste de ternura e até de humor; a subcamada de tinta está visível sob as cerdas do seu pincel; ele quer que sintamos a penugem aveludada do peito, sua maciez e sua textura, a fragilidade da pequena garra enroscada no poleiro de latão.

Mas o que a pintura diz do próprio Fabritius? Nada em termos de devoção religiosa, romântica ou familiar; nada em termos de reverência cívica, ambição profissional ou respeito à riqueza e ao poder. Há apenas uma minúscula pulsação e solidão, uma brilhante parede ensolarada e uma sensação de que não há escapatória. Tempo que não se move, tempo que não poderia ser chamado de tempo. E cativo no coração de luz — o pequeno prisioneiro, inabalável. Penso em algo que li sobre Sargent — como, ao pintar retratos, sempre procurava o animal no modelo (uma tendência que, depois que aprendi a vê-la, passei a enxergar em toda a sua obra — no nariz comprido e nas orelhas pontudas de raposa das herdeiras dele, nos seus intelectuais com dentes de coelho, nos seus capitães leoninos da indústria, nas suas crianças rechonchudas com cara de coruja). E, nesse pequeno retrato fiel, é difícil não ver o humano no pintassilgo. Honrado, vulnerável. Um prisioneiro olhando para outro.

Mas vai saber o que Fabritius pretendia. Não restaram obras suficientes dele nem pra se tentar adivinhar. O pássaro olha para nós. Ele não é idealizado ou humanizado. Ele é bem pássaro. Atento, resignado. Não há moral ou história. Não há propósito. Há apenas um duplo abismo — entre o pintor e o pássaro aprisionado; entre o registro que ele deixou do pássaro e nossa experiência com ele, séculos depois.

E, sim, pros estudiosos pode importar a pincelada e o uso de luz inovadores, a influência histórica e o significado único na arte holandesa. Mas pra mim não. Como disse minha mãe há tantos anos, ela, que se apaixonou pela pintura apenas de vê-la num livro que emprestou na biblioteca de Comanche quando criança, o significado não importa. O significado histórico tira sua vida. Através daquelas distâncias intransponíveis — entre pássaro e pintor, pintor e observador —, ouço muito bem o que está sendo dito para mim, um *psst* de um beco, como disse Hobie, através de quatrocentos anos, e é algo realmente muito pessoal e específico. Está ali na atmosfera banhada de luz, nas pinceladas que ele nos deixa ver, de perto, exatamente pelo que são — flashes de pigmento feitos à mão, a própria passagem das cerdas visível —, e então, a uma distância, o milagre, ou a piada, como Horst a chamava, embora seja na verdade ambas as coisas, o deslizar de transubstanciação em que tinta é tinta e ao mesmo tempo pena e osso. É o lugar onde a realidade toca o ideal, onde uma piada se torna séria e qualquer coisa séria é uma piada. O ponto mágico onde qualquer ideia e seu oposto são igualmente verdadeiros.

E tenho a esperança de que haja alguma verdade maior sobre o sofrimento aqui, ou pelo menos no que se refere à minha compreensão dele — embora eu tenha me dado conta de que as únicas verdades que importam para mim são aquelas que não entendo e não posso entender. O que é misterioso, ambíguo, inexplicável. O que não se encaixa na história, o que não tem uma história. Lampejo de brilho numa corrente mal e mal visível. Marca de luz solar numa parede amarela. A solidão que separa uma criatura viva de todas as outras criaturas vivas. Tristeza inseparável da alegria.

Porque — e se aquele pintassilgo em particular (e ele é muito particular) jamais tivesse sido capturado ou nascido em cativeiro, exposto em alguma casa onde o pintor pudesse vê-lo? Nunca se entenderá por que ele foi forçado a viver em tal miséria — desconcertado pelo barulho (como imagino), afligido por fumaça, cães latindo, cheiro de comida, importunado por bêbados e crianças, impossibilitado de voar pela mais curta das correntes. No entanto até uma criança pode ver sua dignidade — um dedal de coragem, todo penas estufadas e ossos frágeis. Não se mostra tímido, nem mesmo desolado, mas firme, mantendo sua posição. Recusando-se a recuar diante do mundo.

E, cada vez mais, vejo-me escolhendo essa recusa em recuar. Pois não ligo pro que dizem ou com que frequência ou sedução dizem — ninguém nunca, jamais, vai conseguir me convencer de que a vida é uma coisa incrível e gratificante. Porque, esta é a verdade: a vida é catástrofe. O fato básico da existência — de sairmos por aí tentando nos alimentar, encontrar amigos e o que quer mais que façamos — é catástrofe. Esqueça toda essa baboseira ridícula de *Nossa cidade* que todo mundo fala — o milagre de um bebê recém-nascido, a alegria de uma simples flor, a vida que é maravilhosa demais para ser apreendida etc. Para mim — e vou continuar repetindo isso obstinadamente até morrer, até cair com minha cara niilista e ingrata no chão e estar fraco demais para dizê-lo — é melhor nunca ter nascido do que nascer nesta fossa. Sumidouro de leitos hospitalares, caixões e corações partidos. Nenhuma libertação, nenhum recurso, nenhuma "segunda chance", para usar uma expressão cara a Xandra, nenhum caminho para a frente que não seja idade e perda, e nenhuma saída além da morte. ["Departamento de reclamações!", lembro-me de Boris dizer em tom de queixa quando criança, numa tarde em sua casa em que tínhamos entrado no tema vagamente metafísico das nossas mães — por que elas, anjos, deusas, tinham que morrer, enquanto nossos horríveis pais prosperavam, enchiam a cara, estatelavam-se, iam levando, continuavam tropeçando pelos cantos e causando estragos, com uma saúde aparentemente de ferro? "Levaram as pessoas erradas! Cometeram um erro! Tudo é injusto! Pra quem é que a gente reclama, neste lugarzinho de merda? Quem está no comando aqui?"]

E talvez seja ridículo continuar nesse raciocínio, embora não importe já que ninguém nunca vai ver isso, mas será que faz algum sentido saber que acaba mal pra todo mundo, até para os mais felizes de nós, e que todos perdemos tudo o que importa no final, e ao mesmo tempo saber que, apesar de tudo isso, segundo a cruel elaboração do jogo, é possível jogá-lo com uma espécie de alegria?

Tentar tirar algum sentido de tudo isso parece inacreditavelmente excêntrico. Talvez eu apenas veja um padrão porque venho observando por tempo demais. Mas daí também, parafraseando Boris, talvez eu veja um padrão porque ele está lá.

E escrevi estas páginas, de certa forma, para tentar entender. Mas, por outro lado, eu não quero entender, ou tentar entender, pois ao fazê-lo vou ser falso para com o fato. Só o que realmente posso dizer com segurança é que nunca senti com tanta força o mistério do futuro — a sensação da ampulheta se esgotando, a febre do tempo correndo rápido. Forças desconhecidas, não escolhidas, não desejadas. E eu tenho viajado tanto — hotéis antes do amanhecer em cidades estranhas —, tenho passado tanto tempo na estrada que sinto a vibração da velocidade a jato nos meus ossos, no meu corpo, uma sensação de movimento constante através de continentes e fusos que continua muito tempo depois de eu ter descido do avião e estar me dirigindo lentamente para outro balcão de check in, Oi, meu nome é Emma/Selina/Charlie/Dominic, bem-vindo ao Não Sei O Quê! Sorrisos exaustos, assinando com mãos trêmulas, fechando outra série de persianas, deitando em outra cama estranha em outro quarto estranho balançando à minha volta, nuvens e sombras, uma náusea que é quase euforia, um sentimento de ter morrido e ido para o céu.

Porque — na noite passada mesmo sonhei com uma jornada e cobras, daquelas listradas e venenosas, com cabeça em forma de flecha, e embora estivessem bem perto eu não estava com medo delas, nem um pouco. E na minha mente um verso que escutei em algum lugar: *Estamos ao redor de vós, se esqueça de morrer.* Essas são as lições que vêm a mim em quartos ensombrecidos de hotel com frigobares brilhantemente iluminados e vozes estrangeiras no corredor, onde a fronteira entre mundos diminui.

E como uma perspectiva em andamento, depois de Amsterdam, que foi realmente a minha Damasco, a estação de passagem e o apogeu da minha Conversão, como suponho que chamem, continuo me comovendo imensamente com a impermanência dos hotéis — nem de longe num sentido mundano de viagem e lazer, mas com um fervor que beira ao transcendente. Em algum momento de outubro, já bem perto do Dia dos Mortos, na verdade, fiquei num hotel à beira-mar no México onde os corredores se enchiam de cortinas voando e todos os quartos tinham nome de flor. O quarto Azaleia, o quarto Camélia, o quarto Oleandro. Opulência e esplendor, corredores arejados que pareciam dar para algo como a eternidade, cada quarto com sua porta de cor diferente. Peônia, Glicínia, Rosa, Flor de Maracujá. E vai saber — talvez seja isso o que está esperando por nós ao final da jornada, uma majestade inimaginável até o exato momento em que nos encontramos atravessando as portas, aquilo que nos pegamos vendo assombrados quando Deus finalmente retira as mãos de nossos olhos e diz: Olhe!

[Você já pensou em parar?, perguntei, durante a parte chata de *A felicidade não se compra*, o passeio ao luar com Donna Reed, quando estava na Antuérpia observando Boris, com uma colher e água de um conta-gotas, misturar pra si o que ele chamava de "dosezinha".

Dá um tempo! Meu braço tá doendo! Ele já tinha me mostrado a marca ensanguentada — preta nas bordas — do corte profundo no bíceps. Que tal *você* levar um tiro no Natal e ver o que acha de ficar sentado tomando aspirina?

Sim, mas você é doido de fazer desse jeito.

Bem, acredite ou não, pra mim não é um problema. Só uso em ocasiões especiais.

Já ouvi isso antes.

Bem, é verdade! Sou um usuário ocasional, ainda. Conheci gente que usou durante três ou quatro anos e ficou bem, desde que limitando a duas ou três vezes por mês. Dito isso, Boris acrescentou num tom sombrio, luz azul de filme refletindo na colher de sopa: Eu *sou* alcoólatra. O dano está feito nesse sentido. Vou ser um bêbado até morrer. Se alguma coisa me matar — apontando com o queixo para a garrafa de Russian Standard na mesa de centro — vai ser isso. Quer dizer então que você nunca injetou antes?

Acredite, já tive problemas o suficiente da outra forma.

Bem, estigma e medo, eu entendo. Eu, sendo sincero, prefiro cheirar na maior parte das vezes — clubes, restaurantes, fora de casa, é mais rápido e fácil simplesmente me meter no banheiro masculino e dar um tiro rápido. Dessa forma aqui, você fica sempre ansiando pelo negócio. No meu leito de morte vou estar ansiando por isso. Melhor nunca começar. Embora seja realmente bem irritante ver algum idiota sentado ali fumando um cachimbo de crack e fazendo algum pronunciamento sobre como é sujo e perigoso, eles jamais usariam uma agulha, sabe? Como se fossem muito mais sensatos que você.

Por que você começou?

Por que qualquer pessoa começa? Minha namorada tinha me largado! Minha namorada na época. Eu queria ser todo mal e autodestrutivo, haha. Consegui.

Jimmy Stewart com sua jaqueta de time do colégio. Lua prateada, vozes trêmulas. *Buffalo gals won't you come out tonight, come out tonight.*

E por que você não para, então?, perguntei.

Por que deveria?

Eu realmente tenho que dizer por quê?

Tá, mas e se eu não estiver a fim?

Se você pode parar, por que não para?

Viva pela espada, morra pela espada, disse Boris num tom enérgico, apertando com o queixo o botão do seu torniquete médico de aspecto muito profissional enquanto erguia a manga da camisa.]

E, por mais terrível que isso seja, eu entendo. Não podemos escolher o que queremos e o que não queremos, e essa é a dura e solitária verdade. Às vezes queremos o que queremos mesmo sabendo que isso vai nos matar. Não podemos escapar de quem somos. (Uma coisa tenho que admitir sobre meu pai: pelo menos ele *tentou* querer a coisa sensata — minha mãe, a pasta executiva, eu — antes de enlouquecer de vez e fugir disso.)

E, por mais que eu gostasse de acreditar que há uma verdade para além da ilusão, passei a acreditar que não há nenhuma verdade para além da ilusão. Porque, entre "realidade", de um lado, e o ponto onde a mente toca a realidade, de outro, há uma zona intermediária, uma borda de arco-íris onde a beleza ganha vida, onde duas superfícies muito diferentes se misturam e se confundem para suprir o que a vida não oferece; e esse é o espaço onde toda arte existe, e toda mágica.

E — eu também acrescentaria — todo amor. Ou talvez, sendo mais preciso, essa zona intermediária ilustra a discrepância fundamental do amor. Visto de perto, uma mão cheia de sardas contra um casaco preto, um sapo de origami caído para o lado. Afaste-se e a ilusão surge de novo — vida maior que a vida, imperecível. A própria Pippa é a ilusão de ótica entre essas coisas, amor e não amor ao mesmo tempo, presente e não presente. Fotografias na parede, uma meia enrolada debaixo do sofá. O momento em que me aproximei para tirar uma felpa do seu cabelo e ela riu e se esquivou ao meu toque. E assim como a música é o espaço entre as notas, assim como as estrelas são lindas por causa do espaço entre elas, assim como o sol bate contra gotas de chuva num determinado ângulo e lança um prisma de cores pelo céu — da mesma forma o espaço onde existo, e quero continuar existindo, e onde sendo bem sincero espero morrer, é exatamente essa meia distância — onde o desespero toca a pura alteridade e cria algo sublime.

E é por isso que escolhi escrever estas páginas do jeito que escrevi. Pois só entrando na zona intermediária, na borda policromada entre a verdade e a não verdade, torna-se tolerável estar aqui e escrever isso.

O que quer que nos ensine a falar com nós mesmos é importante — o que quer que nos ensine a sair do desespero ao chamado de um canto. Mas a pintura também me ensinou que podemos falar uns com os outros através do tempo. E sinto que tenho algo muito sério e urgente para dizer a você, meu leitor não existente, e sinto que deveria fazê-lo com tanta urgência quanto se estivesse no mesmo recinto que você. Que a vida — independente do que mais ela seja — é curta. Que o destino é cruel, mas talvez não aleatório. Que a Natureza (isto é, a Morte) sempre vence, mas que isso não significa que temos que nos curvar e rastejar diante dela. Que talvez mesmo quando não nos sentimos tão contentes por estarmos aqui é nosso dever mergulhar nisso ainda assim: abrir caminho e seguir em frente, bem pelo meio da fossa, mantendo ao mesmo tempo olhos e coração abertos. E, no meio do nosso morrer, enquanto saímos do orgânico e afundamos ignominiosamente de volta nele, é uma glória e um privilégio amar o que a Morte não toca. Pois, se desastre e esquecimento seguiram essa pintura através do tempo, o amor também o fez. Na medida em que ela é imortal (e ela é), eu exerço um papel pequeno, brilhante e imutável nessa imortalidade. Ela existe; e continua existindo. E eu acrescento meu próprio amor à história das pessoas que amaram coisas belas, e cuidaram delas, e as tiraram do fogo e as procuraram quando estavam perdidas, e tentaram preservá-las e salvá-las enquanto as passavam literalmente de mão em mão, cantando de forma brilhante pelos destroços do tempo para a próxima geração de amantes, e a próxima.

Agradecimentos

Robbert Ammerlaan, Ivan Nabokov, Sam Pace e Neal Guma, eu não poderia ter escrito este livro sem nenhum de vocês. Agradeço também ao meu editor Michael Pietsch; às minhas agentes Amanda Urban e Gill Coleridge; e a Wayne Furman, David Smith e Jay Barksdale, da Biblioteca Pública de Nova York.

Gostaria de agradecer também a Michelle Aielli, Hanan Al-Shaykh, Molly Atlas, Kate Bernheimer, Richard Beswick, Paul Bogaards, Pauline Bonnefoi, Skye Campbell, Kevin Carty, Alfred Cavallero, Rowan Cope, Simon Costin, Sjaak de Jong, Doris Day, Alice Doyle, Matt Dubov, Greta Edwards-Anthony, Phillip Feneaux, Edna Golding, Alan Guma, Matthew Guma, Marc Harrington, Dirk Johnson, Cara Jones, James Lord, Bjorn Linnell, Lucy Luck, Louise McGloin, Jay McInerney, Malcolm Mabry, Victoria Matsui, Hope Mell, Antonio Monda, Claire Nozieres, Ann Patchett, Jeanine Pepler, Alexandra Pringle, Rebecca Quinlan, Tom Quinlan, Eve Rabinovits, Marius Radieski, Peter Reydon, Georg Reuchlein, Laura Robinson, Tracy Roe, Jose Rosada, Rainer Schmidt, Elizabeth Seelig, Susan de Soissons, George Sheanshang, Jody Shields, Louis Silbert, Jennifer Smith, Maggie Southard, Daniel Starer, Synthia Starkey, Hector Tello, Mary Tondorf-Dick, Robyn Tucker, Karl Van Devender, Paul van der Lecq, Arjaan van Nimwegen, Leland Weissinger, Judy Williams, Jayne Yaffe Kemp e aos funcionários do Hotel Ambassade e do antigo Helmsley Carlton House Hotel.

1ª EDIÇÃO [2014] 9 reimpressões

ESTA OBRA FOI COMPOSTA PELO GRUPO DE CRIAÇÃO EM ELECTRA E
IMPRESSA PELA GEOGRÁFICA EM OFSETE SOBRE PAPEL PÓLEN NATURAL
DA SUZANO S.A. PARA A EDITORA SCHWARCZ EM JUNHO DE 2023

A marca FSC® é a garantia de que a madeira utilizada na fabricação do papel deste livro provém de florestas que foram gerenciadas de maneira ambientalmente correta, socialmente justa e economicamente viável, além de outras fontes de origem controlada.